CARTES
ET
DICTIONNAIRE
DES PAYS

Atlas
de poche

P. Fortin Couture

QUÉBEC
LOISIRS
Le club

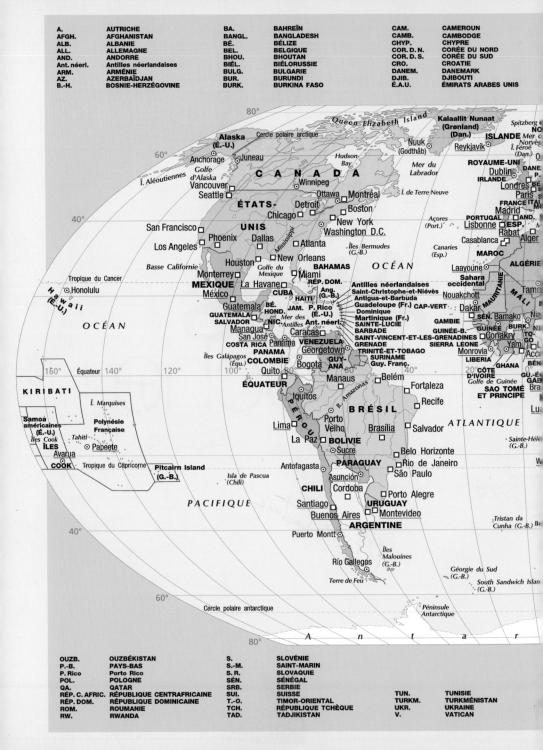

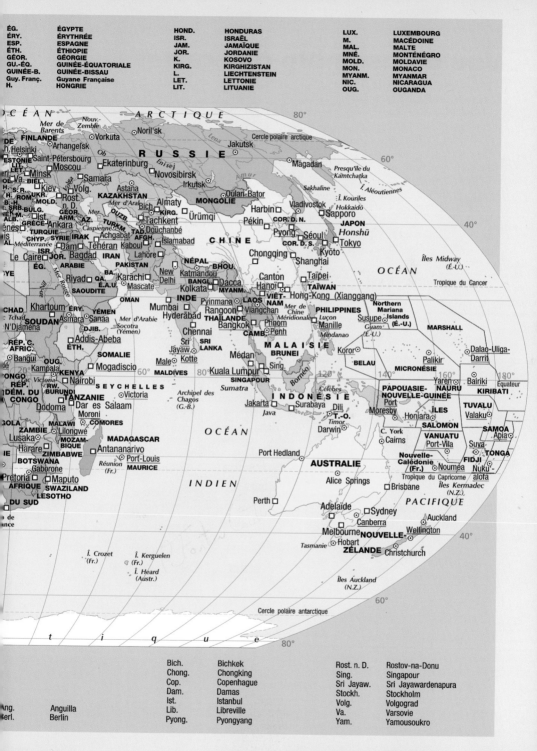

Le monde politique

III

Vue d'ensemble des cartes

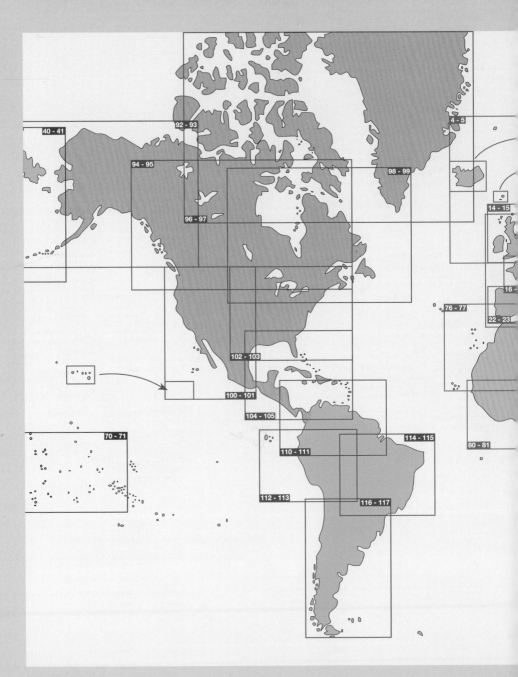

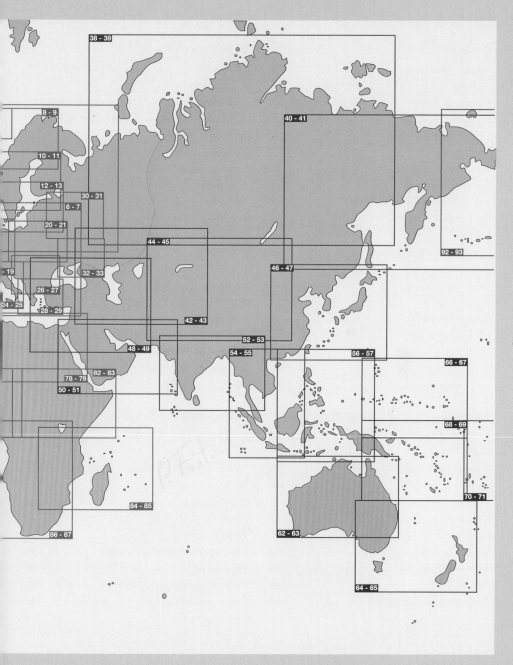

Sommaire

Cartes

Légende

Légende des cartes

	Lac à ligne de rivage fixe
	Lac temporaire
	Lac à ligne de rivage changeante
	Lac salé
	Fleuve
	Fleuve temporaire
	Canal navigable
	Canal non navigable
••• ••• •••	Limite moyenne de la banquise en été
∘∘∘ ∘∘∘ ∘∘∘	Limite moyenne de la banquise en hiver
	Limite de la banquise
	Marais, Marécages
	Zone inondable
	Marais salant
	Récif corallien
⌄	Source
	Lac de barrage
	Chute d'eau, rapides
	Frontière internationale
	Frontière contestée
	Frontière d'État
1365 ⊃⊂	Altitude en mètres, passage
	Chemin de fer – ferry-boat
	Bac – compagnie de navigation
	Réserve – parc naturel
✱ Rock of Cashel	Autres curiosités
✈	Grand aéroport international
✈	Aéroport
PARIS	Capitale d'un État souverain

Légende

Échelle 1:15 000 000

══════	Autoroute
──────	Route à grande circulation
──────	Route principale
──────	Ligne principale
──────	Ligne secondaire
▪	Ville de plus de 5 000 000 d'habitants
▫	De 1 000 000 à 5 000 000 d'habitants
⊛	De 500 000 à 1 000 000 d'habitants
•	De 100 000 à 500 000 habitants
○	De 50 000 à 100 000 habitants
○	De 10 000 à 50 000 habitants
·	Moins de 10 000 habitants

Échelle 1 : 15 000 000   0   80   160   240   320   400 Kilomètres

Échelle 1:5 000 000

═══ ══	Autoroute, route à plusieurs voies – en construction
─── ──	Route de liaison – en construction
──────	Route principale
──────	Route secondaire
──────	Route, piste
⬡	Zone urbanisée
⬡	Ville de plus de 5 000 000 d'habitants
⬡	De 1 000 000 à 5 000 000 d'habitants
⬡	De 500 000 à 1 000 000 d'habitants
○	De 100 000 à 500 000 habitants
○	De 50 000 à 100 000 habitants
○	De 10 000 à 50 000 habitants
○	De 5 000 à 10 000 habitants
○	Moins de 5 000 habitants
·	Hameau, habitat, base de recherche (occupés temporairement)
Camino de Santiago	Patrimoine culturel de l'UNESCO
La Scandola	Patrimoine naturel de l'UNESCO
∴ Milet	Sites archéologiques antiques
••••••••••	Limite de fuseau horaire

Échelle 1 : 5 000 000   0   25   50   75   100   125 Kilomètres

Cartes

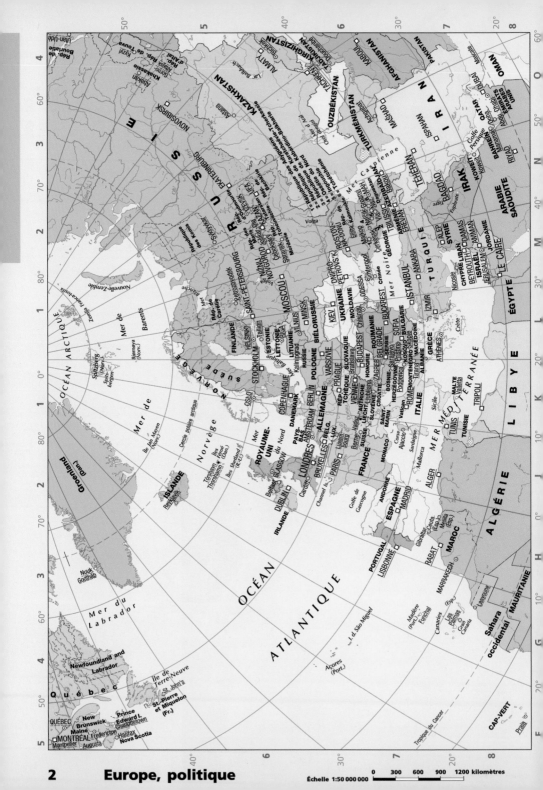

2 **Europe, politique**

Échelle 1:50 000 000

0   300   600   900   1200 kilomètres

Échelle 1:50 000 000

0   300   600   900   1200 kilomètres

Europe du Nord

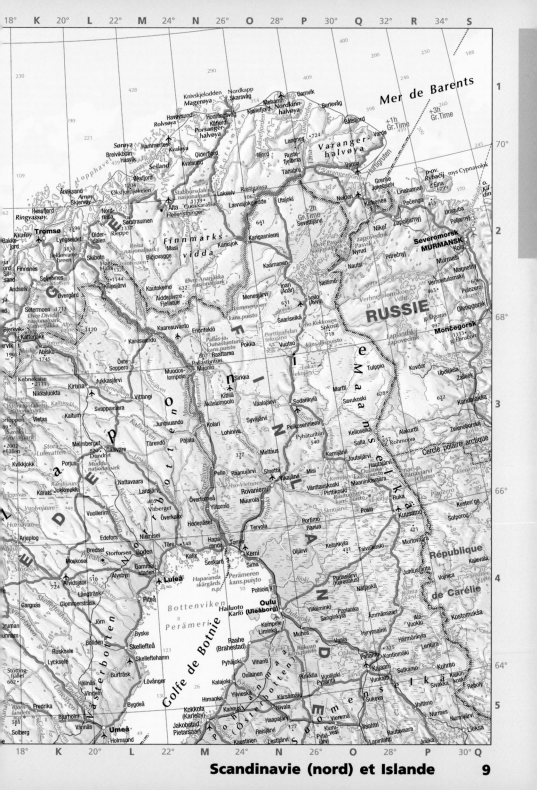

Scandinavie (nord) et Islande **9**

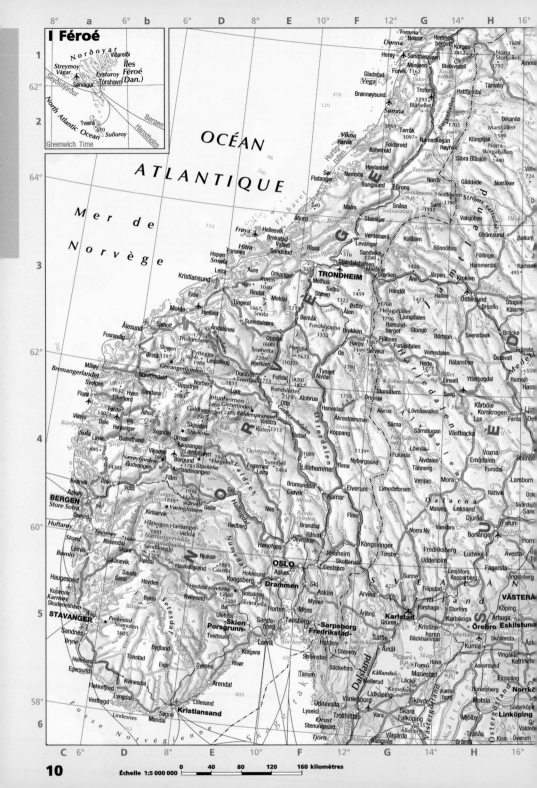

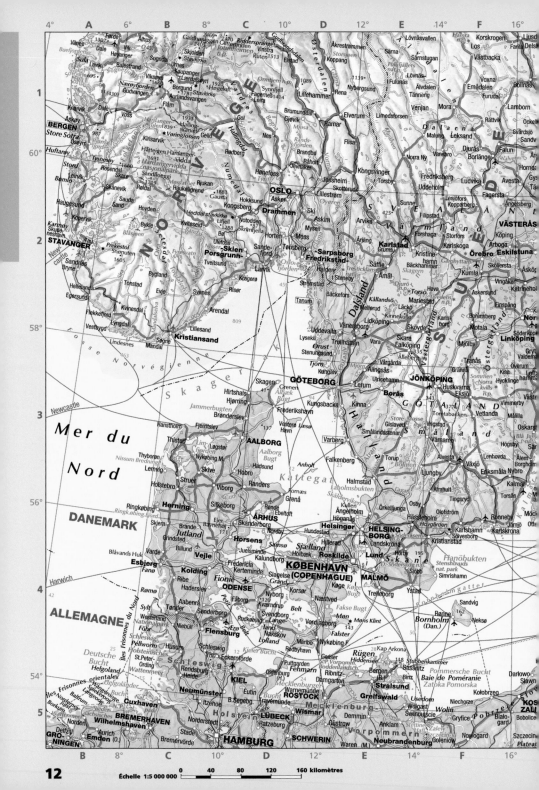

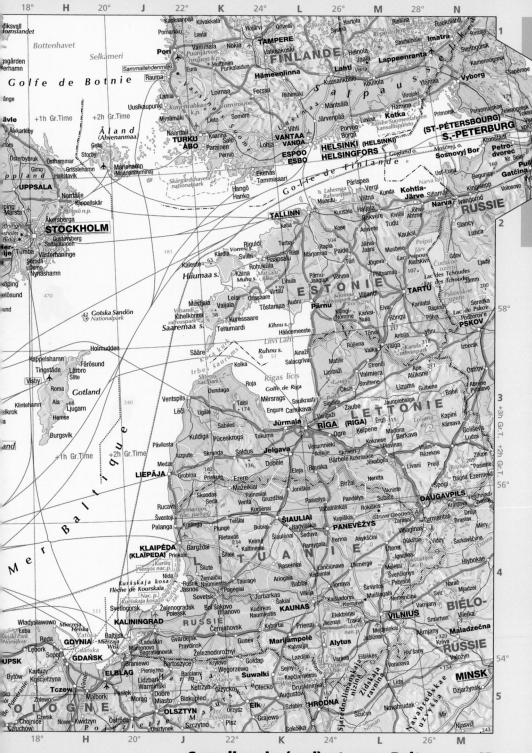

Scandinavie (sud) et pays Baltes 13

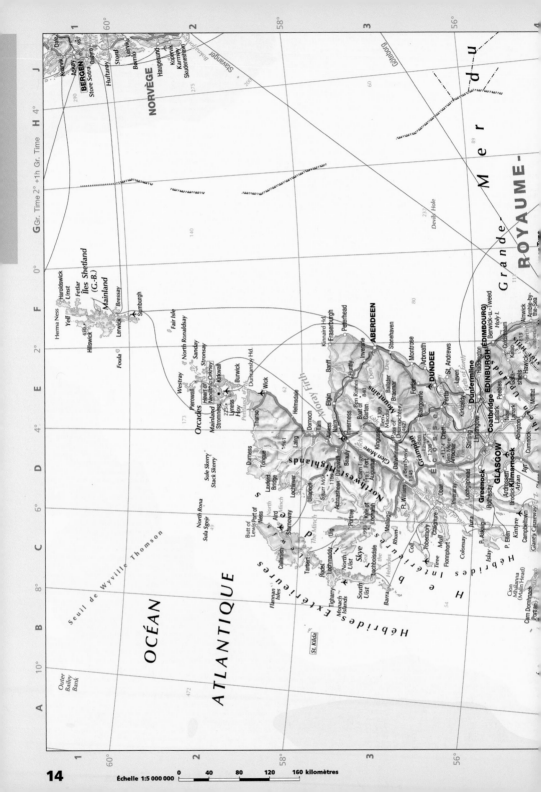

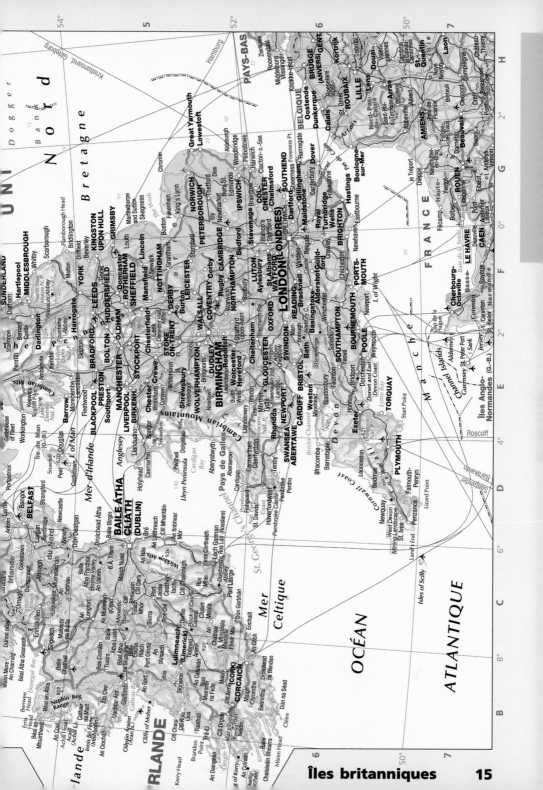

Îles britanniques

15

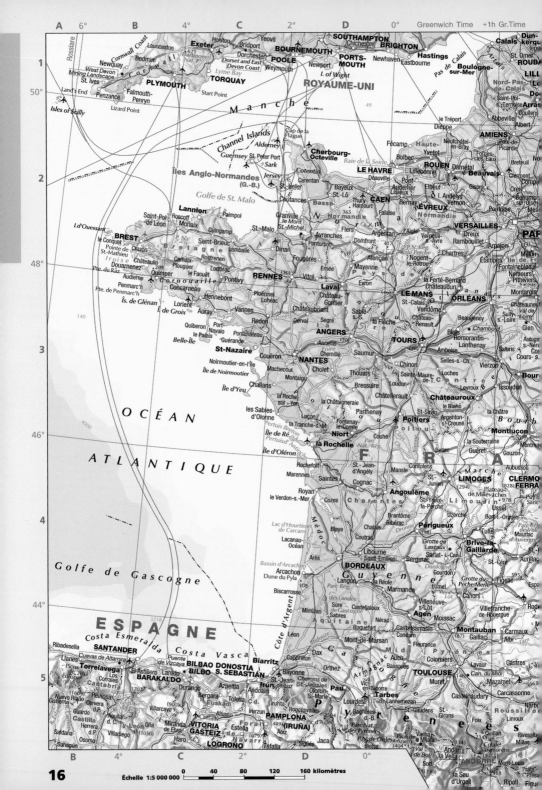

France 17

Europe (centre ouest)

19

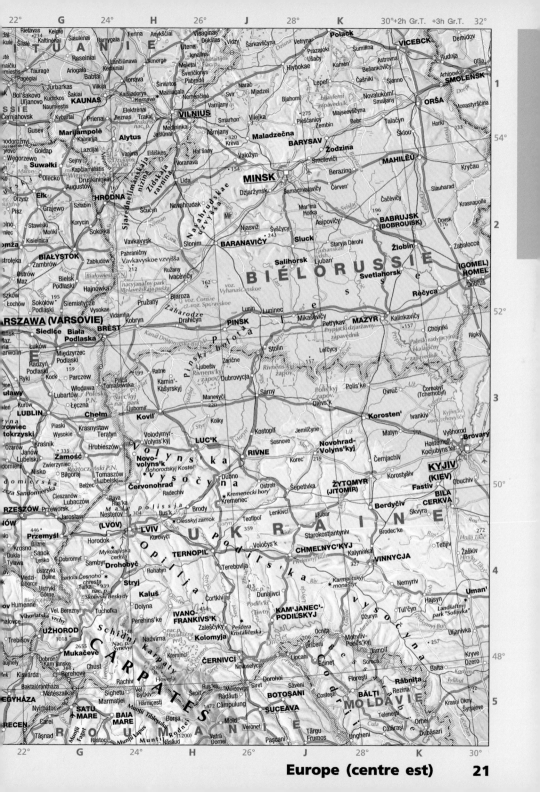

Péninsule Ibérique   **23**

Italie 25

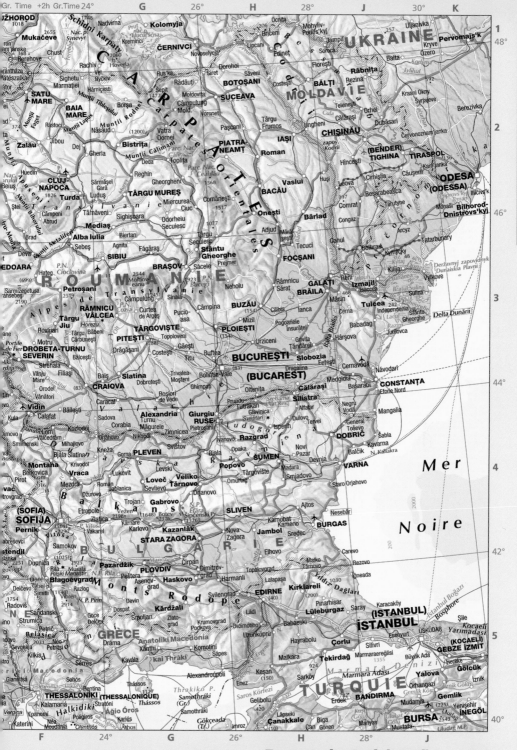

Europe du Sud (nord)

27

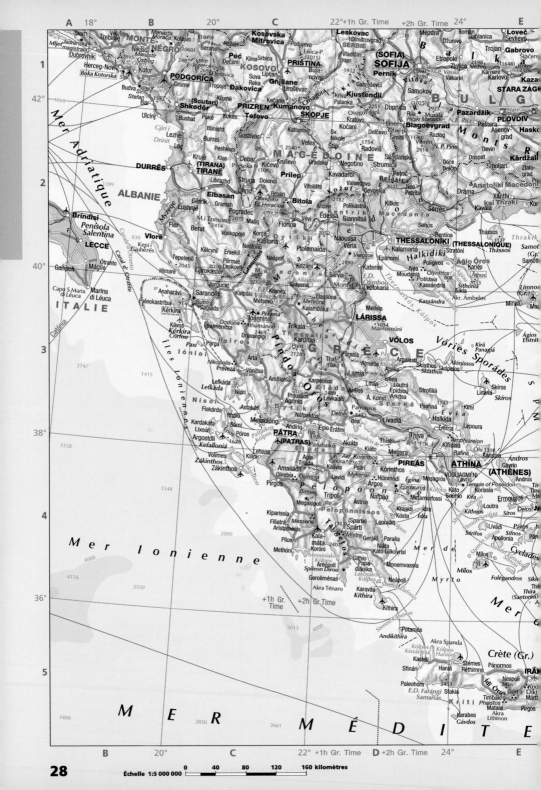

Europe du Sud et Turquie (ouest)

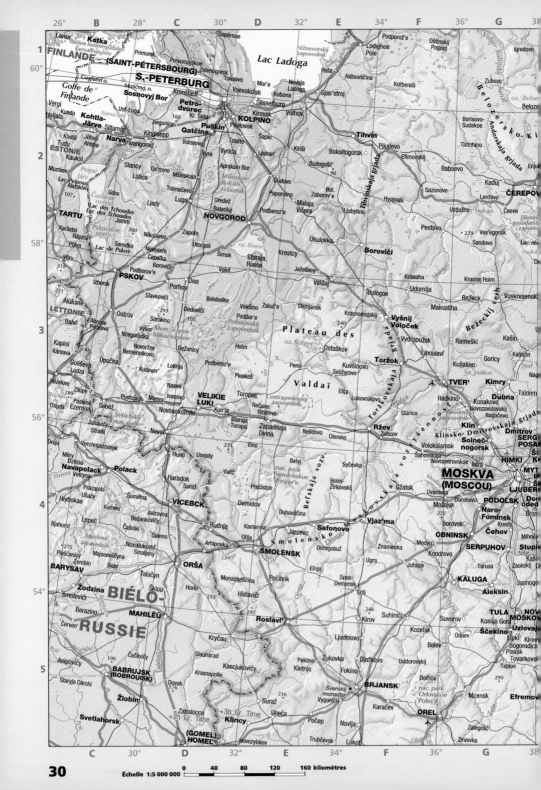

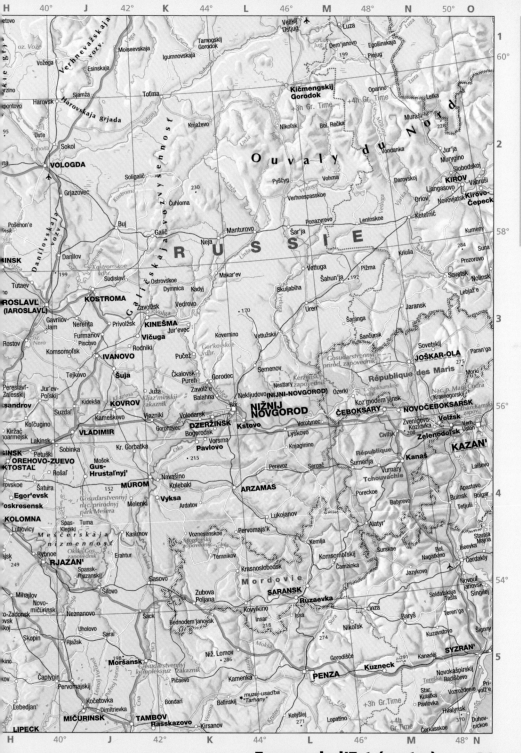

etovo
oz. Voze
kie grjy
Vožega
Moiseevskaja
Verhnevažskaja vozv.
Tarnogskij Gorodok
Veliki Ustjug
Luza
Igumnovskaja
Sinhona
Luza
Dem'janovo
Egošinskaja
Pinjug
199

Sjamža
Esinskaja
Harovsk
Harovskaja grjada
Totma
Kičmengskij Gorodok
Nikoľsk
Bol. Rečka
Oparino
Muraši
226
+3h Gr. Time
+4h Gr. Time

VOLOGDA
Sokol
Soligalič
230
Knjaževo
Unža
Pyščug
Vohma
Verhnespasskoe
Vondanka
Darovskoj
Orlov
Novovjatskij
Jur'ja
Murygino
Slobodskoj
KIROV
Vahruši
Kirovo-Čepeck

Grjazovec
Čuhloma
Ponazyrevo
Leninskoe
Kotelnič
Ljangasovo

Pošehon'e
Danilovskaja vozv.
Buj
Galič
Neja
Manturovo
Šar'ja
RUSSIE
Vetluga
Šahun'ja
Pižma
Kriuša
Vjatka
284
Suna
Prozorovo
Sovetsk
Kumeny
Nolinsk
58°

INSK
Danilov
199
Sudislavl'
vdhr.
Ostrovskoe
Makar'ev
Unža
Skuljabiha
192
Jaransk
Šaranga
Lebjaž'e

Tutaev
KOSTROMA
Dymnica
Kadyj
170
Uren
Sančursk
Sovetskij
Paran'ga
275

ROSLAVĽ (IAROSLAVL)
Gavrilov-Jam
Nerehta
Zavolžsk
Vedrovo
Kovernino
Vetlužskij
Semenov
Nestiary
Gosudarstvennyj prirod. zapovednik
JOŠKAR-OLA
Morki

Rostov
oz. Nero
Furmanov
Piscovo
KINEŠMA
Vičuga
Jur'evec
République des Maris
Nac. p. Mari Codra
zapov.

Komsomoľsk
Rodniki
Pučež
Gor'kovskoe vdhr.
Kerženskij zapovednik
Ozerki
Čeboksarskoe
Nac. p. Mari Codra

IVANOVO
Tejkovo
Šuja
Čkalovsk-Pureh
Gorodec
Neklюdovo
Koz'modem'jansk
NOVOČEBOKSARSK
Verh.-Kamskoe
56°

Pereslavl'-Zalesskij
Jur'ev-Pol'skij
Kideksa
Juža
Kljaz'minskij zakaznik
Zavolž'e
Balahna
(NIJNI-NOVGOROD)
République
Zvenigovo-Kozlovka
Volžsk

sandrov
Kolčugino
Suzdaľ
KOVROV
Vjazniki
Volodarsk
NIŽNIJ NOVGOROD
Vorotynec
ČEBOKSARY
Zelenodoľsk

Kiržač
noarmejsk
Lakinsk
Kameškovo
Gorohovec
DZERŽINSK
Bogorodsk
Kstovo
Lyskovo
Civilsk
Kanaš
KAZAN'
Laiševo

INSK
OREHOVO-ZUEVO
KTOSTAĽ
Sobinka
VLADIMIR
Kr. Gorbatka
Pavlovo
Vorsma
Knjaginino
Šumerlja
République Tchouvachie
Vurnary
Apastovo
Buinsk
Bolgar
Tetjuši

rovskoe
Šatura
Petušgi
Mošok
Gus-Hrustaľnyj'
215
Perevoz
Sergač
Poreckoe
Batyrevo
Staraja Isевka Majna

Egor'evsk
oskresensk
152
MUROM
Navašino
Kulebaki
ARZAMAS
Lukojanov
Alatyr'
Jazykovo
Bol. Nagatkino
Čerdakly

KOLOMNA
Gosudarstvennyj nac.prirodnyj park Meščera
Melenki
Vyksa
Ardatov
Pervomaj'sk
Kemlja
Surskoe
Novouľ janovsk
Singilej

Lutovicy
Meščerskaja nizmennost'
Kasimov
Voznesenskoe
Mordovskij zapovednik
Temnikov
Komsomoľskij
Čamzinka
Inza

ajsk
Rybnoe
Okskij Gos. zapovednik
Erahtur
Krasnoslobodsk
Star.
249
Baryš
Kuzovatovo
Šigony

RJAZAN'
Spassk-Klepiki
Tuma
Sasovo
Zubova Poljana
Mordovie
SARANSK
Ruzaevka
Nikoľsk
291
Kanadej
SYZRAN'

Spassk-Rjazanskij
Šilovo
Bednodem'janovsk
Insar
218
Issa
Nikoľsk
Gorodišče
274
Novokašpirskij
Radiščevo
Pri-volž'e

Mihajlov
Novo-mičurinsk
Neznanovo
Uholovo
Saraj
Šack
Niž. Lomov
286
Kamenka
Kuznek
PENZA
+3h Gr.Time
Star. Kulatka
Vozroždenie
Pavlovka
Hvalynsk
370
Duhov-nickoe

Skopin
Rjažsk
Moršansk
198
Pičaevo
muzej-usad'ba "Tarhany"
Belinskij
Gorodišče
Lopatino
Kolyšlej
271
+4h Gr. Time
Čerkasskoe

Čaplygin
Pervomajskij
Kočetovka
Dimitrievka
MIČURINSK
TAMBOV
Rasskazovo
Bondari
Kirsanov

LIPECK

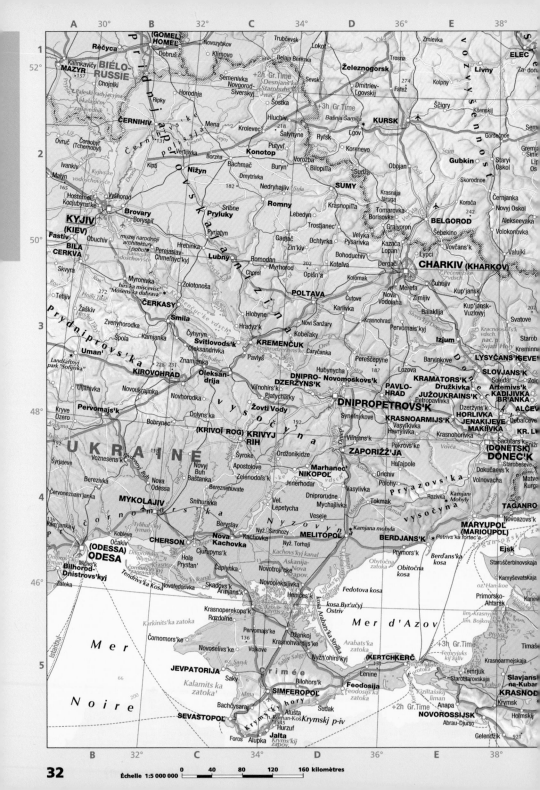

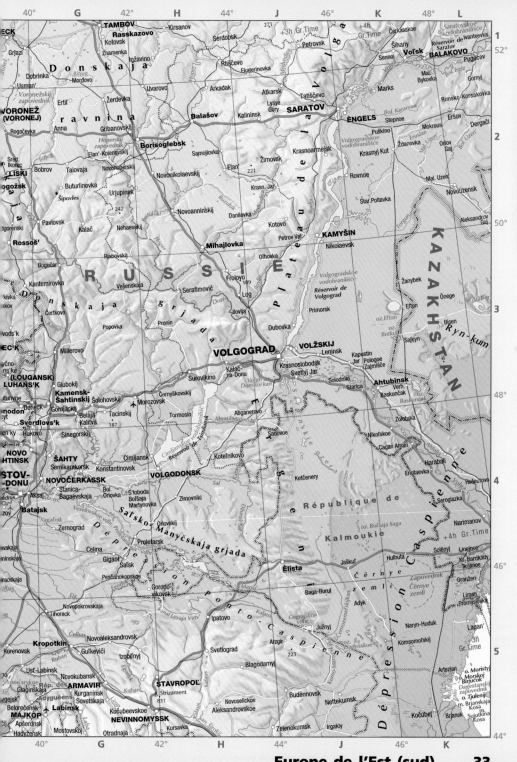

Europe de l'Est (sud)   **33**

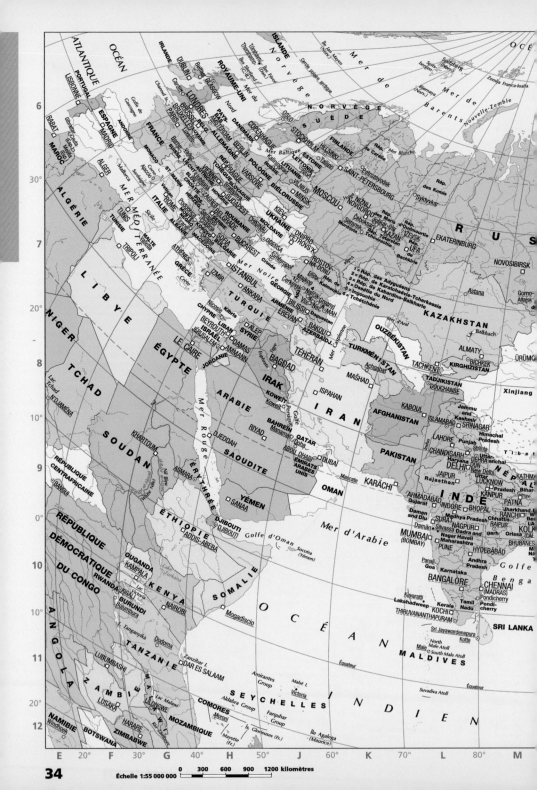

Asie, politique 35

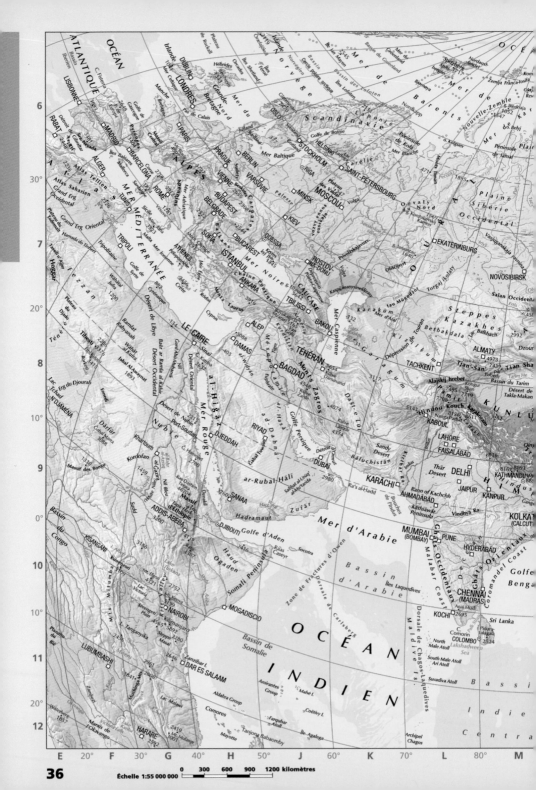

36

Échelle 1:55 000 000

0   300   600   900   1200 kilomètres

Asie   **37**

Mer des Laptev

Archipel de la Nouvelle-Sibérie

Mer de Sibérie orientale

Péninsule de Taïmyr

Sibérie septentrionale

Anabarskoe plato

Plateau de République

Sibérie Centrale

Central'no-Tungusskoe plato

Central'nojakutskaja ravnina

Verhojanskij hrebet

Sette-Daban

Alakou

Aldanskoe nagor'e

Priangarskoe plato

Patomskoe nagor'e

Stanovoe nagor'e

Stanovoj hrebet

Baïkal

République de Bouriatie

Jablonovyj hrebet

CHINE

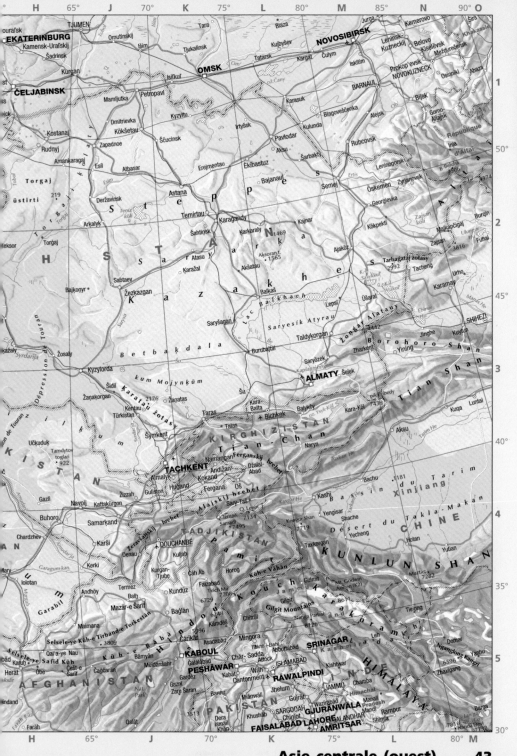

Asie centrale (ouest)   43

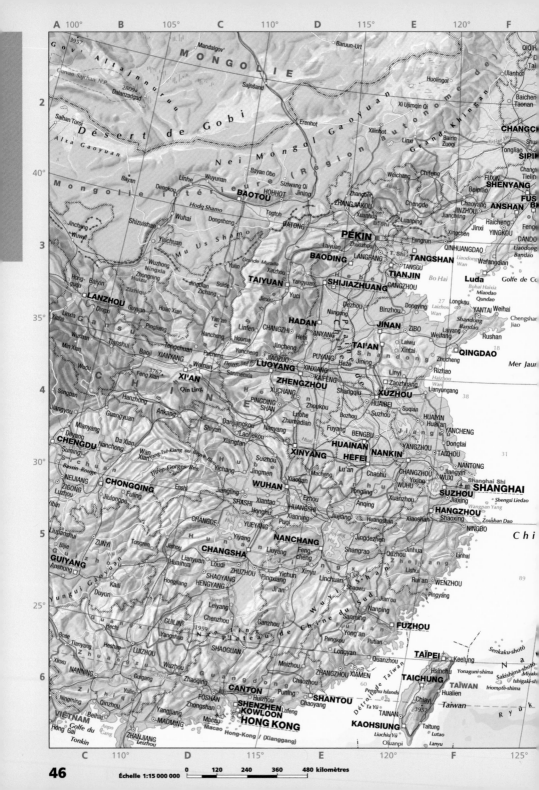

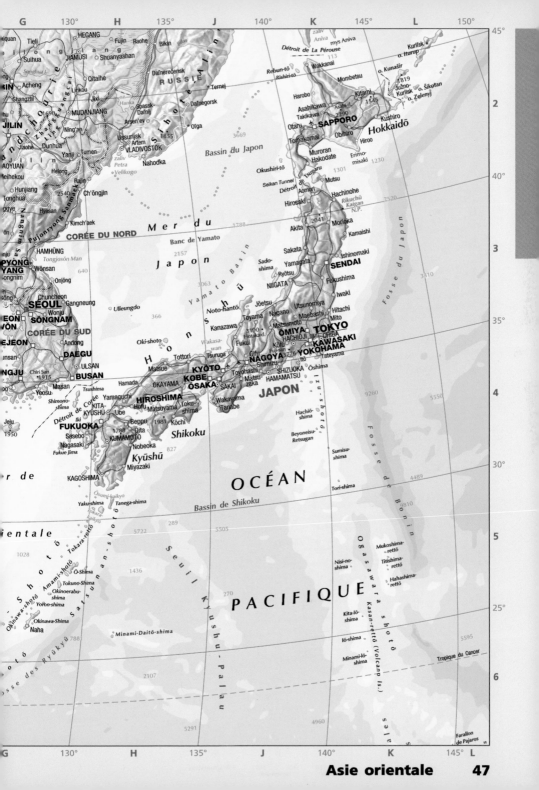

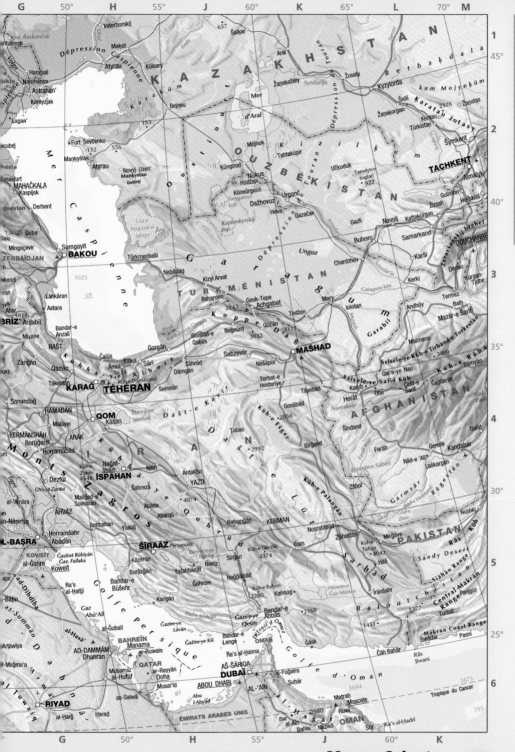

Asie de l'Ouest 51

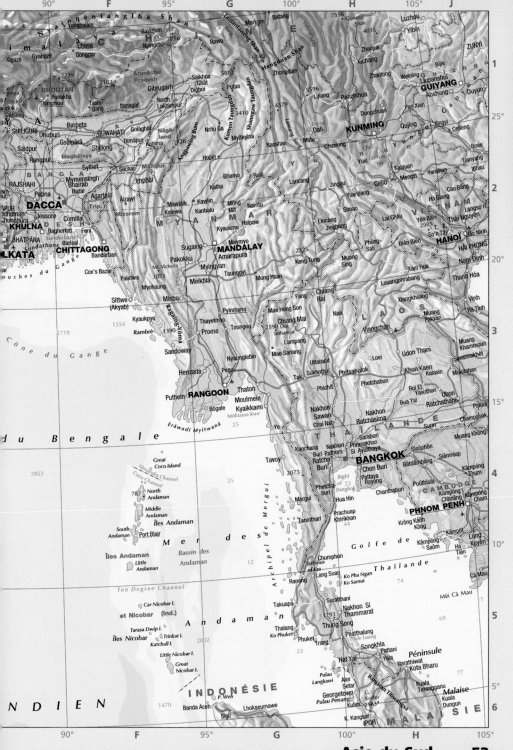

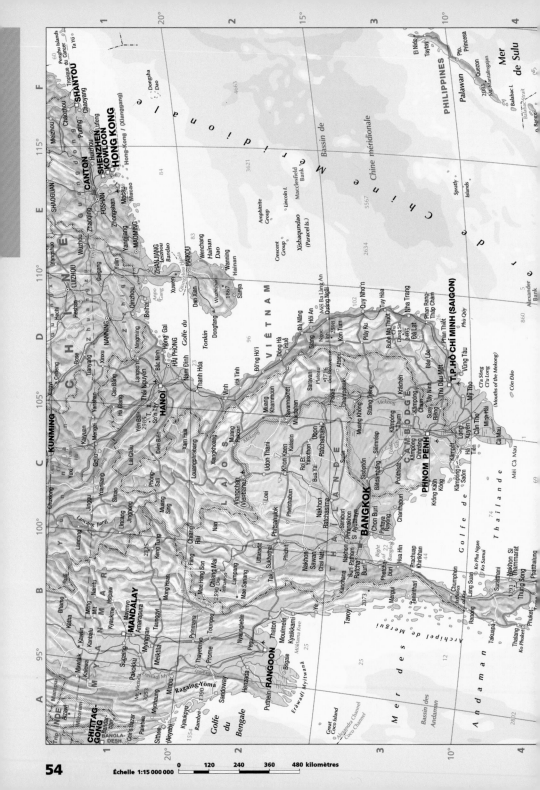

54

Échelle 1:15 000 000

0   120   240   360   480 kilomètres

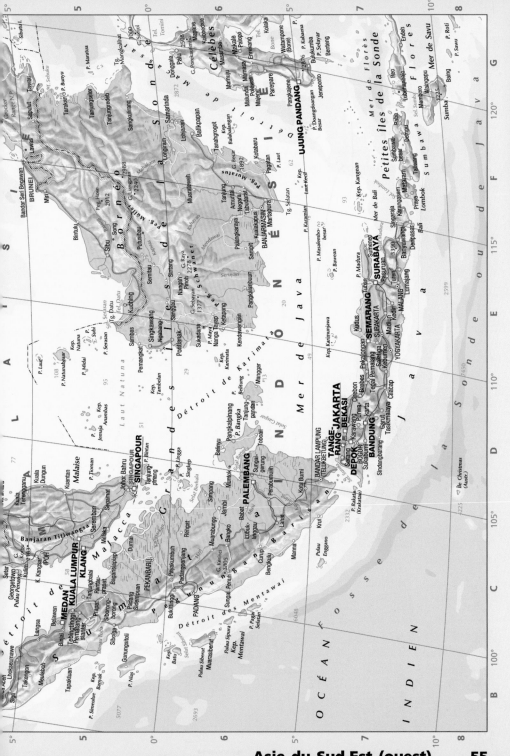

Échelle 1:15 000 000

0   120   240   360   480 kilomètres

JAPON

Okino-Tori-shima
(Japon)

MICRO-

NÉSIE

Ngulu Atoll
Colonia
Yap Is.
îles de Yap

Fosse de Yap

Kagangel Is.
Babelthuap
Koror
**Palau
Islands**
Peleliu I.
Angaur I.

B E L A U

Séuil des Ryu-Kyu

M e r   d e s

P h i l i p p i n e s

O C É A N

Bassin des Philippines

P A C I F I Q U E

Fosse des Mindanao

Tropique du Cancer

T A I W A N

TAIWAN

KAOHSIUNG

TAINAN

Chiayi

Taitung

Lutao

Lanyu

Lüchia Yü

Oluanpi

Détroit de Luçon

Batan Is.

Babuyan Is.

Camiguin I.

Santa Ana

Aparri

Tuguegarao

Casiguran

Laoag

Cord. Central

Banaue

Baguio

Angeles

San Fernando

Alaminos

Luçon

QUEZON CITY

ANTIPOLO

MANILLE

Lucena

Calamba

Batangas

Calapan

Olongapo

Mariveles

Naga

Legazpi

Daet

Catanduanes

Virac

Sorsogon

Masbate

Masbate

Romblon

Mindoro

Marinduque I.

Burias I.

Sibuyan

Roxas

Panay

Iloilo City

Bacolod

Kalibo

Tablas

San Jose

Samar

Catbalogan

Calbayog

Tacloban

Ormoc

Leyte

Maasin

Cebu

CEBU CITY

Naga

Bais

Bohol

Cagayan de Oro

Butuan

Bislig

Surigao

Tagum

Mati

Mindanao

**DAVAO
CITY**

Mt. Apo 2954

Iligan

Dipolog

Pagadian

Cotabato
City

**ZAMBOANGA
CITY**

Basilan I.

Bassin de Sulu

Jolo

Mer de Sulu

Palawan

El Nido

Taytay

Quezon

Po. Princesa

Calamian
Group

Coron

Cuyo

Cuyo Is.

Dumaran I.

Cagayan

Tabtataha
Reefs

Cagayan de
Tawi Tawi Island

P H I L I P P I N E S

Balabac I.

Balabac Strait

Kudat

Kota Kinabalu

G. Kinabalu

Grandes îles

M A L A I S I E

Emden-Deep

10457

Fosse des Philippine

s

C H I N E

CANTON

SHANTOU

FOSHAN

SHENZHEN

KOWLOON

HONG KONG

Macau

Zhaoqing

Zhongshan

Yangjiang

MAOMING

Puning

Chaoyang

Lufeng

Huizhou

Huanggang

Zhanjiang

Leizhou

BEIKOU

Wenchang

Wanning

Hainan

Xuwen

Xisha Qundao
(Paracel Is.)

Dongsha
Dao

Macclesfield
Bank

Lincoln I.

Amphitrite
Group

Crescent
Group

Spratly
Islands

Bassin de Chine méridionale

Mer de Chine méridionale

3621

4663

5567

5386

4773

5638

2914

2585

7025

6437

6832

7359

5291

6317

84

83

2634

2065

2435

2369

151l

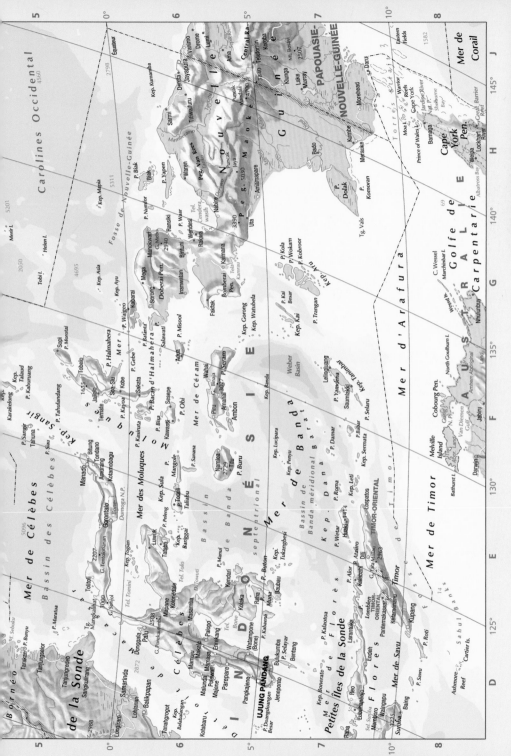

1
30°

Golfe de Californie

MEXIQUE

Îles

Necker I.

Hawaii (É.-U.)
Kaua'i   O'ahu
Honolulu   Maui

2

Tropique du Cancer

Île Hawaii

Hawaii

Johnston
Atoll

Îles de Revillagigedo
(Mex.)

20°

O   C   É   A   N

3

Palmyra Island
(E.-U.)

Îles de la ligne

Kiritimati

Howard Is. (É.-U.)
Baker I. (É.-U.)

10°

KIRIBATI

Jarvis I.
(É.-U.)

Phoenix   Canton Island
Islands

P   A   C

4

Îles Tokelau
(N.Z.)

Northern Cook Islands

VALU   Île Wallis   **Samoa**
        •Mata Utu   **américaines**
Wallis et   **(É.-U.)**
Futuna   •Apia   Nassau
(Fr.)   **SAMOA**   Pago Pago   Island

Millenium Island

Î   F   I   Q   U   E

Équateur

0°

Îles Futuna

Levu

P   O   L   Y   N   É   S   I   E

TONGA   Niue
        (N.Z.)   Îles du Roi Georges

Archipel des Tuamotu-Gambier

Îles du
Désappointement

Otu
Tolu
Group
Nuku'alofa

ÎLES
COOK

Îles sous
le Vent
Archipel de la Société

Îles du Vent
•Papeete
I. Tahiti

5

Southern Cook Is.

Rarotonga
Avarua Island

Polynésie
Française
(Fr.)

Mururoa
Atoll

Groupe
Acteon

Îles Kermadec
(N.Z.)

Archipel des Australes

Îles
Gambier

10°

Océan

P a c i f i q u e   m é r i d i o n a l

Îlots de Bass

Pitcairn
(U.K.)

Chatham Is.

6

Tropique du Capricorne

Isla de Pascua
(Chili)

I. Sala y Gómez
(Chili)

Dorsale des Hawaii

Îles

Hawaii

Zone de Fractures de Molokaï

Golfe de Californie

Sierra Madre Occidental

Basse Californie

Tern I.
Necker I.
Kaua'i
O'ahu
Maui
Mauna Kea
4205
Île Hawaii

Tropique du Cancer

Cabo San Lucas

...cifique central

Johnston Atoll

Zone de Fractures Clarion

Îles de Revillagigedo

...ssin du

...cifique

...tral

O C É A N

Kingman Reef
Palmyra Island

Tabuaeran

Kiritimati

P A C I F I Q U E

Howland Is.
Baker I.

Jarvis I.

Îles de la Ligne

Phoenix Islands
Canton Island
Gardner I.
Hull I.
Sydney I.

Malden Island

Northern Cook Islands
Starbuck I.

...ai Atoll

Îles Tokelau (N.Z.)

Swain's Atoll

P O L Y N É S I E

Bassin de Penrhyn

Penrhyn Atoll
Millenium Island
Pukapuka Atoll
Nassau Island
Manihiki Atoll
Vostock I.
Suvorov Atoll
Flint I.
Équateur

Île Wallis
Île Futuna
Îles Samoa
Savai'i
'Upolu I.
Tutuila I.

...dji
...a Levu

Niuatoputapu

Bassin des Samoa

Vava'u Group

Îles Cook

Niue

Palmerston Atoll
Aitutaki Atoll
Southern
Cook Is.
Manuae Atoll
Mitiaro I.
Rarotonga Island
Maria Atoll
Mangaia I.
Île Rurutu

Îles du Roi Georges
Îles sous
le Vent
Île Bora-Bora
Archipel de la Société
I. Tahiti
Îles du Vent

Îles du Désappointement

Archipel des Tuamotu-Gambier
Raevski

Groupe

...u
Lau Group

...vu
...vu
Tongatapu
Group
Vitiaz II
Deep

Fosse des Tonga

Îles Fidji méridionales

Îles du Duc
de Gloucester
Îles du
Groupe
Hao
Atoll

Roao
Atoll
Turéia Atoll
Actéon
Moruroa
Atoll

Cook Is.
Archipel des Australes

Océan Pacifique
méridional

Îles Kermadec
Vitiaz III
Deep

B a s s i n   d u

Île Rapa
Îlots de Bass

Îles Maria

Île Gambier

P a c i f i q u e

Henderson I.

Pitcairn I.
Pitcairn Islands Group
Ducie I.

...e Macquarie

M é r i d i o n a l

...Chatham
...ham Is.

E a s t   P a c i f i c   R i s e

Tropique du Capricorne

Île de Pâques

I. Sala y Gomez

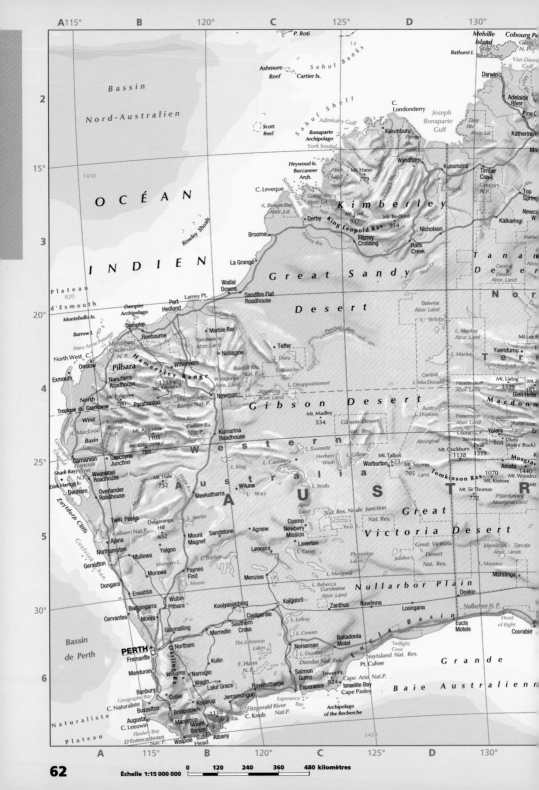

62

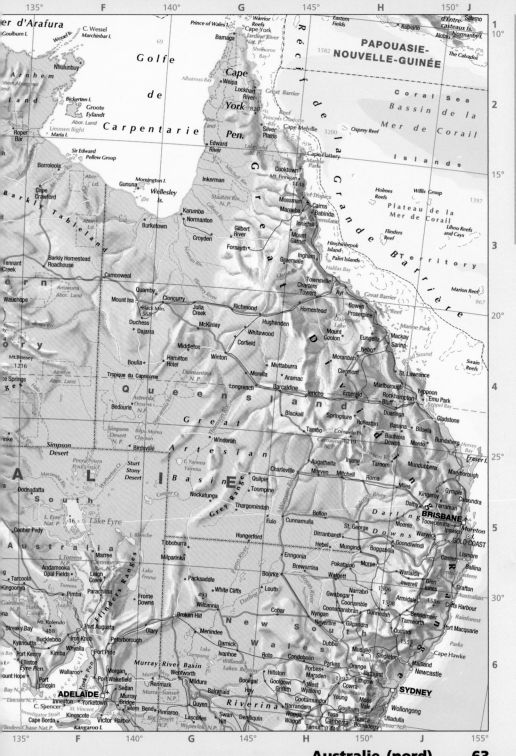

Australie (nord)
63

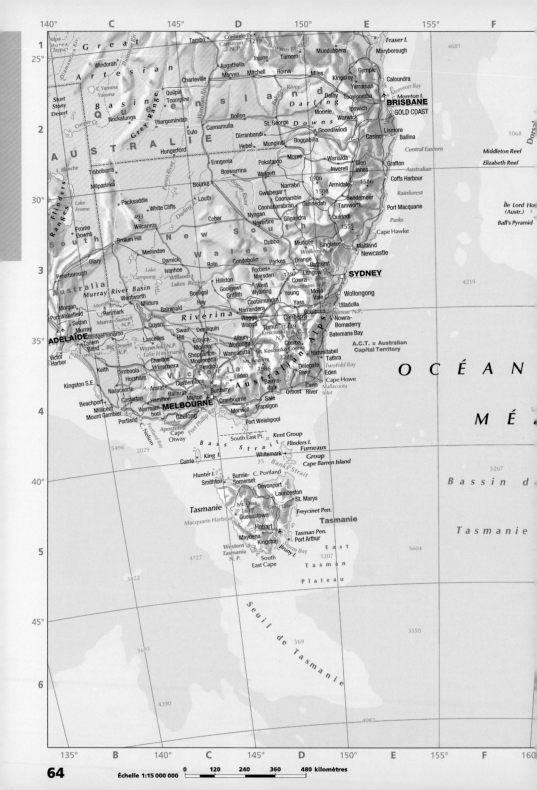

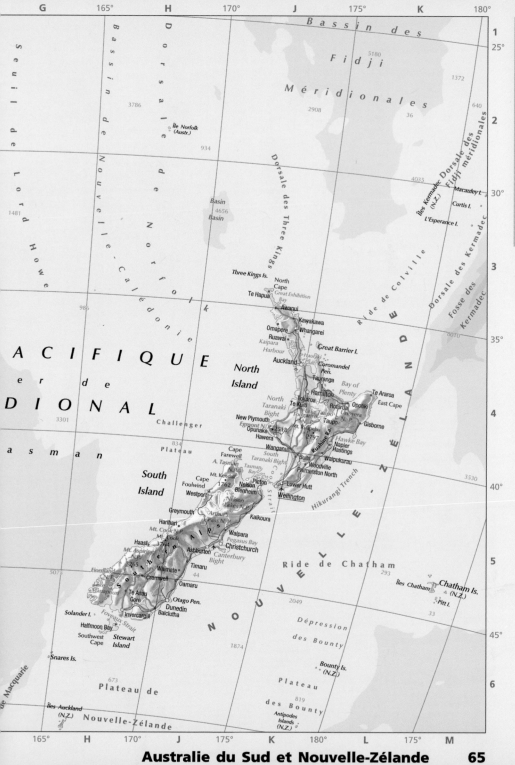

B a s s i n   d e s

F i d j i

M é r i d i o n a l e s

5180

1372

3786

Île Norfolk
(Austr.)

640

36

2908

934

D o r s a l e

d e

N o u v e l l e - C a l é d o n i e

Basin

4656

Basin

1481

4035

Îles Kermadec (N.Z.)

Macauley I.

Curtis I.

L'Esperance I.

Dorsale des Fidji méridionales

Dorsale des Kermadec

Fosse des Kermadec

8010

Dorsale des Three Kings

Three Kings Is.

North
Cape

Great Exhibition
Bay

Te Hapua

Awanui

Kawakawa

Omapere   Whangarei

Ruawai

Kaipara
Harbour

Great Barrier I.

Auckland

Coromandel
Pen.

Tauranga

Hamilton

Bay of
Plenty

Te Araroa

East Cape

Te Kuiti

Rotorua

Opotiki

Urewera

Gisborne

**North
Island**

North
Taranaki
Bight

New Plymouth

Egmont Nl.

2518

Opunake

Hawera

Wanganui

Mt. Ruapehu

2797

Taupo

Napier

Hastings

Hawke Bay

Ruahine Ka.

South
Taranaki Bight

Bulls

Waipukurau

Cape
Farewell

A. Tasman

Tasman
Bay

Woodville

Palmerston North

**South
Island**

Mt. Kendall

1762

Cape
Foulwind

Picton

Nelson

Blenheim

Lower Hutt

Wellington

Hikurangi Trench

Westport

Greymouth

Arthur
Pass Nl.

Kaikoura

Harihari

Mt. Cook Nl.

Mt. Cook

3764

Haast

Walpara

Pegasus Bay

Christchurch

Mt. Aspiring

3265

Ashburton

Canterbury
Bight

Fiordland

Waimate

Timaru

Ride de Chatham

Cromwell

Oamaru

Chatham Is.
(N.Z.)

293

Îles Chatham

Manapouri

Te Anau

Gore

Otago Pen.

Dunedin

Balclutha

Pitt I.

33

2049

Solander I.

Foveaux Strait

Invercargill

Halfmoon Bay

Southwest
Cape

**Stewart
Island**

Dépression

des Bounty

Snares Is.

1874

Plateau

des Bounty

819

Bounty Is.
(N.Z.)

de Macquarie

673

Plateau de

Nouvelle-Zélande

Îles Auckland
(N.Z.)

Antipodes
Islands
(N.Z.)

A C I F I Q U E

er de

DIONAL

a s m a n

3301

Challenger

834

Plateau

Cook Strait

Kawau I.

Hauraki
Gulf

3530

5075

South Alps

3786

P A C I F I Q U E

N O U V E L L E - Z É L A N D E

Ride de Colville

25°

1

2

30°

3

35°

4

40°

5

45°

6

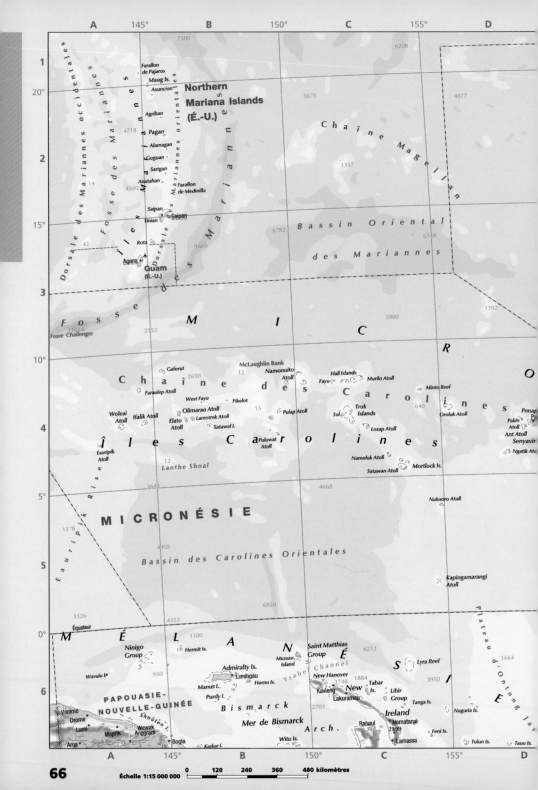

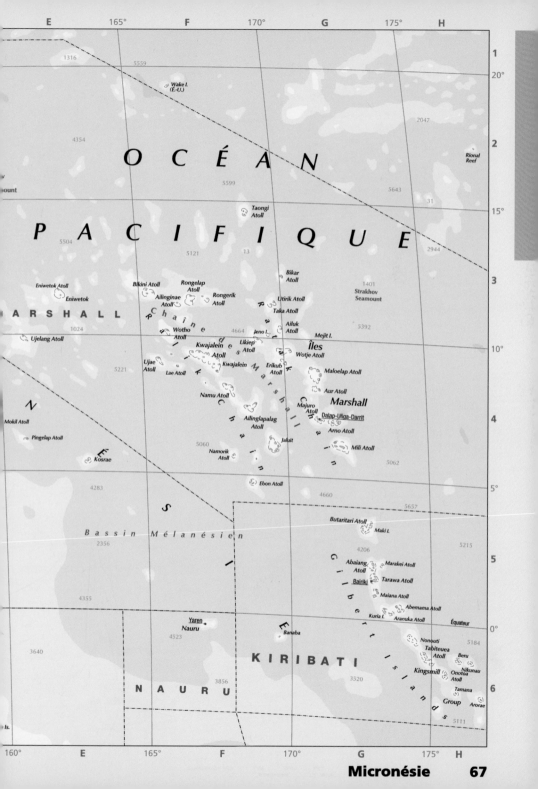

1

1316   5559   20°

Wake I.
(É.-U.)

2047

2

O C É A N

4354

Rional
Reef

5599   5643   31   15°

Taongi
Atoll

P A C I F I Q U E

5504   5121   13   2944

3

Bikar
Atoll

Eniwetok Atoll   Bikini Atoll   Rongelap
Atoll

1401
Strakhov
Seamount

Eniwetok   Ailinginae   Rongerik
Atoll   Atoll

Utirik Atoll
Taka Atoll

M A R S H A L L   Chaîne

Ailuk
Atoll

1024   Wotho   4664   Jeno I.   5392
Atoll

Mejit I.

Ujelang Atoll

Likiep
Atoll

Îles   10°

Kwajalein
Atoll   Wotje Atoll

5221   Ujae   Kwajalein   Erikub
Atoll   Lae Atoll   Atoll

Maloelap Atoll

N   Namu Atoll   Aur Atoll

Marshall

Majuro
Atoll   Dalap-Uliga-Darrit

Mokil Atoll   Ailinglapalag
Atoll   Arno Atoll

4

Jaluit

Pingelap Atoll   5060   Namorik   Mili Atoll
Atoll

Kosrae   5062

4283   Ebon Atoll   5°

4660

5657

Butaritari Atoll   5215

Maki I.

Bassin Mélanésien   4206

2356   Abaiang   Marakei Atoll
Atoll

5

Bairiki   Tarawa Atoll

Maiana Atoll

4355   Abemama Atoll

Kuria I.   Aranuka Atoll   Équateur

Yaren
Nauru   0°

4523   Banaba   5184

Nonouti
Tabiteuea
Atoll   Beru

3640   K I R I B A T I   Kingsmill   Nikunau
Onotoa
Atoll

N A U R U   3856   3520   Tamana

6

Group   Arorae

5111

Is.

Échelle 1:15 000 000

0   120   240   360   480 kilomètres

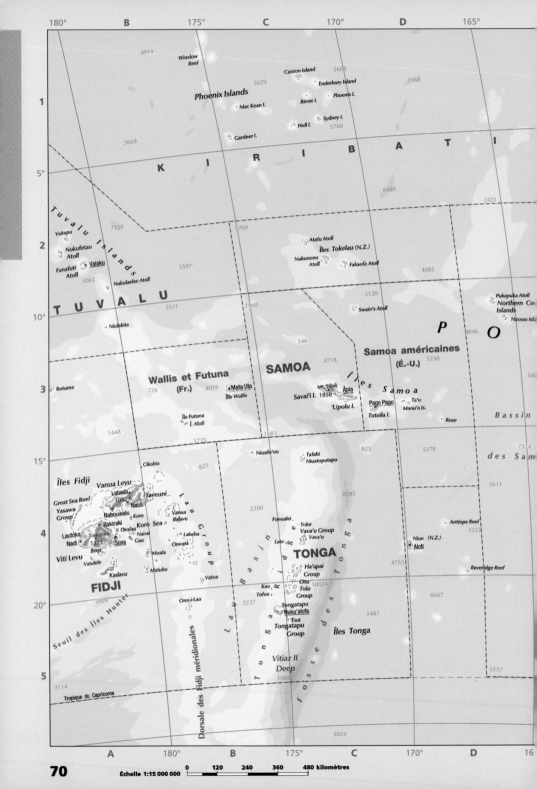

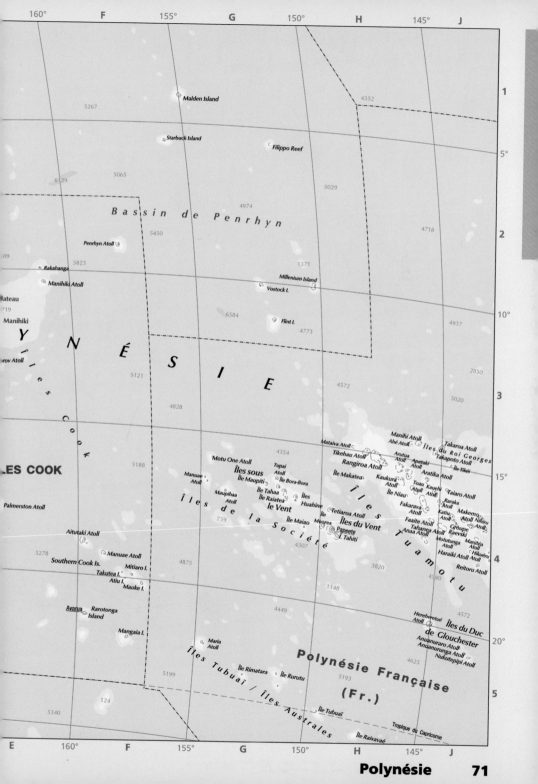

Polynésie **71**

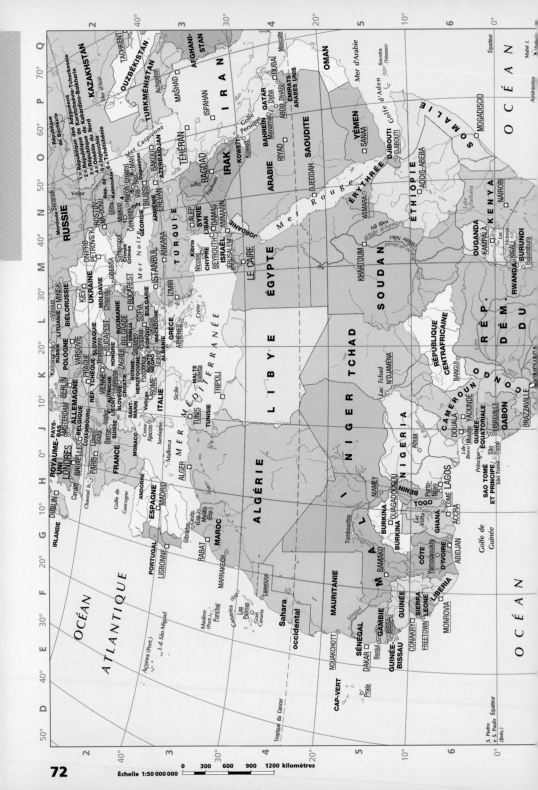

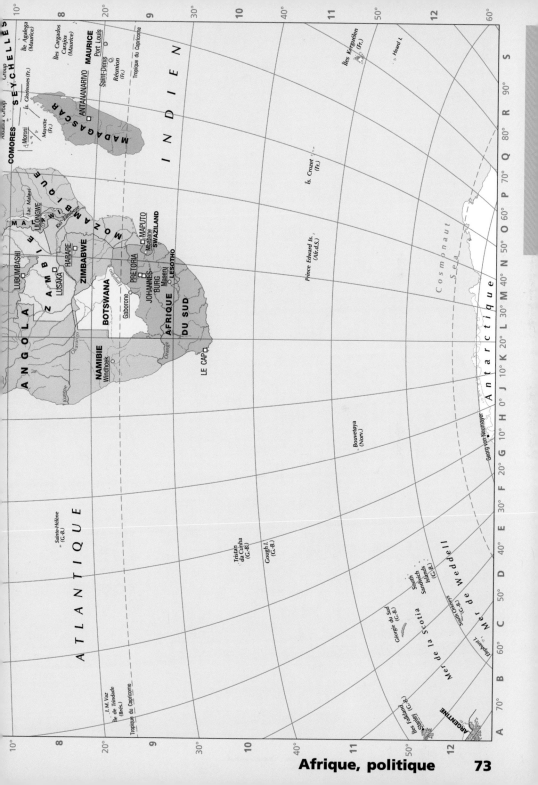

Afrique, politique   **73**

Afrique 75

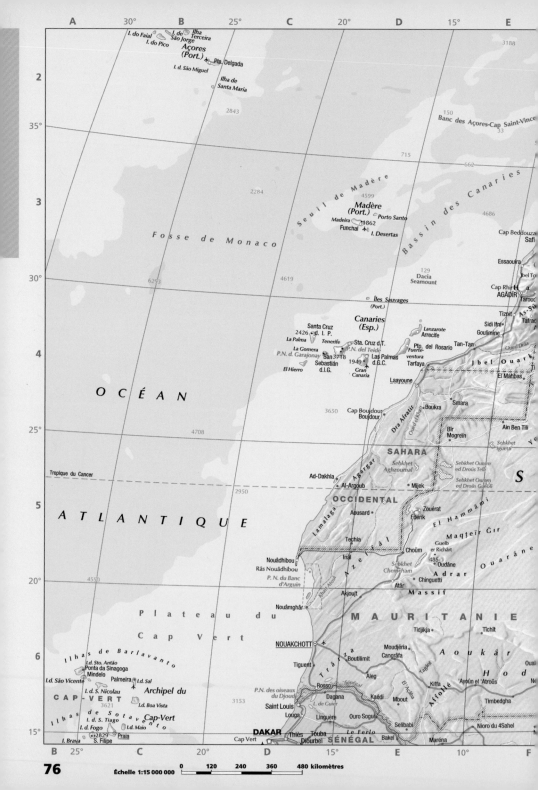

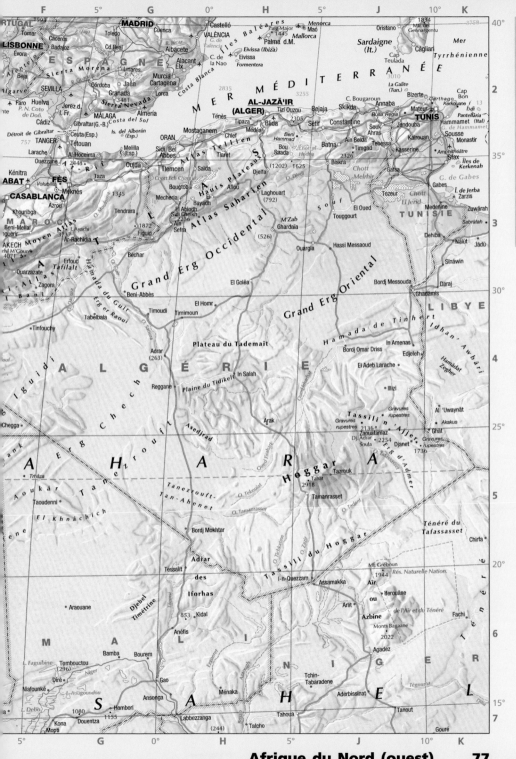

Afrique du Nord (ouest)   77

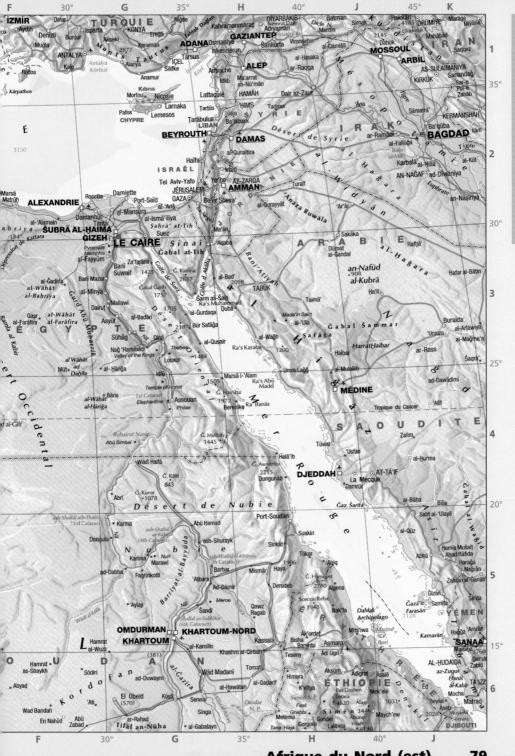

Afrique du Nord (est)   79

Afrique de l'Ouest **81**

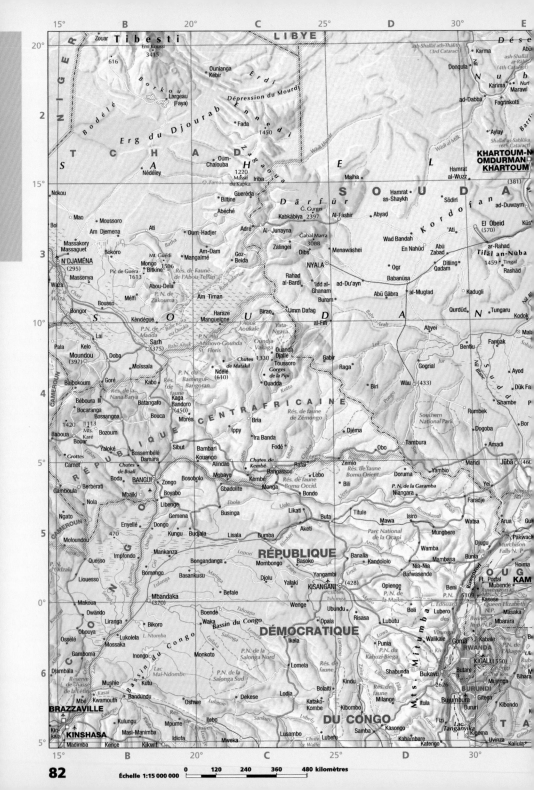

Afrique de l'Est (nord)   83

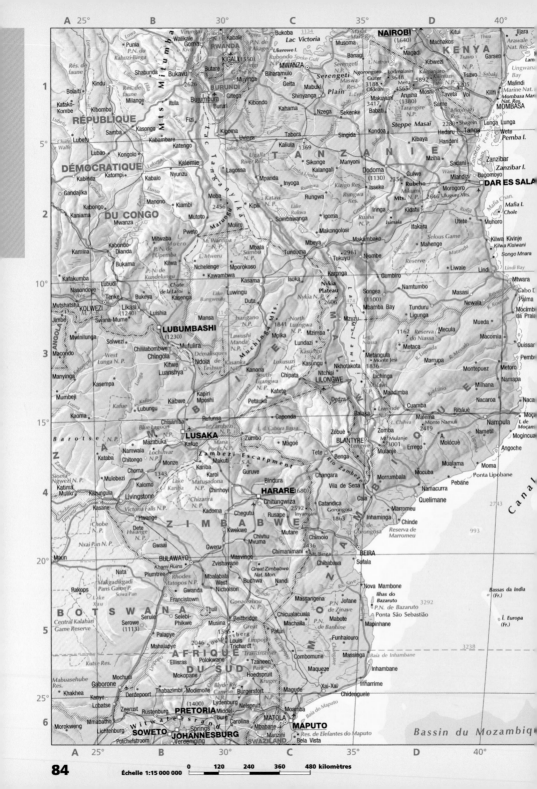

O C É A N

I N D I E N

Bassin
Somalie

5018

SEYCHELLES

Amirantes
Group

Praslin I. — Vallée de Mai N.P.
Silhouette I.   La Digue I.
Victoria   Mahé I.

Î. Desroches

Alphonse
Group

Coëtivy I.

4069

Aldabra
Group

Grande
Terre   Aldabra Atoll
        Cosmoledo
Assomption   Atoll

Farquhar
Group

Providence I.

Saint Pierre   Cerf I.
Island

Astove I.

Farquhar
Atoll

Île Agalega
(Maurice)

4214

44

Ngazidja
Comores
Moroni 2361
Mutsamudu
Moili

Bassin des Mascareignes

MORES

Îs. Glorieuses
(Fr.)

Banc du Geyser

Tanjona Babaomby

Antsiranana

Ambohitra   P.N. de la
        Montagne d'Ambre

Dzaoudzi
Mayotte
(Fr.)

Nosy Mitsio 1475
Nosy Be
Andoany
Ambilobe   Iharana
Ambanja
Tsaratanana
Nosy Radama 2876

Sambava

47

Antsohihy
Bealanana
Antalaha

Maroantsetra

Mahajanga
Boriziny
Mandritsara

T. Masoala

Île Tromelin
(Fr.)

Îles Cargados Carajos
(Maurice)

Albatros I.
Mapare I.

Coco I.

Tanjona
Vilandro
Mitsinjo
Marovoay
Ambondromamy

Mananara Ava.

4920

Soalala

Lembeleban'i Tsaratanana
Marovoalavo
Soanierana-Ivongo

Kandreho   Nosy Ste-Marie
Andriba
Ankazobe
Ambatondrazaka   Toamasina

Tamboharano
Morafenobe
Beravina

Ambatosoratra

L. Alaotra

Tsingy de
Bemaraha
Strict
Nature Res.

Tsiro-
anomandidy   (1305)
        Manevelona

ANTANANARIVO

Antsalova

Tsafajavona
2643

Moramanga
Ambatolampy

Ampasimanolotra

12

Tsiribihina

Miandrivazo
Antsirabe

Mahanoro

5322

Malaimbandy
Ambositra
Mandabe
Fianarantsoa

MAURICE

826 Port-Louis

Nosy Varika

Mananjary
Irondro

Saint-Denis

Réunion
3069
(Fr.)

Manakara

2350

Tenika
Boby
2658
Ihosy

Farafangana

P.N.
de l'Isalo

Ankazoabo

Betroka
Vangaindrano

Tropique du Capricorne

Ambatry

Imanombo
Rés.
Nat.

Manantenina

Ambovombe
Tsiombe   Taolanaro

Tanjona Vohimena

Bassin de Madagascar

3685

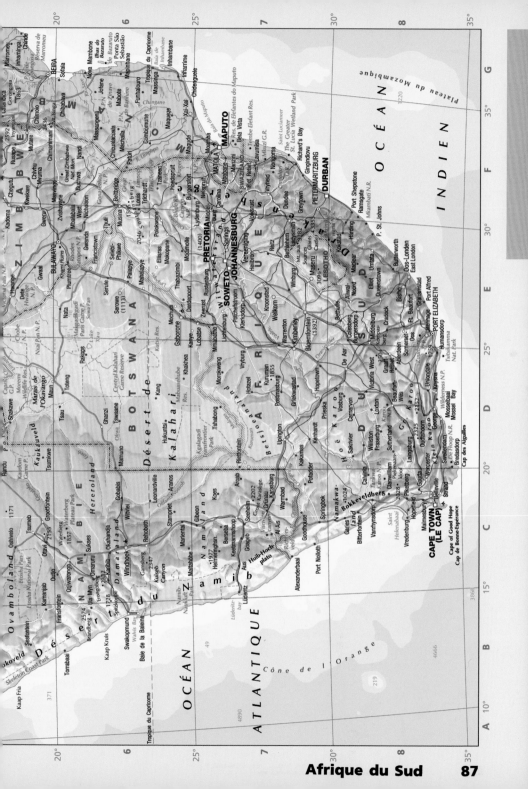

Échelle 1:50 000 000

0   300   600   900   1200 kilomètres

Amérique du Nord et centrale, politique   89

OCÉAN ARCTIQUE

Bassin du Pacifique Nord-Occidental

Srednnyj Chrebet
2549
m. Olutorskij

Mer de Sibérie orientale
la Vrangelja 1096

Seuil des Tchouktches

Bassin du Canada

Q. Elizabeth

Mer de Béring
Mer des Tchouktches
Pt. Barrow
North Slope
C. Bathurst
Banks Island

m. Navarin
Détroit de Béring
Seward

Mer de Beaufort
Mt. McKinson

Îles Aléoutiennes
St. Lawrence I.
Nunivak I.
Pribilof Is.
Prince

Brooks Range
Franklin Mts.
Grand Lac de l'Ours

Alaska
Kuskokwim Mts.
Alaska Range
Mt. Logan 6050
Anchorage
Yukon Plateau
2977
Mackenzie Mountains
Grand Lac des Esclaves

Fosse des Aléoutiennes
Fox Islands
Péninsule d'Alaska
Kodiak Island
Golfe d'Alaska
Juneau
3136

Crête de l'Empereur

Fosse de Chinook

Bassin du Pacifique Nord

ROCKY

Alexander Arch.
Queen Charlotte Islands
Coast Mountains
Fraser Plateau
4042

EDMONTON

Dorsale des Hawaii
Northwest Ridge

Zone de Fractures de Mendocino

Vancouver I.
VANCOUVER
2424

Îles Hawaii

Midway Is.

Necker I.
Tern I.

Mt. Rainier
4392
Coast Range

OCÉAN

C. Mendocino
Mt. Shasta 4317

Cascade Range
Columbia Plateau
Grand Lac Salé
Gannett Pk. 4202

MOUNTAINS

Johnston Atoll

Kauaʻi
Oʻahu
Maui
Mauna Kea 4205
Île Hawaii

SAN FRANCISCO
Monterey Bay

Zone de Fractures de Molokai

PACIFIQUE

Great Basin
Wheeler Pk. 3982
Mt. Whitney 4418
Death Valley
Colorado Plateau

Colorado Plateau
Gd. Canyon
4862

LOS ANGELES
Channel Is.

Mojave Desert

Kingman Reef
Palmyra Island

Île de Guadalupe
Bahia Sebastian Vizcaino
Punta Eugenia

PHOENIX
3078
3476
3659

Îles de la Ligne

Tabuaeran
Kiritimati
Jarvis I.

Zone de Fractures Clarion

Cabo San Lucas
Islas Marias
GUADALAJARA
433

Sierra Madre Occid.

Malden Island

Starbuck I.

Équateur

Îles de Revillagigedo

Bassin de Penrhyn

Millennium Island
Vostock I.
Flint I.

Échelle 1:50 000 000

0   300   600   900   1200 kilomètres

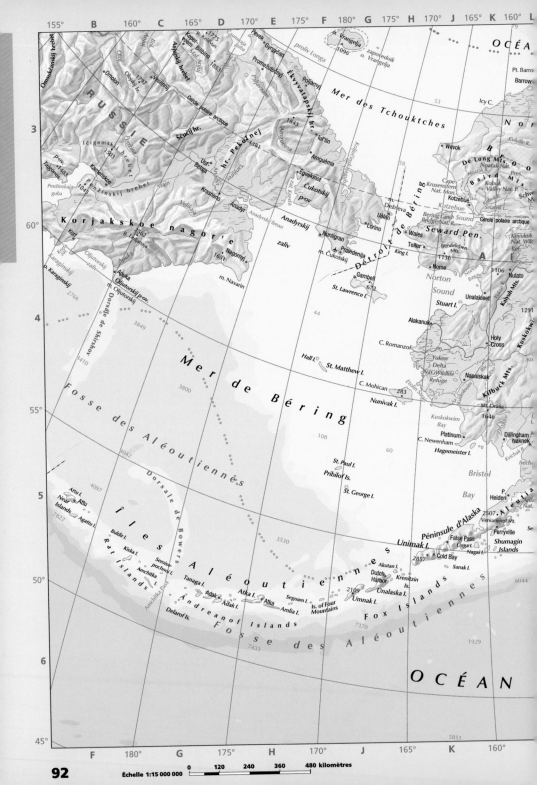

Alaska   93

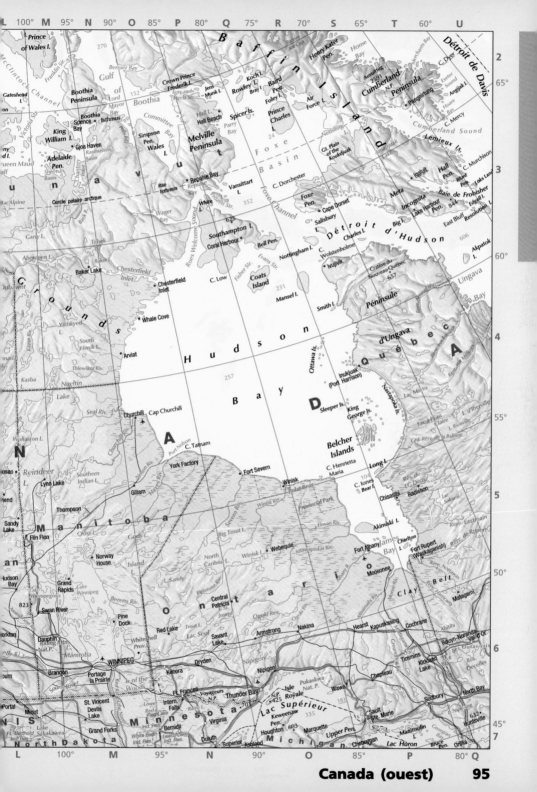

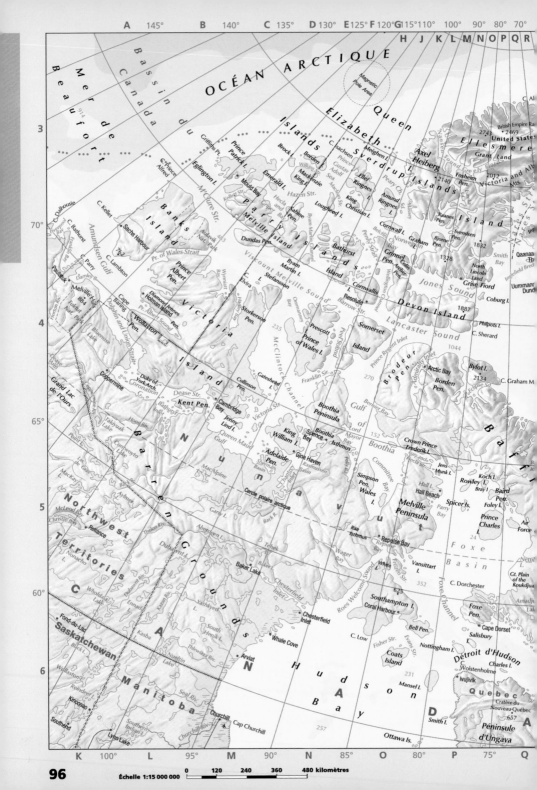

Échelle 1:15 000 000

0   120   240   360   480 kilomètres

Canada (nord) et Groenland   97

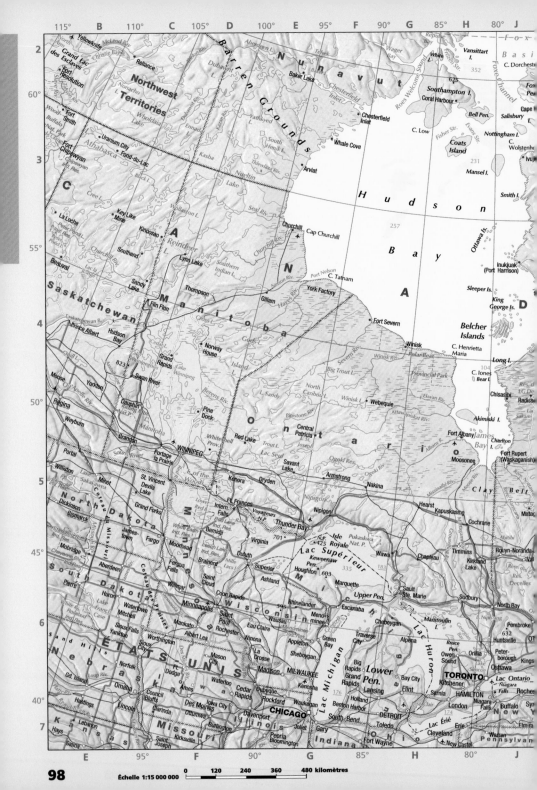

100

Échelle 1:15 000 000

0   120   240   360   480 kilomètres

États-Unis (ouest) et Hawaii 101

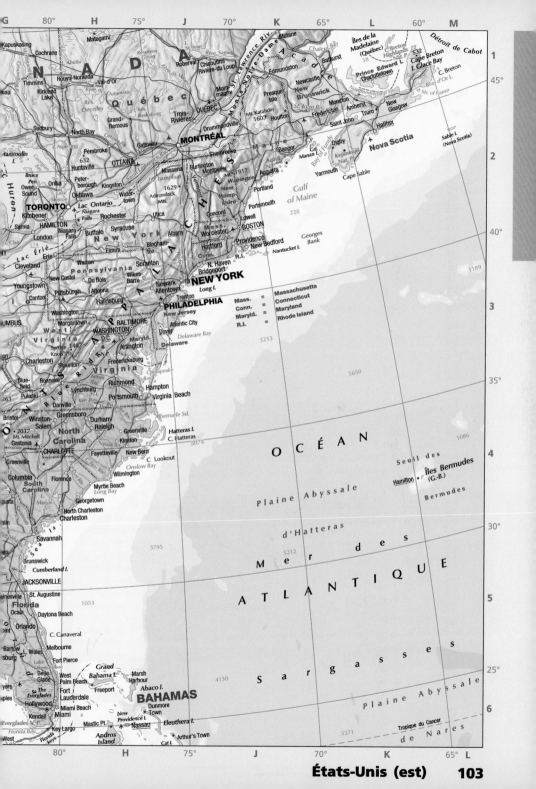

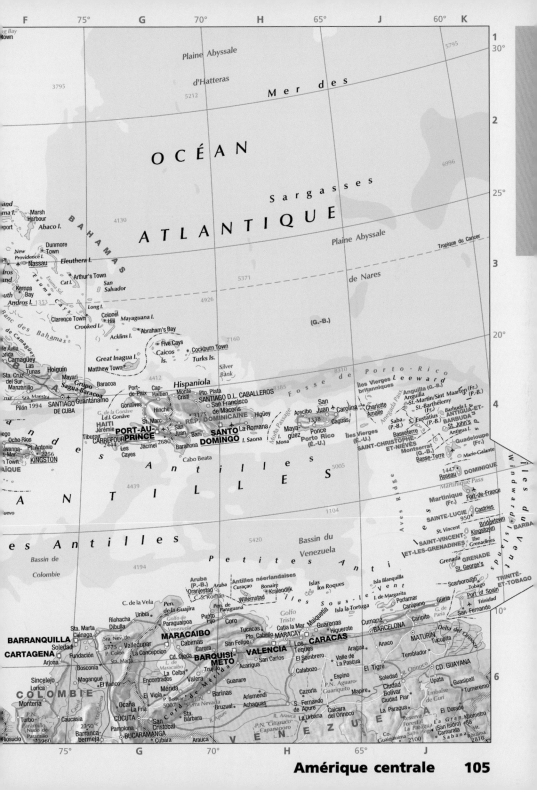

Amérique centrale   **105**

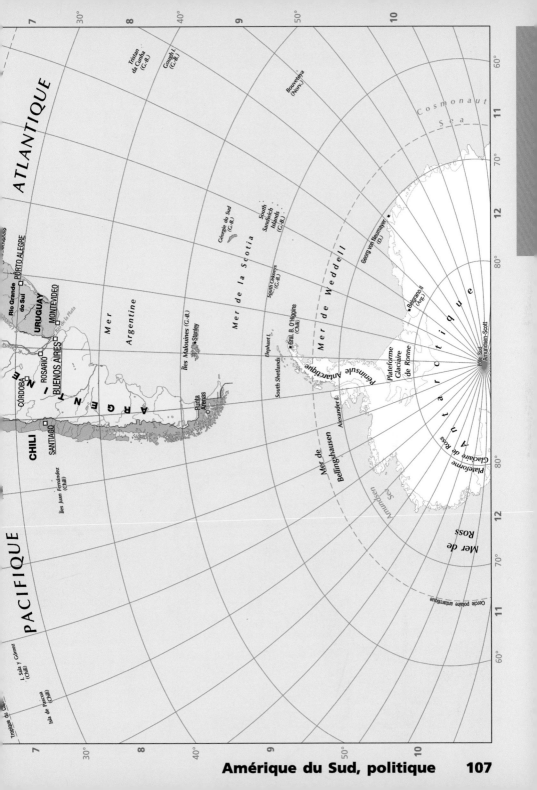

108

Échelle 1:50 000 000

0   300   600   900   1200 kilomètres

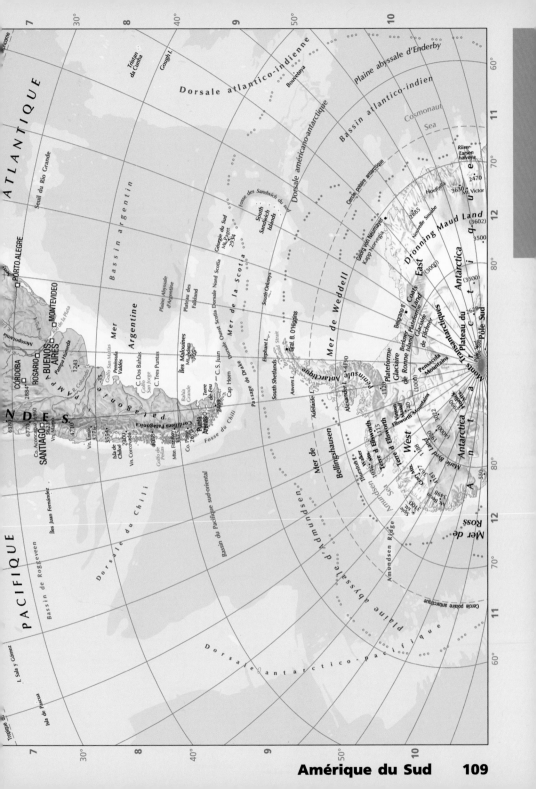

Amérique du Sud (nord) **111**

OCÉAN

PACIFIQUE

Bassin du Pérou

Pérou

Fosse du Pérou-Chili

Bassin du Chili

Dorsale de Nazca

CORDILLÈRE DES ANDES

ÉQUATEUR

Îles Galápagos (Équ.)

Selected labels:

I. Culpepper
I. Wenman
I. Pinta
I. Marchena
I. Genovesa
Équateur
I. Fernandina
I. S. Salvador
I. Santa Cruz
I. Isabela
Pto. Villamil
Pto. Baquerizo Moreno
I. San Cristóbal
I. Santa María
(Floreana, Charles)
I. Española

Tumaco
C. Manglares
Barbacoas
El Bordo
San Lorenzo
Túquerres
Pasto
Mocoa
Tres Esquir
Pto. Asís
Esmeraldas
Pta. Galera
Tulcán
Ibarra
Vn. Cayambe
Puerto Francisco
de Orellana (Coca)
Rosa Zárate
Cayambe
QUITO
Sto. Domingo d.l.C.
Chone
Machachi
Vn. Cotopaxi
Manta
Quevedo
Latacunga
C. S. Lorenzo
Portoviejo
Ambato
Riobamba
Jipijapa
Vn. Chimborazo
Vn. Sangay
GUAYAQUIL
Salinas
Cañar
Macas
Gral. Villamil
(Playas)
Azogues
Nuevo
Andoas
I. Puná
Cuenca
G. de
Guayaquil
Machala
Gualaquiza
Tumbes
Pasaje
M
Máncora
Loja
Zamora
Talara
Macará
Boría
Barranca
Pta. Pariñas
Sullana
Zumba
San Ramón
Paita
Chulucanas
Piura
Huancabamba
Cahuapanas
Sechura
Desierto
de
Sechura
Olmos
Yurimaguas
Moyo-
bamba
Pta. Aguja
Pta. Negra
Chachapoyas
Tarapoto
CHICLAYO
Ferreñafe
Bambamarca
Juanjui
Pacasmayo
Cajamarca
TRUJILLO
Otuzco
Santiago
Tayabamba
Chimbote
Casma
La Unión
Huánuco
Tingo
María
Puert
Victo
Huarmey
Huaraz
Cerro de
Supe
Huacho
P.N. Junín
Pta. Salinas
Chancay
La Oro
CALLAO
LIMA
Huanca
Chilca
Huanca
Chincha Alta
Pen. de Paracas
Pta. Carreta
Pisco
Ica
R.N. Paracas
Palpa
Marcona

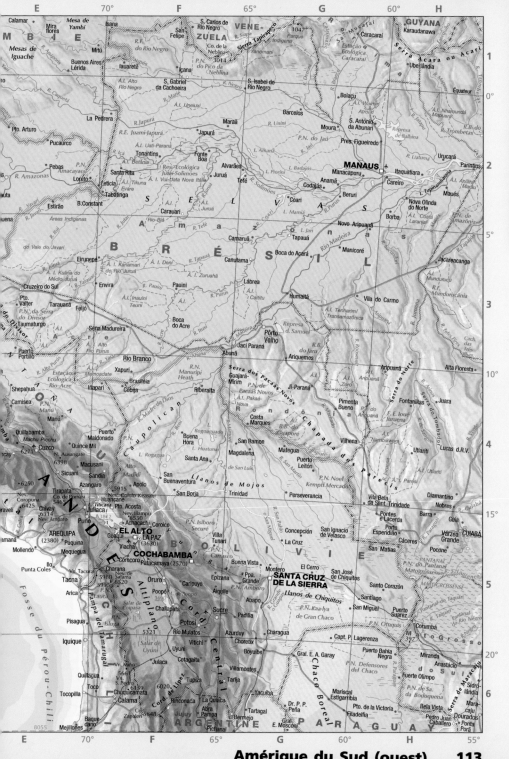

Amérique du Sud (ouest)   113

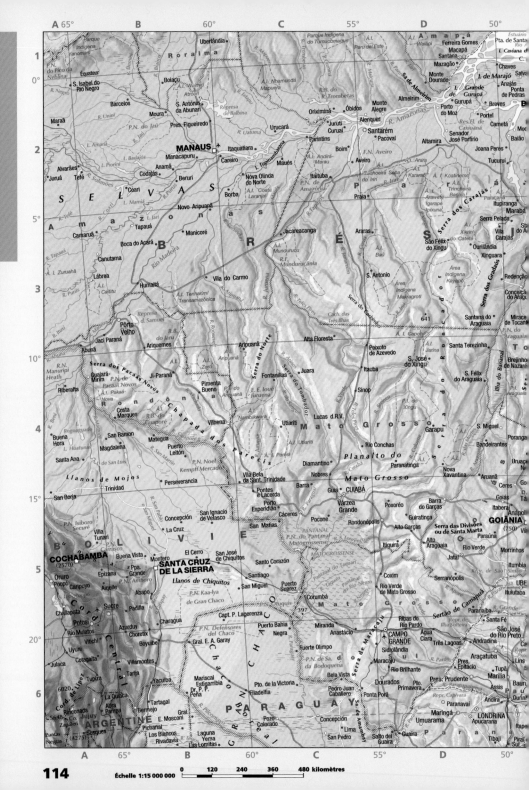

Amérique du Sud (est) 115

Échelle 1:15 000 000

0   120   240   360   480 kilomètres

116

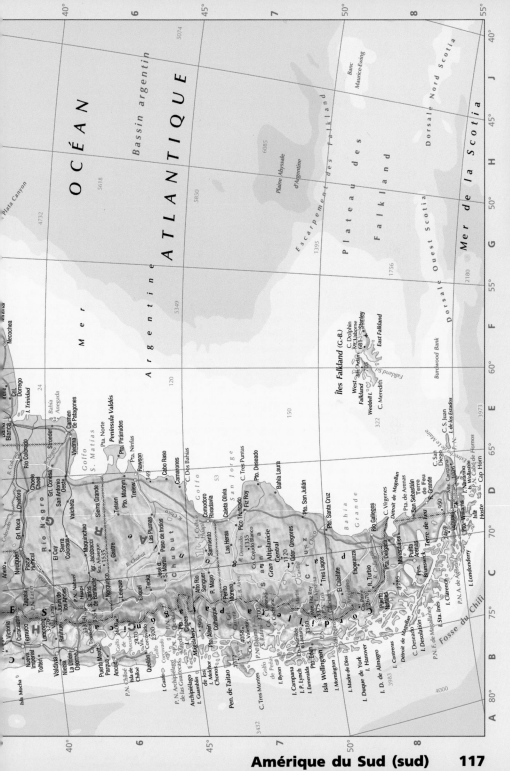

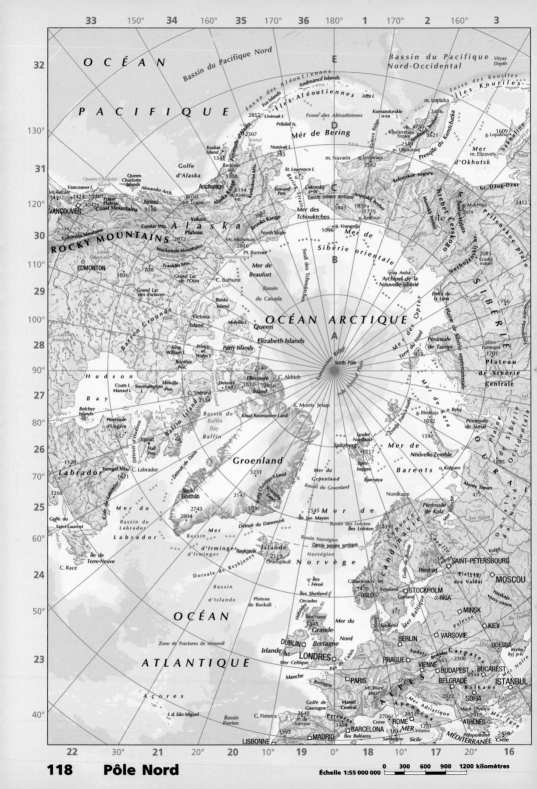

OCÉAN

Bassin du Pacifique Nord

Bassin du Pacifique
Nord-Occidental

Vityaz
Depth

PACIFIQUE

Fosse des Aléoutiennes
Îles Aléoutiennes
Andreanof Islands
Attu I.

m. Lopatka
Îles Kouriles
Fosse des Kouriles

Unimak I.
Fosse des Aléoutiennes
2857

Komandorskie
o-va
3456

g. Lopatina
1609

Sakhaline

Kliučevskaja
Sopka 4750
3621

Queen Charlotte
Islands
Alexander Arch.
Vancouver I.

Golfe
d'Alaska

Kodiak
Island
1341

Redoubt
Vol.
3108
Anchorage

Bristol
Bay
Pribilof Is.

Nunivak I.
283

St. Lawrence I.

Presqu'île du Kamtchatka
2549
m. Oljutorski

m. Elizavety

Mer
d'Okhotsk

2412

Mt. Rainier
4392
2424 2201
40422
VANCOUVER

Fraser
Coast Mountains
Plateau
3136
JUNEAU

6050
Mt. Logan

Alaska Range
6194
Mt. McKinley

Seward
Pen.

Bering Strait
672

m. Navarin

g. Ledjanaja
2562

Kolymskoe nagor'e

Manskij hrebet

hr. Dzug-Dzur

hrebet Čerskogo

Columbia Mountains

ROCKY MOUNTAINS

Cassiar Mts.
2972

Yukon
Alaska
Plateau

Brooks Range

North Slope

Cukotskij
p-ov

Cercle polaire arctique
1843

Mer des
Tchouktches

Anjujskij hrebet
1853

2775
Keli'vun

3147
Suntar-Hajata
2959

Prilenskoe plato

EDMONTON

Mackenzie Mountains
838

Franklin Mts.

Mt. Michelson
2816

Pt. Barrow

o. Vrangelja
1096

Mer de
Sibérie orientale

Verhojansk

2081
Ečkij
massiv

SIBÉRIE

1036

Grand Lac
de l'Ours

Mackenzie
Bay

C. Bathurst

Mer de
Beaufort

Seuil des Tchouktches

756

Grand Lac
des Esclaves

Banks
Island

Bassin
du Canada

o-va Anžu
Archipel de la
Nouvelle-Sibérie

Delta de
la Lena

Plaine de Sibérie septentrionale

Plaine Sibérienne Occidentale

Barren Grounds

Victoria
Island

Melville I.

OCÉAN ARCTIQUE

Terre du Nord
915

Péninsule
de Taïmyr

plato
Putorana
1701

Plateau
de Sibérie
Centrale

Lake
Winnipeg

King
William I.
Prince
of Wales I.
Boothia
Pen.

Queen
Elizabeth Islands

Parry Islands

Mer des
Laptev

Hudson
Bay
Coats I.
Mansel I.
Southampton
I.

Melville
Pen.

C. Sherard
2134

Devon I.
1887
Ellesmere
Island
2616

2140
C. Aldrich

North Pole
North Pôle
Pôle Nord magnétique

Lomonosov Ridge

Mer de Kara

g. Blednaja
1052

o. Belyj

Péninsule
de Jamal

Belcher
Islands
James B.

Péninsule
d'Ungava
657

Foxe
Basin

Baffin Island
2134

C. Sherard

Bassin de
Baffin
Bay

Baffin

K. Morris Jesup

Knud Rasmussen Land

Nordaustlandet
Spitzberg
1717
Spits-
bergen

Zemlja Franca-Iosifa

Mer de
Nouvelle-Zemble

1547

Péninsule
de Jamal

1895

1128

Labrador

Torngat Mts.
1621
C. Labrador

Iqaluit
Hall
Pen.

Détroit d'Hudson

Détroit de Davis

Groenland
3231

Détroit du Danemark

Mer du
Groenland
Bassin du Groenland

Mer de
Barents

o. Kolguev

Monts Timan
471

1268

Golfe du
Saint-Laurent

Mer du
Labrador

Bassin du
Labrador

Nuuk/
Godthåb

2743
2804

3147

3700

Scoresby Land
Chr. Land

2545
Île Jan Mayen

Mer des Lofoten
Îles Lofoten
2117

Nordkapp

Péninsule
de Kola

Sev. Dvina

Labrador

Bassin
d'Irminger

Mer
d'Irminger

Reykjavik
2119
Öræfajökull

Islande

Bassin
Islande

Cercle polaire arctique

Mer du
Groenland

Norvège

Golfe
de Botnie

Scandinavie

Carélie

SAINT-PÉTERSBOURG

Helsinki

Plateau
des Valdaï

MOSCOU

Île de
Terre-Neuve
C. Race

Dorsale de Reykjanes

Bassin
d'Islande

Plateau
de Rockall

Îles Féroé

Îles Shetland
Orcades
Hébrides
3343
Ben Nevis

Îles
Shetland

OSLO
2470
Vigeland

STOCKHOLM
Gotland
RIGA

377

Mer
Baltique

MINSK

nizkaja
Volga
Palysse

KIEV

OCÉAN

Zone de Fractures de Maxwell

Irlande
1041

DUBLIN

Grande
Bretagne

LONDRES

Mer
Celtique

Pas de Calais

Manche

Bretagne

Mer du
Nord

BERLIN

PRAGUE

Spjælland

BERLIN

VARSOVIE

Sudety
Beskides
2308

Carpates

ODESSA
Kryms-
kyj p-v

Mer Noire

ATLANTIQUE

PARIS

Golfe de
Gascogne

Massif
Central

Mt. Blanc
4807

Pyrénées

VIENNE
2543
2544

BUDAPEST

BELGRADE

BUCAREST

Balkans

ISTANBUL

Açores

I. d. São Miguel

Bassin
Ibérien

C. Fisterra

P. de
Europa

2648

BARCELONA
Îles Baléares

Corse
2706
ROME
2291
1281
Vésuve

Apennins

Sardaigne

Mer Adriatique

2522

Mont Olympe
2917

Mer Egée

SOFIA

Sicile

2456
Crète

ATHÈNES

Péloponnèse

MÉDITERRANÉE

LISBONNE

1993

MADRID

Échelle 1:55 000 000   0 300 600 900 1200 kilomètres

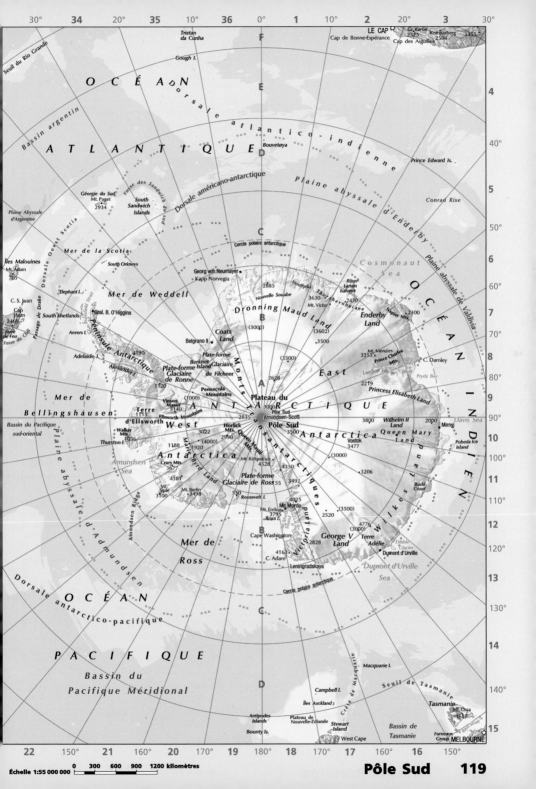

Pôle Sud

119

Échelle 1:55 000 000

0 300 600 900 1200 kilomètres

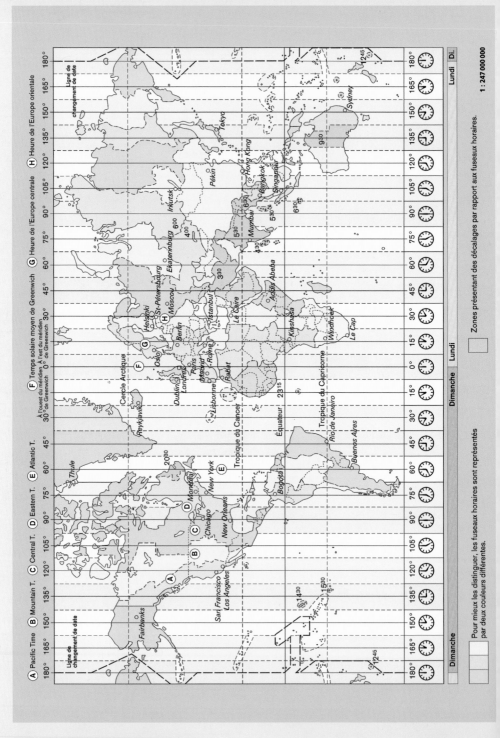

Fuseaux horaires

Dictionnaire des pays

Tableaux climatiques

- Période idéale pour se rendre dans le pays
- Moyennes des températures diurnes (°C)
- Température diurne maximale (°C)
- Température diurne minimale (°C)
- Heures d'ensoleillement par jour
- Jours de pluie par mois
- Température de l'eau (°C)

Intitulé des pays

Les noms de pays sont indiqués comme suit : en titre, le nom du pays dans la langue d'origine, en sous-titre le nom français du pays.

Pour les pays qui ont plusieurs langues officielles, le nom est indiqué dans chacune de ces langues.

Quant aux pays dont la langue n'utilise pas l'alphabet latin, leur nom est transcodé dans notre alphabet selon un processus de substitution basé soit sur les graphèmes (translittération), soit sur les phonèmes (transcription) de la langue de départ.

Une Europe reconfigurée

Avec une superficie de 10,5 millions de kilomètres carrés, l'Europe est le plus petit continent après l'Océanie. Dotée d'un panorama historique et culturel très diversifié, elle est en train de traverser une phase de reconstruction fondamentale. Après la chute de l'Union soviétique et de la Yougoslavie, de nouvelles entités politiques ont émergé, qui menacent d'éclater une nouvelle fois, aujourd'hui. Depuis 1990, le nombre des États indépendants du continent européen est passé de 34 à 44 (45 avec le Kosovo). Les intérêts nationaux pèsent lourd au sein de l'Union européenne (U.E.). Avec l'introduction de l'euro comme monnaie unique, l'Union européenne fait un grand pas vers la constitution d'une véritable communauté économique.

Nom français	Nom d'origine	Page	Nom français	Nom d'origine	Page
Albanie	Shqipëri	148	Liechtenstein	Liechtenstein	136
Allemagne	Deutschland	128	Lituanie	Lietuva	137
Andorre	Andorra	123	Luxembourg	Luxembourg	137
Autriche	Österreich	142	Macédoine	Makedonija	138
Belgique	België/Belgique	124	Malte	Malta	139
Biélorussie	Belarus'	124	Moldavie	Moldova	139
Bosnie-Herzégovine	Bosna i Hercegovina	125	Monaco	Monaco	140
Bulgarie	Bălgarija	123	Monténégro	Crna Gora	126
Croatie	Hrvatska	133	Norvège	Norge	141
Danemark	Danmark	127	Pays-Bas	Nederland	140
Espagne	España	131	Pologne	Polska	143
Estonie	Eesti	129	Portugal	Portugal	143
État de la Cité du Vatican	Città del Vaticano	126	République slovaque	Slovenská Republika	148
Finlande	Suomi/Finland	150	République tchèque	Ceská Republika	126
France	France	132	Roumanie	România	144
Grèce	Ellás	130	Royaume-Uni	United Kingdom	152
Hongrie	Magyarország	138	Russie	Rossija	144
Irlande	Éire/Ireland	130	Saint-Marin	San Marino	146
Islande	Ísland	134	Serbie	Srbija	149
Italie	Italia	135	Slovénie	Slovenija	150
Lettonie	Latvija	136	Suède	Sverige	150
			Suisse	Schweiz/Suisse/Svizzera	147
			Ukraine	Ukrajina	151

Andorra (AND)

ANDORRE
Capitale : Andorre-la-Vieille
Situation : 43° N ; 2° E
Superficie : 468 km²
Population : 71 000
Densité de population : 152 hab./km²
Monnaie : 1 euro (€) = 100 cents
Langues : catalan (officielle),
espagnol, français

Politique et population : la principauté pyrénéenne
d'Andorre et le Vatican sont les deux seuls États épis-
copaux du monde. Le président de la République
française est coprince d'Andorre avec l'évêque espagnol d'Urgel. 36 % des habitants sont andorrans,
appartenant au groupe ethnique catalan, tandis que
50 % d'entre eux sont des ressortissants espagnols et
8 % des ressortissants français. La religion catholique
romaine est religion d'État.
Économie : le tourisme est la principale branche d'activité du pays. Les touristes viennent généralement pour
une durée courte, dans le but d'acheter des produits
détaxés (cigarettes, etc.). La principauté reçoit 8 millions
de visiteurs par an. La saison des sports d'hiver dure
6 mois. Pendant la période estivale, le pays accueille des
randonneurs pédestres. Le secteur agricole (élevage
ovin) emploie 1 % des actifs, tandis que celui de la
petite industrie en emploie 21 %. Andorre est un paradis fiscal, car aucun impôt n'est prélevé sur le revenu.
Histoire : la petite principauté pyrénéenne est mentionnée pour la première fois en 805 dans les archives
carolingiennes. En 1278, Andorre devient une co-princi-
pauté par un traité de paréage ratifié par le pape.
L'État est placé sous la suzeraineté commune de
l'évêque d'Urgel et des comtes de Foix, dont les droits
sont transférés à la couronne de France sous Henri IV
puis aux chefs successifs de l'État français. Andorre est
un État souverain depuis le 4.5.1993.
Géographie : la principauté est située dans la partie
orientale des Pyrénées. Elle est bordée de chaînes montagneuses s'élevant à 3000 m d'altitude et la vallée de
Valira lui assure une liaison avec l'Espagne. La moitié
de l'État est située au-dessus de la limite supérieure de
la forêt. Andorre-la-Vieille est la capitale la plus élevée
d'Europe. Le point culminant est le pic Coma Pedrosa
(2 946 m), alors que les régions les plus basses au sud
sont en dessous de 1 000 m d'altitude. Le pin noir
d'Autriche est l'essence dominante des forêts montagnardes.

Bălgarija (BG)

BULGARIE
Capitale : Sofia (Sofija)
Situation : 41° – 44° N ; 22° – 28° E
Superficie : 110 912 km²
Population : 7,7 millions
Densité de population : 69 hab./km²
Monnaie : 1 lev (BGL) = 100 stotinki
Langues : bulgare (officielle), turc,
macédonien

Politique et population : après la promulgation de
la constitution de 1991, la Bulgarie devient une
République parlementaire. Un parlement unicaméral
est élu pour quatre ans. Le président de la République
est élu pour cinq ans au suffrage universel direct. Le
pays est divisé en huit régions administratives, auxquelles s'ajoute la capitale, Sofia. Il est très inégalement peuplé car les deux tiers des habitants sont
concentrés dans les villes. Les Bulgares en constituent
le groupe ethnique le plus important (85 % de la
population), issu d'un mélange de Thraces et d'éléments slaves et turco-mongols. Ils appartiennent
à plus de 85 % à l'Église orthodoxe bulgare.

Économie et communications : depuis le renversement de l'économie planifiée, le pays est en profonde
mutation. Entre 1991 et 1994, on constate un net
recul des productions agricoles et industrielles. En
1995, l'activité reprend. La Bulgarie est un pays de tradition agricole. Les cultures spécifiques et l'élevage
dominent le secteur. L'agroalimentaire et la fabrication
de denrées de luxe représentent un cinquième du total
de la production industrielle. La Bulgarie exporte principalement du tabac, du vin, des produits chimiques et
des objets en matière plastique. Le secteur industriel
s'est considérablement développé à partir de 1945.
Outre les produits agricoles, le pays exporte aussi des
produits métallurgiques et chimiques. Sofia est le
centre des axes de communication du pays. La Bulgarie
devra d'abord remettre en état son réseau de communication, pour pouvoir véritablement développer
son potentiel touristique.
Histoire et culture : fondé en 681, l'État bulgare est
l'un des plus anciens d'Europe. Le pays est christianisé
au IXᵉ siècle et l'alphabet bulgare est alors élaboré. La
domination turque établie depuis le milieu du XIVᵉ siècle
se prolonge pendant près de cinq siècles et influence
considérablement l'évolution du pays. En 1878, après
des combats acharnés, le pays est déclaré principalement autonome. Mais il est ensuite impliqué dans les
conflits des Balkans et les deux guerres mondiales. 1947
marque la fondation de la République populaire de
Bulgarie, étroitement intégrée dans le bloc de l'Est jusqu'au début des années 1990, tant au niveau économique que politique. Depuis le 1ᵉʳ janvier 2007, la
Bulgarie est membre de l'Union européenne. Sous la
domination turque, les arts populaires se sont fortement développés, en particulier la peinture d'icônes, la
broderie et le tissage. Si ces artisanats se font plus rares
aujourd'hui, ils sont néanmoins encore pratiqués dans
quelques monastères isolés. La Bulgarie possède un
patrimoine folklorique très riche et diversifié selon les
régions (chants et danses populaires, costumes).
Géographie : les paysages naturels sont variés : les
deux tiers du pays sont composés de collines et de
plaines et un tiers de montagnes. Au nord s'étend la
plaine du Danube, tandis qu'au sud le bassin de la
Maritza est encadré par la chaîne du Balkan et les
chaînes méridionales qui sont les plus élevées du pays
(Rila, Pirin et Rhodope). À l'est, le pays est bordé par
la mer Noire. Le Danube marque la frontière avec la
Roumanie. C'est le seul fleuve navigable du pays.
Climat de type continental au nord et subtropical au
sud, du fait de l'influence de la Méditerranée. Les montagnes exercent également une grande influence sur
le climat. Au sud du Balkan, la vallée des Roses, longue
de 130 km, comprend les plus vastes plantations de
roses du monde.

Andorre

CLIMAT		Janv	Fév	Mars	Avril	Mai	Juin	Juil	Août	Sept	Oct	Nov	Déc
	🌡	2,3	3,1	7,0	9,0	11,4	16,4	19,3	18,0	15,7	10,8	6,1	2,5
	🌡	5,9	7,3	12,3	14,2	16,9	23,0	26,1	24,2	21,8	15,8	10,3	5,8
	🌡	-1,3	-1,1	1,7	3,8	5,9	9,7	12,4	11,8	6,5	5,7	1,8	-0,8
	☀	4,8	5,9	5,6	7,1	8,1	9,3	10	8,8	6,7	5,6	5	4,3
	🌧	4	6	6	10	15	9	8	10	9	8	6	7

Station météorologique Les Escaldes
Altitude 1080 m. Situation 42°30'N/01°31'E

Bulgarie

CLIMAT		Janv	Fév	Mars	Avril	Mai	Juin	Juil	Août	Sept	Oct	Nov	Déc
	🌡	1,2	2,4	5,0	10,0	15,5	20,2	22,9	22,6	18,9	14,0	8,6	4,1
	🌡	5,8	6,2	10,8	15,7	21,6	26,1	29,8	29,3	25,5	20,5	13,0	7,1
	🌡	-1,2	-1,1	2,3	6,8	11,9	15,9	18,5	17,9	14,4	10,9	5,9	1,0
	☀	2	3	4	6	8	9	11	10	8	6	3	2
	🌧	10	9	8	10	9	9	6	4	4	7	10	10
	〰	6	6	7	10	15	19	22	23	21	17	13	9

Station météorologique Varna
Altitude 3 m. Situation 43°12'N/27°55'E

Belarus'

BIÉLORUSSIE
Capitale : Minsk
Situation : 51° – 56° N ; 23° – 32° E
Superficie : 207 600 km²
Population : 9,9 millions
Densité de population : 48 hab./km²
Monnaie : 1 rouble biélorusse (BYB) = 100 kopecks
Langues : biélorusse (officielle),
russe et les langues des minorités

Politique et population : en août 1991, la République de Biélorussie se déclare indépendante de l'Union soviétique. Depuis l'adoption de la nouvelle constitution du 30.3.1994, la Biélorussie est une République présidentielle. Le pays est divisé en six régions administratives, auxquelles s'ajoute la capitale. Les Biélorusses constituent plus des trois quarts de la population totale, et un habitant sur huit est russe. Les minorités nationales comprennent principalement des Polonais et des Ukrainiens. 70 % des habitants vivent dans les villes. Le pays est, par endroits, très peu peuplé. La population appartient dans sa majorité (60 %) à l'Église orthodoxe russe, tandis que 30 % des gens sont sans confession.
Économie : dans le cadre de l'ancienne Union soviétique, la Biélorussie comptait parmi les économies à industrie et agriculture développées. Les réformes économiques actuelles engendrent une crise qui s'exprime notamment par le recul des productions industrielles et agricoles, une forte inflation et un chômage élevé. Les conditions naturelles favorisent l'agriculture (élevage et cultures), qui emploie 20 % des actifs. L'industrie de transformation des matières premières importées tient une place de choix dans le secteur industriel. Les industries mécanique, métallurgique, chimique ainsi que celle des biens de consommation sont au cœur des échanges commerciaux internationaux du pays. Par son réseau routier bien développé, la Biélorussie exerce un rôle important dans le transit Est-Ouest en Europe.
Histoire et culture : occupée par des tribus slaves au cours du Iᵉʳ millénaire, la région fait partie dès le XIᵉ siècle de la Russie de Kiev. Après la division de la Russie en principautés au cours des XIIIᵉ et XIVᵉ siècles, la Russie Blanche est intégrée à la grande principauté de Lituanie et appartient donc occasionnellement, comme elle, à la Pologne. À la fin du XVIIIᵉ siècle, et suite à la

division de la Pologne, la Biélorussie est rattachée à la Russie ce qui inaugure un grand essor économique, résultant de son intégration à l'ensemble du marché russe. La Biélorussie est impliquée dans les opérations de la Première Guerre mondiale. En 1919, proclamation de la République socialiste soviétique de Biélorussie, membre entre 1922 et 1991 de l'Union soviétique. Pendant la Seconde Guerre mondiale, les Allemands occupent le pays, qui est alors considérablement détruit.
Géographie : étant donné sa situation, la Biélorussie a toujours été une porte vers l'Europe du centre et de l'Ouest. Pays de plaines, de marais et de collines, ne dépassant pas 200 m d'altitude, il est traversé par de nombreux fleuves et canaux. Le bassin du Pripet constitue la région marécageuse la plus vaste d'Europe, qui connaît régulièrement des périodes d'assèchement. Les dépôts morainiques atteignent 340 m d'altitude. Un tiers du pays est recouvert de feuillus et de forêts mixtes. Située dans la zone de transition du climat tempéré, la Biélorussie est influencée à la fois par les masses d'air maritimes et continentales. Le Dniepr, navigable 240 jours par an, est le plus grand fleuve du pays.

België / Belgique

BELGIQUE
Capitale : Bruxelles
Situation : 50° – 51° N ; 3° – 6° E
Superficie : 30 519 km²
Population : 10,3 millions
Densité de population : 339 hab./km²
Monnaie : 1 euro (€) = 100 cents
Langues : français, néerlandais et allemand

Politique et population : la monarchie constitutionnelle et parlementaire de Belgique est, depuis 1993, un État fédéral divisé en trois régions : la Flandre, la Wallonie et la région de Bruxelles. Le roi est le chef de l'État. Le gouvernement fédéral est essentiellement chargé de la politique extérieure et de la sécurité nationale. Les régions ont leur propre parlement et gouvernement. La densité de population de la Belgique est l'une des plus fortes d'Europe. La population est composée de Flamands parlant le néerlandais, de Wallons parlant le français, d'habitants parlant l'allemand aux alentours d'Eupen, et un million d'étrangers, dont 60 % viennent des États de l'Union européenne. 80 % des habitants sont catholiques.
Économie et communications : la Belgique est un pays très industrialisé, doté d'une solide infrastructure. Les toiles des Flandres et les dentelles de Bruxelles sont toujours mondialement réputées. Pourtant, les industries textile et métallurgique ont perdu de leur importance. Aujourd'hui, l'industrie est diversifiée et surtout orientée vers l'exportation. Les pays de l'Union européenne sont les principaux partenaires commerciaux de la Belgique. Les échanges concernent essentiellement les machines et appareils les plus divers, les métaux ainsi que les produits métallurgiques et chimiques. L'industrie emploie 30 % des actifs, tandis que le secteur des services en emploie les deux tiers. L'agriculture joue un rôle secondaire. Le pays est surtout importateur de denrées alimentaires.
Histoire et culture : au haut Moyen Âge, le territoire belge fait partie du royaume franc. Aux XIIᵉ et XIIIᵉ siècles, les villes de Flandres comptent parmi les centres commerciaux européens les plus importants. Entre 1516 et 1713, les provinces belges sont soumises à la domination espagnole puis autrichienne. En 1795, elles sont annexées par la France, puis réunies aux Pays-Bas après la chute de Napoléon. Depuis 1830, la Belgique est un royaume indépendant et neutre. En dépit de cette neutralité, il a été impliqué dans les deux guerres mondiales. En 1944, la Belgique, les Pays-Bas et le Luxembourg fondent l'Union douanière du Benelux, qui entre en vigueur en 1948. La Belgique fait partie des membres fonda-

---

Biélorussie — Station météorologique Minsk
Altitude 234 m. Situation 53°52'N/27°32'E

CLIMAT		Janv	Fév	Mars	Avril	Mai	Juin	Juil	Août	Sept	Oct	Nov	Déc
	🌡	-7,5	-6,6	-2,8	5,0	12,3	16,0	18,1	16,4	11,6	5,5	0,1	-4,8
	🌡	-4,2	-3,8	1,5	9,8	17,9	21,5	23,2	21,7	16,9	9,4	2,4	-2,1
	🌡	-10,6	-9,8	-5,9	1,0	6,9	10,6	12,7	11,6	7,5	2,7	-1,9	-6,8
	☀	1	2	5	6	8	10	9	8	6	3	1	1
	☔	19	17	15	15	14	15	16	15	14	16	19	20

Belgique — Station météorologique Bruxelles-Uccle
Altitude 100 m. Situation 50°48'N/04°21'E

CLIMAT		Janv	Fév	Mars	Avril	Mai	Juin	Juil	Août	Sept	Oct	Nov	Déc
	🌡	2,2	2,6	6,0	9,2	13,0	16,0	17,5	17,3	14,7	10,3	6,2	3,3
	🌡	4,3	6,7	10,3	14,2	18,4	22,0	22,7	22,3	20,5	15,4	8,9	5,6
	🌡	-1,2	0,3	2,2	5,1	7,9	10,9	12,1	12,2	10,6	7,3	3,1	0,2
	☀	2	3	4	5	7	7	7	7	5	4	2	1
	☔	23	17	15	16	15	14	17	18	14	19	19	19

Bosnie-Herzégovine — Station météorologique Sarajevo
Altitude 537 m. Situation 43°52'N/18°26'E

CLIMAT		Janv	Fév	Mars	Avril	Mai	Juin	Juil	Août	Sept	Oct	Nov	Déc
	🌡	-1,4	0,7	4,9	9,8	14,3	17,4	19,5	19,7	16,0	10,2	5,4	1,7
	🌡	3,0	5,3	9,9	15,1	19,5	23,5	25,9	26,8	22,5	15,9	9,5	6,0
	🌡	-4,0	-3,4	0,1	4,5	8,3	11,9	13,3	13,1	10,1	5,8	2,6	-0,6
	☀	2	3	4	5	5	7	8	8	6	4	2	2
	☔	12	10	13	13	16	13	9	10	11	13	13	15

teurs de la Communauté européenne. Ses arts et sa culture subissent les influences française et hollandaise et coutumes des deux nations s'expriment au travers des quelque 800 fêtes folkloriques annuelles. Les ensembles historiques de Bruges, Gand et Malines comptent parmi les plus beaux joyaux architecturaux européens et sont des centres touristiques importants.

Géographie : au nord-ouest, la Belgique est bordée par la mer du Nord. Les paysages côtiers sont constitués de plages de sable et de terres basses et fertiles. La partie centrale du pays est divisée entre un paysage de landes relativement pauvres au nord et un pays de collines au sud. La région des Ardennes et des hautes Fagnes, avec ses vallées profondes et ses très jolis châteaux, est particulièrement pittoresque. Les plus grands fleuves sont l'Escaut et la Meuse. Le climat est tempéré à tendance océanique. Les hivers sont donc doux et les étés frais.

Bosna i Hercegovina (BIH)

BOSNIE-HERZÉGOVINE
Capitale : Sarajevo
Situation : 42° – 45° N ; 16° – 20° E
Superficie : 51 129 km²
Population : 4,5 millions
Densité de population : 88 hab./km²
Monnaie : 1 mark convertible (BAK) = 100 pfennig
Langues : croate, serbe et langues des minorités

Politique et population : le destin de la jeune république de Bosnie-Herzégovine après la signature des accords de paix en 1995, est très dépendant du bon vouloir des deux États voisins, la Serbie et la Croatie. Le pays est divisé en deux entités, la Fédération croato-bosniaque (51 % de la superficie) et la République serbe (49 %) qui disposent d'une même autonomie. Le gouvernement commun, dirigé par un chef d'État tournant, a un caractère provisoire. Le parlement bicaméral est composé d'une part de la chambre des Représentants dont les 42 membres (28 pour la Fédération croato-bosniaque et 14 pour la République serbe) sont élus au suffrage universel direct, et d'autre part de la Chambre des Peuples où siègent 15 délégués nommés pour 4 ans. La population se répartit en 48 % de Bosniaques, 37 % de Serbes, 14 % de Croates et quelque 3 % des diverses minorités. Sur le plan religieux, le pays compte 44 % de musulmans, 31 % de membres de l'Église orthodoxe serbe et 17 % de catholiques. Le retour de nombreux réfugiés n'est pas encore terminé.

Économie : la guerre civile a considérablement altéré l'économie. Les mines disséminées dans la campagne compliquent la restructuration du secteur agricole, et le pays est destiné à être dépendant des aides financières internationales pendant plusieurs années encore. Grâce à ces fonds étrangers, la réfection du réseau routier et du système de distribution de l'eau est pratiquement terminée. Le gouvernement se consacre actuellement surtout à la reconstruction des villes et des villages ainsi qu'à la relance de l'économie, et souffre d'une pénurie d'électricité, de combustibles et de denrées alimentaires. Sa politique économique a pour objectif principal de rendre le pays le plus rapidement possible indépendant des aides internationales.

Histoire : entre les IXᵉ et XIIᵉ siècles, le pays est sous domination croate, serbe et byzantine. Au XVᵉ siècle, il est envahi par les Turcs. En 1908, il est annexé par l'Autriche-Hongrie. À la fin de la Première Guerre mondiale, il forme une union avec la Slovénie, la Serbie et le Monténégro, qui prend, en 1929, le nom de Yougoslavie. Le 15.10.1991, la souveraineté de la Bosnie-Herzégovine est proclamée. Le pays est ensuite dévasté par la guerre civile après le déferlement des milices serbes souhaitant s'assurer leur suprématie.

Géographie : région de montagnes au climat continental alpin. Les sols des régions montagneuses karstiques sont pauvres. En revanche, les sols de lœss de la vallée de la Save, au nord du pays, sont fertiles.

1 Cabines de plage à la station balnéaire de Blankenberge (Belgique).

2 Ferme en Biélorussie.

3 La haute tour de Notre-Dame, à Anvers, superbe cathédrale gothique.

4 Art nouveau à Gand, capitale de la province de la Flandre-Orientale. Elle est située au confluent de la Lys et de l'Escaut.

Bosna i Hercegovina 125

Česká Republika

RÉPUBLIQUE TCHÈQUE
Capitale : Prague (Praha)
Situation : 48,5° – 51° N ; 12° – 19° E
Superficie : 78 864 km²
Population : 10,3 millions
Densité de population : 131 hab./km²
Monnaie : 1 couronne tchèque (CZK) = 100 haleru
Langues : tchèque (officielle) et langues des minorités

Politique et population : la République tchèque, issue de la Tchécoslovaquie, a proclamé son indépendance, et promulgué la nouvelle constitution le 01.01.1993. Le président est élu par un parlement bicaméral, composé de la chambre des députés (200 membres) et du sénat (81 membres). La république tchèque est membre de l'Union européenne depuis le 1er mai 2004. Le pays est divisé en sept régions administratives, auxquelles s'ajoutent la région de Prague et le district de Jesenik. La population est relativement homogène. Elle est constituée de Tchèques à 90 %. Les Slovaques, Hongrois, Polonais, Allemands et Ukrainiens forment les minorités nationales. Les habitants sont aux trois quarts citadins. Les régions les moins peuplées sont situées dans le sud du pays. 40 % de la population sont catholiques.
Économie : la République tchèque est un pays de longue tradition industrielle qui traverse actuellement une phase de restructuration vers l'économie de marché. Les centres industriels sont situés dans le nord et le centre de la Bohême et dans le nord de la Moravie. Le charbon couvre largement les besoins en énergie du pays. Le secteur industriel est dominé par la construction mécanique et automobile, ainsi que par l'industrie chimique et légère. Les pays de l'Union européenne et ceux de l'ancien bloc de l'Est sont les principaux partenaires commerciaux. Une agriculture spécialisée caractérise les bassins où les conditions climatiques sont favorables. Le houblon de Bohême sert à la production de la bière mondialement réputée. Le pays, enclavé, exerce une importante fonction de transit à l'intérieur de l'Europe centrale. Les réseaux routier et ferroviaire (9 440 km) sont particulièrement bien conçus. Prague, la capitale, est au centre de ces réseaux.
Histoire et culture : peuplées très tôt par des tribus slaves, germaines et celtes, la Bohême et la Moravie font partie, au IXe siècle, de l'empire de Grande Moravie. Pendant les siècles qui suivent, la Bohême entretient de multiples relations avec l'Empire germanique, et connaît un âge d'or au XIVe siècle, sous le règne de Charles IV. En 1348, la première université située au nord des Alpes est fondée à Prague. Après le mouvement des Hussites, (chrétiens partisans des réformes de Jan Hus), au XVe siècle, commence au début du XVIe siècle, la domination de la dynastie des Habsbourg destinée à durer 400 ans. Cet empire immense réunit l'Autriche, la Bohême, la Moravie et la Hongrie. En 1918, la fondation de la première République tchécoslovaque unifie Bohême, Moravie et Slovaquie. En 1938-1939, les troupes allemandes occupent le territoire tchèque. En 1948, la nouvelle constitution transforme l'État en une démocratie populaire. Ce pays situé au carrefour des influences de l'Est et de l'Ouest est d'une grande richesse culturelle.
Géographie : la succession de montagnes et de bassins sur un espace relativement restreint confère à cet État une multitude de paysages différents. Les bassins de Bohême (avec Prague) et de Moravie sont encadrés de moyennes montagnes boisées qui culminent à 1600 m dans les Sudètes. L'Elbe et la Vltava sont les deux plus grands fleuves du pays, qui est également riche en sources thermales, notamment les célèbres stations de Karlovy Vary (Karlsbad) et de Mariánské Lázne (Marienbad).

Città del Vaticano

ÉTAT DE LA CITÉ DU VATICAN
Situation : 42° N ; 12° E
Superficie : 0,44 km²
Population : 700
Monnaie : pas de monnaie propre
1 euro (€) = 100 cents
Langues : latin, italien

Politique et population : l'État souverain de la cité du Vatican est placé sous l'autorité du pape. Celui-ci gouverne en souverain absolu et délègue au cardinal secrétaire d'État le gouvernement civil de l'État pontifical. La population est essentiellement constituée de prêtres et de religieuses. Les 100 hommes constituant la garde suisse sont citoyens du Vatican pendant la durée de leur service.
Économie : l'un des éléments importants de cet État est le denier de Saint-Pierre, collecté auprès des catholiques du monde entier à l'occasion des fêtes de saint Pierre et de saint Paul. Les autres recettes proviennent de la vente des timbres et des revenus du capital placé.
Histoire : les origines de l'État remontent aux régions lombardes offertes au pape par Pépin le Bref, roi des Francs, en 754. Par le traité de Latran, en 1929, le pape renonce à ses territoires ; en contrepartie, le gouvernement italien reconnaît sa souveraineté et lui verse une forte indemnité.
Géographie : l'État du Vatican est situé à l'ouest de Rome sur la rive droite du Tibre. Il comprend la cathédrale Saint-Pierre et le palais du Vatican ainsi que quelques édifices extraterritoriaux dans Rome et à Castel Gandolfo.

Crna Gora

MONTÉNÉGRO
Capitale : Podgorica
Situation : 42° – 43° N, 18° – 20° E
Superficie : 13.812 km²
Population : 620.000
Densité de population : 45 hab./km²
Monnaie : 1 Euro (€) = 100 Cent
Langues : monténégrin et serbe (officielles), albanais

Politique et population : à la suite du référendum organisé en mai 2006, lors duquel 55,5 % de la population monténégrine se sont prononcés en faveur de

---

République Tchèque — Station météorologique Prague
Altitude 197 m. Situation 50°05'N/14°25'E

CLIMAT		Janv	Fév	Mars	Avril	Mai	Juin	Juil	Août	Sept	Oct	Nov	Déc
	🌡	-2,6	-1,6	2,7	7,8	12,9	16,2	17,9	17,4	13,9	8,2	3,1	-0,8
	🌡	9,5	11,4	17,5	22,5	27,9	30,9	32,7	31,8	28,7	21,7	13,8	10,2
	💧	-13,0	-12,3	-8,0	-1,7	2,0	6,8	9,3	8,2	3,5	-1,6	-4,7	-9,8
	☀	2	3	5	6	9	9	9	8	6	4	2	1
	☂	13	12	12	13	13	13	13	13	10	13	12	13

État de la cité du Vatican — Voir Italie

Montenegro — Voir Serbie

Danemark — Station météorologique Tylstrup au nord d'Alborg
Altitude 13 m. Situation 57°11'N/09°57'E

CLIMAT		Janv	Fév	Mars	Avril	Mai	Juin	Juil	Août	Sept	Oct	Nov	Déc
	🌡	-0,5	-0,9	1,1	5,8	10,8	14,2	16,4	15,9	12,6	8,0	4,4	1,8
	🌡	1,8	2,0	4,8	10,2	16,1	19,5	21,7	20,9	17,1	11,8	7,0	4,0
	💧	-3,3	-4,1	-2,3	1,4	5,0	8,7	11,2	11,0	8,3	4,5	1,6	-0,7
	☀	1	2	5	6	9	9	8	8	6	3	1	1
	☂	15	11	10	11	10	11	13	14	15	15	17	16

Station météorologique Odense
Altitude 5 m. Situation 55°23'N/10°27'E

CLIMAT		Janv	Fév	Mars	Avril	Mai	Juin	Juil	Août	Sept	Oct	Nov	Déc
	🌡	-0,2	-0,5	2,0	6,4	11,0	14,3	16,5	16,2	13,3	8,7	4,9	2,5
	🌡	2,0	2,2	5,2	10,5	16,0	19,3	21,3	20,7	17,3	12,0	7,2	4,1
	💧	-2,4	-3,1	-1,3	2,3	6,0	9,3	11,7	11,7	9,2	5,4	2,5	0,8
	☀	1	2	3	4	8	8	8	7	6	4	2	1
	☂	17	13	12	13	10	11	13	15	14	16	17	17

l'indépendance, la communauté d'États de Serbie-et-Monténégro a été dissoute. Depuis, la jeune république du Monténégro s'efforce de nouer des accords avec la communauté internationale, notamment l'U.E. Les premières élections législatives depuis l'indépendance du pays ont eu lieu le 10 septembre 2006. La population est composée de 43 % de Monténégrins, 32 % de Serbes et quelque 14 % de Bosniaques et autres minorités musulmanes. 75 % environ sont membres de l'Église orthodoxe serbe.

Économie et communication : l'économie a beaucoup souffert de la dislocation de la Yougoslavie, de la guerre des Balkans et des sanctions économiques imposées par les Nations unies. Les principales activités économiques sont l'élevage, la culture de primeurs et du tabac, ainsi que quelques industries lourdes. En dépit de sa configuration montagneuse, le pays est doté d'un réseau routier bien développé. Il attend beaucoup du redémarrage du tourisme sur la côte adriatique.

Histoire et culture : Le Monténégro a déclaré son indépendance en 2006. Jusque là son histoire était intimement liée à celle de la Serbie (voir page 149).

Géographie : le Monténégro est une région montagneuse dépassant par endroit les 2500 mètres d'altitude, et plongeant abruptement dans la mer Adriatique sur sa façade occidentale. Il y règne un climat continental à méditerranéen.

Danmark (DK)

DANEMARK
Capitale : Copenhague (København)
Situation : 55° – 58° N ; 8° – 15° E
Superficie : 43 094 km²
Population : 5,4 millions
Densité de population : 125 hab./km²
Monnaie : 1 couronne danoise (DKK) = 100 øre
Langues : danois (officielle), allemand

Politique et population : la constitution qui existe depuis plus de cent ans, révisée pour la dernière fois en 1953, fait du Danemark une monarchie constitutionnelle, reposant sur un régime démocratique et parlementaire. Le souverain est le chef de l'État. Sa fonction est essentiellement représentative, et c'est le parlement qui détient le pouvoir législatif. Le pays est divisé en 14 districts. Les îles Féroé, situées au nord de l'Écosse dans la mer du Nord, et le Groenland à 300 km de l'Islande, sont également rattachés au Danemark. Constitué de près de 500 îles et d'une grande péninsule, le pays est très inégalement peuplé. La population est regroupée à près de 45 % sur la péninsule du Jylland et en proportion identique sur l'île de Seeland. Les minorités nationales sont composées d'Allemands et de Suédois.

Économie et communications : le Danemark dispose d'une industrie puissante, d'une agriculture hautement spécialisée et d'un secteur tertiaire moderne, qui emploie plus des deux tiers de la population active. Une grande partie des produits de l'élevage et de la pêche est destinée à l'exportation. Les autres secteurs économiques exportateurs sont la construction navale et mécanique et l'industrie chimique. Les deux îles principales, Seeland et Fionie, sont reliées par un pont suspendu depuis 1998, et un pont sur le Petit Belt, dont l'inauguration a donné lieu à une grande fête dano-suédoise, relie désormais Copenhague à la ville suédoise de Malmö. Le Danemark communique avec les pays voisins par voies routières et maritimes. Ce pays de transit dispose d'un réseau routier et ferroviaire de qualité.

Histoire et culture : les Vikings danois commencent à sillonner la mer du Nord et l'océan Atlantique entre 800 et 1050 de notre ère. Entre les XIe et XIVe siècles, la Couronne danoise mène de nombreuses guerres de conquête. En 1397, est scellée l'union du Danemark avec la Norvège qui subsistera jusqu'en 1814 et inclura aussi occasionnellement la Suède. Le XVIIIe siècle amorce une ère plus pacifique qui met un terme aux guerres

1 Prague, la Ville d'Or, est connue pour ses nombreux ponts. Le plus célèbre est le pont Charles.

2 Vue sur les toits de Rome et sur la basilique Saint-Pierre.

3 Le lac Niksic du Monténégro invite à la baignade.

4 Lors des grandes marées, les maisons restent hors de l'eau sur des levées de terrain.

5 La Nykirke au beau milieu des champs compte parmi les plus célèbres églises danoises.

Danmark   127

incessantes, et surtout à la lutte contre l'hégémonie suédoise. C'est alors l'apogée du commerce, de l'art et de la science. Le Danemark reste neutre pendant la Première Guerre mondiale, mais le pays est occupé par les troupes allemandes pendant le second conflit mondial. En 1949, le Danemark intègre l'organisation de l'OTAN, et devient membre de la Communauté européenne en 1973. L'héritage artistique et culturel du pays datant de la Renaissance et du baroque est de très grande valeur.

Géographie : le Danemark est un pays très plat. Son point culminant est situé à 170 m d'altitude. Bordé par un littoral bas et très découpé (7 000 km), le pays est composé de landes sablonneuses et de terres argileuses, de collines aux matériaux morainiques couvertes de forêts. La frontière avec l'Allemagne constitue son unique lien naturel avec le continent. Le climat du Danemark est de type maritime tempéré.

Deutschland Ⓓ

ALLEMAGNE
Capitale : Berlin
Situation : 47° – 55° N ; 6° – 15° E
Superficie : 357 022 km²
Population : 82,4 millions
Densité de population : 231 hab./km²
Monnaie : 1 euro (€) = 100 cents
Langue : allemand

Politique : aux termes de la Loi fondamentale de la RFA « la république fédérale d'Allemagne est un État fédéral démocratique et social ». La constitution représente l'ordre constitutionnel. L'État fédéral démocratique et parlementaire réunit 16 Länder dont les droits sont égaux. Le chef de l'État est le président fédéral, élu pour un mandat de cinq ans par l'Assemblée fédérale, elle-même composée des membres du parlement fédéral (Bundestag) et de délégués élus par les parlements des Länder. La fonction du président est essentiellement représentative au niveau international. Le pouvoir législatif est exercé par un parlement à deux chambres : le Bundestag, chambre des députés, est composé de membres élus au suffrage universel direct pour quatre ans. Il est chargé, sur proposition du président, de l'élection du chancelier qui dirige le gouvernement fédéral. Les Länder participent à l'action législative par l'intermédiaire de la deuxième chambre : le Bundesrat ou Conseil fédéral, composé des représentants du gouvernement de chaque Land. La République fédérale d'Allemagne est membre de l'U.E. et de l'OTAN.

Population : neuf Allemands sur dix vivent dans les villes et un tiers dans les grandes villes. C'est la région Rhin-Ruhr qui détient le record de densité nationale avec 11 millions d'habitants. Plus de 90 % des habitants sont allemands. Les Sorbes (peuple slave), Danois et Tsiganes constituent les minorités nationales. Le nombre d'étrangers est croissant depuis plusieurs décennies. Actuellement, 7,3 millions d'étrangers résident en Allemagne. L'Église protestante et l'Église catholique comprennent chacune un tiers de la population.

Économie : la République fédérale d'Allemagne compte parmi les économies dominantes du monde. Depuis la fondation du G7 à la fin des années 1970, l'Allemagne participe aux sommets économiques mondiaux. Son économie est tournée vers l'exportation et dépendante de l'importation. Les réserves locales de charbon et de sel tiennent désormais une place secondaire dans son approvisionnement puisque les importations représentent dix fois leur valeur. En conséquence, la mise en œuvre du travail et du capital (main d'œuvre hautement qualifiée, technologies de pointe et rationalisation des chaînes de fabrication) a une importance décisive dans le processus de développement économique. Le secteur de biens d'équipement (construction mécanique et automobile, électrotechnique et électronique) joue un rôle essentiel. Les pays de l'U.E. et les États-Unis sont les principaux partenaires commerciaux. En dépit de l'importance relativement réduite de l'agriculture au niveau économique national, les terres sont exploitées de manière intensive ainsi que les forêts. L'élevage présente également des performances élevées. L'évolution actuelle est surtout caractérisée par la croissance du secteur tertiaire. Une inégalité dans le développement économique oppose le sud et le nord d'une part, l'est et l'ouest d'autre part.

Communications : l'Allemagne, espace de transit essentiel en Europe centrale, est dotée d'un réseau routier et ferroviaire dense et performant. L'axe le plus important, à dimension européenne, est l'axe rhénan avec un taux de fréquentation particulièrement élevé.

Médias : plus de 406 quotidiens sont publiés. La radio et la télévision relevaient jusqu'en 1985 du service public. Des actionnaires privés ont, depuis, considérablement modifié le paysage des médias.

Histoire : après les invasions celtes, germaniques et romaines, c'est aux IXe et Xe siècles qu'apparaît le Saint Empire romain germanique (Ier Reich). Jusqu'à la Réforme, l'empire subit les conflits récurrents opposant les empereurs allemands comme Otton Ier le Grand, Frédéric Ier Barberousse et Charles IV, au pape d'une part, et le pouvoir central aux souverains territoriaux d'autre part. Le début du XVIe siècle marque le début de la Réforme, à l'initiative de Martin Luther. Commence alors la constitution progressive de l'absolutisme princier, et le Saint Empire romain germanique se morcelle en une multitude d'États territoriaux. Après la victoire remportée sur Napoléon en 1815, la confédération allemande se divise en 39 États souverains. Au XIXe siècle, au moment de la Révolution industrielle, la multiplicité des frontières est perçue comme une entrave. En 1871 est proclamé le IIe Reich qui devient un État fédéral. Les ambitions hégémoniques mondiales et les tensions à l'intérieur du pays aboutissent à la Première puis à la Seconde Guerre mondiale, et donc aux défaites allemandes successives. À partir de 1949, deux États coexistent, la République fédérale d'Allemagne et la République démocratique allemande, appartenant l'un à l'Europe de l'Ouest, l'autre au bloc de l'Est. En 1990, les deux États alle-

Allemagne		Station météorologique Berchtesgaden Altitude 542 m. Situation 47°38'N/13°01'E											
		Jav	Fév	Mars	Avril	Mai	Juin	Juil	Août	Sept	Oct	Nov	Déc
CLIMAT	🌡	-2,7	-1,2	3,0	7,1	11,7	14,8	16,3	15,4	12,6	7,3	2,7	-1,2
	🌡	1,7	4,3	9,2	13,4	17,7	20,4	21,9	21,5	19,1	13,8	7,8	3,0
	🌡	-28,1	-27,9	-18,1	-14,2	-4,0	0,3	2,4	1,1	-1,5	-7,7	-15,0	-25,8
	☼	2	3	5	6	7	7	7	7	6	4	2	1
	☂	17	16	15	17	18	20	20	20	15	14	15	15

		Station météorologique Geisenheim Altitude 109 m. Situation 49°59'N/07°58'E											
		Jav	Fév	Mars	Avril	Mai	Juin	Juil	Août	Sept	Oct	Nov	Déc
CLIMAT	🌡	0,7	1,7	5,8	9,9	14,2	17,2	18,8	18,1	14,8	9,7	5,4	1,9
	🌡	3,2	5,0	10,5	15,1	19,6	22,7	24,4	24,0	20,4	14,1	8,1	4,1
	🌡	-2,1	-1,6	1,3	4,9	8,5	11,5	13,3	12,9	10,1	5,9	2,7	-0,6
	☼	2	3	6	8	7	7	6	6	5	3	1	2
	☂	16	14	12	13	12	13	13	13	12	13	15	16

		Station météorologique Bremerhaven Altitude 7 m. Situation 53°32'N/08°35'E											
		Javv	Fév	Mars	Avril	Mai	Juin	Juil	Août	Sept	Oct	Nov	Déc
CLIMAT	🌡	0,5	0,9	3,6	7,7	12,0	15,2	17,1	17,1	14,2	9,7	5,5	2,3
	🌡	2,4	3,0	6,8	11,3	16,1	19,2	20,7	20,8	18,1	12,7	7,5	4,1
	🌡	-1,6	-1,5	0,6	4,3	8,0	11,3	13,7	13,6	11,0	6,9	3,3	0,3
	☼	2	2	4	6	8	7,2	7	6	5	3	2	1
	☂	19	17	13	15	13	15	17	17	16	18	19	20

Estonie		Station météorologique Tallinn Altitude 44 m. Situation 59°25'N/24°48'E											
		Jav	Fév	Mars	Avril	Mai	Juin	Juil	Août	Sept	Oct	Nov	Déc
CLIMAT	🌡	-5,0	-5,9	-2,9	2,9	8,7	13,6	17,1	16,4	11,8	6,6	1,2	-1,9
	🌡	-2,3	-2,9	0,5	16,7	13,0	17,7	20,8	19,8	15,0	8,6	3,2	-0,6
	🌡	-7,7	-8,1	-5,5	-0,3	4,4	9,5	13,1	12,0	8,3	3,6	-0,7	-4,2
	☼	1	2	5	6	8	10	9	8	5	2	1	1
	☂	17	15	12	12	12	12	13	15	15	17	17	17
	≈	1	1	2	5	11	15	16	13	9	6	3	

mands sont réunifiés, et les cinq Länder de l'ex-RDA rejoignent ceux de la RFA.

Culture : le riche héritage culturel allemand est illustré par des monuments de notoriété mondiale comme les cathédrales de Spire ou de Cologne, la ville de Lübeck et par une série de musées comme la pinacothèque de Munich. De nombreux festivals de musique internationaux rendent hommage aux œuvres des grands compositeurs allemands. La structure fédérale a favorisé l'émergence au niveau mondial d'une multitude de musées, orchestres et salles de concert. Les différences régionales ont tendance à s'estomper progressivement.

Géographie : la RFA est bordée au nord par la mer du Nord et la Baltique. On traverse ensuite les grandes plaines puis le massif schisteux rhénan et le plateau du Palatinat découpé par la vallée du Rhin. Plus au sud, la Forêt-Noire et le massif bohémien sont relayés par les Préalpes puis par les Alpes bavaroises qui culminent à 2 963 m d'altitude au Zugspitze. Une multitude d'îles bordent le littoral. Les grandes plaines s'étendent sur une bande de 200 km de large et sont parcourues par plusieurs fleuves (Elbe, Weser, etc.). Les moyennes montagnes couvrent la plus grande partie du pays. Elles sont fortement boisées (Forêt-Noire), et incisées par des vallées fluviales comme celles du Rhin et du Main. Les Préalpes s'étendent entre le Danube et les Alpes bavaroises. L'Allemagne dispose d'un réseau de fleuves et de canaux navigables long de plus de 6 000 km. Les deux plus grands lacs sont ceux de Constance (305 km² pour la partie allemande) et de Müritz (115 km²).

Eesti

ESTONIE

Capitale : Tallinn (Revel)
Situation : 57° – 59° N ; 22° – 28° E
Superficie : 45 227 km²
Population : 1,3 million
Densité : 29 hab./km²
Monnaie : 1 couronne estonienne (EEK) = 100 senti
Langues : estonien (officielle), russe

Politique et population : en 1991, l'Estonie se proclame indépendante de l'URSS. Depuis 1992, elle est une république démocratique parlementaire. Le parlement est composé de 101 membres élus pour un mandat de quatre ans. Les deux tiers des habitants sont estoniens. Le tiers restant comprend des Russes et des Ukrainiens qui se sont implantés dans le pays au moment de la russification. La population vit à 70 % dans les villes. La majorité des Estoniens est de confession protestante ou bien est rattachée à l'Église orthodoxe russe.

Économie : l'Estonie est un pays de tradition agricole. L'élevage et la pêche tiennent une place prépondérante. L'industrie du pays s'appuie surtout sur l'électrotechnique, la transformation du bois et le textile. Les exportations reflètent fidèlement ces orientations. Le passage de l'économie planifiée à l'économie de marché commence à donner de bons résultats. Le taux de chômage était de 7,9 % en 2005.

Histoire : la région est déjà peuplée autour de 9000 av. J.-C. Entre 1629 et 1710, l'Estonie est un territoire suédois. En 1721, le pays fait partie de la Russie. En 1920, la Russie reconnaît l'indépendance de l'Estonie jusqu'à son annexion par l'Union soviétique en 1940. L'Estonie est devenue membre de l'Union européenne le 1ᵉʳ mai 2004.

Géographie : la côte baltique constituée d'une succession de baies est bordée par près de 1 500 îles. Le pays comprend plus de 1 400 lacs (reliques de l'empreinte glaciaire du pléistocène), de nombreux fleuves, des régions marécageuses et des collines de 300 m environ, culminant au mont Munamägi (318 m). Le climat, frais et tempéré, subit les influences de la mer Baltique.

1 Les mouettes forment une escorte permanente aux navires qui pêchent la crevette.

2 Le château d'Eltz est un des châteaux forts les mieux conservés d'Allemagne.

3 Pfalzgrafenstein en Allemagne.

4 Paysage rural d'Estonie.

5 Le foehn souffle sur Meersburg. Au premier plan, les toits de la Ville Haute, en toile de fond les Alpes et le lac de Constance.

Eesti **129**

Éire / Ireland (IRL)

IRLANDE
Capitale : Dublin
Situation : 52° – 55° N ; 6° – 11° O
Superficie : 70 284 km²
Population : 4 millions
Densité : 57 hab./km²
Monnaie : 1 euro (€) = 100 cents
Langues : anglais, gaélique (irlandais, première langue officielle)

Politique et population : « la verte Érin » est une république démocratique parlementaire depuis 1949. Le parlement comprend deux chambres : la chambre des députés, composée de 166 membres élus pour cinq ans, et le sénat, qui compte 60 membres, dont 11 sont nommés par le président et 49 autres élus au suffrage universel direct. Le président est élu pour un mandat de sept ans au suffrage universel. La grande majorité des habitants du « pays de l'arc-en-ciel » sont d'origine celte. La langue d'origine des Irlandais, le gaélique, proche de l'écossais, n'est plus aujourd'hui parlée que par 5 % de la population. Depuis la grande famine de 1845, due à la maladie de la pomme de terre, qui coûta la vie à plus d'un million de personnes, l'Irlande est devenue un pays d'émigration. Plus de 16 millions de personnes d'origine irlandaise vivent à l'étranger, la plupart d'entre elles aux États-Unis. 93 % des Irlandais sont de confession catholique.

Économie et communications : après avoir traversé une crise très importante dans le courant des années 1980, l'économie irlandaise peut se targuer d'avoir actuellement l'un des taux de croissance les plus élevés d'Europe. Le taux de chômage est passé de 20 % à 10 %. La technologie de pointe, la chimie, la construction mécanique, ainsi que les industries pharmaceutique et agroalimentaire comptent parmi les secteurs industriels les plus dynamiques. L'agriculture participe encore fortement à la formation du P.N.B. La pêche tient une place secondaire. La Grande-Bretagne suivie de l'Allemagne sont les principaux partenaires commerciaux. Les réseaux de communication et les transports aériens occupent une place particulière étant donné la situation insulaire de l'Irlande.

Histoire et culture : c'est aux alentours de 6000 avant notre ère que commence le peuplement de l'île. De nombreux monuments témoignent de l'éclat de la civilisation mégalithique au IIIᵉ millénaire avant notre ère. L'arrivée des Celtes en Irlande se situe aux alentours de 600 avant notre ère. En 432, saint Patrick commence la christianisation de l'île. En 1171-1172, le roi d'Angleterre Henri II conquiert l'île. Dès lors commencent huit cents ans de joug anglais, terrible et cruel. En 1921, au terme de nombreuses insurrections et rebellions, l'Irlande devient un État libre qui proclame son indépendance en 1937, dans le cadre de sa nouvelle constitution. La culture irlandaise prend racine dans la tradition catholique et la langue gaélique. S'opposant sciemment à ces racines, des écrivains comme James Joyce, Samuel Beckett et Sean O'Casey ont fait la réputation mondiale de la littérature irlandaise. La musique folklorique irlandaise s'exporte avec succès.

Géographie : située dans l'Atlantique Nord, l'île est bordée sur sa périphérie de massifs peu élevés, culminant à 1 000 m d'altitude, et constituée en son centre d'une plaine étendue et bourbeuse. La côte ouest est rocheuse et particulièrement spectaculaire par endroits. L'océan Atlantique et le Gulf Stream influencent le climat tempéré et humide du pays où les hivers sont doux et les étés frais. Les précipitations diminuent de l'ouest vers l'est.

Irlande — Station météorologique Dublin
Altitude 68 m. Situation 53°26'N/06°15'O

	Janv	Fév	Mars	Avril	Mai	Juin	Juil	Août	Sept	Oct	Nov	Déc
	4,5	4,8	6,5	8,4	10,5	13,5	15,0	14,8	13,1	10,5	7,2	5,8
	7,6	8,2	10,4	12,7	15,4	18,4	19,6	19,4	17,3	13,9	10,3	8,4
	1,3	1,6	2,6	3,7	5,9	9,1	11,0	10,6	8,9	6,3	3,8	2,6
	2	3	4	6	7	7	5	5	4	3	2	2
	11	10	9	10	10	10	12	12	12	10	12	14
	9	8	7	8	9	11	13	14	14	13	12	10

Grèce — Station météorologique Héraklion/Crète
Altitude 29 m. Situation 35°21'N/25°08'E

	Janv	Fév	Mars	Avril	Mai	Juin	Juil	Août	Sept	Oct	Nov	Déc
	12,3	12,6	13,5	16,1	19,0	23,0	25,4	25,6	23,2	20,4	17,3	14,2
	15,8	16,2	17,2	20,3	23,4	27,1	29,3	27,0	24,3	20,8	17,7	22,4
	8,8	8,9	9,7	11,9	14,6	18,9	21,5	21,9	19,4	16,5	13,8	10,7
	3	4	6	8	10	11	13	12	10	7	6	4
	14	9	10	6	4	1	1	1	2	6	11	14
	16	15	16	16	19	22	24	25	24	23	20	17

Station météorologique Naxos
Altitude 3 m. Situation 37°06'N/25°25'E

	Janv	Fév	Mars	Avril	Mai	Juin	Juil	Août	Sept	Oct	Nov	Déc
	12,2	12,2	13,4	16,4	19,5	22,7	24,8	25,0	22,9	20,9	17,3	14,3
	14,5	14,8	16,2	19,5	22,7	25,6	27,3	27,6	25,5	24,0	19,9	16,6
	9,9	9,5	10,6	13,3	16,3	19,8	22,3	22,4	20,3	17,8	14,7	11,9
	5	5	6	7	8	10	12	11	9	7	4	3
	12	9	8	4	3	1	<1	<1	1	4	6	12
	16	15	16	16	19	22	24	25	24	23	20	17

Espagne — Station météorologique Malaga
Altitude 34 m. Situation 6°43'N/04°25'O

	Janv	Fév	Mars	Avril	Mai	Juin	Juil	Août	Sept	Oct	Nov	Déc
	12,5	12,9	15,0	16,3	19,3	22,8	25,2	23,6	23,5	19,1	15,8	13,3
	16,5	16,9	18,4	20,5	23,3	26,6	29,2	29,7	27,3	23,3	19,7	17,3
	8,2	10,2	10,8	12,7	15,1	18,9	21,3	21,7	19,6	15,9	12,0	9,6
	6	6	6	8	10	11	12	11	11	7	6	6
	6	6	7	4	6	1	0	1	2	5	7	7
	15	14	14	15	17	18	21	22	21	19	17	16

Station météorologique Las Palmas (Îles Canaries)
Altitude 6 m. Situation 28°11'N/15°28'O

	Janv	Fév	Mars	Avril	Mai	Juin	Juil	Août	Sept	Oct	Nov	Déc
	17,8	18,1	18,3	18,9	19,7	21,1	22,2	23,6	23,3	22,8	21,1	18,9
	20,8	20,9	21,7	22,2	23,0	24,1	25,1	26,0	26,4	26,0	24,1	21,7
	15,6	15,7	16,2	16,9	18,1	19,4	20,7	21,4	21,5	20,7	19,0	16,8
	6	6	7	8	8	8	9	9	7	6	6	6
	8	5	5	3	1	<1	<1	1		5	7	8
	19	18	18	18	19	20	21	22	22	23	21	20

Station météorologique Palma de Mallorca (Baléares)
Altitude 28 m. Situation 39°33'N/02°39'E

	Janv	Fév	Mars	Avril	Mai	Juin	Juil	Août	Sept	Oct	Nov	Déc
	10,1	10,5	12,2	14,5	17,4	21,4	21,1	24,5	22,6	18,4	14,3	11,6
	14,1	14,8	16,6	18,9	21,9	26,0	28,9	28,8	26,9	22,5	18,1	15,1
	6,3	6,4	7,9	10,4	12,8	16,9	19,6	20,2	18,1	13,9	10,2	7,5
	5,1	6,1	6,5	7,6	9,9	10,3	11,4	10,0	7,7	6,5	5,5	4,5
	8	6	8	5	5	3	1	3	6	9	8	9
	14	13	14	15	17	21	24	25	24	21	18	15

Ellás (GR)

GRÈCE
Capitale : Athènes (Athína)
Situation : 35° – 42° N ; 20° – 28° E
Superficie : 131 990 km²
Population : 10,6 millions
Densité de population : 80 hab./km²
Monnaie : 1 euro (€) = 100 cents
Langue : grec moderne

Politique et population : la Grèce est une République démocratique parlementaire depuis la réforme constitutionnelle de 1986. Le chef de l'État est le président, élu pour un mandat de cinq ans par la chambre des députés. L'assemblée est composée de 300 membres élus pour une durée de quatre ans. Les deux tiers de la population grecque résident dans les villes. L'exode rural se poursuit, de même que l'émigration vers les pays européens plus riches ainsi que vers les États-Unis. 98 % des habitants sont grecs. Les minorités vivent dans les régions frontalières et sont composées de Turcs, Bulgares, Albanais et Macédoniens. 95 % des Grecs appartiennent à l'Église orthodoxe grecque et 1,3 % sont musulmans.

Économie : l'économie a été longtemps planifiée par l'État. Sous l'impulsion du gouvernement Simitis, l'économie de marché a gagné du terrain. Étant donné leur taille relativement réduite et leur manque de moyens, les entreprises industrielles sont peu compétitives sur le marché mondial. De tous les pays européens, la Grèce est celui qui compte le plus grand nombre d'actifs dans le secteur agricole. Or, celui-ci participe uniquement à hauteur de 7 % au P.I.B. Le relief accidenté ne facilite pas le développement du réseau de communication. Le réseau ferré joue un rôle secondaire. C'est le réseau routier, qui s'étend sur 116 000 km, qui assure l'essentiel du transport de voyageurs et de marchandises. La Grèce entretient l'une des plus grandes flottes maritimes du monde.

Histoire et culture : dès 1900 avant notre ère, la civilisation mycénienne domine le sud de la Grèce. 700 ans plus tard, les armées mycéniennes détruisent la ville de Troie. L'époque classique démocratique s'étend entre 800 av. J.-C. et l'invasion romaine en 197 av. J.-C. Elle est caractérisée avant tout par l'émergence du concept de *polis* (ville-État). En 395, la Grèce est intégrée à l'Empire romain d'Orient et soumise à la domination byzantine. Entre les VIᵉ et IXᵉ siècles, les nomades slaves ravagent constamment le pays. Après la chute de Byzance en 1453, la Grèce entre pour 4 siècles dans le giron de l'Empire ottoman. Le pays est occupé par les troupes allemandes et italiennes pendant la Seconde Guerre mondiale. Le coup d'État militaire d'avril 1967 fonde « le régime des colonels », une dictature militaire d'une grande violence, peu active sur le plan international, qui disparaît après avoir saigné le pays à blanc. La Grèce est membre de la Communauté européenne depuis 1981. La culture grecque classique a exercé une influence capitale sur l'Occident. Elle n'a pas seulement imprégné la création artistique et spirituelle de toute l'Antiquité, mais elle a marqué, par delà la Renaissance, la conception de l'homme moderne.

Géographie : la Grèce est constituée, pour 20 % de sa superficie, de plusieurs centaines d'îles. Le littoral est découpé en innombrables indentations. Des chaînes de montagnes longent la mer Ionienne jusque dans le sud du Péloponnèse. L'île de Crète est le prolongement de ces chaînes montagneuses. Un second ensemble montagneux important, orienté ouest-est, se prolonge dans les îles de la mer Égée (Cyclades). Le climat de la Grèce est méditerranéen.

España E

ESPAGNE
Capitale : Madrid
Situation : 36° – 44° N ; 9° O – 4° E
Superficie : 504 782 km²
Population : 41 millions
Densité de population : 81 hab./km²
Monnaie : 1 euro (€) = 100 cents
Langues : espagnol (castillan), catalan, basque, galicien

Politique : depuis l'adoption en décembre 1978 d'une nouvelle constitution, l'Espagne est une monarchie à fondement démocratique et parlementaire. Le roi est le chef de l'État. Le parlement est constitué de deux chambres : la chambre des députés composée de 350 membres élus pour une durée de quatre ans, et le sénat qui comprend 255 membres également élus pour un mandat de quatre ans. Depuis 1983, le pays est divisé en 17 communautés autonomes ayant chacune son propre pouvoir exécutif et législatif. Les partis politiques espagnols sont nombreux et onze d'entre eux sont représentés à la chambre des députés.

Population : les campagnes du centre de l'Espagne sont beaucoup moins peuplées que les régions de forte concentration industrielle et urbaine situées le long des côtes. Cette tendance se renforce encore, et un quart seulement de la population vit aujourd'hui à la campagne. 73 % des habitants vivent dans l'Espagne de langue castillane (Castille, Andalousie, Asturies et Aragon), 17 % sont catalans, 7 % galiciens et 2 %

basques. La grande majorité d'entre eux est de confession catholique. L'école est obligatoire entre 6 et 16 ans.

Économie : jusqu'au milieu des années 1960, l'Espagne était un pays essentiellement agricole. L'industrialisation a inauguré de gros problèmes dont le moindre n'est pas le chômage, encore actuellement autour de 20 %. La part de l'agriculture dans le P.I.B n'est plus que de 4 % et celle de l'industrie de 34 %, le reste, soit presque les deux tiers, étant réalisé par le secteur tertiaire. Les secteurs industriels les mieux représentés sont la production sidérurgique et métallurgique, la construction automobile et navale, l'industrie chimique, l'agroalimentaire et le textile. La quasi-totalité des grandes firmes sont entre les mains d'investisseurs étrangers comme Volkswagen, Bayer, Hoechst et Dow Chemical. La balance du commerce extérieur n'est pas équilibrée, les importations l'emportant nettement, et de plus en plus, sur les exportations. L'Espagne exporte surtout des machines, des véhicules de transport et des denrées alimentaires. Elle importe, en revanche, des biens d'équipement de toute sorte, du pétrole et des produits chimiques. Le tourisme est un secteur économique essentiel dont le taux de croissance atteint près de 10 % par an.

Communications : la configuration géographique du pays ne favorise pas le développement des réseaux de

1 La tonte des moutons sur l'île Achill, en Irlande.

2 Le terme *acropole* signifie simplement « partie la plus élevée de la ville ». De mémoire d'homme, temples et forteresses se sont toujours dressés sur l'Acropole d'Athènes.

3 La très ancienne tradition de la corrida se perpétue en Espagne.

4 L'église Agia Sophia domine la ville de Monemvasia, au sud du Péloponnèse.

5 Le genévrier est typique des hauts plateaux espagnols.

España 131

communication. Le transport de voyageurs et de marchandises est essentiellement assuré par le réseau routier. Les compagnies ferroviaires privées ou publiques ne sont pas en mesure de remédier efficacement à la situation. Étant donné l'important développement du tourisme, on a construit de nombreux aéroports internationaux le long des côtes où existent par ailleurs des ports importants (Barcelone, Bilbao, Santa Cruz de Ténériffe, Gijón).

Médias : depuis 1978, la liberté de la presse est inscrite dans la constitution. Il se publie quelque 120 journaux par jour. La radio et la télévision sont encore majoritairement entre les mains de l'État.

Histoire : en 1100 avant notre ère, les Phéniciens installent sur les côtes leurs premiers comptoirs commerciaux. En 200 avant notre ère, le pays tombe entre les mains des Romains pour une période de six siècles. En 711, les Arabes franchissent le détroit de Gibraltar et conquièrent en peu de temps la péninsule Ibérique. 1492 marque la fin de la reconquête par l'armée chrétienne. Commence alors l'expulsion des musulmans et des juifs. La même année, Christophe Colomb découvre l'Amérique pour le compte des souverains espagnols. Un siècle plus tard, en 1588, les Anglais anéantissent l'Invincible Armada espagnole. Au XVIIᵉ siècle, l'Espagne perd progressivement sa suprématie en Europe. Au début du XIXᵉ siècle, ce sont les colonies d'Amérique latine qui obtiennent leur indépendance. En 1936, Franco, général fasciste, prend le pouvoir. La terrible guerre civile qui s'ensuit s'achève avec la victoire des fascistes. À la mort de Franco, en 1975, Juan Carlos Iᵉʳ est couronné roi. Deux ans plus tard, des élections libres sont organisées, après une interruption de plus de 40 ans. En 2004, le pays a été bouleversé par un attentat islamiste qui a fait près de 200 victimes à Madrid.

Culture : la culture espagnole prend racine dans la religion catholique, dont l'influence est particulièrement perceptible lors des processions de la *semana santa*. L'influence de la culture tsigane s'exprime au travers du flamenco (musique et danse), alors que l'architecture témoigne admirablement de l'héritage islamique (Alhambra). Des artistes comme le Greco, Goya et Picasso sont mondialement célèbres.

Géographie : l'Espagne est un pays essentiellement montagneux. Le centre est occupé par la Meseta, qui constitue à elle seule les deux tiers du pays. Elle est divisée en deux par les chaînes de Castille : au nord la Vieille Castille et le Léon culminant à 800 m, au sud la Nouvelle Castille, l'Estrémadure et la Manche où les altitudes

s'abaissent jusqu'à 200 m. La Meseta est bordée de montagnes élevées, cordillère Cantabrique et Pyrénées au nord, monts Celtibériques à l'est et sierra Morena au sud. Au sud de la péninsule s'étend la plaine de l'Andalousie. À l'origine, l'Espagne était couverte de forêts. Aujourd'hui, celles-ci ne subsistent que sur un quart des terres. Les hêtres, chênes et châtaigniers caractérisent la végétation de la partie nord humide. Ailleurs, on rencontre des plantes sempervirentes typiquement méditerranéennes comme le chêne-liège et l'olivier.

France

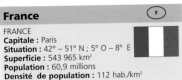

FRANCE
Capitale : Paris
Situation : 42° – 51° N ; 5° O – 8° E
Superficie : 543 965 km²
Population : 60,9 millions
Densité de population : 112 hab./km²
Monnaie : 1 euro (€) = 100 cents
Langue : français

Politique : la constitution de la Vᵉ République est rédigée en 1958, et révisée pour la dernière fois en 1996. La France est une république démocratique et parlementaire avec une forte valorisation du rôle du président qui est élu pour cinq ans au suffrage universel direct, à la majorité absolue. Il préside le conseil des ministres, il peut également proposer un référendum et gouverner avec les pleins pouvoirs en cas d'extrême nécessité. Le parlement est constitué de deux chambres : le sénat composé de 321 membres et l'assemblée nationale composée de 577 députés. Dans le domaine législatif, les deux chambres ont une participation équivalente, mais c'est l'assemblée nationale qui adopte les lois en dernière lecture. La France est divisée en 21 régions administratives et la collectivité territoriale de la Corse, dotée d'un statut particulier. Le pays comprend 96 départements métropolitains, 4 départements d'outre-mer, et des territoires d'outre-mer. La France est membre de l'Union européenne et de l'OTAN.

Population : la population est répartie irrégulièrement sur le territoire français. Les plus grandes agglomérations urbaines sont situées dans les régions industrielles du nord et du nord-est. Un Français sur cinq vit dans la région Île-de-France. Plus de 90 % des habitants sont de nationalité française. La principale minorité linguistique est la communauté germanophone d'Alsace-Lorraine (1,2 millions de personnes) . On compte 6,3 % d'étrangers, pour la plupart originaires d'Afrique du Nord. Les trois quarts de la population sont de confession catholique.

Économie : l'économie française compte parmi les dix plus importantes du monde. Le passage d'une économie à dominante agricole vers une nation industrialisée s'est effectué pour l'essentiel après la Seconde Guerre mondiale. L'État a impulsé les modifications structurelles fondamentales et la modernisation de l'industrie. Le développement des centrales nucléaires et hydroélectriques a joué un rôle important. Les principales branches industrielles sont l'agroalimentaire, les industries mécaniques et électromécaniques et la métallurgie. La France joue également un rôle mondial dans le domaine de l'industrie aéronautique et spatiale. La répartition déséquilibrée des centres industriels sur le territoire français reste un problème non résolu. Les fortes agglomérations industrielles sont toujours situées dans les régions offrant un bon réseau de communication, à l'est et au nord d'une ligne Le Havre – Marseille. 3 % seulement des actifs travaillent dans le secteur agricole, et pourtant l'agriculture exploite encore 54 % de la superficie du pays. La production est fonction des conditions climatiques : au nord, le blé, la viande et les produits laitiers tiennent une place prépondérante tandis que dans le sud dominent la polyculture intensive des fruits et légumes et la viticulture. Les vins français sont mondialement réputés, de même que le champagne et le cognac. Le secteur tertiaire réalise à lui seul plus des deux tiers du P.I.B. Le tourisme est une source non négligeable de revenus en devises. La balance commerciale est globalement

France												
Station météorologique Rennes Altitude 35 m. Situation 48°04'N/01°43'O												
	Janv	Fév	Mars	Avril	Mai	Juin	Juil	Août	Sept	Oct	Nov	Déc
	4,8	5,8	8,1	10,2	13,2	16,3	18,1	18,1	16,0	12,0	8,0	5,5
	7,8	8,8	12,6	15,0	18,4	21,6	23,4	23,3	20,8	16,2	11,4	8,3
	1,8	2,9	3,6	5,4	8,0	11,0	12,7	12,8	11,2	7,7	4,6	2,6
	2	3	5	6	7	7	8	7	5	4	2	2
	18	14	14	12	13	11	12	12	13	15	16	18

Station météorologique Marseille Altitude 3 m. Situation 43°27'N/05°13'O												
	Janv	Fév	Mars	Avril	Mai	Juin	Juil	Août	Sept	Oct	Nov	Déc
	5,5	6,6	10,0	13,0	16,8	20,8	23,3	22,8	19,9	15,0	10,2	6,9
	10,0	11,5	15,0	17,9	21,8	26,1	28,9	28,3	25,1	19,8	14,7	10,9
	1,5	2,1	5,1	7,6	11,1	14,7	17,1	17,0	14,7	10,4	6,0	3,0
	4	4	6	7	8	9	10	12	10	8	6	4
	8	6	7	6	7	4	2	4	6	8	8	10
	12	12	13	13	15	18	21	21	20	18	14	14

Croatie												
Station météorologique Split Altitude 128 m. Situation 43°31'N/16°26'E												
	Janv	Fév	Mars	Avril	Mai	Juin	Juil	Août	Sept	Oct	Nov	Déc
	7,8	8,1	10,3	14,0	18,6	22,9	25,6	25,4	21,6	16,8	12,3	10,1
	9,9	10,8	13,6	17,8	22,8	26,9	30,2	30,1	25,9	20,1	15,1	11,8
	4,9	5,0	7,4	11,1	15,5	18,9	21,8	21,8	18,7	14,0	10,1	7,2
	5	6	6	7	8	11	11	11	8	6	4	4
	13	9	11	11	9	5	5	8	11	13	13	13
	13	12	13	14	17	21	23	24	22	19	16	14

équilibrée. Les principaux partenaires commerciaux sont l'Allemagne, l'Italie et le Royaume-Uni.

Communications : le réseau routier est bien conçu, très dense dans le nord et moins dans d'autres parties du pays. Les principales autoroutes convergent toutes vers Paris. La France dispose du TGV, train à grande vitesse, bénéficiant d'un réseau ferré qui s'étend constamment.

Médias : en France, le pôle des médias est à Paris. C'est de là que l'information gagne le reste du pays. Le paysage médiatique est composé de l'AFP (Agence France-Presse), de 14 000 journaux et revues, de chaînes radiophoniques dont la plupart ont un rayonnement régional et de chaînes télévisées aussi bien publiques que privées, régionales et nationales.

Histoire : la région de la France actuelle est déjà peuplée il y a plus de 10 000 ans. La fondation du royaume des Francs entre les Vᵉ et IXᵉ siècles par les Mérovingiens et les Carolingiens, de même que le développement de la royauté française jusqu'au XVᵉ siècle, influencent considérablement l'histoire de l'Europe occidentale. Les luttes perpétuelles à l'intérieur du pays avec la noblesse, et à l'extérieur avec les Anglais, ennemis héréditaires (la guerre de Cent Ans), contribuent largement à la consolidation du pouvoir central et à la formation d'une monarchie nationale. Celle-ci connaît son apogée au XVIIᵉ siècle et au début du XVIIIᵉ siècle (Louis XIII – Louis XVI). La victoire de la bourgeoisie lors de la Révolution française de 1789 est à l'origine du développement européen du XIXᵉ siècle. Après l'instauration de l'Empire, Napoléon Bonaparte entreprend, entre 1803 et 1815, une série de guerres contre les autres puissances européennes, qui s'achève par la défaite française. La France compte parmi les vainqueurs tant de la première que de la Seconde Guerre mondiale.

Culture : la France est l'un des hauts lieux de l'art et de la culture en Europe. Les trésors culturels et artistiques sont très nombreux et comprennent notamment de superbes cathédrales gothiques (Paris, Chartres et Reims), les châteaux de la Loire et de Versailles. Les écrivains sont innombrables (Hugo, Balzac, Sartre etc.), et la tradition musicale est riche (opéras, ballets, chanson etc.).

Géographie : le paysage est composé de trois unités topographiques : d'une part les grands bassins, localement traversés de collines, qui s'étendent jusqu'aux plaines côtières (Bassin parisien et aquitain), d'autre part les moyennes montagnes (Massif central et Vosges) et enfin les hautes montagnes (Alpes et Pyrénées). Les bassins sédimentaires possèdent de bons, voire d'excellents sols, et ils bénéficient de conditions climatiques plutôt favorables. La structure géologique a favorisé la formation de ressources minières comme la houille, le fer, l'uranium, la bauxite, le gaz, qui jouent un rôle économique important. Le réseau navigable a une longueur pratiquement double de celle du réseau autoroutier. Les principaux fleuves coulent selon une direction radiale (Rhône, Seine, Loire). Alors que l'ouest et le nord du pays bénéficient d'un climat maritime tempéré, les régions de l'est sont situées dans une zone de transition continentale. Le sud de la France est sous influence méditerranéenne. L'été chaud et sec se traduit par une végétation à feuilles vernissées et de maquis, tandis que le reste du pays présente des forêts caducifoliées.

Hrvatska HR

CROATIE
Capitale : Zagreb
Situation : 43° – 47° N ; 14° – 19° E
Superficie : 56 538 km²
Population : 4,5 millions
Densité de population : 80 hab./km²
Monnaie : 1 kuna (HRK) = 100 lipa
Langues : croate (officielle), langues des minorités

Politique et population : sur décision du parlement, la Croatie se sépare, en mai 1991, de la Yougoslavie, à laquelle elle appartient depuis plus de quarante ans. Le parlement est élu pour quatre ans. Il est constitué de deux chambres : la chambre des représentants

1 La cathédrale Notre-Dame se dresse au cœur de l'île de la Cité. Pendant des siècles, elle fut le haut lieu de grands événements religieux et profanes.

3 Le château de Chenonceaux qui enjambe le Cher a été construit au XVIᵉ siècle, à l'instigation de Diane de Poitiers et de Catherine de Médicis.

2 Promenade de Crikvenica, en Croatie.

4 Le vignoble de Saint-Émilion produit un vin rouge réputé.

(151 membres) et la chambre des régions (68 membres). La Croatie est divisée en 21 régions administratives, dont la capitale, Zagreb. S'y ajoute, en outre, la petite république serbe de Krajina. 80 % des habitants sont croates et 10 % sont serbes. Ces derniers sont essentiellement rassemblés dans la Krajina. D'autres minorités vivent encore en Croatie, notamment des Slovènes, des Hongrois et des Italiens. La population est catholique dans sa grande majorité. On compte, cependant, un petit nombre d'orthodoxes et de musulmans.

Économie : une grande partie de l'industrie croate a été détruite pendant la guerre des Balkans. La reconstruction s'effectue rapidement. Elle est favorisée par un commerce extérieur qui fonctionne plutôt bien. L'agriculture est importante sur le plan économique et diversifiée dans ses aspects. Ses principaux piliers sont la viticulture, l'arboriculture fruitière et l'élevage. Les centres industriels du pays sont à Zagreb et Rijeka, le plus grand port croate. Les gisements de bauxite et de pétrole servent de base à l'industrie dans laquelle dominent la métallurgie, l'industrie chimique ainsi que la construction mécanique et navale. Le tourisme sur la côte Adriatique a connu un regain important depuis 1995, la dernière année de la guerre, avant de subir gravement les contrecoups de la guerre du Kosovo en 1999. Le réseau routier de bonne qualité se concentre sur la côte Adriatique et dans les plaines de la Save et de la Drave.

Histoire et culture : dès avant 500, le peuple slave des Croates s'installe dans la région entre la Drave et l'Adriatique. Il y fonde un royaume qui tombe entre les mains des Hongrois au début du XIIe siècle. Pendant les siècles suivants, certaines parties de la Croatie subissent la domination des Turcs et d'autres celle des Habsbourg qui conquièrent, à la fin du XVIIe siècle, la totalité du pays. Aux XVIIIe et XIXe siècles, les Croates luttent à plusieurs reprises pour préserver leur identité

nationale et, au début du XXe siècle, ils sont impliqués dans les guerres balkaniques. 1918 est l'année de la fondation du royaume des Serbes, des Croates et des Slovènes, mais ces trois peuples ne parviennent pas à surmonter leurs propres conflits d'intérêts. Après la disparition de la république de Yougoslavie, leurs oppositions aiguës les entraînent dans une longue guerre dont l'enjeu est la Bosnie. La culture populaire croate est particulièrement riche et vivante, surtout dans les campagnes.

Géographie : au-delà de la côte de l'Adriatique, très découpée et bordée de nombreuses îles, le relief s'élève rapidement dès que l'on s'approche des Alpes dinariques. La partie croate de cette chaîne montagneuse culmine à 1 700 m d'altitude, et présente un modelé karstique typique. Vers le nord-est, le relief s'abaisse vers la plaine fertile qui s'étend entre la Save, la Drave et le Danube. Cette région est cependant accidentée par les montagnes de Slavonie. La côte croate présente entre Rijeka et Dubrovnik la particularité d'être bordée d'innombrables îles parallèles au littoral qu'elles prolongent de près de 4 000 km. Alors que le climat et la végétation sont de type méditerranéen sur la côte de l'Adriatique, l'intérieur des terres est davantage influencé par un climat continental tempéré marqué par une forte amplitude thermique annuelle.

Island

ISLANDE
Capitale : Reykjavik
Situation : 63° – 66° N ; 14° – 24° O
Superficie : 103 000 km²
Population : 299 000
Densité de population : 2,9 hab./km²
Monnaie : 1 couronne islandaise (ISK) = 100 aurar
Langue : islandais

Politique et population : le président est à la tête de la République démocratique et parlementaire islandaise. Il est élu pour quatre ans au suffrage universel. Le parlement islandais est l'un des plus anciens du monde : l'Althing a été fondé en 930. La population augmente continuellement depuis 1900, et 40 % des habitants ont aujourd'hui moins de 25 ans. De larges régions sont à peine peuplées, alors que la capitale et ses environs rassemblent plus de la moitié des habitants. Reykjavik est la capitale la plus septentrionale du monde. Plus de 90 % des Islandais sont protestants.

Économie : l'économie islandaise s'appuie principalement sur les ressources naturelles du pays : riches zones de pêche à proximité des côtes, énergie hydroélectrique et géothermique. La pêche et les industries de traitement du poisson constituent le secteur économique le plus important. Il emploie à lui seul un quart des actifs et fournit 70 % des exportations. Le tourisme joue également un rôle déterminant.

Histoire : à la fin du IXe siècle, les Vikings viennent peupler l'île jusqu'alors déserte. C'est en 1262 que l'Islande devient une colonie, d'abord norvégienne, puis danoise à partir de 1376. L'exploitation coloniale enrichit le Danemark. En 1944, l'Islande devient indépendante. Dans les années 1970, l'Islande élargit ses eaux territoriales à 200 milles nautiques, ce qui entraîne le pays dans une « guerre de la pêche » avec le Royaume-Uni.

Géographie : l'Islande est une île relativement jeune par rapport à l'histoire de la Terre. Des volcans, des déserts de dépôts volcaniques, de grands glaciers, des sources d'eau chaude (les geysers), et d'innombrables cours d'eau se juxtaposent pour former des paysages grandioses mais au potentiel économique restreint. Le plus grand glacier d'Europe, le Vatnajökull, couvre 8 300 km². Le climat est polaire, atténué dans l'ouest et le sud de l'île par l'influence du Gulf Stream (ou dérive nord-atlantique). Du point de vue géographique, l'Islande n'appartient ni à l'Europe ni à l'Amérique, étant donné que cette terre insulaire se situe exactement sur la dorsale médio-atlantique.

Islande

Station météorologique Reykjavík
Altitude 18 m. Situation 64°08'N/21°56'O

CLIMAT		Janv	Fév	Mars	Avril	Mai	Juin	Juil	Août	Sept	Oct	Nov	Déc
	🌡	-0,3	0,3	1,5	3,6	6,8	9,8	11,4	10,0	8,6	5,3	2,2	0,5
	🌡	1,8	2,5	4,0	6,2	9,8	12,4	13,9	13,6	11,0	7,4	4,1	2,4
	🌡	-2,3	-2,0	-1,0	0,9	3,7	7,1	8,8	8,1	6,1	3,1	0,2	-1,5
	☀	1	2	4	5	6	6	6	5	4	2	1	<1
	☂	20	17	18	18	16	15	15	16	19	21	18	20
	≈	4	4	4	5	7	9	11	11	10	7	6	5

Italie

Station météorologique Venise
Altitude 1 m. Situation 45°27'N/12°19'E

CLIMAT		Janv	Fév	Mars	Avril	Mai	Juin	Juil	Août	Sept	Oct	Nov	Déc
	🌡	3,0	4,7	8,4	13,0	17,3	20,9	23,1	22,6	19,9	15,0	9,3	5,1
	🌡	5,5	7,6	11,8	16,5	21,0	24,7	27,7	26,8	23,8	18,5	11,8	7,5
	🌡	0,5	1,7	5,0	9,5	13,5	17,1	18,9	18,4	15,9	11,4	6,7	2,6
	☀	3	5	6	7	8	8	10	9	7	5	2	2
	☂	6	6	7	9	8	8	7	7	5	7	9	8
	≈	9	8	10	13	17	21	23	24	21	18	14	11

Station météorologique Palerme
Altitude 71 m. Situation 38°07'N/13°21'E

CLIMAT		Janv	Fév	Mars	Avril	Mai	Juin	Juil	Août	Sept	Oct	Nov	Déc
	🌡	10,2	10,8	12,8	15,1	18,3	22,2	24,8	25,1	23,1	19,1	15,3	11,9
	🌡	15,8	16,4	17,4	20,0	23,6	27,0	29,7	30,0	28,2	25,0	21,2	17,7
	🌡	8,0	8,1	8,9	11,1	14,2	17,8	20,5	21,1	18,9	15,8	12,4	9,7
	☀	5	5	6	7	10	10	11	11	8	7	5	4
	☂	12	8	8	6	3	2	0	2	4	8	8	10
	≈	14	14	14	15	17	21	24	26	24	22	19	16

Station météorologique Florence
Altitude 76 m. Situation 43°46'N/11°15'E

CLIMAT		Janv	Fév	Mars	Avril	Mai	Juin	Juil	Août	Sept	Oct	Nov	Déc
	🌡	5,1	6,3	9,6	13,1	17,7	21,6	24,2	24,1	20,2	15,1	9,8	5,7
	🌡	9,0	11,0	14,4	18,8	23,2	27,0	30,0	29,5	25,7	20,3	14,0	10,6
	🌡	1,9	3,0	5,1	8,3	11,7	15,2	17,9	17,3	14,7	10,9	7,0	3,7
	☀	4	4	5	7	10	10	12	11	7	6	3	3
	☂	7	7	9	8	7	5	3	4	6	8	9	9

Italia

ITALIE

Capitale : Rome (Roma)
Situation : 37° – 47° N ; 8° – 18° E
Superficie : 301 302 km²
Population : 57,8 millions
Densité : 192 hab./km²
Monnaie : 1 euro (€) = 100 cents
Langue : italien

Politique : l'Italie est une république démocratique et parlementaire. Le président de la République est le chef de l'État. Il est élu pour un mandat de sept ans. Sa fonction n'est pas seulement représentative car il donne son avis sur les projets de loi, nomme le président du Conseil et les ministres et peut dissoudre le parlement. Les 325 sénateurs élus pour cinq ans représentent les 20 régions italiennes au sénat, et les 630 membres de la chambre des députés sont également élus pour cinq ans. Une loi est votée lorsqu'elle est approuvée par les deux chambres du parlement. Les partis politiques italiens sont nombreux. Les 20 régions de l'Italie ont chacune un conseil régional (pouvoir législatif et réglementaire), une *giunta* (exécutif) et un président de la *giunta*.

Population : l'Italie compte parmi les pays les plus densément peuplés d'Europe. D'un point de vue ethnique, elle est très homogène. Les minorités sont composées des Sardes, des Frioulans et des Allemands du Tyrol italien. La population vit à 67 % dans les agglomérations urbaines. Plus de 90 % des Italiens sont de confession catholique. L'école obligatoire, pas toujours respectée dans les localités les plus pauvres du Sud, est gérée par les communes, l'Église ou des organismes privés. Les cinq années d'école primaire sont suivies de trois années de collège et de cinq ans de lycée, débouchant sur une formation supérieure générale, scientifique ou technique.

Économie : l'économie italienne est caractérisée par un contraste majeur entre le nord et le sud. La ceinture industrielle est implantée dans la riche Italie du Nord, tandis que le Mezzogiorno, resté plus agricole, est beaucoup plus pauvre. Toutes les tentatives pour rééquilibrer au niveau économique les deux parties du pays ont échoué jusqu'à présent, et les revenus dans le sud sont toujours inférieurs de 40 % à ceux du nord. Le secteur industriel s'appuie sur la métallurgie du fer et des métaux non ferreux, l'électronique et la construction mécanique, ainsi que le textile. L'agriculture hautement modernisée dans la plaine du Pô, au nord, ne participe plus désormais que pour 3 % au PIB. Les petites exploitations agricoles dominent dans le sud. Le tourisme est extrêmement important et ses recettes s'élèvent à plus de 28 milliards de dollars par an.

Communications : dans le nord du pays, le réseau de routes et d'autoroutes est excellent. Étant donné que les deux tiers du transport des marchandises s'effectuent par la route, de même qu'une grande partie des déplacements individuels, il est nécessaire de renforcer constamment le réseau en créant de nouvelles liaisons. Le réseau ferré, pourtant dense (20 000 km) assure 10 % seulement du transport des marchandises. L'Italie possède la deuxième flotte marchande de l'U.E. après la Grèce, et le pays est doté de 160 ports importants. Les plus notables sont Gênes, Venise, Naples et Livourne. Les aéroports internationaux sont au nombre de neuf.

Médias : 70 quotidiens dont le tirage total s'élève à plus de 9 millions d'exemplaires sont publiés en Italie. En plus de la RAI, chaîne publique, il existe un grand nombre de chaînes radiophoniques et télévisées privées.

Histoire : vers 900 avant notre ère, les Étrusques arrivent dans la péninsule et fondent une brillante civilisation qui dominera le pays pendant 400 ans. À partir de 470 av. J.-C., Rome prend peu à peu l'ascendant. Elle connaîtra son apogée sous le règne de Trajan (98-117). Le IIIe siècle de notre ère annonce le déclin de

1 Les *trulli* d'Alberobello dans les Pouilles.

2 Dans l'Antiquité, le Forum était à la fois place du marché, tribunal, centre religieux et voie triomphale.

3 Le Kviárjökull est l'une des nombreuses langues du Vatnajökull. Elle part du Öræfajökull, le plus haut sommet d'Islande, et se prolonge jusqu'à la plaine littorale.

4 De par sa nature volcanique, l'Islande compte des centaines de sources chaudes exploitées commercialement.

Italia   135

cet Empire. En 381, le christianisme devient religion d'État et, au ve siècle, l'évêque de Rome devient le patriarche de tous les catholiques. L'âge des croisades voit fleurir les villes côtières qui étendent leur influence jusque dans l'Est méditerranéen, où elles se heurteront aux Turcs. En 1571, la flotte dans la Sainte Ligue stoppe l'expansion ottomane à la bataille navale de Lépante. En 1861, Victor-Emmanuel II, roi du Piémont, devient le premier roi de l'Italie unifiée et, neuf années plus tard, il fait de Rome sa capitale. Pendant la Première Guerre mondiale, l'Italie, d'abord neutre, s'allie à la France et à la Grande-Bretagne en 1915. En 1922, Benito Mussolini devient président du Conseil. Il fonde alors une dictature fasciste, s'allie à Hitler et tente, en annexant l'Albanie et l'Éthiopie, de hisser l'Italie au statut de grande puissance. Après la défaite de la France en 1940, l'Italie participe au deuxième conflit mondial. En 1943, les Alliés débarquent en Sicile et entrent dans Rome l'année suivante. Un référendum met fin à la monarchie italienne en 1946. Depuis, l'instabilité politique (crises gouvernementales, scandales, corruption) caractérise le régime. La gestion financière rigoureuse du gouvernement Prodi (qui démissionne en 1998) permet pourtant à l'Italie de participer à la mise en route de la monnaie européenne unique.

Culture : l'immense richesse artistique et culturelle de l'Italie attire régulièrement les touristes du monde entier. Les cathédrales de Milan, de Florence et de Sienne sont réputées, de même que la place Saint-Marc et le palais des Doges à Venise, sans oublier les multiples églises et cités de Rome. Des canaux de Venise à l'architecture Renaissance de Florence en passant par les chefs-d'œuvre de la peinture et de la sculpture, la liste est infinie. L'Italie est par excellence le pays de l'art. La culture italienne prend racine dans la religion catholique ainsi que dans la grande richesse de ses traditions régionales. La gastronomie, la mode et le cinéma italiens servent également de références dans le monde entier.

Géographie : Le pays est à 80 % montagneux au nord, les Alpes constituent une imposante barrière. La formation des lacs résulte de l'érosion glaciaire. Vient ensuite la plaine du Pô, la plus vaste et la plus fertile de la péninsule. L'axe montagneux des Apennins, qui s'étire sur plus de 1000 km jusqu'en Calabre, divise la péninsule en deux : le versant adriatique et le versant tyrrhénien. Dans les Abruzzes, situées au nord-est de Rome, le plus haut sommet de la chaîne apennine, le Gran Sasso d'Italia, culmine à 2 912 m d'altitude. Les volcans du Vésuve et de l'Etna sont bien connus. Le chêne vert et l'olivier sont caractéristiques de la végétation de la moitié sud de l'Italie. Au nord, le climat est tempéré chaud, tandis qu'il est typiquement méditerranéen dans les autres parties du pays avec des étés chauds et secs et des hivers doux.

Latvija

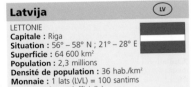

LETTONIE
Capitale : Riga
Situation : 56° – 58° N ; 21° – 28° E
Superficie : 64 600 km²
Population : 2,3 millions
Densité de population : 36 hab./km²
Monnaie : 1 lats (LVL) = 100 santims
Langues : letton (officielle), russe

Politique et population : en 1991, la république de Lettonie proclame son indépendance et se sépare de l'Union soviétique. La constitution de 1922 entre de nouveau en vigueur en 1993, faisant de la Lettonie une république parlementaire. La mainmise de l'Union soviétique sur le pays pendant un demi-siècle a laissé des traces : 50 % seulement des habitants sont lettons, 40 % sont russes et ukrainiens.

Économie : le passage de l'économie planifiée à une économie de marché s'accompagne du fort recul de la production industrielle et de la croissance de l'endettement extérieur. Ce pays balte exporte principalement du bois et des produits agroalimentaires, des textiles et des machines diverses. Il importe des matières premières et de l'énergie. Le commerce se fait encore essentiellement avec les pays de la C.E.I.

Histoire : c'est le commerce de l'ambre jaune qui rend célèbre la côte lettone dès le IIe siècle de notre ère. Cet espace géographique est marqué à partir du XIIe siècle par les influences de l'ordre Teutonique et de la Hanse. Les Polonais et les Suédois font ensuite la conquête de ce petit pays qui sera intégré à la Russie au XVIIIe siècle. En 1920, la pays obtient son indépendance, mais il est annexé en 1940 par l'Union soviétique. La Lettonie est membre de l'U.E. depuis 2004.

Géographie : la Lettonie est une vaste plaine, bordée par la Baltique, et parsemée de nombreux lacs. Le climat est tempéré froid avec des hivers rigoureux.

Liechtenstein

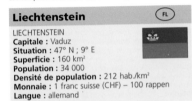

LIECHTENSTEIN
Capitale : Vaduz
Situation : 47° N ; 9° E
Superficie : 160 km²
Population : 34 000
Densité de population : 212 hab./km²
Monnaie : 1 franc suisse (CHF) – 100 rappen
Langue : allemand

Politique et population : la principauté du Liechtenstein est une monarchie héréditaire constitutionnelle ayant pour fondement une démocratie parlementaire. En 1923, elle crée une union juridique, économique et monétaire avec la Suisse qui gère également ses intérêts en matière de politique extérieure. Plus d'un tiers des résidants permanents du pays sont d'origine étrangère, essentiellement des Suisses, des Autrichiens, des Allemands et des Italiens. 80 % de la population sont catholiques.

Lettonie

Station météorologique Rīga
Altitude 3 m. Situation 56°58'N/24°04'E

		Janv	Fév	Mars	Avril	Mai	Juin	Juil	Août	Sept	Oct	Nov	Déc
CLIMAT	0°	-5,0	-4,8	-2,0	4,6	10,7	14,3	17,1	15,7	11,7	6,2	1,5	-2,6
		-2,3	-1,7	2,2	9,4	16,1	19,4	21,9	20,5	16,3	9,6	3,8	-0,3
		-8,3	-7,9	-5,0	0,5	5,2	9,1	12,0	11,3	7,5	3,4	-0,5	-4,6
	☼	1	2	5	7	9	9	9	8	6	3	1	1
		19	15	12	13	12	13	14	15	16	16	17	18
		1	0	1	2	7	12	16	17	14	10	7	4

Liechtenstein

Station météorologique Zürich/Suisse
Altitude 569 m. Situation 47°23'N/08°34'E

		Janv	Fév	Mars	Avril	Mai	Juin	Juil	Août	Sept	Oct	Nov	Déc
CLIMAT	0°	-1,1	0,3	4,5	8,6	12,7	15,9	17,6	17,0	14,0	8,6	3,7	0,1
		2,4	5,0	10,4	14,9	19,4	22,7	24,5	23,9	20,4	13,7	7,2	3,0
		-3,1	-2,3	1,0	4,3	8,2	11,7	13,5	13,2	10,5	6,0	1,9	-1,5
	☼	1	3	5	6	7	7	8	7	6	3	2	1
		12	10	9	11	13	13	13	13	10	10	10	10

Lituanie

Station météorologique Rīga/Lettonie
Altitude 3 m. Situation 56°58'N/24°04'E

		Janv	Fév	Mars	Avril	Mai	Juin	Juil	Août	Sept	Oct	Nov	Déc
CLIMAT	0°	-5,0	-4,8	-2,0	4,6	10,7	14,3	17,1	15,7	11,7	6,2	1,5	-2,6
		-2,3	-1,7	2,2	9,4	16,1	19,4	21,9	20,5	16,3	9,6	3,8	-0,3
		-8,3	-7,9	-5,0	0,5	5,2	9,1	12,0	11,3	7,5	3,4	-0,5	-4,6
	☼	1	2	5	7	9	9	9	8	6	3	1	1
		19	15	12	13	12	13	14	15	16	16	17	18
		1	0	1	2	7	12	16	17	14	10	7	4

Luxembourg

Station météorologique Luxembourg
Altitude 334 m. Situation 49°37'N/06°03'E

		Janv	Fév	Mars	Avril	Mai	Juin	Juil	Août	Sept	Oct	Nov	Déc
CLIMAT	0°	0,3	1,0	4,9	8,5	12,8	15,7	17,4	16,7	13,8	9,0	4,6	1,3
		2,5	4,2	9,7	13,8	18,3	21,1	22,9	21,8	18,8	13,1	6,8	3,7
		-1,4	-0,7	1,4	4,2	7,9	11,0	13,0	12,3	10,2	6,2	2,7	0,3
	☼	2	3	5	6	7	7	7	6	5	3	2	1
		19	15	19	14	14	15	14	14	14	16	18	18

Économie : l'économie du pays repose surtout sur son industrie et son secteur tertiaire. Un tiers des actifs proviennent des régions frontalières suisse et autrichienne. L'industrie produit principalement des machines et du matériel de transport. Le tourisme, l'émission de timbres poste et l'activité bancaire sont également deux secteurs importants.

Histoire : l'histoire du pays commence avec l'acquisition de la seigneurie de Schellenberg, en 1699, et du comté de Vaduz en 1712 par la maison autrichienne des Liechtenstein.

En 1719, le pays est érigé en principauté. Il appartient à l'Empire allemand jusqu'en 1866. Depuis cette date, il est indépendant, mais reste étroitement lié à la Suisse. Pendant les deux guerres mondiales, le Liechtenstein observe une stricte neutralité.

Géographie : le Liechtenstein est situé sur le versant nord de la chaîne des Alpes. Il est bordé par le Rhin sur sa frontière occidentale. Les montagnes au sud de Vaduz dépassent 2 000 m d'altitude. Le reste du pays se situe entre 400 et 1 000 m.

Lietuva (LT)

LITUANIE
Capitale : Vilnius
Situation : 54° – 56° N ; 21° – 27° E
Superficie : 65 200 km²
Population : 3,6 millions
Densité de population : 55 hab./km²
Monnaie : 1 litas (LTL) = 100 centas
Langues : lituanien (officielle), russe, polonais et biélorusse

Politique et population : après s'être séparée de l'Union soviétique, la république de Lituanie est de nouveau instaurée au début de l'année 1991. La nouvelle constitution entre en vigueur en 1992 : le pays devient alors une république démocratique et parlementaire. En dépit de la russification, 80 % des habitants sont lituaniens. Plus d'un million de Lituaniens ont émigré à la fin du XIXᵉ siècle et pendant la Seconde Guerre mondiale, principalement aux États-Unis. La population est en majorité catholique.

Économie : à l'instar des autres Républiques baltes, ce pays à la fois agricole et industrialisé lutte pour élargir ses liens hors de la C.E.I. et introduire l'économie de marché. L'industrie et le commerce extérieur sont dominés par la transformation des produits agricoles, la manufacture de biens de consommation, la construction mécanique et la métallurgie.

Histoire : au XIVᵉ siècle, le grand-duché de Lituanie s'étend jusqu'à la mer Noire. Aux XVIᵉ et XVIIᵉ siècles, la Lituanie et la Pologne forment un État unique. À la fin du XVIIIᵉ siècle, la Lituanie revient à la Russie lors du partage de la Pologne. En 1918, la Lituanie est de nouveau indépendante, mais elle est annexée en 1940 par l'Union soviétique. Elle devient membre de l'U.E. en 2004.

Géographie : bordée par une côte à dunes unique en son genre, la Lituanie est composée de plaines et de collines. On y dénombre plus de 4 000 lacs. Le climat fait transition entre les influences tempérées et continentales.

Luxembourg (L)

LUXEMBOURG
Capitale : Luxembourg
Situation : 49° – 50° N ; 5° – 6° E
Superficie : 2 586 km²
Population : 474 000
Densité de population : 183 hab./km²
Monnaie : 1 euro (€) = 100 cents
Langues : français, allemand et luxembourgeois

Politique et population : d'après la constitution de 1868, le grand-duché de Luxembourg est une monarchie héréditaire, démocratique et parlementaire. Le

1 Aperçu des tours de la vieille ville de Riga, capitale de la Lettonie, sur le golfe de Riga.

2 Un cordon littoral sépare la baie de Courlande de la mer Baltique, en Lituanie.

3 La Maison Rouge, du XVIᵉ siècle à Vaduz, capitale du Liechtenstein.

4 L'église Saint-Michel et la vallée de l'Alzette, au Luxembourg.

5 La maison Keiffer se trouve sur la place du marché d'Echternach (Luxembourg).

chef de l'État est le grand duc. Le pays se divise en trois districts regroupant douze cantons. Les habitants sont luxembourgeois à 75 %. On compte en effet 120 000 personnes d'origine étrangère (principalement des Portugais et des Italiens) ainsi que de 7 500 fonctionnaires de l'U.E. La population est catholique à 95 %. La langue nationale est un dialecte allemand fortement influencé par le français.

Économie : l'économie luxembourgeoise est caractérisée par une industrie développée et un secteur tertiaire puissant. L'industrie a une forte capacité exportatrice, surtout dans les secteurs métallurgiques et chimiques. Les pays de l'U.E. sont les principaux partenaires commerciaux du Luxembourg. En raison de sa stabilité politique et d'une législation particulièrement libérale, le pays est une place bancaire d'importance mondiale.

Histoire : fondation de Luxembourg en 963. En 1354, Charles IV érige le Luxembourg en duché. Entre 1659 et 1839, le pays perd à trois reprises des parties de son territoire. En 1949, le Luxembourg compte parmi les membres fondateurs de l'OTAN et du Conseil de l'Europe.

Géographie : le nord du pays, l'Ösling, situé entre 400 et 500 m d'altitude, appartient au vieux plateau ardennais. Dans le sud, le Gutland (« terre fertile »), est un prolongement du plateau lorrain. Le climat est influencé par les vents d'ouest. Les températures sont tempérées et les hivers peu enneigés.

Magyarország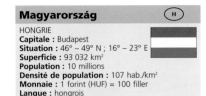

HONGRIE
Capitale : Budapest
Situation : 46° – 49° N ; 16° – 23° E
Superficie : 93 032 km²
Population : 10 millions
Densité de population : 107 hab./km²
Monnaie : 1 forint (HUF) = 100 filler
Langue : hongrois

Politique et population : à la suite d'un vaste mouvement réformateur, l'État socialiste de Hongrie vacille déjà à la fin des années 1980. Depuis 1989, la Hongrie est une république parlementaire. Le parlement, unicaméral, élit le président de la République tous les cinq ans. Le pays est divisé en 19 régions

administratives, les comtés, auxquels s'ajoute la capitale. Les habitants sont hongrois (magyars) à 98 %, descendants d'un peuple finno-ougrien issu de la région Volga-Oural. Les minorités sont composées d'Allemands, de Slovaques, de Roumains et de Tsiganes. Près d'un million et demi de Hongrois vivent aujourd'hui aux États-Unis et au Canada. 20 % des habitants sont regroupés à Budapest (près de 2 millions d'habitants). La population est majoritairement catholique.

Économie : la Hongrie s'est lancée dans des réformes économiques plus tôt que les autres pays de l'ancien bloc de l'Est. En dépit des premiers succès qu'elles ont connus, elles ont contribué à alourdir la dette extérieure du pays. Les terres arables, qui couvrent 66 % de la superficie totale, font de la Hongrie un grand pays agricole, producteur de fruits et légumes, de céréales, de tournesol et de raisin. Les centres industriels sont situés dans le nord du pays. Ils sont principalement spécialisés dans le traitement de l'aluminium (importants gisement de bauxite), ainsi que dans la construction mécanique et de matériel de transport. Alors que la production agricole continue à chuter et que la production industrielle augmente lentement, les services et, au premier rang le tourisme, affichent des taux de croissance impressionnants. Les principaux partenaires commerciaux de la Hongrie sont les pays de l'U.E., parmi lesquels l'Allemagne, l'Autriche et l'Italie. Budapest est au centre du réseau de communications.

Histoire et culture : peuplé très tôt, le royaume de Hongrie devient, entre le Xᵉ et le XIIIᵉ siècle, l'une des grandes puissances européennes, notamment sous le règne d'Étienne Iᵉʳ. L'économie et la culture connaissent ensuite un bel essor, en dépit des guerres menées aussi bien à l'intérieur qu'à l'extérieur du pays. Pendant le règne de Mathias Iᵉʳ Corvin (1458-1490), le pays connaît son apogée. Entre les XVIᵉ et XIXᵉ siècles, la Hongrie est sous domination turque, puis tombe entre les mains de la dynastie des Habsbourg. Le fort sentiment d'identité nationale conduit le pays à conquérir chèrement son indépendance en 1849, avant de retomber dans le giron autrichien puis d'obtenir en 1867 une autonomie dans le cadre de l'Empire austro-hongrois. Devenue indépendante après la Première Guerre mondiale, la Hongrie fasciste s'allie à l'Allemagne pendant la Seconde Guerre mondiale. En 1946, elle devient une démocratie, puis, en 1949, une république populaire. Après les bouleversements du début des années 1990, la Hongrie est devenue membre de l'U.E. en 2004. Dans de nombreuses régions du pays, les arts et traditions populaires (costumes, poterie, musique) sont encore très vivants.

Géographie : la Hongrie se situe entre les Carpates et les Alpes. Elle est constituée à 80 % par une plaine qui ne dépasse pas 200 m d'altitude. Au nord du pays, les moyennes montagnes de la dorsale hongroise s'élèvent à 1 000 m de long. Le lac Balaton (595 km²) est le plus grand lac intérieur d'Europe occidentale et centrale. Le climat est au carrefour des influences atlantique, continentale et méditerranéenne.

Hongrie — Station météorologique Budapest. Altitude 120 m. Situation 47°31′N/19°02′E

CLIMAT		Janv	Fév	Mars	Avril	Mai	Juin	Juil	Août	Sept	Oct	Nov	Déc
		-1,1	1,0	5,8	11,8	16,8	20,2	22,2	21,4	17,4	11,3	5,8	1,5
		1,2	4,1	10,1	16,8	21,9	25,5	27,7	27,3	23,2	15,9	8,1	3,6
		-4,0	-2,3	1,5	6,6	11,3	14,7	16,4	15,7	11,9	6,9	3,1	-1,0
	○	2	2	4	6	8	9	10	9	7	4	2	1
		8	7	7	7	9	8	7	6	6	8	9	9

Macédoine — Station météorologique Skopje. Altitude 245 m. Situation 42°00′N/21°06′E

CLIMAT		Janv	Fév	Mars	Avril	Mai	Juin	Juil	Août	Sept	Oct	Nov	Déc
		1,1	2,9	6,5	12,1	17,0	21,6	23,8	23,7	18,6	11,9	7,2	2,9
		4,7	8,3	11,9	19,3	23,3	28,0	30,8	31,1	26,0	18,5	11,7	7,4
		-2,9	-2,5	0,6	5,3	10,1	13,4	15,2	14,3	11,1	5,9	2,9	-1,1
	○	2	4	4	7	7	9	10	10	7	5	2	2
		7	6	8	8	11	8	4	5	4	8	6	11

Malte — Station météorologique La Vallette. Altitude 70 m. Situation 35°54′N/14°31′E

CLIMAT		Janv	Fév	Mars	Avril	Mai	Juin	Juil	Août	Sept	Oct	Nov	Déc
		12,3	12,5	13,7	15,7	18,8	22,7	25,5	26,1	24,4	21,4	17,7	14,1
		14,4	14,7	16,1	18,3	21,6	25,9	28,9	29,3	27,1	23,8	19,7	16,1
		10,2	10,3	11,2	13,1	15,9	19,4	22,1	22,9	21,6	18,9	15,6	12,0
	○	6	6	8	8	10	11	12	11	9	8	6	5
		12	8	5	2	2	0	0	1	3	6	9	13
	≈	15	14	15	15	18	21	24	25	24	22	19	17

Makedonija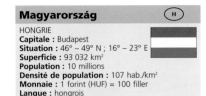

MACÉDOINE
Capitale : Skopje
Situation : 41° – 42° N ; 21° – 23° E
Superficie : 25 713 km²
Population : 2 millions
Densité de population : 78 hab./km²
Monnaie : 1 dinar (MKD) = 100 deni
Langues : macédonien (officielle), albanais, turc et serbe

Politique et population : appartenant naguère à la république de Yougoslavie, cet État est indépendant depuis 1991 et reconnu depuis 1996 par celle-ci. Le parlement constitué d'une chambre unique est composé de 120 membres élus au suffrage universel pour un mandat de quatre ans. Le parlement nomme le chef de l'État et le gouvernement. Les habitants sont macédoniens pour les deux tiers. Le tiers restant est composé d'Albanais, de Turcs, de Serbes, et de Tsiganes.

Économie : la République macédonienne était la plus pauvre de l'ex-Yougoslavie. La guerre du Kosovo l'a plongée dans une profonde crise économique et elle a perdu son principal partenaire commercial. En outre, elle a été contrainte d'accueillir 300 000 réfugiés. L'essentiel des échanges commerciaux se fait aujourd'hui avec l'Allemagne et la Serbie.

Histoire : l'actuelle Macédoine constitue, au Xe siècle, un royaume indépendant, qui subit l'influence de Byzance pendant les deux siècles suivants. En 1389, elle passe sous domination ottomane. Après la guerre des Balkans (1912-1913), la Grèce, la Serbie et la Bulgarie se partagent le pays. Lorsque la Yougoslavie est formée, la Macédoine devient une de ses six républiques. Elle devient un État indépendant et souverain en 1991. Depuis 2005, forte de son redressement économique, elle est officiellement candidate à l'adhésion à l'U.E.

Géographie : le pays voit alterner des régions montagneuses et des dépressions plus ou moins vastes et fertiles, très peuplées. Le climat est continental.

Malta (M)

MALTE

Capitale : La Valette
Situation : 35° – 36° N ; 14° E
Superficie : 384 km²
Population : 390 000
Densité de population : 1 015 hab./km²
Monnaie : 1 lire maltaise (MTL) = 100 cents
Langues : maltais et anglais

Politique et population : depuis la révision de la constitution en 1974, Malte est une république parlementaire. Le président est élu par le parlement pour une durée de cinq ans et nomme le Premier ministre. La chambre des représentants est composée de 69 membres, dont 65 sont élus pour cinq ans au suffrage universel. Les Maltais ont subi de fortes influences romaines, arabes et britanniques.

Économie : l'économie maltaise est très dépendante de son importation, car le pays ne dispose pas de matières premières. Les investisseurs étrangers sont aidés par le gouvernement. Le tourisme, très important, emploie un tiers des actifs. Les chantiers navals constituent la principale industrie. Malte a rejoint la zone euro en 2008.

Histoire : l'île connaît une civilisation mégalithique très développée entre 4000 et 2500 avant notre ère. En 1530, l'ordre de Saint-Jean de Jérusalem prend possession de l'île, et la défend avec succès en 1565 contre les Ottomans. En 1798, Bonaparte occupe Malte. À partir de 1800, elle devient une base de la flotte britannique et une colonie de la Couronne. Elle proclame son indépendance en 1964. Depuis 2004, elle est membre de l'U.E.

Géographie : archipel composé de 3 îles calcaires qui sont les restes émergés d'un isthme ancien reliant l'Italie à l'Afrique du Nord.

Moldova (MD)

MOLDAVIE

Capitale : Chişinău
Situation : 45° – 48° N ; 27° – 30° E
Superficie : 33 700 km²
Population : 4,4 millions
Densité de population : 128 hab./km²
Monnaie : 1 leu (MDL) = 100 bani
Langues : roumain (officielle), russe

Politique et population : la république de Moldavie s'est déclarée indépendante de l'Union soviétique en 1991. La nouvelle constitution est entrée en vigueur en 1994. Le parlement est composé de 104 membres, élus pour quatre ans, et le président est élu pour un mandat de quatre ans au suffrage universel. Les deux tiers des habitants sont d'origine romano-moldave, les

1 Les ruines pittoresques d'une forteresse datant du XIIIe siècle surplombent Holloko (Hongrie), dont le centre historique a été inscrit au patrimoine mondial en 1987.

2 L'église de pêcheurs Sveti Jovan construite au XIVe siècle offre une jolie vue sur le lac Ohrid, en Macédoine.

3 Le port coloré de Marsaxlokk est situé dans le sud de l'île de Malte.

autres sont ukrainiens et russes. La langue moldave est une variante du roumain. Elle a retrouvé en 1989 sa transcription latine remplaçant la transcription cyrillique. 41 % de la population vit dans les villes. La majorité des Moldaves appartient à l'Église orthodoxe russe.

Économie : le pays traverse actuellement une crise économique résultant du passage de l'économie planifiée à l'économie de marché. L'agriculture traditionnelle, vignes et vergers, participe pour moitié au P.N.B. et emploie un tiers des actifs. Les produits agricoles (vin, tabac), la construction mécanique et la confection dominent l'exportation. Les principaux partenaires commerciaux sont la Russie, l'Ukraine, la Roumanie et les pays de l'U.E.

Histoire : au XVIe siècle, la principauté de Moldavie, fondée en 1359, tombe sous la domination turque. À la suite des guerres russo-turques, la Russie annexe progressivement l'intégralité du pays entre la fin du XVIIIe siècle et le début du XIXe siècle. En 1918, la Moldavie fait partie de la Roumanie et elle intègre l'Union soviétique en 1940.

Géographie : les paysages moldaves sont variés entre les hauteurs de Volhynie-Podolie (400 m) à l'est et les plaines fertiles de Bessarabie. La Moldavie appartient à l'Europe des steppes. Le climat est de type continental tempéré.

Moldavie

Station météorologique Chişinău
Altitude 95 m. Situation 47°01'N/28°52'E

CLIMAT		Janv	Fév	Mars	Avril	Mai	Juin	Juil	Août	Sept	Oct	Nov	Déc
		-3,6	-2,5	2,7	9,2	15,9	19,0	21,2	20,3	15,8	10,3	3,8	-1,2
		-1,3	1,2	6,0	16,1	22,9	25,7	27,4	27,2	23,0	17,0	9,9	1,7
		-7,6	-4,8	-1,5	5,5	11,3	14,2	15,9	15,3	11,1	6,6	2,7	-3,7
		2	3	5	7	8	10	11	10	8	5	2	2
		12	12	12	9	11	12	10	8	7	8	11	12

Monaco

Station météorologique Monaco
Altitude 55 m. Situation 43°43'N/07°25'E

CLIMAT		Janv	Fév	Mars	Avril	Mai	Juin	Juil	Août	Sept	Oct	Nov	Déc
		10,3	10,5	11,9	14,0	17,1	20,8	23,5	23,8	21,6	17,9	14,2	11,6
		12,3	12,5	13,8	16,1	19,1	22,8	25,5	25,8	23,0	19,9	16,1	13,6
		8,3	8,4	9,9	12,0	15,1	18,8	21,5	21,7	19,6	15,9	12,2	9,6
		5	5	5	6	7	8	9	9	7	6	5	4
		5	5	7	5	5	4	1	2	3	7	7	6
		14	14	14	15	17	20	24	25	24	21	18	15

Pays-Bas

Station météorologique Vlissingen
Altitude 1 m. 51°28'N/03°35'E

CLIMAT		Janv	Fév	Mars	Avril	Mai	Juin	Juil	Août	Sept	Oct	Nov	Déc
		2,9	3,1	5,1	8,3	11,9	15,1	17,1	17,4	15,4	11,4	7,3	4,3
		5,0	5,1	8,5	11,9	15,9	19,0	20,6	20,9	18,7	14,1	9,4	6,3
		1,0	0,6	2,5	5,4	8,7	12,0	14,1	14,4	12,6	8,9	5,2	2,4
		2	2	4	6	7	8	7	6	5	3	2	1
		20	16	16	15	13	13	16	16	17	19	20	21
		5	5	6	8	11	13	16	17	16	14	10	8

Norvège

Station météorologique Bergen
Altitude 45 m. Situation 60°12'N/05°19'E

CLIMAT		Janv	Fév	Mars	Avril	Mai	Juin	Juil	Août	Sept	Oct	Nov	Déc
		1,5	1,3	3,1	5,8	10,2	12,6	15,0	14,7	12,0	8,3	5,5	3,3
		3,1	3,3	6,1	9,2	14,2	15,9	18,8	18,6	15,2	11,1	7,5	5,0
		-0,5	-0,9	0,4	3,0	6,7	9,6	12,2	12,0	9,5	6,1	3,4	1,3
		1	2	4	5	6	6	5	4	3	2	1	<1
		21	18	16	19	15	18	21	20	22	24	22	23
		6	5	4	5	7	10	12	13	13	11	9	7

Station météorologique Tromsø
Altitude 115 m. Situation 69°36'N/18°57'E

CLIMAT		Janv	Fév	Mars	Avril	Mai	Juin	Juil	Août	Sept	Oct	Nov	Déc
		-3,5	-4,0	-2,7	0,3	4,1	8,8	12,4	11,0	7,2	3,0	-0,1	-1,9
		-1,9	-2,9	-0,4	3,0	6,9	12,2	16,0	14,1	9,9	5,0	1,7	-0,5
		-5,7	-6,3	-5,2	-2,3	1,4	5,8	9,1	8,3	4,9	1,1	-2,0	-4,0
		<1	1	3	6	6	7	6	3	2	<1	0	
		18	17	18	18	18	15	19	21	21	18	18	19
		3	2	3	5	9	10	11	12	12	9	6	5

Monaco

MONACO
Capitale : Monaco
Situation : 44° – 7° E
Superficie : 1,95 km²
Population : 32 000
Densité de population : 16 410 hab./km²
Monnaie : 1 euro (€) = 100 cents
Langues : français (officielle), italien et monégasque (dialecte liguro-provençal)

Politique et population : la principauté de Monaco est une monarchie héréditaire constitutionnelle. Le prince et le conseil national (18 membres élus pour une durée de cinq ans) se partagent le pouvoir législatif. Le pouvoir exécutif est exercé sous l'autorité du prince par un ministre d'État français assisté de trois conseillers d'État. Les habitants de la principauté sont en majorité d'origine étrangère : 32 % de Français et 20 % d'Italiens.

Économie : depuis la suppression de l'impôt sur le revenu en 1865 après la création du casino, les détenteurs de grandes fortunes viennent volontiers résider à Monaco. Cela explique que le P.N.B (25 000 dollars par personne), soit l'un des plus élevés du monde. La principauté réalise aussi des gains importants grâce au tourisme et, depuis peu, à l'activité de nombreuses petites et moyennes entreprises.

Histoire : au ve siècle av. J.-C., une colonie phénicienne s'établit dans la région. C'est en 1454 que commence le règne de la dynastie génoise des Grimaldi, ininterrompue jusqu'à aujourd'hui. En 1861, Monaco devient indépendante et signe en 1865 une convention d'union douanière avec la France. La constitution de 1962 renforce les pouvoirs du parlement et consolide la monarchie héréditaire.

Géographie : la principauté est enclavée dans le département des Alpes-Maritimes, sur la côte d'Azur. Cet État, dont 45 ha ont été gagnés sur la mer, s'étire sur une vaste baie de 3 km, bordée de hautes falaises calcaires, et ne dépasse pas 200 à 300 m de largeur.

Nederland

PAYS-BAS
Capitale : Amsterdam
Situation : 51° – 54° N ; 3° – 7° E
Superficie : 41 500 km²
Population : 16,5 millions
Densité de population : 398 hab./km²
Monnaie : 1 euro (€) = 100 cents
Langues : néerlandais, frison

Politique et population : le royaume des Pays-Bas est une monarchie constitutionnelle à régime parlementaire. Le souverain est le chef de l'État. Il nomme le chef du gouvernement ainsi que les présidents des deux chambres parlementaires, et préside également le conseil d'État. La constitution, instaurée en 1848, a été révisée en 1983 pour la dernière fois. Les Pays-Bas sont divisés en douze provinces et sont membres de l'U.E. La population est concentrée à 89 % dans les villes. Sa densité est l'une des plus élevées d'Europe. Elle est composée de Néerlandais, de Frisons et d'un demi-million d'étrangers. Les deux tiers sont chrétiens.

Économie : de tradition commerciale, ce pays de navigateurs doit importer la quasi-totalité de ses besoins en matières premières.

L'industrie est orientée vers l'exportation, notamment l'agroalimentaire et la transformation des produits agricoles, la construction mécanique, l'électronique et la pétrochimie. L'agriculture intensive, dont les produits sont destinés eux aussi en grande partie à l'exportation, est spécialisée dans la culture de légumes et de fleurs et dans l'élevage. Le secteur tertiaire emploie plus de 70 % des actifs. Le réseau routier du pays est remarquable. Rotterdam est le port le plus actif du monde.

Histoire et culture : au IXe siècle, le territoire actuel des Pays-Bas est partagé entre le royaume carolingien et la Lotharingie. À partir du Xe siècle, le territoire se morcelle en seigneuries indépendantes telles que les comtés de Hollande et de Zélande. Entre le XVe siècle et le milieu du XVIIe siècle, la Hollande est sous la domination des Habsbourg et des Espagnols. En 1648, après 80 ans de lutte, le pays obtient son indépendance. Le XVIIe siècle est une véritable période d'apogée intellectuel, économique et artistique. Les Pays-Bas deviennent une grande puissance maritime et se taillent un vaste empire colonial. En 1830, la Belgique se détache et devient indépendante. Le pays reste neutre pendant la Grande Guerre, mais il est occupé par les troupes allemandes pendant la Seconde Guerre mondiale. Les Pays-Bas participent activement au développement de la pensée européenne pendant la deuxième partie du XXe siècle. Les moulins à vent et les sabots de bois symbolisent la culture néerlandaise, de même que les grands peintres comme Rubens, Rembrandt, Van Dyck, Jordaens, Hals, Vermeer et Van Gogh.

Géographie : un paysage de dunes s'étire le long des 280 km de côtes bordant la mer du Nord. Il est prolongé à l'intérieur des terres par des landes plus ou moins marécageuses et des terres basses et fertiles. Une grande partie du territoire se situe au-dessous du niveau de la mer. Et depuis des siècles, les Hollandais mènent un combat acharné contre les eaux maritimes et fluviales, en construisant des polders avec des digues, des canaux et des stations de pompage. Des collines morainiques couvrent le sud et l'est du pays. Le climat est de type tempéré maritime. Les hivers sont doux et peu enneigés. Les paysages de neige que l'on peut voir sur les tableaux du XVIIe siècle n'existent pratiquement plus.

Norge

NORVÈGE
Capitale : Oslo
Situation : 58° – 71° N ; 5° – 31° E
Superficie : 323 877 km²
Population : 4,6 millions
Densité de population : 14 hab./km²
Monnaie : 1 couronne norvégienne (NOK) = 100 Øre
Langues : norvégien, lapon

Politique et population : la Norvège est une monarchie héréditaire constitutionnelle à régime parlementaire. La constitution date de 1814. Le parlement comprend deux chambres, le *Lagting* et l'*Odelsting*. Les 19 provinces du pays ont leur propre parlement, dont la fonction est, en réalité, purement administrative. La Norvège est relativement peu peuplée. Les trois quarts des habitants résident dans les villes, et Oslo constitue l'agglomération urbaine de loin la plus importante. Les Norvégiens constituent la plus grande partie de la population. Finlandais et Lapons forment des minorités nationales. Les Norvégiens sont protestants à 90 %. Le niveau d'instruction a considérablement augmenté ces dernières années.

Économie et communications : la situation maritime du pays et sa grande richesse énergétique ont largement contribué au développement de la pêche, de la navigation, de la construction navale et de la métallurgie. Les hydrocarbures (pétrole et gaz de la mer du Nord) constituent une grande partie de l'exportation et sont la base d'une importante industrie pétrochimique. Le secteur industriel contribue à hauteur de 35 % au P.I.B, tandis que le secteur tertiaire se taille la part du lion avec plus de 65 %. Les terres arables ne représentent pas plus de 3 % de la superficie du pays et les denrées alimentaires sont pour l'essentiel importées. Les membres de l'U.E. sont les principaux partenaires commerciaux de la Norvège. Le tourisme contribue également à faire entrer des devises dans le pays. Les transports maritimes et aériens sont extrêmement importants.

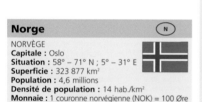

1 Le fjord de Geiranger illustre la puissance d'un glacier dont la force d'érosion a creusé cette vallée.

2 Greniers colorés au bord de la Nivelda, dans l'ancienne ville royale de Trondheim, en Norvège.

3 Le Herengracht est l'un des canaux les plus connus d'Amsterdam.

4 Le marché aux fromages d'Alkmaar, aux Pays-Bas.

5 Pittoresque village de pêcheurs dans les îles Lofoten (Norvège).

Histoire et culture : des gravures rupestres datant de 2 500 à 6 000 ans attestent l'existence d'une société de chasseurs et de pêcheurs. Entre 800 et 1050, les Vikings se lancent à la conquête des mers à partir du littoral norvégien et atteignent l'Islande, le Groenland et l'Écosse. Érigée en royaume depuis le IXᵉ siècle, la Norvège forme une union avec le Danemark entre le XVIᵉ et le début du XIXᵉ siècle. En 1814, la Norvège est cédée à la Suède par le traité de Kiel. C'est seulement en 1905 qu'elle obtient son indépendance. En 1940, les troupes allemandes occupent le territoire norvégien. À la fin de la Seconde Guerre mondiale, le pays renonce à sa neutralité et devient membre de l'OTAN en 1949. L'art et les coutumes du pays sont très vivants. Le dramaturge Henrik Ibsen est considéré comme l'un des pionniers du naturalisme. Le compositeur Edvard Grieg s'est inspiré du folklore national.
Géographie : la Norvège est un pays de montagnes. Les Alpes scandinaves s'étendent sur 1 700 km le long de la frontière avec la Suède. Elles culminent à plus de 2 000 m. Elles sont modelées par les glaciers du quaternaire qui ont creusé en direction du littoral des vallées profondes, longues de plusieurs kilomètres, aujourd'hui submergées par la mer : les fjords et laissé le long de la côte une série d'îlots rocheux (le Skaergard). Malgré sa latitude élevée (soleil de minuit dans le Finnmark), la Norvège bénéficie d'un climat assez doux, grâce à l'influence du Gulf Stream. La température s'abaisse graduellement à l'intérieur des terres. La Norvège est ainsi le pays du monde où l'agriculture s'avance le plus loin en direction du pôle.

Österreich

AUTRICHE
Capitale : Vienne (Wien)
Situation : 46° – 49° N ; 10° – 17° E
Superficie : 83 853 km²
Population : 8,1 millions
Densité de population : 97 hab./km²
Monnaie : 1 euro (€) = 100 cents
Langues : allemand (officielle), slovène, croate et hongrois

Politique et population : l'Autriche est une république parlementaire et démocratique, composée de neuf régions confédérées. Elle est régie par la constitution de 1920 amendée en 1929. L'Autriche est un État neutre depuis 1955. Le parlement est constitué de deux chambres : le conseil fédéral et le conseil national. Le président est élu au suffrage universel pour six ans. Chaque land a sa propre diète et son gouvernement régional. 50 % des habitants résident dans les villes, et 20 % à Vienne, la capitale. La densité de la population est moins importante que celle des pays frontaliers. 90 % des habitants sont autrichiens et près de 9 % d'origine étrangère. La population est catholique à plus de 75 %. L'Autriche est membre de l'U.E. depuis 1995.

Économie et communications : cette économie très développée est principalement dominée par l'industrie et le secteur tertiaire. Étant donné la topographie montagneuse du pays, l'agriculture tient une place secondaire. Les terres arables ne couvrent que 17 % de la superficie totale. La présence de ressources naturelles telles que divers minerais, le sel et le pétrole ont favorisé le développement de l'industrie. Celle-ci est dominée par la construction mécanique, la métallurgie et l'agroalimentaire, secteurs très importants à l'exportation. La balance extérieure est relativement équilibrée. Le tourisme s'est considérablement développé au fil des dernières décennies. Les réseaux routiers et ferroviaires sont remarquables et avec le Danube, navigable, ils jouent un rôle essentiel pour cet État enclavé. Les Alpes sont franchissables par des cols et des tunnels routiers et ferroviaires.

Histoire et culture : l'Autriche est une région de peuplement celtique ancien, romanisée au IIᵉ siècle. Elle est ensuite envahie par les Vandales, les Alamans et les Avars. Le nom *Österreich*, mentionné pour la première fois en 996, signifie « partie est du royaume ». Au XIIᵉ siècle, l'Autriche devient un duché héréditaire avec Vienne comme capitale. En 1282, l'empereur Rodolphe de Habsbourg s'attribue l'Autriche pour en confier l'administration à son fils. Le pays fait dès lors partie des possessions héréditaires des Habsbourg pendant plus de six cents ans. Au XVIIIᵉ siècle, l'empire des Habsbourg s'étend jusqu'au nord de l'Italie et à la Hongrie. Au XIXᵉ siècle, l'Autriche perd de nombreuses régions et forme, à partir de 1867, une double monarchie avec la Hongrie : l'Empire austro-hongrois. En 1914, l'archiduc héritier François-Ferdinand et sa femme sont assassinés à Sarajevo. C'est le début du premier conflit mondial. La république d'Autriche, fondée en 1918, est occupée en 1938 par les Allemands et en 1945 par les Alliés. Le pays possède de nombreux trésors artistiques et culturels. Les coutumes et traditions populaires propres à chaque région sont encore très vivantes (processions de la Fête-Dieu, chants tyroliens).

Géographie : la chaîne des Alpes, aux sommets enneigés, couvre les deux tiers du pays. Le Grossglockner, dans le massif des Hohe Tauern, est à 3 797 m d'altitude le point culminant du pays. Les Alpes orientales sont presque intégralement situées sur le territoire autrichien. Les Alpes Carniques et les Karawanken ne sont autrichiennes que sur leur versant nord et constituent les Préalpes du Sud. La végétation est ici très intéressante dans la mesure où subsistent sur les hauts versants des reliques de la période préglaciaire. Les pins et les mélèzes sont les espèces forestières dominantes. Autour des Alpes, différentes régions naturelles se succèdent : le massif granitique de la Haute-Autriche, le versant sud du massif bohémien, au nord, le bassin de Vienne, la dépression du Burgenland à l'est, les collines de Styrie au sud-est. Le Danube est le plus grand fleuve du pays, vers lequel confluent l'Enns et la Morava. Il parcourt 350 km en Autriche. Le lac Neusiedl est le seul lac de steppe européen. L'ouest du pays est drainé vers le Rhin (Vorarlberg). L'Autriche a un climat tempéré, à tendance continentale vers l'est. Le versant sud des Alpes enregistre des températures plus élevées et des précipitations moins abondantes que le versant nord.

Autriche		Station météorologique Vienne Altitude 203 m. Situation 48°15'N/16°22'E											
		Janv	Fév	Mars	Avril	Mai	Juin	Juil	Août	Sept	Oct	Nov	Déc
C L I M A T	↓	-14,0	0,4	4,7	10,3	14,8	18,1	19,9	19,3	15,6	9,8	4,8	1,0
	↑	0,9	3,2	8,4	14,5	19,2	22,6	24,6	23,8	20,1	13,5	7,0	2,8
	↕	-3,8	-2,5	0,9	5,7	10,0	13,5	15,3	14,7	11,4	6,5	2,6	-1,0
	☼	2	3	5	6	8	8	9	8	7	4	2	1
	☂	15	14	13	13	13	14	13	13	10	13	14	15

Pologne		Station météorologique Varsovie Altitude 107 m. Situation 52°09'N/20°59'E											
		Janv	Fév	Mars	Avril	Mai	Juin	Juil	Août	Sept	Oct	Nov	Déc
C L I M A T	↓	-3,5	-2,5	1,4	8,0	14,0	17,5	19,2	18,2	13,9	8,1	3,0	-0,6
	↑	-0,4	0,3	5,6	11,8	19,6	22,6	24,1	22,9	19,0	12,9	5,6	1,9
	↕	-5,5	-6,0	-2,0	2,9	9,0	12,3	14,6	13,5	9,5	5,1	0,7	-2,5
	☼	1	2	4	5	6	7	7	6	5	3	1	<1
	☂	14	14	9	11	11	12	14	12	12	10	13	15

Portugal		Station météorologique Praia da Rocha Altitude 19 m. Situation 37°07'N/08°32'O											
		Janv	Fév	Mars	Avril	Mai	Juin	Juil	Août	Sept	Oct	Nov	Déc
C L I M A T	↓	11,6	12,1	13,6	15,4	16,8	20,4	22,8	23,0	31,3	18,3	15,1	12,5
	↑	15,3	15,9	17,1	19,3	21,3	24,7	27,6	27,8	25,4	22,0	18,6	16,3
	↕	8,0	8,3	10,2	11,6	12,4	16,2	18,0	18,2	17,2	14,6	11,6	8,7
	☼	6	7	7	9	10	12	13	12	9	7	6	6
	☂	10	8	11	7	5	2	<1	<1	3	7	9	10
	≈	15	15	15	16	17	18	19	20	20	19	17	16

Polska PL

POLOGNE
Capitale : Varsovie (Warszawa)
Situation : 49° – 55° N ; 14° – 24° E
Superficie : 312 683 km²
Population : 38,6 millions
Densité de population : 123 hab./km²
Monnaie : 1 zloty (PLN) = 100 groszy
Langues : polonais (officielle), allemand, ukrainien et biélorusse

Politique et population : depuis 1992 la Pologne est une république parlementaire et démocratique, dirigée par un président dont le rôle politique est très important. Celui-ci est élu pour cinq ans au suffrage universel. Le parlement comprend deux chambres : le sénat et la diète. Le pays est divisé en 16 provinces (voïévodies). La population est composée de Polonais à 99 % avec des minorités allemande, ukrainienne et biélorusse. Près de 10 millions de Polonais vivent à l'étranger, principalement aux États-Unis, en France et au Brésil. La population est catholique à 90 % et l'Église jouit d'une grande influence, encore renforcée par l'élection en 1978 de Jean-Paul II (1920-2005), premier pape polonais.
Économie : à la fin des années 1980, l'économie polonaise enregistre de profondes mutations structurelles. Depuis, elle connaît une croissance annuelle proche de 5 %. Les actifs sont désormais employés majoritairement dans le secteur privé. La Pologne possède d'importants gisements de cuivre, zinc, charbon, soufre et sel. L'activité industrielle est concentrée en haute Silésie, où travaille un tiers des actifs du secteur industriel, ainsi que dans les régions de Varsovie et de Gdansk.
Si la tendance de la production industrielle est à la hausse, ce n'est pas le cas de la production agricole. Le pays exporte des machines et des biens d'équipement ainsi que des produits semi-finis. Il importe, en revanche, pétrole et produits pétroliers. Ses principaux partenaires ont toujours été et sont encore les pays frontaliers. C'est pour cette raison que la Pologne se consacre actuellement à la modernisation et à l'extension de son infrastructure. L'endettement est considérable et pose un réel problème de développement.
Histoire et culture : les origines de la Pologne remontent à plus de mille ans, 966 étant considéré comme l'année de fondation de cet État. Au Moyen Âge et à l'époque classique, la Pologne est l'un des États les plus puissants d'Europe. Les conflits intérieurs et la menace extérieure de plus en plus pesante l'affaiblissent considérablement. En 1795, le pays est partagé entre la Prusse, l'Autriche et la Russie, et la Pologne disparaît complètement de la carte. En dépit de nombreuses tentatives, c'est seulement en 1918 qu'elle retrouve son indépendance. Elle subit d'énormes dégâts pendant la Seconde Guerre mondiale et, en 1945, les Alliés redéfinissent ses frontières. La république populaire de Pologne est instaurée en 1952. Le pays dispose d'un important patrimoine architectural, notamment le château Wilanow près de Varsovie, surnommé « le Versailles polonais », ainsi que la vieille ville de Cracovie. L'héritage culturel est très imprégné de catholicisme. Les traditions populaires sont importantes.
Géographie : les deux tiers du territoire polonais s'étendent sur la grande plaine nord-européenne, parcourue de larges vallées, et accidentée de collines et de bas plateaux lacustres comme celui de Mazurie. La façade baltique, basse et sablonneuse, précède la chaîne morainique frontale. Au sud, le relief s'élève progressivement pour culminer à plus de 1 500 m dans la partie polonaise des Sudètes et des Carpates (massifs des Beskides et des Tatras). Les plus grands fleuves sont l'Oder et la Vistule. Le climat est tempéré de transition continentale.

Portugal P

PORTUGAL
Capitale : Lisbonne (Lisboa)
Situation : 37° – 42° N ; 6° – 9° O
Superficie : 91 985 km²
Population : 10,6 millions
Densité de population : 115 hab./km²
Monnaie : 1 euro (€) = 100 cents
Langue : portugais

Politique et population : le chef de l'État de cette république parlementaire est le président qui est élu tous les cinq ans au suffrage universel. Il nomme le Premier ministre et les membres du gouvernement. Une assemblée nationale de 230 membres est élue tous les quatre ans au suffrage universel. Les Portugais forment une population relativement homogène qui a des origines phéniciennes, carthaginoises, romaines et arabo-berbères. La population est catholique à 95 % avec des minorités musulmane, juive et protestante.
Économie : le Portugal fait partie des pays les plus pauvres de l'U.E., dont il est membre depuis 1986. Depuis cette date, l'économie connaît une croissance

1 Il est facile de se perdre dans les ruelles pittoresques du quartier de l'Alfama à Lisbonne, dont les constructions ont résisté au séisme de 1755.

2 Lacs karstiques et glaciers sont caractéristiques des Alpes autrichiennes.

3 La maison de l'artiste peintre Fridensreich Hundertwasser à Vienne attire les touristes.

4 Cocher sur la place du Vieux-Marché de Varsovie.

constante. Les capitaux internationaux investissent massivement dans le pays. Le gouvernement conduit une politique économique rigoureuse et privatise nombre d'entreprises publiques. L'inflation a récemment chuté en dessous de 3 %. Le tourisme occupe une place importante.

Histoire : entre le VIIIᵉ et le XIIIᵉ siècle, les Maures musulmans contrôlent le pays. Le XVᵉ siècle est l'époque des grandes expéditions maritimes inaugurées par Henri le Navigateur : découverte de Madère, des Açores, des îles du Cap-Vert, de la côte orientale de l'Afrique et de la route maritime des Indes. Les Portugais exploitent pendant plusieurs siècles leurs colonies africaines, américaines et asiatiques. Le coup d'État militaire de 1926 fait naître une dictature fasciste, renversée en 1974 par la Révolution des œillets.

Géographie : le Portugal est constitué d'une bande de terre de 150 km de large sur 550 km de long, le long de l'océan Atlantique, au sud-ouest de la péninsule Ibérique. Le relief de plateau domine. Le Douro et le Tage divisent le pays en trois unités régionales. Les terres agricoles sont situées dans les plaines côtières et dans la plaine du Ribatejo au sud-ouest du pays. La montagne de l'Étoile (Serra de Estrela) est le point culminant du pays avec 1 993 m d'altitude.

Republika e Kosovës (KOS)

KOSOVO
Capitale : Pristinë (Pristina)
Situation : 41° – 43° N; 20° – 21° O
Superficie : 10.877 km²
Population : 2,1 millions
Densité de population : 193 hab./km²
Monnaie : pas de device propre ; mode de paiement officiel 1 euro (€) = 100 Cent
Langue : albanais et serbe (langues officielles)

Politique et population : 90 % des habitants sont des Albanais, sunnites pour la plupart, tandis que 6 % environ sont les Serbes, majoritairement orthodoxes. Les troupes de la KFOR continuent à assurer l'ordre et la sécurité dans la région.

Économie : le Kosovo est riche en matières premières (charbon, minerais) et son économie repose sur l'industrie, les services et l'agriculture. Un tiers de la population vit toutefois dans la misère et la moitié est au chômage, de sorte qu'un grand nombre de Kosovars dépendent de l'aide que leur envoient leurs compatriotes expatriés.

Histoire : conquis par la Serbie au XIIᵉ siècle, le Kosovo à la fin du XIVᵉ siècle fait partie de l'Empire ottoman. Après une brève période sous domination turque (1912), le Kosovo est à nouveau annexé par la Serbie (à partir de 1945) avant de devenir une province autonome (1968-1989). De fortes tensions entre Serbes et Albanais amènent l'armée serbe à perpétrer massacres et violentes attaques, ce qui se traduit par un exode massif. C'est finalement l'intervention de l'OTAN qui, en 1999, met un terme au conflit. Après quelques années de relative autonomie au sein de la Serbie, le Kosovo proclame son indépendance en février 2008.

Géographie : l'ouest et le sud du pays sont montagneux, culminant à 2 656 m d'altitude, alors que l'est est une vaste plaine. Le climat est continental.

România (RO)

ROUMANIE
Capitale : Bucarest (Bucureşti)
Situation : 43° – 48° N; 20° – 29° E
Superficie : 238.391 km²
Population : 22,3 millions
Densité de population : 94 hab./km²
Monnaie : 1 Leu (l) = 100 Bani
Langue : roumain (officielle), langues des minorités

Politique et population : après le renversement du régime dictatorial de Ceausescu en 1989, la république adopte une nouvelle constitution en 1991. Le parlement comprend deux chambres élues au suffrage universel : le sénat (143 membres) et l'assemblée (343 membres). Le président est élu au suffrage universel pour quatre ans. Le pays est divisé en 40 districts administratifs (*Judets*) et district autonome de Bucarest. La Roumanie est un pays multiethnique dans lequel 90 % des habitants sont roumains, les autres se répartissant entre de nombreuses minorités nationales : Hongrois, Tsiganes et Allemands de Transylvanie. Le mélange de ces nationalités pose des problèmes toujours non résolus. Une bonne moitié de la population réside dans les villes. La majorité des habitants adhèrent à l'Église orthodoxe roumaine.

Économie : la Roumanie tente depuis le début du XXᵉ siècle de se rattacher aux nations industrialisées européennes. En dépit du développement de son industrie, l'agriculture tient encore une place de choix et emploie un tiers des actifs. Le régime actuel ne parvient pas à enrayer le déclin économique. Les réformes entreprises ne sont pas suffisamment énergiques, car le gouvernement craint de provoquer des troubles sociaux. La grande majorité des entreprises publiques ne sont plus rentables et devraient être fermées. Le volume de la production a nettement augmenté depuis le milieu des années 1990 mais les réseaux routiers et ferroviaires ne correspondent pas aux normes occidentales.

Histoire : le peuple roumain et la langue roumaine se constituent entre les VIIᵉ et IXᵉ siècles. Au XIVᵉ siècle, les premiers États indépendants se forment à l'emplacement actuel de la Roumanie sous la forme de principautés de Valachie, Moldavie et Transylvanie, mais ils passent bientôt sous la suzeraineté des Ottomans au XVIᵉ siècle. Au XVIIᵉ siècle, l'Autriche annexe la Transylvanie tandis que les Turcs conservent la Moldavie et la Valachie. Au XIXᵉ siècle, les rivalités entre Turcs, Russes et Autrichiens préservent l'intégrité des États roumains. En 1878, l'indépendance de la Roumanie est proclamée ; elle devient un royaume en 1881. Pendant la Première Guerre mondiale, les Roumains combattent aux côtés des Alliés. Après le renversement de son régime dictatorial, le pays entre

CLIMAT	Kosovo					Station météorologique : voir Serbie							

Roumanie — Station météorologique Bucarest — Altitude 82 m. Situation 44°25′N/26°06′E

CLIMAT		Janv	Fév	Mars	Avril	Mai	Juin	Juil	Août	Sept	Oct	Nov	Déc
	❄	-2,7	-0,6	4,6	11,7	17,0	20,9	23,3	22,7	18,3	12,0	5,5	0,4
	🌡	0,9	3,5	9,8	17,9	23,4	27,3	29,8	29,7	25,3	18,1	9,6	3,8
	↓	-7,0	-5,1	-0,9	4,8	10,3	13,7	15,8	15,0	11,1	6,0	1,5	-3,1
	○	2	3	5	6	8	9	11	10	8	5	2	2
	☔	10	10	10	10	13	12	9	6	6	8	10	11

Russie — Station météorologique Moscou — Altitude 156 m. Situation 55°45′N/37°34′E

CLIMAT		Janv	Fév	Mars	Avril	Mai	Juin	Juil	Août	Sept	Oct	Nov	Déc
	❄	-9,9	-9,5	-4,2	4,7	11,9	16,8	19,0	17,1	11,2	4,5	-1,9	-6,8
	🌡	-7,0	-5,8	0,0	8,8	17,3	21,5	23,5	21,6	15,6	7,6	0,3	-4,9
	↓	-13,7	-13,5	-8,5	-0,3	6,0	9,7	12,4	11,0	6,2	1,1	-4,6	-10,3
	○	1	2	4	5	8	9	8	7	5	2	1	1
	☔	17	15	14	13	12	15	16	16	17	16	17	19

Station météorologique Saint-Pétersbourg — Altitude 4 m. Situation 59°58′N/30°18′E

CLIMAT		Janv	Fév	Mars	Avril	Mai	Juin	Juil	Août	Sept	Oct	Nov	Déc
	❄	-7,6	-7,9	-4,3	3,3	9,9	15,4	18,4	16,8	11,2	5,1	-0,2	-4,4
	🌡	-5,0	-4,9	-0,6	7,0	14,3	19,2	22,1	20,0	14,4	7,4	1,5	-2,7
	↓	-10,6	-11,3	-7,6	-0,5	5,3	10,6	13,9	12,5	7,8	2,6	-2,4	-7,4
	○	1	1	4	6	8	9	9	7	4	2	1	<1
	☔	21	18	14	13	13	14	14	16	16	17	19	21
	≋	1	0	0	1	5	12	17	16	12	8	5	2

en guerre contre l'Allemagne en 1944. En 1947 est proclamée la république populaire qui, très tôt, explore une « voie roumaine » vers le communisme. En 1989, une révolution sanglante renverse le dernier régime communiste du bloc de l'Est. Le dictateur Ceausescu (à la tête du pays depuis 1965) est exécuté fin 1989. Le pays est membre de l'U.E. depuis le 1er janvier 2007.

Géographie : la Roumanie se divise en trois régions topographiquement bien différenciées. L'arc des Carpates, couvert de forêts et culminant à 2 500 m, constitue l'épine dorsale du pays. La grande plaine de Valachie s'étend au sud des Carpates. Le delta du Danube couvre 5 650 km² et forme l'extrémité septentrionale du littoral de 245 km en bordure de la mer Noire. Le delta constitue l'un des derniers espaces naturels de l'Europe. Ses roselières amphibies et ses milliers de lacs et de bras fluviaux sont le refuge d'une flore et d'une faune particulièrement riches. Le climat est continental. Les hivers sont froids et secs et les étés très chauds.

Rossija (RUS)

RUSSIE
Capitale : Moscou (Moskva)
Situation : 48° – 81° N ; 27° E – 169° O.
Superficie : 17 075 400 km²
Population : 142,9 millions
Densité de population : 8 hab./km²
Monnaie : 1 rouble (RUR) = 100 kopecks
Langues : russe (officielle), plus de 100 langues des minorités

Politique : la Russie est depuis 1991 une république présidentielle. Depuis la chute de l'Union soviétique, la fédération de la Russie se compose de 89 « sujets » dotés d'un degré d'autonomie variable selon qu'il s'agit de Républiques (21), de régions (49), de territoires (6), de districts (9) ou d'autres cas particuliers (4). La nouvelle constitution entre en vigueur en décembre 1993 à la suite de son adoption par référendum.
Elle assure des pouvoirs étendus au président élu au suffrage universel pour quatre ans. Il peut gouverner par décret et nomme le Premier ministre qui est le chef du gouvernement. Le parlement ou assemblée fédérale comprend deux chambres dont les députés sont élus pour quatre ans : le sénat de la Fédération, chambre haute indissoluble composée de 178 députés, et la Douma, chambre basse qui compte 450 députés. Chacun des 89 « sujets » de la Fédération envoie deux représentants au sénat. Cet immense empire est difficilement gouvernable étant donné la faiblesse de son président, les changements fréquents de gouvernement, l'importance de l'endettement public, l'absence de volontarisme économique au niveau gouvernemental, du fait d'une économie parallèle proliférante et de recettes publiques trop faibles. Il en résulte une croissance du déficit budgétaire, une inflation galopante, une augmentation du chômage et un niveau de vie en baisse.
Population : la population de la fédération de Russie est composée d'une centaine de peuples et de nationalités différents, les Russes en représentant 80 %. Étant donné la russification effectuée dans toutes les parties de l'État pendant l'époque soviétique, on compte aussi 25 millions de Russes vivant dans les autres États de l'ex-Union soviétique. La Russie est très inégalement peuplée : contrairement aux régions d'Europe de l'Est à forte densité de population, certaines régions de Sibérie sont presque complètement vides. Les habitants sont surtout concentrés entre la Baltique et l'Oural, ainsi que le long du chemin de fer transsibérien. C'est là que l'on trouve les plus grandes agglomérations. Les trois quarts des habitants sont citadins. La grande majorité fait partie de l'Église orthodoxe russe. L'islam gagne en influence.
Économie : de l'ex-Union soviétique la Russie a hérité de 74 ans d'économie planifiée avec des installations industrielles obsolètes. Le volume de la production et

du commerce extérieur s'appuie sur des ressources naturelles importantes (pétrole, gaz, minerais, charbon, eau, bois), qui sont situées principalement en Sibérie. La chute des cours mondiaux du pétrole et du gaz affaiblit l'économie du pays. Les régions de forte concentration industrielle et démographique (Moscou, Saint-Pétersbourg et la région de l'Oural) sont situées à l'ouest de la Russie. L'environnement a souffert de l'exploitation des mines et d'une industrie lourde très polluante. C'est l'ouest et le sud-ouest qui offrent les meilleures conditions climatiques et pédologiques pour l'agriculture. Les terres arables ne couvrent que 15 % de la superficie totale du pays. Les principaux partenaires commerciaux de la Russie sont l'Ukraine, l'Allemagne, les États-Unis, la Chine et le Japon.
Communications : le réseau des transports révèle également un déséquilibre entre la partie européenne et la partie asiatique du pays. Le centre industriel des environs de Moscou en constitue la plaque tournante. Alors que le sud de la Sibérie est relativement bien desservi par les réseaux ferroviaire et aérien, les autres régions de Sibérie sont, quant à elles, pratiquement inaccessibles. Le réseau aérien tient globalement une place de choix, étant donné l'ampleur de la superficie de la Russie.

1 Chameaux et bateaux : deux modes de transport qui se côtoient dans le delta de la Volga.

2 Lac dans la taïga russe.

3 Pendant les « Nuits blanches » de Saint-Pétersbourg, la vue sur la forteresse Pierre et Paul à travers le pont du Palais est tout simplement spectaculaire.

4 Une imposante coupole dorée coiffe l'église de la Déposition de la Tunique du Christ.

Médias : le paysage médiatique de la Russie s'est énormément diversifié ces dernières années. De nouveaux quotidiens et hebdomadaires et de nouvelles agences d'informations sont venus s'ajouter aux agences déjà existantes comme Itar-Tass et Ria-Novosti.

Histoire : le premier État russe est celui de Kiev, formé par la réunion de plusieurs principautés de la Russie d'Europe entre le IXe et XIIe siècles. Au XIIIe siècle, c'est la chute du royaume de Kiev devant les Mongols de la Horde d'or, suivie de la vassalisation progressive d'une grande partie des terres russes et de trois cent cinquante ans de décadence économique. Après avoir rejeté la tutelle mongole, les grands princes russes et les tsars (Ivan IV le Terrible et Boris Godounov) ont pour principal objectif, entre les XVe et XVIIe siècles, d'accroître leur puissance territoriale, mais doivent fréquemment faire face aux soulèvements paysans, ainsi qu'aux oppositions de l'Église et de la noblesse terrienne (les boyards). Pierre Ier le Grand (1689-1725) ouvre à la Russie les horizons européens et instaure de nombreuses réformes, reprises par ses successeurs.

À l'intérieur du pays, l'opposition entre l'aristocratie et les serfs devient de plus en plus grande. Après l'abolition du servage en 1861, les paysans démunis affluent vers les villes. C'est seulement au début du XXe siècle que la Russie connaît un réel essor économique mais la pauvreté du peuple provoque des soulèvements. En mars 1917 (février dans le calendrier russe), plusieurs insurrections éclatent à Pétrograd (Saint-Pétersbourg), aboutissant à la chute du régime tsariste et à son remplacement par un gouvernement républicain libéral soutenu par la bourgeoisie. Mais quelques mois plus tard, la révolution d'Octobre donne le pouvoir aux bolcheviks et à leur leader, Lénine. En décembre 1922, la Russie devient membre de l'Union des républiques socialistes soviétiques. Entre 1924 et 1938, sous le gouvernement de Staline, la collectivisation des terres et la socialisation de l'économie désorganisent le pays. En 1941, les Allemands envahissent la Russie. Après d'écrasantes défaites, l'armée Rouge sauve Moscou et libère toute l'Europe orientale jusqu'à Berlin avec l'aide des Alliés. L'URSS sort épuisée de la guerre mais elle a acquis le rang de grande puissance mondiale et domine l'Europe de l'Est. À la fin des années 1980, M. Gorbatchev tente de sortir le pays de ses archaïsmes économiques et politiques en instaurant de nouvelles réformes, qui ont abouti à la disparition de l'URSS en 1991 et à la résurgence d'une Russie indépendante. L'intervention militaire dans la république sécessionniste de Tchétchénie de 1994 à 1996, puis depuis 1999, assombrit les relations avec l'Occident.

Culture : la multiplicité des nations et des peuples de Russie est à l'origine de la richesse des traditions culturelles. Les édifices sacrés érigés au royaume de Kiev à partir du Xe siècle sont marqués par l'influence byzantine. Les églises à coupoles de Novgorod et Kiev révèlent le début d'une architecture russe originale. Les joyaux de l'art et de la culture du pays sont situés dans les régions de Saint-Pétersbourg, célèbre pour le musée de l'Ermitage, les palais d'Hiver, de Marbre ou Vorontsov, l'Amirauté ou le théâtre Kirov, et de Moscou qui rassemble des collections de peinture et une architecture variée : église Basile-le-Bienheureux, Kremlin, monastère Novodevitchi, palais de Petrodvorets et l'ensemble urbain de Novgorod. Depuis les célèbres Ballets russes, la danse est une vitrine de la richesse de l'art russe contemporain.

Géographie : ce pays, qui est le plus grand de la planète, s'étend sur 11 fuseaux horaires. Les moyennes montagnes de l'Oural, massif ancien très érodé, séparent la partie européenne de la partie asiatique du pays. De part et d'autre s'étendent les plaines de la Russie d'Europe et de la Sibérie occidentale. Les principales montagnes sont périphériques : Sibérie orientale, Altaï et Caucase. Le mont Elbrouz, volcan éteint, est la montagne la plus élevée du Caucase et de l'Europe, et culmine à 5 642 m d'altitude. Îles (Sakhaline) et presqu'îles (Kola et Kamtchatka) bordent les littoraux du nord et de l'est. Le climat de la Russie est continental : les hivers sont rigoureux et les étés chauds. Les régions proches de l'océan Arctique ont un climat subpolaire. Différentes zones de végétation se déroulent du nord au sud : la toundra, la taïga, la forêt mixte, la steppe, le semi-désert et le désert. Le gel hivernal est durable et les grands fleuves ne sont pas épargnés (Volga, Ob, Ienisseï et Lena). La Volga (3 530 km) est le plus long fleuve européen. Dans certaines régions, l'environnement a subi des dommages énormes.

San Marino

SAINT-MARIN
Capitale : Saint-Marin (San Marino)
Situation : 44° N ; 12° E
Superficie : 61 km²
Population : 29 300
Densité de population : 488 hab./km²
Monnaie : 1 euro (€) = 100 cents
Langues : italien (officielle), dialecte roman

Politique et population : la plus ancienne république du monde est sous le protectorat de l'Italie. Les chefs de l'État sont les deux capitaines-régents, élus tous les six mois, qui exercent le pouvoir exécutif avec le conseil d'État (composé de 10 membres). Tous sont élus par le parlement constitué de 60 membres. La population est catholique à 95 %. Nombreux sont les habitants qui travaillent en Italie.

Économie : l'économie repose sur la transformation du métal et du bois, et sur le secteur de haute technologie. La vente de timbres et le tourisme constituent les ressources les plus importantes de ce petit État.

Histoire : saint Marin, diacre dalmate, fonde la localité en 301. Elle est mentionnée pour la première fois dans les archives en 754. En 1462, la république de Saint-Marin livre sa dernière guerre de son histoire, pour devenir ensuite une terre d'asile accueillant tous les réfugiés. En 1599 est élaborée la constitution qui est toujours aujourd'hui pour l'essentiel de son contenu. Afin de ne pas devenir objet de convoitise de leurs puissants voisins, les habitants de Saint-Marin refusent, en 1797, l'offre de Bonaparte qui propose d'élargir leur territoire jusqu'à la mer. En 1862, la république signe un traité de bon voisinage et d'union douanière avec l'Italie, renouvelé en 1939 et en 1971.

Géographie : ce petit État est situé au nord-est de l'Italie, autour du mont Titano culminant à 756 m d'altitude, dans les Apennins. Les fleuves les plus longs sont l'Ausa et le Marano. Sous ce climat méditerranéen, les hivers sont doux et pluvieux et les étés secs et chauds.

Saint-Martin		Station météorologique Florence/Italie Altitude 76 m. Situation 43°46'N/11°15'E											
		Janv	Fév	Mars	Avril	Mai	Juin	Juil	Août	Sept	Oct	Nov	Déc
CLIMAT		5,1	6,3	9,6	13,1	17,7	21,6	24,2	24,1	20,2	15,1	9,8	5,7
		9,0	11,0	14,4	18,8	23,2	27,0	30,0	29,5	25,7	20,3	14,0	10,6
		1,9	3,0	5,1	8,3	11,7	15,2	17,9	17,3	14,7	10,9	7,0	3,7
	○	4	4	5	7	10	10	12	11	7	6	3	3
		7	7	9	8	7	7	3	3	5	9	9	9

Suisse		Station météorologique Zürich Altitude 569 m. Situation 47°23'N/08°34'E											
		Janv	Fév	Mars	Avril	Mai	Juin	Juil	Août	Sept	Oct	Nov	Déc
CLIMAT		-1,1	0,3	4,5	8,6	12,7	15,9	17,6	17,0	14,0	8,6	3,7	0,1
		2,4	5,0	10,4	14,9	19,4	22,7	24,5	23,9	20,4	13,7	7,2	3,0
		-3,1	-2,3	1,0	4,3	8,2	11,7	13,5	13,2	10,5	6,0	1,9	-1,5
	○	1	3	5	6	7	7	8	7	6	3	2	1
		12	10	9	11	13	13	13	13	10	10	10	10

Schweiz / Suisse / Svizzeria (CH)

SUISSE
Capitale : Berne
Situation : 46 ° – 48 ° N ; 6 ° – 11 ° E
Superficie : 41 293 km²
Population : 7,5 millions
Densité de population : 182 hab./km²
Monnaie : 1 franc suisse (CHF) = 100 centimes
Langues : allemand, français, italien (langues officielles), romanche

Politique et population : la Suisse est un État confédéré composé de 20 cantons et de 6 demi-cantons. D'après la constitution de 1848, révisée en 1874, la Suisse est un État parlementaire démocratique direct. L'assemblée fédérale (le parlement) est chargée de l'élection des 7 membres du conseil fédéral (gouvernement) et de celle du président fédéral. La population est inégalement répartie sur le territoire, 10 % seulement des habitants résident dans les hautes montagnes alpines. La région située entre le lac Leman et le lac de Constance est largement plus peuplée. 82 % des habitants sont suisses et 18 % des résidents permanents étrangers. 50 % des Suisses sont catholiques et 50 % protestants. D'un point de vue ethnique et linguistique, le pays est divisé en trois secteurs : la zone alémanique, la zone romande (français, italien) et la zone rhéto-romane (romanche). Les 4 langues ont le statut de langue nationale, mais 3 seulement sont officielles.

Économie : la Suisse, pauvre en matières premières, compte parmi les pays les plus développés de la planète. Un tiers des actifs travaille dans le secteur industriel orienté vers les industries de précision et de haute technicité : horlogerie, bijouterie, métallurgie de transformation (matériel électrique et médical, machines-outils), industries alimentaire (chocolat), textile, chimique (pharmacie) et industrie du bois, qui fournissent l'essentiel des exportations. Deux tiers des actifs sont employés dans le secteur tertiaire, représenté surtout par le tourisme et la banque. Étant donné les conditions naturelles, l'élevage bovin est le secteur agricole le mieux représenté. Le lait est la base de la fabrication du fromage et du chocolat. La Suisse dispose d'un excellent réseau routier et ferroviaire. Les tunnels et les voies ferrées ont désenclavé les régions de montagne. Le tunnel du Saint-Gothard, long de 17 km, constitue l'une des liaisons nord-sud les plus importantes d'Europe.

Histoire et culture : en 1291, par le serment du Grütli, les communautés de Schwyz, d'Uri et d'Unterwald se lient par un pacte de défense mutuelle. Il leur faut attendre 1389 pour obtenir enfin leur indépendance, les libérant de la domination de l'Empire allemand. En 1515, la défaite des Suisses à Marignan les pousse à adopter une neutralité qui s'est maintenue jusqu'à nos jours. Après la chute de Napoléon, la Suisse se divise en 22 cantons, qui élaborent une nouvelle constitution en 1848. En 1963, elle entre au Conseil de l'Europe. La richesse culturelle de la Suisse est importante et prend racine dans les cultures française, allemande et italienne. La tradition populaire est particulièrement vivante dans les montagnes. Les festivals internationaux comme celui de Locarno (film) ou celui de la Rose d'or à Montreux (télévision) ont une importance mondiale.

Géographie : la Suisse est divisée en trois régions naturelles : au sud et à l'est se dressent les Alpes qui occupent les deux tiers de la superficie totale, et culminent à 4 634 m d'altitude avec le mont Rose. L'arc jurassien s'étend entre le lac Leman et le nord de Zurich. Le Moyen Pays ou *Mittelland*, entre Alpes et Jura, constitue la région vitale de la confédération. Il est constellé de nombreux lacs. La présence des Alpes influence fortement le climat. Le nord de la chaîne est sous la dépendance des masses d'air frais provenant de l'Atlantique, tandis que les versants les plus méridionaux ont déjà une tonalité méditerranéenne.

1 L'Eiger (3 970 m) et le Mönch (4 099 m), de la chaîne de la Jungfrau.

2 Nyon au bord du lac Leman.

3 Joueurs de flûte pendant le carnaval de Bâle.

4 Les langues des grands glaciers alpins descendent jusque dans la zone d'habitat.

5 Saint-Marin est construite au sommet du mont Titano.

6 Au musée Steiner de culture régionale, le fromage est encore préparé de façon artisanale (Suisse).

Shqipëri

ALBANIE
Capitale : Tirana
Situation : 39 ° – 43 ° N ; 19 ° – 21 ° E
Superficie : 28 748 km²
Population : 3,5 millions
Densité de population : 122 hab./km²
Monnaie : 1 nouveau lek (ALL) = 100 qindarka
Langue : albanais

Politique et population : depuis 1991, l'Albanie est une république parlementaire. Les 155 membres du parlement sont élus pour quatre ans. La nouvelle constitution, élaborée en 1998, instaure la séparation des pouvoirs et les droits fondamentaux. La population est composée d'Albanais à 98 %. Ils sont musulmans pour les deux tiers, et catholiques et orthodoxes pour le tiers restant.
Économie : l'Albanie est le pays le plus pauvre d'Europe. Le pétrole, les métaux (chrome) et les produits agricoles sont ses principales exportations. Le secteur agricole emploie la moitié des actifs. La guerre du Kosovo a considérablement entravé le développement de l'économie. L'Albanie est dépendante des aides internationales et des transferts de fonds des Albanais vivant à l'étranger. Le tourisme sur la côte orientale adriatique joue un rôle limité dans l'économie du pays.
Histoire : entre 167 av. J.-C. et 1912, l'Albanie subit perpétuellement domination de puissances étrangères, à l'exception de la période entre 1443 et 1468 marquée par la résistance acharnée face aux Turcs sous l'impulsion de George Kastriota, dit Skanderbeg. En 1946, Enver Hodja proclame la république populaire d'Albanie. À sa mort en 1985, ses successeurs tentent prudemment de se rapprocher de l'Ouest. En 1992, en 1997 et en 2005, des élections démocratiques ont eu lieu.
Géographie : au nord, à l'est et au sud, des chaînes de montagne, culminant à 2 600m, bordent le pays. La mer Adriatique constitue sa frontière naturelle à l'ouest. Le climat est méditerranéen. En été, la température peut atteindre 40 °C.

Slovenija

SLOVÉNIE
Capitale : Ljubljana
Situation : 45 ° – 47 ° N ; 13 ° – 17 ° E
Superficie : 20 256 km²
Population : 2 millions
Densité de population : 99 hab./km²
Monnaie : 1 euro (€) = 100 cent
Langues : slovène (officielle), serbo-croate

Politique et population : la Slovénie est un État indépendant depuis le 8.10.1991. Son parlement est composé de deux chambres : le conseil national et l'assemblée nationale. Le président est élu au suffrage universel pour un mandat de cinq ans. La population est constituée de Slovènes à 90 %. Les 10 % restants sont composés de Croates, de Serbes, et de minorités originaires de Hongrie, du Monténégro et d'Albanie (musulmans).
Économie : après la dissociation de la Yougoslavie en plusieurs États souverains, l'industrie a connu une crise terrible. Depuis, l'économie s'est stabilisée et affiche un taux de croissance élevé. Elle s'appuie sur la construction mécanique, les industries chimique et textile et la sylviculture.
Histoire : des tribus slaves, les Slovènes, s'établissent au VIᵉ siècle dans la région qui est incorporée à l'empire de Charlemagne en 788. Entre les IXᵉ et XIIᵉ siècles, le pays subit le joug croate, serbe et byzantin. Au XVᵉ siècle, les Turcs conquièrent la région. Au XIXᵉ siècle, un mouvement culturel et national se développe. En 1908, le pays est annexé par l'Autriche. En 1918, il constitue une union avec la Serbie et le Monténégro qui, en 1929, prend le nom de Yougoslavie. L'appel croissant à l'indépendance résulte des déséquilibres économiques à l'intérieur de la Yougoslavie : la riche Slovénie compense alors les difficultés économiques des autres républiques. Elle est membre de l'U.E. depuis 2004, et dans la zone euro depuis 2007.
Géographie : bordé au nord par les contreforts des Alpes, le pays est composé de collines, incisées des vallées fluviales de la Save et de la Drave. Au sud-ouest, la Slovénie possède un accès à la Méditerranée sur le golfe de Trieste. Le climat est continental.

Slovenská Republika (SK)

RÉPUBLIQUE SLOVAQUE
Capitale : Bratislava
Situation : 48 ° – 49 ° N ; 17 ° – 23 ° E
Superficie : 49 035 km²
Population : 5,4 millions
Densité de population : 110 hab./km²
Monnaie : couronne (SKK) = 100 halleru
Langues : slovaque (officielle), langues des minorités

Politique et population : la Slovaquie est une république indépendante depuis le 01.01.1993, après la partition de la Tchécoslovaquie. La constitution adoptée en 1992 est entrée en vigueur le jour de la proclamation de la république. Le président est élu par le parlement pour cinq ans. Le parlement est composé de 150 membres élus à la proportionnelle tous les quatre ans. Le pays, divisé en huit régions administratives, est devenu membre de l'U.E. en 2004. La population est concentrée surtout dans la vallée du Váh et dans la plaine du Danube, au sud-ouest du pays. 60 % des habitants résident dans les villes. La population est slovaque à 85 %. Les minorités sont composées de 600 000 Hongrois, de Gitans et de Tchèques. Les Slovaques sont un demi-million à vivre aux États-Unis. Plus de la moitié des habitants de Slovaquie sont catholiques, l'autre moitié est composée de protestants, de chrétiens orthodoxes et de juifs.
Économie : le développement économique de la Slovaquie s'est intensifié après la Seconde Guerre mondiale. Ce pays de tradition agricole, où l'agriculture

Albanie — Station météorologique Tirana
Altitude 114 m. Situation 41°18'N/19°48'E

CLIMAT		Janv	Fév	Mars	Avril	Mai	Juin	Juil	Août	Sept	Oct	Nov	Déc
	🌡	7,3	8,3	10,6	14,4	18,4	22,4	25,0	24,9	21,8	17,4	12,9	9,2
	🌡	11,6	12,2	15,2	18,4	23,1	27,6	30,6	31,4	27,4	22,8	17,4	13,5
	🌡	2,0	2,0	4,9	8,1	11,8	15,5	17,2	16,9	14,2	10,2	8,2	4,6
	☀	4	4	5	7	8	10	11	11	9	7	3	3
	💧	12	10	11	11	10	6	4	4	6	11	13	12

Slovénie — Station météorologique Ljubljana
Altitude 299 m. Situation 46°04'N/14°31'E

CLIMAT		Janv	Fév	Mars	Avril	Mai	Juin	Juil	Août	Sept	Oct	Nov	Déc
	🌡	-0,8	0,6	5,0	9,9	14,4	17,9	20,3	19,7	16,1	10,6	5,2	1,4
	🌡	2,2	5,1	10,0	15,3	20,0	23,7	26,5	25,7	21,7	15,1	8,1	3,7
	🌡	-3,8	-4,0	0,0	4,4	8,7	12,1	14,0	13,7	10,5	6,1	2,2	-1,0
	☀	2	3	4	5	6	7	8	7	5	3	1	1
	💧	13	11	11	13	16	16	12	12	10	14	15	15

République slovaque — Station météorologique Bratislava
Altitude 133 m. Situation 48°12'N/17°12'E

CLIMAT		Janv	Fév	Mars	Avril	Mai	Juin	Juil	Août	Sept	Oct	Nov	Déc
	🌡	-1,6	0,1	4,9	9,8	15,0	18,1	20,1	19,2	15,3	9,9	4,4	0,6
	🌡	1,6	3,5	9,4	16,2	20,7	23,8	26,1	25,7	22,1	14,9	7,8	3,9
	🌡	-3,0	-2,2	1,1	6,4	11,0	14,3	16,2	15,5	12,2	6,7	3,2	-0,2
	☀	2	3	5	7	9	10	10	9	8	5	2	2
	💧	13	11	11	12	12	11	12	10	10	12	13	15

occupe encore aujourd'hui une place relativement importante, s'est alors industrialisé, en dépit de sa pauvreté en matières premières et en énergie ; des régions industrielles ont émergé dans la vallée du Váh et autour de Bratislava et de Kosice. La construction mécanique et l'industrie chimique en sont les principaux secteurs et exportent une partie de leur production. Les principaux partenaires commerciaux de la Slovaquie sont la République tchèque, l'Allemagne et l'Autriche ainsi que les autres pays de l'U.E. Le pays est très dépendant de ses importations de matières premières pour assurer sa transition vers une économie de marché. Les réseaux routier et ferroviaire se concentrent autour d'axes principaux bien développés.

Histoire et culture : après le démantèlement du royaume de Grande Moravie, la Slovaquie et la Hongrie partagent, dès le Xe siècle, une histoire commune. Au début du XVIe siècle, après la division de la Hongrie, la Slovaquie constitue en quelque sorte le cœur du pays hongrois, mais l'est de nouveau occupée par les Turcs au XVIIe siècle. Dès la fin du XVIIe siècle, la Slovaquie, rattachée à la Hongrie, fait partie de l'Empire austro-hongrois. Suite aux différents mouvements nationaux, les territoires slovaques, désormais séparés de la Hongrie, et tchèques sont réunis, en 1918, dans une république de Tchécoslovaquie. En 1939, la Slovaquie devient un protectorat allemand. En 1945 la Tchécoslovaquie est reconstituée. La centralisation à Prague et les malaises qu'elle provoque aboutissent finalement à l'indépendance de l'État slovaque. Les traditions de la culture populaire sont encore très fortes dans les régions montagneuses. Les églises en bois des Beskides, vieilles de plusieurs siècles, font partie du riche patrimoine culturel de la Slovaquie.

Géographie : la Slovaquie est en grande partie couverte de montagnes. Les chaînes montagneuses des Hautes et des Basses Tatras, compartimentées par de larges vallées et bassins constituent la chaîne des Beskides, elle-même rattachée aux Carpates. Les Hautes Tatras, qui culminent à 2 655 m au mont Gerlachovka, ont été érigées en parc national en raison de la variété du relief, (150 lacs) et de la richesse de la faune et de la flore. Les plaines du Danube et celles qui s'étendent au sud-est du pays annoncent la grande plaine hongroise. Le Danube et le Váh sont les deux plus grands cours d'eau du pays. Le climat est de type continental humide.

Serbija (SRB)

SERBIE
Capitale : Belgrade (Belgrad)
Situation : 42° – 46° N ; 18° – 23° E
Superficie : 77 474 km²
Population : 5,3 millions
Densité de population : 97 hab./km²
Monnaie : 1 nouveau dinar serbe = 100 para.
Langues : serbe (officielle), albanais et hongrois

Politique et population : la Serbie est une jeune république avec la province autonome de Voïvodine. 80 % des habitants sont Serbes. 85% de la population globale appartienne à l'Église orthodoxe serbe.

Économie : la guerre des Balkans a beaucoup affaibli l'ensemble des secteurs économiques de ce pays riche en matières premières. En outre, depuis l'indépendance du Monténégro, la Serbie a perdu son littoral, de sorte que le tourisme est pratiquement réduit à néant. Les réseaux routier et ferroviaire restent cependant bien développés.

Histoire et culture : les Romains s'emparent de la région au IIe siècle av. J.-C. et en font la province d'Illyrie. Vers 600, Serbes et Croates arrivent. En 1389, les Serbes sont vaincus par les Turcs. Le pays passe alors sous domination ottomane. En 1918 émerge un État englobant d'anciens territoires qui prend, en 1929, le nom de Yougoslavie. En 1988, cet État multiethnique commence à se dissoudre. Quelques régions déclarent leur indépendance, et les Serbes se lancent dans une guerre civile

1 La ville slovène de Piran surplombe le golfe de Trieste. En bordure de la vieille ville encerclée par la mer, se dresse sur une colline l'église baroque Saint-Jurij datant du XVIIe siècle. La ville a appartenu à Venise entre 1283 et 1797.

2 Dans certaines régions rurales de l'ex-Yougoslavie la charrette tirée par un cheval reste un moyen de transport quotidien. Environ 16 % du PIB est issu de l'agriculture et un quart de la population travaille dans ce secteur.

3 Le château Renaissance Prdkjamski devant une grotte de karst, en Slovénie. Il a été construit sur les ruines d'une forteresse médiévale.

4 L'ours brun d'Europe ne peuple plus que quelques forêts des Hautes Tatras qui font partie du massif des Carpates. Il a pratiquement disparu d'Europe centrale et occidentale.

qui se poursuit jusqu'à l'automne 1995. La Serbie et le Monténégro qui, depuis 1992, faisaient partie de la république fédérale de Yougoslavie, ont fondé en 2003 la communauté d'États Serbie-et-Monténégro, dissoute en 2006. Depuis, les deux États constituent des républiques indépendantes. En 2008, le Kosovo a déclaré son indépendance.

Géographie : le pays est principalement montagneux. Le climat est continental. Les étés sont chauds et les hivers enneigés en montagne.

Suomi / Finland (FIN)

FINLANDE
Capitale : Helsinki/Helsingfors
Situation : 60 ° – 71 ° N ; 20 ° – 32 ° E
Superficie : 338 145 km²
Population : 5,2 millions
Densité de population : 15 hab./km²
Monnaie : 1 euro = 100 cents
Langues : finnois, suédois (officielles), lapon

Politique et population : la Finlande est une république parlementaire démocratique, reposant sur la constitution, adoptée en 1919, et révisée en 1988. À la tête du pays, le président, élu pour six ans au suffrage universel direct, détient le pouvoir législatif avec la diète (parlement), composée de 200 membres. Le pays est divisé en douze comtés. La population est concentrée dans le sud. Elle est constituée de Finlandais à 90 %. Les minorités comprennent des Suédois et les Lapons. Plus de 90 % de la population est rattachée à l'Église luthérienne évangélique de Finlande, la troisième communauté protestante du monde. La Finlande est membre de l'U.E. depuis 1995.

Économie : les richesses naturelles de la Finlande comprennent ses immenses forêts, la force hydraulique de ses fleuves et ses gisements de fer et de cuivre. En 1995, la Finlande comptait parmi les 10 principaux exportateurs de bois de la planète. Le secteur industriel repose sur les industries dérivées du bois et la production de pâte à papier, la transformation des métaux ainsi que sur la construction mécanique. Étant donné les conditions climatiques (8 % de terres arables), l'agriculture tient une place tout à fait secondaire. Le secteur tertiaire s'est considérablement développé ces dernières années grâce au tourisme, et il emploie plus de 60 % des actifs. Un réseau de communications efficace, surtout dans le sud, relie le pays aux autres pays riverains de la Baltique.

Histoire et culture : l'histoire de la Finlande se divise en trois grandes périodes. Aux XIIᵉ XIIIᵉ siècles, les Suédois conquièrent la plus grande partie du pays et annexent même la Carélie en 1617, au terme de plusieurs guerres. Puis, en 1809, la Finlande devient grand-duché de Russie. La Révolution d'octobre met fin à la russification et le 06.12.1917, la Finlande proclame son indépendance. En 1973, Helsinki organise la conférence très novatrice sur la sécurité et la coopération en Europe. Les Finlandais ont toujours jalousement défendu leur identité nationale. La musique de Sibelius ou les œuvres des architectes Saarinen et Aalto sont mondialement reconnues. L'artisanat finlandais est réputé et repose sur une longue tradition populaire. En plus du bois, le textile, la céramique et le verre sont des supports très exploités dans ce domaine.

Géographie : le « pays des mille lacs » en compte en réalité plus de 60 000 qui couvrent 10 % de la superficie totale. Des fleuves et des canaux relient les lacs entre eux. Toutes les eaux sont riches en poissons. La Finlande est principalement un pays plat où l'altitude n'excède pas 300 m, les montagnes scandinaves n'apparaissant qu'au nord de la Laponie. La côte est extrêmement découpée et bordée de près de 30 000 îles. En raison de sa latitude élevée, la Finlande connaît un climat de type tempéré frais avec des hivers longs et froids et des étés courts et frais. Au nord du cercle polaire règnent le jour et la nuit polaires. Les forêts de conifères, la toundra, les élans et les rennes constituent la flore et la faune adaptées à ces conditions très rudes.

Serbie

Station météorologique Belgrade
Altitude 132 m. Situation 44°48'N/20°27'E

CLIMAT		Janv	Fév	Mars	Avril	Mai	Juin	Juil	Août	Sept	Oct	Nov	Déc
	🌡°	-0,2	1,6	6,2	12,2	17,1	20,5	22,5	22,0	18,3	12,5	6,8	2,5
	🌡°	2,9	5,4	11,0	17,5	22,5	26,0	28,3	28,1	24,3	17,6	10,5	5,4
	🌡°	-3,2	-1,9	2,1	7,3	12,0	15,1	16,9	16,5	13,2	8,2	3,9	-0,2
	☀	2	3	5	6	7	9	10	9	8	3	3	2
	🌧	13	11	12	13	15	13	9	10	10	12	12	15

Finlande

Station météorologique Helsinki
Altitude 45 m. Situation 60°12'N/24°55'E

CLIMAT		Janv	Fév	Mars	Avril	Mai	Juin	Juil	Août	Sept	Oct	Nov	Déc
	🌡°	-6,1	-6,6	-3,4	2,6	8,8	14,0	17,2	16,0	11,1	5,4	1,0	-2,6
	🌡°	-3,4	-3,9	0,1	6,4	13,5	18,6	21,6	20,1	15,0	8,1	2,9	-0,5
	🌡°	-8,5	-9,3	-6,8	-0,9	4,3	9,2	12,5	11,7	7,5	2,7	-1,0	-4,8
	☀	1	2	4	6	9	10	10	8	5	2	1	1
	🌧	20	18	14	13	12	13	14	15	15	18	19	20
	≈	1	1	1	2	5	11	16	16	13	9	5	3

Station météorologique Inari
Altitude 149 m. Situation 69°04'N/27°06'E

CLIMAT		Janv	Fév	Mars	Avril	Mai	Juin	Juil	Août	Sept	Oct	Nov	Déc
	🌡°	-13,5	-12,8	-8,5	-3,4	4,0	9,8	13,2	11,2	5,9	-0,9	-7,4	-12,8
	🌡°	-8,6	-9,0	-3,2	1,8	8,3	14,0	17,4	15,1	8,6	1,3	-4,3	-8,0
	🌡°	-18,4	-16,5	-13,7	-8,5	-0,4	5,5	9,0	7,3	3,1	-3,1	-10,4	-17,6
	☀	<1	1	5	6	6	7	7	4	3	1	<1	<1
	🌧	14	13	10	9	13	16	15	16	15	13	13	15

Suède

Station météorologique Stockholm
Altitude 44 m. Situation 59°21'N/18°04'E

CLIMAT		Janv	Fév	Mars	Avril	Mai	Juin	Juil	Août	Sept	Oct	Nov	Déc
	🌡°	-2,9	-3,1	-0,7	4,4	10,1	14,9	17,8	16,6	12,2	7,1	2,8	0,1
	🌡°	-0,9	-0,9	2,5	8,3	14,4	19,2	21,9	20,2	15,3	9,4	4,5	1,8
	🌡°	-5,1	-5,4	-3,6	1,0	6,0	10,8	14,1	13,3	9,4	4,8	1,0	-1,8
	☀	1	3	5	7	9	11	10	8	6	3	1	1
	🌧	16	13	10	11	11	13	13	14	14	15	16	17
	≈	3	1	1	2	5	10	15	15	13	10	7	4

Station météorologique Piteå
Altitude 6 m. Situation 65°19'N/21°28'E

CLIMAT		Janv	Fév	Mars	Avril	Mai	Juin	Juil	Août	Sept	Oct	Nov	Déc
	🌡°	-9,6	-9,9	-5,8	0,4	6,6	12,4	16,1	14,2	9,2	2,7	-2,7	-6,5
	🌡°	-5,9	-5,5	-0,7	4,7	11,4	16,9	20,6	18,6	12,9	5,7	0,2	-3,1
	🌡°	-13,2	-14,2	-10,9	-4,0	1,7	7,8	11,6	9,8	5,4	-0,3	-5,6	-9,8
	☀	1	2	5	7	9	10	10	7	5	3	1	<1
	🌧	13	13	9	10	8	11	12	12	12	12	14	15

Sverige (S)

SUÈDE
Capitale : Stockholm
Situation : 55 ° – 69 ° N ; 11 ° – 24 ° E
Superficie : 449 964 km²
Population : 9 millions
Densité de population : 20 hab./km²
Monnaie : 1 couronne suédoise (SEK) = 100 Øre
Langues : suédois (officielle), finnois et lapon

Politique et population : d'après les termes de la constitution de 1985, la Suède est une monarchie constitutionnelle reposant sur un régime démocratique parlementaire. Le parlement (*Riksdag*) est constitué d'une seule chambre et de 310 membres, élus pour la plupart au suffrage universel. Le roi règne mais ne gouverne pas. La Suède se divise en 24 comtés, chacun dirigé par un gouverneur nommé par le gouvernement et un parlement élu. La population est très homogène. Les minorités nationales sont composées de quelques milliers de Lapons et de Finlandais. Les habitants sont concentrés à 90 % dans la moitié sud du pays. L'Église évangélique luthérienne est religion d'État.

Économie : l'économie repose sur de grandes richesses naturelles en minerai de fer, en bois et en énergie hydraulique. Les principaux fleurons industriels sont les industries dérivées du bois, ainsi que les industries de transformation des métaux, de construction mécanique et automobile, ainsi que l'industrie chimique et électronique. Les centres principaux sont situés sur les côtes du sud. Un quart des Suédois seulement travaille dans le secteur industriel, tandis que le secteur tertiaire emploie plus de 60 % des actifs. L'agriculture couvre les besoins du pays en denrées alimentaires de base. Les terres arables sont situées essentiellement dans le sud.

Les principaux partenaires commerciaux de la Suède sont l'U.E., la Norvège et les États-Unis. Le réseau de communication de la Suède est bien développé dans le sud du pays. Le pont de l'Øresund long de 16 km, récemment construit, relie Malmö à Copenhague, la capitale danoise.

Histoire et culture : l'histoire de la Suède est très marquée par le désir de puissance et d'hégémonie de ses souverains. Ce territoire est peuplé relativement tôt. Entre les VIIIᵉ et XIᵉ siècles, les Vikings se répandent vers l'ouest et vers l'est jusqu'en Ukraine. Les siècles suivants voient de la consolidation de la puissance suédoise. Entre les XIVᵉ et XVIᵉ siècles, le pays connaît plusieurs unions avec le Danemark et la Norvège. Après la proclamation de l'indépendance suédoise par le roi Gustave Iᵉʳ Vasa, la couronne hisse le pays au rang de grande puissance aux XVIᵉ et XVIIᵉ siècles. Le maréchal français Bernadotte accède au trône en 1818 sous le nom de Charles XIV. La constitution est révisée en 1866. La Suède reste neutre pendant les deux guerres mondiales. En 1951, le pays fonde le conseil nordique avec la Norvège et le Danemark et, en 1960, il compte parmi les membres fondateurs de l'AELE. Il rejoint l'U.E. en 1995. Les trésors de l'architecture suédoise sont étroitement liés à la tradition monarchique.

Géographie : à l'ouest, le long de la frontière norvégienne, s'étend la chaîne scandinave qui culmine à plus de 2 000 m. Le reste du pays est formé de plateaux, creusés de nombreuses vallées drainées par des fleuves qui vont se jeter dans le golfe de Botnie. Tout le sud du pays est une vaste plaine parsemée de lacs. Les écueils et îlots rocheux sont légion le long des côtes. Le Vänern et le Vättern sont les deux lacs les plus importants du pays, et le Vänern se place même au troisième rang européen. Le climat continental de la Suède est relativement modéré.

Ukrajina (UA)

UKRAINE
Capitale : Kiev (Kyjiv)
Situation : 44 ° – 52 ° N ; 22 ° – 40 ° E
Superficie : 603 700 km²
Population : 46,7 millions
Densité de population : 77 hab./km²
Monnaie : 1 Hryvnia (UAH) = 100 kopecks
Langues : ukrainien (officielle), russe et langues des minorités

Politique et population : en 1991, le pays proclame son indépendance et, en juin 1996, une nouvelle constitution entre en vigueur. Le président est élu au suffrage universel pour cinq ans. Le parlement, composé de 450 membres, détient le pouvoir législatif. Le pays est constitué de 24 régions (*oblast*), auxquelles s'ajoute la république autonome de Crimée depuis 1992. Les habitants sont regroupés à 65 % dans les villes et un Ukrainien sur sept vit dans l'une des cinq grandes villes du pays, abritant chacune plus d'un million d'habitants. De vastes régions sont très

1 Nuit de la Saint-Jean sur le lac suédois Siljan, près de Dalarna.

2 Le château fort d'Olavinlinna, aux allures de citadelle invincible, accueille chaque année en juillet le fameux festival d'opéra de Savonlinna.

3 Le château de Vittskölve, en Suède, a été construit au XVIᵉ siècle par la famille de l'astronome Tycho Brahé, propriétaire de l'île Visingsö, au sud du lac Vättern.

4 En dehors des villes, la Finlande est peu peuplée.

Sverige   151

peu peuplées. La croissance de la population est négative. Les habitants sont ukrainiens à 75 % et russes à 20 %. Les nombreuses minorités comprennent notamment des juifs, des Biélorusses, des Moldaves et des Bulgares. Outre la majorité de la population ukrainienne, rattachée à l'Église orthodoxe ukrainienne, le pays compte aussi 30 % d'athées et 10 % de catholiques membres de l'Église orientale uniate.

Économie : le passage à l'économie de marché décidé en 1992 n'est pas facilité par le gouvernement communiste en place. L'endettement, la corruption et la criminalité économique, ainsi que les conséquences de la catastrophe de Tchernobyl, pèsent lourdement sur le développement économique du pays, freinant les investissements et les aides internationales. Les terres noires d'Ukraine sont d'excellentes terres agricoles qui couvrent 72 % de la superficie totale. Le secteur agricole emploie 20 % des actifs. Les richesses naturelles du sous-sol prédisposent le pays au développement de l'industrie métallurgique, de la production énergétique, de la construction mécanique et automobile ainsi que de l'industrie chimique. Le principal foyer industriel est situé dans la région du Donets-Dniepr, touchée par l'environnement extrêmement pollué. L'Ukraine exporte surtout des métaux, des denrées alimentaires et des produits chimiques. Elle importe des combustibles (pétrole et gaz) et des biens de consommation. Ses principaux partenaires commerciaux sont la Russie, la Biélorussie, la Chine et l'Allemagne. Le réseau de communication permet d'accéder facilement à tous les points du territoire, tandis qu'Odessa constitue un port important sur la mer Noire.

Histoire : au IXᵉ siècle les Slaves orientaux fondent la principauté de Kiev, destinée à devenir le centre du premier État russe, qui s'étend jusqu'à la mer Baltique. Après la chute de la Russie de Kiev au milieu du XIᵉ siècle, plusieurs principautés se partagent le territoire de l'actuelle Ukraine. Elle passe sous domination polonaise et lituanienne entre les XIIIᵉ et XVIᵉ siècles, puis les Cosaques luttent pour obtenir l'indépendance nationale entre le XVIᵉ et le XVIIᵉ siècle. Le pays se libère enfin de la domination polonaise. Il est rattaché à la Russie et subit, au XIXᵉ siècle, une violente russification. Le bassin du Donets devient la forge de la Russie. En 1917, une république soviétique ukrainienne est proclamée puis une république nationale ukrainienne, rivale. Une guerre civile s'ensuit. En 1922, le pays est pourtant définitivement rattaché à l'URSS. Depuis son indépendance en 1991, l'Ukraine est membre de la C.E.I. Les élections législatives de novembre 2004 provoquent la Révolution orange qui porte au pouvoir l'ancienne opposition libérale. La coalition ainsi formée éclate en 2006. Depuis, le pays est paralysé par une crise constitutionnelle.

Culture : les icônes de l'École de Kiev (XIᵉ siècle) et les construction religieuses de la même époque comptent parmi les trésors artistiques les plus renommés de l'Ukraine. Les traditions folkloriques sont encore très vivantes surtout dans les campagnes.

Géographie : la majeure partie du territoire ukrainien est constituée d'une vaste plaine basse aux sols noirs fertiles (*tchernoziom*). L'extrême sud-ouest du pays rejoint la chaîne des Carpates, couverte de forêts, qui culmine à 2 000 m d'altitude. Les autres régions, parmi lesquelles le plateau de Podolie et le bassin du Donets, sont traversées par les fleuves Dniepr et Donets et leurs affluents, et culminent à 300 m d'altitude. Une grande partie des terres ukrainiennes sont couvertes de lœss sur une épaisseur qui peut atteindre 10 m, conférant au sol sa grande fertilité. L'Ukraine a un accès à la mer Noire et à la mer d'Azov. Le climat continental aux étés chauds est plus affirmé dans le sud du pays. À la zone de prairie du sud succède la zone de forêt-steppe. En Crimée, la végétation est subtropicale.

United Kingdom

ROYAUME-UNI de GRANDE-BRETAGNE et d'IRLANDE DU NORD
Capitale : Londres
Situation : 50 ° – 62 ° N ; 2 ° E – 8 ° O
Superficie : 244 100 km²
Population : 60,6 millions
Densité de population : 248 hab./km²
Monnaie : 1 livre sterling (GBP) = 100 pence
Langues : anglais (officielle), gallois, gaélique

Politique : le Royaume-Uni est une monarchie parlementaire héréditaire sans constitution écrite. Le parlement est constitué de la chambre des Communes, composée de 659 membres élus tous les cinq ans, et de la chambre des Lords, composée de 1 200 pairs, héréditaires ou non, dont le pouvoir est de plus en plus limité. Le souverain doit choisir comme Premier ministre le chef de la majorité à la chambre des Communes. Il détient la réalité du pouvoir exécutif. Le parti conservateur et le parti travailliste dominent la scène politique. Le Royaume-Uni comprend la Grande-Bretagne (Angleterre, Écosse, pays de Galles) et l'Irlande du Nord. 12 pays sont sous le contrôle de la Couronne britannique, parmi lesquels les îles Vierges, les Malouines (Falklands) et Gibraltar.

Population : 80 % des Britanniques sont anglais. Ils forment depuis le XIᵉ siècle un groupe ethnique homogène, d'origine celte, anglo-saxonne et normande. 10 % sont écossais, d'origine celte. 4 % sont irlandais et 2 % gallois. Les 2,5 millions d'immigrés provenant des États du Commonwealth sont confrontés depuis quelques années à un racisme devenu plus aigu. Un tiers de la population est rattaché à l'Église anglicane et 14 % sont presbytériens.

Économie : sous le règne de la reine Victoria (1837-1901), le Royaume-Uni était la nation la plus riche du monde. Mais après la désagrégation de son empire et le développement d'autres nations en plein essor économique, il est entré, après la Seconde Guerre mondiale, dans une longue phase de crise économique grave qui a perduré jusqu'au début des années 1990. Elle résultait notamment du manque d'investissements pour moderniser les installations industrielles et d'une infrastructure économique qui remontait souvent au XIXᵉ siècle. Ce sont surtout les secteurs industriels traditionnels (sidérurgie, industrie automobile, construction navale, textiles) qui présentent des faiblesses structurelles. L'industrie représente un quart seulement du P.I.B., l'agriculture 1 %, tandis que le secteur tertiaire en constitue 73 %, et a largement participé au regain économique des années 1990. Entré dans le Marché commun en 1973, le Royaume-Uni ne participe pas pour le moment à l'union monétaire européenne.

Ukraine		Station météorologique Odessa											
		Altitude 64 m. Situation 46°29'N/30°38'E											
		Janv	Fév	Mars	Avril	Mai	Juin	Juil	Août	Sept	Oct	Nov	Déc
CLIMAT	🌡	-2,2	-1,9	1,7	8,4	14,9	19,7	22,4	21,6	17,0	11,1	5,4	0,4
	🌡	0,2	0,8	5,2	11,9	19,1	23,6	26,9	25,9	21,0	14,9	8,1	2,8
	🌡	-5,0	-4,5	-0,6	5,1	11,5	15,5	17,8	17,3	13,1	8,1	2,6	-2,1
	○	2	3	5	7	9	10	11	10	8	6	2	2
	☂	11	10	10	9	9	9	7	6	6	8	10	11

Grande-Bretagne		Station météorologique Perth											
		Altitude 23 m. Situation 56°24'N/03°27'O											
		Janv	Fév	Mars	Avril	Mai	Juin	Juil	Août	Sept	Oct	Nov	Déc
CLIMAT	🌡	2,4	3,2	5,2	7,7	10,6	13,7	15,3	14,5	12,5	9,1	5,5	3,7
	🌡	5,6	6,6	8,9	12,2	15,5	18,6	19,9	18,8	16,8	12,8	8,9	6,7
	🌡	-0,8	-0,3	1,4	3,2	5,6	8,7	10,7	10,2	8,1	5,4	2,1	0,7
	○	2	3	3	5	6	6	5	5	4	3	2	1
	☂	16	15	15	13	13	14	16	15	15	17	18	19

		Station météorologique Plymouth											
		Altitude 27 m. Situation 50°21'N/04°07'O											
		Janv	Fév	Mars	Avril	Mai	Juin	Juil	Août	Sept	Oct	Nov	Déc
CLIMAT	🌡	6,2	5,8	7,4	9,2	11,8	14,5	16,0	16,2	14,7	11,9	9,0	7,2
	🌡	8,2	8,1	10,1	12,3	15,1	17,7	19,0	19,3	17,7	14,6	11,3	9,2
	🌡	4,1	3,5	4,6	6,1	8,4	11,3	13,0	13,0	11,7	9,2	6,6	5,1
	○	2	3	4	5	7	7	7	7	5	3	2	2
	☂	19	15	14	12	12	12	14	14	15	16	17	18

Communications : le réseau routier des îles britanniques couvre à lui seul 360 000 km et dessert le pays très convenablement. Le gouvernement prévoit d'énormes investissements pour le nouveau millénaire, destinés à favoriser le développement du transport individuel. Le réseau ferroviaire offre un accès aux principales agglomérations. La compagnie aérienne British Airways est, depuis quelques années, l'une des premières du monde. La flotte maritime a considérablement perdu de son importance. Depuis 1994, l'Eurotunnel met l'Angleterre à 30 minutes du continent.

Médias : la Grande-Bretagne et les États-Unis sont les berceaux de la presse moderne. 103 quotidiens coexistent aujourd'hui avec un tirage global de plus de 20 millions d'exemplaires. Les chaînes de télévision et de radio privées viennent concurrencer en nombre la BBC.

Histoire : entre 2800 et 1100 av. J.-C. se développe une civilisation mégalithique (Stonehenge). Deux cents ans plus tard, les Celtes colonisent la Grande-Bretagne, qui passe sous domination romaine entre 43 et 410 de notre ère. À partir de 450, les Angles et les Saxons envahissent l'île, conquise une dernière fois par les Normands de Guillaume le Conquérant en 1066. La noblesse oblige Jean sans Terre à reconnaître en 1215 la Grande Charte (Magna Carta), pierre angulaire de l'État de droit. Le pays échappe aux aspirations hégémoniques du pape grâce à Henri VIII (1509-1547) qui instaure l'Église dite anglicane. En 1588, les Anglais détruisent l'Invincible Armada espagnole et imposent leur suprématie maritime. Soutenue par les flux de capitaux et de biens en provenance des colonies, la révolution industrielle commence vers 1770, produisant simultanément la grande richesse des uns et l'immense misère sociale des autres. Après la Première Guerre mondiale, la « politique d'apaisement » britannique permet le réarmement du Reich allemand. Bien qu'il compte parmi les puissances alliées victorieuses à la fin de la Deuxième Guerre mondiale, le Royaume-Uni voit son influence sur la scène internationale diminuer par la suite. Le pays qui participe à la guerre contre l'Irak de 2003 à 2005, subit un attentat islamiste en plein cœur de Londres en 2005.

Géographie : les îles britanniques ont été séparées du continent depuis la dernière période glaciaire. Au sud-est et au centre du pays, les terres sont basses, tandis qu'à l'ouest les montagnes s'élèvent entre 600 et 1 000 m d'altitude. Les hautes terres s'étendent au nord de l'Angleterre, en Écosse et en Irlande du Nord. La Cornouailles, péninsule montagneuse, s'avance à l'ouest dans l'Atlantique. Au pays de Galles, les monts Cambriens ne dépassent pas 1 100 m d'altitude mais sont très peu boisés. Au nord de l'Angleterre, en Écosse et au nord de l'Irlande, le terrain est plutôt montagneux avec les Highlands écossais et les monts Grampians, mais de faible altitude. Ce relief accidenté se prolonge au sud par la chaîne Pennine qui ne dépasse pas 900 m d'altitude. Elle s'étend sur 240 km du nord au sud et forme l'épine dorsale de l'Angleterre. De nombreux lacs, des baies semblables à des fjords et une multitude d'îles (Hébrides, Orcades et Shetland) caractérisent également ces régions. Le climat océanique reçoit l'influence du Gulf Stream. Les hivers sont doux, les étés frais et le pays est balayé par les vents qui soufflent de l'Atlantique.

1 Le château Caernarfon symbolise la suzeraineté anglaise au pays de Galles.

2 Champ de course à Newmarket, dans le Suffolk.

3 Loch Lomond, au nord de Glasgow.

4 Depuis 1512, le palais de Westminster est le siège du parlement britannique.

5 Le « nid d'hirondelle » sur la presqu'île de Crimée, en Ukraine.

6 Parade de la Garde royale à Londres.

United Kingdom 153

Asie : l'explosion paisible

De loin le plus grand de tous les continents, l'Asie abrite à la fois les plus hautes montagnes du monde, avec la chaîne de l'Himalaya, et la dépression la plus profonde, à savoir la mer Morte. Plus de la moitié des êtres humains vivent sur le continent asiatique, où ils se répartissent de façon extrêmement contrastée. Près de 90 % des Asiatiques vivent en effet dans les plaines et deltas fertiles situés entre l'Indus et le Huang He (le fleuve jaune), c'est-à-dire sur un tiers du continent seulement. Les nations les plus peuplées de la Terre, la Chine et l'Inde, s'efforcent de freiner leur expansion démographique dramatique par des mesures de planning familial.

Afghanistan (AFG)

AFGHANISTAN
Capitale : Kaboul
Situation : 29° – 38° N ; 61° – 75° E
Superficie : 652 090 km²
Population : 31 millions
Densité de population : 48 habitants/km²
Monnaie : 1 afghani (AFA) = 100 puls
Langues : pachto, dari

Politique et population : les fondamentalistes talibans, arrivés au pouvoir en 1996, en ont été chassés à fin 2001 par l'intervention militaire d'une coalition dirigée par les États-Unis, à la suite des attentats de New York et de Washington le 11 septembre précédent. Pour la première fois depuis 1969, des élections nationales ont eu lieu le 9 octobre 2004. Elles ont porté au pouvoir Hamid Karzai, investi de la présidence le 7 décembre. En raison du flux et du reflux des réfugiés, la population fluctue. Elle se compose de deux cinquièmes de Pachtouns, d'un quart de Tadjiks et d'Ouzbeks et d'une trentaine d'autres ethnies. La quasi-totalité des habitants est musulmane, dont 80 % de sunnites.
Économie : l'agriculture, qui représente environ la moitié du P.N.B., est le principal secteur économique. Officiellement, le pays exporte surtout des fruits frais et secs et des tapis. Mais il est surtout l'un des plus gros producteurs d'opium du monde. Depuis la chute du régime des Talibans, le pays bénéficie d'importantes campagnes d'aide internationale. Il va encore dépendre longtemps de ces fonds qui financent la reconstruction et les nouvelles infrastructures.
Histoire : précocement peuplé, l'Afghanistan a connu la domination perse, hellénistique et mongole, notamment. État-tampon entre les sphères d'influence russe et britannique au XIXᵉ siècle, le pays n'accède à une réelle indépendance qu'en 1919. En 1973, un coup d'État militaire renverse le roi. Depuis 1979, à part quelques brèves interruptions, l'Afghanistan a été ravagé par une guerre civile qui a fait des centaines de milliers de victimes, poussé plus de trois millions d'Afghans à quitter le pays, détruit un tiers des villages et transformé le pays en un véritable champ de mines. C'est l'un des États les plus pauvres du monde.
Géographie : couvert en majeure partie par le massif de l'Hindu Kuch, entrecoupé de nombreuses vallées, le cœur du pays comprend essentiellement des hautes montagnes. Son climat continental, aux étés secs, permet l'exploitation des versants montagneux en pâturages, tandis que les vallées et les bassins constituent des oasis où se concentre la population.

Al-Bahrain (BRN)

BAHREÏN
Capitale : Manama (Al-Manama)
Situation : 26° N ; 51° E
Superficie : 695 km²
Population : 698 000
Densité de population : 982 habitants/km²
Monnaie : 1 dinar bahreini (BHD) = 1 000 fils
Langues : arabe (officielle),
anglais (commerciale)

Politique et population : Bahreïn est une monarchie absolue, sans partis ni parlement en voie d'évolution vers un régime plus démocratique. Plus d'un tiers des habitants sont des étrangers, travailleurs immigrés en majeure partie, dont un quart environ provient du sous-continent indien. 85 % de la population sont musulmans, dont 60 % de chiites et 25 % de sunnites.
Économie : le pétrole, découvert en 1932 et exploité depuis lors, constitue le fondement économique de l'État, mais ce n'en est plus le plus important. Grâce aux pétrodollars, l'émirat s'est érigé en un centre financier et de services rayonnant sur tout le monde arabe.
Histoire : dans l'Antiquité, l'archipel de Bahreïn est un centre commercial important entre la Mésopotamie et la vallée de l'Indus. Après leur invasion par les Arabes,

au VIIᵉ siècle, les îles sont contrôlées successivement par les Portugais et par les Iraniens. En 1783 est constitué un émirat indépendant, bientôt soutenu par les Britanniques (1814). En 1971, le pays obtient son indépendance définitive.
Géographie : Bahreïn comprend un ensemble de 33 îles. L'île principale est couverte de vastes dunes de sable et de dépressions salées. Seuls les puits artésiens de la côte permettent une agriculture modeste.

Al-Kuwayt (KWT)

KOWEÏT
Capitale : Koweït (Al-Kuwayt)
Situation : 29° – 30° N ; 47° – 49° E
Superficie : 17 818 km²
Population : 2,4 millions
Densité de population : 135 habitants/km²
Monnaie : 1 dinar koweïtien (KWD) = 1 000 fils
Langues : arabe (officielle),
anglais (commerciale)

Politique et population : le parlement composé de 50 membres, est dévoué à l'émir, et les postes clés du gouvernement sont occupés par des membres de la famille régnante. Les Koweïtiens d'origine comptent pour 40 % de la population. Les Asiatiques et les Arabes, parmi lesquels de nombreux Palestiniens, constituent la majeure partie de la main-d'œuvre immigrée.
Économie : l'exportation du pétrole et des produits pétroliers a fait de cet État désertique l'un des plus riches au monde. Les investissements financiers dans les pays industrialisés sont pour le Koweït une source de revenus désormais supérieure à ses ventes de pétrole.
Histoire : comptoir portugais au XVᵉ siècle, le Koweït n'est occupé que du au XVIIIᵉ siècle. Ce comptoir commercial est sous l'autorité de l'Empire ottoman de 1829 à 1899, puis sous protectorat britannique. Envahi par l'Irak le 2 août 1990, le Koweït est libéré le 27 février 1991 grâce à l'opération « Tempête du désert » dirigée par les États-Unis.

Afghanistan

CLIMAT		Janv	Fév	Mars	Avril	Mai	Juin	Juil	Août	Sept	Oct	Nov	Déc
		-2,7	-0,3	6,3	12,2	17,2	22,8	25,0	24,1	19,5	12,8	5,5	0,2
		4,5	6,1	12,5	18,6	24,2	29,8	32,1	31,9	28,3	22,5	15,2	8,3
		-13,6	-5,1	0,5	5,8	8,7	12,3	14,9	14,1	9,1	3,7	-1,3	-5,0
		6	6	6	7	10	12	11	11	10	9	8	7
		6	6	10	12	8	0	1	0	0	1	3	5

Station météorologique Kaboul
Altitude 1815 m. Situation 34°30'N/69°13'E

Bahreïn

CLIMAT		Janv	Fév	Mars	Avril	Mai	Juin	Juil	Août	Sept	Oct	Nov	Déc
		17,0	18,1	20,6	25,0	29,4	31,7	33,3	33,6	31,4	28,1	31,7	18,6
		20,0	21,1	23,9	28,9	33,3	35,6	37,2	37,8	35,6	32,2	27,8	21,7
		13,9	15,0	17,2	21,1	25,6	27,8	29,4	29,4	27,2	23,9	20,6	15,6
		6	7	8	9	11	13,2	12	12	12	10	8	6
		1	2	1	1	<1	0	0	0	0	0	1	2
		19	18	23	27	27	27	29	32	29	27	25	24

Station météorologique Bahreïn
Altitude 5 m. Situation 26°12'N/50°30'E

Koweit

CLIMAT		Janv	Fév	Mars	Avril	Mai	Juin	Juil	Août	Sept	Oct	Nov	Déc
		12,8	14,4	18,6	24,2	29,7	32,2	34,7	35,0	32,5	27,8	20,6	15,0
		16,1	18,3	22,2	28,3	34,4	36,7	39,4	40,0	37,8	32,8	25,0	18,3
		9,4	10,6	15,0	20,0	25,0	27,8	30,0	30,0	27,2	22,8	16,7	11,7
		8	9	8	10	10	10	10	11	10	10	8	7
		2	2	2	<1	<1	0	0	0	0	<1	1	3
		18	16	21	27	27	27	29	32	27	27	24	24

Station météorologique Koweit
Altitude 5 m. Situation 29°21'N/48°00'E

Géographie : le désert Ad-Dibdibah occupe la majeure partie de ce pays presque plat. Au nord, le Koweït possède une partie de la plaine alluviale du Shatt al-Arab et, au sud-ouest, il se termine par un plateau de grès.

Al-Lubnan

LIBAN
Capitale : Beyrouth
Situation : 33° – 35° N ; 35° – 37° E
Superficie : 10 400 km²
Population : 3,8 millions
Densité de population : 365 habitants/km²
Monnaie : 1 livre libanaise (LBP) = 100 piastres
Langues : arabe (officielle), arménien, kurde, français, anglais

Politique et population : la structure du pouvoir de cette république parlementaire est fondée sur une partition communautaire très fragile, mise en place en 1943, qui reflète la diversité religieuse et ethnique du pays.
Économie : la guerre civile (1975-1990) a laissé en ruine ce pays qui était autrefois une grande place financière et commerciale du Proche-Orient. Près des trois quarts de l'industrie sont détruits.
Histoire : les Assyriens, les Perses, les Grecs et les Romains conquièrent successivement la côte fertile de la Méditerranée orientale. Malgré l'expansion de l'islam (à partir du VIIᵉ siècle) et la domination des Turcs ottomans (à partir du XVIᵉ siècle), la chrétienté se maintient dans le pays. Au XIXᵉ siècle, les Druzes, une secte musulmane, entrent en conflit avec les maronites chrétiens, majoritaires. De 1920 à 1945, le Liban est placé sous mandat français. Le conflit israélo-libanais de 2006 a laissé le pays en crise.

Liban
Station météorologique Beyrouth
Altitude 34 m. Situation 33°54'N/35°28'E

CLIMAT		Janv	Fév	Mars	Avril	Mai	Juin	Juil	Août	Sept	Oct	Nov	Déc
	🌡	13,6	13,9	15,6	18,3	21,7	24,4	26,2	27,5	26,4	23,9	19,4	15,6
	🌡	16,7	17,2	18,9	22,2	25,6	28,3	30,6	31,7	30,0	27,2	22,8	18,3
	🌡	10,6	10,6	12,2	14,4	17,8	20,6	22,8	23,3	22,8	20,6	16,1	12,8
	☀	5	5	6	8	10	12	12	11	9	8	7	5
	☂	15	12	9	5	2	<1	<1	<1	1	4	8	12
	≈	17	17	17	18	21	24	27	27	28	25	22	19

Arabie Saoudite
Station météorologique Jeddah
Altitude 6 m. Situation 21°28'N/39°10'E

CLIMAT		Janv	Fév	Mars	Avril	Mai	Juin	Juil	Août	Sept	Oct	Nov	Déc
	🌡	23,9	23,6	24,4	27,0	29,2	30,0	31,7	32,0	30,3	28,9	27,2	24,7
	🌡	28,9	28,9	29,4	32,8	35,0	36,1	37,2	37,2	35,6	35,0	32,8	30,0
	🌡	18,9	18,3	19,4	21,1	23,3	23,9	26,1	26,7	25,0	22,8	21,7	19,4
	☀	8	9	9	10	11	11	10	10	10	10	9	8
	☂	<1	<1	<1	<1	0	0	0	0	0	0	2	1
	≈	25	25	25	27	28	29	29	29	29	29	29	27

Yémen
Station météorologique Aden
Altitude 7 m. Situation 12°50'N/45°01'E

CLIMAT		Janv	Fév	Mars	Avril	Mai	Juin	Juil	Août	Sept	Oct	Nov	Déc
	🌡	25,0	25,6	27,2	28,3	30,6	32,8	32,2	31,7	32,0	28,6	26,4	25,6
	🌡	27,8	28,3	30,0	31,7	33,9	36,7	36,1	35,6	35,6	32,8	30,0	28,3
	🌡	22,2	22,8	24,4	25,0	27,2	28,9	28,3	27,8	28,3	24,4	22,8	22,8
	☀	8	7	7	8	9	10	9	9	10	10	10	8
	☂	1	<1	<1	<1	<1	<1	1	<1	<1	<1	<1	2
	≈	25	25	26	28	30	30	28	29	30	30	27	26

Arménie
Station météorologique Erevan
Altitude 907 m. Situation 40°08'N/44°28'E

CLIMAT		Janv	Fév	Mars	Avril	Mai	Juin	Juil	Août	Sept	Oct	Nov	Déc
	🌡	-4,0	-1,3	5,4	11,8	17,0	21,1	25,1	24,9	20,1	13,6	6,2	-0,9
	🌡	0,7	3,8	11,3	18,5	24,0	28,6	32,5	32,4	28,0	21,0	12,3	3,9
	🌡	-7,9	-5,7	-0,3	5,6	10,1	13,5	17,3	16,9	12,2	7,0	1,4	-4,4
	☀	3	4	5	7	9	11	12	11	10	8	5	3
	☂	9	9	8	11	13	8	5	3	3	7	7	8

Géographie : parallèlement à la mer Méditerranée se succèdent quatre types de paysages. À l'ouest, l'étroite plaine côtière est bordée par le mont Liban, qui culmine à plus de 3 000 m d'++altitude. L'étroite plaine fertile de la Beqaa sépare cette chaîne montagneuse de l'Anti-Liban (2 500 m), à l'est.

Al-Mamlaka al-'Arabiya as-Sa'ūdūya (KSA)

ARABIE SAOUDITE
Capitale : Riyad (Ar-Riyad)
Situation : 16° – 32° N ; 35° – 56° E
Superficie : 2 149 690 km²
Population : 27 millions
Densité de population : 12 habitants/km²
Monnaie : 1 rial saoudien (SAR) = 100 halalas
Langue : arabe

Politique et population : dans cette monarchie islamique, le roi de la dynastie des Saud exerce à la fois le pouvoir législatif, exécutif et judiciaire. Le seul organe gouvernemental est le conseil consultatif, dont les membres sont nommés par le roi. La majeure partie de la population se réclame de son appartenance à l'une des 400 tribus du pays.
Économie et échanges : l'économie du pays repose principalement sur ses vastes gisements de pétrole et de gaz naturel. Depuis le début des années 1970, le gouvernement s'efforce de diversifier son économie en investissant massivement, notamment dans les pays industrialisés. Outre son industrie pétrochimique, le pays a développé principalement ses secteurs du bâtiment et des équipements publics (électricité, eau). L'agriculture représente 9 % du P.N.B. et obtient des résultats spectaculaires au prix d'investissements énormes. En raison de l'étendue du pays et de la dispersion des zones habitées, les voies de communication jouent un rôle primordial. La majeure partie des transports se fait par la route, dont le réseau a été multiplié par trois entre 1980 et 1990. La compagnie aérienne nationale, Saudi Arabian Airlines/SAUDIA, est l'une des plus grandes du monde et l'une de celles dont l'expansion est la plus rapide.
Histoire : le prophète Mahomet (570-632), après avoir fondé une nouvelle religion monothéiste, fait des différentes tribus d'Arabie une unité politique forte. La Mecque devient un centre religieux et Médine le premier centre politique de l'islam. Toutefois, sous la dynastie des Omeyyades (661-750), le centre politique du califat se déplace à Damas, au nord de l'Arabie, puis à Bagdad sous les Abassides. Les Mamelouks (1250-1517) font du Hedjaz un État vassal jusqu'à la conquête par les Ottomans du nord et de l'ouest de la péninsule, La Mecque et Médine incluses. L'alliance entre le chef orthodoxe Abd al-Wahhab (1703-1792) et Muhammad Ibn Saud, dont descend la dynastie régnante actuelle, conduit à la création de l'État théocratique des Wahhabites et, par suite, de l'Arabie Saoudite. En 1818, les Ottomans supplantant les Wahhabites. Tandis que les Britanniques prennent pied sur la côte est, à l'intérieur des terres les grandes tribus bédouines s'affrontent pour le contrôle du pouvoir. Ibn Saud l'emporte finalement et se proclame « roi du Najd, du Hedjaz et de ses dépendances » en 1926, puis roi d'Arabie Saoudite en 1932.
Géographie : l'Arabie Saoudite occupe une grande partie de la péninsule Arabique et s'étend de la mer Rouge, à l'ouest, au golfe Persique, à l'est. Le centre du pays, le Najd, est un haut plateau couvert de déserts de pierre et de sable, dont l'altitude varie de 600 à 1 000 m. Il s'incline en pente douce en direction du golfe Persique tandis que, à l'ouest, les hautes terres du Hedjaz et la chaîne de l'Asir s'élèvent jusqu'à plus de 3 000 m d'altitude. Du plus haut sommet, le mont Abha (3 133 m), la barrière du Hedjaz descend en gra-

dins vers la plaine côtière de la Tihama, sur la mer Rouge. Partout, des cours d'eau temporaires, les wadis, émaillent le paysage. Le climat est essentiellement chaud et sec, lourd sur le littoral. Dans le désert il ne pleut parfois pas de l'année. Seules les montagnes côtières reçoivent des précipitations régulières.

Al-Yaman (YE)

YÉMEN
Capitale : Sanaa (San'a)
Situation : 13° – 19° N ; 43° – 53° E
Superficie : 527 968 km²
Population : 21,4 millions
Densité de population : 40 habitants/km²
Monnaie : 1 rial (YER) = 100 fils
Langues : arabe

Politique et population : à la tête de cette république islamique, un président, élu pour cinq ans par le parlement. Certaines tribus pratiquent l'enlèvement de touristes pour imposer leurs exigences au gouvernement. La grande majorité de la population est arabe. Dans la plaine côtière, la proximité de l'Afrique se fait sentir : la population présente des traits négroïdes.
Économie : l'extraction et la transformation du pétrole commencent à être développées, mais le pays souffre de la chute mondiale du prix du pétrole. Pour la majorité des habitants, l'agriculture demeure l'activité économique de base, même si elle est seulement pratiquée pour l'autoconsommation.
Histoire : au Iᵉʳ siècle av. J.-C., les peuples sédentaires sabéen et minéen colonisent de vastes étendues de l'actuel Yémen. Les Arabes s'y établissent après 630 et, pendant des siècles, repoussent toutes les influences étrangères. En 1517, le nord du pays passe sous suzeraineté ottomane et, en 1839, les Britanniques s'emparent d'Aden. Après la chute de l'imam, en 1962, est créée la république arabe du Yémen, au nord, tandis qu'une république démocratique et populaire du Yémen se met en place au sud en 1967. Les deux républiques fusionnent en 1990.
Géographie : le Yémen se divise en trois grandes régions. En arrière de la plaine côtière chaude et humide sur la mer Rouge s'élève progressivement une chaîne de montagnes qui dépassent 3 000 m. Les hautes terres du centre du pays se situent vers 2 000-2 500 m, puis s'abaissent progressivement vers l'est et l'un des plus grands déserts de sable du monde, le Rub al-Khali.

Armenija (ARM)

ARMÉNIE
Capitale : Erevan
Situation : 39° – 41° N ; 43° – 47° E
Superficie : 29 800 km²
Population : 3 millions
Densité de population : 100 habitants/km²
Monnaie : 1 dram (AMD) = 100 luma
Langues : arménien (officielle), russe, kurde

Politique et population : jusqu'en 1991, cette république parlementaire faisait partie de l'Union Soviétique. La nouvelle constitution de juillet 1995 a nettement étendu les pouvoirs du chef de l'État. Plus de 90 % de la population sont des Arméniens qui, pour la majorité, appartiennent à l'Église orthodoxe d'Arménie.
Économie : depuis son indépendance, le pays rencontre les problèmes classiques du passage d'une économie planifiée à une économie de marché. Le principal secteur d'activité est l'agriculture, qui représente 44 % du P.N.B. Le secteur industriel exporte principalement des bijoux, des métaux, des machines et de l'outillage vers la Russie, le Turkménistan et l'Iran. Les ressources minières sont importantes.
Histoire : le christianisme se répand dans la région dès le Iᵛᵉ siècle. À partir du VIIᵉ siècle, le territoire arménien

1 Lacs de Band-e Amir, sur les hautes terres de l'Afghanistan central, dans le massif de l'Hindu Kuch.

2 Les systèmes d'irrigation à pivot central permettent d'arroser de vastes surfaces circulaires dans les zones arides.

3 Tarim, une oasis de l'est du Yémen, est un important foyer culturel. Le minaret domine les maisons d'habitation et le paysage de la vallée de l'oued Hadramaout.

4 L'église d'Arakeloz sur le lac Sevan en Arménie.

devient un enjeu de l'affrontement entre Turkmènes et Perses. Les Arméniens sont décimés par les soulèvements contre les Ottomans (xviiie et xixe siècles), les tentatives de conquête de la Russie (1828, 1878), les massacres (1895-1897 et 1915-1917) et les déportations. En 1922, une partie du pays est intégrée à l'U.R.S.S., tandis que l'autre demeure sous contrôle turc. Depuis 1988, un conflit oppose l'Arménie et l'Azerbaïdjan au sujet du Haut-Karabakh, enclave autonome en territoire azerbaïdjanais, en majeure partie peuplée d'Arméniens chrétiens.

Géographie : l'Arménie occupe une partie de la chaîne du Petit Caucase et du massif de l'Ararat (4 090 m).

Le climat étant sec et chaud l'été, froid et peu enneigé l'hiver, la végétation est principalement steppique. Seul un septième de la superficie du pays est couvert de forêt claire. Le caractère montagneux du territoire rend son exploitation à des fins agricoles plus difficile.

Azerbajdžan   (AZ)

AZERBAÏDJAN
Capitale : Bakou (Baki)
Situation : 38° – 42° N ; 45° – 50° E
Superficie : 86 600 km²
Population : 8 millions
Densité de population : 92 habitants/km²
Monnaie : 1 manat (TMM) = 100 kepik
Langues : azéri (officielle), arménien, russe

Politique et population : cette ancienne république socialiste soviétique est indépendante depuis 1991 et sa constitution de 1995 a instauré un régime présidentiel. Le territoire national comprend la république autonome du Nakhitchevan et le territoire autonome du Haut-Karabakh. Les Azerbaïdjanais représentent plus de 85 % de la population. Par suite d'expulsions, le nombre des Arméniens vivant dans le pays est tombé à moins de 2 %.

Économie : le pays tente d'accroître ses revenus en accordant des concessions pétrolières. Une inflation croissante et la dépréciation de la monnaie affaiblissent l'industrie. L'Azerbaïdjan exporte principalement du pétrole et des produits de l'industrie légère et

importe des machines et des produits alimentaires. L'agriculture représente un tiers du P.N.B.

Histoire : occupé en 1221 par les Mongols, puis par les Ottomans à partir du xve siècle, cédé à la Russie en 1805 et rattaché à l'U.R.S.S. en 1920, ce pays indépendant depuis 1991 est en conflit avec les Arméniens à propos du Haut-Karabakh.

Géographie : situé en Transcaucasie, l'Azerbaïdjan comprend la plaine de la Koura et de l'Araxe, sur la Caspienne, ainsi qu'une partie du Petit Caucase et du Grand Caucase, dont le massif volcanique du Haut-Karabakh. Selon le relief, le climat subtropical est soit semi-désertique, soit humide. 13 % de la superficie du pays sont couverts de forêts plus ou moins denses.

Bangladesh   (BD)

BANGLADESCH
Capitale : Dacca
Situation : 21° – 27° N ; 88° – 93° E
Superficie : 143 998 km²
Population : 133,5 millions
Densité de population : 927 habitants/km²
Monnaie : 1 taka (BDT) = 100 paisa
Langues : bengali/bangla (officielle), anglais

Politique et population : par référendum, la population a voté en 1991 pour un régime de démocratie parlementaire. Le Bangladesh (« nation du Bengale ») est l'un des pays du monde les plus densément peuplés et les plus pauvres. La population se compose à 98 % de Bengalis.

Économie : le secteur économique principal est l'agriculture, qui fait vivre 80 % de la population. Environ trois quarts des habitants vivent en dessous du seuil de pauvreté. L'industrie (26 % du P.N.B.) comprend de nombreuses petites entreprises et entreprises familiales qui travaillent essentiellement des matières premières issues de l'agriculture, dont le jute. Après l'Égypte, c'est le pays qui reçoit le plus d'aide au développement.

Histoire : lors de la partition de l'Inde, en 1947, l'actuel territoire du Bangladesh est intégré au Pakistan musulman sous le nom de Pakistan oriental. Après les tensions avec le Pakistan occidental et la guerre indo-pakistanaise de fin 1971 à début 1972, le Pakistan oriental accède à l'indépendance et prend le nom de Bangladesh. Jusqu'en 1975, le pays mène une politique de nationalisations et d'économie planifiée. Par la suite, putschs militaires, changements de gouvernements et tentatives de démocratisation se succèdent. Les principaux problèmes auxquels est confronté le gouvernement sont l'extrême pauvreté, la famine, la criminalité, les inondations et l'afflux de réfugiés du Myanmar (Birmanie) voisin.

Géographie : le Bangladesh connaît un climat de mousson très humide. La majeure partie du pays se trouve régulièrement inondée en périodes de hautes eaux, lorsque les pluies de mousson s'ajoutent aux cyclones fréquents. Les Sundarbans, bordure de l'un des plus vastes deltas du monde situé à l'embouchure du Gange et du Brahmapoutre, sont couverts de mangroves.

Brunei   (BRU)

BRUNEI
Capitale : Bandar Seri Begawan
Situation : 4° – 5° N ; 114 – 115° E
Superficie : 5 765 km²
Population : 379 000
Densité de population : 66 habitants/km²
Monnaie : 1 dollar de Brunei (BND) = 100 cents
Langues : malais (officielle), anglais, chinois

Politique et population : depuis la proclamation de l'état d'urgence et la dissolution de son conseil législatif, en 1984, le sultan de Brunei, l'un des hommes les plus riches du monde, gouverne le pays par décret. Les partis ne sont pas autorisés. Les deux tiers des habi-

Azerbaïdjan — Station météorologique Erevan/Arménie
Altitude 907 m. Situation 40°08'N/44°28'E

CLIMAT		Janv	Fév	Mars	Avril	Mai	Juin	Juil	Août	Sept	Oct	Nov	Déc
	🌡	-4,0	-1,3	5,4	11,8	17,0	21,1	25,1	24,9	20,1	13,6	6,2	-0,9
	🌡	0,7	3,8	11,3	18,5	24,0	28,6	32,5	32,4	28,0	21,0	12,3	3,9
	🌡	-7,9	-5,7	-0,3	5,6	10,1	13,5	17,3	16,9	12,2	7,0	1,4	-4,4
	☀	3	4	5	7	9	11	12	11	10	8	5	3
	☂	9	9	8	11	13	8	5	3	3	7	7	8

Bangladesh — Station météorologique Narayanganj (près de Dacca)
Altitude 8 m. Situation 23°37'N/90°30'E

CLIMAT		Janv	Fév	Mars	Avril	Mai	Juin	Juil	Août	Sept	Oct	Nov	Déc
	🌡	19,2	21,5	26,1	28,3	28,6	28,6	28,6	28,6	28,9	27,5	23,9	20,0
	🌡	25,6	27,8	32,2	33,3	32,8	31,7	31,1	31,1	31,7	31,1	28,9	26,1
	🌡	12,8	15,0	20,0	23,3	24,4	25,6	26,1	26,1	26,1	23,9	18,9	13,9
	☀	9	8	7	6,4	5	3	2	2	3	6	8	9
	☂	<1	2	3	7	11	15	18	18	12	6	1	<1

Brunei — Station météorologique Pinang (Malaisie)
Altitude 5 m. Situation 05°25'N/100°19'E

CLIMAT		Janv	Fév	Mars	Avril	Mai	Juin	Juil	Août	Sept	Oct	Nov	Déc
	🌡	27,5	27,8	28,3	28,3	27,8	27,8	27,2	27,0	27,0	27,2	27,0	27,2
	🌡	32,2	32,2	33,3	32,8	32,2	32,2	31,7	31,1	31,7	31,1	31,7	32,2
	🌡	22,8	22,8	23,3	23,9	23,3	23,3	23,3	22,8	22,8	22,8	22,8	23,3
	☀	8	7	7	7	6	6	6	6	5	5	5	7
	☂	8	7	11	14	16	12	12	15	18	21	19	11
	〰	27	28	28	29	29	29	28	28	28	28	28	27

tants sont malais (en majorité musulmans), auxquels s'ajoutent 45 000 Chinois (presque tous bouddhistes et confucianistes).

Économie : l'agriculture joue un rôle insignifiant dans ce petit État situé sur l'île de Bornéo. Le pétrole et le gaz représentent 60 % du P.N.B. Les réserves pétrolières considérables du Brunei lui assurent une exploitation jusqu'en 2020 environ. Le sultanat est donc l'un des principaux producteurs de pétrole des pays asiatiques de l'océan Pacifique mais est tributaire du marché international. Le pétrole et le gaz naturel sont ses principaux produits d'exportation.

Histoire : né après l'islamisation de Bornéo, au XVᵉ siècle, le sultanat perd de vastes portions de son territoire au profit des Britanniques et est même placé sous protectorat britannique en 1888. En 1973, le sultan reprend l'administration des affaires internes du pays, qui acquiert finalement son indépendance en 1984.

Géographie : ce pays très boisé n'est habité que dans sa zone côtière. Du fait de son climat tropical, sa végétation se compose principalement de forêts pluviales, ainsi que de mangroves et de forêts marécageuses le long du littoral et des fleuves.

Choson M.I.K. (KP)

RÉPUBLIQUE DÉMOCRATIQUE
POPULAIRE DE CORÉE
Capitale : Pyongyang (Pjöngjang)
Situation : 38° – 43° N ; 124° – 131° E
Superficie : 120 538 km²
Population : 23 millions
Densité de population : 191 habitants/km²
Monnaie : 1 won (KPW) = 100 cheun
Langues : coréen (officielle), russe, chinois

Politique et population : aux termes de sa constitution de 1972, la Corée du Nord est une république populaire dont la politique est dirigée par le Parti du travail de Corée, communiste. Le pays, comme son voisin du sud, est l'un des rares États asiatiques n'ayant pas de problèmes de minorité : 99 % de la population sont coréens. Malgré la prise de pouvoir par les communistes, le bouddhisme, le confucianisme, le chamanisme et le christianisme sont fortement ancrés.

Économie : cet État à l'économie planifiée (l'agriculture et l'industrie représentent respectivement 25 % et 35 % du P.N.B.) a développé son industrie lourde et son industrie des biens d'équipement, mais négligé l'industrie des biens de consommation. Les richesses minières dominent les exportations, tandis que les principaux produits importés sont les machines, les véhicules automobiles et le pétrole. Depuis 1996 se sont succédé plusieurs famines : chaque année, la Corée du Nord a un déficit de plus de deux millions de tonnes de produits alimentaires.

Histoire : lieu de passage entre la Chine et le Japon, la Corée subit l'influence de ces deux puissances depuis plus de deux mille ans. De nombreuses dynasties s'y succèdent jusqu'à l'annexion du pays par le Japon (1910-1945). Occupé par les Soviétiques en 1945, le nord se proclame république populaire et démocratique de Corée en 1948. Un conflit oppose à la Corée du Sud, occupée par les Américains, en 1950-1953 (guerre de Corée). En 2000 est signé un traité de réconciliation et de coopération entre les deux Corée.

Géographie : le pays est à cheval sur l'Asie continentale et la péninsule de Corée. Les trois quarts de sa superficie sont couverts de forêts. À l'est, une côte escarpée borde la mer du Japon. Le relief de la péninsule s'abaisse vers l'ouest où s'est développé un réseau fluvial important. Le climat va du subtropical au tempéré frais.

1 Au nord-est de Bornéo, le petit sultanat de Brunei est une enclave dans la Malaisie. Une mosquée imposante se dresse dans la capitale Bandar Seri Begawan.

2 Un boutre en bois traditionnel, conçu pour affronter les vents de mousson.

3 Cultures de riz au sud de Dacca, la capitale du Bangladesh. Un système d'irrigation bien conçu associé à des digues permet de moduler les lâchers d'eau dans chaque rizière en fonction des besoins.

4 La patinoire de Pyongyang illustre l'austérité de l'architecture nord-coréenne.

5 Bakou, grand centre pétrolier de l'Azerbaïdjan, alimente par oléoducs les terminaux pétroliers de la mer Noire. Les gisements pétroliers découverts au XIXᵉ siècle sur la presqu'île d'Apchéron ont fait de Bakou l'un des centres industriels les plus importants de l'ex-URSS.

Daulat al-Imarat al-ŹArabiya al-Muttahida (UAE)

ÉMIRATS ARABES UNIS
Capitale : Abu Dhabi
Situation : 23° – 26° N ; 51° – 57° E
Superficie : 83 600 km²
Population : 4,1 millions
Densité de population : 49 habitants/km²
Monnaie : 1 dirham (AED) = 100 fils
Langues : arabe (officielle), anglais, hindi, urdu, farsi

Politique et population : la fédération se compose depuis 1971 de sept émirats de dimensions différentes : Abu Dhabi, Adjman, Dubayy, Fudjayra, Ras al-Khayma, Chardja et Umm al-Qaywayn. Les émirats pratiquent une « politique intérieure » relativement indépendante et sont gouvernés selon des principes féodaux. Aujourd'hui, plus de la moitié des habitants sont étrangers. Les travailleurs immigrés viennent essentiellement du sous-continent indien. La population est concentrée dans les régions côtières. Dans l'arrière-pays, seules de rares oasis sont habitées.
Économie : grâce à leurs importantes réserves de pétrole et de gaz naturel, principalement à Abu Dhabi, les Émirats font partie des pays les plus riches du monde. Les infrastructures sont excellentes. L'objectif de leur politique économique étant la diversification, de gros projets industriels coûteux, notamment à Abu Dhabi, sont en cours.
Histoire : jusqu'à une période avancée du XIXᵉ siècle, les côtes de ce territoire de tribus nomades sont faiblement peuplées et servent de base pour le commerce et la pêche (dont la pêche perlière), mais également de refuge pour les pirates.
Géographie : plus des deux tiers du pays sont couverts des vastes étendues de sables et de dunes du Rub

al-Khali, le « quartier vide » (130 000 km² environ). Le Rub al-Khali a été traversé pour la première fois au début des années 1930. Les dépressions bordant le golfe Persique, région autrefois appelée la « côte des pirates », sont souvent occupées par des marécages salés. À l'est, à la frontière avec l'État voisin d'Oman, s'élève le djebel Hadjar, qui culmine à plus de 1 100 m d'altitude. On trouve quelques cours d'eau temporaires dans les montagnes.

Druk Yul (BHT)

BHOUTAN
Capitale : Thimbu (Thimphu)
Situation : 27° – 28° N ; 89° – 92° E
Superficie : 47 000 km²
Population : 874 000
Densité de population : 18,5 habitants/km²
Monnaie : 1 ngultrum (BTN) = 100 chetrum
Langues : dzonkha (officielle), bumthangkha, népalais, entre autres

Politique et population : cette monarchie parlementaire sans constitution écrite est gouvernée par le « roi-dragon », contrôlée par l'Inde pour ce qui concerne les affaires économiques et la défense. L'assemblée nationale est composée, notamment, de chefs de villages et de bonzes bouddhistes. Les Bhotias et les Lhopas tibétains forment 60 % de la population. 75 % des Bhoutanais sont bouddhistes.
Économie : le Bhoutan est l'un des pays les plus pauvres du monde. 90 % de la population active travaille la terre, mais l'économie de subsistance permet d'éviter la famine. L'agriculture et l'industrie représentent respectivement 40 % et 25 % du P.N.B. Le pays exporte principalement de l'électricité et du bois et importe des machines, du fer et des carburants.
Histoire : après des siècles de royauté théocratique, le pays est secoué par des guerres civiles au cours du XIXᵉ siècle. Sous l'influence indo-britannique, il devient une monarchie en 1907. La dynastie mise en place à l'époque règne toujours aujourd'hui. En 1980 est conclu un traité frontalier avec la Chine.
Géographie : le paysage montagneux du versant sud de l'Himalaya oriental s'étend des glaciers des chaînes principales de l'Himalaya (6 000 – 7 000 m) au nord, jusqu'aux avant-monts du Siwalik (800 m) au sud. Les pluies de mousson de sud-ouest apportent jusqu'à 5 000 mm de précipitations, tandis que les vallées de montagne, abritées, doivent être irriguées.

Gruzija (GE)

GÉORGIE
Capitale : Tbilissi (Tiflis)
Situation : 41° – 44° N ; 40° – 47° E
Superficie : 69 700 km²
Population : 4,6 millions
Densité de population : 66 habitants/km²
Monnaie : 1 lari (GEL) = 100 tetri
Langues : géorgien (officielle), arménien, russe…

Politique et population : indépendante depuis 1991, cette république au régime présidentiel s'est pourvue d'une nouvelle constitution en 1995. Le président du parlement, élu au suffrage universel direct, est également le chef de l'État et, depuis 1993, doté de pouvoirs spéciaux. 72 % de la population sont des Géorgiens, 8 % des Arméniens et 6 % des Russes. Les républiques autonomes d'Abkhazie et d'Adjarie, ainsi que la région autonome d'Ossétie du Sud, en majorité musulmane, sont rattachées au territoire. Ces trois régions réclament leur indépendance.

République démocratique populaire de Corée
Station météorologique Pyongyang
Altitude 27 m. Situation 39°01'N/125°49'E

CLIMAT		Janv	Fév	Mars	Avril	Mai	Juin	Juil	Août	Sept	Oct	Nov	Déc
	☾	-8,1	-4,8	1,7	9,5	15,5	20,6	24,2	24,4	18,9	11,9	3,4	-4,8
	☀	-2,7	0,6	7,2	16,2	22,0	26,9	29,1	29,3	24,8	18,5	8,8	0,1
	☽	-13,3	-9,9	-3,2	3,6	9,8	15,3	20,3	20,5	13,9	6,2	-1,4	-9,6
	○	6	7	8	8	9	9	7	7	8	8	6	6
	↑	3	3	4	5	7	7	12	10	7	6	7	4

Émirats Arabes unis
Station météorologique Sharjah
Altitude 5 m. Situation 25°20'N/55°24'E

CLIMAT		Janv	Fév	Mars	Avril	Mai	Juin	Juil	Août	Sept	Oct	Nov	Déc
	☾	17,8	18,9	21,1	24,2	28,1	30,6	32,8	33,6	31,1	27,5	24,2	20,0
	☀	23,3	23,9	26,7	30,0	33,9	36,1	37,8	39,4	37,2	33,3	30,6	25,6
	☽	12,2	13,9	15,6	18,3	22,2	25,0	27,8	27,8	25,0	21,7	17,8	14,4
	○	8	8	8	10	12	12	10	10	10	10	9	8
	↑	2	2	1	<1	0	0	6	0	0	0	<1	2
	≈	19	18	23	27	27	27	29	32	27	27	25	24

Bhoutan
Station météorologique Yatung (près de Thimbu)
Altitude 2987 m. Situation 27°29'N/88°55'E

CLIMAT		Janv	Fév	Mars	Avril	Mai	Juin	Juil	Août	Sept	Oct	Nov	Déc
	☾	0,0	1,4	4,4	8,1	11,1	13,6	15,0	14,4	13,1	8,9	4,2	1,1
	☀	7,8	8,9	12,2	15,0	17,2	18,3	19,4	18,3	17,8	15,6	11,7	8,9
	☽	-7,7	-6,1	-3,3	1,1	5,0	8,9	10,6	10,0	8,3	2,2	-3,3	-6,7
	○	6	6	8	10	6	5	3	2	3	5	5	5
	↑	2	4	6	11	11	13	15	16	11	3	1	<1

Géorgie
Station météorologique Tiflis
Altitude 490 m. Situation 41°14'N/44°57'E

CLIMAT		Janv	Fév	Mars	Avril	Mai	Juin	Juil	Août	Sept	Oct	Nov	Déc
	☾	1,3	3,1	6,0	12,1	17,5	21,4	24,6	24,4	19,8	13,7	7,8	2,9
	☀	5,5	7,2	11,9	17,6	23,2	27,2	30,6	30,8	25,8	19,8	12,6	7,4
	☽	-2,4	-1,0	2,1	7,1	12,1	15,7	18,9	18,7	14,7	9,3	3,9	-0,5
	○	3	4	5	6	7	8	9	9	7	5	4	3
	↑	6	7	8	12	16	11	10	8	9	9	9	7

Économie : son détachement de l'U.R.S.S. et la guerre civile de 1991 à 1994 ont affaibli l'économie du pays. 55 % de la population active sont engagés dans l'agriculture et 10 % dans l'industrie. Les produits miniers et alimentaires sont les principaux produits importés et les matières premières le premier produit d'exportation.

Histoire : sous influence grecque, puis perse, romaine et byzantine dans l'Antiquité, la Géorgie devient indépendante au XIIe siècle. Après sa division en trois royaumes au XVe siècle, une partie de son territoire est annexée par l'Empire russe (1801-1810). En 1921 est proclamée la République fédérative socialiste soviétique (RFSS) de Géorgie.

Géographie : le pays est bordé au nord par la chaîne du Grand Caucase, au sud par celle du Petit Caucase, qui sont séparées par la dépression du Rioni (plaine de Colchide) où règne un climat humide et subtropical ; il se fait plus continental en allant vers l'est.

India   (IND)

INDE
Capitale : New Delhi
Situation : 8° – 37° N ; 68° – 98° E
Superficie : 3 287 590 km²
(3 148 595 km² sans les parties du Cachemire occupées par l'Inde)
Population : 1,1 milliard
Densité de population : 334 habitants/km²
Monnaie : 1 roupie indienne (INR) = 100 paise
Langues : hindi (officielle), anglais, langues régionales

Politique : la constitution de cette république démocratique parlementaire date de 1950. Le parlement de la république fédérale se compose de deux chambres. Le pays est constitué de 25 États et de 7 « territoires de l'Union ». Les revendications d'indépendance des États du Jammu-et-Cachemire, du Pendjab et de l'Assam, ainsi que les troubles religieux entre hindous et musulmans sont les principaux problèmes de politique intérieure du pays. Sur le plan extérieur, l'Inde conduit depuis Nehru, son premier Premier ministre, une politique de non-alignement. Les tensions sont fréquentes avec la Chine, qui revendique certaines régions frontalières. Au printemps 1998, le pays est devenu une puissance nucléaire après avoir effectué plusieurs essais nucléaires. L'histoire de l'Inde contemporaine montre un affaiblissement du parti du Congrès.

Population : plus de 96 % de la population sont des Indiens, et 3 % d'origine mongole. 80 % de la population étant de confession hindouiste, le système des castes prévaut toujours dans la structure sociale. La caste supérieure des brahmanes, en majeure partie employés dans l'administration, représente 6 % des hindous. Viennent ensuite la caste des Kshatriyas (propriétaires terriens, commerçants), qui en compte 14 %, et celle des Vaishiyas (artisans et fermiers) qui en représente 52 %. Les membres de la caste inférieure des Shudras (18 %) exercent des professions peu estimées. Les parias, mis à l'écart du système des castes, appartiennent au rang inférieur de la hiérarchie sociale. Malgré de nombreuses villes comptant plusieurs millions d'habitants, les citadins ne représentent que 27 % de la population totale. L'un des principaux problèmes de l'Inde, en dépit de ses 150 universités et 5 000 collèges, est son faible niveau d'éducation (48 % d'analphabètes). La croissance démographique est très élevée, de l'ordre de 1,6 % par an. En août 1999, plusieurs mois avant la date estimée, la population a dépassé le seuil du milliard. Si cette évolution se maintient, l'Inde sera le pays le plus peuplé du monde d'ici 40 ans.

Économie : bien qu'étant l'un des pays les plus pauvres du monde et malgré la structure essentiellement agricole de ses ressources (deux tiers de la population travaillent la terre), l'Inde fait partie des dix grandes nations industrialisées du monde. Le taux de

1 Le dôme à base carrée de l'église de Djvari, à Mtskheta, sont mondialement connus. Chrétienne depuis le IVe siècle, la Géorgie l'est demeurée malgré d'innombrables invasions.

2 Burj al Arab, la « tour d'Arabie », dans le quartier de Jumeirah, à Dubayy. Cet hôtel de prestige est le symbole de la croissance économique florissante de l'émirat.

3 Le soleil se couche derrière une plate-forme pétrolière. Grâce à ses riches gisements de pétrole 5 à 10 % des réserves mondiales, Abu Dhabi est l'un des pays les plus riches du monde.

4 Peintures murales et bois sculpté sont habituels dans les temples indiens, à l'intérieur comme à l'extérieur.

5 Tout comme les monastères bouddhistes, les façades des maisons traditionnelles du Bhoutan sont ornées de décorations peintes.

6 Cultures en terrasses près du monastère de Likir, dans le Ladakh.

chômage y est supérieur à 10 %. L'exploitation des matières premières de qualité comme le charbon, le minerai de fer, la bauxite, le mica et le pétrole, est entravée par des capacités d'extraction et de transport limitées. Les principales cultures sont le riz, le coton, le thé et les épices. La couverture forestière, notamment dans les contreforts de l'Himalaya, a diminué de 40 % au cours des dernières décennies. Le pastoralisme et l'exploitation du bois d'œuvre et de chauffage en sont les causes. L'équilibre de l'environnement est fortement menacé. L'Inde importe du pétrole, des machines, des équipements de transport, des perles et des pierres précieuses ; elle exporte des textiles, des vêtements, des bijoux et des machines. Le déficit de son commerce extérieur et la nécessité d'emprunter en font l'un des pays les plus endettés du monde.

Communications : les animaux de bât et de trait constituent des moyens de transport encore importants. Le réseau ferroviaire, malgré ses quatre largeurs de voies différentes, fonctionne mieux que le réseau routier, insuffisamment développé. Le commerce avec l'étranger bénéficie de 100 grands aéroports et d'un certain nombre de ports maritimes importants.

Médias : l'Inde publie 4 000 journaux et périodiques dans 85 langues, dont un tiers en hindi, un dixième en anglais et le reste en langues régionales. Le marché de la presse est entre les mains de quelques groupes de médias. All India Radio (AIR) possède l'un des plus grands départements d'information du monde. Dans aucun autre pays il n'est tourné autant de films qu'en Inde : 900 par an, principalement des films d'amour et d'action bon marché.

Histoire : vers 1200 av. J.-C., des guerriers-bergers aryens arrivent dans la plaine du nord de l'Inde, la colonisent et développent le système des castes. Au milieu du Ier siècle av. J.-C., Bouddha prêche dans l'actuel Bihar. L'Inde reste longtemps fragmentée sur le plan politique, avec une opposition durable entre Inde du Nord et Inde du Sud. Plusieurs grands empires se succèdent ensuite. Les Arabes soumettent le Sind en 732, mais il faut attendre le début du XIIIe siècle pour que naisse le premier État musulman, le sultanat de Delhi. La dynastie moghole, fondée en 1526, parvient presque à unifier toute l'Inde en un seul empire. Mais les invasions des conquérants afghans d'abord, la progression des Européens ensuite (du milieu du XVIIIe siècle au début du XIXe siècle) modifient la situation et, en 1858, l'Inde est placée sous l'autorité directe de la Couronne britannique. L'administration est réorganisée et le réseau ferroviaire étendu. L'exportation de matières premières et l'importation de produits finis affaiblissent l'économie de l'Inde, surtout l'artisanat villageois. La lutte pour l'indépendance commence en 1885 avec la création du Congrès national indien (INC). Après la Première Guerre mondiale, le mahatma Gandhi, partisan de la résistance passive, dirige un mouvement de désobéissance civile et appelle au boycott des produits britanniques. Après la Seconde Guerre mondiale s'opère la partition de l'Inde, réclamée depuis 1940 par la Ligue musulmane, entre le Pakistan à dominante musulmane et l'Inde majoritairement hindoue. En 1947, l'Inde et le Pakistan deviennent deux États indépendants. S'ensuit un exode massif de plus de 8 millions de personnes entre les deux pays. Depuis cette époque, les deux nations revendiquent le Cachemire. En 1971, sous la direction d'Indira Gandhi, la fille de Nehru, l'Inde obtient l'indépendance du Pakistan Oriental sous le nom de Bangladesh. Après des échauffourées sanglantes avec les Sikhs, Indira Gandhi est assassinée en 1984. Son fils, Rajiv Gandhi, lui succède mais est lui aussi assassiné, en 1991, lors d'une réunion politique. Depuis, son épouse italienne et ses enfants se préparent à prendre la relève.

Culture : l'art indien est fortement marqué par la religion. Avec l'expansion du bouddhisme et de l'hindouisme, il a influencé l'art du centre, de l'est et du sud-est de l'Asie. Les époques archaïque, classique (IIIe-VIe siècle av. J.-C.) et médiévale (jusqu'au XIIIe siècle) ont précédé la période indo-islamique. L'art indien a atteint son apogée à l'époque moghole, notamment en matière d'architecture, comme en témoigne le Taj Mahal, à Agra, construit dans la première moitié du XVIIe siècle. Si la musique indienne classique est plutôt méditative, la musique populaire est beaucoup plus rythmée et variée. Au sud du pays s'est développée une tradition musicale qui découle de la religion et du théâtre.

Géographie : au nord et au nord-ouest, l'Himalaya et le Karakorum délimitent le sous-continent et atteignent une altitude de 8,611 m (K2). Vers le sud, la plaine alluviale du Gange et du Brahmapoutre est très fertile. À l'ouest, elle se prolonge par la plaine du Pendjab oriental, drainée par des affluents de l'Indus, et les steppes du désert de Thar. Le plateau du Deccan, bordé de part et d'autre par les Ghats occidentaux et orientaux, constitue la péninsule indienne. À l'est seulement, dans la région de la côte de Coromandel, se trouve une large plaine côtière élargie dans les vastes deltas de quatre fleuves qui se jettent dans le golfe du Bengale. Les inondations dévastatrices du Gange et de ses affluents sont dues, entre autres, à la destruction de la végétation naturelle. Le climat de l'Inde est marqué par les moussons. La mousson d'été (du sud-ouest) apporte la pluie : les récoltes sont tributaires de sa durée et de son abondance. Cherrapunji, dans les monts Khadi, avec des précipitations moyennes de 10 870 mm par an, est l'un des lieux le plus pluvieux au monde. Les mangroves des embouchures de fleuve,

Inde

CLIMAT		Janv	Fév	Mars	Avril	Mai	Juin	Juil	Août	Sept	Oct	Nov	Déc
	🌡	13,9	16,7	22,5	28,1	33,3	33,6	31,4	30,0	28,9	26,1	20,0	15,3
	🌡	21,0	24,0	31,0	36,0	41,0	39,0	36,0	34,0	34,0	34	29,0	23,0
	🌡	7,0	9,0	14,0	20,0	26,0	28,0	27,0	26,0	24,0	18	11,0	8,0
	☀	8	9	8	9	10	8	7	6	8	9	9	8
	⬆	2	2	1	1	2	4	8	8	4	1	<1	1

Station météorologique New Delhi
Altitude 218 m. Situation 28°35'N/77°12'E

CLIMAT		Janv	Fév	Mars	Avril	Mai	Juin	Juil	Août	Sept	Oct	Nov	Déc
	🌡	24,4	25,6	27,5	30,3	33,1	32,5	30,9	30,3	29,7	28,1	25,9	24,7
	🌡	29,4	31,1	32,8	35,0	38,3	35,0	38,3	37,8	35,6	34,4	32,2	29,4
	🌡	19,4	20,0	22,2	25,6	27,8	27,2	26,1	25,6	25,0	23,9	22,2	20,6
	☀	8	8	10	9	9	7	5	6	6	7	7	7
	⬆	2	<1	<1	<1	1	4	7	8	7	11	11	5
	≈	26	27	27	28	29	29	28	28	28	28	27	27

Station météorologique Chennai
Altitude 16 m. Situation 13°04'N/80°15'E

Indonésie

CLIMAT		Janv	Fév	Mars	Avril	Mai	Juin	Juil	Août	Sept	Oct	Nov	Déc
	🌡	26,1	26,1	26,7	27,2	27,2	27,0	26,7	26,7	27,2	27,0	26,7	26,4
	🌡	28,9	28,9	30,0	30,6	30,6	30,6	30,6	30,6	31,1	30,6	30,0	29,4
	🌡	23,3	23,3	23,3	23,9	23,9	23,3	22,8	22,8	23,3	23,3	23,3	23,3
	☀	6	7	8	9	8	9	9	10	10	9	8	7
	⬆	18	17	15	11	9	7	5	4	5	8	12	14
	≈	28	27	28	29	28	28	28	28	27	28	28	27

Station météorologique Jakarta (Java)
Altitude 8 m. Situation 06°11'S/106°50'E

CLIMAT		Janv	Fév	Mars	Avril	Mai	Juin	Juil	Août	Sept	Oct	Nov	Déc
	🌡	27,0	27,0	27,0	27,2	27,5	27,0	25,0	25,0	26,7	26,7	26,7	26,7
	🌡	30,6	31,7	31,7	31,7	32,2	32,2	31,7	32,2	32,2	31,7	31,1	30,6
	🌡	23,3	24,4	23,9	23,9	23,9	23,9	23,3	23,3	23,9	23,9	23,9	23,9
	☀	7	8	7	8	8	7	7	7	7	7	6	6
	⬆	16	13	15	17	14	12	12	14	16	20	21	20

Station météorologique Padang (Sumatra)
Altitude 7 m. Situation 00°56'S/100°22'E

CLIMAT		Janv	Fév	Mars	Avril	Mai	Juin	Juil	Août	Sept	Oct	Nov	Déc
	🌡	27,7	27,7	27,5	27,7	27,4	26,6	26,0	26,1	26,6	27,5	27,8	27,7
	🌡	31,0	31,1	31,2	31,6	31,2	30,4	29,7	29,9	30,6	31,4	31,5	31,2
	🌡	23,7	23,7	23,5	23,2	23,2	22,4	22,4	22,3	22,6	23,3	23,6	23,6
	☀	5	5	5	5	7	7	7	7	8	8	6	5
	⬆	19	19	16	12	10	8	6	3	5	6	14	21
	≈	28	28	28	29	28	28	27	27	28	28	28	29

Station météorologique Denpasar (Bali)
Altitude 1 m. Situation 08°45'S/115°10'E

les forêts de mousson, les savanes, les plantations de thé des montagnes et les orchidées de l'Assam marquent les paysages végétaux du pays. L'habitat naturel des éléphants d'Asie, des rhinocéros unicornes, des antilopes et des tigres, ainsi que d'une avifaune extraordinairement variée, ne cesse de se rétrécir.

Indonesia (RI)

INDONÉSIE
Capitale : Jakarta
Situation : 7° N – 10° S ; 95° – 141° E
Superficie : 1 889 695 km²
Population : 240 millions
Densité de population : 127 habitants/km²
Monnaie : 1 rupiah (IDR) = 100 sen
Langues : bahasa indonesia (officielle), javanais, 250 langues régionales

Politique : cette république au régime présidentiel est dotée d'un chef d'État et de gouvernement aux pouvoirs étendus. À la suite de manifestations dans tout le pays, le président Suharto a dû démissionner, au printemps 1998, après 30 années d'autocratie. Influente, l'armée conserve une position de force, mais le pays se démocratise quelque peu. En 1976, la 27e province est venue s'ajouter aux autres, le Timor-Oriental, ancienne possession portugaise ; début septembre 1999, une majorité de ses habitants a toutefois voté pour son indépendance par référendum, déclenchant une violente réaction des milices pro-indonésiennes. Le Timor-Oriental devient indépendant le 20 mai 2002.
Population : parmi les Indonésiens d'origine malaise, les Javanais et les Sundanais constituent les principaux groupes. La principale minorité est formée des 4 millions de Chinois. 2 % des habitants sont hindous (à Bali), près de 10 % chrétiens, 1 % bouddhistes et confucianistes et 87 % musulmans. La population urbaine s'élève à 35 %. La population est répartie de façon très contrastée : sur l'île de Java (7 % de la superficie du pays) vivent 115 millions d'habitants, soit 60 % de la population totale et 869 habitants au kilomètre carré. Vient ensuite Bali avec une densité de population d'environ 521 habitants au kilomètre carré. Le pays compte 16 % d'analphabètes, la mortalité infantile est de 5,4 % et la croissance démographique de 1,6 %.
Économie : l'agriculture fournit un sixième et l'industrie deux cinquièmes du P.N.B., bien que ces deux secteurs occupent respectivement 43 % et 18 % de la population active. Le riz, qui peut donner jusqu'à trois récoltes par an, est la principale culture vivrière. L'Indonésie occupe le second rang mondial pour la production de caoutchouc, de café et de coprah. Malgré ses importants gisements de pétrole et de gaz naturel, c'est l'un des pays les plus endettés du monde : il consacre un tiers de ses revenus au règlement de sa dette extérieure. Les principaux produits d'exportation sont les combustibles minéraux et les textiles et les produits importés surtout des machines, des matières premières et des biens d'équipement.
Communications : en dehors de Java et de Bali, les transports sont insuffisamment développés. Sur nombre d'îles, les fleuves et rivières sont les principales voies de communication. Des lignes maritimes relient les îles entre elles et le trafic interurbain est assuré par des autocars.
Médias : la presse écrite et la radio sont contrôlées par l'État. Environ 80 journaux paraissent chaque jour, dont quatre en langue anglaise et un en chinois. La télévision d'État émet un programme national et neuf programmes régionaux.
Histoire : au cours des premiers siècles de notre ère, l'hindouisme et le bouddhisme se répandent en Indonésie. Sur les îles de Sumatra et Java naissent de puissants royaumes qui soumettent une partie des îles voisines et des détroits maritimes (du VIe au XVe siècle). À partir du XIIIe siècle, l'islam se répand dans toute l'Indonésie, à l'exception de Bali, qui demeure hin-

1 Sur les plages de Goa comme Colva Beach, dans le sud de l'Inde, touristes et pêcheurs se côtoient.

2 Aux XIVe et XVe siècles, les Jaïna ont réalisé à Ranakpur un chef-d'œuvre de pierre sculptée. Le décor extrêmement chargé des colonnes laisse penser que chaque artiste a voulu se distinguer.

3 Borobudur, sur l'île indonésienne de Java, est l'un des temples bouddhiques les plus impressionnants. En forme de pyramide à gradins, surmonté d'un grand stupa central, il possède plus de 2 000 bas-reliefs et 400 statues du Bouddha.

4 La maison indonésienne traditionnelle est étirée en longueur et surmontée d'un toit de roseaux surélevé. Ce bâtiment sert à stocker le riz, dont une femme surveille le séchage.

douiste. Les Portugais s'établissent à Sumatra et Java en 1511, suivis par les Espagnols, les Anglais et enfin les Hollandais (1595-1596) qui évincèrent tous leurs prédécesseurs. Les Indes néerlandaises connaissent de nombreux soulèvements contre la puissance coloniale. En 1908 est créé le premier mouvement indépendantiste et, en 1942, les Japonais occupent l'archipel. En 1945, Ahmed Sukarno proclame l'indépendance de la république d'Indonésie, reconnue en 1949 seulement par les Hollandais. Dans les années 1980 ont lieu de sanglantes manifestations anti-chinoises.

Culture : l'art indonésien fut dans un premier temps influencé par l'Inde, mais développa des caractéristiques propres à partir du IXᵉ siècle. Le pays a conservé des sanctuaires bouddhistes et hindouistes construits en l'honneur d'ancêtres royaux ; leurs soubassements sont en terrasse, les toitures pyramidales et les décorations opulentes. Personnages du théâtre d'ombres chinois, marionnettes, masques et rouleaux peints sont typiques de l'art indonésien.

Géographie : composé de 13 600 îles, le pays occupe la majeure partie de l'archipel malais, dont les grandes îles de la Sonde -Kalimantan (Bornéo), Sumatra, Java et Sulawesi (Célèbes) -, les petites îles de la Sonde, les Moluques (Maluku) et la partie ouest de la Nouvelle-Guinée (Irian Jaya). L'archipel est à cheval sur trois fuseaux horaires. Sur le socle des îles de la Sonde, les fleuves ont donné naissance à de gigantesques plaines alluviales. L'instabilité tectonique de l'archipel se manifeste par une forte activité volcanique et sismique en bordure de la fosse océanique de Java. L'Indonésie présente la plus longue chaîne volcanique du monde. En 1883 s'est produite l'éruption catastrophique du Krakatau. Le climat tropical se caractérise par une pluviosité annuelle de 3 000 à 4 000 mm et une humidité élevée sur la plupart des îles. Java-est et les petites îles de la Sonde sont dotés d'un climat tropical de mousson et une alternance de saisons sèche et humide. En raison de la fertilité des sols volcaniques, la population y est très dense. La forêt pluviale couvre environ 138 millions d'ha, essentiellement sur Java, tandis que les forêts de mousson à teck et les forêts marécageuses dominent à Sumatra et Bornéo. Depuis 1997, des incendies de forêt, souvent allumés par des propriétaires de plantations peu scrupuleux, causent d'importants dommages économiques à l'Indonésie et aux États voisins et émettent des fumées nocives pour la santé. Les conséquences sur l'écosystème de la forêt pluviale sont considérables.

Iran

IRAN
Capitale : Téhéran
Situation : 25° – 40° N ; 44° – 63° E
Superficie : 1 648 000 km²
Population : 68,6 millions
Densité de population : 42 habitants/km²
Monnaie : 1 rial (IRR) = 100 dinars
Langue : persan (farsi)

Politique et population : selon sa constitution, l'Iran est une république islamique, c'est-à-dire que l'ensemble de la vie publique est régi par les principes religieux de l'islam chiite. À la tête du pays se trouve une autorité religieuse, le « guide suprême » ou « guide de la révolution », nommé pour une durée indéterminée. Le président de la république et le parlement sont quant à eux élus au suffrage universel pour 4 ans. L'armée intervient régulièrement contre les Kurdes qui revendiquent leur autonomie. La population comprend plus de 50 % de Persans iranophones, 20 % d'Azéris turcophones et 8 % de Kurdes. Environ deux cinquièmes sont analphabètes, 59 % vivent en ville et 1 % sont nomades. Avec 2,1 %, la croissance démographique est supérieure à celle de nombreux pays.

Économie et communications : malgré l'importance de son secteur pétrolier, l'Iran demeure un grand pays agricole. Seuls 40 % de sa superficie permettent une exploitation agricole ou forestière et l'agriculture associe des secteurs irrigués omniprésents et des régions de cultures pluviales, surtout dans le nord du pays. Le secteur pétrolier représente un cinquième du P.N.B. (un quart pour l'agriculture), et 80 % des recettes d'exportation. Les tapis sont un produit d'exportation traditionnel (3 % des exportations). Matières premières, machines et biens de consommation viennent en tête des produits importés. Les principaux partenaires commerciaux de l'Iran, en dépit de relations politiques tendues, sont l'Allemagne, la France et le Japon. L'effort de reconstruction après la guerre contre l'Irak, l'importance des dépenses militaires et le chômage élevé sont responsables du fort endettement du pays. La seule liaison ferroviaire entre l'Europe et le sous-continent indien passe par l'Iran. 62 % du réseau routier sont praticables en toute saison.

Histoire et culture : au IIᵉ millénaire et pendant la première moitié du Iᵉʳ millénaire av. J.-C., les Iraniens indo-européens s'installent en Perse. Le prophète Zarathoustra vécut dans l'est de la Perse autour du VIIIᵉ siècle av. J.-C. Cyrus le Grand (559-530 av. J.-C. fonde le premier Empire perse. Les Perses remportent des victoires contre les Grecs (révolte des Ioniens 500-484 av. J.-C.) et étendent leur empire vers l'ouest. Après la dislocation de l'empire d'Alexandre le Grand, les Séleucides prennent le pouvoir, suivis, jusqu'en 642 de notre ère, par les Sassanides, qui ne réussissent pas à repousser les envahisseurs arabes au VIIᵉ siècle. L'islamisation du pays marque le début d'une période d'essor culturel. Aux XVIᵉ et XVIIᵉ siècles, la Perse connaît une période florissante sous les Safarides avec son apogée sous le chah Abbas Iᵉʳ (1587-1629). Au XIXᵉ siècle le pays est l'enjeu d'un conflit d'intérêts entre la Russie et la Grande-Bretagne. Le chah Reza Pahlavi prend le pouvoir par un coup d'État en 1921 : il réorganise l'armée, la législation et les affaires financières, en partie sur le modèle allemand. Son fils Mohammed Reza mène des réformes agraires et sociales connues sous le nom de « révolution blanche ». Un mouvement révolutionnaire conduit par l'ayatollah Khomeyni l'oblige toutefois à abdiquer et à quitter l'Iran en 1979. La société est alors remodelée selon les normes du fondamentalisme islamique.

Géographie : l'Iran est entouré presque totalement de montagnes qui, à partir du mont Ararat, à l'ouest, s'étirent jusqu'aux chaînes de l'Elbourz (le biens de 5 600 m), au nord, et du Zagros (4 500 m), au sud. Le désert du Lut est l'un des plus absolus du monde. Le climat est de type méditerranéen semi-aride ou aride avec des pluies concentrées en hiver. La côte de la Caspienne (600 km) est arrosée toute l'année.

Iran — Station météorologique Teheran — Altitude 1220 m. Situation 35°41'N/51°25'E

CLIMAT		Janv	Fév	Mars	Avril	Mai	Juin	Juil	Août	Sept	Oct	Nov	Déc
	☀	2,2	5,0	9,4	15,6	21,1	26,4	29,7	28,9	25,0	18,0	11,7	5,6
	🌡	7,2	10,0	15,0	21,7	27,8	33,9	37,2	36,1	32,2	24,4	17,2	10,6
	❄	-2,8	0,0	3,9	9,4	14,4	18,9	22,2	21,7	17,8	11,7	6,1	0,6
	○	6	7	8	7	9	12	11	11	10	8	7	6
	☂	4	4	5	3	2	1	<1	<1	<1	1	3	4

Station météorologique Bender'Abbas — Altitude 9 m. Situation 27°11'N/57°17'E

CLIMAT		Janv	Fév	Mars	Avril	Mai	Juin	Juil	Août	Sept	Oct	Nov	Déc
	☀	18,3	19,4	22,5	26,4	30,3	32,8	33,6	33,3	32,0	29,4	24,7	19,7
	🌡	28,3	30,6	33,9	39,4	41,7	48,3	45,6	45,0	42,2	39,4	37,2	32,8
	❄	3,3	8,9	10,6	11,7	20,6	23,3	26,1	25,6	22,8	15,6	13,3	7,2
	○	8	7,5	8	7,7	10,7	10,4	9,3	9,1	9	9,4	8,8	7,9
	☂	2	2	<1	<1	<1	0	0	0	<1	<1	<1	2

Irak — Station météorologique Bagdad — Altitude 34 m. Situation 33°20'N/44°24'E

CLIMAT		Janv	Fév	Mars	Avril	Mai	Juin	Juil	Août	Sept	Oct	Nov	Déc
	☀	9,7	11,7	15,3	21,7	27,8	31,7	33,9	33,9	30,6	24,7	17,8	11,7
	🌡	15,6	17,8	21,7	29,4	36,1	40,6	43,3	43,3	40,0	33,3	25,0	17,8
	❄	3,9	5,6	8,9	13,9	19,4	22,8	24,4	24,4	21,1	16,1	10,6	5,6
	○	6	7	8	9	10	12	11	11	11	9	7	6
	☂	4	3	4	3	1	0	0	0	0	1	3	5

Irāq

IRAK

Capitale : Bagdad
Situation : 29° – 37° N ; 39° – 48° E
Superficie : 438 317 km²
Population : 23 millions
Densité de population : 52,5 habitants/km²
Monnaie : 1 dinar irakien (IQD) = 1 000 fils
Langues : arabe (officielle), kurde, turc, araméen

Politique et population : après la chute du dictateur Saddam Hussein en 2003, l'Irak a été divisé en quatre par une coalition internationale dirigée par les États-Unis. Il a retrouvé sa pleine souveraineté le 24 juin 2004, et des élections démocratiques ont été organisées en janvier 2005, conduisant fin avril 2005 à la constitution d'un gouvernement. Trois ans après la fin officielle de la guerre, le pays reste dans un difficile contexte de guerre civile. Les différences entre les quelque 80 % d'Irakiens arabophone, les 16 % de Kurdes dans les territoires du Nord-Ouest et les 2 % de Turcs et autres minorités ethniques sont considérables. La religion officielle est l'islam. 60 % chiite, 40 % sunnite.

Économie et communications : L'économie souffre des conséquences de la première guerre du Golfe contre l'Iran (1980-1988), de la deuxième guerre du Golfe 1990-1991 et de la troisième en 2003 pendant lesquelles les infrastructures ont été presque complètement détruites. La population civile subit d'autre part les conséquences de l'embargo des Nations unies et de nombreux enfants souffrent de malnutrition. L'Irak dispose d'importantes ressources naturelles, outre le pétrole et le gaz naturel : soufre, phosphates et minerais. La culture du coton est le fondement d'une importante industrie textile. Après la révolution de 1958 et la réforme agraire qui a suivi ont été créées des coopératives et des fermes d'État qui produisent du blé, de l'orge, des fruits et des légumes. D'immenses palmeraies produisent des dattes, produit d'exportation traditionnel du pays. Le réseau de communications (principalement les routes) a été développé dans les années 1980 pour des raisons stratégiques.

Histoire et culture : le sud de la Mésopotamie, cœur de l'Irak, est l'un des grands berceaux de l'humanité. Dès 5500 av. J.-C., des paysans sédentaires y pratiquent une agriculture florissante qui engendrera la fondation de villes dès le IVᵉ millénaire av. J.-C. Des peuples sémitiques forment un royaume unitaire qui s'écroule après la mort de son roi, Sargon, de la dynastie akkadienne, mais qui est reconstitué vers 1700 av. J.-C. À partir du XIIIᵉ av. J.-C., les Assyriens règnent sur la vallée du Tigre. À partir de l'an 637 de notre ère, la région est sous contrôle arabe. En 1258, les Mongols pillent la cité florissante de Bagdad. En 1534, les Ottomans soumettent le territoire, qu'ils domineront pendant près de 400 ans. Après la Première Guerre mondiale, la Grande-Bretagne obtient un mandat de la Société des Nations sur l'Irak et, en 1921, nomme roi d'Irak le chef arabe Fayçal. À la suite de problèmes de politique intérieure, la monarchie est renversée en 1958. La répression sanglante contre les Kurdes, à partir de 1961, n'a pas cessé lorsque l'Irak est entré en guerre contre l'Iran. En 2003, les troupes multinationales ont renversé le régime de Saddam Hussein.

Géographie : l'Irak est traversé de part en part par deux grands fleuves, l'Euphrate (1 100 km de ses 2 736 km de sa longueur totale sont en Irak) et le Tigre (1 450 de ses 1 899 km), dont les eaux proviennent notamment des hauteurs situées au nord-est du pays (dont le Taurus et le Zagros). Les alluvions de ces deux grands cours d'eau fertilisent une vaste plaine marécageuse qui s'étend depuis Bagdad jusqu'au golfe Persique. Le sud du pays est un plateau aride et monotone, tandis que le nord est couvert d'une zone de steppes légèrement vallonnées. Le climat est continental avec des étés chauds et secs et des hivers frais. Les précipitations sont comprises entre 1 200 mm dans les montagnes du nord et 100 mm dans le sud désertique.

1 Java est l'un des territoires les plus densément peuplés du monde. L'intérieur de l'île est consacré à la riziculture en terrasses.

2 On pratique depuis toujours l'élevage dans la steppe montagneuse du Zagros, chargée d'histoire (Irak).

3 Les vallées fertiles et les villes commerçantes d'Iran ont toujours fait l'objet d'âpres convoitises. Pour les protéger, des forteresses ont été érigées en des points stratégiques, généralement en hauteur.

4 Le minaret hélicoïdal de la mosquée de Samarra, à 100 kilomètres de Bagdad, la capitale irakienne, a été construit au IXᵉ siècle. Il constitue le plus grand minaret à escalier du monde.

Kampuchéa

CAMBODGE
Capitale : Phnom Penh
(Phnum Pénh)
Situation : 10° – 15° N ; 102° – 108° E
Superficie : 181 035 km²
Population : 14,1 millions
Densité de population : 78 habitants/km²
Monnaie : 1 riel (KHR) = 10 kak = 100 sen
Langues : khmer (officielle), français, chinois, vietnamien

Politique et population : depuis 1993, le Cambodge est une monarchie parlementaire, dont la constitution a mis en place une assemblée nationale de 122 membres. La population, bouddhiste à 95 %, se compose de 93 % de Khmers, 5 % de Vietnamiens et 2 % de Chinois. Le bouddhisme est religion d'État.
Économie : le pays pâtit des conséquences d'une guerre civile longue de vingt ans qui a fait 2 millions de victimes ainsi qu'un grand nombre d'handicapés et qui a détruit les infrastructures. 74 % de la population travaillent dans l'agriculture, qui représente près de la moitié du P.N.B. C'est aujourd'hui au prix d'énormes efforts que ce pays, qui était autrefois le grenier à riz de l'Indochine, parvient à nourrir sa population. L'industrie, comme le commerce extérieur, sont insignifiants. Parmi les exportations, citons les textiles, le bois et le caoutchouc, principalement à destination des États-Unis, de Singapour, du Royaume-Uni et de l'Allemagne. Le tourisme, essentiellement concentré à Angkor Vat, est une importante source de devises. L'industrie, tout comme le commerce extérieur, sont insignifiants.
Histoire : du IXe au XIIe siècle, le Cambodge, avec sa capitale Angkor, fondée en 889, connaît son apogée. La montée en puissance des Siamois et l'invasion des Khmers oblige la cour à prendre Phnom Penh comme capitale (1434). En 1887, le Cambodge est intégré à

l'Indochine française puis, après la guerre d'Indochine (1946-1954), obtient son indépendance. La guerre civile entre le Front national de libération des Khmers rouges et le gouvernement khmer se solde par la victoire des Khmers rouges, qui entreprennent de transformer radicalement le pays. De 1979 à 1989, les Vietnamiens occupent le pays. Socialiste depuis 1981, l'État introduit le système multipartite en 1991 après la signature d'un accord de paix entre les quatre factions belligérantes.
Géographie : le cœur du pays est la cuvette fertile du Mékong et du Tonlé Sap, entourée au sud et à l'ouest de hauteurs. De juin à novembre, la mousson de sud-ouest apporte des pluies abondantes et provoque la crue du Mékong. Dans cette période, les inondations quintuplent les dimensions de la « mer d'eau douce » qu'est le Tonlé Sap. Les mangroves dominent sur la côte tandis que, à l'intérieur des terres, les forêts de mousson forment la végétation dominante.

Kazakstan

KAZAKHSTAN
Capitale : Astana
Situation : 41° – 55° N ; 47° – 87° E
Superficie : 2 717 300 km²
Population : 15,4 millions
Densité de population : 5,7 habitants/km²
Monnaie : 1 tenge (KZT) = 100 tiyn
Langues : kazakh (officielle), russe

Politique et population : cette république, membre de la CEI, est dotée d'un régime présidentiel. La nouvelle constitution de 1995 a pourvu de pouvoirs étendus son chef de l'État élu au suffrage universel. Le Kazakhstan est composé de 19 régions et 2 territoires urbains. Le gouvernement favorise la coopération avec les entreprises étrangères, sur le modèle sud-coréen. Les Kazakhs représentent seulement 52 % de la population (30 % de Russes, 4 % d'Ukrainiens, 2 % d'Ouzbeks et 2 % de Tatars). En 1992, les 600 000 Allemands vivant dans le pays ont obtenu la liberté de culte et de développement culturel mais beaucoup ont émigré en Allemagne.
Économie : malgré sa richesse en matières premières, l'économie du second État de la CEI par la taille, après la Russie, ne se stabilise que lentement du fait de mauvaises récoltes, de l'effondrement de ses marchés traditionnels d'Europe de l'Est et du passage d'une économie planifiée à une économie de marché. L'agriculture ne suffit pas à nourrir la population, dont une grande partie vit en dessous du seuil de pauvreté. Les machines sont au premier rang des importations, suivies des produits chimiques, des textiles et des produits alimentaires. Autrefois premier producteur de charbon de l'URSS, le pays exporte des hydrocarbures, des minerais, des métaux et des produits chimiques. Ses immenses ressources en pétrole et gaz naturel permettent enfin au pays de couvrir ses besoins énergétiques.
Histoire : habité depuis fort longtemps, dominé par des populations turques nomades dès le VIe siècle apr. J.-C., puis conquis par les Mongols de Gengis Khan en 1219-1221 et les Djoungars au XVIIIe siècle, le Kazakhstan passe progressivement sous le contrôle de l'administration russe à partir du milieu du XVIIIe siècle. Des paysans russes s'installent dans le nord du pays. En 1918 naît l'Union soviétique et, en 1936, le pays en devient une république fédérée. La collectivisation de l'élevage provoque de graves famines. En 1954, le programme de mise en culture des « terres vierges » conduit, après des débuts prometteurs, à une longue série de mauvaises récoltes.
Géographie : le Kazakhstan s'étend de la mer Caspienne à l'ouest jusqu'aux hautes montagnes de l'Altaï à l'est, et de la plaine de Sibérie occidentale au nord jusqu'à la chaîne des Tian Shan au sud. Plus de la moitié du pays est constituée de déserts ou semi-déserts et plus d'un tiers de steppes dont la cuvette caspienne et le plateau de Turan. Très continental, le climat accuse d'importants écarts de température.

Cambodge — Station météorologique Phnom Penh — Altitude 10 m. Situation 11°33'N/104°55'E

CLIMAT		Janv	Fév	Mars	Avril	Mai	Juin	Juil	Août	Sept	Oct	Nov	Déc
	🌡	26,0	27,5	28,9	29,6	28,6	28,1	27,5	27,6	27,2	27,1	26,7	25,6
	🌡	31,7	32,2	33,9	34,4	33,9	32,8	31,7	31,7	31,1	30,6	30,0	30,0
	🌡	21,1	22,2	23,3	23,9	24,4	24,4	24,4	24,4	24,4	24,4	23,3	21,7
	☀	9	9	9	8	7	6	6	6	5	7	8	9
	🌢	1	1	3	6	14	15	16	16	19	17	9	4

Kazakhstan — Station météorologique Almaty — Altitude 848 m. Situation 43°14'N/76°56'E

CLIMAT		Janv	Fév	Mars	Avril	Mai	Juin	Juil	Août	Sept	Oct	Nov	Déc
	🌡	-8,8	-7,4	-0,1	9,9	15,7	19,8	22,2	21,0	15,3	7,4	-0,8	-6,2
	🌡	-5,0	-3,3	3,9	13,3	20,0	24,4	27,2	26,7	21,7	12,8	3,9	-1,7
	🌡	-13,9	-12,8	-5,6	3,3	10,0	13,9	15,6	13,9	8,3	1,7	-5,0	-9,4
	☀	4	4	5	7	8	9	10	10	8	6	4	4
	🌢	8	8	11	12	11	10	9	6	5	7	9	9

Chypre — Station météorologique Lefkosia — Altitude 218 m. Situation 35°09'N/33°17'E

CLIMAT		Janv	Fév	Mars	Avril	Mai	Juin	Juil	Août	Sept	Oct	Nov	Déc
	🌡	10,0	10,3	12,5	16,7	22,0	25,6	28,4	28,4	25,6	20,8	16,4	12,0
	🌡	14,4	15,0	18,3	23,3	28,3	32,8	36,1	36,1	32,8	27,2	22,2	16,7
	🌡	5,6	5,6	6,7	10,0	15,6	18,3	20,6	20,6	18,3	14,4	10,6	7,2
	☀	6	8	8	9	11	13	13	12	11	9	7	6
	🌢	10	8	6	3	3	1	0	0	1	2	5	8

Kirghizistan — Station météorologique Almaty (Kazakhstan) — Altitude 848 m. Situation 43°14'N/76°56'E

CLIMAT		Janv	Fév	Mars	Avril	Mai	Juin	Juil	Août	Sept	Oct	Nov	Déc
	🌡	-8,8	-7,4	-0,1	9,9	15,7	19,8	22,2	21,0	15,3	7,4	-0,8	-6,2
	🌡	-5,0	-3,3	3,9	13,3	20,0	24,4	27,2	26,7	21,7	12,8	3,9	-1,7
	🌡	-13,9	-12,8	-5,6	3,3	10,0	13,9	15,6	13,9	8,3	1,7	-5,0	-9,4
	☀	4	4	5	7	8	9	10	10	8	6	4	4
	🌢	8	8	11	12	11	10	9	6	5	7	9	9

Kypros / Kıbrıs CY

CHYPRE
Capitale : Nicosie (Lefkossia)
Situation : 34° – 36° N ; 32° – 35° E
Superficie : 9 251 km²
Population : 765 000
Densité de population : 83 habitants/km²
Monnaie : 1 euro = 100 cents
Langues : grec, turc (officielles),
anglais

Politique et population : la constitution de 1960, encore officiellement en vigueur, fait de cet État insulaire une république parlementaire, dotée d'un parlement composé de 56 députés grecs et 24 députés turcs. Dans les faits, Chypre est divisée en deux depuis l'invasion turque en 1974. En 1983 est proclamée la république turque de Chypre Nord, reconnue par la seule Turquie. Toutes les négociations en vue d'une réunification ayant échoué, la partie grecque de l'île est devenue membre de l'U.E. en 2004. Elle a adopté l'euro au 1ᵉʳ janvier 2008.
Économie : l'agriculture (11 % de la population active) fournit 5 % du P.N.B. et ne produit en suffisance que sur les rares terres irriguées. Le secteur tertiaire alimente plus des deux tiers du P.N.B. et les principales importations sont les véhicules automobiles, les produits miniers et alimentaires. Le tourisme est une source de revenus importante.
Histoire : au XIIIᵉ av. J.-C., des Achéens grecs de Mycènes s'établissent sur l'île qui, du IXᵉ siècle à 350 av. J.-C., sera occupée successivement par les Phéniciens, les Assyriens, les Égyptiens et les Perses. Viendront ensuite les Romains (58 av. J.-C. à 395 apr. J.-C.), les Byzantins (jusqu'en 1191), les Francs (du XIIIᵉ au XIVᵉ siècle), les Vénitiens (XVᵉ siècle) et les Turcs (1570-1878). Colonie de la Couronne britannique de 1878 à 1959, Chypre est indépendante depuis 1960.
Géographie : l'île se divise en trois espaces naturels : au nord, les monts de Kyrenia, parallèles à la côte, qui se terminent par la péninsule du Karpas, au centre, la plaine de la Mésorée et, au sud-ouest, le massif volcanique du Troodos, dont le mont Olympe (1 951 m) est le point culminant. Le climat méditerranéen se caractérise par des étés très chauds et des hivers frais et pluvieux.

Kyrgyzstan KI

KIRGHIZISTAN
Capitale : Bichkek
Situation : 39° – 40° N ; 67° – 75° E
Superficie : 198 500 km²
Population : 5,5 millions
Densité de population : 28 habitants/km²
Monnaie : 1 som (KGS) = 100 tyiyn
Langues : kirghiz (officielle), russe,
ouzbek

Politique et population : cette république au régime présidentiel est divisée en six régions auxquelles s'ajoute la circonscription de la capitale. Elle a proclamé son indépendance en 1991 et s'est dotée d'une nouvelle constitution en 1993. Les premières élections libres de 1995 ont abouti à la constitution d'un parlement bicaméral qui conduit une politique d'ouverture politique et économique. Le passage de l'économie dirigée à l'économie de marché se fait grâce à des mesures radicales (réforme agraire, privatisation, réduction des dépenses publiques). 60 % de la population, en majorité musulmane, sont des Khirgiz, 16 % des Russes et 14 % des Ouzbeks.
Économie : l'agriculture de montagne (seuls 6,5 % de la superficie du pays sont cultivables) contribue davantage au P.N.B. que l'industrie. La majorité des habitants vit en dessous du seuil de pauvreté. Aujourd'hui comme hier, l'État est largement tributaire de la Russie pour son approvisionnement en énergie. Il possède dans l'Alaï d'importants gisements de mercure, de charbon et de marbre, ainsi que deux mines d'or. Le

1 Deux sites antiques portent le nom de Salamine, l'un au large de la côte sud de l'Attique, l'autre (photo), est un port à l'est de Chypre.

2 Angkor Vat, au Cambodge, illustre à la perfection l'art khmer.

3 Dans les montagnes du Kirghizistan, il faut souvent emprunter des voies de communication précaires.

4 Almaty, ex-capitale du Kazakhstan.

Kyrgyzstan   167

commerce extérieur est modeste. Le pays exporte des combustibles, des matières premières et des produits industriels et importe du pétrole et du gaz naturel. Les importations de céréales couvrent environ 40 % des besoins alimentaires.

Histoire : depuis la période mongole, les Kirghiz ont toujours été en conflit avec les Djoungars de l'ouest de la Mongolie. Nomades éleveurs de moutons et de chevaux, ils sont peu organisés politiquement jusqu'à leur intégration dans l'Empire russe en 1876. Les Kirghiz participent en 1916 au soulèvement anti-russe de l'Asie centrale. En 1918, ils sont soumis à la domination soviétique, contre laquelle ils se soulèvent à nouveau en 1921. De 1918 à 1924, le pays est rattaché à la République socialiste soviétique autonome (RSSA) du Turkestan, en 1924 il devient la région autonome des Kara-Kirghiz et, en 1936, une république de l'Union soviétique.

Géographie : les trois quarts de la superficie du pays se situent à plus de 1 500 m d'altitude et près de la moitié à plus de 3 000 m. L'ensemble inclut les hautes chaînes de l'ouest des Tian Shan (7 439 m), l'Altaï et le Transalaï. Le pays ne s'ouvre que vers le nord, en direction du désert de sable du Mujunkum, et vers l'ouest, en direction du bassin du Fergana. Dans ce pays au climat continental sec, la végétation varie en fonction de l'altitude.

Lao (LAO)

LAOS
Capitale : Vientiane (Viangchan)
Situation : 14° – 23° N ; 100° – 108° E
Superficie : 236 800 km²
Population : 5,8 millions
Densité de population : 24 habitants/km²
Monnaie : 1 kip (LAK) = 100 at
Langues : lao (officielle), français

Politique et population : selon sa constitution de 1991, le Laos est une démocratie populaire dans laquelle le Parti populaire révolutionnaire lao (PPRL), communiste, occupe tous les postes importants de l'État. Mais le socialisme n'est plus l'objectif du gouvernement. Les Laos représentent 70 % de la population, le reste se répartissant entre Thaïs, Môn-Khmers

et quelque 65 minorités ethniques, dont des Chinois et des Vietnamiens. Les Laos sont apparentés des Thaïs.

Économie : le Laos est l'une des nations les plus pauvres du monde. 70 % de la population sont employés dans l'agriculture (environ 50 % du P.N.B.), mais ne peuvent assurer l'autosuffisance alimentaire du pays. Le Laos importe des produits alimentaires, des produits pétroliers et des machines et exporte, notamment, du bois et des textiles.

Histoire : en 1353 est fondé le royaume du Lan Xang, dans lequel est introduit le bouddhisme. Après la scission du pays en 1707, les Thaïs occupent le Laos central en 1827. Le pays passe sous protectorat français en 1893. Occupé par les Japonais de 1941 à 1945, il devient indépendant en 1953. À partir de 1959/1960, il entre dans le conflit Est-Ouest. À la guerre civile, pendant laquelle les troupes du Pathet Lao contrôlent plus des deux tiers du pays, vient ensuite se superposer la guerre du Viêt-nam. 700 000 personnes fuient les zones de combat. La république populaire du Laos est proclamée après la victoire des communistes, en 1975.

Géographie : l'intérieur du pays, montagneux, est entrecoupé de vallées mais ne présente une vaste plaine que dans la région du Mékong. Dans ce climat tropical de mousson se succèdent une période très chaude (de mars à mai), une saison très humide (mousson de sud-ouest, de mai à octobre) puis, d'octobre à février, une saison fraîche et sèche. Les forêts caractérisent les régions plus humides, la savane les bassins peu arrosés.

Malaysia (MAL)

MALAISIE
Capitale : Kuala Lumpur
Situation : 1° – 8° N ; 99° – 119° E
Superficie : 329 747 km²
Population : 25,6 millions
Densité de population : 78 habitants/km²
Monnaie : 1 ringgit (MYR) = 100 sen
Langues : malais (officielle), chinois, tamoul, anglais

Politique et population : la Malaisie est une fédération de 13 États et 2 territoires fédéraux. Elle est dirigée par un souverain élu et un parlement composé d'une chambre des représentants (192 sièges) et d'un sénat (70 sièges). Le chef de l'État est élu tous les cinq ans par les sultans (neuf des États fédérés sont des sultanats). Les relations sont tendues entre les 61 % de Malais, les 26 % de Chinois et les 8 % d'Indiens qui composent la population. L'islam est religion d'État, mais la Constitution garantit la liberté de culte. 60 % des habitants sont musulmans, 19 % bouddhistes, 2.6 % confucianistes et taoïstes, 6 % hindouistes et 9 % chrétiens.

Économie et communications : la « nouvelle politique économique » (1971-1991) avait pour objectif de faire de la fédération une nation industrialisée d'ici 2020 et de placer entre les mains de l'ethnie malaise 30 % des ressources économiques du pays. En raison de l'insatisfaction des autres groupes ethniques, Chinois et Indiens, cet objectif semble difficile à atteindre. La Malaisie est un important exportateur de caoutchouc, d'étain, d'huile de palme et de poivre et le premier exportateur de bois tropicaux. L'industrie a été développée dans le territoire de Kuala Lumpur, sur l'île de Penang et dans l'État de Johor. Les principaux produits d'importation et d'exportation sont respectivement biens d'équipements et véhicules de transport et les matières premières industrielles. Le tourisme (plongée sous-marine) est une source de devises importante. Le réseau des communications n'est développé que dans les régions de production (liberté et de plantations. Deux voies ferrées traversent la Malaysia occidentale du nord au sud. Le cabotage joue un rôle important, de même que la navigation fluviale dans le Sarawak.

Histoire et culture : l'histoire des royaumes malais fondés dans la péninsule Malaise à partir du IIᵉ siècle de

Laos

Station météorologique Vientiane
Altitude 162 m. Situation 17°59'N/102°36'E

CLIMAT		Janv	Fév	Mars	Avril	Mai	Juin	Juil	Août	Sept	Oct	Nov	Déc
	↕	-8,1	-4,8	1,7	9,5	15,5	20,6	24,2	24,4	18,9	11,9	3,4	-4,8
		-2,7	0,6	7,2	16,2	22,0	26,9	29,1	29,3	24,8	18,5	8,8	0,1
		-13,3	-9,9	-3,2	3,6	9,8	15,3	20,3	20,5	13,9	6,2	-1,4	-9,6
	☼	6	7	8	8	9	9	7	7	8	8	6	6
	↑	3	3	4	5	7	7	12	10	7	6	7	4

Malaisie

Station météorologique Pinang
Altitude 5 m. Situation 05°25'N/100°19'E

CLIMAT		Janv	Fév	Mars	Avril	Mai	Juin	Juil	Août	Sept	Oct	Nov	Déc
	↕	27,5	27,8	28,3	28,3	27,8	27,8	27,2	27,0	27,0	27,2	27,0	27,2
		32,2	32,2	33,3	32,8	32,2	32,2	31,7	31,1	31,7	31,1	31,7	32,2
		22,8	22,8	23,3	23,9	23,3	23,3	23,3	22,8	22,8	22,8	22,8	23,3
	☼	8	7	7	6	6	6	6	5	5	5	5	7
	↑	8	7	11	14	16	12	12	15	18	21	19	11
	≈	27	28	28	29	29	28	28	28	28	28	28	27

Maldives

Station météorologique Malé
Altitude 1 m. Situation 07°00'N/73°74'E

CLIMAT		Janv	Fév	Mars	Avril	Mai	Juin	Juil	Août	Sept	Oct	Nov	Déc
	↕	30,0	30,0	29,0	28,0	26,0	24,0	24,0	24,0	25,0	27,0	28,0	30,0
		23,0	23,0	22,0	21,0	19,0	17,0	17,0	17,0	18,0	20,0	22,0	
	☼	8	9	8	7	6	6	6	6	6	5	6	8
	↑	4	4	7	8	12	10	10	12	12	15	12	12
	≈	27	27	28	29	29	28	28	27	28	28	28	27

notre ère est entrecoupée de périodes de domination par les Empires indonésiens. Jusqu'en 1641, lorsque les Hollandais conquièrent Melaka (Malacca), de nombreuses dynasties se succèdent dans la région. En 1795, les Britanniques occupent Melaka, mais les sultans malais ne se soumettent qu'en 1874. En 1888, le Sarawak, Brunei et Sabah sont placés sous protectorat britannique. Après l'occupation japonaise (1941-1945) est fondée en 1946 l'Union malaise. En raison de conflits d'intérêts économiques, Singapour quitte la fédération en 1965. La diversité ethnique et religieuse du pays a empêché l'apparition d'une réelle unité culturelle. Un grand nombre de styles architecturaux, de fêtes et de coutumes coexistent.

Géographie : la Malaisie comprend la Malaisie orientale et la Malaisie occidentale, séparées par la mer de Chine méridionale, large de 600 km. La chaîne de montagnes formant l'épine dorsale de la péninsule Malaise s'abaisse vers la côte en collines, puis en plaines côtières marécageuses. Le Sarawak et la Sabah, au nord de Bornéo, se caractérisent principalement par des plaines côtières marécageuses qui s'élèvent progressivement vers l'intérieur jusqu'à plus de 4 000 m. Un climat tropical humide y règne. Mangroves et forêts pluviales couvrent plus de 70 % de la superficie du pays.

Maldives

MV

MALDIVES
Capitale : Malé
Situation : 0° – 7° N ; 73° – 74° E
Superficie : 298 km²
Population : 359 000
Densité de population : 1 205 habitants/km²
Monnaie : 1 rufiyaa (MVR) = 100 laari
Langues : divehi (forme du cinghalais), anglais

Politique et population : selon la Constitution (1968) de cette république, le peuple élit tous les cinq ans son parlement et son président. Les partis politiques n'existent pas et l'islam est la religion d'État. Les Maldiviens sont en majorité des musulmans sunnites. 40 % des habitants sont des Cinghalais, 30 % des Dravidiens et 30 % des Arabes.

Économie : grâce aux recettes du tourisme, la situation économique des Maldives s'est nettement améliorée ces dernières années. La plongée sous-marine est devenue la principale source de revenus du pays. La pêche est toutefois la plus importante branche d'activité des habitants (15 % du P.N.B.). L'agriculture ne dispose que d'une superficie très limitée, sur laquelle sont cultivés cocotiers et patates douces. La production alimentaire est loin de couvrir les besoins du pays. Les produits d'importation sont donc des denrées alimentaires, des produits semi-finis et des produits pétroliers. Les Maldives exportent du thon, des conserves de poisson et des vêtements.

Histoire : située entre l'Afrique, le Proche-Orient et l'Inde, cet archipel a connu différentes invasions et influences culturelles. Les Maldives ont été placées sous protectorat britannique de 1887 à 1965.

Géographie : cette république insulaire de l'océan Indien se compose de 19 atolls comprenant 1 087 îles coralliennes, dont la plupart ne portent pas de nom et 220 seulement sont habitées. L'archipel est situé au-dessus d'une ride sous-marine. Aucune île ne dépasse 13 km². Quelques atolls présentent des lagons profonds, mais la plupart des récifs font moins de 2,5 m de haut. La nappe phréatique est menacée de salinisation. Dans ce climat tropical, la mousson de sud-ouest (avril à septembre) apporte des précipitations élevées.

1 Hautes montagnes du Kirghizistan.

2 Les formes étranges des coraux mous aux couleurs vives rappellent celles de certains végétaux.

3 Les Maldives sont un archipel constitué de milliers d'îlots et d'atolls.

4 Malacca est un port dans la péninsule du même nom.

5 Gigantesque Bouddha couché de Vat Xieng Khouan, près de Vientiane, au Laos.

Mongol Ard Uls

MONGOLIE
Capitale : Oulan-Bator (Ulaanbaatar)
Situation : 42° – 52° N ; 87° – 120° E
Superficie : 1 566 500 km²
Population : 2,5 millions
Densité de population : 1,6 habitant/km²
Monnaie : 1 tugrik (MNT) = 100 mongo
Langues : mongol (khalkha, officielle), russe, kazakh

Politique et population : république parlementaire de par sa Constitution de 1992, la Mongolie est toujours dominée par le Parti populaire révolutionnaire mongol. Autrefois de tendance marxiste-léniniste, celui-ci préconise désormais l'instauration d'un régime démocratique et d'une économie de marché. 88,5 % de la population sont des Mongols de différentes tribus et 7 % sont des Turcs (Kazakhs). La religion est le bouddhisme lamaïste tibétain (dont le dalaï-lama est le chef). Un quart de la population vit en dessous du seuil de pauvreté.
Économie : la privatisation introduite en 1987 pose d'importants problèmes. L'agriculture contribue pour un tiers au P.N.B. et emploie 45 % de la population active. 99 % des superficies exploitées sont des pâturages. L'extraction des ressources minières est difficile et nécessite de gros investissements. Le pays exporte des matières premières minérales et des textiles de qualité courante.
Histoire : en 1206, Gengis Khan unifie les peuples de Mongolie et bâtit un empire immense qui disparaît à la fin du XIVᵉ siècle. De 1277 à 1368, la dynastie mongole des Yuan règne sur la Chine. Du XVIIᵉ au XXᵉ siècle, c'est la dynastie mandchoue qui étend son pouvoir sur la Mongolie. En 1924, avec le soutien de l'URSS, est proclamée la République populaire de Mongolie. L'économie est nationalisée, les lamas et la noblesse écartés du pouvoir. Aux révoltes populaires des années 1940 et 1950 l'État répond par la collectivisation forcée, qu'il abandonne par la suite.
Géographie : à l'ouest, l'Altaï culmine à 4 374 m, entrecoupé de vastes bassins désertiques. Le nord présente de larges vallées drainées vers le lac Baïkal, tandis que l'est offre un paysage de hauts plateaux semi-désertiques (Gobi). En raison du climat très continental et de la faible pluviosité, la steppe herbeuse domine la végétation.

Muang Thai (THA)

THAÏLANDE
Capitale : Bangkok
Situation : 5° – 21° N ; 97° – 105° E
Superficie : 513 115 km²
Population : 63,8 millions
Densité de population : 124 habitants/km²
Monnaie : 1 baht (THB) = 100 satang
Langues : thaï (siamois, officielle), chinois, malais, anglais

Politique et population : depuis le début des années 1990, la Constitution de cette monarchie a été modifiée plusieurs fois sous l'influence de l'armée. Au sommet de l'État se trouve le roi. Les 393 membres de la Chambre des représentants sont élus par le peuple et les 260 membres du Sénat nommés par l'armée. Plus de 80 % des Thaïlandais sont des Thaïs : Shans au nord et Laos au nord-est. S'y ajoutent 4 % de Malais, 3 % de Khmers et 10 % de Chinois. 92 % des Thaïlandais sont de confession bouddhique hinayana, la religion d'État.
Économie et communications : la Thaïlande est l'un des pays d'Asie du Sud-Est au taux de croissance économique le plus élevé. L'agriculture contribue pour 9 % au P.N.B. et occupe 51 % des actifs, contre 43 % pour l'industrie (18 % de la population active). Le pays est le premier exportateur mondial de riz et de caoutchouc naturel. Le sous-sol fournit de l'étain, du manganèse, du pétrole et du gaz naturel. Les importations sont dominées par les machines et les produits industriels, tandis que les produits alimentaires (riz, maïs, etc.) dominent à l'exportation. 90 % des échanges internationaux transitent par le port de Bangkok. Le transport fluvial est largement utilisé pour les marchandises et les recettes du tourisme sont très importantes.
Histoire et culture : de 600 à 1300, les populations môn-khmers établissent un empire dans le nord-est. Le royaume de Sukhothai, fondé en 1238, s'étend jusqu'à la péninsule Malaise. À partir de 1511, Portugais, Hollandais, Anglais et Français abordent les côtes. En 1688, ils sont expulsés. Le royaume de Siam prospère alors jusqu'en 1767, date de l'invasion par les troupes birmanes. En 1782, le général Chakri proclame un nouveau royaume du Siam, dont Bangkok est la capitale. Le pays s'ouvre à l'Occident. En 1932, un putsch militaire met fin à la domination des « rois-dieux » et, en 1938, le pays prend le nom de Thaïlande (« pays des hommes libres »). De nombreux styles caractéristiques de différentes périodes marquent l'art siamois ou thaïlandais, influencé par l'Inde et la religion.
Géographie : le cœur de la Thaïlande est le bassin de la Chao Phraya, situé à quelques mètres seulement au-dessus du niveau de la mer et souvent inondé en période de pluies. Des montagnes de 2 000 m constituent une frontière naturelle à l'ouest. Les chaînes du nord sont percées d'un grand nombre de bassins. Le nord-est constitue le plateau de Korat. De mai à octobre, la mousson de sud-ouest apporte d'abondantes précipitations. La saison sèche s'étend de novembre à janvier. Les températures restent élevées toute l'année. Aux mangroves des régions côtières succèdent des forêts de mousson jusqu'à 1 500 m et la forêt de brouillard au-dessus. Les 80 îles du petit archipel entourant l'île de Ko Samui, dans le golfe de Thaïlande, constituent la région touristique préférée dans toute l'Asie du Sud-Est, avant même la ville de Bangkok.

Mongolie — Station météorologique Oulan-Bator
Altitude 1325 m. Situation 47°55′N/106°50′E

CLIMAT		Janv	Fév	Mars	Avril	Mai	Juin	Juil	Août	Sept	Oct	Nov	Déc
	🌡	-25,6	-21,1	-12,8	-0,9	5,6	13,6	16,1	14,2	8,1	-0,9	-12,8	-22,2
	🌡	-18,9	-12,8	-3,9	6,7	12,8	20,6	21,7	20,6	14,4	6,1	-5,6	-16,1
	🌡	-32,2	-29,4	-21,7	-8,3	-1,7	6,7	10,6	7,8	1,7	-7,7	-15,6	-28,3
	☀	7	7	8	8	9	9	7	7	8	8	6	6
	☂	1	1	2	2	4	5	10	8	3	2	2	1

Thaïlande — Station météorologique Bangkok
Altitude 2 m. Situation 13°45′N/100°28′E

CLIMAT		Janv	Fév	Mars	Avril	Mai	Juin	Juil	Août	Sept	Oct	Nov	Déc
	🌡	26,0	27,8	29,2	30,1	29,7	28,9	28,5	28,4	28,0	27,7	27,0	25,7
	🌡	32,0	33,0	34,2	34,8	34,2	33,0	32,4	32,2	31,8	31,3	31,0	30,0
	🌡	20,1	22,6	24,3	25,3	25,1	24,9	24,5	24,5	24,2	24,1	22,9	20,5
	☀	8	7	7	10	7	6	5	5	6	7	7	7
	☂	1	1	3	3	9	10	13	13	15	14	5	1
	≋	26	27	28	28	28	28	28	28	27	27	27	27

Myanmar (Birmanie) — Station météorologique Rangoon
Altitude 5 m. Situation 16°46′N/96°11′E

CLIMAT		Janv	Fév	Mars	Avril	Mai	Juin	Juil	Août	Sept	Oct	Nov	Déc
	🌡	25,0	26,4	28,6	30,3	29,2	27,2	27,5	27,5	27,8	27,8	27,0	25,3
	🌡	31,7	33,3	35,6	36,1	33,3	30,0	29,4	29,4	30,0	31,1	31,1	31,1
	🌡	18,3	19,4	21,7	24,4	25,0	24,4	24,4	24,4	24,4	24,4	22,8	19,4
	☀	10	9	10	10	7	4	3	3	5	6	8	8
	☂	<1	<1	<1	2	14	23	26	25	20	10	3	<1
	≋	26	26	28	28	29	29	28	28	28	28	27	27

Myanmar (MYA)

MYANMAR (BIRMANIE)
Capitale : Rangoon (Yangon)
Situation : 10° – 28° N ; 92° – 101° E
Superficie : 676 578 km²
Population : 54 millions
Densité de population : 80 habitants/km²
Monnaie : 1 kyat (MMK) = 100 pyas
Langues : birman (officielle), anglais

Politique et population : selon sa Constitution de 1974, le Myanmar est une République socialiste. Outre les 70 % de Birmans bouddhistes et les 9 % de Shans, la population compte 7 % de Karens chrétiens, 4 % de Rohingya musulmans, ainsi que des Indiens, des Chinois et d'autres minorités. En 1997 et 1998, plus de 200 000 Karens ont été déplacés de force. À l'automne 2007, des centaines de milliers de moines bouddhistes défilent dans la capitale pour dénoncer la cherté de la vie – révolution « safran » violemment réprimée par la junte.
Économie : le Myanmar fait partie des pays les plus pauvres du monde malgré ses importantes réserves de pierres précieuses et de pétrole et les plus grandes forêts de teck du monde. C'est le plus gros producteur d'héroïne du Sud-Est asiatique. 60 % de la population sont employés dans l'agriculture et quelque 10 % dans l'industrie. Un tiers des enfants souffre de malnutrition.
Histoire : différentes dynasties règnent sur le territoire avant son occupation par les Britanniques, à partir de 1824. En 1948, la Birmanie accède à l'indépendance. À l'issue d'une période troublée (1949-1962), l'armée accéda au pouvoir. Après le putsch de 1988, les premières élections législatives libres accordent en 1990 80 % des sièges au parti d'opposition, la Ligue nationale pour la démocratie. Mais les militaires empêchent la Ligue d'accéder au gouvernement. De 1989 à 1995, Mme Aung San Suu Kyi, chef de l'opposition, est assignée à résidence. Elle reçoit le prix Nobel de la paix en 1991.
Géographie : le bassin de l'Irrawaddy au centre, entre le sud-ouest et l'ouest montagneux et le plateau du Chan à l'est, est densément peuplé et la plus grande région rizicole du monde. Climat de mousson tropical.

Nepal (NEP)

NÉPAL
Capitale : Katmandou (Kathmandu)
Situation : 26° – 30° N ; 80° – 88° E
Superficie : 140 181 km²
Population : 23,5 millions
Densité de population : 168 habitants/km²
Monnaie : 1 roupie népalaise (NPR) = 100 paisa
Langues : népalais (officielle), bihari, dialectes tibétains

Politique : monarchie constitutionnelle depuis 1990, le Népal a été secoué par 10 ans de guerre civile. Le 28 décembre 2007, le parlement abolit la monarchie. Une république parlementaire fédérale devrait être instituée au printemps 2008.
Population : la majorité de la population appartient à des groupes indo-népalais et tibéto-népalais. Les montagnards tibétains vivent au-dessus de 2 000 m. Le pouvoir est aux mains des Gurkhas, un peuple indo-aryen hindou parlant une langue proche du hindi. Les Sherpas, apparentés aux Tibétains, sont d'excellents guides de montagne et servent souvent de porteurs lors des expéditions himalayennes. L'hindouisme est la religion d'État.
Économie : neuf Népalais sur dix sont agriculteurs. Il n'est donc pas étonnant que le P.N.B. soit d'environ 200 dollars par habitant. Dans ce pays à dominante agricole, l'industrie joue un rôle négligeable. Dans les régions les plus basses, on cultive le riz, le jute, le mil et le blé. À haute altitude, l'élevage (moutons, chèvres, yacks) devient le principal secteur économique. Le tourisme (alpinisme et trekking) est aujourd'hui une source de revenus qui ne cesse de croître mais inquiète les défenseurs de la nature.

1 Le théâtre d'Oulan-Bator, capitale de la Mongolie, de style néoclassique socialiste.

2 Ce restaurant à Mandalay, au Myanmar, est construit sur une île.

3 En Thaïlande, les ombrelles protègent aussi bien du soleil que des pluies de mousson.

4 Rizières ancestrales plusieurs générations.

5 Les forêts de mousson constituent le dernier refuge du tigre royal du Bengale.

Histoire : la vallée de Katmandou est habitée depuis trois millénaires. Bouddha, fondateur du bouddhisme, est né dans les contreforts népalais de l'Himalaya vers 536 av. J.-C. Scindé en trois royaumes, le pays connaît plusieurs périodes florissantes (la dernière aux XVIIe et XVIIIe siècles). Le premier pas vers un État moderne est fait en 1959 : le système des castes est officiellement aboli et une réforme agraire est mise en place. En 2001, un massacre à l'intérieur de la famille royale a ébranlé le Népal.

Géographie : cet État montagneux occupe le versant sud de l'Himalaya central. Les bassins et les vallées du centre du Népal (Moyen Pays), du fait de leur climat de mousson adouci par l'altitude, sont plus densément peuplées que la région du Terai, qui descend jusqu'à la plaine du Gange. Le Népal possède la plus haute montagne du monde, le mont Everest (Sagarmatha, 8 850 m).

Nippon (J)

JAPON

Capitale : Tokyo
Situation : 23° – 46° N ; 122° – 146° E
Superficie : 377 801 km²
Population : 127,2 millions
Densité de population : 337 habitants/km²
Monnaie : 1 yen (JPY) = 100 sen
Langue : japonais

Politique : la Constitution de cette monarchie démocratique parlementaire date de 1947. L'empereur n'y occupe plus la position centrale. Le peuple élit les deux chambres du parlement, la Chambre basse (Chambre des représentants) composée de 511 membres et la Chambre haute (Chambre des conseillers) composée de 252 membres. L'empereur est le chef de l'État. Le Parti libéral-démocrate (PLD) gouverne presque sans interruption depuis 1955. Des scandales de corruption et une grave crise financière ont plongé le pays dans une crise économique dont il ne se remet que lentement. Chacune des 47 préfectures est dirigée par un gouverneur indépendant du pouvoir central.

Population : plus de 99 % des habitants de cet État insulaire densément peuplé sont des Japonais. Les 30 000 Aïnous, descendants d'une race paléosibérienne, vivent dans le nord du pays. Ils se caractérisent par une forte pilosité et pratiquent une religion inspirée d'un culte primitif de l'ours. Les Japonais eux-mêmes, peuple ancien métissé, sont probablement arrivés du sud. L'origine de leur langue est mal connue : le japonais se distingue du chinois par différents aspects (atonalité, agglutination d'éléments sémantiques au radical des mots). Coréens et Chinois constituent la majorité de la population étrangère. La plupart des Japonais appartenant à plusieurs communautés religieuses, on comprend qu'il y ait plus de 110 millions de shintoïstes, plus de 90 millions de bouddhistes et plus de 10 millions d'adeptes de religions syncrétiques. Pays industrialisé, le Japon possède une forte population urbaine (78 %). Après la Seconde Guerre mondiale, le système d'éducation américain a été en partie adopté : cycle primaire de 6 ans, premier cycle du secondaire de 3 ans, second cycle du secondaire de 3 ans et 4 ans d'université. Aucun pays au monde n'a une proportion aussi élevée de jeunes restant 12 ans dans le système scolaire : 80 %. Depuis un siècle, la proportion d'analphabètes est proche de zéro.

Économie : malgré la faiblesse de ses ressources naturelles et de ses sources d'énergie, qui l'oblige à importer presque toutes ses matières premières, le Japon est une puissance industrielle de premier plan. Il importe principalement des combustibles minéraux, des machines et des produits alimentaires. 64 % de la population active sont engagés dans le secteur tertiaire et 34 % dans l'industrie. Cette dernière contribue à 40 % du P.N.B. et alimente l'essentiel des exportations. Le Japon est l'un des principaux fabricants et exportateurs d'automobiles du monde, ainsi que de produits des industries de haute technologie comme les robots et les ordinateurs. La politique industrielle menée par l'État favorise le développement de nouvelles technologies et l'obtention de nouveaux marchés. Les grandes entreprises industrielles du pays sont Toyota (automobile), Hitachi (électronique), Matsushita, Nissan (automobile) et Toshiba (informatique). Parmi les nations industrialisées, le Japon est celle où les actifs prennent leur retraite le plus tard. L'agriculture fournit les deux tiers des besoins du pays. Dans le secteur de la pêche, le Japon est l'un des principaux producteurs mondiaux.

Communications : malgré son relief essentiellement montagneux, le Japon possède un remarquable réseau de transports. La ligne ferroviaire du Shinkansen assure une liaison rapide entre le nord et le sud. Des tunnels ferroviaires sous-marins comme celui reliant Honshu et Hokkaido (le plus long du monde : 54 km) et d'immenses ponts relient les îles entre elles. Toutes les grandes métropoles ont leur aéroport. Les principaux ports ont un rôle international.

Médias : plus de 1 000 maisons d'édition publient environ 2 700 journaux, généraux ou spécialisés. Certains des 121 quotidiens tirent à plus de 10 millions d'exemplaires. À la radio d'État, Nippon Hoso Kyokai (NHK), s'ajoutent quelque 140 radios privées.

Histoire : l'empereur actuel, Akihito, est le 125e souverain d'une dynastie vieille de 2 600 ans et réputée descendre de la déesse du Soleil. Les îles japonaises sont habitées depuis l'ère paléolithique. Les caractères chinois sont adoptés au Ve siècle et la religion bouddhiste se répand à partir du VIe siècle. L'histoire japonaise est profondément marquée par la royauté et l'aristocratie, la noblesse d'épée et le clergé, classes sociales dont le poids politique respectif a varié au cours du temps. Le pays est resté longtemps dans un isolement volontaire. Le développement du Japon moderne commence en 1868 lorsque l'empereur Mutsuhito entreprend une série de réformes (réforme de l'ère Meiji) et introduit des innovations techniques. Les gros propriétaires terriens sont expropriés en contrepartie d'importants dédommagements qui leur permettront de devenir capitaines d'industrie ou des banquiers. La tradition artisanale séculaire et la culture urbaine facilitent un accès rapide du pays à ce monde technique moderne. Après avoir annexé Taiwan (1895), Sakhaline (1904) et la Corée (1910), le Japon établit en Mandchourie l'empire vassal du

Népal

CLIMAT	☼	Janv	Fév	Mars	Avril	Mai	Juin	Juil	Août	Sept	Oct	Nov	Déc
	🌡	10,0	11,7	16,1	20,0	23,1	24,4	24,4	24,2	23,6	20,0	15,3	11,1
	🌡	18,3	19,4	25,0	28,3	30,0	29,4	28,9	28,3	28,3	26,7	23,3	19,4
	💧	1,7	3,9	7,2	11,7	16,1	19,4	20,0	20,0	18,9	13,3	7,2	2,8
	☀	6	6	8	10	6	5	3	2	3	5	5	5
	🌧	1	5	2	6	10	15	21	20	12	4	1	<1

Station météorologique Katmandou
Altitude 1337 m. Situation 27°42'N/85°12'E

Japon

CLIMAT	☼	Janv	Fév	Mars	Avril	Mai	Juin	Juil	Août	Sept	Oct	Nov	Déc
	🌡	3,7	4,3	7,6	13,1	17,6	21,1	25,1	26,4	22,8	16,7	11,3	6,1
	🌡	8,3	8,9	12,2	17,2	21,7	24,4	28,3	30,0	21,1	20,6	15,6	11,1
	💧	-1,7	-0,6	2,2	7,8	12,2	17,2	21,1	22,2	18,9	12,8	6,1	0,6
	☀	6	6	6	6	6	5	6	7	5	4	5	5
	🌧	6	7	10	11	12	12	11	10	13	12	8	5
	≈	14	14	14	16	18	21	23	24	24	21	18	14

Station météorologique Tokyo
Altitude 4 m. Situation 35°41'N/139°46'E

Pakistan

CLIMAT	☼	Janv	Fév	Mars	Avril	Mai	Juin	Juil	Août	Sept	Oct	Nov	Déc
	🌡	18,9	20,3	24,4	27,5	30,0	30,9	30,0	28,6	28,1	27,5	24,2	20,3
	🌡	25,0	26,1	29,4	32,2	33,9	33,9	32,8	31,1	31,1	32,8	30,6	26,7
	💧	12,8	14,4	19,4	22,8	26,1	27,8	27,2	26,1	25,0	22,2	17,8	13,9
	☀	9	9	10	10	10	7	4	4	8	10	9	9
	🌧	1	1	1	<1	<1	1	2	2	1	<1	<1	1
	≈	24	24	25	26	28	29	28	27	27	27	26	25

Station météorologique Karachi
Altitude 4 m. Situation 24°48'N/66°59'E

Mandchoukouo (1934), occupe le nord-est de la Chine et se range aux côtés de l'Allemagne et de l'Italie (1941) lors de la Seconde Guerre mondiale. En 1942, le pays est maître de l'ensemble du Sud-Est asiatique. Le bombardement d'Hiroshima et de Nagasaki l'oblige à capituler et, en 1951, il doit officiellement renoncer à tous les territoires conquis depuis 1895.

Culture : les sanctuaires shintoïstes et les temples bouddhistes sont les lieux saints de la culture traditionnelle. L'art des jardins, que l'on peut admirer dans tous les parcs du pays, ainsi que l'ikebana (arrangement floral) reflètent l'harmonie entre la beauté de la nature et la composition organisée.

Géographie : les quelque 4 000 îles composant le Japon représentent la partie émergée d'une chaîne montagneuse sous-marine qui s'étire en arc de cercle le long de la partie orientale de l'Eurasie. C'est pourquoi plus de 80 % de la superficie du Japon sont montagneux. Plus de la moitié des Japonais vivent sur 2 % du territoire. De nombreux fossés et cuvettes accidentent les îles. La vingtaine de volcans actifs, les séismes et les typhons constituent une menace permanente. Le contraste climatique entre le nord froid, et le sud subtropical est dû, entre autres, à l'influence des courants marins. Au rythme des moussons de l'est de l'Asie, un vent de nord-est apporte des pluies sur l'ouest en hiver, tandis que la mousson d'été, de sud-est, souffle jusqu'à Hokkaido en juillet. Les typhons sont très fréquents à la fin de l'automne et provoquent des raz de marée et des pluies diluviennes sur les plaines côtières densément peuplées.

Pakistan (PK)

PAKISTAN
Capitale : Islamabad
Situation : 23° – 37° N ; 61° – 75° E
Superficie : 796 095 km²
Population : 162 millions
Densité de population : 203 habitants/km²
Monnaie : 1 roupie pakistanaise (PKR) = 100 paisas
Langues : urdu, sindhi, pendjabi, pachto, anglais

Politique et population : cette république fédérale se compose de quatre provinces : le Balouchistan, la Province de la frontière du Nord-Ouest, le Pendjab et le Sind. La Constitution de 1973 prévoit un parlement constitué de deux chambres. Le conflit récurrent avec l'Inde à propos du Cachemire grève le budget national de dépenses militaires très élevées. Depuis le printemps 1998, le Pakistan est une puissance nucléaire et le conflit du Cachemire devient une menace mondiale. Outre les Pendjabis (50 %), la population compte des Sindhis, des Pachtouns, des Urdus et quelques minorités. L'islam, religion d'État, est pratiqué par 96 % de la population. Les non-musulmans sont souvent persécutés.

Économie : les dépenses militaires et la dette extérieure pèsent lourdement sur le budget de l'État. Un programme de privatisations devrait permettre d'augmenter les revenus. Près de la moitié de la population travaille dans l'agriculture et 20 % dans l'industrie, chacun de ces secteurs représentant un quart du P.N.B. Les exportations portent sur les produits industriels semi-finis et finis et les denrées alimentaires ; machines, pétrole et produits chimiques sont importés.

Histoire : dès 3000 av. J.-C., la civilisation de l'Indus est florissante dans la région, que les Aryens envahissent vers 1500 av. J.-C. L'islam se répand à partir du VIIIᵉ siècle. De 1526 à 1849, la région est intégrée à l'Empire moghol musulman. Incorporé dans la colonie des Indes britanniques de 1877 à 1947, le Pakistan actuel naît de la partition du sous-continent. Depuis, il a connu plusieurs périodes de dictature militaire (1958-1971, 1977-1988).

Géographie : le cœur du Pakistan est la plaine alluviale de l'Indus et le Pendjab, « pays des cinq rivières »,

1 Vue du massif de l'Ama Dablam et de son point culminant le Lohtse, au Népal. Au premier plan se trouve un yack domestique presque albinos.

2 La composition d'un jardin japonais obéit à des règles strictes.

3 Dans le nord du Pakistan, des fanions de prière et des monticules de pierres marquent un col sur la Karakorum Highway.

4 Le kendo se pratique armé d'un bâton de bambou.

Pakistan 173

où l'agriculture irriguée est développée. Seule une partie du pays est touchée par les pluies de mousson estivales. De vastes étendues sont désertiques. Au nord s'élèvent les chaînes de l'Hindu Kuch et de l'Himalaya occidental. Dans la partie du Cachemire occupée par le Pakistan culminent le Nanga Parbat (8 126 m) et le K2 (8 611 m).

Pilipinas RP

PHILIPPINES
Capitale : Manille (Manila)
Situation : 5° – 21° N ; 117° – 127° E
Superficie : 300 000 km²
Démographie : 85 millions d'habitants
Densité de population : 283 habitants/km²
Monnaie : 1 peso philippin (PMP) = 100 centavos
Langues : pilipino (officielle), tagalog, cebuano, ilocano, anglais

Politique et population : la Constitution de cette république de type présidentiel date de 1987. Elle stipule que le chef de l'État, élu pour six ans au suffrage universel, ne peut exercer un second mandat. Sur le plan de la politique intérieure, les gouvernements ont dû faire face en permanence à des insurrections musulmanes et communistes. Les Philippins, d'origine malaise, forment la majorité de la population. S'y ajoutent des tribus montagnardes proto-indonésiennes, des Proto-Malais, des Chinois, des Indiens et des Négritos. La croissance démographique annuelle, de 2,3 %, est très élevée. 84 % des Philippins sont catholiques et 5 % musulmans.

Économie et communications : près de la moitié de la population vit de l'agriculture (16 % du P.N.B.) et seulement 15 % de l'industrie (33 % du P.N.B.). Le riz est la principale culture vivrière. Un bon quart des habitants vit en dessous du seuil de pauvreté. Environ 10 % sont au chômage et 25 % sous-employés. La crise asiatique de 1998 n'a pas frappé le pays de façon aussi sévère que ses voisins. Le règlement de sa dette extérieure correspond néanmoins à 30 % des revenus de l'exportation. Outre le pétrole et les produits chimiques, il importe du fer, de l'acier et du matériel de haute technologie. Les exportations portent sur les produits électrotechniques, les vêtements, l'huile de coco et les minerais. Seul le réseau routier de l'île de Luçon est bien développé. Les liaisons maritimes entre les îles sont essentielles.

Histoire et culture : au Iᵉʳ millénaire av. J.-C., des Malais du Sud-Est asiatique arrivent en plusieurs vagues sur l'archipel. Au XIVᵉ siècle, l'islam s'y implante. Après la découverte de l'archipel par Magellan, en 1521, les Philippines deviennent une colonie espagnole (1571-1898). La lutte pour l'indépendance dure de 1872 à 1898. Le pays est sous protectorat américain de 1901 à 1942, puis occupé par les Japonais de 1942 à 1944. En 1946, il devient une république indépendante. De 1965 à 1986, le président Marcos détient le pouvoir absolu et décrète plusieurs fois la loi martiale. En 1992, les États-Unis se retirent de leurs dernières bases navales, mettant fin à près de 100 ans de présence militaire. Discrédité par des fraudes électorales de grande ampleur, Marcos est contraint de s'exiler. La culture populaire philippine se caractérise par un mélange de catholicisme et de coutumes païennes. De nombreuses fêtes marquent les moments importants de l'année.

Géographie : sur les 7 100 îles composant le pays, seules 800 sont habitées, les plus importantes étant Luçon et Mindanao. Le paysage est marqué par des chaînes montagneuses très découpées s'étirant vers le sud. Seule Mindanao présente de vastes hauts plateaux. Les grandes plaines sont rares, hormis celle située au nord de la capitale Manille, centre économique et politique de l'archipel. Le pays subit fréquemment des éruptions volcaniques et des séismes. Le climat tropical se caractérise par des températures élevées, de faibles écarts de température, une forte humidité et des précipitations toute l'année.

Philippines		Station météorologique Manille Altitude 16 m. Situation 14°35′N/120°59′E											
CLIMAT		Janv	Fév	Mars	Avril	Mai	Juil	Août	Sept	Oct	Nov	Déc
	↓°	25,0	25,5	26,8	28,3	28,6	27,9	27,1	27,0	26,9	26,7	25,9	25,2
	↑°	30,0	31,0	33,0	34,0	34,0	33,0	31,0	31,0	31,0	31,0	31,0	30,0
	↓°	21,0	21,0	22,0	23,0	24,0	24,0	24,0	24,0	24,0	23,0	22,0	21,0
	☀	6	7	7	9	7	5	4	4	4	5	5	5
	↑	6	3	4	4	12	17	24	23	22	19	14	11
	≈	26	26	27	28	28	29	28	28	28	28	27	24

Qatar		Station météorologique Bahrain Altitude 5 m. Situation 26°12′N/50°30′E											
CLIMAT		Janv	Fév	Mars	Avril	Mai	Juil	Août	Sept	Oct	Nov	Déc
	↓°	17,0	18,1	20,6	25,0	29,4	31,7	33,3	33,6	31,4	28,1	31,7	18,6
	↑°	20,0	21,1	23,9	28,9	33,3	35,6	37,2	37,8	35,6	32,2	27,8	21,7
	↓°	13,9	15,0	17,2	21,1	25,6	27,8	29,4	29,4	27,2	23,9	20,6	15,6
	☀	6	7	8	9	11	13,2	12	12	12	10	8	6
	↑	1	2	1	1	<1	0	0	0	0	0	1	2
	≈	19	18	23	27	27	27	29	32	29	27	25	24

Oman		Station météorologique Mascate Altitude 5 m. Situation 23°37′N/58°35′E											
CLIMAT		Janv	Fév	Mars	Avril	Mai	Juil	Août	Sept	Oct	Nov	Déc
	↓°	22,0	22,2	25,3	28,9	33,3	34,5	33,3	31,1	31,1	30,3	26,4	23,0
	↑°	25,0	25,0	28,3	32,2	36,7	37,8	36,1	33,3	33,9	33,9	30,0	26,1
	↓°	18,9	19,4	22,2	25,6	30,0	31,1	30,6	28,9	28,3	26,7	22,8	20,0
	☀	10	10	9	11	12	12	9	10	11	11	10	9
	↑	2	1	1	<1	<1	<1	<1	0	<1	1	1	2
	≈	22	22	22	25	28	30	31	32	31	30	27	24

Singapour		Station météorologique Singapour Altitude 10 m. Situation 01°18′N/103°50′E											
CLIMAT		Janv	Fév	Mars	Avril	Mai	Juil	Août	Sept	Oct	Nov	Déc
	↓°	26,4	27,0	27,5	27,5	27,8	27,5	27,5	27,2	27,2	27,0	27,0	27,0
	↑°	30,0	31,1	31,1	31,1	31,7	31,1	31,1	30,6	30,6	30,6	30,6	30,6
	↓°	22,8	22,8	23,9	23,9	23,9	23,9	23,9	23,9	23,9	23,9	23,3	23,3
	☀	5	6	6	6	6	6	6	6	6	5	5	4
	↑	17	11	14	15	15	13	13	14	14	16	18	19
	≈	27	28	28	28	28	29	28	28	28	28	28	27

Quatar Q

QATAR
Capitale : al-Dawha (Ad-Dauha)
Situation : 24° – 26° N ; 51° – 52° E
Superficie : 11 000 km²
Population : 910 000
Densité de population : 83 habitants/km²
Monnaie : 1 rial qatari (QAR) = 100 dirhams
Langues : arabe (officielle), anglais, farsi, urdu

Politique et population : l'émirat est une monarchie absolue héréditaire. Il n'a ni partis politiques ni représentation du peuple. Les Qataris, arabes, y sont minoritaires (20 % de la population). La majeure partie de la population se compose d'étrangers arabes, sud-asiatiques et iraniens. L'islam est la religion d'État.

Économie : la base de l'économie est le pétrole, exploité depuis 1949. Le Qatar emploie une grande partie de son budget à la construction d'infrastructures publiques et privées. Avec son système d'éducation et de santé gratuit pour ses citoyens, le pays est l'un des plus avancés du Golfe.

Histoire : la péninsule connaît sa première période florissante à l'âge de pierre. Aux siècles suivants, un changement climatique provoque la désertification et l'apparition d'un environnement exploitable seulement par le pastoralisme nomade. En 1868, le Qatar devient un émirat indépendant. De 1916 à 1971, il passe sous protectorat britannique. Refusant une confédération avec les émirats voisins, le Qatar proclame son indépendance en 1971.

Géographie : le pays est constitué de collines en pente douce qui ne dépassent pas 100 m d'altitude. Les étendues de sable et de dunes ne sont présentes que sur le littoral. La zone située entre ce dernier et l'intérieur des terres est émaillée de vastes dépressions salées.

Saltanat 'Uman (OM)

OMAN
Capitale : Mascate (Masqat)
Situation : 17° – 25° N ; 52° – 60° E
Superficie : 309 500 km²
Population : 3,1 millions
Densité de population : 10 habitants/km²
Monnaie : 1 rial omanais (OMR) = 1 000 baizas
Langues : arabe (off.), persan, urdu, anglais

Politique et population : chef de l'État et du gouvernement, le sultan d'Oman règne sans parlement ni partis sur une population très mélangée. Les Arabes de diverses origines sont les plus nombreux. Dans les villes surtout, vivent des Indiens, des Pakistanais, des Baloutches, des Iraniens et des Africains.
Économie : l'extraction du pétrole, commencée à la fin des années 1960, a favorisé le développement industriel du pays et la construction d'infrastructures modernes. Le gouvernement s'emploie à diversifier son économie et à réduire sa dépendance à l'égard du pétrole. La plus grande partie de la population est encore engagée dans l'agriculture.
Histoire : les Portugais conquièrent le pays, au XVIᵉ siècle, et y créent des comptoirs dans les principaux ports dont certains sont très anciens. En 1741, la dynastie actuelle s'installe à Mascate, unifie le pays et gère un empire maritime afro-asiatique. Un protectorat britannique se met en place en 1891. Dans les années 1970, le sultanat doit faire face à un mouvement de guérilla marxiste dans le sud du pays.
Géographie : les paysages d'Oman sont diversement répartis. La plaine côtière de la Batinah, au nord, est consacrée à l'agriculture. Le djebel Hadjar sépare la région côtière du nord du désert intérieur. Au sud, les monts Kara s'étirent le long de la côte dans le Dhofar et culminent à 1 400 m.

Singapore (SGP)

SINGAPOUR
Capitale : Singapour (Singapore)
Situation : 1° N ; 103° – 104° E
Superficie : 697 km²
Population : 4,2 millions
Densité de population : 6 026 habitants/km²
Monnaie : 1 dollar de Singapour (SGD) = 100 cents
Langues : anglais (officielle), malais (nationale), chinois, tamoul

Politique et population : selon la Constitution de 1959, le parlement et le chef de l'État sont élus au suffrage universel. Au sommet de l'État siège le président, issu du People's Action Party (PAP) contrôlé par les Chinois, qui, malgré des promesses de libéralisation, gouverne de façon autoritaire. Ainsi, la presse est soumise à la censure. Les trois quarts de la population sont des Chinois, suivis de Malais et d'Indiens. Une espérance de vie élevée, une faible mortalité infantile et un taux d'analphabétisme bas sont les signes du niveau de vie relativement élevé de ce pays.
Économie : depuis 1965, Singapour est l'un des principaux foyers mondiaux de communications, d'industrie, de commerce, de finances et de services. Cette cité-État densément peuplée jouit du niveau de vie le plus élevé d'Asie après le Japon. Un tiers des salariés travaille dans l'industrie et pratiquement tout le reste

1 Sur une plage des Philippines, le ressac a sculpté ce rocher calcaire.

2 La mosquée Zawawi à Mascate

3 Sur la côte du Qatar, les magnats du pétrole se sont fait construire de véritables palais.

4 Ce lion de 8 m de haut est le symbole de Singapour.

5 Femme t'boli portant le costume traditionnel.

6 Détail du temple Sri Srinivasa Perumal à Singapour.

dans les services (secteurs bancaire et tertiaire). Les importations sont dominées par les biens d'équipement. Singapour exporte des machines et des véhicules de transport, des combustibles et des produits pétroliers (c'est l'un des principaux pays raffineurs de pétrole du monde). La part élevée des produits électroniques dans sa production industrielle rend l'économie de Singapour particulièrement vulnérable aux crises économiques.

Histoire : en sanskrit, Singapour signifie « la cité du lion ». Les Britanniques y établissent un comptoir en 1819. En 1919, ils construisent une base navale dont les Japonais s'emparent en 1942. Après avoir brièvement appartenu à la fédération de Malaysia, Singapour devient une république indépendante en 1965.

Géographie : cette île tropicale s'élève jusqu'à 177 m d'altitude. Les plaines se trouvent dans le sud et l'est. Une digue de 1,2 km de long relie Singapour au continent : ce « cordon ombilical » est équipé d'une route, d'une voie ferrée et d'une conduite d'eau. Des terrains sont gagnés sur la mer.

Sri Lanka

SRI LANKA
Capitale : Sri Jayawardenapura
Situation : 6° – 10° N ; 80° – 82° E
Superficie : 65 610 km²
Population : 20,7 millions
Densité de population : 315,5 habitants/km²
Monnaie : 1 roupie sri-lankaise (LKR) = 100 cents
Langues : cinghalais (sinhala) et tamoul (officielles), anglais

Politique et population : depuis 1978, le Sri Lanka est une république socialiste de régime présidentiel divisée en 9 provinces et 25 districts. Les Tamouls hindous du nord (20 % de la population), réclament leur séparation de la majorité bouddhiste (69 %) sous la forme d'un État autonome appelé Tamil Eelam. Une lutte armée est menée dans ce but par l'organisation rebelle appelée Liberation Tigers of Tamil Eelam (LTTE), interdite depuis 1998.

Économie : le gouvernement poursuit l'objectif de faire de ce pays agricole un pays industriel orienté vers l'exportation. Deux cinquièmes de la population active sont engagés dans l'agriculture et un cinquième dans l'industrie (ces deux secteurs fournissent chacun un quart du P.N.B.). Le riz et le thé sont les principales cultures et, après les textiles, le thé est le premier produit exporté. Le Sri Lanka importe des machines, des biens de consommation (produits alimentaires) et des textiles. Le tourisme joue un rôle économique important.

Histoire : après avoir soumis les autochtones, au Vᵉ siècle av. J.-C., les Cinghalais bouddhistes règnent sur l'île jusqu'au XIIIᵉ siècle. Les ruines de vieilles cités royales témoignent du niveau de civilisation avancé de cette époque. En 1234, les Tamouls fondent un royaume dans le nord. En 1505, les Portugais s'implantent à Ceylan, dont ils sont chassés par les Hollandais, eux-mêmes remplacés par les Britanniques. De 1802 à 1948, Ceylan est une colonie britannique. Devenu Sri Lanka en 1972, le pays reste fortement marqué par l'influence coloniale (économie non diversifiée, absence de statut des minorités, etc.).

Géographie : cette île tropicale est séparée du continent indien par le détroit de Palk, peu profond. Au milieu de vastes plaines s'élève une montagne culminant à 2 524 m qui influence le climat intérieur. La partie de l'île touchée par la mousson de sud-ouest reçoit plus de précipitations en été que le nord-est.

Suriya (SYR)

SYRIE
Capitale : Damas (Dimašq)
Situation : 32° – 37° N ; 36° – 42° E
Superficie : 185 180 km²
Population : 18,4 millions
Densité de population : 99 habitants/km²
Monnaie : 1 livre syrienne (SYP) = 100 piastres
Langues : arabe (officielle), kurde, arménien

Politique et population : aux termes de sa Constitution de 1973, la Syrie est une république de régime présidentiel de type « socialiste, démocratique et populaire ». Tous les postes importants sont occupés par des membres du parti Baath. La population se compose principalement d'Arabes syriens (environ 89 %), suivis des Kurdes, des Arméniens, des Tcherkesses et de réfugiés palestiniens. La majorité de la population est musulmane, les chrétiens formant une minorité non négligeable (10 %). Plus de 50 % des Syriens vivent en ville et près de la moitié ont moins de 15 ans.

Économie : l'exportation de pétrole, de produits pétroliers et de textiles est d'un apport considérable pour l'économie du pays. L'industrie est basée sur la transformation des produits miniers et agricoles (coton, fruits).

Histoire : le pays est colonisé par les Perses, puis par les Grecs à partir de 333 av. J.-C., enfin par les Romains à partir de 64 av. J.-C. Au VIIᵉ siècle, les Omeyyades musulmans conquièrent la région. Après des siècles de domination successive des croisés chrétiens et des Mamelouks, la Syrie est intégrée dans l'Empire ottoman en 1516. Après le départ des Turcs (1916), elle est placée sous mandat français. En 1944, elle obtient son indépendance. Après la Deuxième Guerre mondiale, les tensions liées à la création d'Israël dominent la politique étrangère du pays. Aujourd'hui encore, le plateau du Golan est occupé par Israël qui l'a conquis en 1967 (guerre des Six Jours).

Géographie : à l'ouest, la Syrie comprend une partie du mont Hermon et de l'Anti-Liban (2 500 m) et une étroite bande côtière. Dans le centre et le sud du pays, le désert de Syrie offre de vastes étendues plates qui, à l'est, se prolongent par la dépression de Mésopotamie.

Sri Lanka
Station météorologique Colombo
Altitude 7 m. Situation 06°54'N/79°52'E

CLIMAT		Janv	Fév	Mars	Avril	Mai	Juin	Juil	Août	Sept	Oct	Nov	Déc
	☀	26,1	26,4	27,2	27,8	28,1	27,2	27,2	27,2	27,2	26,7	26,1	25,9
	↑	30,0	30,6	31,1	31,1	30,6	29,4	29,4	29,4	29,4	29,4	29,4	29,4
	↓	22,2	22,2	23,3	24,4	25,6	25,0	25,0	25,0	25,0	23,9	22,8	22,2
	☼	8	9	8	7	6	5	6	6	6	7	6	8
	☂	7	6	8	14	19	18	12	11	13	19	16	10
	≈	27	27	28	28	29	29	28	27	27	28	27	27

Syrie
Station météorologique Damas
Altitude 720 m. Situation 33°30'N/36°20'E

CLIMAT		Janv	Fév	Mars	Avril	Mai	Juin	Juil	Août	Sept	Oct	Nov	Déc
	☀	7,0	8,9	12,0	16,7	20,9	24,4	26,7	27,5	24,2	19,7	13,9	8,9
	↑	11,7	13,9	18,3	23,9	28,9	32,8	35,6	37,2	32,8	27,2	19,4	13,3
	↓	2,2	3,9	5,6	9,4	12,8	16,1	17,8	17,8	15,6	12,2	8,3	4,4
	☼	5	7	7	9	10	12	13	12	10	8	7	5
	☂	7	6	2	3	1	<1	0	0	2	2	5	5

République de Corée
Station météorologique Séoul
Altitude 86 m. Situation 37°34'N/126°58'E

CLIMAT		Janv	Fév	Mars	Avril	Mai	Juin	Juil	Août	Sept	Oct	Nov	Déc
	☀	-4,9	-1,9	3,6	10,5	16,3	20,8	24,5	25,4	20,3	13,4	6,3	-1,2
	↑	0,0	2,8	8,3	16,7	22,2	26,7	28,9	30,6	25,6	19,4	10,6	2,8
	↓	-9,4	-6,7	-1,7	5,0	10,6	16,1	21,1	21,7	15,0	7,2	0,0	-6,7
	☼	6	7	7	7	8	7	4	5	7	7	6	6
	☂	3	3	6	6	7	9	14	10	7	5	5	5
	≈	5	4	4	8	10	18	21	24	21	18	13	7

Taehan-Min'guk (ROK)

RÉPUBLIQUE DE CORÉE
Capitale : Séoul (Soul)
Situation : 33° – 38° N ; 126° – 129° E
Superficie : 99 263 km²
Population : 49 millions
Densité de population : 494 habitants/km²
Monnaie : 1 won (KRW) = 100 chon
Langues : coréen (officielle), anglais, japonais

Politique et population : selon sa Constitution de 1988, la Corée du Sud est une démocratie parlementaire dont les 299 députés sont élus tous les quatre ans au suffrage universel comme le chef de l'État dont le mandat est de cinq ans. En juin 2000 a été signé un traité historique de réconciliation et de coopération avec la Corée du Nord. Mais les négociations progressent lentement. La population se compose à plus de 99 % de Coréens.

Économie et communications : depuis les années 1960, les investissements étrangers et la politique de développement menée par l'État ont permis à la république de Corée de passer du stade de pays agricole à celui de nation industrialisée et de transformer des terres sans valeur en l'un des lieux de production les plus valorisés d'Asie. L'agriculture ne fournit plus que 4 % du P.N.B. alors que l'industrie y contribue pour 31 %. De même, 14 % des actifs travaillent dans le secteur agricole contre un tiers dans l'industrie. Les produits électroniques dominent les exportations et les importations portent sur les biens d'équipement et le pétrole. Fin 1997, au moment de la crise financière asiatique, seuls des crédits accordés par le Fonds monétaire international et des mesures radicales prise par le gouvernement ont permis d'éviter le pire. L'industrialisation a favorisé le développement des communications : les autoroutes, les routes, en majorité goudronnées, les voies ferrées, les ports et la navigation côtière ont été modernisés.

Histoire et culture : après la création d'un premier Empire coréen, vers 400 av. J.-C., le pays est conquis par les Chinois à partir de 108 av. J.-C. Au Iᵉʳ siècle de notre ère, différents royaumes s'affrontent pour le contrôle de la péninsule. Le premier État coréen unifié (735 -935) se caractérise par une civilisation très développée, la puissance de l'aristocratie et l'expansion du bouddhisme. En 1392 est fondée la dynastie Choson (ou Li, ou Yi). Suit une période brillante sur le plan culturel, malgré l'invasion des Japonais (1592, 1597), puis des Chinois (1627). Jusqu'en 1876, la Corée s'isole ensuite de l'extérieur. Le Japon implique la Corée dans la guerre sino-japonaise de 1894/1895. Placée sous protectorat japonais en 1905, elle est annexée au Japon de 1910 à 1945. Après la capitulation du Japon, en 1945, les troupes soviétiques occupent le nord et les Américains le sud, de part et d'autre du 38ᵉ parallèle,. Après la guerre de Corée (1950-1953), l'armistice signé à Panmunjom scelle la partition de la Corée. La culture coréenne est très marquée par l'influence de la Chine. De nombreux temples et pagodes ont notamment été érigés entre le VIIᵉ et le Xᵉ siècle, à l'apogée de la dynastie Silla. Citons aussi la céramique coréenne, qui a atteint le summum du raffinement sous la dynastie Goryeo. Les palais les plus grandioses du pays, dont le palais royal de Séoul, ont été construits aux XIVᵉ et XIVᵉ siècles. Le premier livre a été imprimé en Corée au XIVᵉ siècle, soit un siècle avant Gutenberg.

Géographie : la République de Corée occupe le sud de la péninsule coréenne, dont le relief s'abaisse d'est en ouest. La montagne culmine à 1 900 m. À l'ouest, les plaines sont drainées par un réseau fluvial dense. Le climat dépend des vents de mousson. La mousson d'été augmente l'humidité. La mousson d'hiver, soufflant du nord, apporte le froid et la neige. Les typhons constituent une menace en été. La végétation est subtropicale dans le sud et ressemble à celle d'Europe centrale dans le nord. En hiver, les températures moyennes sont au-dessous de 0 °C.

1

2

3

4

6

5

1 L'agriculture en terrasses permet une exploitation optimale des terres arables sur les pentes.

2 Le temple Sunandaramaya, au Sri Lanka.

3 Le complexe religieux de Pochusa, en Corée du Sud.

4 Maisons en forme de ruche près d'Umm Amud, en Syrie.

5 En Corée du Sud, les moines bouddhistes appartiennent à une minorité religieuse.

6 Paysans syriens se rendant au marché.

Tağikistan (TJ)

TADJIKISTAN
Capitale : Douchanbe (Dušanbe)
Situation : 37° – 41° N ; 67° – 75° E
Superficie : 143 100 km²
Population : 7 millions
Densité de population : 49 habitants/km²
Monnaie : 1 rouble du Tadjikistan (TJR) = 100 kopecks
Langues : tadjik (officielle), russe, ouzbek

Politique et population : depuis 1994, cette ancienne République soviétique est une république de régime présidentiel dotée d'un parlement unicaméral. Elle inclut la région autonome du Haut-Badakhchan. La population est composée de deux tiers de Tadjiks iranophones, suivis d'Ouzbeks, de Russes et de diverses minorités.
Économie : la production de coton et l'élevage dominent l'économie du pays. Une grande partie de la population vit en dessous du seuil de pauvreté et environ 20 % sont au chômage. Près de la moitié des actifs travaille dans l'agriculture et un cinquième dans l'industrie, qui fournit environ un tiers du P.N.B. Des produits minéraux et des biens industriels sont importés, tandis que les exportations portent sur l'aluminium, le coton et l'énergie électrique.
Histoire : cette partie du Turkestan est islamisée à partir du VIIIᵉ siècle. Sous influence russe dès le milieu du XIXᵉ siècle, le territoire est rattaché à l'Ouzbékistan en 1924 sous la forme d'une région autonome, puis il devient République fédérée de l'U.R.S.S. en 1929. L'industrialisation commence à cette époque. À partir de 1992, une guerre civile entre groupes communistes et musulmans radicaux ébranle le pays.
Géographie : 93 % de ce pays sujet aux séismes sont montagneux. La moitié du territoire, dont le haut plateau du Pamir, est située à plus de 3 000 m. Les terres arables ne représentent que 7 % de la superficie. Situé dans la zone de climat subtropical sec, loin de la mer et à une forte altitude, le pays jouit d'un climat continental aux fortes variations de températures entre le jour et la nuit.

Taiwan (TW)

TAIWAN, RÉPUBLIQUE DE CHINE
Capitale : Taipei
Situation : 22° – 25° N ; 120° – 122° E
Superficie : 36 000 km²
Population : 22,9 millions
Densité de population : 636 habitants/km²
Monnaie : 1 dollar de Taiwan (TWD) = 100 cents
Langues : chinois (officielle), dialectes chinois

Politique et population : cet État insulaire est une République depuis 1947. Les 164 membres du Yuan, le conseil législatif, sont élus pour trois ans. Le chef de l'État est élu au suffrage direct pour un mandat de six ans. Les élections de mars 2000, remportées par le Parti démocrate progressiste, ont mis fin à 50 ans de domination du Parti populaire national. Après la reconnaissance de la République populaire de Chine par les États-Unis, en 1971, Taiwan a perdu son siège aux Nations unies et s'est retrouvé isolé sur le plan extérieur. Taiwan fait partie des territoires les plus densément peuplés du monde. Outre les 400 000 aborigènes, qui vivent à l'intérieur des terres, l'île est habitée par des Taiwanais et 3 millions de Chinois du continent. Le confucianisme, le bouddhisme Mahayana et le taoïsme sont les religions majoritaires. Le niveau de vie relativement élevé se traduit notamment par un taux d'alphabétisation de 94 % et l'existence de nombreuses universités.
Économie et communications : ses principaux produits d'exportation sont l'électronique, les machines et les textiles. Ils dépassent la valeur des produits importés (métaux, produits chimiques, électronique). Le P.N.B. est élevé grâce au secteur tertiaire (60 %).
Histoire et culture : des immigrants chinois s'installent sur l'île sous la dynastie Tang (618-906), mais Taiwan ne sera annexée par la Chine qu'en 1683. De 1895 à 1945, l'île est occupée par les Japonais. En 1949, deux millions de Chinois se réfugient à Taiwan après la défaite du Guomindang et de leur chef Jiang Jieshi (Tchang Kai-chek) devant les troupes de l'Armée rouge menées par Mao Zedong. Les réfugiés prennent la direction politique de Taiwan et développent l'île avec le soutien militaire et économique des États-Unis.
Géographie : le pays s'étage sur plusieurs niveaux entre la plaine côtière couverte de mangroves, à l'ouest, et le centre boisé qui culmine à 4 000 m d'altitude. À l'est, le relief est très escarpé. Volcans actifs et séismes témoignent de l'activité tectonique. Taiwan est dotée d'un climat subtropical chaud, humide, et subit la mousson.

Timor Leste / Timor Loro Sae (TL)

TIMOR-ORIENTAL
Capitale : Dili
Situation : 8° N – 10° S ; 124° – 128° E
(avec l'enclave de Pante Macassar)
Superficie : 14 874 km²
Population : 930 000
Densité de population : 63 habitants/km²
Monnaie : 1 dollar américain (USD) = 100 cents
Langues : portugais, tétoum (officielles)

Politique et population : sous contrôle des Nations unies, les institutions politiques sont mises en place depuis 1999 et des élections législatives organisées. La nouvelle Constitution est entrée en vigueur le 20 mai 2002 à l'occasion de l'indépendance officielle du pays. Le 14 avril 2002, l'ancien chef de la lutte pour l'indépendance, José Xanana Gusmao, remporte les élections présidentielles avec une écrasante majorité ; ses fonctions sont principalement représentatives. La population se compose de Malais, de Papous, de Polynésiens et d'une minorité de Chinois. L'essentiel de la population est de confession catholique, 2,6 % sont protestants et 1,7 % musulmans. 50 % sont analphabètes.
Économie : 80 % de la population vivent de la terre,

Tadjikistan — Station météorologique Douchanbe, Altitude 824 m. Situation 38°35'N/68°47'E

CLIMAT	Janv	Fév	Mars	Avril	Mai	Juin	Juil	Août	Sept	Oct	Nov	Déc
température	1,4	3,2	8,7	14,9	19,6	24,2	28,2	26,8	21,6	14,9	9,5	4,7
	–	–	–	–	–	–	–	–	–	–	–	–
	–	–	–	–	–	–	–	–	–	–	–	–
précipitations	4	4	5	7	9	11	12	11	10	7	5	4
jours	13	14	13	12	10	3	1	<1	<1	3	8	12

Taiwan, République de Chine — Station météorologique Taipei, Altitude 8 m. Situation 25°02'N/121°31'E

CLIMAT	Janv	Fév	Mars	Avril	Mai	Juin	Juil	Août	Sept	Oct	Nov	Déc
température	15,2	14,8	16,9	20,6	24,1	26,6	28,2	27,9	26,2	23,0	19,8	16,8
max	18,9	18,3	21,1	25,0	28,3	31,7	33,3	32,8	31,1	27,2	23,9	20,6
min	12,2	11,7	13,9	17,2	20,6	22,8	24,2	23,9	22,8	19,4	16,7	13,9
précipitations	3	3	3	4	4	6	7	6	5	4	3	3
jours	17	17	18	15	16	16	14	15	14	15	15	16
	20	20	21	24	25	27	28	28	27	25	22	21

Timor-Oriental — Station météorologique Dili, Altitude 0 m. Situation 08°35'S/125°35'E

CLIMAT	Janv	Fév	Mars	Avril	Mai	Juin	Juil	Août	Sept	Oct	Nov	Déc
température	28,3	28,3	28,3	28,3	28,1	27,1	27,5	26,7	26,4	27,2	28,9	27,8
max	36,1	35,0	36,7	36,1	35,0	36,7	33,3	35,0	33,9	33,9	36,1	35,7
min	21,1	16,2	20,0	21,7	20,6	18,9	16,1	17,2	16,1	18,3	21,1	22,8
précipitations	5	5	5	5	7	7	7	7	7	6	6	6
jours	13	13	14	10	6	4	2	1	1	2	7	13
	28	28	28	29	28	28	27	27	27	28	28	29

cultivant riz, maïs, patates douces, manioc et haricots. Les produits exportés sont le café, le caoutchouc, la noix de coco, le coton et les bois tropicaux. Le problème le plus urgent est la mise en place d'une administration et d'une infrastructure de base. Le pays dispose d'importants gisements d'hydrocarbures sur la côte, dont l'exploitation devrait débuter en 2004 et couvrir les dépenses de l'État.

Histoire : la colonisation de l'île commence au début du XVIe siècle. En 1895, le Timor est partagé entre les Pays-Bas et le Portugal. Après la « révolution des œillets », en 1974, le Portugal accorde au Timor-Oriental son indépendance. S'ensuit une guerre civile qui aboutit à son annexion par l'Indonésie. Les résistants timorais, conduits par Gusmao, se réfugient dans les montagnes. Après le changement de régime indonésien de 1998, les Timorais-Orientaux sont autorisés, en août 1999, à mener un référendum : ils se prononcent massivement pour leur indépendance. Les milices indonésiennes réagissent en détruisant, en l'espace de deux semaines, 80 % de l'infrastructure et en faisant de nombreux morts. Un quart de la population est contraint de se réfugier au Timor-Occidental.

Géographie : ce pays situé au sud-est de l'archipel malais est essentiellement montagneux. Le nord est pauvre en matières premières et en terres cultivables. Le climat tropical de l'intérieur est chaud et sec. La côte est humide et les moussons apportent 1 200 à 1 500 mm de pluies par an.

Türkiye

TR

TURQUIE
Capitale : Ankara
Situation : 36° – 42° N ; 25° – 45° E
Superficie : 779 452 km²
Population : 73 millions
Densité de population : 94 habitants/km²
Monnaie : 1 livre turque (TRL) = 100 kurus
Langues : turc (officielle), kurde, arabe

Politique : selon la Constitution de la république, les 550 membres de la Grande Assemblée nationale sont élus pour cinq ans au suffrage direct. Le parlement élit le chef de l'État pour sept ans à la majorité des deux tiers (le président ne peut exercer un second mandat). Le principal problème politique de ce pays divisé en 76 provinces est un conflit permanent avec les Kurdes, qui a conduit en 1987 à proclamer l'état d'urgence dans les provinces du sud-est de l'Anatolie. En 1991, les six millions de Kurdes sont reconnus comme minorité ethnique.

Population : bien que 99 % des habitants soient musulmans (dont 70 % de sunnites), l'islam n'est pas religion d'État. Les deux tiers des Turcs vivent en ville, en majorité à Istanbul, la plus grande ville du pays (9 millions d'habitants). Plus de 2 millions de Turcs vivent en Allemagne.

Économie : le contraste est grand entre l'ouest industrialisé et l'est agricole. 50 % des actifs sont engagés dans l'agriculture, qui fournit 12 % du P.N.B. et permet d'exporter les excédents (coton, tabac, blé). D'importantes ressources minérales sont extraites : chrome, cuivre, fer, baryte. L'industrie en expansion (18 % de la population active) contribue pour une grande partie aux recettes d'exportation (28 % du P.N.B.). Les entreprises industrielles (textiles et agroalimentaire) sont concentrées dans la région de la Marmara, la zone Ankara-Konya et sur la côte égéenne autour d'Izmir. Les machines et les matières premières dominent les importations. Le tourisme est une importante source de devises.

Histoire : l'histoire turque du pays commence réellement à la victoire des Seldjoukides turcs sur les Byzantins en 1071. L'Empire ottoman s'est étendu en Europe. Les grandes étapes de cette invasion sont : la bataille de la « plaine des Merles » (Kosovo, 1389), la conquête de Constantinople (1453), le siège de Vienne

1 La réserve naturelle de Ramit, au Tadjikistan, autour du massif du Gissar.

2 La lac aux Lotus de Gaoxiong, à Taiwan.

3 Pagode du lac du Soleil et de la Lune, sur l'île de Taiwan.

4 Un dizième de la population active de Taiwan est engagé dans l'agriculture.

5 L'intérieur du Timor-Oriental est montagneux. Mais les forêts denses ont souvent disparu.

(1529), puis le retrait progressif des Balkans, jusqu'au XXᵉ siècle. En 1909, les Jeunes-Turcs marchent sur Istanbul. De 1914 à 1918, la Turquie prend part à la Première Guerre mondiale aux côtés de la Triple Alliance : défait, l'ancien Empire ottoman ne conservera que l'Asie mineure et Istanbul. Le sultanat est aboli et Mustafa Kemal (Atatürk) proclame la république en 1923, avec Ankara pour capitale. Il sépare l'État et l'islam, supprime le calendrier musulman, l'écriture arabe et la polygamie. Son successeur, Ismet Inönü (à partir de 1939), met en œuvre un processus de démocratisation et la Turquie entre dans l'OTAN en 1952.

Culture : la Turquie compte de nombreux sites historiques de toutes les époques, de la période des Hittites à l'Empire byzantin en passant par la Grèce et les Ottomans. Ainsi le temple d'Artémis à Éphèse (qui date du VIᵉ siècle avant J.-C.) est la quatrième des sept merveilles du monde. Parmi les autres vestiges de l'Antiquité mis au jour en Turquie, citons l'autel de Pergame et la porte de l'Agora de Milet (actuellement au musée Pergamon à Berlin) et le temple d'Apollon à Dydime. Sainte-Sophie à Istanbul enfin, qui fut tout d'abord une église orthodoxe avant de devenir une mosquée au XVᵉ siècle, est un chef-d'œuvre de l'art byzantin. C'est aujourd'hui un musée.

Géographie : hormis la Thrace turque située en Europe, la Turquie comprend la péninsule d'Asie mineure, bordée au nord par les chaînes Pontiques et au sud par le Taurus. À l'est, la chaîne de l'Ararat culmine à 5 165 m. Les hautes terres de l'Anatolie intérieure, sujettes aux séismes, sont parsemées de volcans. Si l'Anatolie intérieure a un climat continental, le reste du pays jouit d'un climat méditerranéen aux hivers doux et humides et aux étés chauds et secs. Les précipitations annuelles sont comprises entre 400 mm à Ankara et 2 000 mm sur le littoral de la mer Noire.

Türkmenistan

TURKMÉNISTAN
Capitale : Achgabat
Situation : 35° – 43° N ; 52° – 67° E
Superficie : 488 100 km²
Population : 5 millions
Densité de population : 10 habitants/km²
Monnaie : 1 manat (TMM) = 100 tenge
Langues : turkmène (officielle), russe

Politique et population : selon sa Constitution de 1992, le Turkménistan est une république de régime présidentiel. Le Parti communiste, dissous en 1991, est néanmoins resté au pouvoir sous le nom de Parti démocratique. Il mène une politique, empreinte d'islamisme, de passage de l'économie planifiée à l'économie de marché et de coopération économique avec les pays voisins. Les Turkmènes (74 %) et les Ouzbeks (9 %) sont musulmans sunnites, le reste de la population étant constitué de Russes (10 %) et d'autres minorités.
Économie : la majorité de la population vit en dessous du seuil de pauvreté malgré d'importantes ressources en matières premières comme le gaz naturel et le pétrole. 60 % des terres arables sont consacrés au coton. L'agriculture représente 29 % du P.N.B. et l'industrie 51 %. Le commerce extérieur est faiblement développé.
Histoire : au Moyen Âge, les Turkmènes étaient des nomades vivant sous domination perse. Vers la fin du XIXᵉ siècle, les Russes soumettent les tribus les unes après les autres. Les Turkmènes s'opposent violemment à leur intégration à l'U.R.S.S. et, en particulier, à la collectivisation de l'agriculture. Le Turkménistan proclame son indépendance en 1991.
Géographie : le désert du Karakoum occupe 80 % du territoire. La dépression d'Akdjakal est située à 81 m au-dessous du niveau de la mer. Au sud-ouest, les chaînes de montagnes dépassent 3 000 m. L'Amou-Daria, à la frontière avec l'Ouzbékistan, est le fleuve principal du pays. Le climat continental extrêmement chaud ne permet l'agriculture que dans les oasis de montagne bien irriguées.

Urdunn

JORDANIE
Capitale : Amman
Situation : 29° – 33° N ; 35° – 39° E
Superficie : 91 861 km²
(sans la Cisjordanie)
Population : 5,2 millions
Densité de population : 57 habitants/km²
Monnaie : 1 dinar jordanien (JOD) = 1 000 fils
Langues : arabe (officielle), anglais

Politique et population : la monarchie héréditaire constitutionnelle de Jordanie est dirigée par la dynastie des Hachémites, descendants du prophète Mahomet. Le roi n'est pas responsable devant les organes constitutionnels. Après l'abolition de l'interdiction des partis politique, le peuple a pu élire un parlement en 1993, pour la première fois depuis 1956.
Économie : le principal secteur économique est l'extraction des phosphates et de la potasse, qui sont ensuite transformés par l'industrie chimique. Seuls 5 % du territoire sont cultivables. Le site de Petra attire un grand nombre de touristes chaque année.
Histoire : au VIIᵉ siècle, les Arabes musulmans mettent fin à la domination byzantine, héritée des Romains. Après l'occupation de certaines régions par les croisés, les Mamelouks égyptiens dirigent le pays. Au XVIᵉ siècle, ils sont chassés par les Turcs qui contrôlent dès lors le pays jusqu'à la fin de la Première Guerre mondiale. La Société des Nations place la Palestine et la Jordanie sous mandat britannique de 1920 à 1948. En 1988, le roi Hussein II abandonne aux Palestiniens la Cisjordanie occupée par Israël et jette ainsi la base

Turquie				Station météorologique Izmir Altitude 28 m. Situation 38°27'N/27°15'E								
		Janv	Fév	Mars	Avril	Mai	Juin	Juil	Août	Sept	Oct	Nov	Déc
CLIMAT	☀	8,3	9,2	11,7	15,3	19,7	23,9	27,0	27,0	23,1	18,6	14,4	10,0
	♨	12,8	13,9	17,2	21,2	26,1	30,6	33,3	33,3	29,4	24,4	19,4	14,4
	🌡	3,9	4,4	6,1	9,4	13,3	17,2	20,6	20,6	16,7	12,8	9,4	5,6
	☼	3	5	6	8	10	11	13	12	11	12	6	4
	☂	10	8	7	5	4	2	<1	<1	2	4	6	10
	≈	8	8	8	11	15	20	22	23	21	19	15	11

Turkménistan				Station météorologique Achgabat Altitude 219 m. Situation 37°58'N/58°20'E								
		Janv	Fév	Mars	Avril	Mai	Juin	Juil	Août	Sept	Oct	Nov	Déc
CLIMAT	☀	2,1	4,7	8,8	16,3	23,3	28,6	31,2	29,3	23,5	15,9	7,7	2,8
	♨	3,3	8,3	12,8	21,1	22,8	33,3	36,1	35,0	30,0	22,2	13,9	8,3
	🌡	-3,9	-0,6	3,9	9,4	15,6	19,4	21,7	19,4	14,4	7,8	3,3	0,0
	☼	4	4	5	6	9	11	12	11	10	8	5	4
	☂	10	9	10	9	7	2	1	1	1	4	6	9

Jordanie				Station météorologique Amman Altitude 777 m. Situation 31°57'N/35°57'E								
		Janv	Fév	Mars	Avril	Mai	Juin	Juil	Août	Sept	Oct	Nov	Déc
CLIMAT	☀	8,1	10,0	13,1	11,4	21,7	23,3	25,0	25,3	23,9	20,6	15,6	10,3
	♨	12,2	13,3	15,6	22,8	28,3	30,6	31,7	32,2	31,1	27,2	21,1	15,0
	🌡	3,9	4,4	6,1	9,4	13,9	16,1	18,3	18,3	16,7	13,9	10,0	5,6
	☼	6	8	10	10	11	14	14	13	12	10	8	6
	☂	8	8	4	3	<1	0	0	0	<1	1	4	5

Ouzbékistan				Station météorologique Taschkent Altitude 479 m. Situation 41°16'N/69°16'E								
		Janv	Fév	Mars	Avril	Mai	Juin	Juil	Août	Sept	Oct	Nov	Déc
CLIMAT	☀	-1,1	1,5	7,8	14,7	20,2	25,3	27,4	25,5	19,7	12,7	6,7	1,8
	♨	2,8	6,7	11,7	18,3	25,6	30,6	33,3	31,7	26,7	18,3	11,7	6,7
	🌡	-6,1	-2,8	2,8	8,3	13,3	16,7	17,8	15,6	11,1	5,0	1,7	-1,7
	☼	4	4	5	8	10	12	13	12	10	8	5	4
	☂	11	10	11	10	7	4	1	1	1	5	8	10

d'une résolution du conflit du Proche-Orient. L'état de guerre avec Israël se termine le 25.7.1994 et, en octobre, un traité de paix est signé entre les deux pays.
Géographie : trois régions naturelles se succèdent d'ouest en est. À l'ouest, les montagnes de plus de 1 000 m descendent à pic vers le fossé du Jourdain, dont la Jordanie ne contrôle que la rive gauche. Il se prolonge par la mer Morte et la vallée d'Araba qui débouche sur le golfe d'Akaba. À l'est du pays, la montagne (1 700 m) s'enfonce progressivement vers le désert de Syrie.

Üsbekiston UZ

OUZBÉKISTAN
Capitale : Tachkent (Toškent)
Situation : 37° – 46° N ; 56° – 73° E
Superficie : 447 400 km²
Population : 26 millions
Densité de population : 58 habitants/km²
Monnaie : 1 sum (UZS) = 100 tijin
Langues : ouzbek, russe

Politique et population : selon la Constitution de 1992, le chef de l'État de cette République de régime présidentiel est élu tous les cinq ans au suffrage universel. Le pays inclut la République autonome de Karakalpakie, qui possède sa Constitution, son conseil des ministres et son parlement propres. Les Ouzbeks représentent 75 % de la population, suivis des Russes, des Tadjiks et des Kazakhs, entre autres. Ils sont en majorité musulmans sunnites mais il existe des minorités juive et orthodoxe.
Économie : le gouvernement mène une politique de passage progressif de l'économie dirigée à l'économie de marché. Sa principale source de revenus est l'exportation de coton, d'or, d'hydrocarbures et de produits de l'industrie légère. Outre des produits industriels, l'Ouzbékistan doit importer des produits alimentaires. L'arboriculture fruitière est importante dans le secteur agricole. Une grande partie de la population vit en dessous du seuil de pauvreté.
Histoire : à partir du VIᵉ siècle, des populations turcophones s'établissent dans la région. L'islam se répand au VIIIᵉ siècle. Sous les Chaïbanides (XVIᵉ siècle), l'Ouzbékistan connaît une civilisation florissante. En 1865, la Russie occupe Tachkent. En 1924 est créée la République soviétique socialiste d'Ouzbékistan. Après l'effondrement de l'U.R.S.S., le pays proclame son indépendance, en 1991, et se rattache à la C.E.I.
Géographie : des contreforts des Tian Shan, au sud-est, jusqu'à l'Aral, au nord-ouest, en passant par le désert du Kyzylkoum, le pays connaît un climat continental extrême : 90 % des surfaces cultivées doivent être irriguées. La monoculture du coton a entraîné un appauvrissement des sols.

Viêt Nam VN

VIÊT-NAM
Capitale : Hanoi (Hà Nôi)
Situation : 8° – 23° N ; 102° – 109° E
Superficie : 331 689 km²
Population : 81,4 millions
Densité de population : 245 habitants/km²
Monnaie : 1 dong (VND) = 100 xu
Langues : vietnamien (officielle), français, anglais

Politique et population : la Constitution de 1992 de cette République socialiste confère au parti communiste un rôle dominant mais prévoit l'introduction d'une économie de marché. 87 % de la population sont des Vietnamiens, le reste se répartissant entre 60 nationalités différentes.
Économie : plus de la moitié de la population active est engagée dans l'agriculture et 20 % dans l'industrie, qui fournit un tiers du P.N.B. La reconstruction de

dans les rizières.

1 La mosquée d'Ortaköy à Istanbul.

2 Samarkand possède de nombreux monuments décorés de mosaïques.

3 Le Wadi Rum, en Jordanie, ressemble à un paysage lunaire.

4 Le « marché du fleuve aux parfums », à Huê, ville portuaire du centre du Viêtnam.

5 Les lumières d'Amman, capitale de la Jordanie.

6 Les buffles sont des animaux de trait adaptés au travail l'économie, qui a beaucoup souffert de la chute du bloc soviétique, est soutenue par un programme d'aide internationale (de la part de l'U.E. et du F.M.I.). Le pays importe des machines, des biens de consommation et des produits pétroliers et exporte du riz, des produits de l'industrie légère et de l'artisanat.

Histoire : avant l'arrivée des Français en Indochine, en 1858, et l'établissement d'un régime colonial jusqu'en 1945, de nombreuses dynasties vietnamiennes ou chinoises dirigent le pays. En 1945, Hô Chi Minh proclame l'indépendance. La première guerre d'Indochine avec la France (1947-1954), entraîne la partition du pays. En 1960 est fondé le Viêt-cong, Front national de libération du Sud Viêt-nam, qui, en 1963, contrôle la presque totalité du Sud Viêt-nam. L'intervention des États-Unis et du Nord Viêt-nam déclenche une guerre ouverte (1964-1973). Après le retrait des troupes américaines, la réunification du Nord et du Sud a lieu en 1976.

Géographie : le Viêt-nam se compose de trois grands ensembles : au nord, le Tonkin, avec le delta du Sông Hông, au centre, l'Annam, et la Cochinchine au sud, avec le delta du Mékong. La frontière occidentale de ce pays montagneux est formée par la chaîne principale de la cordillère Annamitique. Le climat est marqué par l'alternance d'une saison des pluies et d'une saison sèche.

Yisra'el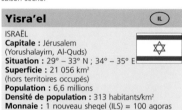

ISRAËL
Capitale : Jérusalem
(Yorushalayim, Al-Quds)
Situation : 29° – 33° N ; 34° – 35° E
Superficie : 21 056 km²
(hors territoires occupés)
Population : 6,6 millions
Densité de population : 313 habitants/km²
Monnaie : 1 nouveau sheqel (ILS) = 100 agoras
Langues : hébreu moderne, arabe (officielles)

Politique et population : la République parlementaire d'Israël ne possède pas de Constitution écrite. Le système politique est fondé sur des lois votées par le parlement et la Déclaration d'indépendance de 1948. Les 120 membres du parlement (Knesset) représentent un large spectre social. Seul un sixième des juifs israéliens d'aujourd'hui vivait déjà en Palestine avant la création de l'État d'Israël. Environ 40 % de la population sont des immigrés et leurs descendants. La population se divise selon son appartenance religieuse : 81 % de juifs, 14 % de musulmans, 3 % de chrétiens et 1,7 % de druzes.

Économie et communications : les problèmes de politique intérieure et extérieure, ainsi qu'un budget militaire très important affaiblissent l'économie depuis des décennies. L'agriculture intensive aux méthodes modernes (technique d'irrigation notamment) est un modèle pour les régions arides et semi-arides. Les

exportations agricoles sont importantes. L'extraction de sel et de potasse dans la mer Morte et de phosphates dans le désert du Néguev alimentent une puissante industrie chimique (engrais). Outre la transformation des métaux, l'industrie électrique et électronique, prend une importance croissante. En dépit de l'intérêt que revêtent de nombreux sites, sur le plan religieux notamment, le tourisme, autrefois un secteur économique très important, a pratiquement disparu en raison de l'enlisement du conflit israélo-palestinien. Le réseau routier israélien est dense (12 500 km environ) et en bon état. Un service d'autocars permet de relier même les localités les plus isolées, et toutes les grandes villes possèdent un aéroport.

Histoire et culture : après la destruction de Jérusalem par les Romains en l'an 70 commence pour les juifs une longue période de diaspora, de persécution et d'extermination. En 1948 est créée la République d'Israël malgré l'opposition de ses voisins arabes aux revendications des sionistes sur la Palestine et, par conséquent, à l'existence même de l'État d'Israël. Cette hostilité se matérialise par quatre guerres, dont trois sont remportées par Israël. À l'issue de la guerre des Six Jours (1967), les Israéliens occupent la bande de Gaza, la Cisjordanie, la vieille ville de Jérusalem, les hauteurs du Golan syriennes et la péninsule du Sinaï. Après la guerre du Kippour (1973), Israël abandonne le Sinaï. Le traité de paix avec l'Égypte, en 1979, conduit à une longue période de détente et, en 1993, à des négociations directes avec l'O.L.P. et les États arabes voisins. Après la mort du leader palestinien Yasser Arafat fin 2004, le processus de paix s'intensifie, ce qui aboutit à l'instauration d'une autorité palestinienne autonome en Cisjordanie et dans la bande de Gaza. Jérusalem est la ville sainte de trois grandes religions : le judaïsme, le christianisme et l'islam.

Géographie : le relief d'Israël est divisé en trois bandes longitudinales. Derrière le littoral plat, une plaine s'étend jusqu'à la vallée de Jezré'el au nord. Près d'Haïfa, le mont Carmel bute sur la Méditerranée. Les monts de Galilée occupent l'extrême nord. Les pentes occasionnellement skiables du mont Méron (1 208 m) sont à courte distance du fossé du Jourdain, aux températures subtropicales, situé à 212 m au-dessous du niveau de la mer. Une grande partie du sud est occupée par le désert du Néguev. La mer Morte, située à 403 m au-dessous du niveau de la mer, est le point le plus bas du pays et l'une des mers les plus salées du monde (27 à 31 % de salinité).

Viêt-nam		Station météorologique Ho-Chi-Minh-Ville (Saigon) Altitude 9 m. Situation 10°47'N/106°42'E											
CLIMAT	☀	Janv	Fév	Mars	Avril	Mai	Juin	Juil	Août	Sept	Oct	Nov	Déc
	↑	26,2	27,2	28,6	30,0	28,9	27,8	27,5	27,5	27,2	27,2	26,7	26,1
	↑	31,7	32,8	33,9	35,0	33,3	31,7	31,1	31,1	31,1	31,1	30,6	30,6
	↓	21,1	21,7	23,3	24,4	24,4	23,9	23,9	23,9	23,3	23,3	22,8	21,7
	☼	5	6	5	6	4	4	4	5	5	4	4	4
	☂	2	1	2	4	16	21	23	21	21	20	11	7
	≈	24	25	25	28	28	28	28	28	28	27	27	25

Israel		Station météorologique Jérusalem Altitude 757 m. Situation 31°47'N/35°13'E											
CLIMAT	☀	Janv	Fév	Mars	Avril	Mai	Juin	Juil	Août	Sept	Oct	Nov	Déc
	↑	8,9	9,4	13,1	16,4	20,6	22,5	23,9	24,2	23,1	21,1	16,4	11,1
	↑	12,8	13,3	18,3	22,8	27,2	29,4	30,6	30,6	29,4	27,2	21,2	15,0
	↓	5,0	5,6	7,8	10,0	13,9	15,6	17,2	17,8	16,7	15,0	11,7	7,2
	☼	6	6	7	9	11	14	14	13	11	9	7	6
	☂	9	11	3	3	1	<1	0	0	<1	1	4	7

Zhongguo CN

CHINE
Capitale : Pékin (Beijing)
Situation : 18° – 53° N ; 74° – 135° E
Superficie : 9 560 960 km²
Population : 1,3 milliard
Densité de population : 136 habitants/km²
Monnaie : 1 yuan renminbi (CNY) =
10 chiao = 100 fen
Langues : chinois (officielle), anglais

Politique : en 1993, la République populaire de Chine a intégré dans sa Constitution le concept d'« économie de marché socialiste ». Tous les sièges de l'Assemblée nationale populaire sont occupés par des membres du parti communiste chinois. L'État est divisé en 22 provinces, 4 municipalités autonomes et 5 régions autonomes. La République populaire de Chine considère Taiwan (République de Chine) comme sa 23e province. Outre ses 5 régions autonomes, le pays compte 147 autres unités autonomes représentant plus de 6 millions de km² et 120 millions d'habitants, dont plus de 70 millions appartiennent à des minorités nationales. Depuis 1978, le gouvernement chinois mène une politique d'ouverture économique. Hong Kong, sous administration britannique depuis 1898, a été restitué à la Chine le 1er juillet 1997. Le système capitaliste en vigueur doit y être maintenu jusqu'en 2047. Le 20.12.1999, la Chine a également récupéré l'ancienne colonie portugaise de Macao.

Population : 92 % de la population appartient à l'ethnie han, les 8 % restants se répartissant entre 55 nationalités, dont les Tibétains. Revendiquant la souveraineté sur le Tibet, qu'elle a occupé en 1950 et annexé en 1951, la Chine doit en permanence faire face à des troubles qu'elle réprime par la force. Malgré des décennies de rééducation communiste, la population chinoise continue de pratiquer les enseignements de Confucius. Les statistiques font état de 100 millions de bouddhistes, 30 millions de taoïstes, 20 millions de musulmans (Hui chinois et Ouïgours turcs de l'ouest), plusieurs millions de chrétiens et des lamaïstes au Tibet. Malgré le bon fonctionnement du système d'éducation, un cinquième de la population est analphabète. Une politique stricte de contrôle des naissances a permis de réduire le taux de natalité à moins de 1,5 % (un seul enfant par famille en ville). Au milieu des années 2000, le gouvernement a assoupli sa politique de l'enfant unique, les démographes chinois redoutant une diminution drastique de la population d'ici 40 ans et constatant par ailleurs un déséquilibre marqué entre les sexes dans de nombreuses régions.

Économie : ces dernières années, la Chine a connu un essor économique important et des taux de croissance flatteurs. Le passage de l'économie dirigée à l'économie de marché a été introduit par la libéralisation des prix et la réorganisation des entreprises d'État. Depuis, des millions d'entreprises privées ont été fondées, mais les grosses entreprises industrielles demeurent propriété d'État. Depuis la suppression de la garantie à vie de l'emploi, des salaires et des prestations sociales, en 1991, plus de 1 % des ouvriers de l'industrie a été licencié. Grâce à des réformes engagées depuis 1978, l'agriculture a été radicalement restructurée. La décentralisation de la planification de la production et la dissolution des communes populaires ont conduit à une économie agricole plus conforme aux conditions naturelles et à celles du marché. La richesse de la Chine en ressources minières de toutes sortes est difficile à valoriser en raison de l'insuffisance des voies de communications et de la répartition inégale des sources d'énergie. L'industrialisation se limite essentiellement à la région côtière et aux villes de plusieurs millions d'habitants situées sur les grands fleuves. Dans les zones économiques spéciales (ZES), l'importation de savoir-faire technique est favorisée par les investissements étrangers, qui bénéficient d'exonérations fiscales. En forte expansion, l'industrie contribue pour 50 % au P.N.B. La moitié de la population active travaille dans l'agriculture et un quart dans l'industrie. Parmi les produits importés, les machines et l'électronique tiennent la place principale, mais les céréales connaissent une importance croissante. Les exportations portent sur les produits finis, les textiles, les vêtements, les machines, les matières premières et les combustibles, entre autres.

Communications : le point faible de la Chine est son réseau de communications, insuffisamment développé pour sa taille. De nombreuses communes ne sont pas reliées au réseau routier ou ferroviaire. Plus de 250 millions de bicyclettes, soit mille fois plus que les véhicules automobiles, parcourent les routes. Les fleuves et les canaux (110 000 km navigables) sont des voies de communication essentielles.

Médias : la presse, la radio et la télévision sont gérées par plusieurs ministères et par le comité central du parti communiste. Un grand nombre de journaux paraissent avec des tirages de plus d'un million d'exemplaires. Les programmes radio sont nationaux ou régionaux et

1 Pêche au cormoran à Guilin, Chine du Sud : les pêcheurs nouent une bandelette autour du cou des oiseaux pour qu'ils n'avalent pas leur prise.

2 Tiantan, le temple du Ciel, est l'un des principaux sites touristiques de Pékin.

3 Akko fut une forteresse croisée jusqu'au XIIIe siècle (Israël).

4 le quartier de Pudong à Shanghai.

5 Cours religieux en Israël.

d'innombrables chaînes de télévision émettent leurs propres programmes.

Histoire : l'histoire de l'Empire du Milieu date de près de cinq millénaires. Plusieurs périodes d'unification et de dislocation se sont succédé. Quin Shi Huangdi (221-210 av. J.-C.) unifie les royaumes chinois et fonde le premier empire chinois. Sous la dynastie Tang (618-907), la Chine connaît un essor culturel. Des puissances étrangères parviennent à plusieurs reprises à conquérir la Chine, dont l'invincible cavalerie mongole, au XIIIᵉ siècle, et les Mandchous, au XVIIᵉ siècle, qui fondent la dynastie de Qing (1644-1911). Après des conflits armés contre les puissances européennes et le Japon, la Révolution républicaine, menée par Sun Yatsen, l'emporte en 1912. La lutte entre le Guomindang de Jiang Jieshi (Tchang Kaï-chek) et les communistes dirigés par Mao Zedong se termine par la victoire de ceux-ci. Les nationalistes sont chassés du continent et se réfugient à Taiwan. En 1949, Mao proclame la République populaire de Chine. Le gouvernement populaire collective l'agriculture et crée des communes populaires. La « grande révolution culturelle prolétarienne » (1966-1976) engendre d'importants revers économiques. Après la mort de Mao, en 1976, Deng Xiaoping entreprend une politique de réformes économiques et d'ouverture vers l'extérieur, interrompue par le massacre de la place Tian'anmen en 1989. Depuis, la politique chinoise s'oriente à nouveau vers l'ouverture.

Culture : pendant des millénaires, la Chine s'est proclamée l'Empire du Milieu, c'est-à-dire le centre culturel du monde. L'écriture chinoise, l'une des plus anciennes et des plus complexes du monde (idéogrammes) existe depuis plus de cinq mille ans. Les monuments culturels chinois comme l'armée de terre cuite du premier empereur découverte près de Xi'an, la Grande Muraille, le Temple du Ciel et la Ville Interdite de Beijing (palais de l'empereur) sont connus dans le monde entier.

Géographie : tel un gigantesque escalier, le pays descend par paliers des montagnes d'Asie centrale jusqu'à l'océan Pacifique, à l'est. Plus de la moitié de sa superficie est située au-dessus de 1 000 m d'altitude. La Chine centrale est occupée par des bassins secs comme le plateau du Qinghai, presque inhabité (2,2 millions de km²). Le massif du Kunlun et la chaîne des Qin Ling séparent le nord du sud du pays. Au nord de ces montagnes, les pays du lœss sont le cœur historique de la Chine. Les étés y sont chauds et les hivers froids et la pluie est présente en toutes saisons. Certaines années, toutefois, la sécheresse détruit les récoltes. Le sud, lui, doit faire face à des tempêtes tropicales et des inondations catastrophiques (Yangzi Jiang en 1998). La grande zone sèche de l'ouest du pays est ponctuée de rares oasis de plaines ou de montagnes. Les grands fleuves comme le Huang He (fleuve Jaune) et le Yangzi Jiang (fleuve Bleu) s'écoulent en direction de l'est. En raison de l'immensité du pays, les variations climatiques sont extrêmes : il est continental sur les hauts plateaux d'Asie centrale et en Mandchourie, alors que le sud du pays est humide et chaud, avec les fortes pluies de la mousson estivale (climat subtropical à tropical). Dans le centre et le sud du pays, violentes tempêtes et précipitations abondantes entraînent des inondations catastrophiques, tandis que le nord est souvent en proie à des sécheresses dévastatrices.

Chine

Station météorologique Urumchi
Altitude 913 m. Situation 43°47′N/87°31′E

CLIMAT		Janv	Fév	Mars	Avril	Mai	Juin	Juil	Août	Sept	Oct	Nov	Déc
	🌡	-15,8	-13,6	-4	8,5	17,7	21,5	23,9	21,9	16,7	6,1	-6,2	-13
	🌡	-10,6	-8,3	-0,6	15,6	22,2	25,6	27,8	26,7	20,6	10	-1,1	-8,3
	🌡	-21,7	-19,4	-11,1	2,2	8,3	12,2	14,4	13,3	8,3	-0,6	-10,6	-13,3
	☀	6	5	6	7	10	9	9	9	9	7	5	5
	☂	10	11	7	8	5	6	7	5	4	9	12	11

Station météorologique Lanzhuo
Altitude 1508 m. Situation 36°01′N/103°59′E

CLIMAT		Janv	Fév	Mars	Avril	Mai	Juin	Juil	Août	Sept	Oct	Nov	Déc
	🌡	-6,5	-1,7	5,4	12,1	17,4	20,9	22,8	21,4	13,6	10,1	1,7	-5,3
	🌡	0,6	7,2	11,7	18,3	24,4	27,2	28,9	27,2	21,7	16,7	8,3	3,3
	🌡	-13,9	-8,9	-1,7	4,4	10	13,9	16,1	16,1	11,1	3,9	-5	-10,6
	☀	5	5	5	6	7	7	7	7	5	5	5	5
	☂	1	2	4	5	7	9	10	11	12	6	2	1

Station météorologique Beijing (Pékin)
Altitude 52 m. Situation 39°57′N/116°19′E

CLIMAT		Janv	Fév	Mars	Avril	Mai	Juin	Juil	Août	Sept	Oct	Nov	Déc
	🌡	-4,7	-1,9	4,8	13,7	20,1	24,7	26,1	24,9	19,9	12,8	3,8	-2,7
	🌡	1	5	12	21	27	31	32	30	27	21	10	3
	🌡	-10	-7	-1	7	13	18	22	21	15	7	-1	-8
	☀	7	7	8	8	9	9	7	7	8	8	6	6
	☂	3	3	4	4	6	8	13	11	7	3	3	2

Station météorologique Shanghai
Altitude 5 m. Situation 31°12′N/121°26′E

CLIMAT		Janv	Fév	Mars	Avril	Mai	Juin	Juil	Août	Sept	Oct	Nov	Déc
	🌡	3,4	4,3	8,2	13,7	18,9	23,1	27,1	27,2	23,0	17,7	11,6	5,6
	🌡	7,8	8,3	12,8	18,9	25,0	27,8	32,2	32,2	27,8	23,3	17,2	11,7
	🌡	0,6	1,1	4,4	10,0	15,0	19,4	23,3	23,3	18,9	13,9	7,2	2,2
	☀	4	3	4	5	5	4	7	7	5	5	5	4
	☂	10	10	12	13	12	14	11	11	9	12	8	8
	〰	10	8	9	12	16	20	24	26	25	23	18	13

Station météorologique Lhassa
Altitude 3685 m. Situation 29°40′N/91°07′E

CLIMAT		Janv	Fév	Mars	Avril	Mai	Juin	Juil	Août	Sept	Oct	Nov	Déc
	🌡	-1,7	1,1	4,7	8,1	12,2	16,7	16,4	15,6	19,7	8,9	3,9	0
	🌡	6,7	8,3	11,7	15,6	19,4	23,9	23,3	22,2	21,1	16,7	12,8	8,9
	🌡	-10,0	-6,7	-2,2	0,6	5,0	9,4	9,4	8,9	7,2	1,1	5,0	-8,9
	☀	6	6	8	10	6	5	3	2	3	5	5	5
	☂	<1	<1	1	<1	3	8	13	10	7	2	<1	0

Station météorologique Hongkong
Altitude 33 m. Situation 22°18′N/114°10′E

CLIMAT		Janv	Fév	Mars	Avril	Mai	Juin	Juil	Août	Sept	Oct	Nov	Déc
	🌡	15,6	15	17,5	21,7	25,6	27,5	28,1	28,1	27,2	25	20,9	17,5
	🌡	17,8	17,2	19,4	23,9	27,8	29,4	30,6	30,6	29,4	27,2	23,3	20
	🌡	13,3	12,8	15,6	19,4	23,3	25,6	25,6	25,6	25	22,8	18,3	15
	☀	5	4	3	4	5	5	7	6	6	7	6	5
	☂	4	5	7	8	13	18	17	15	12	6	2	3

L'Australie et l'Océanie :
un demi pour cent de l'Humanité

L'Australie, dont la superficie représente près de 90 pour cent des terres émergées de la région sud-pacifique, est l'unique continent occupé par un seul pays. Le monde insulaire qu'est l'Océanie, en revanche, est constitué de très nombreux États et territoires non indépendants. Australie mise à part, la superficie maritime des États océaniens est largement supérieure à leur superficie terrestre : par exemple, sept fois pour la Papouasie-Nouvelle-Guinée et plus de sept mille fois pour Kiribati. En raison de l'importante immigration anglo-saxonne, l'Australie et la Nouvelle-Zélande respectivement habitées à l'origine par les Aborigènes et des Maoris polynésiens, sont devenues des pays européanisés. Ils sont très peu densément peuplés : n'y vit qu'un demi pour cent de l'Humanité.

Australia

AUSTRALIE

Capitale : Canberra
Situation : 10° – 43° S ; 113° – 153° E
Superficie : 7 682 300 km²
Population : 20,1 millions
Densité de population : 2,6 habitants/km²
Monnaie : 1 dollar australien (AUD) = 100 cents
Langues : anglais (officielle),
200 autres langues

Politique : la fédération des États australiens de Victoria, Nouvelle-Galles du Sud, Queensland, Australie-Occidentale, Australie-Méridionale et Tasmanie date de 1901. S'y ajoutent deux territoires administrés de façon autonome, le Territoire-du-Nord et le Territoire fédéral de la capitale. Le gouvernement fédéral et le parlement fédéral, une chambre bicamérale composée d'une Chambre des Représentants (« Chambre basse ») et d'un Sénat (« Chambre haute »), traitent toutes les questions nationales. Les 148 membres de la Chambre basse sont élus pour trois ans et les 76 membres de la Chambre haute tous les trois ans au scrutin proportionnel. Le chef de l'État est le souverain britannique, représenté par un gouverneur général et un gouverneur dans chaque État. L'Australie est membre du Commonwealth des Nations, de l'ONU et de l'OCDE et fait partie des membres fondateurs du Forum du Pacifique Sud et de la Commission du Pacifique Sud. D'autre part, elle entretient des relations étroites avec les pays de l'ANASE, avec le Japon, l'un de ses principaux partenaires commerciaux, ainsi qu'avec les États-Unis et la Nouvelle-Zélande en vertu du pacte de défense ANZUS.

Population : 95 % de la population sont d'origine britannique ou irlandaise. Des immigrants provenant de plus de 120 pays ont trouvé une nouvelle patrie sur le cinquième continent. Les Aborigènes, au nombre de 380 000, vivent principalement dans le Territoire-du-Nord, et les insulaires du détroit de Torres vivaient à l'origine sur les îles situées entre la Papouasie-Nouvelle-Guinée et l'Australie. 85 % des Australiens habitent dans les villes comme Sydney, Melbourne, Brisbane et Canberra. 74 % appartiennent à l'une des différentes Églises chrétiennes. L'école est obligatoire de 6 à 15 ans.

Économie : les produits agricoles et miniers fournissent le gros des exportations. Le pays est l'un des plus gros exportateurs de viande de bœuf du monde. Un bon quart de la production mondiale de laine provient du continent australien. Les principales exportations de produits miniers sont le charbon, le minerai de fer et l'or, surtout expédiées vers l'Asie orientale et méridionale. 3 % de la population active sont engagés dans l'agriculture, 26 % dans l'industrie et 71 % dans le secteur tertiaire.

Communications : le réseau de communications comprend 900 000 km de routes et 40 000 km de voies ferrées. La ligne Ghan, qui tient son nom des chameliers afghans employés à l'installation du télégraphe entre Adélaïde et Darwin (1870-1872), relie Adélaïde à Alice Springs et au « Centre rouge » avec ses paysages rocheux d'Ayers Rock, des monts Olga et des Macdonnell Ranges. La ligne Indian Pacific relie les villes de Sydney et Perth. Grâce aux vols intérieurs, on surmonte rapidement et en tout confort la « tyrannie de l'éloignement » (G. Blainey). Parmi les 70 ports de commerce, ceux des capitales de chaque État sont les plus importants.

Médias : outre le grand journal national *The Australian* paraissent environ 70 quotidiens. Des publications en plus de 40 langues sont destinées aux nombreux Australiens d'origine non anglo-saxonne. L'Australian Broadcasting Corporation (ABC) et le Special Broadcasting Service (SBS) exploitent les stations de radio et les chaînes de télévision non commerciales. SBS se spécialise sur les besoins de divers groupes ethniques. Les radios et télévisions privées locales, régionales et nationales émettent des programmes de divertissement et des informations presque vingt-quatre heures sur vingt-quatre.

Histoire : si des navigateurs comme Luis Vaez de Torres, Abel Tasman et William Dampier découvrent les côtes du continent australien dès le xviᵉ siècle, c'est le capitaine anglais James Cook qui, débarquant à Botany Bay en 1770, explore pour la première fois, pour le compte de la Couronne britannique, la « terre du Sud » (*Terra australis*). L'histoire coloniale de l'Australie débute par l'établissement d'une colonie pénitentiaire en 1788. La déportation de bagnards en Australie est supprimée en 1840 et il faut attendre 1901 pour que le pays devienne un État fédéré souverain. À leur arrivée sur le continent, navigateurs, bagnards, soldats et, plus tard, colons libres, se heurtent aux différents clans, familles et tribus d'autochtones, les Aborigènes. Grâce à leur mode de vie en harmonie avec la nature, ces derniers avaient pu survivre sur ce continent en grande partie aride. À mesure que la colonisation progresse, les Aborigènes sont chassés et massacrés. Ce n'est qu'en 1967 qu'ils sont reconnus comme citoyens à part entière. Depuis, le Land Rights Movement et la création d'institutions administratives autonomes ont permis leur indemnisation partielle pour l'extermination et la privation de droits qu'ils ont subies. L'arrêt prononcé en juin 1992 par la Haute Cour de justice dans l'affaire Mabo est un premier pas vers la reconnaissance de leurs droits fonciers ancestraux : la Cour rejette en effet la revendication selon laquelle l'Australie était un *Terra nullius* (une terre vierge) à l'arrivée des colons. Faisant partie de l'Empire britannique, l'Australie prend part à la guerre des Boers, aux deux guerres mondiales, conformément au pacte ANZUS, aux guerres de Corée et du Viêt-nam.

Culture : les peintures rupestres des Aborigènes représentent une lointaine époque mythique (Temps des

Australie

Station météorologique Perth
Altitude 60 m. Situation 31°57'S/115°51'E

CLIMAT	Janv	Fév	Mars	Avril	Mai	Juin	Juil	Août	Sept	Oct	Nov	Déc
	23,4	23,9	22,2	19,2	16,1	13,7	13,1	13,5	14,7	16,3	19,2	21,5
	29,4	29,4	27,2	24,4	20,6	17,8	17,2	17,8	19,4	21,1	24,4	27,2
	17,2	17,2	16,1	13,9	11,7	10,0	8,9	8,9	10,0	11,7	13,9	16,1
	10	9	9	7	6	4	5	6	7	8	9	11
	4	3	5	8	15	17	19	19	15	12	7	5
	21	21	21	21	20	18	18	18	18	19	19	19

Station météorologique Brisbane
Altitude 42 m. Situation 27°28'S/153°02'E

CLIMAT	Janv	Fév	Mars	Avril	Mai	Juin	Juil	Août	Sept	Oct	Nov	Déc
	25,0	24,7	23,6	21,2	18,2	15,8	15,0	16,1	18,1	20,7	22,5	24,3
	25,5	29,4	27,8	26,1	23,3	20,6	20,0	21,7	24,4	26,7	27,8	29,4
	13,9	20,0	18,9	16,1	13,3	10,6	9,4	10,0	12,8	15,6	17,8	19,4
	8	6	7	7	6	6	7	8	8	8	8	8
	9	14	15	12	10	8	8	7	8	9	10	12
	18	25	24	24	23	22	21	21	21	22	24	25

Station météorologique Melbourne
Altitude 35 m. Situation 37°49'S/144°58'E

CLIMAT	Janv	Fév	Mars	Avril	Mai	Juin	Juil	Août	Sept	Oct	Nov	Déc
	19,9	19,7	18,4	15,1	12,5	10,2	9,6	10,5	12,4	14,3	16,2	18,4
	25,5	25,6	23,9	20,0	16,7	13,9	13,3	15,0	17,2	19,4	21,7	23,3
	13,9	13,9	12,8	10,6	8,3	6,7	5,6	6,1	7,8	8,9	10,6	12,2
	8	7	6	5	4	3	4	4	5	6	6	7
	9	8	9	13	14	16	17	17	15	14	13	11
	18	18	18	17	16	14	14	13	14	14	15	17

Fiji

Station météorologique Suva
Altitude 6 m. Situation 18°08'S/178°26'E

CLIMAT	Janv	Fév	Mars	Avril	Mai	Juin	Juil	Août	Sept	Oct	Nov	Déc
	26,7	26,7	26,7	25,8	24,7	23,6	23,0	23,0	23,6	24,2	25,0	26,1
	30,0	30,0	30,0	28,9	27,8	26,7	26,1	26,1	26,7	27,2	28,3	29,4
	23,3	23,3	23,3	22,8	21,7	20,6	20,0	20,0	20,6	21,1	21,7	22,8
	6	6	6	5	4	4	5	4	5	5	5	7
	18	18	21	19	16	13	14	15	16	15	15	18
	28	28	27	27	27	27	27	26	25	26	27	27

rêves). Aujourd'hui, certains Aborigènes peignent sur toile des histoires et légendes de leur peuple, ce qui permet à quelques-uns d'accéder au marché de l'art international et de bien gagner leur vie.

Géographie : ce continent insulaire situé en moyenne à 300 m au-dessus du niveau de la mer possède par ailleurs, notamment, l'île de Norfolk et le Territoire antarctique australien. Le littoral australien s'étire sur 36 735 km. Le long du Queensland, la Grande Barrière de corail s'étend sur plus de 2 000 km du sud au nord, jusqu'au golfe de Papouasie. C'est l'un des écosystèmes marins et biotopes les plus importants au monde avec ses 1 500 espèces de poissons, 4 000 espèces de mollusques et 400 espèces de coraux. Sur le Great Western Plateau, qui comprend une partie de l'Australie-Occidentale, du Territoire-du-Nord et du Queensland, s'élève l'Uluru (Ayers Rock), un monolithe de 348 m de hauteur et 8 km de circonférence. La plus haute montagne, le mont Kosciusko, culmine à 2 228 m dans le Great Dividing Range qui longe la côte est. 70 % du continent sont arides ou semi-arides.

Nature et environnement : en raison de l'isolement géographique du continent, plus de 80 % des espèces végétales sont endémiques. L'évolution géologique a permis à des marsupiaux comme le koala et le kangourou et à des mammifères ovipares comme l'ornithorynque de coloniser l'Australie. La végétation comprend plus de 600 espèces d'eucalyptus (95 % du peuplement forestier). Plusieurs facteurs menacent l'environnement : érosion, incendies de bush, surpâturage et mines à ciel ouvert.

Cook Islands (CI)

ILES COOK
Capitale : Avarua
Situation : 156° - 167°W, 8° - 23° S
Superficie : 240 km² (S. maritime : 2 millions de km²)
Population : 21 400
Densité de population : 89 habitants/km²
Monnaie : 1 dollar des îles Cook (NZD) = 100 cents
Langues : anglais (officielle), maori

Politique et Population : indépendant, l'archipel est en libre association avec la Nouvelle-Zélande chargée de ses relations internationales et de sa sécurité. Depuis 1965, les îles Cook sont gouvernées par un parlement dont les 25 membres sont élus pour 5 ans. Les Maoris représentent plus de 80 % de la population.
Economie : les services, en particulier la finance et le tourisme, contribuent pour plus de 80 % au P.N.B. Le secteur agricole exporte des fruits et des légumes (vers la Nouvelle-Zélande notamment).
Histoire : les îles Cook sont peuplées par les Polynésiens au cours du Iᵉʳ millénaire. En 1595, des navigateurs espagnols abordent les îles septentrionales, puis, entre 1773 et 1779, le capitaine James Cook, qui a donné son nom aux îles, visite le sud de l'archipel. En 1888, les îles acquièrent le statut de protectorat britannique. Elles demeurent toutefois sous la coupe du gouverneur de Nouvelle-Zélande, qui les annexe en 1900. En 1963, le conseil législatif de l'île se prononce en faveur de l'autonomie. La nouvelle constitution entre en vigueur en 1965.
Géographie : les 15 îles sont réparties en deux groupes, les îles du nord et celles du sud. Si la plupart sont d'origine volcanique et de ce fait montagneuses, quelques-unes sont des atolls. Le climat tropical convient parfaitement aux cocotiers et aux agrumes.

Fiji (FJI)

FIDJI
Capitale : Suva
Situation : 15° -22° S ; 177° - 180° E
Superficie : 18 274 km²
Population : 906 000
Densité de population : 50 habitants/km²
Monnaie : 1 dollar des Fidji (FJD) = 100 cents
Langues : anglais, fidjien (officielles), hindi

Politique et population : la Chambre des Représentants et le Sénat composé de chefs de tribus nommés par un Grand Conseil, dirigent la république des Fidji conjointement avec le chef de l'État et le chef du gouvernement. La population en majorité chrétienne se divise pour moitié entre Fidjiens mélanésiens et Indiens (hindouistes et musulmans).
Économie : 40 % de la population active travaillent dans l'agriculture. Les recettes du tourisme et de l'exportation, dont le sucre, l'or et les conserves de poisson, équilibrent les échanges avec l'Australie et la Nouvelle-Zélande, principaux partenaires commerciaux des Fidji.
Histoire : des fouilles ont révélé la présence des hommes vers 1550 av. J.-C. L'immigration amène ensuite des Polynésiens. Plus d'un siècle avant James Cook, Abel Tasman découvre les Fidji en 1643. De 1874 à 1970, l'archipel est une colonie de la Couronne britannique. Entre 1879 et 1918, des Indiens arrivent dans l'archipel pour travailler sous contrat dans les plantations de canne à sucre. Les tensions entre ethnies sont fréquentes et aboutissent à un putsch militaire en 1987. Un amendement apporté à la Constitution en 1997 accorde aux différentes ethnies l'égalité des droits au parlement.
Géographie : les deux grandes îles, Viti Levu et Vanua Levu, représentent environ 87 % de la superficie terrestre de l'archipel, principalement volcanique et couvert d'une végétation de fougères, de palmiers et d'orchidées.

1 Panneau routier dans le désert australien.

2 L'opéra de Sydney, symbole de l'Australie.

3 Vatuele, une des îles Fidji, se situe au large de la côte sud de l'île de Viti Levu.

4 Dans le village de Navala, on trouve encore des maisons traditionnelles fidjiennes.

Fiji 187

Kiribati

KIRIBATI
Capitale : Tarawa
Situation : 5° N – 13° S ; 169° E – 148° O
Superficie : 726 km²
(Surface maritime : 5,2 millions de km²)
Population : 99 000
Densité de population : 136 habitants/km²
Monnaie : 1 dollar australien/kiribati (AUD/K)
100 cents
Langues : anglais, gilbertais (kiribatien)

Politique et population : cette république de régime présidentiel s'étend sur trois fuseaux horaires et survit grâce à l'aide de la Banque mondiale. Neuf dixièmes de la population sont des Micronésiens et le reste se compose de Polynésiens, de Chinois et d'Européens. 90 % des habitants vivent sur les îles Gilbert.
Économie : l'agriculture, essentiellement vivrière, fournit environ un quart du P.N.B. Les produits exportés dans une mesure limitée vers les Fidji, les États-Unis et l'Australie sont le coprah, les produits de la pêche et les algues marines. L'argent envoyé par les Kiribatiens vivant à l'étranger est d'une importance économique aussi grande que la cession des droits de pêche dans les zone des 200 milles marins. Des produits alimentaires et des combustibles sont importés.
Histoire : des migrations d'Austronésiens il y a 3 000 ans et des mouvements de population des Tonga, des Samoa et des Fidji vers l'an 1400 de notre ère ont abouti à la colonisation des atolls, qui sont découverts en 1606 par divers navigateurs européens (dont Thomas Gilbert). De 1892 à 1975, les îles Gilbert et Ellice sont sous protectorat britannique, puis colonies de la Couronne. L'île Tarawa n'a gardé aucune trace de l'occupation japonaise de 1941 à 1943. En 1975 Kiribati se sépare des îles Ellice (Tuvalu) et, 4 ans plus tard, proclame son indépendance.
Géographie : les trois principaux groupes d'atolls, Phoenix, Gilbert et les îles de la Ligne, s'étirent en Y de part et d'autre de l'équateur. D'est en ouest, Kiribati mesure 4 500 km de longueur. Le plus grand de ces atolls au sol pauvre et ne dépassant pas 3 m d'altitude est Kiritimati (359 km²).

Marshall Islands

ÎLES MARSHALL
Capitale : Dalap-Uliga-Darrit
(atoll de Majuro)
Situation : 5° – 14° N ; 161° – 171° E
Superficie : 181 km²
(Surface maritime : ≃ 2 millions de km²)
Population : 60 000
Densité de population : 331 habitants/km²
Monnaie : 1 US $ = 100 cents
Langues : anglais (officielle), dialectes micronésiens

Politique et population : depuis le 22.12.1990, la république des îles Marshall est un État partiellement autonome, lié aux États-Unis par un accord de libre association. Cela signifie son intégration au dispositif militaire et stratégique américain. Composé de plus de 1 000 îles, l'archipel est principalement peuplé de Micronésiens. Jusqu'au début de ce siècle, ces maîtres de la navigation utilisaient des *stick charts*, cartes de navigation faites de baguettes et de coquillages liés ensemble.
Économie : sans l'aide financière massive et les livraisons de produits alimentaires des États-Unis, de l'Australie, du Japon et de la Chine, les îles Marshall ne pourraient survivre. Un quart des habitants de Kwajalein, le plus grand atoll du monde (120 km de long), a dû s'installer à Ebeye pour travailler pour la marine américaine. Les principaux articles d'exportation sont le coprah et le poisson.
Histoire : le peuplement des îles a probablement débuté vers 2000 av. J.-C. En 1526, l'Espagnol Alvaro de Saavedra et son équipage sont les premiers Européens à découvrir les atolls de Rongelap et Eniwetok, lors d'une traversée du Pacifique. Entre 1946 et 1958, 63 essais nucléaires sont réalisés sur l'atoll de Bikini.
Géographie : les îles Marshall, l'un des trois archipels de Micronésie, se composent de deux groupes d'îles, les Ratak et les Ralik, qui comptent respectivement 16 et 18 atolls principaux.

Micronesia

MICRONÉSIE
Capitale : Kolonia
Situation : 1° – 10° N ; 138° – 169° E
Superficie : 702 km²
(Surface maritime : env. 3 millions de km²)
Population : 110 000
Densité de population : 157 habitants/km²
Monnaie : 1 US $ = 100 cents
Langues : anglais (officielle), dialectes micronésiens

Politique et population : l'archipel des Carolines, à l'exception de Belau, forme une République fédérée semi-indépendante, composée de 4 petits États : Kosrae, Chuuk et Pohnpei à l'est, et Yap à l'ouest. États-Unis, liés à la Micronésie par un accord de libre association, en garantissant la sécurité extérieure. La population, très jeune et principalement micronésienne, pratique une agriculture de subsistance. Près de la moitié des habitants vivent sur les îles de Chuuk.
Économie : la balance commerciale est déficitaire et nécessite l'aide financière du Japon et des États-Unis. Les principaux biens exportés, en majorité vers le Japon, sont le coprah, les patates douces, le poivre, les produits artisanaux et les produits de la pêche.

Kiribati — Station météorologique Yaren (Nauru)
Altitude 6 m. Situation 00°34'S/166°55'E

CLIMAT		Janv	Fév	Mars	Avril	Mai	Juin	Juil	Août	Sept	Oct	Nov	Déc
	☼	27,7	27,7	27,7	27,7	27,9	27,8	27,6	27,7	27,8	28,1	28,1	27,8
	☾	30,7	30,5	30,5	30,5	30,6	30,4	30,3	30,5	30,7	31,1	31,2	30,9
	☂	24,7	24,9	24,9	24,9	25,2	25,1	24,8	24,9	24,9	25,0	25,0	24,8
	○	6	6	7	8	7	7	7	8	8	7	7	7
	☀	15	11	9	6	5	8	11	10	6	5	7	13
	≈	27	27	27	27	27	27	27	27	27	28	28	28

Îles Marshall — Station météorologique Ponape (Micronésie)
Altitude 37 m. Situation 06°58'S/158°13'E

CLIMAT		Janv	Fév	Mars	Avril	Mai	Juin	Juil	Août	Sept	Oct	Nov	Déc
	☼	27,2	27,2	27,2	27,3	27,3	27,1	26,9	26,9	26,9	26,9	27,1	27,2
	☾	30,2	30,3	30,6	30,7	30,8	30,8	30,9	31,0	31,1	31,1	31,1	30,6
	☂	24,1	24,2	24,1	23,9	23,8	23,4	22,8	22,7	22,6	22,7	23,0	23,8
	○	3,4	4,4	5,2	5,9	5,1	5,0	5,2	5,3	5,0	4,4	4,4	3,7
	☀	19	16	20	21	25	25	24	25	22	23	22	21
	≈	27	27	27	27	27	27	26	26	26	26	27	27

Micronésie — Station météorologique Ponape
Altitude 37 m. Situation 06°58'S/158°13'E

CLIMAT		Janv	Fév	Mars	Avril	Mai	Juin	Juil	Août	Sept	Oct	Nov	Déc
	☼	27,2	27,2	27,2	27,3	27,3	27,1	26,9	26,9	26,9	26,9	27,1	27,2
	☾	30,2	30,3	30,6	30,7	30,8	30,8	30,9	31,0	31,1	31,1	31,1	30,6
	☂	24,1	24,2	24,1	23,9	23,8	23,4	22,8	22,7	22,6	22,7	23,0	23,8
	○	3,4	4,4	5,2	5,9	5,1	5,0	5,2	5,3	5,0	4,4	4,4	3,7
	☀	19	16	20	21	25	25	24	25	22	23	22	21
	≈	27	27	27	27	27	27	26	26	26	26	27	27

Nauru — Station météorologique Yaren
Altitude 6 m. Situation 00°34'S/166°55'E

CLIMAT		Janv	Fév	Mars	Avril	Mai	Juin	Juil	Août	Sept	Oct	Nov	Déc
	☼	27,7	27,7	27,7	27,7	27,9	27,8	27,6	27,7	27,8	28,1	28,1	27,8
	☾	30,7	30,5	30,5	30,5	30,6	30,4	30,3	30,5	30,7	31,1	31,2	30,9
	☂	24,7	24,9	24,9	24,9	25,2	25,1	24,8	24,9	24,9	25,0	25,0	24,8
	○	6	6	7	8	7	7	7	8	8	7	7	7
	☀	15	11	9	6	5	8	11	10	6	5	7	13
	≈	27	27	27	27	27	27	27	27	27	28	28	28

Histoire : après la traversée du Pacifique par Fernand de Magellan (1521), les Carolines appartiennent à l'Espagne. En 1899, elles sont vendues au Reich allemand. Après la Première Guerre mondiale, l'archipel est sous mandat japonais et, de 1945 à 1990, sous mandat américain. La légendaire monnaie de pierre de Yap est constituée de cercles en aragonite pouvant atteindre 4 m de diamètre. Sur Pohnpei, la ville de Nan Mandol aujourd'hui en ruine, construite de 1100 à 1400 en blocs de basalte, a été habitée jusqu'au XIXᵉ siècle. C'est l'édifice historique le plus impressionnant de Micronésie.

Géographie : formées pour partie de roches volcaniques et pour partie de coraux, les îles sont éparpillées sur plus de 3 millions de km². La plus grande île volcanique, à l'est, est Pohnpei, où sont cultivés des cocotiers et le meilleur poivre noir du monde.

Nauru (NAU)

NAURU
Capitale : Yaren
Situation : 1° S ; 167° E
Superficie : 21,3 km²
(Surface maritime : 180 000 km²)
Population : 13 000
Densité de population : 610 hab./km²
Monnaie : 1 dollar australien (AUD) = 100 cents
Langues : anglais, nauruan

Politique et population : dans cette république parlementaire, le droit de vote est obligatoire pour tout citoyen âgé de 20 ans au moins. Le chef du gouvernement est nommé par le parlement élu tous les trois ans. Les Nauruans, qui composent les deux tiers de la population, sont un peuple d'origine à la fois polynésienne et micronésienne et principalement protestant. Un quart des habitants vient de Tuvalu et Kiribati. La population compte également des Chinois, descendants des coolies, des Vietnamiens et des Néo-Zélandais.

Économie : l'Australie, la Nouvelle-Zélande et le Japon sont les principaux débouchés de l'exploitation phosphatière de l'île, dont les gisements devraient être épuisés vers 2010. Depuis 1970, les recettes provenant des phosphates sont gérées avec prudence et en partie investies à l'étranger.

Histoire : l'histoire du peuplement de l'île est encore mal connue. En 1888, elle est annexée par l'Allemagne, puis passe sous domination australienne pendant la Première Guerre mondiale. Occupée par les Japonais en 1942, elle est reconquise par les États-Unis en 1946, puis placée sous la triple tutelle de l'Australie, de la Nouvelle-Zélande et du Royaume-Uni jusqu'à son indépendance, en 1968.

Géographie : cette île de calcaire corallien couverte de guano est entourée d'un récif de 65 m de hauteur. Proche de l'équateur, elle jouit d'un climat tropical maritime.

New Zealand (NZ)

NOUVELLE-ZÉLANDE
Capitale : Wellington
Situation : 34° – 47° S ; 166° – 179° E
Superficie : 270 986 km²
Population : 4,1 millions
Densité de population : 15 habitants/km²
Monnaie : 1 dollar néo-zélandais (NZD) = 100 cents
Langues : anglais, maori

Politique et population : cette monarchie constitutionnelle membre du Commonwealth a pour chef de l'État le souverain britannique, représenté par un gouverneur général, et élit les membres de son parlement unicaméral (House of Representatives) tous les trois ans. La moitié des 120 députés est élue au suffrage direct et l'autre au scrutin proportionnel. Membre du traité de sécurité ANZUS avec les États-Unis et l'Australie, la

1 Les îles Marshall sont au nombre de 1 200.

2 Les Rock Islands au Palaos, non loin du parc des Seventy Islands, en Micronésie, sont un paradis pour la plongée sous-marine.

3 Malakal est l'une des plus grandes îles de l'archipel des Palaos.

4 Oiseau emblématique de la Nouvelle-Zélande, le kiwi est une espèce protégée.

5 Tirer la langue est un signe de bienvenue pour les Maoris.

Nouvelle-Zélande n'est pas une puissance nucléaire. Plusieurs îles bénéficient du statut de territoire extérieur : les îles Cook, Nuve, Tokelau et une partie de l'Antarctique. Vivant principalement dans les villes de l'île du Nord, la population est en majorité protestante et d'origine anglo-saxonne. Un dixième des Néo-Zélandais appartient au peuple polynésien des Maoris.

Économie et communications : l'agriculture est le principal secteur économique. Depuis les années 1950, plus de 4 000 fermiers cultivent des kiwis pour l'exportation. Le cerf rouge est élevé pour ses bois, dont le velours permet aux Sud-Coréens de fabriquer des aphrodisiaques. Un cheptel de 50 millions de moutons fournit de la laine et de la viande exportées vers le Japon et l'Union européenne, mais également vers l'Australie et les États-Unis, principaux partenaires commerciaux de la Nouvelle-Zélande. Le pays importe des machines, des véhicules automobiles et des produits électrotechniques. Le réseau routier est bien développé ainsi que les transports publics (autocars). Les aéroports d'Auckland, Wellington ou Christchurch assurent la liaison avec tous les continents.

Histoire : des Polynésiens occupent l'île au IXᵉ puis au XIVᵉ siècle. En 1642, Abel Tasman est le premier Européen à atteindre la Nouvelle-Zélande. En 1769/70, James Cook en prend possession au nom de la Couronne britannique. La colonisation débute en 1777, suivie de l'annexion de l'île du Sud. Le traité de Waitangi (1840), rédigé en deux langues et protégeant les droits fonciers traditionnels, n'empêche pas les guerres maories (1843-1848 et 1860-1870). Comme l'Australie, la Nouvelle-Zélande s'engage dans la Première et la Seconde Guerres mondiales pour le compte de l'Empire britannique et participe aux guerres de Corée et du Viêtnam. Depuis l'entrée de la Grande-Bretagne dans l'Union européenne, la Nouvelle-Zélande renforce sa coopération politique et économique avec l'Australie et toute la zone Pacifique.

Géographie : situées à la limite des plaques indo-australienne et pacifique, l'île du Nord et l'île du Sud sont sujettes à des séismes. Elles sont par ailleurs marquées par la présence de geysers, de mares de boues sulfureuses et de volcans actifs ou éteints. Sur l'île du Sud dominent les Alpes méridionales aux sommets couverts de glaciers, qui s'étirent sur 450 km. Dans les forêts pluviales poussent principalement les ifs et les hêtres austraux. L'oiseau le plus courant est le kiwi, un oiseau coureur nocturne.

Palau

BELAU OU PALAOS
Capitale : Koror
Situation : 3° – 8° N ; 130° – 135° E
Superficie : 487 km²
Population : 20 000
Densité de population : 41 habitants/km²
Monnaie : 1 dollar américain (USD) = 100 cents
Langues : anglais, dialectes micronésiens

Politique et population : le Conseil des chefs traditionnels a voix consultative auprès du Congrès national composé de deux chambres. Malgré l'« américanisation » de la société, la tradition perdure sous la forme, notamment, de clubs pour hommes. Les deux tiers de la population vivent sur Koror, l'une des îles principales, et un nombre non négligeable habite l'île américaine de Guam. La République insulaire a obtenu son indépendance en 1994.

Économie : 90 % du budget de l'État sont financés par l'aide américaine. L'économie de subsistance traditionnelle permet d'exporter du poisson, des coquillages, des noix de coco et du coprah vers les États-Unis, le Japon et les Samoa américaines.

Histoire : ancienne colonie allemande, Belau passe sous mandat japonais après la Première Guerre mondiale, puis sous mandat américain de 1947 à 1994. Depuis l'entrée en vigueur du Traité de libre association (1994), les États-Unis sont responsables de la défense et de la politique extérieure de l'archipel.

Géographie : Belau compte plus de 240 îles faisant partie de l'archipel des Carolines, dont huit seulement sont habitées. La faune marine comprend 1500 espèces de poissons tropicaux et 700 espèces de coraux.

Papua-New Guinea

PAPOUASIE-NOUVELLE-GUINÉE
Capitale : Port Moresby
Situation : 0° – 11° S ; 141° – 56° E
Superficie : 462 840 km²
Population : 5,6 millions
Densité de population : 12 habitants/km²
Monnaie : 1 kina (PGK) = 100 tosa
Langues : anglais (officielle),
pidgin mélanésien, 740 langues papoues

Politique et population : le chef de l'État de cette monarchie parlementaire membre du Commonwealth est le souverain britannique. Le Parlement national est élu tous les cinq ans et nomme le Premier ministre. Environ un tiers de la population, dont la majorité est protestante et travaille dans l'agriculture, ne sait ni lire ni écrire. Les Chinois et les Européens forment des minorités. 40 % de la population a moins de 15 ans.

Nouvelle-Zélande — Station météorologique Dunedin — Altitude 2 m. Situation 45°55'S/170°31'E

CLIMAT		Janv	Fév	Mars	Avril	Mai	Juin	Juil	Août	Sept	Oct	Nov	Déc
	🌡	14,9	15,1	13,6	11,6	8,9	6,8	6,4	7,3	9,4	11,2	12,8	13,9
	🌡	34,4	33,5	29,4	29,4	24,9	20,8	19,4	21,1	25,0	28,3	30,0	31,1
	🌡	2,1	2,8	1,1	-1,2	-2,2	-4,4	-5,0	-3,9	-1,7	-1,1	0	1,7
	☀	7,5	7	6,1	5	3,8	3,5	3,5	4,5	5,7	5,9	6,6	7,2
	☂	14	12	13	13	13	14	14	12	12	14	15	16

Station météorologique Wellington — Altitude 126 m. Situation 41°17'S/174°46'E

CLIMAT		Janv	Fév	Mars	Avril	Mai	Juin	Juil	Août	Sept	Oct	Nov	Déc
	🌡	16,2	16,4	15,4	13,5	10,9	8,8	8,8	10,2	10,2	11,7	13,3	15,1
	🌡	20,6	20,6	19,4	17,2	14,4	12,8	11,7	12,2	13,9	15,6	17,2	16,1
	🌡	13,3	13,3	12,2	10,6	8,3	6,7	5,6	6,1	7,8	8,9	10,0	12,2
	☀	7	6	6	5	4	3	4	5	6	7	7	7
	☂	10	9	11	13	16	17	18	17	15	14	13	12
	≈	17	18	18	17	14	14	13	13	12	14	14	17

Belau/Palaos — Station météorologique Ponape (Micronésie) — Altitude 37 m. Situation 06°58'S/158°13'E

CLIMAT		Janv	Fév	Mars	Avril	Mai	Juin	Juil	Août	Sept	Oct	Nov	Déc
	🌡	27,2	27,2	27,2	27,3	27,3	27,1	26,9	26,9	26,9	26,9	27,1	27,2
	🌡	30,2	30,3	30,6	30,7	30,8	30,8	30,9	31,0	31,1	31,1	31,1	30,6
	🌡	24,1	24,2	24,1	23,9	23,8	23,4	22,8	22,7	22,6	22,7	23,0	23,8
	☀	3,4	4,4	5,2	5,9	5,1	5,0	5,2	5,3	5,0	4,4	4,4	3,7
	☂	19	16	20	21	25	25	24	25	22	23	22	21
	≈	27	27	27	27	27	27	26	26	26	27	27	27

Papouasie-Nouvelle-Guinée — Station météorologique Madang — Altitude 6 m. Situation 05°14'S/145°45'E

CLIMAT		Janv	Fév	Mars	Avril	Mai	Juin	Juil	Août	Sept	Oct	Nov	Déc
	🌡	27,3	27,0	27,3	27,2	27,5	27,2	27,2	27,2	27,2	27,5	27,5	27,5
	🌡	30,6	30,0	30,6	31,1	31,1	31,1	31,1	31,1	31,1	31,1	31,1	31,1
	🌡	23,9	23,9	23,3	23,3	23,9	23,3	23,3	23,3	23,3	23,9	23,9	23,9
	☀	5	4	5	6	7	7	7	7	7	7	5	5
	☂	15	14	17	16	15	10	10	8	9	10	12	16

Samoa ouest — Station météorologique Āpia — Altitude 2 m. Situation 13°48'S/171°46'O

CLIMAT		Janv	Fév	Mars	Avril	Mai	Juin	Juil	Août	Sept	Oct	Nov	Déc
	🌡	32,8	33,3	35,6	33,9	33,3	32,2	32,8	32,2	33,3	33,9	33,9	32,8
	🌡	30,0	30,2	30,0	30,1	29,9	29,6	29,2	29,2	29,7	29,5	29,8	29,9
	🌡	26,8	27,0	26,8	26,7	26,5	26,3	25,9	25,9	26,3	26,3	26,5	26,7
	☀	6	6	6	7	7	7	8	8	7	7	6	6
	☂	22	19	20	16	15	14	13	11	13	17	14	20
	≈	28	28	28	28	28	27	27	27	27	28	28	28

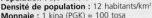

Économie : l'exploitation des mines de cuivre de l'île de Bougainville et l'exportation du minerai sont essentielles pour l'économie d'un État dont la dette extérieure se monte à environ la moitié du P.N.B. Mais l'extraction du minerai et ses déchets, sur Ok Tedi, notamment, pose un problème écologique croissant.

Histoire : le peuplement par les ancêtres des Papous débute il y a plus de 30 000 ans, suivi de l'arrivée de Mélanésiens et de Polynésiens vers 3000 av. J.-C. Des navigateurs européens explorent la région à partir du xvie siècle. En 1884, une partie de l'est de la Nouvelle-Guinée et de l'archipel Bismarck devient colonie allemande tandis que la région située entre le 141e degré de longitude et la Fly River devient colonie britannique sous le nom de Papouasie. Après la Première Guerre mondiale, les deux zones passent sous mandat australien jusqu'à leur indépendance, en 1975.

Géographie : près des trois quarts de l'archipel, situé dans une zone tectonique active, sont couverts de forêt. Des volcans enneigés, dont certains sont éteints, forment l'épine dorsale de l'île principale située entre la mer de Corail et la mer de Bismarck et bordée des plaines alluviales du Sepik et de la Fly River. La faune compte des casoars à casque, oiseaux qui ne volent pas, des oiseaux de paradis, ainsi que des kangourous arboricoles noirs et gris. Le plus haut sommet est le mont Wilhelm (4 509 m) dans la chaîne de Bismark.

Samoa (WS)

SAMOA
Capitale : Apia (île Upolu)
Situation : 13° – 14° S ; 171° – 174° O
Superficie : 2 831 km²
(Surface maritime env. 237 169 km²)
Population : 177 000
Densité de population : 63 habitants/km²
Monnaie : 1 tala (WST) = 100 sene
Langues : anglais, samoan

Politique et population : dans cette monarchie parlementaire, 47 membres du Parlement sont élus par les hommes et 2 seulement sont élus au suffrage universel, pour un mandat de cinq ans. Les Européens et les Chinois forment une minorité dans une population à 90 % polynésienne et dont les trois quarts vivent sur l'île d'Upolu. Environ 40 000 Samoans habitent sur l'île du Nord de la Nouvelle-Zélande. L'habitat ouvert (fale), la communauté et le conseil villageois sont des vestiges du mode de vie traditionnel.

Économie : l'Australie et la Nouvelle-Zélande sont les principaux partenaires commerciaux des Samoa pour les produits agricoles (coprah, cacao et bois), mais également les créanciers de cet État lourdement endetté. La population vit essentiellement de l'agriculture, qui représente 43 % du P.N.B.

Histoire : les Samoa et la légendaire île d'Hawaiki, seraient le berceau de la Polynésie. Leur découverte par Jacob Roggeveen, en 1722, est suivie un siècle plus tard par l'arrivée de missionnaires. Au milieu du xixe siècle y sont établies des sociétés commerciales allemandes employant principalement des coolies chinois dans leurs plantations. En 1899, les États-Unis, la Grande-Bretagne et l'Allemagne se partagent l'archipel. La partie allemande passe sous mandat néo-zélandais (1914-1962). Dans les années 1920 et 1930 apparaît un mouvement de résistance contre la domination coloniale, le mouvement des Mau. Placées sous la tutelle de l'ONU après 1945, les Samoa occidentales obtiennent leur indépendance en 1962.

Géographie : les îles sont essentiellement d'origine volcanique. Sur l'île de Savai'i culmine le mont Silisili (1 858 m). L'avifaune se distingue par la présence de pigeons au bec denté qui, comme les perroquets, saisissent des noix entre leurs pattes et cassent les coques très dures avec leur bec.

1 Bay of Islands, en Nouvelle-Zélande, est un lieu de villégiature très prisé.

2 Les petites îles inhabitées sont nombreuses dans l'océan Pacifique.

3 Les femmes de Papouasie-Nouvelle Guinée continuent de transporter les fruits sur leur tête, à la manière traditionnelle. Ici, une femme du village de Kabiuka.

4 Cet îlot se trouve au large de l'archipel de Vava'u, au nord des Tonga.

Samoa   191

Solomon Islands (SOL)

ÎLES SALOMON
Capitale : Honiara
Situation : 4° – 13° S ; 155° – 170° E
Superficie : 28 896 km²
(Surface maritime : env. 1,1 million de km²)
Population : 482 000
Densité de population : 17 habitants/km²
Monnaie : 1 dollar salomonais (SBD) = 100 cents
Langues : anglais (officielle), pidgin anglais, env. 80 langues mélanésiennes et polynésiennes

Politique et population : cette monarchie parlementaire qui depuis sa découverte en 1568 doit son nom au roi biblique, est membre du Commonwealth et du Forum du Pacifique Sud. Près de 95 % de la population sont mélanésiens mais sur les îles Rennell et Bellona vivent des Polynésiens. Malgré la christianisation, la vie de ces anciens coupeurs de têtes redoutés demeure marquée par la magie et une religion messianique, le « culte du cargo », censé apporter richesse et gloire. Deux tiers des habitants sont mineurs et 40 % analphabètes.
Économie : grâce à l'exploitation croissante de la forêt tropicale, les Salomonais, l'un des peuples les plus pauvres d'Océanie, ont réussi à stabiliser leur situation économique. L'économie de subsistance prédomine et le poisson, le bois et l'huile de palme sont essentiellement exportés au Japon. Du pétrole a été découvert en 1992.
Histoire et culture : des fouilles réalisées sur Guadalcanal ont prouvé que ces îles ont été peuplées entre 1500 et 1300 av. J.-C. Aux Espagnols qui les découvrent en 1568 succèdent les Hollandais, les Anglais, puis les Français au XVIIIᵉ siècle. À la fin du XIXᵉ siècle, sous protectorat britannique, 30 000 indigènes sont envoyés de force dans les plantations australiennes. Au cours de la Seconde Guerre mondiale, les îles sont le théâtre de batailles entre forces navales japonaise et américano-australienne. En 1978, elles deviennent indépendantes et, en 1987, sont dénucléarisées. La magie et le culte des ancêtres influencent encore la vie quotidienne des insulaires, qui étaient autrefois taxés de cannibalisme, bien que des conflits se terminant par une chasse à l'homme. L'artisanat local consiste notamment en masques, bâtons de guerre et sculptures en bois.
Géographie : les îles principales volcaniques et de nombreux atolls, à l'ouest du bassin mélanésien, bénéficient d'un climat équatorial. La faune typique des îles compte des cuscus (phalangers), des scinques à queue préhensile, des dauphins et des dugongs.

Tonga (TO)

TONGA
Capitale : Nuku'alofa
Situation : 14° – 23° S ; 170 ° – 177° O
Superficie : 747 km²
(Surface maritime : 599 253 km²)
Population : 114 000
Densité de population : 153 habitants/km²
Monnaie : 1 pa'anga (TOP) = 100 seniti
Langues : tongan, anglais

Politique et population : le pouvoir politique de cette monarchie constitutionnelle est entre les mains d'un monarque, de ministres qu'il nomme et de nobles. Seuls 9 des 30 députés sont élus. L'obligation du repos dominical et de la fréquentation des églises est l'expression de la grande religiosité d'une population d'origine polynésienne, qui appartient en majorité à l'Église méthodiste et à la Free Church of Tonga.
Économie : l'agriculture (taro, patate douce, cocotier, vanille et courge) et le tourisme sont les principaux secteurs d'activité. Les Tonga dépendent de l'aide financière de la Nouvelle-Zélande, de l'Australie et de la Grande-Bretagne, ainsi que des devises envoyées par les quelque 30 000 ressortissants tonguiens vivant à l'étranger.
Histoire : le peuplement des îles Tonga débute il y a environ 3 000 ans. Les premiers navigateurs débarquent en 1616, suivis d'autres comme Abel Tasman, James Cook et le capitaine Bligh sur le célèbre Bounty. À la fin du XVIIIᵉ siècle commence une phase de conversion massive par les missionnaires méthodistes. Après les guerres du XIXᵉ siècle, les Tonga passent sous protectorat britannique en 1900 et obtiennent leur indépendance en 1970.
Géographie : les trois principaux groupes d'îles sont la partie émergée de montagnes parallèles à la fosse des Tonga, profonde de 10 000 m : ils sont en partie d'origine volcanique. Sous ce climat tropical, la végétation se compose de forêts pluviales, mais également de cocotiers et de pandanus. Le récif d'Hakauma-mo, très prisé des plongeurs, est l'une des cinq zones marines naturelles protégées.

Tuvalu (TUV)

TUVALU
Capitale : Funafuti
Situation : 3° – 13° S ; 173° – 180° E
Superficie : 26 km²
(Surface maritime : 1,3 million km²)
Population : 11 000
Densité de population : 423 habitants/km²
Monnaie : 1 dollar australien (AUD) = 100 cents
Langues : tuvaluan (dialecte polynésien), anglais

Politique et population : la politique de cette monarchie parlementaire membre du Commonwealth est conduite par les chefs de lignage. Le chef de l'État – souverain britannique – est représenté par un gouverneur général autochtone. Les Tuvaluans sont presque exclusivement d'origine polynésienne et sont membres de l'Église de Tuvalu, protestante.
Économie : n'ayant ni ressources minières ni sources d'énergie fossiles, le Tuvalu dépend de l'aide internationale. Ses principaux partenaires commerciaux, la Grande-Bretagne, la Nouvelle-Zélande et l'Australie, lui fournissent combustibles, produits alimentaires et produits semi-finis. Les recettes provenant de la vente des droits de pêche à la Corée, à Taiwan et au Japon, mais également de la vente du nom de domaine Internet (abréviation pays) de Tuvalu à une entreprise canadienne sont importantes.
Histoire : de 300 à 500 av. J.-C. arrivent à Tuvalu des Polynésiens originaires des Samoa et des Tonga. L'île est découverte par des navigateurs espagnols en 1588. Le commerce du coprah et de l'huile de noix de coco amène sur l'atoll de Nukalaelae des représentants de

Îles Salomon — Station météorologique Madang (Papouasie-Nouvelle Guinée)
Altitude 6 m. Situation 05°14'S/145°45'E

CLIMAT		Janv	Fév	Mars	Avril	Mai	Juin	Juil	Août	Sept	Oct	Nov	Déc
		27,3	27,0	27,3	27,2	27,5	27,2	27,2	27,2	27,2	27,5	27,5	27,5
		30,6	30,0	30,6	31,1	31,1	31,1	31,1	31,1	31,1	31,1	31,1	31,1
		23,9	23,9	23,3	23,3	23,9	23,3	23,3	23,3	23,3	23,9	23,9	23,9
		5	4	5	6	7	7	7	7	7	7	7	5
		15	14	17	16	15	10	10	8	9	10	12	16

Tonga — Station météorologique Suva (Fidji)
Altitude 6 m. Situation 18°08'S/178°26'E

CLIMAT		Janv	Fév	Mars	Avril	Mai	Juin	Juil	Août	Sept	Oct	Nov	Déc
		26,7	26,7	26,7	25,8	24,7	23,6	23,0	23,0	23,6	24,2	25,0	26,1
		30,0	30,0	30,0	28,9	27,8	26,7	26,1	26,1	26,7	27,2	28,3	29,4
		23,3	23,3	23,3	22,8	21,7	20,6	20,0	20,0	20,6	21,1	21,7	22,8
		6	6	6	5	4	4	5	4	5	5	5	7
		18	18	21	19	16	13	14	15	16	15	15	18
		28	28	27	27	27	27	27	26	25	26	27	27

Tuvalu — Station météorologique voir Madang (Papouasie-Nouvelle Guinée)

Vanuatu — Station météorologique voir Suva (Fidji)

la société hambourgeoise Godeffroy, qui y établit des plantations entre 1865 et 1890. Jusqu'à l'indépendance, en 1978, l'archipel est une colonie britannique. **Géographie** : au centre d'une superficie océanique lui appartenant, Tuvalu se compose des neuf atolls de l'archipel des îles Ellis, dont aucune ne dépasse 5 m d'altitude. Sur les sols calcaires pauvres poussent des cocotiers, des pandanus, des taros et des arbres à pain. Le nom *Tuvalu* signifie « 8 atolls » en polynésien, le 9ᵉ étant inhabité. Le problème écologique majeur est la montée des eaux car l'archipel pourrait être submergé dès la moitié du XXIᵉ siècle.

Vanuatu (VU)

VANUATU
Capitale : Port-Vila
Situation : 13° – 21° S ;
166° – 171° E
Superficie : 12 189 km²
(Surface maritime : 687 811 km²)
Population : 213 000
Densité de population : 17 habitants/km²
Monnaie : 1 vatu (VUV) = 100 centimes
Langues : anglais, français, bichlamar
(pidgin anglais)

Politique et population : cette république insulaire est dotée d'un parlement de 52 membres élus pour quatre ans, mais les conseils de gouvernement locaux ont toute leur importance. 98 % de la population sont Mélanésiens d'origine, auxquels s'ajoutent 5 000 Européens. Le christianisme côtoie le « culte du cargo ». Sur l'île de Pentecôte, le saut du Gaul du haut d'une tour végétale, les chevilles attachées par des lianes, est un rite initiatique pour les jeunes hommes.
Économie : près des deux tiers de la population active travaillent dans l'agriculture. Le coprah, la viande de bœuf, le café et le cacao sont les principaux produits exportés vers le Japon et l'Australie, d'où sont importés des machines et des produits semi-finis.
Histoire : habité depuis environ 1000 av. J.-C., l'archipel est visité par des navigateurs espagnols, puis conquis pour la Couronne britannique par James Cook qui le rebaptise Nouvelles-Hébrides. Après avoir été exploitées pour leur bois de santal, les îles alimentent le marché des esclaves de 1864 à 1904 : les captifs sont envoyés dans les plantations de coton et de canne à sucre du Queensland, en Australie. De 1906 à 1980, l'archipel est un condominium franco-anglais. Malgré une tentative de sécession d'Espiritu Santo, principalement menée par des colons d'origine française, le pays obtient son indépendance en 1980.
Géographie : les plus septentrionales de ces 82 îles de la mer de Corail jouissent d'un climat humide et chaud et sont couvertes de forêts pluviales, tandis que celles du sud distantes de 800 km, ont des forêts sèches. Certains de leurs volcans sont encore actifs, dont celui de Tana. L'île la plus grande est Espiritu Santo, suivie de Mallicolo puis de Éfaté avec la capitale. La récurrence des séismes et des petites éruptions volcaniques atteste la fragilité tectonique de l'archipel. Le plus haut sommet est le Tabwemasana (1 879 m) sur Espiritu Santo.

1 Danseurs indigènes sur Bunlap (Vanuatu). Les femmes se reconnaissent à leurs jupes claires.

2 Ce bâtiment en bois de style victorien, palais de la famille royale des Tonga, a été fabriqué en Nouvelle-Zélande et est entouré de pins de Norfolk. Les visiteurs étrangers ne peuvent l'admirer que de loin.

3 Village de vacances sur Éfaté (Vanuatu), au bord du lac Erakor.

4 Le mode de vie des habitants de l'île de Tongatapu est de plus en plus marqué par l'influence occidentale. Sur le marché de la capitale Nuku'alofa, légumes et poissons abondent.

5 Les eaux entourant Tuvalu sont idéales pour la navigation de plaisance. L'eau est cristalline et les vents sont très favorables. Tuvalu est l'un des États de l'hémisphère Sud les plus menacés par l'élévation du niveau des mers dû à l'effet de serre.

L'empreinte de la colonisation

Si le nord du continent a pu conserver une relative spécificité en raison de son intégration précoce dans la zone d'influence arabe, l'Afrique noire, en revanche, a été partagée au XIXᵉ siècle entre les grandes puissances coloniales européennes. Le tracé arbitraire de nouvelles frontières a eu pour effet de geler les conflits traditionnels entre les tribus. L'héritage colonial s'exprime également par la domination d'une économie vouée à la seule exportation de matières premières et de produits agricoles.

Al-Djazaïr / Algérie (DZ)

ALGÉRIE
Capitale : Al-Djazaïr (Alger)
Situation : 19° – 37°N ; 9° O – 12° E
Superficie : 2 381 741 km²
Population : 22 millions
Densité de population : 13 hab./km²
Monnaie : 1 dinar algérien (DZD) = 100 centimes
Langues : arabe (officielle), français, dialectes berbères

Politique et population : depuis le 9 février 1992, les activités terroriste du mouvement fondamentaliste du Front islamique de Salut (FIS), ont plongé l'Algérie dans la guerre civile. Plus de 100 000 personnes ont déjà trouvé la mort. Le référendum sur la « réconciliation nationale » organisé par le président Bouteflika (septembre 1999) a obtenu une majorité écrasante de « oui ». Réélu en 2004, le président Bouteflika veut démocratiser le pays. Les Berbères – regroupant entre autres les Kabyles, les Mozabites et les Touareg – constituent une importante minorité au sein d'une population majoritairement arabe. La moitié des habitants vit dans les villes principalement concentrées sur la côte. La religion d'État est l'islam. Deux cinquièmes des Algériens ne savent ni lire ni écrire ; le travail des enfants étant très répandu, les jeunes ne sont que brièvement ou pas du tout scolarisés.
Économie : l'économie algérienne repose essentiellement sur le pétrole et le gaz. La métallurgie et la sidérurgie, ainsi que les industries alimentaires et textiles contribuent notablement au PIB. Un quart de la population active travaille dans le secteur agricole, qui ne fournit que 10 % du PIB.
Communications : le long de la côte, le réseau routier est plutôt dense ; toutefois, sur les 100 000 km de routes, 70 % seulement sont asphaltées. Le chemin de fer relie les villes côtières avec quelques lignes vers l'intérieur.
Histoire et culture : le pays est habité par les Berbères dès la préhistoire. Au IIIᵉ siècle av. J.-C., Massinissa fonde le royaume de Numidie qui devient ensuite province romaine (46 av. J.C.). Elle connaît un réel développement. En 430 apr. J.-C., la région passe sous le contrôle des Vandales puis des Byzantins en 534. Les Arabes y apportent l'islam (702-709). À partir de 1554, l'Algérie devient une province ottomane et le restera pendant 300 ans. Les Français s'y établissent en 1830 et à partir de 1870, de nombreux colons s'installent. En 1954, naissance du Front de libération national (FLN) qui lutte pour l'indépendance. Au terme d'une guerre de huit ans, le président Ahmed Ben Bella peut former le premier gouvernement de l'Algérie indépendante en 1962. La Constitution de 1989 autorise les partis d'opposition. Aux élections de 1991, le FIS obtient une victoire écrasante qui décide le gouvernement à annuler les élections et à déclarer l'état d'urgence. Cette décision lance le FIS sur la voie du terrorisme. Fin 1993, il ordonne à tous les étrangers de quitter le pays. À la fin du délai imparti, 26 étrangers sont assassinés par les militants islamistes en quelques semaines. L'islam est le fondement de la culture algérienne. La scène littéraire s'articule en français et en arabe, ainsi qu'en différents dialectes berbères.
Géographie : le désert du Sahara avec les monts du Hoggar et du Tassili, culminant à 3 000 m, s'étend dans tout le sud du pays, tandis que le nord est dominé par la double chaîne de l'Atlas qui s'étend d'ouest en est et détermine un couloir de hautes plaines intérieures parsemées de lacs salés, les chotts. 80 % des terres algériennes sont nues, seule la Kabylie est boisée. Le climat côtier est méditerranéen, tandis que la région de l'Atlas connaît une nuance continentale avec des étés chauds et des hivers froids. Le sud est soumis à un climat aride avec de grands écarts de température entre le jour et la nuit.

Al-Maghrib / Maroc (MA)

MAROC
Capitale : Ar-Ribat (Rabat)
Situation : 23° – 36° N ; 1° – 16° O
Superficie : 446 550 km²
Population : 29,6 millions
Densité de population : 66 hab./km²
Monnaie : 1 dirham (MAD) = 100 cent.
Langues : arabe (officielle), français, espagnol, dialectes berbères

Politique et population : le chef spirituel et temporel du Maroc est le roi qui nomme les ministres, édicte les lois, autorise les référendums, décrète l'état d'urgence et peut dissoudre le Parlement. Environ 30 % des Marocains sont berbères, 20 % arabes, et 50 % des Berbères arabisés. La religion d'État est l'islam.
Économie : plus d'un tiers de la population active travaille dans le secteur agricole qui ne représente qu'un sixième du PIB. L'industrie y contribue pour un tiers, tandis que les services en représentent la moitié. Le Maroc possède les plus grandes réserves de phosphates du monde. Le tourisme est une activité importante, avec env. 3 millions de visiteurs par an, européens pour la plupart.
Histoire : au VIIᵉ siècle, les Arabes musulmans conquièrent le Maroc et repoussent les Berbères dans les régions les plus inaccessibles. Plusieurs dynasties se succèdent à la tête du pays au cours des siècles suivants. À la fin du XIXᵉ et au début du XXᵉ siècle, l'Allemagne puis la France tentent de prendre le contrôle du Maroc ; le pays devient protectorat français en 1912, sauf le nord, province espagnole. Le Maroc est indépendant depuis 1956. Le référendum sur l'avenir du Sahara occidental a été repoussé à une date indéterminée.
Géographie : la chaîne du Rif court le long de la côte méditerranéenne. Au sud du Rif s'étirent les trois chaînes de l'Atlas qui dominent les plaines du littoral. Le Sud appartient au Sahara. Le climat est méditerranéen au nord, continental au centre, désertique au sud. La côte atlantique est relativement humide.

Algérie

Station météorologique Alger
Altitude 60 m. Situation 36°46'N/03°03'E

	Janv	Fév	Mars	Avril	Mai	Juin	Juil	Août	Sept	Oct	Nov	Déc
	12,2	12,6	13,8	16,0	18,5	22,1	24,3	25,2	23,2	20,0	16,7	13,9
	15,0	16,0	17,0	20,0	23,0	27,0	28,0	29,0	27,0	23,0	19,0	16,0
	9,0	9,0	11,0	13,0	15,0	18,0	21,0	22,0	21,0	17,0	13,0	11,0
○	5	6	7	8	10	10,0	11	10	9	6	5	5
↑	11	9	5	5	2	<1	<1		4	7	11	12
≈	15	14	15	15	17	20	23	24	23	21	18	16

Station météorologique Tamanrasset
Altitude 1405 m. Situation 22°42'N/05°31'E

	Janv	Fév	Mars	Avril	Mai	Juin	Juil	Août	Sept	Oct	Nov	Déc
	12,0	13,9	17,5	21,6	25,3	28,3	28,3	27,8	26,1	22,5	18,0	13,6
	26,0	28,0	32,0	36,0	38,0	38,0	39,0	38,0	37,0	34,0	30,0	27,0
	-7,0	-4,0	0	3,0	4,0	15,0	17,0	17,0	14,0	8,0	-1,0	-3,0
○	9,2	9	10,4	10,4	10,4	10	10,4	10,3	8,5	9	9	7,9
↑	1	1	1	1	3	2	3	3		2	1	1

Maroc

Station météorologique Agadir
Altitude 48 m. Situation 30°23'N/09°34'O

	Janv	Fév	Mars	Avril	Mai	Juin	Juil	Août	Sept	Oct	Nov	Déc
	13,8	13,8	16,7	18,0	19,3	20,8	22,1	22,5	22,1	20,5	18,1	14,5
	20,0	22,0	22,0	22,0	24,0	24,0	26,0	27,0	27,0	26,0	23,0	20,0
	9,0	9,0	11,0	12,0	15,0	16,0	18,0	18,0	17,0	15,0	12,0	8,0
○	8	8	9	10	10	10	9	9	8	8	8	7
↑	5	4	5	3	2	1	0	<1	1	4	4	6
≈	17	17	18	18	19	19	22	22	22	22	21	18

Al-Misr / Egypt (ET)

ÉGYPTE
Capitale : Al-Qahirah (Le Caire)
Situation : 22° – 32° N ; 25° – 36° E
Superficie : 1 001 449 km²
(zones agricoles : 35 580 km²)
Population : 78 millions
Densité de population : 70 hab./km²
(zones agricoles : 1558 hab./km²)
Monnaie : 1 livre égyptienne (EGP) = 100 piastres
Langues : arabe, anglais

Politique : d'après la Constitution de 1971 (amendée en 1980), l'Égypte est une république présidentielle. Le président, élu pour six ans, dispose de pouvoirs importants. L'Assemblée populaire compte 454 membres dont 444 sont élus pour cinq ans, tandis que les dix autres sont nommés par le président pour la même période. Une seconde assemblée consultative, la Choura, comprend 210 membres dont 57 sont nommés par le chef de l'État. Administrativement, l'Égypte est divisée en 26 gouvernorats.

Population : avec une croissance démographique de 2 %, la population augmente de plus de 1 million de personnes par an, ce qui pose de sérieux problèmes au pays. D'un point de vue ethnique, les habitants de l'Égypte constituent un groupe homogène qui a subi, au cours des millénaires, l'influence des Phéniciens, des Grecs, des Romains, des Perses, des Turcs, des Anglais et des Français. Neuf dixièmes des Égyptiens sont musulmans ; les coptes chrétiens forment le second grand groupe religieux. Quelque 80 000 Bédouins vivent encore dans le désert et près de 100 000 Nubiens vivent essentiellement dans le sud du pays. Le travail des enfants étant très répandu en Égypte, le taux d'analphabétisme est de 50 % en dépit d'un système scolaire satisfaisant. L'Égypte possède les meilleures universités du monde arabe, et attire de nombreux étudiants des pays voisins.

Économie : tandis que l'économie des années 1960 et 1970 était essentiellement étatisée, le gouvernement réagit aujourd'hui avec souplesse aux initiatives privées. L'industrie – métallurgie, biens d'équipement, automobile, biens de consommation, textile – fournit un quart du PIB, en comptant l'exportation du pétrole. Bien qu'un tiers des actifs du pays travaillent dans le secteur agricole, ils ne produisent que 18 % des revenus. La culture la plus importante est le coton. Le tourisme apporte des devises étrangères mais cette activité est en recul depuis les attaques des groupes fondamentalistes sur les visiteurs étrangers.

Communications : le réseau routier est globalement bien développé (500 000 km, recouvert à 80 %). Le réseau ferré (8 831 km) est le plus ancien d'Afrique. Le canal de Suez (190 km) est aussi important pour la navigation mondiale que pour l'économie égyptienne, puisqu'il rapporte au pays environ 2 milliards de dollars par an de droits de péage.

Médias : la population a le choix entre 17 quotidiens, dont le tirage global atteint environ 4 millions d'exemplaires. Radio et télévision sont contrôlées par l'État.

Histoire : les pharaons de l'Ancien Empire (2720-2300 av. J.-C.) font construire les trois grandes pyramides de Gizeh. Le pharaon Mentouhotep unifie le pays et fonde le Moyen Empire (2065-1785 av. J.-C.) centré sur le culte d'Osiris à Abydos. Ahmosis est le fondateur du Nouvel Empire (1580-1085 av. J.-C.) au cours duquel Akhenaton introduit le culte du dieu solaire unique Aton vers – 1360, fondant ainsi la première religion monothéiste de l'histoire de l'humanité. Les pharaons sont enterrés dans les somptueux tombeaux de la vallée des Rois, près de Louxor. Les dominations étrangères – libyenne, assyrienne et perse – débutent à partir de 950 av. J.-C. Avec la conquête romaine (31 av. J.-C.), le pays du Nil devient le « grenier à blé » de Rome. Le christianisme s'étend au IIIᵉ siècle ; en 395, le pays tombe aux mains des Byzantins. La conquête arabe en 639 marque le début de l'islamisation. Pendant les croisades, le sultan d'Égypte Saladin, fondateur de la dynastie ayyubide, réussit plusieurs percées jusqu'en Palestine. En 1517, à l'apogée de leur puissance, les Ottomans conquièrent le pays et l'intègrent à leur Empire. L'époque coloniale débute en 1798 avec l'expédition de Bonaparte. En 1806, Méhémet Ali devient Pacha d'Égypte et modernise le pays par le biais de réformes en profondeur. Le canal de Suez est inauguré en 1869. À partir de 1882, le consul britannique devient le véritable maître de l'État égyptien. L'Égypte retrouve son indépendance en 1922. Toutefois, la Grande-Bretagne garde le contrôle du canal de Suez. En 1952, les troupes de Gamal Abdel Nasser destituent le roi Farouk et proclament la République. Nasser en devient le président en 1956. Il nationalise le canal de Suez la même année. Après deux guerres avec Israël en 1967 et en 1973, la paix est signée en 1979. Depuis l'assassinat du président Anouar el-Sadate en 1981, l'influence des groupes fondamentalistes a pris de l'ampleur et on observe une tendance à la réislamisation du pays. En 2005, le président Hosni Moubarak a été réélu pour un cinquième mandat. L'état d'urgence instauré en 1981 pour lutter contre le fondamentalisme islamique est toujours en vigueur.

Culture : l'antique civilisation pharaonique a été entièrement recouverte par les valeurs culturelles de l'islam. L'Égypte possède une longue tradition cinématographique et produit aujourd'hui des films pour l'ensemble des pays arabes. En 1988, l'écrivain Naguib Mahfouz reçoit le prix Nobel de littérature. L'opéra du Caire accueille des formations musicales du monde entier.

Géographie : l'Égypte est constituée à 96 % de déserts : le désert Libyque, à l'ouest du Nil, couvre les deux tiers du pays, le désert Arabique s'étend à l'est, prolongé par la presqu'île du Sinaï. Depuis les temps les plus reculés, la population se concentre dans le delta, qui atteint par endroits 250 km de large, et dans la vallée du Nil. Une partie de la Nubie égyptienne, ancien royaume du pays, est aujourd'hui recouverte par les eaux du lac Nasser. De coûteux projets d'aménagement dans le désert visent à étendre les terres cultivées. Le climat est subtropical aride dans tout le pays, hormis sur le littoral, un peu plus arrosé.

Egypte		Station météorologique Le Caire Altitude 95 m. Situation 30°08′N/31°34′E											
		Janv	Fév	Mars	Avril	Mai	Juin	Juil	Août	Sept	Oct	Nov	Déc
CLIMAT	🌡	13,3	14,7	17,5	21,1	25,0	27,5	28,3	28,3	26,1	24,1	20,0	15,0
	🌡	19,0	21,0	24,0	28,0	33,0	35,0	35,0	35,0	32,0	30,0	26,0	21,0
	🌡	9,0	9,0	11,0	14,0	18,0	20,0	22,0	22,0	20,0	18,0	14,0	10,0
	☼	7	7	9	10	11	13	13	12	11	10	8	7
	☂	3	2	2	<1	<1	0	0	0	0	0<1	<1	3

		Station météorologique Dakhla Altitude 110 m. Situation 25°29′N/29°00′E											
		Janv	Fév	Mars	Avril	Mai	Juin	Juil	Août	Sept	Oct	Nov	Déc
CLIMAT	🌡	11,9	13,9	18,1	23,2	28,4	30,4	30,8	30,5	27,7	24,6	18,9	13,6
	🌡	36,0	39,0	43,0	47,0	48,0	50,0	49,0	46,0	44,0	44,0	42,0	35,0
	🌡	-3,0	-4,0	0	2,0	7,0	13,0	16,0	16,0	11,0	8,0	2,0	-3,0
	☼	9,5	10	10,1	10,5	11,5	12,2	12,3	12,1	11,2	10,6	10	9,3
	☂	0	1	0	0	1	0	0	0	0	0	0	1

Angola		Station météorologique Luanda Altitude 45 m. Situation 08°49′S/13°13′E											
		Janv	Fév	Mars	Avril	Mai	Juin	Juil	Août	Sept	Oct	Nov	Déc
CLIMAT	🌡	25,6	26,3	26,5	26,2	24,8	21,9	20,1	20,1	21,6	23,6	24,9	25,3
	🌡	30,0	31,0	31,0	31,0	29,0	27,0	24,0	24,0	26,0	28,0	29	30,0
	🌡	24,0	24,0	24,0	24,0	23,0	20,0	18,0	18,0	20,0	22,0	23	23,0
	☼	7	7	7	7	8	7	6	5	5	5	7	7
	☂	2	3	7	7	2	0	0	<1	1	2	3	3

Angola (ANG)

ANGOLA
Capitale : Luanda
Situation : 5° – 18° S ; 12° – 24° E
Superficie : 1 246 700 km²
Population : 15,9 millions
Densité de population : 13 hab./km²
Monnaie : 1 nouveau Kwanza (AOK) = 100 iwei
Langues : portugais (officielle), dialectes bantous

Politique et population : une grande partie de la République socialiste angolaise dépend de l'ancien mouvement de libération MPLA. Le reste du pays est contrôlé par les combattants de l'UNITA. Après les premières élections libres (1992) depuis l'indépendance, il n'a pas été possible de réunir ces deux partis rivaux au sein d'une coalition gouvernementale. Début 1999, le secrétaire général de l'ONU a dû déclarer que le processus de paix était un échec. Le conflit tourne surtout autour des provinces du nord riches en matières premières. La population se compose essentiellement d'une centaine de tribus bantoues majoritairement catholiques. Un quart est protestante.
Économie : minerais, pétrole et diamants constituent les sources de revenus et les produits d'exportation les plus importants de ce pays autrefois appelé la « perle de l'Afrique ». En raison des longues années de guerre civile, l'Angola est aujourd'hui au bord de la faillite.
Histoire : en 1483, l'explorateur Diego Cão jette l'ancre dans l'embouchure du Congo, posant la première pierre de la colonisation portugaise qui durera jusqu'au milieu du xxᵉ siècle. En 1961 débute une longue lutte pour l'indépendance à l'issue de laquelle le Portugal donne sa liberté au pays en 1975.
Géographie : l'Angola se caractérise par de hauts plateaux intérieurs (1 500 m). Au centre du pays, un bourrelet montagneux culmine à plus de 2 600 m. Vers l'est, les plateaux s'abaissent progressivement en direction des plaines du Congo et du Zambèze.

As-Sudan (SUD)

SOUDAN
Capitale : Al-Khurtum (Khartoum)
Situation : 4° – 23° N ; 22° – 38° E
Superficie : 2 505 813 km²
Population : 38 millions
Densité de population : 15 hab./km²
Monnaie : 1 dinar soudanais (SDD) = 100 piastres
Langues : arabe (officielle), anglais, dialectes nilotiques, hausa, ful, nubien

Politique et population : en 1998, pour la première fois depuis l'indépendance acquise en 1956, le Parlement vote une constitution garantissant, entre autres, la liberté de parole et de culte. Le nord du pays est essentiellement peuplé d'Arabes (40 à 50 %) et de Nubiens (10 %), tous musulmans, tandis que le sud est habité par des populations nilotiques (30 %) et des peuples noirs africains partiellement christianisés. En janvier 2005, un accord de paix a donné au sud du pays un régime d'autonomie pour six ans, à l'issue desquels un référendum d'autodétermination sera organisé.
Économie et communications : l'économie souffre terriblement des affrontements incessants. Les zones inondables fertiles comprises entre le Nil Blanc et le Nil Bleu produisent l'essentiel des produits d'exportation :

1 Oasis de Beni Isguen (Guardaïa) dans le Sahara algérien.

2 De nombreux nomades continuent d'utiliser les dromadaires. Les caravanes qui empruntent les itinéraires traditionnels sont toutefois concurrencées par le réseau routier.

3 Les berges des affluents de l'Uélé au Soudan sont très boisées.

4 Des ânes en quête de végétation éparse au pied des rochers spectaculaires du Tassili.

coton, arachide, sésame et millet. Environ 2 millions de nomades pratiquent l'élevage, en particulier dans l'ouest du pays. Un oléoduc terminé en 1999 permet au Soudan de recevoir des pétro-dollars. Ce pays riche en matières premières est pourtant l'un des plus pauvres de la planète. Le réseau routier y est insignifiant.

Histoire et culture : au début de son histoire, le Soudan vit sous l'influence de l'Égypte. Vers 1000 av. J.-C. s'établit le royaume indépendant de Méroé qui sera renversé au IVᵉ siècle apr. J.-C. par des conquérants chrétiens. Ce n'est qu'à la fin du XIIIᵉ siècle que des tribus arabes nomades venues du nord apportent l'islam au pays. Le peuple subsaharien des Fung, venu du sud, soumet le centre du Soudan au début du XVIᵉ siècle. À partir de 1820, l'Égypte puis la Grande-Bretagne imposent leur souveraineté qui sera interrompue quelques décennies plus tard (1881-1898) par la révolte du Mahdi. Le condominium anglo-égyptien prend fin en 1956 avec l'indépendance du pays. Peu après, les tribus chrétiennes du sud se soulèvent contre la suprématie islamo-arabe du nord. En 1973, l'islam est déclaré religion d'État. C'est entre autres l'introduction du droit islamique (la Charî'a) dans le sud chrétien qui relance la guerre civile en 1983. Elle prend fin en 2005 avec la signature d'un accord de paix qui instaure un « gouvernement d'union nationale » signé par des représentants du nord et du sud du pays.

Géographie : le gigantesque bassin versant du Nil est entouré par de hautes chaînes de montagnes. Au nord-est, les sommets dépassent 2 200 m avant de plonger vers la mer Rouge. Au sud, à la frontière avec l'Ouganda, ils approchent les 3 200 m. À l'ouest, les sommets basaltiques du Jebel Marra atteignent 3 088 m. Le Sudd, immense zone marécageuse, couvre une grande partie du sud du pays. Le Nil Blanc y serpente paresseusement à travers des kilomètres de papyrus, de jacinthes d'eau et de roseaux. Au confluent du Nil Blanc et du Nil Bleu, à Khartoum, s'étendent de vastes plaines argileuses. Au Soudan, tous les paysages végétaux de l'Afrique se succèdent du nord au sud, du désert saharien au nord-ouest à la forêt tropicale à l'extrême sud-ouest, en passant par les zones semi-désertiques et toutes les sortes de savanes d'un Sahel toujours menacé par la sécheresse.

Benin (DY)

BÉNIN
Capitale : Porto-Novo
Situation : 7° – 12° N ; 1° – 4° E
Superficie : 112 622 km²
Population : 7,9 millions
Densité de population : 70 hab./km²
Monnaie : 1 franc CFA (XOF) = 100 centimes
Langues : français (officielle), 60 autres langues

Politique et population : les premières élections libres basées sur la Constitution de 1990 ont eu lieu en 1991 dans la république du Bénin. Le président est élu pour 5 ans, l'assemblée nationale pour 4 ans à la proportionnelle. Plus de 60 groupes ethniques vivent au Bénin, notamment les populations soudanaises majoritairement animistes. Néanmoins, catholiques (environ 20 %) et musulmans (16 %) forment de fortes minorités.

Économie : après une phase manquée d'étatisation au milieu des années 1970, la plus grande partie de l'économie a été privatisée. Outre l'exportation, le café, les huiles de palme et le coton alimentent aussi une petite industrie nationale. L'agriculture contribue à hauteur de 40 % environ au PNB.

Histoire : dès le XVIIᵉ siècle, différentes puissances européennes établissent des comptoirs commerciaux sur la côte. En 1894, la France occupe le Dahomey (ancien nom du Bénin). Depuis son indépendance en 1960, le Bénin est régulièrement la proie de luttes tribales entre « nordistes » et « sudistes ».

Géographie : la zone côtière sableuse se caractérise par de vastes marécages et des lagunes. Elle s'élève progressivement jusqu'à un vaste plateau cristallin précédé d'une plaine argileuse très fertile. Au nord-est, le massif Atakora surplombe le plateau cristallin, mais dépasse à peine 500 m. Vers l'est, ce dernier descend vers la vallée du Niger, tandis qu'au nord-ouest, il tombe brutalement vers les basses plaines de la Pendjari.

Botswana (RB)

BOTSWANA
Capitale : Gaborone
Situation : 18° – 27° S ; 20° – 29° E
Superficie : 581 730 km²
Population : 1,7 million
Densité de population : 3 hab./km²
Monnaie : 1 pula (BWP) = 100 thebe
Langues : anglais, tswana (officielles), autres dialectes bantous

Politique et population : la république du Botswana est membre du Commonwealth. Son président est élu au suffrage universel. Le Parlement comprend deux

Soudan — Station météorologique Port Soudan
Altitude 5 m. Situation 19°35'N/37°13'E

CLIMAT		Janv	Fév	Mars	Avril	Mai	Juin	Juil	Août	Sept	Oct	Nov	Déc
	🌡	23,6	23,3	24,3	26,8	29,7	32,4	34,3	34,3	32,7	29,4	27,4	25,3
	🌡	32,0	32,0	35,0	40,0	44,0	47,0	47,0	48,0	46,0	39,0	36,0	32,0
	🌡	10,0	12,0	13,0	14,0	17,0	20,0	22,0	21,0	22,0	20,0	18,0	14,0
	☀	6,9	8,2	9,1	10,4	10,9	10,3	9,9	9,6	10	9,9	8,3	7,6
	🌧	1	1	1	1	1	<1	1	<1	0	1	4	3

Station météorologique Khartoum
Altitude 380 m. Situation 15°36'N/33°32'E

CLIMAT		Janv	Fév	Mars	Avril	Mai	Juin	Juil	Août	Sept	Oct	Nov	Déc
	🌡	22,8	23,9	27,7	31,2	33,6	33,9	31,4	30,1	31,5	31,7	27,8	24,0
	🌡	32,0	34,0	37,0	40,0	42,0	42,0	38,0	36,0	38,0	40,0	36,0	33,0
	🌡	16,0	17,0	19,0	23,0	26,0	27,0	26,0	25,0	25,0	25,0	21,0	17,0
	☀	11	11	10	11	10	10	8	9	9	10	11	10
	🌧	0	0	0	<1	1	1	5	7	3	1	<1	0

Bénin — Station météorologique Cotonou
Altitude 10 m. Situation 06°21'N/02°26'E

CLIMAT		Janv	Fév	Mars	Avril	Mai	Juin	Juil	Août	Sept	Oct	Nov	Déc
	🌡	27,5	28,3	28,9	28,9	27,9	26,3	26,1	26,0	26,4	26,7	27,9	27,7
	🌡	29,0	30,0	30,0	30,0	29,0	27,0	27,0	27,0	27,0	28,0	29,0	29,0
	🌡	24,0	25,0	26,0	25,0	24,0	23,0	23,0	23,0	23,0	24,0	24,0	24,0
	☀	7	8	7	7	7	5	4	5	5	6	8	7
	🌧	2	2	5	8	11	13	6	4	7	10	6	2
	🌊	27	27	28	28	28	27	25	24	25	26	27	27

Botswana — Station météorologique Maun
Altitude 942 m. Situation 19°59'S/23°25'E

CLIMAT		Janv	Fév	Mars	Avril	Mai	Juin	Juil	Août	Sept	Oct	Nov	Déc
	🌡	25,2	24,7	23,9	22,2	18,5	15,6	15,3	18,1	22,9	26,2	26,4	25,6
	🌡	32,0	31,0	31,0	31,0	28,0	25,0	25,0	29,0	33,0	35,0	34,0	32,0
	🌡	19,0	19,0	17,0	14,0	10,0	6,0	6,0	9,0	13,0	18,0	19,0	19,0
	☀	8	7	8	9	10	10	10	11	11	9	9	7
	🌧	10	10	7	3	1	0	0	0	1	3	5	8

Burkina Faso — Station météorologique Ouagadougou
Altitude 0 m. Situation 12°22'N/01°315'O

CLIMAT		Janv	Fév	Mars	Avril	Mai	Juin	Juil	Août	Sept	Oct	Nov	Déc
	🌡	25,1	27,6	30,0	33,0	32,1	29,6	28,1	27,1	27,9	29,7	28,9	26,2
	🌡	33,0	37,0	40,0	39,0	38,0	36,0	33,0	31,0	32,0	35,0	36,0	35,0
	🌡	16,0	20,0	23,0	26,0	26,0	24,0	23,0	22,0	22,0	23,0	22,0	17,0
	☀	9	9	9	8	9	8	7	6	6	9	9	9
	🌧	<1	1	2	3	6	11	14	10	4	1	<1	

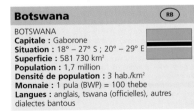

chambres réunissant, entre autres, les chefs des 8 tribus principales. La population, essentiellement bantoue (95 %), est concentrée dans l'est du pays. Au sud-ouest, dans le désert du Kalahari, vivent quelque 30 000 Bushmen. La moitié environ de la population est animiste.

Économie : de riches mines de diamants dans le désert du Kalahari ont fait du Botswana l'un des premiers fournisseurs mondiaux de diamants industriels et de joaillerie. D'autres minerais de valeur ainsi que du charbon, première source d'énergie du pays, sont extraits et exportés. Le second pilier économique du pays est l'élevage extensif de bovins, qui exporte une partie de sa production.

Histoire : exploré au XIXᵉ siècle par des missionnaires, le « Bechuanaland » devient un protectorat britannique en 1885. Il revêtait une importance stratégique en raison de sa frontière commune avec l'Afrique du Sud. Le pays obtient son indépendance en 1966.

Géographie : la majeure partie du pays est caractérisée par l'immense et monotone étendue des hautes terres du Kalahari, comprise entre 800 et 1 000 m. Seules quelques montagnes tabulaires, à l'est, atteignent 1 500 m d'altitude. À l'exception du Chobe au nord-est du Limpopo au sud-est et de l'Okavango au nord-ouest, les cours d'eau sont saisonniers. Au nord-ouest, le delta intérieur du fleuve Okavango et sa faune très riche sont un haut lieu touristique.

Burkina Faso (BF)

BURKINA FASO
Capitale : Ouagadougou
Situation : 9° – 15° N ; 6° O – 2° E
Superficie : 274 200 km²
Population : 13,4 millions
Densité de population : 49 hab./km²
Monnaie : 1 franc CFA (XOF) = 100 centimes
Langues : français (officielle), arabe, maure, mandé, foulfouldé

Politique et population : selon les termes de la constitution de 1960, le Burkina Faso est une république présidentielle. La population se compose de plus de 160 ethnies. Environ 40 % des habitants sont animistes et autant sont musulmans, les catholiques représentant une importante minorité (12 %).

Économie : les quatre cinquièmes de la population vivent de l'agriculture, régulièrement soumise à des périodes de sécheresse. À l'exception de l'or, aucune des richesses naturelles du pays n'est exploitée en raison de l'absence d'infrastructures. Le gouvernement favorise la diversification économique en promouvant un accroissement du tourisme et une moins grande dépendance de la culture du coton.

Histoire : pendant des siècles, les Mossis, le groupe ethnique dominant du pays, réussissent à repousser les envahisseurs. Au XIᵉ siècle, ils fondent les deux royaumes de Ouagadougou et du Yatenga. L'islam ne fait son apparition qu'au XVIIIᵉ siècle. En 1896, le Burkina, alors appelé Haute-Volta, devient une colonie française jusqu'à son indépendance en 1960.

Géographie : le relief du pays consiste essentiellement en bas plateaux de 250 à 350 m d'altitude, prolongeant la dorsale de Haute Guinée qui se distingue par la présence d'inselbergs imposants. Au sud-ouest, les plateaux atteignent 750 m d'altitude. À l'est, ils s'abaissent en pente douce vers la vallée du Niger. Pendant la saison des pluies, les précipitations atteignent parfois 1 200 mm.

1 Le village soudanais de Kassala s'étire au pied d'un impressionnant décor montagneux.

2 Trois garçons rieurs devant leur hutte dans un village proche de Maun, sur la bordure sud du bassin de l'Okavango.

3 Buffle dans la savane.

4 Une femme au marché de Malanville au Bénin porte sa marchandise sur la tête. Récipients en émail et en argile sont parmi les ustensiles de cuisine les plus utilisés.

Burundi

BURUNDI
Capitale : Bujumbura
Situation : 2° – 4° S ; 29° – 31° E
Superficie : 27 834 km²
Population : 7,1 millions
Densité de population : 225 hab./km²
Monnaie : 1 franc burundi (BIF) = 100 centimes
Langues : kirundi (bantou) et français (officielles), kiswahili

Politique et population : la constitution de 1992 a été partiellement invalidée après le coup d'État militaire de juillet 1996. Depuis, le Burundi est une République unitaire, laïque et démocratique. Les combats sanglants entre les deux principaux groupes ethniques, Tutsi, éleveurs hamites (14 %), et Hutu, cultivateurs négroïdes (85 % de la population) n'ont quasiment pas cessé depuis 40 ans. La majorité des habitants est catholique.
Économie : l'agriculture est pratiquement la seule activité du pays. Un climat d'altitude propice aux cultures permet la production de la quasi totalité des fruits tropicaux et subtropicaux, ainsi que l'élevage extensif du bétail. L'industrie, modeste, transforme les produits agricoles pour l'exportation. L'exploitation prévue des mines de nickel a été mise en attente en raison des troubles.
Histoire : à partir de 1903, le Burundi fait partie de l'Afrique-orientale allemande. En 1919, le pays passe sous mandat de la Société des Nations, puis, de 1923 jusqu'à l'indépendance en 1962, il est placé sous l'administration de la Belgique.
Géographie : les hauts plateaux vallonnés du Burundi se distinguent par un climat doux et agréable en dépit de la proximité de l'équateur. Une altitude moyenne de 1 500 m empêche la malaria ainsi que certaines épizooties animales très redoutées de se développer. Vers l'ouest, le plateau, plus accidenté, s'élève par paliers pour atteindre 2 670 m, avant de tomber abruptement vers le lac Tanganyika (773 m).

Cabo Verde

CAP-VERT
Capitale : Praia
Situation : 15° – 17° N ; 22° – 26° O
Superficie : 4 033 km²
Population : 454 000
Densité de population : 113 hab./km²
Monnaie : 1 escudo capverdien (CVE) = 100 centavos
Langues : portugais (officielle), crioulo

Politique et population : depuis la nouvelle constitution de 1992, le président, élu pour cinq ans, est également le chef du gouvernement. Les premières élections libres, opposant plusieurs partis politiques, ont eu lieu en 1991. 71 % des Capverdiens sont métis, 28 % noirs. Ils sont essentiellement catholiques.
Économie : à part un vaste domaine de pêche, une agriculture vivrière modeste pratiquée sur de petites parcelles irriguées, et la culture bananière, l'archipel capverdien a un potentiel économique réduit. Le sous-sol ne contient aucune richesse et l'industrie se cantonne à la transformation de produits alimentaires, le thon en particulier, et à la production textile. Le tourisme pourrait constituer un axe de développement.
Histoire : en 1460, l'explorateur Diego Gomes découvre l'archipel qui restera sous domination portugaise pendant cinq siècles. Au XVIIIᵉ siècle, le trafic des esclaves vers l'Amérique provoque un véritable âge d'or économique. Le Cap-Vert obtient son indépendance en 1975.
Géographie : situé à 600 km au large du Sénégal, l'archipel comprend dix îles principales et presque autant d'îlots. Ces îles d'origine volcanique s'élèvent au-dessus de profondeurs de 3000 m. Les trois îles occidentales, relativement basses, culminent à 400 m et offrent des paysages de dunes et de marécages salés. Le pic Canon (2 829 m) dont la dernière éruption date de 1951, se trouve sur l'île de Fogo.

Cameroun / Cameroon

CAMEROUN
Capitale : Yaoundé
Situation : 2° – 13° N ; 8° – 16° E
Superficie : 475 442 km²
Population : 16 millions
Densité de population : 34 hab./km²
Monnaie : 1 franc CFA (XAF) = 100 centimes
Langues : français, anglais (officielles), dialectes bantous et ful

Politique et population : d'après la constitution de 1972, plusieurs fois révisée depuis, le président, élu pour 5 ans au suffrage universel, partage le pouvoir exécutif avec le chef du gouvernement. Depuis 1995, le nord anglophone lutte pour obtenir son indépendance. Sur les quelque 200 peuples et tribus qui composent le pays, 40 % sont Bantous, Fulbe et Hausa vivent surtout dans le centre et le nord du pays.
Économie : après l'indépendance, le pays a atteint une certaine aisance grâce à ses réserves pétrolières et à de vastes plantations de café et de cacao. Le Cameroun est l'un des rares pays d'Afrique à atteindre l'autosuffisance alimentaire et à présenter une balance commerciale positive.
Histoire : à partir du XVIIᵉ siècle, tandis que le nord-est du pays est sous influence arabo-islamique, les puissances européennes établissent des comptoirs le long de la côte. En 1884, Gustav Nachtigal signe un traité avec les chefs des Douala établissant un protectorat allemand. Après 1918, la Grande-Bretagne et la France se partagent le mandat de la Société des Nations. En

Burundi					Station météorologique Bujumbura Altitude 805 m. Situation 03°23'S/29°21'E							
	Janv	Fév	Mars	Avril	Mai	Juin	Juil	Août	Sept	Oct	Nov	Déc
	23,4	23,1	23,3	23,4	23,3	23,0	22,9	23,9	24,8	24,7	23,3	23,3
	28,0	28,0	28,0	28,0	28,0	29,0	29,0	30,0	31,0	30,0	28,0	28,0
	19,0	19,0	19,0	19,0	19,0	18,0	17,0	18,0	19,0	20,0	19,0	19,0
	5	5	6	5	6	8	9	8	7	6	4,7	5
	15	14	17	18	10	3	1	2	8	12	19	19

Cap-Vert					Station météorologique Praia Altitude 35 m. Situation 15°50'N/24°50'O							
	Janv	Fév	Mars	Avril	Mai	Juin	Juil	Août	Sept	Oct	Nov	Déc
	20,0	19,0	20,0	24,0	24,0	25,0	26,0	29,0	29,0	29,0	26,0	24,0
	25,0	25,0	26,0	26,0	27,0	28,0	28,0	29,0	29,0	29,0	27,0	26,0
	20,0	19,0	20,0	21,0	22,0	23,0	24,0	24,0	25,0	24,0	23,0	22,0
	6	7	8	8	8	7	5	5	7	7	7	6
	1	0	0	0	0	0	1	3	4	2	1	1
	23	22	22	22	23	24	25	26	27	26	26	24

Cameroun					Station météorologique Douala Altitude 11 m. Situation 04°01'N/09°43'E							
	Janv	Fév	Mars	Avril	Mai	Juin	Juil	Août	Sept	Oct	Nov	Déc
	26,7	27,0	26,8	26,6	26,3	25,4	24,3	24,1	24,7	25,0	26,0	26,4
	31,0	32,0	32,0	32,0	31,0	29,0	27,0	27,0	28,0	29,0	30,0	31,0
	23,0	23,0	23,0	23,0	23,0	23,0	22,0	22,0	23,0	22,0	23,0	23,0
	4	5	4	5	4	3	1	1	2	4	4	4
	7	10	17	18	22	24	29	29	28	26	16	8
	27	28	28	28	27	25	25	25	26	26	27	27

Comores					Station météorologique Moroni Altitude 6 m. Situation 11°42'N/43°14'E							
	Janv	Fév	Mars	Avril	Mai	Juin	Juil	Août	Sept	Oct	Nov	Déc
	27,0	27,0	27,0	27,0	25,0	24,0	23,0	23,0	24,0	25,0	26,0	27,0
	30,0	30,0	31,0	30,0	30,0	28,0	28,0	28,0	28,0	29,0	30,0	31,0
	23,0	23,0	23,0	23,0	21,0	20,0	19,0	18,0	19,0	20,0	22,0	33,0
	6	6	7	6	7	8	8	8	8	7	8	7
	17	13	14	14	8	10	9	8	9	9	9	13
	28	28	28	28	27	26	25	25	26	26	27	27

1960, les Nations unies reconnaissent l'indépendance du pays.

Géographie : à l'ouest de la plaine côtière de Douala, le relief s'élève rapidement jusqu'au massif volcanique du mont Cameroun (4 095 m). Les altitudes s'abaissent ensuite en direction du nord-est dans le massif de l'Adamaoua qui partage le pays en deux plateaux, nord et sud, compris entre 600 et 1 500 m.

Comores (COM)

COMORES
Capitale : Moroni
Situation : 11° – 13° N ; 43° – 45° E
Superficie : 1 861 km² (hors Mayotte)
Population : 691 000
Densité de population : 371 hab./km²
Monnaie : 1 franc comorien (KMF)
= 100 centimes
Langues : français, comorien (officielles), arabe

Politique et population : depuis la constitution de 1992, le Parlement se compose d'un sénat (15 membres) et d'une assemblée (42 sièges). Le président et le chef du gouvernement se partagent le pouvoir exécutif. La population, très mélangée, a des origines indo-mélanésiennes, arabes, africaines et malgaches. L'islam est religion d'État.
Économie : la majeure partie de la population travaille dans le secteur agricole. Outre les denrées alimentaires destinées à la consommation intérieure, les Comores produisent, entre autres, des épices (vanille, clous de girofle) et une essence indispensable en parfumerie, l'ylang-ylang, destinées au marché mondial. Les principaux partenaires commerciaux sont la France, le Pakistan, l'Afrique du Sud, l'Allemagne et Madagascar.
Histoire : peuplé d'Arabes et de Malais, l'archipel est, depuis le XIe siècle, un sultanat musulman. En 1843, la France prend possession de l'île de Mayotte qui formera, en 1912, une unité coloniale avec le reste des Comores. L'indépendance date de 1975. Cependant, lors du référendum de 1974, les habitants de Mayotte font le choix de rester français.
Géographie : l'archipel des Comores, d'origine volcanique, repose sur une crête sous-marine. Les pluies tropicales ont profondément raviné les massifs montagneux. La forêt tropicale n'est préservée que sur les sommets. Les littoraux sont essentiellement rocheux et bordés de récifs coralliens.

Congo (RCB)

CONGO
Capitale : Brazzaville
Situation : 4° N – 5° S ; 11° – 18° E
Superficie : 342 000 km²
Population : 3,7 millions
Densité de population : 11 hab./km²
Monnaie : 1 franc CFA (XAF) =
100 centimes
Langues : français (officielle), lingala

Politique et population : depuis la constitution de 1992, le Parlement est élu au suffrage universel. Cependant, après vingt ans de dictature militaire, la démocratie n'est pas encore vraiment consolidée. Cela est particulièrement visible lors des élections qui s'accompagnent toujours de troubles et de massacres. Outre les différents groupes bantous qui constituent la majorité de la population, celle-ci comprend de nombreuses minorités telles que les Pygmées. Plus de la moitié de la population est catholique.
Économie : le pétrole représente plus de 80 % des

 Mindelo, sur São Vicente, fut la base de la colonisation du Cap-Vert. L'archipel, incorporé au royaume du Portugal à la fin du XVIIIe s., obtint son indépendance en 1975. Aujourd'hui, de nombreux Capverdiens travaillent et vivent au Portugal.

 Des Camerounais avec des statues effigies Bamikélé qui représentent les ancêtres.

3 Avec leurs inselbergs, les paysages karstiques de Rhumsiki, au nord du Cameroun, évoquent des paysages lunaires.

exportations. Le port de Pointe-Noire est, avec la capitale Brazzaville, la seule grande ville du pays. La deuxième source de devises est l'exportation de bois tropicaux. La production agricole est essentiellement issue d'une agriculture de subsistance. Jusqu'à présent, l'instabilité politique a empêché l'exploitation du sous-sol (cuivre, plomb, fer, manganèse, phosphate, diamants et or) et l'établissement d'une industrie digne de ce nom.

Histoire : à partir du XVIe siècle, les Européens, Français en tête, établissent des comptoirs commerciaux sur la côte. Après la fondation, en 1880, de l'actuelle capitale par l'explorateur Savorgnan de Brazza, la conférence de Berlin sur le Congo octroie le territoire à la France (1885). À la suite d'une période d'autonomie, le pays obtient son indépendance en 1960.

Géographie : l'étroite plaine côtière jouxte les vastes plateaux de la dorsale guinéenne à l'intérieur du pays. Ils atteignent 500 à 1 000 m d'altitude. Vers l'est, l'altitude s'abaisse progressivement en direction de la vallée du Congo dans ce qui constitue la plus vaste forêt tropicale du continent africain.

Côte d'Ivoire (CI)

CÔTE D'IVOIRE
Capitale : Yamoussoukro
Situation : 5° – 11° N ; 3° – 8° O
Superficie : 322 463 km²
Population : 18,7 millions
Densité de population : 58 hab./km²
Monnaie : 1 franc CFA (XOF) = 100 centimes
Langues : français (officielle), dioula, dialectes gur et mandé

Politique et population : le pays qu'un décret de 1986 impose d'appeler « Côte d'Ivoire », est une répu-

blique présidentielle. La population se compose de 60 ethnies majoritairement animistes. Les groupes les plus importants sont les Baoulé, les Bété, les Sénoufo et les Agni-Achanti. Près de la moitié des Ivoiriens ont moins de 15 ans.

Économie : la Côte d'Ivoire est l'un des plus grands producteurs mondiaux de cacao et de café. Les exportations d'ananas, de bananes, de coton, de canne à sucre et, depuis peu, de pétrole, réduisent la dépendance du pays à l'égard des deux premiers produits cités. L'industrie se concentre essentiellement sur le textile, l'alimentaire et le bois.

Histoire : christianisée par des missionnaires à partir du XVIIe siècle, la Côte d'Ivoire est intégrée à l'Empire colonial français en 1893. Elle devient indépendante en 1960. Dirigé par le président Houphouët-Boigny jusqu'à sa mort en 1993, le pays connaît une stabilité politique rare. Le multipartisme est reconnu en 1990.

Géographie : le littoral sableux aux plages démesurées n'est pas suffisamment exploité par le tourisme. Jouxtant le cordon littoral, un plateau intérieur s'élève par paliers jusqu'à 500 m d'altitude, dominé par endroits par des collines et des inselbergs.
Près de la frontière avec la Guinée, à l'ouest, les monts Nimba atteignent 1 752 m d'altitude.

Djibouti (DJI)

DJIBOUTI
Capitale : Djibouti
Situation : 11° – 12° N ; 42° – 43° E
Superficie : 23 200 km²
Population : 600 000
Densité de population : 26 hab./km²
Monnaie : 1 franc djibouti (DJF) = 100 centimes
Langues : français, arabe (officielles), langues couchitiques

Politique et population : en dépit de l'adoption d'une nouvelle constitution en 1992, de la tenue d'élections libres et du multipartisme, la présence militaire étrangère reste forte dans cette république présidentielle. La position de Djibouti lui confère en effet une grande importance stratégique. Il existe de graves tensions entre les deux plus grandes tribus du pays, les Somalis Issa et les Danakils Afar, bien que ces peuples soient tous deux musulmans sunnites.

Économie : ni l'industrie ni l'agriculture n'étant développées, l'économie du pays repose essentiellement sur les services. Les revenus les plus importants proviennent de son statut de base militaire française, également utilisée par de nombreuses autres nations.

Histoire : en 1896, les protectorats français d'Obock et de Tadjoura sont réunis sous le nom de Côte française des Somalis. En 1967, le pays décide de rester français par référendum. Dix ans plus tard, il opte pour l'indépendance.

Géographie : Djibouti est l'un des endroits les plus chauds de la planète. Un désert en forme de fer à cheval entoure la baie de Tadjoura. Il y a des volcans dans l'intérieur du pays, ainsi que sur les îles au large d'un littoral corallien. Depuis les dépressions méridionales, partiellement situées au-dessous du niveau de la mer, le relief s'élève par paliers jusqu'à 2 200 m dans les monts Danakil, à la frontière nord avec l'Éthiopie.

Eritrea (ER)

ÉRYTHRÉE
Capitale : Asmara
Situation : 12° – 18° N ; 36° – 43° E
Superficie : 121 144 km²
Population : 4,5 millions
Densité de population : 37 hab./km²
Monnaie : 1 nakfa (ERN) = 100 cents
Langues : tigrinia, arabe (officielles), gurage

Politique et population : indépendant depuis avril 1993, le jeune État s'efforce de mettre en place

Congo

Station météorologique (Rép. Démocratique du Congo)
Altitude 358 m. Situation 04°20'S/15°16'E

CLIMAT		Janv	Fév	Mars	Avril	Mai	Juin	Juil	Août	Sept	Oct	Nov	Déc
	🌡	26,0	26,2	26,7	26,8	26,0	23,4	22,0	23,3	25,6	26,2	26,1	25,9
	🌡	31,0	31,0	31,0	32,0	30,0	28,0	27,0	28,0	30,0	30,0	30,0	30,0
	🌡	22,0	22,0	22,0	22,0	22,0	19,0	17,0	18,0	20,0	22,0	22,0	22,0
	☀	4	5	5	6	5	5	4	5	4	4	5	4
	🌧	10	10	13	15	11	1	0	1	4	11	16	14

Côte d'Ivoire

Station météorologique Abidjan
Altitude 7 m. Situation 05°15'N/03°56'O

CLIMAT		Janv	Fév	Mars	Avril	Mai	Juin	Juil	Août	Sept	Oct	Nov	Déc
	🌡	27,1	28,0	28,2	28,3	27,8	26,4	25,7	25,1	25,7	26,7	27,5	27,5
	🌡	31,0	32,0	32,0	32,0	31,0	29,0	28,0	28,0	28,0	29,0	31,0	31,0
	🌡	23,0	24,0	24,0	24,0	24,0	23,0	23,0	22,0	23,0	23,0	23,0	23,0
	☀	6	7	7	9	6	4	4	4	6	7	6	6
	🌧	3	4	7	9	16	19	10	6	9	13	13	7
	≈	27	27	28	28	28	27	26	24	25	25	27	27

Djibouti

Station météorologique Djibouti
Altitude 7 m. Situation 11°36'N/43°09'E

CLIMAT		Janv	Fév	Mars	Avril	Mai	Juin	Juil	Août	Sept	Oct	Nov	Déc
	🌡	25,7	26,3	27,4	28,9	31,1	33,7	35,5	35,0	33,1	29,7	27,8	26,4
	🌡	29,0	29,0	31,0	32,0	34,0	38,0	41,0	39,0	36,0	33,0	31,0	28,0
	🌡	23,0	24,0	25,0	26,0	28,0	30,0	31,0	29,0	29,0	27,0	25,0	23,0
	☀	8	9	9	9	10	8	8	9	10	10	10	9
	🌧	3	2	2	1	1	<1	1	2	1	1	2	2

Érythrée

Station météorologique Āsmera
Altitude 2300 m. Situation 15°17'N/38°55'E

CLIMAT		Janv	Fév	Mars	Avril	Mai	Juin	Juil	Août	Sept	Oct	Nov	Déc
	🌡	15,0	16,1	17,0	18,0	18,6	18,6	16,7	16,7	18,0	17,0	15,8	15,6
	🌡	23,0	24,0	25,0	25,0	26,0	26,0	22,0	22,0	24,0	22,0	22,0	22,0
	🌡	7,0	9,0	10,0	11,0	12,0	12,0	12,0	12,0	10,0	9,0	9,0	8,0
	☀	7	7	6	6	6	4	2	2	4	7	8	7
	🌧	0	<1	3	5	5	5	17	14	5	2	2	1

des structures démocratiques. Durant l'été 1998, les tensions latentes avec l'Éthiopie ont de nouveau dégénéré en conflit ouvert. Neuf groupes ethniques composent la population du pays, dont 200 000 nomades Afar. La population est à 50 % chrétienne (orthodoxe éthiopienne) et à 50 % musulmane.

Économie : pour la majeure partie des habitants, l'agriculture représente le seul moyen de subsistance. Tandis qu'en Dankalie, au sud, seul un élevage de type nomade est possible, les régions montagneuses du centre permettent la culture des céréales, des légumineuses et des pommes de terre.

Histoire : de 1890 à 1941, l'Érythrée est une colonie italienne, avant de passer sous administration britannique. De 1952 à 1962, le pays a le statut de région autonome à l'intérieur de l'Éthiopie qui finit par l'annexer. La guerre pour l'indépendance durera près de 30 ans. Le conflit frontalier avec l'Éthiopie a repris en 1998.

Géographie : l'Érythrée borde le grand système de failles de l'Afrique orientale. La dépression désertique de Dankalie intérieure, au sud, se situe à 116 m au-dessous du niveau de la mer. Dans le centre et le nord, les montagnes profondément creusées par l'érosion culminent à 3 291 m d'altitude. Au nord, le désert salé fait place à une steppe parsemée d'acacias et d'épineux. Le littoral est couvert de mangroves.

Gabon (G)

GABON
Capitale : Libreville
Situation : 2° N – 4° S ; 9° – 14° E
Superficie : 267 667 km²
Population : 1,4 million
Densité de population : 5 hab./km²
Monnaie : 1 franc CFA (XAF) = 100 centimes
Langues : français (officielle), dialectes bantous

Politique et population : la constitution de 1991 confère au chef de l'État une position prééminente. Il dirige l'exécutif, nomme le gouvernement et est le commandant suprême des forces armées. Le pouvoir législatif revient à l'Assemblée nationale (120 membres) et au Sénat (91 sièges). La population se compose d'environ 40 groupes ethniques parmi lesquels les tribus bantoues des Fang, Échira, Mbédé, Batéké et Adouma. Les habitants sont essentiellement catholiques (60 %) et protestants (5 %). Près de la moitié d'entre eux mêlent des éléments animistes au culte chrétien.

Économie : l'exploitation du pétrole et du gaz naturel jointe à celle des bois tropicaux ont entraîné une forte croissance économique depuis l'indépendance. La transformation de ces matières premières est en partie effectuée sur place. Les principaux partenaires commerciaux sont les États-Unis, la France et la Chine. La production agricole est essentiellement réservée à la consommation intérieure.

Histoire : c'est probablement au Moyen Âge que les Pangwé, un peuple bantou, s'installent dans la région de l'actuel Gabon. Après les Portugais (1470), les Anglais, les Hollandais, les Espagnols et enfin les Français en 1848, y établissent des comptoirs. En 1886, le Gabon devient colonie française. En 1910, il est rattaché à l'Afrique-Équatoriale française. En 1958, avec son entrée dans la Communauté française, le Gabon devient autonome. L'indépendance lui est accordée en 1960.

Géographie : tandis que les plaines côtières du nord, atteignant 200 km de large par endroits, sont caractérisées par de vastes deltas, la partie sud du littoral est formée de lagunes et de cordons littoraux. L'arrière-pays s'élève par paliers jusqu'à la zone de plateaux de la dorsale guinéenne qui culmine au mont Iboudji (1 575 m). En raison des rapides et des chutes, le réseau fluvial n'est pas très navigable.

1 La richesse relative de l'île de Mayotte, aux Comores, est visible sur le marché de Mamudzu.

2 Une caravane de sel à Djibouti.

3 Pèlerinage chrétien d'Érythrée à la Madone du Baobab dans la chapelle Mariam Daarit.

4 La Côte d'Ivoire a un littoral de plus de 500 km de long. Ses rivages sont rocheux à l'ouest, tandis que lagunes et plages de sable dominent à l'est.

Gambia

GAMBIE (WAG)

Capitale : Banjul
Situation : 13° – 14° N ; 14° – 17° O
Superficie : 11 295 km²
Population : 1,6 million
Densité de population : 142 hab./km²
Monnaie : 1 dalasi (GMD) = 100 bututs
Langues : wolof et peul (officielles), anglais, mandingue, arabe, langues ouest-africaines

Politique et population : après un coup d'État militaire en 1994, la constitution a été pourvue, en 1996, d'une clause de protection pour les militaires. Elle prévoit néanmoins un président élu au suffrage universel et un Parlement de 50 membres. La population est dominée par les Mandingues (40 %), les Peuls, les Wolof, les Diola et les Sarakolé, cinq groupes ethniques soudanais, musulmans à 95 %.

Économie : le tourisme est aujourd'hui l'une des principales activités et l'un des principaux employeurs du pays. Un contrôle sévère assure la participation majoritaire de capitaux gambiens dans tout investissement touristique. Le tourisme a réduit la dépendance du pays à l'égard des principaux produits d'exportation traditionnels (arachides et poisson).

Histoire : la région bordant le fleuve éponyme est découverte au XVᵉ siècle par les Portugais. Les puissances européennes ne cessent de se disputer ce pays jusqu'à ce qu'il devienne colonie britannique en 1843. C'est en 1965 que le plus petit État africain de l'époque obtient son indépendance.

Géographie : le fleuve Gambie n'est pas seulement une importante artère économique, il représente également le cœur de la vie agricole du pays. En raison de sa faible déclivité et des marées, les forêts de mangroves pénètrent loin à l'intérieur du pays. Des deux côtés du fleuve s'étendent des plaines inondables fertiles que jouxtent des collines relativement basses et monotones.

Ghana

GHANA (GH)

Capitale : Accra
Situation : 5° – 11° N ; 3° O – 1° E
Superficie : 238 533 km²
Population : 20,5 millions
Densité de population : 86 hab./km²
Monnaie : 1 cedi (GHC) = 100 pesewas
Langues : anglais (officielle), langues kwa et gur, dialectes ouest-africains

Politique et population : le Ghana est la première colonie britannique d'Afrique noire à obtenir son indépendance en 1957. En 1981, Jerry Rawlings prend le pouvoir à la suite d'un putsch. La constitution de 1993 instaure le multipartisme, mais il n'est pas encore certain qu'elle mènera à la démocratie. Les quelque 70 ethnies du pays se composent presque exclusivement de groupes Kwa. Parmi ceux-ci, les Akans (Ashanti) et les Fanti sont les plus nombreux (52 % à eux deux). La population est à majorité chrétienne.

Économie : à la production de cacao, le plus souvent entre les mains de petits planteurs, et des bois tropicaux s'ajoutent l'exploitation et l'exportation de diverses richesses minières dont l'or, le manganèse, la bauxite et les diamants industriels.

Histoire : dès le Moyen Âge, les Ashanti fondent un vaste royaume dans l'actuel Ghana. Ce peuple, célèbre pour son travail de l'or, soumet les tribus voisines et étend sa zone d'influence jusqu'à la côte. C'est là que se succèdent les Portugais (1479), les Danois, les Anglais, les Hollandais et les Suédois pour s'y livrer à la traite des esclaves. Après la reddition des Ashanti, les Britanniques fondent en 1850 la colonie de la « Côte de l'Or ».

Géographie : la partie orientale du pays appartient au bassin du fleuve Volta. Un barrage sur son cours inférieur forme l'un des plus grands lacs artificiels d'Afrique (8 700 km²). À l'ouest, le plateau Ashanti, hérissé par endroits de collines et d'inselbergs, atteint 700 m d'altitude.

Guinea-Bissau

GUINÉE-BISSAU (GNB)

Capitale : Bissau
Situation : 11° – 13° N ; 13° – 17° O
Superficie : 36 125 km²
Population : 1,5 million
Densité de population : 40 hab./km²
Monnaie : 1 franc CFA (XOF) = 100 centimes
Langues : portugais (officielle), fulani, crioulo

Politique et population : *de jure*, cette république de régime présidentiel est une démocratie parlementaire. Pourtant, même après les premières élections libres de 1994, remportées par le PAIGC (successeur de l'ancien parti unique favorable à l'union avec le Cap-Vert) dominé par les militaires, le pays n'a pas trouvé la paix. La population se compose de Noirs (Balantes

---

Gabon

Station météorologique Libreville
Altitude 12 m. Situation 00°27′N/09°25′E

CLIMAT		Janv	Fév	Mars	Avril	Mai	Juin	Juil	Août	Sept	Oct	Nov	Déc
	🌡	26,7	26,6	26,8	27,2	26,7	25,3	24,3	24,9	25,6	26,0	25,6	26,3
	🌡	30,0	31,0	31,0	31,0	30,0	29,0	28,0	28,0	29,0	29,0	30,0	30,0
	🌡	24,0	23,0	23,0	23,0	24,0	23,0	22,0	22,0	23,0	23,0	23,0	24,0
	☼	6	6	5	6	5	4	4	4	3	6	4	5
	⛆	14	15	17	19	15	3	<1	5	13	22	21	16
	≈	26	27	28	28	28	26	25	24	24	25	26	27

Gambie

Station météorologique Banjul
Altitude 20 m. Situation 13°28′N/16°40′O

CLIMAT		Janv	Fév	Mars	Avril	Mai	Juin	Juil	Août	Sept	Oct	Nov	Déc
	🌡	21,3	21,3	21,5	22,1	23,5	26,7	27,7	27,5	27,8	28,0	26,3	23,2
	🌡	26,0	27,0	27,0	27,0	29,0	31,0	31,0	31,0	32,0	32,0	30,0	27,0
	🌡	18,0	17,0	18,0	18,0	26,0	23,0	24,0	24,0	24,0	24,0	23,0	19,0
	☼	9	10	10	10	10	8	6	6	6	8	8	9
	⛆	0	0	0	0	0	4	15	18	17	8	0	0
	≈	22	21	21	22	24	26	27	27	27	27	27	24

Ghana

Station météorologique Accra
Altitude 7 m. Situation 05°15′N/03°56′O

CLIMAT		Janv	Fév	Mars	Avril	Mai	Juin	Juil	Août	Sept	Oct	Nov	Déc
	🌡	27,5	28,1	28,2	28,3	27,7	26,3	25,2	25,0	25,8	26,7	27,5	27,9
	🌡	32,0	32,0	32,0	32,0	31,0	29,0	27,0	27,0	28,0	30,0	31,0	31,0
	🌡	23,0	24,0	24,0	24,0	23,0	23,0	22,0	21,0	22,0	23,0	23,0	23,0
	☼	7	7	7	7	7	5	5	5	6	7	8	8
	⛆	1	2	4	6	9	10	4	3	4	6	3	2
	≈	27	27	28	28	27	26	24	25	25	25	27	27

Guinée-Bissau

Station météorologique Conakry (Guinée)
Altitude 17 m. Situation 09°31′N/13°43′O

CLIMAT		Janv	Fév	Mars	Avril	Mai	Juin	Juil	Août	Sept	Oct	Nov	Déc
	🌡	26,4	27,1	27,5	27,8	27,8	26,6	25,5	25,0	25,8	26,2	26,9	26,7
	🌡	31,0	31,0	31,0	32,0	31,0	29,0	28,0	27,0	29,0	30,0	31,0	31,0
	🌡	22,0	23,0	23,0	23,0	24,0	23,0	22,0	22,0	23,0	23,0	24,0	23,0
	☼	5	7	8	7	5	4	2	1	4	5	6	4
	⛆	<1	<1	1	3	10	22	29	27	24	18	8	1

Guinée Équatoriale

Station météorologique Douala (Cameroun)
Altitude 11 m. Situation 04°01′N/09°43′E

CLIMAT		Janv	Fév	Mars	Avril	Mai	Juin	Juil	Août	Sept	Oct	Nov	Déc
	🌡	26,7	27,0	26,8	26,6	26,3	25,4	24,3	24,1	24,7	25,0	26,0	26,4
	🌡	31,0	32,0	32,0	32,0	31,0	29,0	27,0	27,0	28,0	29,0	30,0	31,0
	🌡	23,0	23,0	23,0	23,0	23,0	23,0	22,0	22,0	23,0	23,0	23,0	23,0
	☼	4	5	4	5	4	3	1	1	2	4	4	4
	⛆	7	10	17	18	22	24	29	29	28	26	16	8
	≈	27	28	28	28	27	25	25	25	26	26	27	27

30 %, Peuls 23 %, Mandingues 11 %) et de métis, essentiellement animistes. Un peu plus d'un tiers de la population est musulmane. 32 % de la population vit en ville.

Économie : l'économie, d'orientation encore très socialiste, repose avant tout sur l'agriculture. La production d'arachides, de noix de cajou et de noix de coco est destinée au marché mondial. La mer fournit poissons et crustacés.

Histoire : les Portugais s'établissent sur la côte en 1446, mais ce n'est qu'un siècle plus tard, avec le commerce des esclaves, qu'un premier comptoir se développe réellement. Le pays devient colonie portugaise en 1879 sous le nom de Guinée portugaise, puis province d'outre-mer en 1951. Elle acquiert l'indépendance en 1974, à l'issue de la Révolution des œillets portugaise.

Géographie : le pays se compose essentiellement d'une vaste plaine côtière. Pendant la saison des pluies, les fleuves, très sinueux, inondent de vastes portions du territoire. Leurs estuaires sont bordés de marécages à mangroves. Seul le sud-est présente un paysage de collines culminant à 300 m.

Guinea Ecuatorial (GQ)

GUINÉE ÉQUATORIALE
Capitale : Malabo
Situation : 1° – 4° N ; 9° – 12° E
Superficie : 28 051 km²
Population : 503 000
Densité de population : 18 hab./km²
Monnaie : 1 franc CFA (XAF) = 100 centimes
Langues : espagnol (officielle), français, fang, bubi, ndowé, crioulo

Politique et population : la constitution (1991) de cette république de régime présidentiel prévoit une séparation des pouvoirs entre le Conseil d'État, l'Assemblée nationale et le gouvernement. Néanmoins, un système électoral anti-démocratique favorise le maintien au pouvoir de l'ancien parti unique. Si les Bantous (Fangs) sont majoritaires sur le continent, les Bubis et les métis dominent sur l'île de Bioko. La plupart des habitants sont catholiques sans abandonner pour autant leurs croyances traditionnelles.

Économie : la dictature de Nguema (1968-1979) a ruiné une économie autrefois florissante. Ses successeurs n'ont pas vraiment contribué à établir la stabilité politique nécessaire au développement économique. Néanmoins, le cacao, le café et les bois tropicaux reprennent peu à peu des parts sur le marché international. Depuis 1996, l'exploitation pétrolière amène de précieuses devises.

Histoire : la Guinée équatoriale est constituée de l'ancienne province d'outre-mer espagnole de Mbini (Río Muni), sur le continent, et des deux îles de Bioko (Fernando Poo) et de Pagalu (Annobon). Découverte par les Portugais en 1472, l'île de Fernando Poo est cédée aux Espagnols en 1778. En 1885, le traité de Berlin attribue également à l'Espagne le territoire sur le continent. La colonie obtient son indépendance en 1968.

Géographie : la plaine côtière s'élève vers une chaîne de collines à l'est (1 200 m). Les pentes sont recouvertes d'une dense forêt tropicale, tandis que les hauteurs sont partiellement occupées par la savane. Les îles sont d'origine volcanique. Sur l'île de Bioko, dominée par le Pico Basilé qui culmine à 3 008 m au-dessus du golfe de Guinée, la forêt tropicale, autrefois très dense, cède le pas aux plantations de cacao. De même, l'île de Pagalu est couverte de plantations de cacao et de palmiers à huile. Sur le littoral continental s'étendent des mangroves marécageuses impénétrables qui se prolongent à l'ouest par des forêts vierges luxuriantes.

1 Longue de 400 km environ, la « côte d'or » du Ghana est peu découpée. Seule la partie centrale présente des criques rocheuses.

2 Vente de souvenirs sur le Denton Bridge, Gambie.

3 Ce village de Guinée-Bissau respire l'harmonie. Pourtant, les habitants ont du mal à assurer leur subsistance.

Guinée

GUINÉE
Capitale : Conakry
Situation : 7° – 12° N ; 8° – 15° O
Superficie : 245 857 km²
Population : 9,5 millions
Densité de population : 39 hab./km²
Monnaie : 1 franc Guinée (GNF) = 100 centimes
Langues : français (officielle), mandingue, ful, etc.

Politique et population : la constitution de 1991 fait de la Guinée une république de régime présidentiel. Le processus de démocratisation s'amorce difficilement en 1995 avec les premières élections libres. Le Parlement compte 114 sièges. Les Mandingues et les Peuls constituent les deux groupes ethniques les plus importants d'une population en majorité musulmane.
Économie : la Guinée dispose d'importantes richesses minières comme la bauxite, le fer, l'or et les diamants. Le pays est le deuxième producteur de bauxite du monde. Néanmoins, l'exploitation des gisements miniers (à l'exception de la bauxite) est entravée par le manque d'infrastructures.
Histoire : dès le Moyen Âge, les Peuls s'imposent contre les royaumes voisins du Ghana et du Mali. En 1890, les Français s'installent sur la côte pour y fonder, trois ans plus tard, la colonie de Guinée française. Une décennie leur suffira ensuite pour s'assurer le contrôle de l'intérieur du pays. La Guinée obtient son indépendance en 1958. L'expérience socialiste du président Sékou Touré s'avère désastreuse. Un putsch militaire y met fin en 1984.
Géographie : c'est dans les hautes terres de l'est (1 700 m) que s'enracine la dorsale guinéenne qui borde le golfe du même nom. À l'ouest, le massif du Fouta-Djalon (1 500 m) en est séparé par le bassin de Siguiri. La partie la plus occidentale du pays est une plaine côtière de 50 à 90 km de large.

Ityopya / Ethiopia

ÉTHIOPIE
Capitale : Addis-Abeba
Situation : 3° – 18° N ; 32° – 49° E
Superficie : 1 333 380 km²
Population : 77 millions
Densité de population : 58 hab./km²
Monnaie : 1 birr (ETB) = 100 cents
Langues : amharique (officielle), anglais, italien, français, arabe ; en tout, 50 % de langues sémitiques, 45 % de langues couchitiques

Politique et population : après le coup d'État militaire de 1974 qui renverse l'empereur Hailé Sélassié, les structures féodales ont été remplacées par un régime d'inspiration marxiste. Sa chute en 1991 a entraîné la mise en place d'un gouvernement de transition, dissous en 1995 après la tenue des premières élections parlementaires libres. En raison de la présence de nombreux groupes ethniques et religieux, la démocratisation reste difficile. Le pays se divise en neuf régions et sa capitale. Outre les Oromo (40 %), les Amhara et les Tigréens (30 %), l'Éthiopie compte de nombreuses ethnies minoritaires comme les Afar, les Sidamo, les Somali ou divers groupes nilotiques. Les deux groupes religieux les plus importants sont les coptes orthodoxes monophysites et les musulmans sunnites. Il existe de nombreuses autres communautés religieuses secondaires.
Économie : l'agriculture occupe environ les trois quarts de la population active, mais les périodes de sécheresse et l'érosion des sols en limitent le potentiel. Ainsi, la production de céréales, de légumineuses et de tubercules est essentiellement vivrière. Seul le café donne lieu à une exportation notable. Les richesses minières – cuivre, or, platine, pétrole et gaz – sont à peine exploitées. L'industrie insignifiante ne produit que pour le marché intérieur. Les différentes expériences politiques et économiques, doublées d'une nature capricieuse, ont aggravé la situation alimentaire et entraîné des famines récurrentes qui justifient aujourd'hui encore l'assistance internationale.
Histoire : d'après la légende, la dynastie impériale éthiopienne descend du fils aîné du roi Salomon et de la reine de Saba. Ce qui est certain, c'est que des Sabéens venus du sud de l'Arabie fondent, dans la première moitié du Iᵉʳ millénaire apr. J.-C., le puissant royaume d'Axoum, christianisé dès le IVᵉ siècle. À travers les siècles, l'Église éthiopienne réussit à se maintenir face à l'islam. Au XIXᵉ siècle, le déclin du royaume s'accélère. Après un premier échec à la fin du XIXᵉ siècle, l'armée italienne soumet le pays en 1935. Les troupes britanniques aident l'empereur Hailé Sélassié à remonter sur son trône en 1941. Les vestiges archéologiques du royaume d'Axoum (Iᵉʳ-Vᵉ siècle) laissent à penser qu'il constituait, après Babylone, Rome et Byzance, la quatrième puissance de l'Antiquité.
Géographie : les hauts plateaux éthiopiens qui culminent à plus de 4 600 m sont divisés en deux par la grande faille d'Afrique orientale. Au niveau de la fracture, orientée ici nord-est/sud-ouest, les lacs alternent avec des volcans encore en activité. Des canyons profonds incisent les hauts plateaux tabulaires, isolant les populations les unes des autres. Quatre étages climatiques différents se succèdent en altitude : la Kolla sèche et chaude, couverte d'arbustes épineux et de forêts sèches, jusqu'à 1 600 m : la Weina Dega, tempérée chaude et de forêts pluviales, patrie du caféier ; à partir de 2 500 m, la Dega, tempérée fraîche, offre des prairies d'altitude jusqu'à 3 500 m et au-delà, la Tchoka franchement froide.

Guinée
Station météorologique Conakry
Altitude 17 m. Situation 09°31'N/13°43'O

		Janv	Fév	Mars	Avril	Mai	Juin	Juil	Août	Sept	Oct	Nov	Déc
CLIMAT	🌡	26,4	27,1	27,5	27,8	27,8	26,6	25,5	25,0	25,8	26,2	26,9	26,7
	🌡	31,0	31,0	31,0	32,0	31,0	29,0	28,0	27,0	29,0	30,0	31,0	31,0
	🌡	22,0	23,0	23,0	23,0	24,0	23,0	22,0	22,0	23,0	23,0	24,0	23,0
	☼	5	7	8	7	5	4	2	1	4	5	6	4
	☂	<1	<1	1	3	10	22	29	27	24	18	8	1

Éthiopie
Station météorologique Addis-Abeba
Altitude 2450 m. Situation 09°02'N/38°45'E

		Janv	Fév	Mars	Avril	Mai	Juin	Juil	Août	Sept	Oct	Nov	Déc
CLIMAT	🌡	15,9	16,4	17,9	17,6	17,8	16,6	15,0	15,0	15,6	15,8	15,2	15,6
	🌡	28,0	30,0	29,0	31,0	33,0	34,0	31,0	29,0	27,0	28,0	27,0	27
	🌡	-2,0	0	1,0	3,0	2,0	6,0	7,0	7,0	6,0	2,0	0	0
	☼	8,7	8,5	8	7,1	7	5,2	2,1	2,7	4,8	8,6	8,9	8,6
	☂	4	4	5	7	7	11	14	16	13	3	1	2

Kenya
Station météorologique Nairobi
Altitude 1798 m. Situation 01°18'S/36°45'E

		Janv	Fév	Mars	Avril	Mai	Juin	Juil	Août	Sept	Oct	Nov	Déc
CLIMAT	🌡	17,8	18,4	18,7	17,9	16,9	15,7	14,9	15,3	16,7	17,8	17,3	17,1
	🌡	25,0	26,0	26,0	24,0	23,0	22,0	21,0	22,0	24,0	25,0	23,0	23,0
	🌡	11,0	11,0	12,0	14,0	13,0	11,0	9,0	10,0	10,0	12,0	13,0	12,0
	☼	9	9	9	7	6	6	4	4	6	7	7	8
	☂	9	7	13	17	18	5	5	5	7	8	16	11

Lesotho
Station météorologique Mokhotlong
Altitude 2375 m. Situation 29°17'S/29°05'E

		Janv	Fév	Mars	Avril	Mai	Juin	Juil	Août	Sept	Oct	Nov	Déc
CLIMAT	🌡	16,6	16,1	14,4	11,5	7,6	4,6	4,6	7,2	10,8	13,4	14,5	16,2
	🌡	24,0	24,0	22,0	20,0	16,0	14,0	14,0	17,0	20,0	22,0	22,0	23,0
	🌡	9,0	9,0	7,0	4,0	-1,0	-4,0	-5,0	-2,0	2,0	6,0	7,0	9,0
	☼	8	8	7	8	9	9	9	10	9	9	9	9
	☂	13	12	10	6	3	1	2	2	3	8	12	12

Kenya

KENYA
Capitale : Nairobi
Situation : 5° N – 5° S ; 34° – 42° E
Superficie : 580 367 km²
Population : 31,5 millions
Densité de population : 54 hab./km²
Monnaie : 1 schilling kenyan (KES) = 100 cents
Langues : swahili, anglais (officielles), langues tribales, arabe

Politique et population : le Kenya a longtemps fait partie des pays politiquement les plus stables d'Afrique. Cependant, cette République présidentielle se caractérise par des structures non démocratiques qui alimentent l'opposition au régime. Les flots de réfugiés en provenance de pays voisins, ainsi que la récession économique et les conflits tribaux conduisent à de graves tensions internes. En décembre 2007, le président Mwai Kibaki est réélu, mais les résultats de ces élections sont largement contestés, ce qui entraîne une vague de violence sans précédent.
Les peuples Bantous s'opposent aux ethnies nilotiques de l'ouest (14 %) et de l'est (parmi lesquelles, 1,5 % de Massaï). Indiens, Arabes et Européens forment des minorités importantes d'un point de vue économique.
Économie : depuis les deux dernières décennies, le tourisme sur la côte de l'océan Indien et dans l'intérieur du pays (parcs naturels) constitue une source de revenus importante. Des troubles politiques récurrents fragilisent toutefois cette activité. Le thé et le café sont des produits d'exportation.
Histoire : les populations venues du nord et de l'ouest, ainsi que les marchands arabes et asiatiques installés sur la côte forment déjà une population très bigarrée lorsque les Britanniques établissent leur protectorat en 1895. Des milliers de fermiers britanniques s'installent alors sur les hautes terres de l'intérieur. Une opposition nationaliste, menée par les Kikuyu et leur leader Kenyatta, culmine dans la révolte des Mau-Mau (1952) qui a coûté la vie à 10 000 personnes. Le pays obtient l'indépendance en 1963.
Géographie : le pays s'étend des neiges éternelles du mont Kenya (5 199 m) aux bas plateaux désertiques du nord, en passant par les hauts plateaux du centre et leurs plantations verdoyantes de thé et de café. Du nord au sud, le pays est parcouru par la Rift Valley.

Lesotho

LESOTHO
Capitale : Maseru
Situation : 28° – 31° S ; 27° – 29° E
Superficie : 30 355 km²
Population : 2,2 millions
Densité de population : 72 hab./km²
Monnaie : 1 loti (LSM) = 100 lisente
Langues : sotho, anglais (officielles)

Politique et population : depuis 1998, le conflit ne cesse de s'aggraver entre le gouvernement et l'opposition. Après l'entrée des troupes sud-africaines dans le pays en septembre 1998, les élections, longtemps différées, se sont enfin tenues début 2002. Hormis quelques milliers de Blancs et d'Indiens, les habitants sont principalement Sotho (groupe des Bantous du sud) et chrétiens (catholiques 44 %, protestants 30 %, anglicans 12 %). 42 % de la population a moins de 15 ans.

1 L'école en plein air : l'amharique est la langue officielle de l'Éthiopie. Pour écrire cette langue sémitique, on utilise l'alphasyllabaire éthiopien, basé uniquement sur des consonnes.

2 Village de la vallée du Rift.

3 Deux fillettes portant des récipients d'eau en Dankalie, une plaine désertique située à la frontière entre l'Éthiopie et l'Érythrée.

4 Une des nombreuses cascades du haut-plateau volcanique que traverse le Nil Bleu.

5 Danse des prêtres pendant la fête de Timkat à Lalibela, ville située sur les hauts plateaux éthiopiens, à 400 km au nord d'Addis-Abeba. Les églises monolithiques de Lalibela comptent parmi les plus belles du pays et attirent de nombreux pèlerins.

L'adoration de la Vierge Marie est particulièrement répandue en Éthiopie. Quant à la fête de Timkat, le 19 janvier, elle commémore le baptême de Jésus dans les eaux du Jourdain.

Lesotho   207

Économie : totalement enclavé dans l'Afrique du Sud, le Lesotho en est très largement dépendant économiquement. Ses casinos attirent des nuées de touristes sud-africains, garantissant un afflux régulier et substantiel de devises. En l'absence de matières premières, une modeste industrie alimentaire, textile et d'objets d'art pour l'exportation a vu le jour. L'élevage de moutons mérinos et de chèvres angoras est important.

Histoire : à la fin du XIXᵉ siècle, la tribu des Sotho s'allie aux Britanniques contre les Boers qui menacent leurs frontières. Le protectorat de Basutoland est établi en 1868 autour de la place forte de Thaba Tseka. L'indépendance est obtenue en 1966.

Géographie : plusieurs chaînes de montagnes, dépassant les 3 000 m d'altitude dans le Drakensberg, dominent un haut plateau volcanique fortement incisé par le réseau hydrographique. À l'ouest, la vallée frontalière du Caledon, affluent de l'Orange, large de 30 à 40 km, constitue le cœur démographique et économique du pays.

Liberia (LB)

LIBÉRIA
Capitale : Monrovia
LSituation : 4° – 8° N ; 7° – 11° O
Superficie : 111 369 km²
Population : 3,3 millions
Densité de population : 30 hab./km²
Monnaie : 1 dollar libérien (LRD) = 100 cents
Langues : anglais (officielle), dialectes

Politique et population : les élections de 1997 ont porté au pouvoir Charles Taylor qui a mis en place un régime présidentiel autoritaire et répressif. Il a fallu attendre son départ en exil en 2003 pour que cesse enfin la guerre civile. La constitution de 1986 n'est appli-

quée qu'avec réticence. La population du Libéria se compose de 16 groupes ethniques, majoritairement chrétiens.

Économie : les gisements de fer sont parmi les plus importants de la planète. Le bénéfice de leur exploitation, capté par des multinationales étrangères, ne parvient que modestement dans les caisses de l'État. L'exportation de bois tropicaux, de caoutchouc naturel, d'or et de diamants, ainsi que l'enregistrement de flottes marchandes internationales sont des sources de revenus importantes. L'agriculture produit essentiellement du cacao et du café.

Histoire : le retour, en 1822, d'esclaves noirs d'Amérique libérés jette le fondement de la plus ancienne république d'Afrique, officiellement proclamée en 1847. En 1980, un coup d'État militaire met un terme à la suprématie de la minorité noire d'origine américaine et porte au pouvoir la majorité autochtone. Le calme est revenu avec l'affaiblissement des Américano-Libériens.

Géographie : la côte, autrefois appelée « Côte du poivre », offre une alternance de bancs de sable, de cordons littoraux et de lagunes. Au-delà d'une plaine de 50 km de large, souvent marécageuse, une chaîne de moyennes montagnes s'élève par paliers jusqu'à 1 000 m. Elle fait partie de la dorsale guinéenne.

Libiya (LAR)

LIBYE
Capitale : Tripoli (Tarabulus)
Situation : 20° – 33° N ; 10° – 25° E
Superficie : 1 759 540 km²
Population : 5,5 millions
Densité de population : 3 hab./km²
Monnaie : 1 dinar libyen (LYD) = 1000 dirham
Langues : arabe (officielle), dialectes berbères locaux, tamasheq (langue des Touareg)

Politique et population : l'institution suprême de Libye est le Congrès général du Peuple (750 délégués) dont sont issus le Secrétariat général et les ministres (secrétaires). Les partis ne sont pas autorisés. De facto, c'est le commandant de la révolution, Mu'ammar al-Kadhafi, qui dirige le pays. La population libyenne est composée d'Arabes et de Berbères arabisés, ainsi que de nomades Touareg vivant dans le désert. Au sud-est, la population montre une influence nubienne et soudanaise. La religion d'État est l'islam sunnite.

Économie et communications : l'exploitation du pétrole constitue la base de l'économie libyenne. Le secteur des services prend de l'importance. Selon la vision de Kadhafi, les initiatives économiques privées restent l'exception, tandis que l'économie d'État garantit la répartition des richesses et empêche les différences de revenus. Les biens d'équipement et de consommation, ainsi que la moitié des denrées alimentaires, doivent être importés. Après l'établissement des circonstances présumées de l'attentat de Lockerbie, les Nations unies et la Communauté Européenne ont assoupli les sanctions commerciales à l'encontre de la Libye qui en attend une reprise économique. Le tourisme pourrait également devenir un marché porteur. Le pays ne possède pas de chemin de fer. Les relations internationales passent par deux ports et quatre aéroports.

Histoire et culture : au VIIIᵉ siècle av. J.-C., les négociants phéniciens fondent trois villes sur la côte occidentale. Elles donneront le nom de Tripolitaine (pays des trois villes) à la région. Sept siècles plus tard, les Romains s'en emparent puis, au VIIᵉ siècle, ce sont les armées musulmanes et, en 1551, les Ottomans qui gouvernent jusqu'au XXᵉ siècle. En 1911, le pays devient un protectorat italien. 40 ans plus tard, l'ONU déclare son indépendance sous la direction du roi Idris Iᵉʳ. En 1969, sa politique de corruption mène au coup d'État militaire dirigé par le colonel Kadhafi. La république arabe de Libye est née. Les activités terroristes, tolérées par Kadhafi, isolent le pays du reste du monde. En 1986, les Américains bombardent les villes de Tripoli et de Benghazi en guise de représailles. En

Libéria — Station météorologique Monrovia
Altitude 25 m. Situation 06°18′N/10°45′O

CLIMAT		Janv	Fév	Mars	Avril	Mai	Juin	Juil	Août	Sept	Oct	Nov	Déc
	🌡	26,4	26,1	27,0	26,7	26,1	25,0	24,4	24,7	24,7	25,3	26,1	26,4
	🌡	31,0	31,0	32,0	32,0	31,0	30,0	29,0	29,0	29,0	30,0	31,0	31,0
	🌡	21,0	22,0	22,0	21,0	20,0	21,0	20,0	21,0	21,0	21,0	21,0	21,0
	☀	5	6	6	7	5	4	3	3	4	5	5	5
	🌧	4	3	8	12	22	24	21	17	24	22	16	9
		27	27	28	28	28	27	25	25	24	27	27	27

Libye — Station météorologique Tripoli
Altitude 20 m. Situation 32°54′N/13°11′E

CLIMAT		Janv	Fév	Mars	Avril	Mai	Juin	Juil	Août	Sept	Oct	Nov	Déc
	🌡	12,2	13,3	15,3	18,0	20,3	23,3	25,6	26,1	25,6	22,5	18,3	13,6
	🌡	17,0	18,0	20,0	23,0	25,0	29,0	30,0	31,0	30,0	28,0	23,0	18,0
	🌡	8,0	9,0	10,0	13,0	16,0	19,0	21,0	22,0	21,0	18,0	13,0	9,0
	☀	6	7	7	9	10	10	12	11	9	7	6	5
	🌧	11	7	4	1	1	<1	0	<1	1	4	6	10
		16	16	16	16	18	21	25	25	24	23	19	16

Station météorologique Ghadames
Altitude 360 m. Situation 30°08′N/09°40′E

CLIMAT		Janv	Fév	Mars	Avril	Mai	Juin	Juil	Août	Sept	Oct	Nov	Déc
	🌡	10,7	12,7	17,0	21,9	26,9	30,9	32,6	31,2	28,3	22,9	17,1	11,2
	🌡	32,0	34,0	41,0	48,0	52,0	55,0	53,0	52,0	50,0	48,0	39,0	31,0
	🌡	-7,0	-3,0	-1,0	4,0	7,0	14,0	15,0	13,0	10,0	3,0	2,0	-3,0
	☀	8	8,6	8,2	9,1	10,1	10,3	12	11,3	9,1	8,5	8,2	7,5
	🌧	1	1	1	<1	<1	<1	0	0	<1	1	2	1

Madagascar — Station météorologique Antananarivo
Altitude 1310 m. Situation 18°54′S/47°32′E

CLIMAT		Janv	Fév	Mars	Avril	Mai	Juin	Juil	Août	Sept	Oct	Nov	Déc
	🌡	19,8	19,9	19,4	18,2	16,4	14,0	13,3	13,8	15,6	17,8	19,3	19,5
	🌡	25,0	26,0	25,0	24,0	22,0	21,0	20,0	20,0	22,0	25,0	26,0	25,0
	🌡	16,0	16,0	16,0	15,0	12,0	10,0	10,0	10,0	11,0	12,0	15,0	16,0
	☀	7	7	6	8	7	7	7	8	9	9	7	7
	🌧	19	14	19	7	5	7	9	7	5	5	14	22

dépit de son orientation socialiste, la culture du pays est dominée par l'islam. Quant aux nomades Touareg du désert, ils ont réussi à préserver leur héritage culturel tout en adoptant de nouveaux modes de vie.
Géographie : le pays est constitué à 90 % d'un désert. Seule une étroite bande côtière d'une centaine de kilomètres de large se prête à l'agriculture méditerranéenne (blé, olives, tomates). Le projet du « Grand Fleuve artificiel » doit en permettre l'élargissement par irrigation. Le relief de la Libye est plat mais, au sud, les contreforts du Tibesti tchadien atteignent plus de 2 000 m d'altitude. De grandes zones du Sahara libyen sont constituées de regs plutôt que de sable.

Madagasikara (RM)

MADAGASCAR
Capitale : Antananarivo (Tananarive)
Situation : 12° – 25° S ; 43° – 50° E
Superficie : 587 041 km²
Population : 18,5 millions
Densité de population : 32 hab./km²
Monnaie : 1 franc malgache (MGF) = 100 centimes
Langues : français, malgache (officielles)

Politique et population : la constitution de 1992 et les élections libres de 1993 ont fait passer le pays d'un régime de type socialiste à une démocratie pluraliste. Les Malgaches, qui se répartissent en une vingtaine d'ethnies, sont essentiellement d'origine malaise et indonésienne, avec une certaine proportion de Noirs. Animistes et chrétiens sont à égalité.
Économie : Madagascar possède une grande variété de richesses minières encore peu exploitées. L'agriculture traditionnelle joue un rôle primordial avec la pêche et la culture des épices (vanille, girofle, poivre) et du café. Le tourisme apporte quelques devises étrangères dont le pays a désespérément besoin.
Histoire : l'île a probablement été initialement peuplée par des Indonésiens qui se mélangent ensuite avec des immigrants originaires d'Afrique et d'Arabie. Aux XVIIe et XVIIIe siècles, les côtes sont contrôlées par les pirates, tandis que des chefs malgaches fondent de puissants États dans l'intérieur du pays. De 1896 à l'indépendance en 1960, Madagascar est une colonie française.
Géographie : les hautes terres centrales (800 à 1 400 m) sont dominées par des massifs montagneux volcaniques (plus de 2 800 m). À l'est, le relief s'élève abruptement au-dessus du littoral, tandis qu'à l'ouest il descend régulièrement vers de la mer.

Malawi (MW)

MALAWI
Capitale : Lilongwe
Situation : 9° – 17° S ; 33° – 36° E
Superficie : 118 484 km²
Population : 10,7 millions
Densité de population : 90 hab./km²
Monnaie : 1 kwacha Malawi (MWK) = 100 tambala
Langues : anglais, chichewa (officielles), chitumbuka, lomwe, yoa, sena, etc.

Politique et population : après presque trois décennies de dictature, le Malawi a retrouvé la démocratie depuis les élections libres de 1994. Parmi les peuples Bantous qui composent sa population, les plus importants sont les Chewa, les Nyanja et les Lomwe. Les religions chrétiennes sont majoritaires mais, comme l'islam, elles sont influencées par les croyances animistes.
Économie : l'agriculture est prédominante dans tout le pays. De petites exploitations produisent pour la consommation intérieure. Le tabac, le thé et le sucre sont exportés. Le sous-sol est riche, mais l'absence d'infrastructures en empêche l'exploitation. L'industrie transforme essentiellement les produits agricoles.
Histoire : aux XVIIIe et XIXe siècles, des populations allogènes cherchent à conquérir la région située à l'ouest et au sud du lac Nyassa. Vers la fin du XIXe siècle, les

1 Seules quelques oasis isolées peuplent le désert libyen. Le désert occupe 85 % de la superficie totale du pays.

2 L'arrière-pays de Morondava, sur la côte sud-ouest de Madagascar. Il y pousse des baobabs de 5 à 8 mètres de hauteur, dont le tronc atteint parfois 20 mètres de circonférence. Les Mikéa, chasseurs cueilleurs locaux, en creusent depuis toujours la partie supérieure pour recueillir et stocker l'eau.

3 Touaregs avec leurs dromadaires dans l'erg Ubari en Libye. Reconnaissables à la couleur indigo de leurs vêtements et de leur chèche, ces pasteurs nomades de l'ouest du Sahara, appelés Hommes Bleus, élèvent essentiellement des dromadaires.

4 Dans toute l'Afrique, les femmes pilent le mil. Ici, à Madagascar.

autochtones Tonga affirment leur suprématie, mais ils doivent bientôt se soumettre au protectorat britannique du Nyassaland (1891-1953). Après une courte période de fédération forcée avec les Rhodésies, le pays obtient son indépendance en 1964.

Géographie : la grande faille d'Afrique orientale détermine largement la nature du Malawi. Le lac Malawi (anciennement lac Nyassa) qui remplit le rift est bordé à l'ouest par des plateaux dépassant 1 000 m. Au nord et au sud-est, ils sont dominés par des montagnes atteignant respectivement 2 600 m et 3 000 m.

Mali

MALI
Capitale : Bamako
Situation : 10° – 25° N ; 4° E – 12° O
Superficie : 1 240 192 km²
Population : 12,3 millions
Densité de population : 10 hab./km²
Monnaie : 1 franc CFA (XOF) = 100 centimes
Langues : français (officielle), bambara, songhaï, mandingue, soninké, arabe, ful

Politique et population : après de longues années de dictature, une nouvelle constitution est entrée en vigueur en 1992 dans cette république de régime pré-

Malawi
Station météorologique Lilongwe
Altitude 1134 m. Situation 13°58'S/33°42'E

		Janv	Fév	Mars	Avril	Mai	Juin	Juil	Août	Sept	Oct	Nov	Déc
CLIMAT		21,5	20,8	20,6	20,3	18,0	16,2	15,5	17,4	20,4	22,7	23,0	22,5
		27,0	27,0	27,0	27,0	26,0	24,0	24,0	25,0	25,0	30,0	30,0	28,0
		17,0	17,0	16,0	14,0	10,0	8,0	6,0	8,0	10,0	15,0	17,0	18,0
		5	5	6	8	8	8	8	9	9	10	8	6
		14	12	9	4	1	1	0	0	0	1	4	12

Mali
Station météorologique Mopti
Altitude 280 m. Situation 14°30'N/04°12'O

		Janv	Fév	Mars	Avril	Mai	Juin	Juil	Août	Sept	Oct	Nov	Déc
CLIMAT		22,6	25,2	29,0	31,6	32,8	31,2	28,6	27,3	28,3	28,8	26,8	23,1
		30,0	33,0	37,0	40,0	40,0	37,0	34,0	31,0	32,0	34,0	33,0	30,0
		14,0	16,0	20,0	23,0	25,0	25,0	23,0	23,0	24,0	24,0	20,0	16,0
		8	9	9	9	8	8	8	7	8	9	9	7
		<1	<1	<1	<1	2	7	11	12	8	2	<1	<1

Île Maurice
Station météorologique Rodrigues
Altitude 43 m. Situation 19°41'S/63°27'E

		Janv	Fév	Mars	Avril	Mai	Juin	Juil	Août	Sept	Oct	Nov	Déc
CLIMAT		27,0	27,0	27,0	26,0	24,5	23,0	22,0	22,0	22,5	23,5	25,5	26,0
		30,0	30,0	30,0	29,0	27,0	26,0	25,0	25,0	26,0	27,0	29,0	29,0
		24,0	24,0	24,0	23,0	22,0	20,0	19,0	19,0	19,0	20,0	22,0	23,0
		8	8	7	7	6	6	6	6	7	7	8	8
		18	19	20	19	20	21	23	22	18	15	13	15
		27	27	27	27	25	24	23	22	23	23	24	25

Mauritanie
Station météorologique Nouakchott
Altitude 21 m. Situation 18°07'N/17°03'O

		Janv	Fév	Mars	Avril	Mai	Juin	Juil	Août	Sept	Oct	Nov	Déc
CLIMAT		21,0	22,7	24,6	25,8	27,0	27,8	28,0	28,7	30,0	29,3	26,2	22,0
		27,0	30,0	35,0	38,0	42,0	43,0	42,0	40,0	41,0	38,0	33,0	27,0
		7,0	9,0	13,0	17,0	21,0	23,0	23,0	23,0	21,0	16,0	11,0	8,0
		8	9	10	11	10	10	9	9	8	8	9	8
		<1	<1	0	0	<1	2	4	4	1	<1	<1
		19	19	19	19	20	22	26	27	25	24	21

Mozambique
Station météorologique Maputo
Altitude 64 m. Situation 25°58'S/32°36'E

		Janv	Fév	Mars	Avril	Mai	Juin	Juil	Août	Sept	Oct	Nov	Déc
CLIMAT		25,4	25,5	24,6	23,1	20,6	18,5	18,2	19,2	20,6	22,2	23,4	24,7
		30,0	30,0	30,0	29,0	27,0	25,0	25,0	26,0	27,0	28,0	28,0	30,0
		22,0	22,0	21,0	19,0	16,0	14,0	14,0	15,0	16,0	18,0	20,0	21,0
		7	8	7	8	8	8	8	8	7	7	7	7
		9	8	9	5	3	2	2	2	3	5	7	9
		27	27	26	25	24	23	23	23	23	24	25

sidentiel. La majeure partie de la population sédentaire (Bambara, par exemple), vit au sud, tandis que plusieurs groupes nomades (Touareg, Peuls) se partagent le nord. La population est avant tout musulmane et animiste.

Économie : dans tout le Sahel, l'agriculture, principale activité du pays, est régulièrement menacée par la sécheresse. Les conditions ne deviennent meilleures que dans le sud. Les richesses du sous-sol sont très peu exploitées, l'industrie est embryonnaire.

Histoire : depuis le Moyen Âge, le territoire du Mali actuel a été incorporé dans plusieurs empires ouest-africains successifs : Ghana (Vᵉ-XIᵉ siècle) sous l'autorité de Soninké, Mali (XIIIᵉ-XVᵉ siècle) sous l'égide de Malinké, Songhaï (XVᵉ-XVIᵉ siècle). Son éclatement ultérieur en principautés multiples en favorisa la conquête par les Français à partir de 1864 (Soudan français). L'indépendance date de 1960.

Géographie : le nord du pays appartient au Sahara et se caractérise par de vastes ergs et des plateaux rocheux. Ce n'est que dans le massif cristallin de l'Adrar des Iforhas (853 m), à l'est, que l'altitude s'élève quelque peu. Le fleuve Niger traverse le sud où il forme un gigantesque delta intérieur avec ses défluents, ses marécages et ses lacs.

Mauritius (MS)

ÎLE MAURICE
Capitale : Port Louis
Situation : 10° – 20° S ; 56° – 63° E
Superficie : 2 040 km²
Population : 1,2 million
Densité de population : 588 hab./km²
Monnaie : 1 roupie mauricienne (MUR) = 100 cents
Langues : anglais (officielle), créole français, langues indiennes

Politique et population : depuis 1992, l'île Maurice est une république de régime présidentiel au sein du Commonwealth. 62 membres du Parlement sont élus au suffrage universel, et 8 sont répartis proportionnellement entre les différents groupes ethniques. La majorité des Indiens hindouistes du pays descend des travailleurs amenés au XIXᵉ siècle dans les plantations. Un quart de la population est créole et 2 % sont chinois.

Économie : longtemps, l'île a dépendu de la seule exploitation de la canne à sucre. Aujourd'hui, elle dépend aussi du thé, du café et du tabac. Il est prévu de diversifier l'industrie (encore dominée par le textile et le cuir). Outre l'exportation de sucre et de vêtements, le tourisme représente un secteur majeur de développement économique.

Histoire : à partir du Xᵉ siècle, Arabes et Malais, puis à partir du XVIᵉ siècle, Portugais et Hollandais établissent des comptoirs sur l'île. Les Français la colonisent en 1715 (sous le nom d'île de France). En 1810, elle passe sous contrôle britannique. Elle obtient son indépendance en 1968.

Géographie : situé dans l'océan Indien, l'archipel se compose de Maurice, l'île principale, et de Rodrigues, ainsi que de ses dépendances, Agalega et Cargados-Carajos. Maurice est une île volcanique entourée de récifs coralliens. Le haut plateau central, autour de 600 m, est dominé par des pitons (828 m).

Mawritaniyah (RIM)

MAURITANIE
Capitale : Nouakchott (Nawakshut)
Situation : 15° – 28° N ; 5° – 18° O
Superficie : 1 025 520 km²
Population : 2,9 millions
Densité de population : 2,8 hab./km²
Monnaie : 1 ouguiya (MRO) = 5 khoums
Langues : arabe (officielle), pular, ouolof, soninké, français

Politique et population : le passage de la dictature à la démocratie de droit islamique (constitution de 1991) se fait dans la douleur. La Mauritanie, dont la religion d'État est l'islam, est peuplée à la fois de

groupes arabo-berbères (Maures, 80 %) et de peuples négro-africains (entre autres, Peuls, Bambara, Ouolof).
Économie : les deux tiers de la population vivent de l'agriculture. Les sécheresses récurrentes du Sahel réduisent considérablement les possibilités de culture et d'élevage. Les eaux très poissonneuses du littoral ont permis le développement d'une pêche importante et d'une industrie de transformation exportatrice. La Mauritanie exporte également du minerai de fer extrait dans le nord-ouest du pays.
Histoire : c'est à partir de la Mauritanie que les Berbères soumettent l'ouest de l'Afrique du Nord, puis le sud de l'Espagne à partir de 1050 apr. J.-C. Au XIIIe siècle, ils sont vaincus par les Arabes. Les Portugais puis les Français établissent des comptoirs sur la côte. Les Français occupent le pays de 1902 à 1960. Le Maroc a revendiqué le nord du pays.
Géographie : la côte se divise en un segment rectiligne au sud et un segment échancré au nord. La plaine attenante présente déjà les formations dunaires annonçant le Sahara qui compose la majeure partie du pays. On y trouve une succession de déserts de sable et de pierres, dominés par des inselbergs.

Moçambique (MOC)

MOZAMBIQUE
Capitale : Maputo
Situation : 11° – 27° S ; 30° – 41° E
Superficie : 801 590 km²
Population : 18,4 millions
Densité de population : 23 hab./km²
Monnaie : 1 metical (MZM) = 100 centavos
Langues : portugais (officielle), swahili, makua, nyanja et autres langues bantoues

Politique et population : au terme de 16 ans de guerre civile (1976-1992), la situation politique se stabilise. La nouvelle constitution de 1999 doit soutenir le processus de démocratisation. La population se compose de différents groupes bantous (Makua, Tsonga, Shona).
Économie : haut lieu du tourisme en Afrique avant 1975, le Mozambique a été durablement ruiné par la révolution et la guerre civile. L'agriculture, modeste, subvient aux besoins de la population. Les produits d'exportation sont les crustacés, les noix de cajou, le coton et le sucre.
Histoire : depuis le XVIe siècle et les premiers comptoirs commerciaux de la côte, ce sont les Portugais qui contrôlent le pays. Après une guérilla meurtrière, le Frelimo met un terme à la colonisation portugaise en 1974. Après la proclamation de l'indépendance en juin 1975, le Frelimo s'aligne sur le bloc soviétique et met en place un régime marxiste. Plus de 200 000 Blancs quittent alors le pays qui sombre rapidement dans la guerre civile.
Géographie : la partie sud du pays est une large plaine limitée par un littoral dunaire et lagunaire. Au nord, la côte est constituée par une alternance de falaises et de plages de sable ; au-delà de la plaine côtière, des montagnes dépassent 2 000 m d'altitude. Le pays était autrefois réputé pour la richesse de sa faune, notamment dans ses grands parcs nationaux.

Namibia (NAM)

NAMIBIE
Capitale : Windhoek
Situation : 17° – 29° S ; 12° – 25° E
Superficie : 824 292 km²
Population : 2 millions
Densité de population : 2 hab./km²
Monnaie : 1 dollar namibien (NAD) = 100 cents
Langues : anglais (officielle), afrikaans, allemand, langues bantoues

Politique et population : depuis les élections de 1994, l'ancien mouvement de libération SWAPO est devenu le principal parti de cette république de régime présidentiel. Le pouvoir législatif se divise entre les deux chambres du Parlement. La population est essen-

1 Marché devant la mosquée de Djenné au Mali. L'architecture traditionnelle malienne en argile et bois est particulièrement mise en valeur dans les mosquées de Djenné, Tombouctou et Ségou.

2 Les grosses boucles d'oreille en or de cette Africaine constituent un signe extérieur de richesse.

3 Le Dead Vlei en Namibie : comme en attestent ses immenses étendues de sable et de poussière, ses champs de dunes et ses lacs salés, aucune vie n'y est possible. Les arbres morts témoignent cependant de temps lointains moins arides dans le désert du Namib.

4 L'île Maurice est d'origine volcanique. Cette île très touristique offre à ses visiteurs de belles plages de sable blanc à l'ombre des cocotiers. Ici, la plage de Flic en Flac sur la côte Ouest.

Namibia 211

tiellement bantoue (Ovambo, Kavango, Herero), blanche et métisse. La majorité est chrétienne.

Économie : outre le poisson et l'élevage (bovins et moutons karakuls), les minéraux (diamants, uranium et cuivre) sont les principaux produits d'exportation. Le tourisme prend de plus en plus d'importance.

Histoire : ancien protectorat allemand, le pays est occupé en 1915 par l'Afrique du Sud qui en obtient le mandat officiel de la SDN en 1920. Aujourd'hui encore, la capitale Windhoek (Windhuk) conserve des caractéristiques germaniques. La SWAPO, fondée en 1966, s'oppose à l'annexion de la Namibie par l'Afrique du Sud et obtient l'indépendance en 1990, après de longues années de guérilla.

Géographie : le désert de sable et de pierres du Namib s'étend le long de la côte sur une bande de 80 à 130 km de large. Il est bordé à l'est par un grand escarpement qui sépare la plaine côtière du haut plateau intérieur. La région des Ovambos, qui renferme la cuvette d'Étocha (parc national), est la partie la plus connue.

Niger

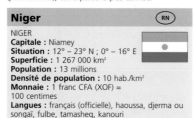

NIGER
Capitale : Niamey
Situation : 12° – 23° N ; 0° – 16° E
Superficie : 1 267 000 km²
Population : 13 millions
Densité de population : 10 hab./km²
Monnaie : 1 franc CFA (XOF) = 100 centimes
Langues : français (officielle), haoussa, djerma ou songaï, fulbe, tamasheq, kanouri

Politique et population : le pays est retourné à la démocratie en 1991, sous la forme d'une république de régime présidentiel. Les coups d'État militaires de 1996 et 1999 l'ont plongé dans une période de troubles politiques et économiques, aggravée par le conflit avec les Touareg. Plus de 95 % de la population vivent dans le sud ou la vallée du Niger. Il s'agit de Haoussa (53 %), de Peuls (10 %), de Touareg (3 %), et de groupes nilotiques (23 %) comme les Djerma et les Songhai, majoritairement musulmans.

Économie : tandis que seul l'élevage nomade est possible dans le nord du pays, le sud, et notamment la vallée du Niger, se prête bien à l'agriculture. La production agricole subvient aux besoins intérieurs. L'uranium est le produit d'exportation le plus important.

Histoire : au XIIᵉ siècle, les Haoussa fondent plusieurs cités-États dans le sud de l'actuel Niger. Elles résistent victorieusement aux musulmans Songhai et Touareg jusqu'au début du XIXᵉ siècle, lorsque les Peuls en prennent le contrôle. Les Français arrivent à la fin du XIXᵉ siècle, ce n'est qu'en 1922 qu'ils fondent la colonie du Niger.

Géographie : le massif volcanique de l'Aïr s'élève au centre du pays. Des vallées sèches en divergent vers les bassins sahariens. Les deux seuls cours d'eau permanents, le Niger et le Komadugu Yobé, qui se jette dans le lac Tchad, drainent le sud du pays.

Nigeria

NIGÉRIA
Capitale : Abuja
Situation : 4° – 14° N ; 3° – 15° E
Superficie : 923 768 km²
Population : 138 millions
Densité de population : 149 hab./km²
Monnaie : 1 naira (NGN) = 100 kobo
Langues : anglais (officielle), kwa, ful, haoussa

Politique et population : les élections de mars 1999 ont concrétisé le passage d'une dictature militaire de 15 ans à un régime de démocratie parlementaire. Après une longue période de repli sur soi, le Nigeria peut désormais espérer sortir de son isolement politique international. Cet État, le plus peuplé d'Afrique, se compose d'environ 400 groupes ethniques qui parlent presque autant de langues. Les plus importants sont les Haoussa, les Yoruba et les Ibo.

Économie : la croissance a démarré dans les années 1970 avec l'exploitation du pétrole, qui, avec les produits pétroliers, représente 98 % des recettes d'exportation. Tandis que les petites exploitations agricoles subviennent aux besoins du marché intérieur, les grandes plantations de cacao, d'hévéa, de palmiers à huile et d'arachide destinent leur production à l'exportation.

Histoire : les royaumes fondés depuis le début du Moyen Âge se maintiennent lorsque Portugais, Hollandais et Français commencent à établir des comptoirs sur la côte à partir du XVᵉ siècle. L'occupation britannique débute avec la prise de Lagos en 1861. Elle ne prendra fin qu'en 1960. Quelques années plus tard, des conflits sanglants débouchent sur la guerre du Biafra (1967-1970).

Géographie : le Nigeria se divise en quatre grandes régions : la plaine côtière avec le vaste delta du Niger et ses mangroves, les collines qui bordent la vallée du Niger, le plateau central et les bassins du nord.

République Centrafricaine

RÉPUBLIQUE CENTRAFRICAINE
Capitale : Bangui
Situation : 2° – 11° N ; 15° – 27° E
Superficie : 622 984 km²
Population : 3,2 millions
Densité de population : 5 hab./km²
Monnaie : 1 franc CFA (XOF) = 100 centimes
Langues : français, sango (officielles), oubangui, fulani

Politique et population : depuis 1993, après des décennies de dictature, le pays est dirigé par un gou-

Namibie — Station météorologique Windhoek
Altitude 1728 m. Situation 22°34'S/17°06'E

CLIMAT		Janv	Fév	Mars	Avril	Mai	Juin	Juil	Août	Sept	Oct	Nov	Déc
	☼	23,4	22,2	21,1	18,9	15,8	13,5	13,2	15,6	18,7	21,6	22,3	23,1
	☼	30,0	28,0	27,0	26,0	23,0	20,0	20,0	23,0	29,0	29,0	30,0	30,0
	☼	17,0	16,0	15,0	13,0	9,0	7,0	6,0	9,0	15,0	15,0	10,0	16,0
	○	9	9	9	9	10	10	11	11	10	10	10	9
	☂	8	8	8	3	1	0	0	0	2	2	4	6

Niger — Station météorologique Niamey
Altitude 220 m. Situation 13°30'N/02°07'E

CLIMAT		Janv	Fév	Mars	Avril	Mai	Juin	Juil	Août	Sept	Oct	Nov	Déc
	☼	23,8	26,6	30,3	34,0	34,0	31,6	28,8	27,0	29,0	30,6	28,2	24,7
	☼	34,0	37,0	41,0	42,0	41,0	38,0	34,0	32,0	34,0	38,0	38,0	34,0
	☼	14,0	17,0	21,0	25,0	27,0	25,0	23,0	23,0	23,0	23,0	18,0	15,0
	○	9	9	9	8	8	8	7	7	8	9	10	9
	☂	0	0	<1	1	4	6	9	13	7	2	0	0

Nigéria — Station météorologique Lagos
Altitude 3 m. Situation 06°27'N/03°24'E

CLIMAT		Janv	Fév	Mars	Avril	Mai	Juin	Juil	Août	Sept	Oct	Nov	Déc
	☼	27,0	27,9	28,3	28,0	27,4	26,1	25,3	25,1	25,6	26,2	27,2	27,3
	☼	31,0	33,0	33,0	32,0	31,0	29,0	27,0	27,0	28,0	29,0	31,0	32,0
	☼	22,0	23,0	23,0	23,0	22,0	22,0	22,0	21,0	22,0	22,0	23,0	220
	○	6	7	6	6	6	4	3	3	3	5	7	7
	☂	4	4	8	10	18	23	15	10	17	15	8	3
	≈	27	27	28	28	28	27	25	24	25	26	27	27

République centrafricaine — Station météorologique Bangui
Altitude 385 m. Situation 04°22'N/18°34'E

CLIMAT		Janv	Fév	Mars	Avril	Mai	Juin	Juil	Août	Sept	Oct	Nov	Déc
	☼	26,0	27,2	27,5	27,2	26,4	26,0	25,2	25,4	25,6	25,7	25,7	25,8
	☼	33,0	34,0	33,0	33,0	32,0	31,0	29,0	30,0	31,0	31,0	31,0	32,0
	☼	20,0	20,0	21,0	21,0	21,0	21,0	20,0	20,0	20,0	20,0	20,0	19,0
	○	7	7	6	6	6	5	4	4	5	5	6	7
	☂	2	5	9	10	14	12	14	17	16	17	10	3

vernement démocratiquement élu. Néanmoins, l'influence des militaires reste importante. La nouvelle constitution est entrée en vigueur en 1995. L'ouest du pays est surtout peuplé d'Oubanguiens (Banda, Gbaya, Manza) et de Bantous, animistes pour la plupart.

Économie : 60 % de la population vivent de l'agriculture. La production des exploitations de petite taille répond aux besoins intérieurs, tandis que le café et le coton sont destinés au marché étranger. L'exploitation des bois tropicaux est entre les mains de conglomérats étrangers. Les produits d'exportation les plus importants sont les diamants et le fer.

Histoire : en raison de son enclavement, le pays n'attire que tardivement l'intérêt des grandes puissances coloniales. De 1906 à 1960, il est sous administration de la France (Oubangui-Chari). Cette période est suivie, de 1966 à 1979, par la dictature du général Jean-Bedel Bokassa qui se couronne lui-même empereur en 1976. La république est rétablie en 1979.

Géographie : le pays se distingue principalement par un vaste plateau ondulé, peu élevé (500 à 1 000 m d'altitude). Le nord (savanes sèches et épineuses) fait partie du bassin du Tchad, tandis que le sud (forêts tropicales) appartient à celui du Congo.

République Démocratique du Congo (CD)

RÉP. DÉMOCRATIQUE DU CONGO
Capitale : Kinshasa
Situation : 6° N – 14° S ; 12° – 31° E
Superficie : 2 344 858 km²
Population : 60 millions
Densité de population : 26 hab./km²
Monnaie : 1 franc congolais (CDF) = 100 makuta
Langues : français (officielle), tshiluba, kikongo, lingala, kiswahili

Politique et population : le putsch de Mobutu Sésé Seko en 1965 a mis fin à cinq années de guerre civile. Son régime dictatorial est tombé en 1997 au profit du leader rebelle Kabila. La démocratisation n'est toujours pas intervenue. Le pays est avant tout peuplé de Bantous (Luba, Mongo, Kongo, Rwanda) majoritairement chrétiens. Il inclut aussi des populations oubanguiennes, nilotiques et pygmées.

Économie : la république démocratique du Congo est l'un des premiers exportateurs de cuivre, de diamants et de cobalt du monde, tandis que l'exploitation pétrolière prend une importance accrue. Néanmoins, en raison des dégradations et de la négligence, de nombreux sites d'extraction ne sont plus pleinement opérationnels. L'aide financière internationale est suspendue à cause de la poursuite de la guerre civile. La majorité de la population vit de l'agriculture. De petites exploitations subviennent aux besoins intérieurs. Les anciennes plantations coloniales produisent du café, du thé, du cacao, de l'huile de palme et du caoutchouc pour le marché mondial. En dépit des démentis officiels, le pays exporte également en grandes quantités des essences forestières tropicales rares.

Histoire : dès la préhistoire, la région est peuplée de Bantous, tandis que les Pygmées s'implantent dans la forêt tropicale. Les royaumes successifs qui apparaîtront ne se défendront que faiblement contre les négriers. En 1880, par l'entremise de l'explorateur Stanley, le roi des Belges Léopold II acquiert à titre privé le territoire. L'État ne reprend la colonie qu'en 1908, sous le nom de Congo belge. Six jours seulement après la déclaration d'indépendance en 1960, l'armée se révolte et la riche province du Katanga (plus tard Shaba) fait sécession. Elle est réintégrée en 1963, mais n'est toujours pas réellement pacifiée à l'heure actuelle.

Géographie : troisième État africain par la taille, l'ex-Zaïre dispose d'un couloir d'accès à l'Atlantique grâce à l'embouchure du fleuve Congo, étroite et parsemée de rapides infranchissables dans sa traversée de la dorsale guinéenne. Dans sa partie médiane, le fleuve draine un gigantesque bassin recouvert de forêts tro-

1 La mosquée en argile de la ville nigérienne d'Agadez se voit de très loin. Située en bordure d'une ancienne route caravanière qui reliait le Sahara au Sahel, cette ville était au XVe siècle le centre d'un important royaume touareg, le sultanat d'Agadez.

2 Babua, République Centrafricaine : une femme cueille des feuilles de manioc pour le repas. Le manioc est une denrée alimentaire de base en Afrique.

3 La rivière Nana Barya traverse la République Centrafricaine.

4 Parc national des Virunga en rép. démocratique du Congo, classé au patrimoine mondial de l'Unesco. Au premier plan, des Lobeliacée.

5 La préparation des repas est traditionnellement une tâche réservée aux femmes. Ici, elles pilent du maïs.

picales. Les collines et les plateaux qui l'entourent au sud et à l'est portent une végétation de savanes humides ou sèches. À l'est, le lac Kivu est dominé par le volcan Nyiragongo encore en activité (3 470 m). À quelque 250 km de distance, sur la rive nord du lac Édouard, se dresse le massif du Ruwenzori (5 119 m).

Rwanda (RWA)

RWANDA
Capitale : Kigali
Situation : 1° – 3° S ; 29° – 31° E
Superficie : 26 338 km²
Population : 8,7 millions
Densité de population : 330 hab./km²
Monnaie : 1 franc rwanda (RWF) = 100 centimes
Langues : français (officielle), kinyarwanda (nationale), kiswahili

Politique et population : Neuf ans après la fin d'une guerre civile très meurtrière, le Rwanda s'est doté en 2003 d'une nouvelle constitution qui préserve le régime présidentiel. Le conflit traditionnel opposant le peuple bantou des Hutu (85 %) et le peuple nilotique des Tutsi (14 %) a dégénéré en atrocités sans nom, entraînant l'exode de centaines de milliers de personnes. Les animistes cohabitent avec les catholiques qui représentent la moitié de la population.

Économie : le climat lié à l'altitude permet une agriculture intensive. Même les pentes les plus abruptes sont exploitées en raison de la richesse des sols volcaniques. L'économie dépend entièrement de l'exportation du café et du thé, mais les troubles incessants ont des effets négatifs sur la situation économique.

Histoire : l'oppression des Hutu, population agricole, commence au XVIe siècle avec l'arrivée des pasteurs tutsi. Les vieilles rivalités resurgissent à partir de 1962, au moment où l'ONU accorde son indépendance au pays jusque-là administré par la Belgique.

Géographie : le « pays des mille collines » est situé à l'est de la grande faille d'Afrique orientale et comprend le lac Kivu (1 460 m). S'élevant au-dessus des rives du lac, l'escarpement de la faille porte les régions bordières à plus de 3 000 m d'altitude. Au nord-est, le massif volcanique des Virunga (4 500 m) abrite les gorilles de montagne.

République démocratique de Congo						Station météorologique Kinshasa Altitude 358 m. Situation 04°20'S/15°16'E						
	Janv	Fév	Mars	Avril	Mai	Juin	Juil	Août	Sept	Oct	Nov	Déc
🌡°	26,0	26,2	26,7	26,8	26,0	23,4	22,0	23,3	25,6	26,2	26,1	25,9
🌡	31,0	31,0	31,0	32,0	30,0	28,0	27,0	28,0	30,0	30,0	30,0	30,0
🌡	22,0	22,0	22,0	22,0	22,0	19,0	17,0	18,0	20,0	22,0	22,0	22,0
☼	4	5	5	6	5	5	4	5	4	4	5	4
☂	10	10	13	15	11	1	0	1	4	11	16	14

Rwanda						Station météorologique Bujumbura (Burundi) Altitude 805 m. Situation 03°23'S/29°21'E						
	Janv	Fév	Mars	Avril	Mai	Juin	Juil	Août	Sept	Oct	Nov	Déc
🌡°	23,4	23,1	23,3	23,4	23,3	23,0	22,9	23,9	24,8	24,7	23,3	23,0
🌡	28,0	28,0	28,0	28,0	28,0	29,0	29,0	30,0	31,0	30,0	28,0	28,0
🌡	19,0	19,0	19,0	19,0	19,0	18,0	17,0	18,0	19,0	20,0	19,0	19,0
☼	5	5	6	5	6	8	9	8	7	6	4,7	5
☂	15	14	17	18	10	3	1	2	8	12	19	19

São Tomé et Principe						Station météorologique Libreville (Gabon) Altitude 12 m. Situation 00°27'N/09°25'E						
	Janv	Fév	Mars	Avril	Mai	Juin	Juil	Août	Sept	Oct	Nov	Déc
🌡°	26,7	26,6	26,8	27,2	26,7	25,3	24,3	24,9	25,6	26,0	25,6	26,3
🌡	30,0	31,0	31,0	31,0	30,0	29,0	28,0	28,0	29,0	29,0	30,0	30,0
🌡	24,0	23,0	23,0	23,0	24,0	23,0	22,0	22,0	23,0	23,0	23,0	24,0
☼	6	6	5	6	5	4	4	4	3	6	4	5
☂	14	15	17	19	15	3	<1	5	13	22	21	16
≈	26	27	28	28	28	26	25	24	24	25	26	27

Sénégal						Station météorologique Dakar Altitude 23 m. Situation 14°44'N/17°30'O						
	Janv	Fév	Mars	Avril	Mai	Juin	Juil	Août	Sept	Oct	Nov	Déc
🌡°	21,3	21,3	21,5	22,1	23,5	26,7	27,7	27,5	27,8	28,0	26,3	23,2
🌡	26,0	27,0	27,0	27,0	29,0	31,0	31,0	31,0	32,0	32,0	30,0	27,0
🌡	18,0	17,0	18,0	18,0	20,0	23,0	24,0	24,0	24,0	24,0	23,0	19,0
☼	7	9	9	10	8	7	7	7	7	7	7	7
☂	0	<1	<1	0	0	2	7	13	11	3	1	<1
≈	21	20	20	21	23	25	27	27	27	27	27	24

Seychelles						Station météorologique Victoria Altitude 5 m. Situation 05°00'S/55°40'O						
	Janv	Fév	Mars	Avril	Mai	Juin	Juil	Août	Sept	Oct	Nov	Déc
🌡°	28,0	29,0	29,0	30,0	29,0	28,0	26,0	26,0	27,0	27,0	27,0	27,0
🌡	28,0	29,0	29,0	30,0	29,0	28,0	26,0	26,0	28,0	28,0	29,0	28,0
🌡	24,0	25,0	25,0	25,0	25,0	25,0	24,0	24,0	24,0	24,0	24,0	24,0
☼	6	6	7	8	8	7	7	7	7	7	7	7
☂	15	10	11	10	9	9	8	7	8	9	12	15
≈	27	28	28	29	28	27	26	26	26	27	27	27

São Tomé e Principe (STP)

SAO TOMÉ ET PRINCIPE
Capitale : Sao Tomé
Situation : 0° – 2° N ; 7° – 8° E
Superficie : 964 km²
Population : 151 000
Densité de population : 157 hab./km²
Monnaie : 1 dobra (STD) = 100 centimos
Langues : portugais (officielle), crioulo

Politique et population : la constitution démocratique de 1990 instaure une assemblée parlementaire élue tous les quatre ans. L'ancien MLSTP marxiste s'est aujourd'hui transformé en un parti modéré. La population se compose essentiellement de Noirs (Forro, Angolar) et de métis.

Économie : les plantations, nationalisées, sont le pilier de l'économie nationale. À lui seul, le cacao représente aujourd'hui 80 % des exportations, mais il souffre d'une baisse des cours sur le marché mondial. L'huile de palme, le café et les bananes sont également cultivés pour l'exportation. L'industrie se limite à la transformation des produits agricoles.

Histoire : en 1471, des navigateurs portugais découvrent ces deux îles inhabitées du golfe de Guinée. Des plantations de canne à sucre sont installées au XVIe siècle par des forçats européens et des esclaves africains. Elles sont remplacées, aux XVIIIe et XIXe siècles, par des plantations de café et de cacao. La puissance coloniale portugaise s'est retirée en 1975.

Géographie : les deux îles, distantes de 130 km, reposent sur un soubassement volcanique. Tandis que sur Principe le sommet le plus élevé atteint à peine 948 m, le Pico de Sao Tomé dépasse les 2 000 m. Une forêt dense règne encore là où elle n'a pas cédé la place aux plantations.

Sénégal (SN)

SÉNÉGAL
Capitale : Dakar
Situation : 12° – 17° N ; 11° – 18° E
Superficie : 196 722 km²
Population : 11 millions
Densité de population : 56 hab./km²
Monnaie : 1 franc CFA (XOF) = 100 centimes
Langues : français, wolof (officielles), mandé, ful

Politique et population : depuis l'indépendance accordée par la France en 1960, la République présidentielle s'est développée dans une harmonie relative sous la direction du parti socialiste. Le conflit latent depuis 1979 au sujet de l'indépendance de la

Casamance, dans le sud du pays, devrait être résolu pacifiquement. Parmi les nombreux peuples du Sénégal se trouvent les Wolofs (majoritaires), les Peuls, les Sérères et les Toucouleurs. Essentiellement musulmans sunnites, ils comptent 10 % de catholiques.

Économie : la pêche en haute mer et la production d'arachides jouent un rôle économique important, ainsi que l'exploitation des phosphates et le tourisme.

Histoire : du IXᵉ au XVIIIᵉ siècle, divers royaumes s'érigent dans la région de l'actuel Sénégal, tour à tour dominés par les Toucouleurs, les Peuls et les Wolof. Au XVIIᵉ siècle, dans la foulée des Portugais, les Français prennent tout d'abord le contrôle de la côte puis de l'intérieur du pays à l'exception des rives du fleuve Gambie.

Géographie : la majeure partie du pays est constituée par la plaine côtière de Sénégambie. À l'est, les premiers contreforts du Fouta-Djalon forment des collines. Tandis que les mangroves et les forêts pluviales dominent sur la côte de la Casamance, la sécheresse s'accentue vers le nord et vers l'intérieur. Le baobab et l'*Acacia tortilis* caractérisent la savane arborée qui couvre une grande partie du pays.

Seychelles   (SY)

SEYCHELLES
Capitale : Victoria
Situation : 4° – 11° S ; 46° – 57° E
Superficie : 455 km²
Population : 84 000
Densité de population : 185 hab./km²
Monnaie : 1 roupie seychelloise (SCR) = 100 cents
Langues : créole, anglais (officielles), français

Politique et population : dans cette république présidentielle, membre du Commonwealth, la principale force politique est le parti socialiste. Le multipartisme est institué depuis 1991. Les Seychellois, à 90 % catholiques, se composent de Créoles (89 %), d'Indiens (5 %), de Malgaches (3 %) ainsi que de petites minorités asiatiques et européennes.

Économie : le tourisme est aujourd'hui l'activité économique la plus importante, mais il ne doit pas être développé davantage. La pêche et la transformation du thon sont également importantes. L'agriculture couvre une partie des besoins intérieurs, seul le coprah est exporté en quantités significatives.

Histoire : l'archipel reste inhabité jusqu'à ce que les Français s'y établissent en 1770, en compagnie d'esclaves africains. En 1804, les Britanniques prennent le contrôle des Seychelles qu'ils rattachent d'abord à Maurice avant d'en faire une colonie séparée (1903). Elles accèdent à l'indépendance en 1976.

Géographie : l'archipel se compose de 90 îles, la plupart inhabitées. L'île principale de Mahé a une superficie de 153 km². Reposant sur un plateau sous-marin, elle culmine à 905 m d'altitude. Les îles plus petites sont coralliennes.

Sierra Leone   (WAL)

SIERRA LEONE
Capitale : Freetown
LSituation : 7° – 10° N ; 10° – 13° O
Superficie : 71 740 km²
Population : 5 millions
Densité de population : 70 hab./km²
Monnaie : 1 leone (SLL) = 100 cents
Langues : anglais (officielle), mende, temne, krio

Politique et population : la caractéristique politique du pays est l'instabilité. Depuis le dernier coup d'État qui a eu lieu au printemps 1997, la Sierra Leone connaît de nouveau la guerre civile. Le calme n'a pas pu être rétabli en dépit de l'intervention de l'ECOMOG, une force de paix ouest-africaine. La population se compose d'une vingtaine d'ethnies. Les Mendé, animistes, dominent.

Économie : les richesses minières sont le fondement

Sénégal.

1 Lac Bulera, Rwanda : on y cultive le café, le thé, le millet, les pommes de terre et les bananes. En raison de la guerre civile commencée en 1963, l'agriculture du Rwanda n'est plus capable de nourrir la population.

2 Grand Anse sur l'île de Mahé aux Seychelles attire les visiteurs par ses formations rocheuses.

3 Pêcheurs sur la plage de Lumley, Sierra Leone.

4 Le lac Rose au nord de Dakar,

de l'économie. Les principaux produits d'exportation que sont les diamants, la bauxite et le titane, ne sont pourtant pas exploités autant qu'ils le pourraient. L'agriculture suffit à nourrir la majeure partie de la population. Au sud l'agriculture domine, au nord, l'élevage.

Histoire : la Sierra Leone (« montagne du Lion ») est découverte au XVe siècle par des navigateurs portugais, mais ce n'est qu'au XVIIe siècle que les premiers Européens s'établissent sur la côte. Le comptoir commercial de Freetown, fondé en 1792 par les Britanniques, devient une base navale à partir de 1806. Peu à peu, les Britanniques pénètrent dans l'intérieur du pays jusqu'à le contrôler entièrement en 1896. La Sierra Leone obtient son indépendance en 1961.

Géographie : la bande côtière de 40 km de large est marquée par une succession d'estuaires fluviaux, de lagunes et de marécages. Elle se poursuit par une zone monotone de collines qui s'élève vers les plateaux et montagnes du nord-est, à près de 2 000 m d'altitude. L'île la plus grande est Sherbro.

Soomaaliya (SP)

SOMALIE
Capitale : Mogadiscio
Situation : 2° – 12° N ; 41° – 51° E
Superficie : 637 657 km²
Population : 9,3 millions
Densité de population : 15 hab./km²
Monnaie : 1 shilling somalien (SOS) = 100 centesimi
Langues : somali (officielle), arabe, anglais, français, italien

Politique et population : en octobre 2004, le parlement de transition en exil élit un président qui forme

Sierra Leone

Station météorologique Freetown
Altitude 20 m. Situation 08°37'N/13°12'O

CLIMAT		Janv	Fév	Mars	Avril	Mai	Juin	Juil	Août	Sept	Oct	Nov	Déc
		27,0	27,5	27,7	27,7	27,3	26,5	25,6	25,2	25,9	26,4	27,0	27,0
		30,0	31,0	31,0	31,0	31,0	29,0	28,0	27,0	28,0	29,0	30,0	30,0
		23,0	23,0	24,0	25,0	24,0	23,0	23,0	23,0	23,0	22,0	23,0	23,0
	☼	8	8	8	7	6	5	3	2	4	6	7	7
		1	1	2	5	13	20	25	24	23	19	11	5
	≈	27	27	28	28	28	27	27	27	27	27	27	27

Somalie

Station météorologique Mogadiscio
Altitude 17 m. Situation 02°02'N/45°21'E

CLIMAT		Janv	Fév	Mars	Avril	Mai	Juin	Juil	Août	Sept	Oct	Nov	Déc
		26,4	26,7	27,8	28,9	28,3	26,4	25,6	25,6	26,1	27,2	27,2	27,0
		30,0	30,0	31,0	32,0	31,0	30,0	29,0	29,0	29,0	30,0	31,0	31,0
		23,0	23,0	25,0	26,0	25,0	24,0	23,0	23,0	23,0	24,0	24,0	23,0
	☼	9	9	9	9	9	7	7	8	9	9	9	8
		0	0	1	5	7	13	13	10	5	4	4	2
	≈	26	27	28	28	28	28	27	26	26	26	26	26

Afrique du Sud

Station météorologique Le Cap
Altitude 17 m. Situation 33°54'S/18°32'E

CLIMAT		Janv	Fév	Mars	Avril	Mai	Juin	Juil	Août	Sept	Oct	Nov	Déc
		21,2	21,5	20,3	17,5	15,1	13,4	12,6	13,2	14,5	16,3	18,3	20,0
		26,0	26,0	25,0	22,0	19,0	18,0	17,0	18,0	19,0	21,0	23,0	25,0
		16,0	16,0	14,0	12,0	10,0	8,0	7,0	8,0	9,0	11,0	13,0	11,0
	☼	11	11	9	7	6	6	6	7	8	10	11	11
		2	2	3	6	9	9	10	10	7	5	3	2
	≈	18	19	19	18	17	16	15	14	15	16	17	18

Station météorologique Kimberley
Altitude 1197 m. Situation 28°48'S/24°46'E

CLIMAT		Janv	Fév	Mars	Avril	Mai	Juin	Juil	Août	Sept	Oct	Nov	Déc
		24,8	23,7	21,7	18,0	14,0	10,6	10,3	13,2	16,6	20,2	22,0	24,1
		40,0	38,0	36,0	34,0	30,0	28,0	26,0	31,0	34,0	38,0	39,0	39,0
		6,0	6,0	5,0	-1,0	-5,0	-7,0	-7,0	-6,0	-4,0	-1,0	2,0	6,0
	☼	9,7	9,5	8,9	9	8,6	8,8	9	9,7	9,7	9,7	10,2	10,5
		6	9	8	5	3	1	1	1	4	5	6	6

un gouvernement basé au Kenya. En 2006, l'Ethiopie lance une intervention, dénoncée par l'U.E., et la guerre civile se poursuit. Les tribus somalies constituent 95 % de la population avec des minorités bantoues et arabes. La structure sociale est caractérisée par le tribalisme. L'islam est la religion d'État.

Économie : le nomadisme pastoral est le mode de vie d'une grande partie de la population. Tout comme l'agriculture d'importance modeste, il est régulièrement menacé par la sécheresse. La guerre civile a détruit la presque totalité des infrastructures.

Histoire : les Arabes contrôlent la région côtière depuis le IXe siècle. Au XIXe siècle, l'Égypte, le sultan de Mascate et le sultan de Zanzibar s'attribuent respectivement le nord, le nord-est et le sud-est du littoral. L'impérialisme européen leur succédera lors des conquêtes italienne (1889), britannique (1887) et même française (Djibouti, 1883). Après l'indépendance (1960), un mouvement pan-somalien réclame l'annexion de régions frontalières de l'Éthiopie et du Kenya. La réconciliation avec les pays voisins (1967) est suivie à partir de 1991 par une guerre civile. Une conférence pour la paix est organisée entre 2002 et 2004.

Géographie : la plaine côtière, étroite au nord, s'élargit pour pénétrer loin à l'intérieur des terres au sud. Au nord, des montagnes dépassent 2 400 m d'altitude. Le climat est chaud et sec.

South Africa / Suid Afrika (ZA)

AFRIQUE DU SUD
Capitale : Pretoria
Situation : 22° – 35° S ; 17° – 33° E
Superficie : 1 221 037 km²
Population : 47,4 millions
Densité de population : 39 hab./km²
Monnaie : 1 rand (ZAR) = 100 cents
Langues : afrikaans, anglais (officielles), bantoues et indiennes, dialectes africains

Politique : l'Afrique du Sud traverse une période de profonde transformation politique. La fin des années 1980 voit l'abrogation des plus importantes lois de l'apartheid. En 1992, les Noirs obtiennent pour la première fois le droit de participer au gouvernement. Le 8.5.1996 une nouvelle constitution entre en vigueur, contribuant à cimenter la nouvelle démocratie. Le pouvoir législatif est divisé entre une assemblée nationale et un sénat. Le président, élu par l'assemblée nationale, est à la fois le chef de l'État et le chef du gouvernement. La fin du régime de l'apartheid a conféré à l'Afrique du Sud un plus grand poids sur la scène politique internationale.

Population : les Noirs (Zoulous, Xhosa, Sotho du Nord, Tswana, etc.) représentent les trois quarts de la population, les Blancs 13 %, les métis (coloured) 9 % et les Asiatiques 2,5 %. La majeure partie des habitants (67 %) est chrétienne, de différentes obédiences. Outre les religions coutumières, l'islam et le judaïsme sont des minorités significatives.

Économie : l'Afrique du Sud est l'État d'Afrique le plus développé économiquement. L'agriculture est différenciée en termes géographiques et structurels. Tandis que les grandes exploitations mécanisées des Blancs produisent pour le marché, les petites fermes des Noirs vivent en autosuffisance. Les principales cultures sont les céréales, les pommes de terre, les légumes et la canne à sucre. L'élevage extensif des bovins, des moutons et des chèvres est important. Vergers et vignobles confèrent à la province du Cap, au sud, son originalité. L'Afrique du Sud a une importance mondiale pour la production de l'or, des diamants, du platine, de l'uranium, du chrome, du manganèse, du vanadium, de l'antimoine et de l'amiante. La richesse de ses ressources minières ainsi que la présence de charbon et de sources d'énergie ont permis le développement d'une industrie diversifiée. Le tourisme, activité économique importante, est en recul en raison de la hausse de la criminalité.

Communications : l'Afrique du Sud dispose d'un réseau routier de bonne qualité. Routes, chemin de fer et aéroports permettent de relier les centres les plus importants de l'intérieur du pays et à l'étranger.

Médias : les organes d'information sont bien développés. Le pays compte 17 quotidiens avec un tirage total de près de 1,3 million d'exemplaires.

Histoire : lorsque Jan van Riebeck mouille dans la baie de l'actuelle ville du Cap en 1652, il fait la rencontre de plusieurs peuples bantous, ainsi que des Khoï (Hottentots) et des Bochimans. Les colons venus des Pays-Bas, d'Allemagne et de France les repoussent dans un premier temps, avant de se heurter aux Xhosa à l'intérieur du pays, contre lesquels ils mènent neuf guerres entre 1779 et 1879. Les descendants des colons blancs, les Boers, ont développé une langue propre : l'afrikaans. En 1795, les Britanniques occupent Le Cap puis étendent leur empire. Pour échapper à leur domination, quelque 6 000 Boers entament le « Grand Trek » vers le Nord-Est. Ils en chassent les Zoulous et fondent la république boer du Natal (1838), l'État libre d'Orange (1854) et le Transvaal (1852). La Grande-Bretagne tente d'annexer ces trois républiques bien avant la découverte des mines d'or et de diamants. Elle y parvient finalement en remportant la guerre des Boers (1899-1902). En 1910, toutes les colonies sont réunies sous le nom d'Union sud-africaine et forment désormais un dominion. À partir de 1911, le pays est dirigé par la minorité blanche avec l'aide de lois favorisant la discrimination raciale. Après la Seconde Guerre mondiale, l'apartheid se durcit avec l'obligation d'une séparation physique et politique totale des races. La résistance tout d'abord passive, puis active des Noirs se développe. En 1994, après 342 ans, la domination des Blancs en Afrique du Sud prend fin. Après 28 ans d'emprisonnement, Nelson Mandela, leader de l'ANC (African National Congress) devient le premier président noir de la République.

Culture : les différentes ethnies noires ont en partie gardé leurs traditions. Néanmoins, le travail de nombreux Noirs dans l'industrie et les mines modifie leur mode de vie, leur habillement et leur statut économique.

Géographie : en arrière d'une étroite plaine côtière allongée sur près de 3 000 km, le relief s'élève abruptement par le « Grand Escarpement » qui débouche sur une région intérieure de hauts plateaux, entre 1 000 et 1 400 m. Seules quelques chaînes et inselbergs isolés accidentent ces plateaux arrosés par l'Orange (2 092 km) à l'ouest et le Limpopo à l'est. Au nord-ouest, le relief descend progressivement vers le bassin du Kalahari, tandis qu'à l'est, les montagnes du Drakensberg atteignent 3 000 m d'altitude. Essentiellement tropicales, les précipitations diminuent d'est en ouest. La végétation va des vestiges d'une forêt tropicale près de l'océan Indien aux vastes prairies des hauts plateaux, en passant par les savanes épineuses du nord et le désert du Kalahari dans l'État d'Orange.

Swaziland (SD)

SWAZILAND
Capitale : Mbabane
Situation : 26° – 27° S ; 31° – 32° E
Superficie : 17 364 km²
Population : 1,1 million
Densité de population : 63 hab./km²
Monnaie : 1 lilangeni (SZL) = 100 cents
Langues : siswati (officielle), anglais

Politique et population : le pays est une monarchie absolue dans laquelle le roi gouverne réellement. Une nouvelle constitution, en vigueur depuis janvier 2006, renforce les pouvoirs du roi. Le Parlement n'a qu'un rôle consultatif. Les partis sont interdits. La population est constituée à 95 % de Swazi, en grande majorité chrétiens.

1 De nombreux voyageurs tiennent Le Cap pour la plus belle ville du monde. Cette vue de la ville est impressionnante. L'escalade de la montagne de la Table prend au moins quatre heures. La récompense est un panorama extraordinaire.

2 Dans un parc de Johannesburg, l'ombre des jacarandas invite à flâner. En 1891, Johannes Rissik et Christian Joubert trouvèrent de l'or dans le gisement de Witwatersrand sur lequel ils fondèrent la ville, aujourd'hui la plus grande cité d'Afrique australe.

3 Les Massaïs vivent dans le nord de la Tanzanie. Ce sont des éleveurs semi-nomades, dont les pâturages ne cessent de se réduire au profit de l'agriculture. Leurs fiers guerriers se nomment eux-mêmes Ilmurran.

4 Les girafes qui atteignent 6 mètres de hauteur ont une prédilection pour la savane arborée et le bush qu'elles investissent jusqu'à 2 000 mètres d'altitude.

Économie : grâce à la richesse en diamants et en charbon de son sous-sol, ainsi qu'à la fertilité de ses sols, le Swaziland est l'un des États les plus riches d'Afrique noire. De grandes exploitations qui appartiennent souvent à des Blancs, produisent du sucre, des agrumes, des ananas et du coton pour le marché intérieur, tandis que les petits fermiers vivent en autosuffisance. Produits alimentaires et industriels sont exportés vers l'Afrique du Sud.

Histoire : initialement peuplée de Bochimans, la région de l'actuel royaume est envahie au début du XIXᵉ siècle par le peuple bantou des Swazi, lui-même en fuite devant les Zoulous. Le Swaziland est placé sous protectorat britannique en 1902 avant d'obtenir son indépendance en 1968.

Géographie : le relief s'étage en trois paliers entre le « Grand Escarpement » à l'ouest et les plaines du Mozambique à l'est : le haut Veld montagneux de 1 000 à 1 800 m, le moyen Veld de 700 à 800 m et le bas Veld dont les plaines ne dépassent pas 200 à 300 m d'altitude.

Tanzania

TANZANIE
Capitale : Dodoma
Situation : 1° – 12° S ; 29° – 40° E
Superficie : 945 087 km²
Population : 38,4 millions
Densité de population : 41 hab./km²
Monnaie : 1 shilling tanzanien (TZS) = 100 cents
Langues : kiswahili (officielle), anglais, dialectes bantous et nilotiques

Politique et population : les premières élections libres (annulées pour fraude), en 1995, ont été remportées à une large majorité par le CCM (parti socialiste de la révolution) de l'ancien président Julius Nyerere, mort en 1999 à l'âge de 77 ans. L'île autonome de Zanzibar a été rattachée à la république fédérale de Tanzanie par un traité d'Union. Avec 60 % de la population, les Bantous représentent la majorité d'une population comprenant quelque 120 groupes ethniques différents, dont les Massaï, les Swahili ou les Arabes.

Économie : la libéralisation de l'économie est amorcée depuis les années 1980. L'agriculture produit pour le marché intérieur et pour l'exportation (café, coton, noix de cajou). L'industrie transforme essentiellement des produits agricoles.

Histoire : l'époque médiévale voit l'arrivée successive de populations bantoues, hamitiques et arabes. Les Portugais s'installent sur la côte à partir de 1500 jusqu'à ce que le sultan de Mascate en prenne le contrôle vers 1840. En 1891, l'intérieur du pays passe sous protectorat allemand tandis que Zanzibar devient protectorat britannique en 1890. Placée sous mandat britannique après la Première Guerre mondiale, la Tanzanie (ex-Tanganyika) obtient son indépendance en 1961.

Géographie : le vaste plateau central (1 000 à 1 400 m) est limité à l'est par une faille qui le sépare de la plaine côtière. Vers l'ouest, le relief s'incline en direction du bassin compris entre les lacs Victoria et Tanganyika. Au nord-est, le Kilimandjaro (5 895 m), avec ses neiges éternelles, est le plus haut sommet de toute l'Afrique. Les savanes et les steppes du parc national de Serengeti s'étendent sur 12 000 km² et abritent 1 million de grands animaux sauvages.

Tchad

TCHAD
Capitale : N'Djaména
Situation : 8° – 24° N ; 14° – 24° E
Superficie : 1 284 000 km²
Population : 7,6 millions
Densité de population : 6 hab./km²
Monnaie : 1 franc CFA (XAF) = 100 centimes
Langues : français (officielle), arabe, sara, baguirmi

Politique et population : depuis l'entrée en vigueur de la nouvelle constitution en été 1996, la démocratisation n'a que peu progressé. Des conflits permanents opposent les peuples soudanais, les Arabes, les Haoussa, les Toubous et les Kanuri. Il s'y ajoute la séparation entre musulmans et chrétiens.

Économie : des guerres civiles récurrentes ont ravagé l'économie de cet État qui compte parmi les plus pauvres d'Afrique. L'agriculture n'est possible que sur 5 % du territoire, le reste ne permettant qu'un élevage nomade. Coton et arachides sont des produits d'exportation. La découverte de pétrole permet d'espérer un développement économique.

Histoire : la région de l'actuel Tchad faisait partie de l'empire de Kanem-Bornou, fondé au IXᵉ siècle et islamisé au XIᵉ siècle. La famille fondatrice, la dynastie des Saïf, reste au pouvoir jusqu'en 1800. Le Tchad devient une colonie française de la fin du XIXᵉ siècle jusqu'en 1960. La jeune république connaît sa première guerre civile en 1965. Depuis, les affrontements armés entre les musulmans du nord et la population noire du sud n'ont jamais vraiment cessé.

Swaziland						Station météorologique Maputo (Mozambique) Altitude 64 m. Situation 25°58'S/32°36'E						
		Janv	Fév	Mars	Avril	Mai	Juin	Juil	Août	Sept	Oct	Nov	Déc
C L I M A T	🌡	25,4	25,5	24,6	23,1	20,6	18,5	18,2	19,2	20,6	22,2	23,4	24,7
	🌡	30,0	30,0	30,0	29,0	27,0	25,0	25,0	26,0	27,0	28,0	28,0	30,0
	🌡	22,0	22,0	21,0	19,0	16,0	14,0	14,0	15,0	16,0	18,0	20,0	21,0
	☀	7	8	7	8	8	8	8	8	8	7	7	7
	⛆	9	8	9	5	3	2	2	2	3	5	7	9
	≈	27	27	26	25	24	23	23	23	23	23	24	25

Tanzanie						Station météorologique Dar es Salaam Altitude 14 m. Situation 06°50'S/39°18'E						
		Janv	Fév	Mars	Avril	Mai	Juin	Juil	Août	Sept	Oct	Nov	Déc
C L I M A T	🌡	27,8	28,0	27,5	26,4	25,6	24,4	23,6	23,6	23,9	25,0	26,1	27,2
	🌡	30,0	31,0	31,0	30,0	30,0	29,0	29,0	29,0	29,0	30,0	30,0	30,0
	🌡	25,0	25,0	24,0	23,0	22,0	20,0	19,0	19,0	19,0	20,0	22,0	24,0
	☀	8	9	7	5	6	8	8	8	8	8	9	9
	⛆	6	5	9	16	12	5	3	5	3	5	7	8
	≈	28	28	28	28	27	26	25	24	25	26	27	28

Tchad						Station météorologique N'Djaména Altitude 295 m. Situation 12°08'N/15°02'E						
		Janv	Fév	Mars	Avril	Mai	Juin	Juil	Août	Sept	Oct	Nov	Déc
C L I M A T	🌡	23,7	25,9	29,6	32,4	32,4	30,8	28,1	26,5	27,6	29,2	27,1	24,3
	🌡	34,0	36,0	39,0	41,0	40,0	38,0	34,0	31,0	33,0	37,0	37,0	34,0
	🌡	14,0	16,0	20,0	23,0	25,0	24,0	23,0	22,0	22,0	22,0	18,0	15,0
	☀	8	8	8	8	8	7	6	6	6	8	8	8
	⛆	<1	<1	<1	<1	<1	<1	0	<1	<1	<1	<1	0

						Station météorologique Faya-Largeau Altitude 233 m. Situation 18°00'N/19°10'E						
		Janv	Fév	Mars	Avril	Mai	Juin	Juil	Août	Sept	Oct	Nov	Déc
C L I M A T	🌡	20,9	22,8	26,1	30,5	33,5	34,3	34,0	33,2	33,2	30,3	25,4	21,7
	🌡	39,0	42,0	44,0	50,0	50,0	50,0	47,0	46,0	46,0	46,0	41,0	38,0
	🌡	4,0	5,0	8,0	11,0	18,0	16,0	15,0	17,0	17,0	12,0	8,0	6,0
	☀	9,3	10	9,7	9,8	10,3	10,6	10,8	10,3	10,1	10,3	10,1	9,4
	⛆	0	0	<1	0	<1	<1	1	2	<1	<1	0	0

Togo						Station météorologique Lomé Altitude 20 m. Situation 06°10'N/01°15'E						
		Janv	Fév	Mars	Avril	Mai	Juin	Juil	Août	Sept	Oct	Nov	Déc
C L I M A T	🌡	27,5	28,3	28,9	28,9	27,9	26,3	26,1	26,0	26,4	27,9	27,9	27,7
	🌡	29,0	30,0	30,0	30,0	29,0	27,0	27,0	27,0	27,0	29,0	29,0	29,0
	🌡	24,0	25,0	26,0	25,0	24,0	23,0	23,0	23,0	23,0	24,0	24,0	24,0
	☀	7	7	7	7	6	5	4	5	5	7	8	7
	⛆	1	1	5	5	8	14	9	6	6	6	3	1
	≈	27	27	28	28	28	27	25	24	25	26	27	27

Géographie : le bassin du Tchad, avec le lac éponyme, occupe le centre et l'ouest du pays. Il est bordé au sud par la dorsale guinéenne, à l'est par les massifs de l'Ennedi et de l'Ouaddaï, au nord par celui du Tibesti (3 415 m). La moitié nord du pays est désertique.

Togo (RT)

TOGO
Capitale : Lomé
Situation : 6° – 11° N ; 0° – 2° E
Superficie : 56 785 km²
Population : 6 millions
Densité de population : 106 hab./km²
Monnaie : 1 franc CFA (XOF) = 100 centimes
Langues : français (officielle), dialectes ewé et gur

Politique et population : depuis 1994, cette république présidentielle dispose d'un gouvernement librement élu et placé sous le contrôle d'un président aux pouvoirs étendus. La population se compose principalement d'ethnies soudanaises et voltaïques, parmi lesquelles les Ewé (40 %) et les Kabyé se disputent le pouvoir politique. Les animistes (60 %) l'emportent sur les chrétiens (30 %).
Économie : dans les années 1970, l'exploitation des phosphates avait lancé le Togo sur la voie du développement, mais la baisse des cours dans les années 1980 a finalement plongé le pays dans une grave crise économique. L'agriculture a alors pris de l'importance avec des produits d'exportation comme le café, le cacao et le coton.
Histoire : avant que le Togo ne devienne un protectorat allemand en 1884, il était sous le contrôle des royaumes voisins du Dahomey et des Ashanti. En 1914, les Anglais et les Français occupent la région dont ils se partagent l'administration sous mandat de la SDN jusqu'en 1960. Tandis que la partie française, à l'est, devient une république indépendante, la partie britannique est rattachée au Ghana.
Géographie : l'étroite bande côtière de 60 km de long, plantée de palmiers, est bordée par la fertile « terre de barre » qui cède la place à un plateau cristallin dominé à l'ouest par les monts du Togo (986 m). Tandis que des vestiges de la forêt tropicale ont survécu en altitude, la savane devient de plus en plus sèche en allant vers le nord.

Tunisiyah / Tunisie (TN)

TUNISIE
Capitale : Tunis
Situation : 30° – 37° N ; 8° – 12° E
Superficie : 163 610 km²
Population : 10 millions
Densité de population : 61 hab./km²
Monnaie : 1 dinar tunisien (TND) = 1000 millimes
Langues : arabe littéraire (officielle), arabe tunisien (dialecte), français

Politique et population : d'après la constitution de 1959, la Tunisie est une république présidentielle dont le président détient des pouvoirs très étendus. L'Assemblée nationale compte 163 membres. Arabes et Berbères arabisés représentent 98 % de la population. La religion d'État est l'islam.
Économie : de nombreuses petites et moyennes entreprises transforment les produits alimentaires destinés à l'exportation. La pêche des anchois, des sardines et du thon est une activité importante. Le pays exporte également des éponges. Le sous-sol, riche en minerais, produit du fer, du zinc, des phosphates, du pétrole et du gaz naturel. C'est le tourisme qui fournit le plus de devises.
Histoire : en 1100 av. J.-C., les Phéniciens installent les premiers comptoirs commerciaux. La ville de Carthage, fondée en 814, devient rapidement une

1 Au pied du massif du Kilimandjaro, au sommet enneigé, s'étend le parc national d'Amboseli, superbe réserve animalière.

2 Les cases des fiers Massaïs sont traditionnellement recouvertes d'un mélange de bouse et d'argile.

3 Eléphants d'Afrique (*Loxodonta africana*) en quête de nourriture. Compte tenu de leurs importants besoins alimentaires et du faible rendement de leur métabolisme digestif, ces animaux qui vivent en troupeaux passent l'essentiel de leur journée à manger.

4 Hammamet est la station balnéaire la plus ancienne de Tunisie. Elle a conservé sa vieille ville, la médina.

grande puissance. Elle est détruite par les Romains à l'issue des trois guerres puniques. La conquête arabe au VIIᵉ siècle entraîne l'islamisation du pays. Au XVIᵉ siècle, la Tunisie est conquise par les Ottomans. Le pays devient un protectorat français en 1881 et obtient son indépendance en 1956 sous l'impulsion d'Habib Bourguiba.

Géographie : le nord-ouest est dominé par la chaîne de l'Atlas, bordée au sud et à l'est par de vastes plaines côtières et intérieures. Le Sud, désertique, appartient au Sahara. Le climat va du méditerranéen à l'aride. Au sud, cours d'eau et lacs s'assèchent en été, laissant de vastes plaques de sel en surface. Les forêts, très dégradées, ont souvent fait place à des maquis, voire à des steppes.

Tunisie — Station météorologique Tunis
Altitude 3 m. Situation 36°50'N/10°14'E

	Janv	Fév	Mars	Avril	Mai	Juin	Juil	Août	Sept	Oct	Nov	Déc
	10,2	10,9	12,6	15,1	18,4	22,8	25,6	26,2	23,9	19,6	15,2	11,6
	15,0	16,0	18,0	21,0	23,0	29,0	32,0	32,0	29,0	25,0	20,0	16,0
	7,0	8,0	9,0	11,0	14,0	18,0	20,0	21,0	20,0	16,0	12,0	8,0
	5	6	7	8	10	11	12	11	9	7	6	5
	13	9	9	7	5	3	1	2	5	8	10	13
	15	14	14	15	17	20	23	25	24	22	19	16

Station météorologique Gafsa
Altitude 313 m. Situation 34°25'N/08°49'E

	Janv	Fév	Mars	Avril	Mai	Juin	Juil	Août	Sept	Oct	Nov	Déc
	9,1	10,6	13,9	17,8	22,2	26,7	29,7	29,4	25,8	20,8	14,7	9,7
	25,0	29,0	37,0	35,0	40,0	45,0	44,0	46,0	42,0	39,0	30,0	25,0
	-6,0	-4,0	1,0	3,0	8,0	11,0	15,0	16,0	11,0	5,0	-1,0	-4,0
	6,8	8	8	8,6	10,2	10,2	11,8	11,5	9,5	7,9	7,3	6,8
	3	3	4	3	2	1	1	1	2	3	3	3

Ouganda — Station météorologique Entebbe
Altitude 1146 m. Situation 00°03'N/32°27'E

	Janv	Fév	Mars	Avril	Mai	Juin	Juil	Août	Sept	Oct	Nov	Déc
	21,9	22,0	22,0	21,6	21,3	21,0	20,5	20,6	21,0	21,5	21,5	21,5
	27,0	27,0	27,0	26,0	26,0	25,0	25,0	25,0	26,0	26,0	26,0	26,0
	17,0	17,0	18,0	18,0	18,0	17,0	17,0	16,0	16,0	17,0	17,0	17,0
	8	7	7	6	6	6	6	7	7	6	7	7
	9	9	15	22	17	11	10	9	9	13	14	14

Zambie — Station météorologique Lusaka
Altitude 1274 m. Situation 15°25'S/28°19'E

	Janv	Fév	Mars	Avril	Mai	Juin	Juil	Août	Sept	Oct	Nov	Déc
	21,4	21,7	21,1	20,6	18,6	16,4	16,1	18,3	22,0	24,4	23,3	22,0
	26,0	26,0	26,0	26,0	25,0	23,0	23,0	26,0	29,0	31,0	29,0	27,0
	17,0	17,0	16,0	15,0	12,0	10,0	10,0	12,0	15,0	18,0	18,0	17,0
	5	5	7	9	9	9	9	9	10	10	9	6
	17	16	10	2	0	0	0	0	0	2	8	16

Zimbabwe — Station météorologique Harare
Altitude 1470 m. Situation 17°50'S/31°01'E

	Janv	Fév	Mars	Avril	Mai	Juin	Juil	Août	Sept	Oct	Nov	Déc
	20,8	20,5	20,0	18,7	16,0	13,8	13,6	15,6	18,9	21,5	21,5	20,8
	26,0	26,0	26,0	25,0	23,0	21,0	21,0	23,0	27,0	29,0	27,0	26,0
	16,0	16,0	14,0	12,0	9,0	7,0	7,0	8,0	12,0	15,0	15,0	16,0
	6	6	7	8	9	8	9	9	9	9	7	6
	15	13	9	4	2	1	0	1	4	10	14	

Station météorologique Kasama
Altitude 1382 m. Situation 10°13'S/31°08'E

	Janv	Fév	Mars	Avril	Mai	Juin	Juil	Août	Sept	Oct	Nov	Déc
	20,3	20,8	20,8	20,7	19,4	17,2	17,0	18,7	21,6	23,6	22,7	21,2
	31,0	30,0	30,0	29,0	29,0	28,0	29,0	33,0	34,0	35,0	35,0	33,0
	14,0	13,0	13,0	11,0	7,0	4,0	4,0	3,0	6,0	12,0	13,0	14,0
	4,1	4,2	5,4	7,8	9,1	9,7	10,2	10,0	9,5	8,5	7,3	7,1
	21	19	18	7	1	0	0	0	0	2	13	19

Uganda (EAU)

OUGANDA
Capitale : Kampala
Situation : 1° S – 4° N ; 29° – 35° E
Superficie : 241 038 km²
Population : 27 millions
Densité de population : 112 hab./km²
Monnaie : 1 shilling ougandais (UGX) = 100 cents
Langues : anglais, kiswahili (officielles), dialectes bantous

Politique et population : l'adoption d'une nouvelle constitution en 1995 a engagé cette république présidentielle sur la voie de la démocratisation. Les Bantous (dont 28 % de Ganda) constituent la moitié de la population. Le reste se divise entre les groupes nilotiques et soudanais. Aux chrétiens qui sont fortement représentés (40 % de catholiques et 25 % de protestants anglicans) s'ajoutent 5 % de musulmans et des animistes. La population vit essentiellement dans les campagnes, comme en atteste un taux d'urbanisation de 15 % seulement.

Économie : 80 % de la population vit de l'agriculture. Le café, le thé et le coton comptent parmi les produits d'exportation les plus importants. Les richesses minières ne sont que peu exploitées, et l'industrie n'existe que sous une forme embryonnaire. Les actes de terrorisme de 1998/1999 ont mis un frein au développement touristique, précédent pourvoyeur de devises.

Histoire : le royaume du Buganda fondé par les Gandas au XVIIᵉ siècle atteint son apogée pendant la seconde moitié du XIXᵉ siècle. En 1890, après un bref épisode allemand, l'Ouganda devient un protectorat britannique et le restera jusqu'en 1962. Une intervention de l'armée tanzanienne met un terme au régime de terreur instauré par Idi Amin Dada (1971-1979). Après une décennie de troubles, la paix intérieure est rétablie à partir de 1990, au prix d'un véritable pluralisme.

Géographie : encadrant une vaste cuvette centrale, le massif du Ruwenzori (5 109 m) est associé à une branche occidentale de la Rift Valley, tandis que le volcan de l'Elgon (4 321 m) se dresse au-dessus de sa branche orientale.

Zambia (Z)

ZAMBIE
Capitale : Lusaka
Situation : 8° – 18° S ; 22° – 33° E
Superficie : 752 618 km²
Population : 10,2 millions
Densité de population : 14 hab./km²
Monnaie : 1 kwacha (ZMK) = 100 ngwee
Langues : anglais (officielle), dialectes bantous

Politique et population : le multipartisme est autorisé depuis 1990. Les élections libres de 1991 et de 1996 confirment la réalité du système démocratique de cette république présidentielle. La population se compose de quelque 70 groupes ethniques. 72 % des habitants sont chrétiens, 27 % animistes. Il existe en outre de petites minorités musulmane et hindouiste. Le taux d'urbanisation est de 40 % environ.

Économie : sur les quelque 7 % de terres arables, les paysans zambiens cultivent du maïs, du manioc, du riz, des patates douces, des arachides et des haricots.À l'horizon 2010, les mines de cuivre, importante source de devises, seront épuisées ; l'exploitation du zinc, du plomb, de l'argent, de l'or et du charbon prendra le relais. L'énergie hydraulique et la privatisation des entreprises d'État devraient contribuer à la stabilisation de l'économie. La privatisation des mines de cuivre a été achevée en 2000.

Histoire : du XVIIᵉ siècle au milieu du XIXᵉ siècle, la région de l'actuelle Zambie connaît plusieurs vagues d'immigration. L'influence britannique ne cesse d'augmenter à partir de la découverte des chutes Victoria par David Livingstone, en 1855. Tout d'abord propriété d'une entreprise privée, la région appelée Rhodésie du Nord passe plus tard sous protectorat britannique puis sous statut colonial en 1924. Après l'échec de la tentative d'unification forcée avec la Rhodésie du Sud (Zimbabwe) et le Nyassaland (Malawi), la Zambie obtient son indépendance en 1964. Fort d'une tradition millénaire, l'artisanat local (objets usuels et religieux en bois sculpté, masques) sont d'une grande qualité.

Géographie : depuis le Zambèze, qui marque la frontière sud du pays, le relief s'élève progressivement vers le nord pour atteindre 1 500 m d'altitude. Les hauts plateaux sont dominés par des inselbergs et des massifs montagneux qui culminent à plus de 2 100 m dans les monts Makutu, à l'extrême nord-est du pays. La Zambie jouit d'un climat tropical tempéré par l'altitude.

Zimbabwe

ZIMBABWE
Capitale : Harare
Situation : 15° – 22° S ; 25° – 33° E
Superficie : 390 759 km²
Population : 12 millions
Densité de population : 31 hab./km²
Monnaie : 1 dollar Zimbabwe (ZWD) = 100 cents
Langues : anglais (officielle), fanagalo, dialectes bantous

Politique et population : cette république présidentielle subit à l'heure actuelle la dictature d'un président omniprésent. La spoliation par l'État des grands propriétaires agricoles blancs suscite la critique internationale. En 2002, suite à la réélection de Mugabe à la tête du pays, tous les fermiers blancs sont expropriés et leurs terres distribuées à des proches du régime. Les Bantous (Shona 70 %, Ndébélé 16 %) constituent la majorité de la population.

Économie : outre l'exploitation minière (or, chrome, nickel, cuivre, fer, charbon), le Zimbabwe dispose également d'une industrie de transformation bien développée. La production agricole est dominée par le café et le coton suivis du tabac. Le Zimbabwe est le troisième exportateur de tabac dans le monde. Le pays bénéficie d'une bonne infrastructure.

Histoire : plusieurs puissants royaumes bantous se succèdent dans la région avant qu'elle ne passe sous influence britannique à partir de 1888, grâce à Cecil Rhodes, et ne devienne protectorat britannique en 1891. La Rhodésie du Sud devient une colonie en 1923, avec un gouvernement aux mains des seuls Blancs. En 1965, celui-ci déclare unilatéralement son indépendance qui n'est pas reconnue par le reste des nations. Après plusieurs années de guerre, le Zimbabwe obtient finalement sa souveraineté en 1980.

Géographie : la partie centrale du pays est constituée d'un haut plateau vallonné, compris entre 1 000 et 1 700 m d'altitude. Il s'incline au sud vers le Limpopo, au nord vers le Zambèze, qui se jette dans le lac Kariba (280 km de long). À l'exception de l'est du pays, recouvert de forêts tropicales denses, le Zimbabwe est dominé par une forêt sèche et clairsemée qui évolue au sud-ouest en savane à épineux. En dehors de la saison des pluies qui dure de novembre à mars, les précipitations sont quasi inexistantes.

Culture : Zimbabwe est également le nom d'une forteresse en ruine, ancienne résidence d'un roi vénéré à l'égal d'un dieu. Une grande muraille circulaire enferme les vestiges de cette construction. L'oiseau qui figure sur le drapeau national s'inspire d'un motif découvert sur ce site.

1 Le mont Stanley (5 091 m) dans le parc national du Ruwenzori, dans l'ouest de l'Ouganda.

2 C'est le Dr Livingstone, missionnaire, médecin et grand explorateur de l'Afrique, qui a découvert les célèbres chutes Victoria.

3 Avec ses 2 600 km, le Zambèze est le plus long fleuve de l'Afrique australe.

4 Le Zimbabwe est surtout connu pour les chutes Victoria. Ce village pittoresque, avec ses huttes rondes traditionnelles, est situé à proximité.

Zimbabwe   221

Amérique du Nord et Amérique centrale
Le *melting-pot* des peuples

Voici plus de 40 000 ans, des groupes nomades venus d'Asie par le détroit de Béring atteignaient le continent américain. Pourtant, c'est avec la « re-découverte » des Amériques par Christophe Colomb au xvᵉ siècle que commença la colonisation du continent par les Espagnols, auxquels Français et Anglais emboîtèrent le pas. Les Européens introduisirent l'économie de plantation et firent venir des esclaves africains et des Indiens sur leurs exploitations. Au xixᵉ siècle, des millions d'Européens, Irlandais en tête, affluèrent aux États-Unis et au Canada. Aujourd'hui, ce sont des milliers de Mexicains qui entrent illégalement aux États-Unis. De nombreuses caractéristiques sociales de ce continent, telles que la division linguistique au Canada, la prédominance des personnes de couleur dans les Caraïbes et le grand nombre de métis amérindiens au Mexique, s'expliquent par l'histoire de ce véritable *melting-pot* des peuples.

Antigua and Barbuda

ANTIGUA-ET-BARBUDA
Capitale : Saint John's
Situation : 17° N ; 62° O
Superficie : 442 km²
Population : 80 000
Densité de population : 181 hab./km²
Monnaie : 1 dollar Est Caraïbes (XCD) = 100 cents
Langues : anglais (officielle), créole

Politique et population : ces deux îles ont acquis leur indépendance au sein du Commonwealth en 1981. Le chef de l'État est le souverain britannique. Le Parlement est constitué à parité égale de 17 membres au Sénat et 17 députés à la Chambre des représentants. Les habitants s'appellent les Antiguais et Barbudiens. La grande majorité sont noirs ou métis ; les Blancs représentent environ 1 % de la population, dont un tiers environ vit dans la capitale Saint John's. Si la plupart des habitants sont anglicans, 10 % environ se déclarent catholiques. Avec un taux d'analphabétisme de 4 % seulement, le niveau d'éducation des deux îles est relativement élevé par rapport aux autres États de la zone caraïbe.
Économie : ce pays importe environ cinq fois plus de marchandises qu'il n'en exporte (essentiellement des produits pétroliers à destination des États-Unis, du Royaume-Uni et du Canada). Le déficit commercial exorbitant est atténué par le secteur du tourisme qui réalise près de 85 % du produit national brut (PNB). Pratiquement 80 % des actifs travaillent dans le secteur tertiaire.
Histoire : découverte dès 1493 par Christophe Colomb, Antigua ne fut colonisée par les Européens que 140 ans plus tard. Les Anglais y introduisirent des plantations de canne à sucre. Ils firent pour cela venir des esclaves d'Afrique. Sur la côte Sud fut construit en 1764 le port militaire d'English Harbour qui servait de base principale à la flotte britannique des Caraïbes. L'abolition de l'esclavage en 1834 ne change au départ pas grandchose pour les esclaves qui, faute de mieux, doivent continuer à travailler sur les plantations pour un salaire de misère. Entre 1871 et 1962, Antigua-et-Barbuda font partie de la colonie des îles Sous le Vent. En 1958, elles adhèrent à la fédération des Indes occidentales, qui est dissoute en 1962. En 1981, Antigua-et-Barbuda devient indépendante et adhère à l'Organisation des États de la Caraïbe occidentale (OECO).
Géographie : la majorité des îles Sous-le-Vent appartiennent géologiquement aux Petites Antilles calcaires et sont entourées de plages de sable. Tandis que l'intérieur des îles ne porte qu'une végétation maigre en raison du sous-sol perméable, le Sud se trouve dans une zone volcanique couverte d'une végétation tropicale dense. Barbuda est relativement inexploitée et possède une faune originale et variée.

Bahamas (BS)

BAHAMAS
Capitale : Nassau
Situation : 21 – 27° N ; 72 – 79° O
Superficie : 13 878 km²
Population : 303 700
Densité de population : 22 hab./km²
Monnaie : 1 dollar des Bahamas (BSD) = 100 cents
Langue : anglais

Politique et population : cet archipel aux îles éparses est depuis 1973 une monarchie constitutionnelle du Commonwealth britannique. Le Parlement reprend le modèle bicaméral anglais. Seulement 22 des nombreuses îles sont habitées. Plus des trois quarts des habitants sont noirs, le reste de la population se partageant à peu près à égalité entre métis et Blancs. L'éventail des religions représentées est large : des baptistes, anglicans et catholiques aux communautés juives ou musulmanes en passant par divers cultes animistes d'origine africaine.

Économie : sa législation bancaire et fiscale indulgente, qui ne prévoit d'impôts ni sur le patrimoine, ni sur les revenus, ni sur les capitaux, a fait des Bahamas un pays attractif pour les sociétés étrangères. Le tourisme, qui contribue pour moitié au PIB, est le secteur le plus important après celui du pétrole.
Histoire : le 12.10.1492, Christophe Colomb foula pour la première fois la terre américaine sur une île qu'il baptise San Salvador. Pour les Espagnols, les Bahamas ne furent au XVIᵉ siècle qu'un réservoir d'esclaves indiens. Après que les Espagnols eurent dépeuplé ces îles, les Britanniques s'y installèrent en 1629. Malgré des conflits avec les Américains et les Espagnols, à la fin du XIXᵉ siècle, les Britanniques restèrent seuls maîtres de l'archipel et en firent une colonie de la Couronne. Le 7 janvier 1964, les Bahamas obtiennent l'autonomie puis l'indépendance en 1973.
Géographie : les Bahamas se composent de 30 grandes îles, de 700 autres plus petites, voire minuscules, et de plus de 2 000 récifs coralliens. Formées de calcaires coralliens, elles sont peu fertiles. Leurs grottes sous-marines sont une attraction pour les plongeurs.

Barbados (BDS)

LA BARBADE
Capitale : Bridgetown
Situation : 13° N ; 60° O
Superficie : 430 km²
Population : 280 000
Densité de population : 651 hab./km²
Monnaie : 1 dollar de la Barbade (BBD)= 100 cents
Langues : anglais (officielle), bajan

Politique et population : le Parlement de cette monarchie constitutionnelle du Commonwealth comporte deux chambres : une Assemblée nationale de 28 membres élus tous les cinq ans et un Sénat de 21 membres nommés. Un Gouverneur général représente officiellement la Couronne britannique. Sur ce territoire insulaire densément peuplé, se mêlent Noirs (90 %), Blancs et métis.
Économie : le pays importe trois fois plus de biens qu'il n'en exporte. Ce déséquilibre découle en grande par-

Antigua-et-Barbuda — Station météorologique St. John's Altitude 0 m. Situation 17°06'N/61°51'O

CLIMAT		Janv	Fév	Mars	Avril	Mai	Juin	Juil	Août	Sept	Oct	Nov	Déc
	🌡	24,5	24,5	24,0	25,0	26,0	26,5	26,5	26,5	27,0	26,5	25,5	25,0
	🌡	27,0	27,0	27,0	28,0	29,0	29,0	29,0	29,0	30,0	30,0	28,0	27,0
	🌡	21,0	21,0	22,0	22,0	23,0	24,0	24,0	24,0	24,0	24,0	23,0	22,0
	☀	7	8	8	8	8	8	8	8	7	7	7	7
	☂	15	12	11	10	11	12	15	15	15	16	14	16
	≈	26	25	26	26	27	27	28	28	28	28	27	27

Bahamas — Station météorologique Nassau Altitude 3 m. Situation 25°03'N/77°28'O

CLIMAT		Janv	Fév	Mars	Avril	Mai	Juin	Juil	Août	Sept	Oct	Nov	Déc
	🌡	20,3	20,9	22,2	23,6	25,2	26,7	27,4	27,7	27,1	25,5	23,5	21,6
	🌡	25,0	25,0	26,1	27,2	28,9	30,6	31,1	31,7	31,1	29,4	27,2	26,1
	🌡	18,3	17,8	18,9	20,6	21,7	23,3	23,9	24,4	23,9	22,8	21,1	19,4
	☀	8	8	9	9	9	8	8	8	8	8	8	8
	☂	6	6	5	6	11	14	16	17	15	9	9	9
	≈	23	23	23	24	25	27	28	28	28	27	26	24

La Barbade — Station météorologique Bridgetown Altitude 55 m. Situation 13°08'N/59°36'O

CLIMAT		Janv	Fév	Mars	Avril	Mai	Juin	Juil	Août	Sept	Oct	Nov	Déc
	🌡	25,2	25,1	25,9	26,3	26,8	27,1	26,8	27,1	27,1	26,7	26,3	25,9
	🌡	28,3	28,3	29,4	30,0	30,6	30,6	30,0	30,6	30,6	30,0	29,4	28,3
	🌡	21,1	20,6	21,1	22,2	22,8	23,3	23,3	23,3	23,3	23,3	22,8	21,7
	☀	8	8	9	9	9	8	9	9	8	7	8	8
	☂	13	8	8	7	9	14	18	16	15	15	16	14
	≈	26	25	25	26	27	28	28	28	28	28	28	27

tie de la petitesse du territoire national et d'une dépendance historique envers la Grande-Bretagne et les États-Unis. Parmi les marchandises exportées, on trouve les produits agricoles comme le sucre et les autres dérivés de la canne à sucre, tel le rhum.

Histoire : les premiers colons européens à s'installer dans cette île jusque là inhabitée furent les Britanniques à partir de 1627. L'importance de cette colonie reposait alors sur la culture de la canne à sucre qui prospérait grâce à un impitoyable système esclavagiste. Les derniers esclaves furent libérés en 1838. Les troubles de la fin du xixᵉ siècle et de la Grande Dépression entraînèrent des réformes qui aboutirent en 1966 à l'indépendance.

Géographie : l'île la plus orientale des Petites Antilles repose sur la crête de la chaîne sous-marine des Bahamas. Un plateau de calcaires coralliens karstifiés constitue les quatre cinquièmes de l'île. Le sous-sol perméable empêche la formation de cours d'eau. Les précipitations abondantes assurent cependant l'approvisionnement en eau potable. Des barrières de corail bordent les îles.

Belize (BH)

BELIZE
Capitale : Belmopan
Situation : 16° – 18° N ; 87° – 89° O
Superficie : 22 965 km²
Population : 287 000
Densité de population : 12 hab./km²
Monnaie : 1 dollar bélizien (BZD) = 100 cents
Langues : anglais (officielle), espagnol, créole, maya

Politique et population : monarchie parlementaire du Commonwealth, le Belize est doté d'une Chambre des députés réunissant 28 membres et d'un Sénat de 11 membres. Avec seulement 260 000 habitants et une très faible densité de population, ce pays présente une grande diversité ethnique : Amérindiens (Mayas et Garifunas), parmi lesquels de plus en plus de mennonites, Créoles, métis et Noirs.

Économie : après le sucre et les agrumes, les produits de la pêche et de l'exploitation forestière jouent un rôle prépondérant dans l'exportation. Le secteur du tourisme, très prometteur, se développe depuis peu, notamment grâce aux 17 parcs nationaux.

Histoire : entre le ivᵉ et le xixᵉ siècle, bien avant que ne soient établies les frontières actuelles, cette région était occupée par les Mayas. Au xviᵉ siècle, s'y installèrent les premiers Britanniques. Le Mexique, le Guatemala et l'Espagne revendiquèrent ce no man's land, mais les Anglais s'imposèrent en 1862 et en firent une colonie : le Honduras britannique. Ce n'est qu'en septembre 1981 que le Belize fut déclaré indépendant.

Géographie : une côte marécageuse, avec ses fleuves puissants, ses mangroves denses et de nombreuses lagunes, occupe la majeure partie du territoire. La topographie ne s'élève que vers le sud sans dépasser les 1 122 m du Victoria Peak. De mai à juin, règne la saison des pluies alors que l'hiver est généralement très sec. Les innombrables *cayes*, îlots coralliens au large des côtes, constituent un paradis pour les plongeurs. Leurs rives sont ourlées de plages parsemées de cocotiers.

Canada (CDN)

CANADA
Capitale : Ottawa
Situation : 42° – 83° N ; 53° – 152° O
Superficie : 9 970 610 km²
Population : 32 millions
Densité de population : 3 hab./km²
Monnaie : 1 $ canadien = 100 cents
Langues : anglais, français

Politique : cet État fédéral est une démocratie parlementaire construite sur le modèle britannique. Il s'est doté d'une première constitution en 1867. Jusqu'en 1982, la Couronne anglaise avait un droit de regard sur toutes les décisions. Depuis, le Canada jouit d'une pleine souveraineté sur sa constitution et sa législation, bien qu'il fasse encore partie du Commonwealth et que son chef d'État soit donc officiellement le souverain britannique, représenté par un Gouverneur général. Le chef du gouvernement est le Premier ministre élu par la Chambre des communes. Le pouvoir législatif est partagé entre celle-ci et le Sénat fédéral. Ce dernier se compose de représentants des provinces. Les Communes réunissent 301 membres élus pour cinq ans. Le Canada compte 9 Provinces et 3 Territoires, le Yukon, les Territoires du Nord-Ouest et le Nunavut, au nord-est de la région arctique, créé en 1999. Les Provinces disposent de leur propre parlement, d'un gouvernement et d'une grande autonomie politique. Le gouvernement fédéral gère directement les Territoires (sauf le Nunavut), qui ne sont que faiblement peuplés.

Population : les quelque 30 millions d'habitants descendent à 98 % d'immigrés européens ; les Amérindiens et les Inuit (Esquimaux) représentent 2 %. Environ les deux tiers des Canadiens parlent anglais, et un quart, le français, les deux langues officielles du pays ; 45 % sont catholiques et environ 36 %, protestants.

Économie : le Canada possède un sol et un sous-sol riches et des forêts immenses. Les deux tiers du PIB proviennent du tertiaire ; 30 %, de la production industrielle et le reste, de l'agriculture et de l'exploitation forestière. Bien que 9 % seulement de la superficie soient cultivables, le Canada est l'un des plus grands producteurs et exportateurs mondiaux de céréales et d'oléagineux. Environ un quart du territoire national est boisé et 90 % des forêts sont propriété publique. Le Canada est l'un des plus grands exportateurs mondiaux de bois. Deuxième plus grand pays du monde par sa superficie, il est aussi le premier producteur mondial de cellulose et de papier journal. Les

Belize

Station météorologique Belize
Altitude 5 m. Situation 17°31'N/88°11'O

CLIMAT		Janv	Fév	Mars	Avril	Mai	Juin	Juil	Août	Sept	Oct	Nov	Déc
		23,3	23,8	25,0	26,6	27,2	27,2	27,2	27,2	27,2	25,6	23,8	23,3
		27,2	27,8	30,0	30,6	30,6	30,6	31,1	30,6	30,0	28,3	27,2
		19,4	20,6	21,7	23,3	23,9	23,9	23,3	23,9	23,3	22,2	20,0	20,0
	○	4	5	5	4	3	3	3	3	3	3	3	3
		12	6	4	5	7	13	15	14	15	16	12	14

Canada

Station météorologique Ottawa
Altitude 38 m. Situation 45°19'N/75°40'O

CLIMAT		Janv	Fév	Mars	Avril	Mai	Juin	Juil	Août	Sept	Oct	Nov	Déc
		-10,8	-9,8	-3,6	5,3	12,8	18,2	20,7	19,5	14,7	8,2	0,8	8,0
		-6,1	-5,6	0,6	10,6	18,9	24,4	27,2	25,0	20,0	12,2	3,9	-4,4
		-16,1	-16,1	-8,9	-0,6	6,7	12,2	14,4	12,8	8,9	2,8	-3,3	-12,8
	○	3	3	4	6	7	8	9	8	6	4	2	2
		16	14	13	12	12	11	11	10	11	11	14	17

Station météorologique Vancouver
Altitude 2 m. Situation 49°11'N/123°10'O

CLIMAT		Janv	Fév	Mars	Avril	Mai	Juin	Juil	Août	Sept	Oct	Nov	Déc
		2,9	4,1	6,2	9,1	12,8	15,6	17,7	17,6	14,3	10,2	6,2	4,2
		5,0	6,7	10,0	14,4	17,8	20,3	23,3	22,8	18,3	13,9	8,9	6,1
		0,0	1,1	2,8	4,4	7,8	11,1	12,2	12,2	9,4	6,7	3,9	1,7
	○	2	3	4	6	7	7	9	8	6	4	2	1
		17	13	14	11	7	5	4	7	7	15	19	18

Station météorologique Churchill
Altitude 11 m. Situation 58°45'N/94°04'O

CLIMAT		Janv	Fév	Mars	Avril	Mai	Juin	Juil	Août	Sept	Oct	Nov	Déc
		-27,5	-26,4	-19,8	-10,7	-2,3	5,8	12,0	11,6	5,7	-1,1	-11,7	-21,9
		-23,9	-22,2	-15,6	-4,4	3,3	11,1	17,8	16,7	9,4	1,1	-10,6	-19,4
		-32,8	-31,7	-26,7	-15,6	-5,6	1,1	6,1	6,1	1,1	-6,7	-18,9	-28,3
	○	2,5	4,5	5,8	6,2	5,3	7	9,5	7,7	3,2	2,1	1,4	1,7
		9	9	10	12	11	9	12	13	14	15	17	13

centres industriels se situent principalement en Ontario, au Québec et en Colombie-Britannique.

Communications : en raison de la faible densité de population dans le nord du pays, seul le sud possède un réseau de communication moderne avec des autoroutes et environ 70 000 km de voies ferrées. Dans le nord, l'avion est le principal moyen de locomotion. Le transport maritime joue aussi un rôle crucial, notamment sur le Saint-Laurent, qui relie, sur 3 775 km, les grands lacs nord-américains à l'Atlantique. Les principaux ports sont Vancouver sur le Pacifique, Thunder Bay sur le lac Supérieur, Toronto sur le lac Ontario, Montréal et Québec sur le Saint-Laurent, et Halifax sur la côte atlantique.

Médias : parmi les quelque 110 quotidiens régionaux, le *Toronto Globe and Mail* est le plus lu. Des programmes de radio et de télévision sont diffusés, d'une part, par l'organisme public anglophone Canadian Broadcasting Company (CBC) et sa branche francophone Radio-Canada, d'autre part, par une multitude de chaînes privées. Les programmes des chaînes publiques sont bilingues et peuvent être captés par satellite jusque dans les régions inuit les plus reculées, près du Cercle polaire.

Histoire : Amérindiens et Inuit étaient jusqu'au XVIᵉ siècle les seuls habitants de cette partie du monde, qui devient au début du siècle suivant une terre d'immigration. Son nom lui vient du mot *Kanata*, mal compris par les nouveaux arrivés, et par lequel les Iroquois désignaient leurs villages. En 1534, Jacques Cartier débarque sur les rives du Saint-Laurent et fonde la Nouvelle-France. Ces territoires appartiennent à la France qui réussit, en 1718, à assurer un passage entre le Saint-Laurent et le Mississippi. Après de nombreuses guerres contre les Anglais, le traité de Paris en 1763 céda le Canada à l'Angleterre. Le 49ᵉ parallèle est reconnu comme frontière avec les États-Unis en 1818. Le statut de Confédération accordé par le Parlement britannique est entré en vigueur le 1ᵉʳ juillet 1867.

Culture : l'antagonisme anglo-français né de l'histoire est toujours vivant. Au même titre que la faible densité de population, il constitue un frein à une réelle unité culturelle nationale. Les divers groupes immigrés composent au contraire une société multiculturelle dans laquelle chacun cultive ses particularismes.

Géographie : le Canada occupe l'ensemble du nord du continent américain, à l'exception de l'Alaska. Son territoire s'étend de l'Atlantique au Pacifique, depuis les Grands Lacs au sud jusqu'à la baie d'Hudson et aux îles de l'océan glacial Arctique. Le Canada est le second pays du monde par sa superficie, derrière la Russie. Le Bouclier canadien en constitue le cœur géologique ; il s'agit d'un socle rocheux plat, drainé par de très nombreux cours d'eau et doté d'innombrables lacs dans sa partie occidentale. L'Est est dominé par la terminaison des Appalaches. À l'ouest, le Bouclier canadien cède la place aux grandes plaines qui s'élèvent progressivement à 1 500 m en allant vers le Pacifique dont l'accès est barré par la cordillère nord-américaine. Les plus hauts sommets des Rocheuses, qui atteignent en moyenne 4 000 m d'altitude, sont le mont Logan qui culmine à 6 050 m et le mont Saint-Élie à 5 489 m. Le climat est essentiellement continental et présente des variations de température considérables. Plus de la moitié du pays affiche une température moyenne annuelle négative. Si les précipitations (pluie et neige confondues) atteignent 6 000 mm sur la côte ouest, elles sont comprises entre 800 et 1 500 mm seulement sur la côte atlantique et chutent à 300 mm dans les plaines intérieures. Dans le nord du pays, le permafrost qui mesure par endroits plusieurs centaines de mètres d'épaisseur ne dégèle que superficiellement en été.

1 Près de Haines Junction, dans le Territoire du Yukon, s'élèvent à l'arrière plan les sommets du parc national de Kluane, classé au patrimoine mondial de l'Unesco.

2 Seuls quelques Inuit vivent encore de pêche et de chasse.

3 Inuits dans la région du delta du Mackenzie.

4 Le *Blue Hole* du Lighthouse Reef, au Belize, forme un cercle parfait de 300 m de diamètre.

5 Temples de Xunantunich, près de San Ignacio.

Canada   225

Costa Rica (CR)

COSTA RICA
Capitale : San José
Situation : 8° – 11° N ; 83° – 86° O
Superficie : 51 100 km²
Population : 4,2 millions
Densité de population : 82 hab./km²
Monnaie : 1 colón costaricain (CRC) = 100 céntimos
Langues : espagnol, anglais

Politique et population : le Parlement unique et le président de cette démocratie présidentielle sont élus tous les quatre ans au suffrage universel. Le président sortant ne peut se représenter qu'au terme des deux mandats suivant le sien. Cet État, dont la stabilité politique contraste avec la situation qui prévaut en Amérique centrale, est le seul de la région dont la population soit majoritairement blanche : plus de 85 % de Blancs (Créoles compris), 3 % de Noirs, 8 % de métis, ainsi qu'un assez grand nombre d'étrangers. On y compte moins de 1 % d'Indiens.

Économie : environ 40 % des échanges commerciaux extérieurs s'effectuent avec les États-Unis ; l'Allemagne est le deuxième partenaire à l'exportation. Le café et les bananes sont les piliers du commerce extérieur. Le tourisme constitue aussi une importante source de devises.

Histoire : ce pays doit son nom (« la côte riche ») aux espoirs, déçus, des Espagnols d'y trouver de l'or et autres métaux précieux. Après des décennies de guerre pour l'indépendance (1838) ainsi que de nombreux conflits intérieurs, le Costa Rica passe sous l'influence des États-Unis, qui créent de grandes plantations de bananiers. Cette domination politique et économique ne sera atténuée que par la Constitution de 1949.

Géographie : le pays est traversé sur toute sa longueur par trois cordillères volcaniques. La chaîne centrale ne comporte pas moins de sept volcans actifs !

Cuba (C)

La moitié de la population s'est installée sur le haut plateau situé entre les cordillères centrale et occidentale, la *Valle Centrál*, aux sols volcaniques très fertiles dont les températures élevées, mais tempérées par l'altitude constituent aussi un avantage.

CUBA
Capitale : La Habana (La Havane)
Situation : 20° – 23° N ; 74° – 85° O
Superficie : 110 861 km²
Population : 11,3 millions
Densité de population : 102 hab./km²
Monnaie : 1 peso cubain (CUP) = 100 centavos
Langue : espagnol

Politique et population : depuis la Révolution de 1959, Cuba est une république socialiste à parti unique. Le Parlement réunit les 601 membres de l'Assemblée populaire, qui sont élus au suffrage universel depuis 1993 et désignent à leur tour les 31 membres du Conseil d'État. Près de 70 % des Cubains sont blancs ; la plupart descendent des colons espagnols. Les métis représentent plus d'un cinquième de la population, et les Noirs, 12 %. Plus de 440 000 Cubains vivent en exil à Miami. En 1992, la Constitution a rétabli la liberté du culte. Les athées ne constituent pas plus de 10 % de la population ; 40 % des Cubains se disent de confession catholique. Le taux d'analphabétisme est relativement faible : 4 %.

Économie et communications : Cuba n'entretenait naguère de relations commerciales qu'avec l'Union soviétique et les pays du bloc de l'Est. L'écroulement de ce système a eu des répercussions fatales sur cet État insulaire. On estime que le volume des importations s'est réduit de plus de 75 % entre 1989 et 1998. L'embargo commercial des États-Unis, qui dure depuis plus de 30 ans, ne fait que compliquer les choses, d'autant plus qu'il s'est renforcé depuis 1996. De timides premiers pas vers une économie de marché sont réalisés depuis la fin 1994. Les phénomènes climatiques (El Niño, périodes de sécheresse et cyclones) ne font qu'empirer l'état de détresse économique de la population. Les produits pétroliers occupent le 1er rang des importations, moins pour les besoins de transport que pour l'approvisionnement en énergie. Les moyens de transport privés et publics sont en effet limités. Le manque de machines, d'essence et d'engrais pèse sur la production agricole. Le sucre, premier produit d'exportation, est soumis aux aléas des récoltes et des cours mondiaux. Cela vaut également pour le tabac. Parmi les richesses du sous-sol, une mine de nickel est exploitée. Seul le secteur du tourisme, qui rapporte de précieuses devises étrangères, connaît actuellement un boom. Cuba dispose d'un bon réseau routier, goudronné pour un tiers. Outre un réseau ferré également fonctionnel, le pays dispose d'un aéroport international à La Havane et de trois grands aéroports nationaux.

Histoire et culture : Christophe Colomb découvre l'île en 1492, mais les Espagnols ne s'y installent qu'en 1511. Cuba restera sous domination espagnole jusqu'en 1898, mis à part un bref intermède britannique en 1762-1763. Les États-Unis en firent ensuite un quasi protectorat jusqu'à ce que, en 1959, la guérilla menée par Fidel Castro renverse le régime du général Batista. L'échec de la tentative de putsch des exilés cubains en 1961 renforça les liens avec l'URSS. En 1962, le stationnement sur l'île de missiles soviétiques faillit déclencher un conflit militaire entre les États-Unis et l'Union soviétique. L'État encourage les activités artistiques et musicales (tout en les réglementant). Influences européennes et africaines se mêlent pour donner une musique originale dont la salsa est la plus connue.

Géographie : Cuba est la plus grande île des Caraïbes. Outre l'île principale, le pays compte près de 1 600 îles,

Costa Rica

Station météorologique San José
Altitude 1120 m. Situation 09°56′N/84°08′O

CLIMAT		Janv	Fév	Mars	Avril	Mai	Juin	Juil	Août	Sept	Oct	Nov	Déc
		19,0	19,3	20,3	21,0	21,4	21,2	20,6	20,8	20,9	20,6	19,9	19,3
		23,9	24,4	26,1	26,1	26,7	26,1	25,0	25,6	26,1	25,0	25,0	23,9
		14,4	14,4	15,0	16,7	16,7	16,7	16,7	16,1	16,1	15,6	15,6	14,4
		7	8	8	7	5	4	4	4	5	4	5	6
		3	1	2	7	19	22	23	24	24	25	14	6

Cuba

Station météorologique La Havane
Altitude 24 m. Situation 23°08′N/82°21′O

CLIMAT		Janv	Fév	Mars	Avril	Mai	Juin	Juil	Août	Sept	Oct	Nov	Déc
		22,2	22,2	23,3	24,8	26,1	27,2	27,8	27,8	27,5	26,1	23,9	22,8
		26,1	26,1	27,2	28,9	30,0	31,1	31,7	31,7	31,1	29,4	27,2	26,1
		18,3	18,3	19,4	20,6	22,2	23,3	23,9	23,9	23,9	22,8	20,6	19,4
		6	6	7	7	8	6	6	6	5	5	5	5
		6	4	4	4	7	10	9	10	11	11	7	6
		25	24	24	26	27	27	28	28	28	28	27	27

Station météorologique Cienfuegos
Altitude 30 m. Situation 22°09′N/80°27′O

CLIMAT		Janv	Fév	Mars	Avril	Mai	Juin	Juil	Août	Sept	Oct	Nov	Déc
		22,3	22,3	23,4	24,4	25,6	26,7	27,2	27,2	26,7	26,7	23,9	22,8
		31,1	32,8	33,3	32,8	34,4	35,0	35,0	34,4	35,0	33,9	32,8	31,7
		7,8	7,2	7,2	10,0	13,3	18,9	20,0	19,4	20,0	15,6	11,1	8,9
		6	6	7	7	8	6	6	5	5	5	5	5
		2	3	3	4	9	12	11	13	13	10	4	2

Dominique

Station météorologique St. John's (Antigua)
Altitude 0 m. Situation 17°06′N/61°51′O

CLIMAT		Janv	Fév	Mars	Avril	Mai	Juin	Juil	Août	Sept	Oct	Nov	Déc
		24,5	24,5	24,5	25,0	26,0	26,5	26,5	26,5	27,0	26,5	25,5	25,0
		27,0	27,0	27,0	28,0	29,0	29,0	29,0	29,0	30,0	30,0	28,0	27,0
		21,0	21,0	22,0	22,0	23,0	24,0	24,0	24,0	24,0	24,0	23,0	22,0
		7	8	8	8	8	8	8	7	7	7	7	7
		15	12	11	10	11	12	15	15	15	16	14	16
		26	25	26	26	27	27	28	28	28	28	27	27

la plupart minuscules, et récifs coralliens. Collines et plaines couvrent la plus grande partie du pays. Les chaînes montagneuses, culminant à 1 974 m au pic de Turquino dans la Sierra Maestra, présentent des modelés karstiques spectaculaires. Le littoral est découpé en baies principalement rocheuses au nord et plutôt marécageuses au sud. Alors que le Sud jouit d'un climat tropical toujours humide, le Centre et le Nord connaissent des hivers plus secs. La fin de l'été, surtout à l'ouest, est marquée par le passage de cyclones. La végétation primaire des plaines a considérablement reculé devant l'exploitation agricole des terres.

Dominica (WD)

DOMINIQUE
Capitale : Roseau
Situation : 15°N ; 61° O
Superficie : 751 km²
Population : 72 000
Densité de population : 96 hab./km²
Monnaie : dollar Est Caraïbes (XCD) = 100 cents
Langues : anglais (officielle), créole martiniquais, cocoy (dialecte anglais)

Politique et population : la Grande-Bretagne a accordé son indépendance à la plus grande des îles du Vent en 1978. Le Parlement de cette république du Commonwealth se compose de 21 députés élus et de 9 sénateurs nommés. Sur l'île, neuf habitants sur dix sont d'origine africaine. Métis, Indiens Caraïbes et Blancs (Créoles compris) forment le reste de cette population à 70 % catholique.
Économie : le montant des importations dépasse nettement celui des exportations. Les produits de la terre sous-tendent toute l'économie, et la banane figure en tête des exportations, suivie du cacao et du coprah. Environ la moitié des marchandises est exportée vers le Royaume-Uni. Près d'un tiers des Dominiquais sont employés dans le tertiaire.
Histoire : Christophe Colomb appela cette île des Petites Antilles Dominica en souvenir du jour de sa découverte, un dimanche. Français et Britanniques se la disputent tout au long des XVIIᵉ et XVIIIᵉ siècles, jusqu'à ce que les Anglais finissent par s'imposer en 1763. La Dominique a obtenu le statut de colonie autonome en 1956. En 1958, elle adhère à la fédération des Indes occidentales qui est dissoute en 1962. En 1967, l'île devient un État associé au Commonwealth. Son indépendance est effective en 1978.
Géographie : cette île volcanique extrêmement montagneuse se prête mal à une répartition régulière de la population. La plupart des habitants sont installés sur la côte. Le point culminant, le Morne Diablotin, atteint 1 447 m. L'intérieur de l'île est recouvert d'une dense forêt pluviale qui doit son existence au climat tropical. Au large des côtes rocheuses, les récifs de corail invitent à la plongée.

El Salvador (ES)

EL SALVADOR
Capitale : San Salvador
Situation : 13° – 15° N ; 88° – 90° O
Superficie : 21 041 km²
Population : 6,9 millions
Densité de population : 328 hab./km²
Monnaie : 1 colón salvadorien (SVC) = 100 centavos
Langues : espagnol (officielle), langues amérindiennes

Politique et population : depuis 1983, le pays est une démocratie présidentielle dotée d'un Parlement

1 Maison coloniale à Cuba.

2 La lagune de Lagarto, à l'embouchure de la Boca Tabada, est typique de la côte caraïbe du Costa Rica, séparée de la côte pacifique de 200 km en moyenne.

3 Cayo Largo, un étroit banc de corail de 38 km² est un site enchanteur. Cet îlot cubain vit aujourd'hui exclusivement du tourisme.

4 Pêcheurs sur l'île de la Dominique.

comprenant 84 membres. Le pouvoir est aux mains du parti de droite ARENA (Alliance républicaine nationale) qui dirige la reconstruction du pays depuis 1992, après la fin d'une guerre civile dévastatrice. Les Amérindiens représentent 10 % des habitants de ce pays, le plus petit mais le plus densément peuplé d'Amérique centrale ; pratiquement 90 % de la population, qui compte peu de Blancs, est métissée. Neuf Salvadoriens sur 10 sont catholiques. Le taux d'analphabétisme est très élevé (29 %)

Économie : depuis la fin de la guerre civile en 1992, la crédibilité du Salvador aux yeux des pays industrialisés est remontée. Le fort taux de chômage est un obstacle majeur à la santé économique du pays. De la reconstruction des infrastructures en ruine dépend maintenant la reprise. Les importations dépassent les exportations de plus du double. Environ un tiers des revenus du commerce extérieur provient de l'exportation du café.

Histoire : l'évolution de cet État indépendant depuis 1841 est jalonnée de troubles intérieurs incessants. Les luttes de pouvoir au sein de la classe dominante, notamment après le coup d'État militaire de 1979, ont provoqué le soulèvement des paysans sans terre, ainsi que la création d'une armée de guérilleros. La guerre civile (1979-1992) a coûté la vie à 80 000 personnes. Le gouvernement et la guérilla ont signé un traité de paix en février 1992.

Géographie : une bande de mangroves marécageuses borde le littoral au pied de la cordillère côtière qui compte une soixantaine de volcans, dont sept actifs. La région est sujette aux séismes (le dernier a eu lieu en janvier 2001). Au nord, le haut plateau central, den-

sément peuplé, est encastré entre la chaîne volcanique et l'arc montagneux principal de l'Amérique centrale.

Grenada (WG)

GRENADE
Capitale : Saint George's
Situation : 12° N ; 62° O
Superficie : 344 km²
Population : 104 000
Densité de population : 240 hab./km²
Monnaie : 1 dollar Est Caraïbes (XCD) = 100 cents
Langues : anglais (officielle), créole anglais, français

Politique et population : cet État insulaire a obtenu son indépendance en 1974. Comme dans toute monarchie constitutionnelle du Commonwealth, le chef de l'État est le souverain britannique et le pouvoir législatif est partagé entre la Chambre des représentants, qui compte ici 15 députés, et un Sénat composé de 13 membres. La population est à environ 85 % noire, les 15 % restants étant essentiellement des métis, des Amérindiens. Le pays compte très peu de Blancs.

Économie : l'économie est marquée par le fort déficit du commerce extérieur. La production de noix de muscade alimente un quart du commerce mondial de ce produit, et l'île détient ainsi avec l'Indonésie un quasi-monopole. Bananes, cacao et noix de muscade constituent à eux seuls 50 % des exportations.

Histoire : vers 1650, les Français prennent possession de l'île et exterminent les Indiens Caraïbes. Pour leurs plantations, ils déportent ensuite des esclaves africains. En 1762, les Anglais s'emparent de l'île. Le monde ne prêta vraiment attention à la Grenade qu'en octobre 1983, lorsque les troupes des États-Unis, à la tête d'un contingent de militaires de divers États voisins, débarquent sur l'île et en éradiquant le régime socialiste en place ainsi que les régiments cubains qui le soutenaient.

Géographie : les sols volcaniques riches en substances minérales offrent de bonnes conditions à une agriculture orientée vers la production de fruits destinés à l'exportation. Lacs de cratère, sources chaudes et cascades donnent à l'île un caractère très pittoresque.

Guatemala (GCA)

GUATEMALA
Capitale : Guatemala
Situation : 14° – 18° N ; 88° – 92° O
Superficie : 108 889 km²
Population : 13,4 millions
Densité de population : 123 hab./km²
Monnaie : 1 quetzal (GTQ) = 100 centavos
Langues : espagnol (officielle), langues mayas dont le quiché

Politique et population : cette démocratie présidentielle, qui a connu depuis 1931 une succession de dictatures militaires, a amorcé un processus de démocratisation après l'adoption d'une nouvelle Constitution (1985) et un dernier coup d'État, survenu en 1993. L'analphabétisme touche près de la moitié d'une population qui compte le pourcentage le plus élevé d'Amérindiens (plus de 45 %) de tous les pays d'Amérique centrale ; mais aussi 45 % de métis.

Économie : le pays est fortement tributaire des États-Unis pour l'ensemble de son commerce extérieur. Les exportations se limitent aux produits agricoles, le café arrivant en tête de liste. Le Guatemala souffre par ailleurs encore des conséquences du cyclone Mitch qui s'est abattu sur le pays en automne 1998.

Histoire : depuis son indépendance en 1839, l'ancien cœur de la civilisation maya a principalement connu une série de dictatures. Depuis les années 1960, il y règne une guerre civile qui s'est accompagnée de nombreuses violations des droits de l'homme de la part des

El Salvador													
CLIMAT		Janv	Fév	Mars	Avril	Mai	Juin	Juil	Août	Sept	Oct	Nov	Déc
	☀	22,1	22,4	23,5	24,2	23,7	23,1	22,9	23,0	22,5	22,4	22,0	22,0
	🌡	32,2	33,3	34,4	33,9	32,8	30,6	31,7	31,7	30,6	30,6	30,6	31,7
	🌡	15,6	15,6	16,7	18,3	19,4	18,9	18,3	18,9	18,9	18,3	17,2	16,1
	○	10	10	10	8	7	6	8	8	6	7	9	9
	☔	1	1	1	5	13	20	20	20	20	16	4	2

Station météorologique San Salvador
Altitude 700 m. Situation 13°43'N/89°12'O

Grenade													
CLIMAT		Janv	Fév	Mars	Avril	Mai	Juin	Juil	Août	Sept	Oct	Nov	Déc
	☀	25,2	25,1	25,9	26,3	26,8	27,1	26,8	27,1	27,1	26,7	26,3	25,9
	🌡	28,3	28,3	29,4	30,0	30,6	30,6	30,0	30,6	30,6	30,0	29,4	28,3
	🌡	21,1	20,6	21,1	22,2	22,8	23,3	23,3	23,3	23,3	23,3	22,8	21,7
	○	8	9	9	9	8	9	9	8	7	8	8	8
	☔	13	8	8	7	9	14	18	16	15	15	16	14
	≈	26	25	25	26	27	28	28	28	28	28	28	27

Station météorologique Bridgetown (Barbade)
Altitude 55 m. Situation 13°08'N/59°36'O

Guatemala													
CLIMAT		Janv	Fév	Mars	Avril	Mai	Juin	Juil	Août	Sept	Oct	Nov	Déc
	☀	16,3	17,0	18,4	19,5	19,6	18,7	18,5	18,7	18,3	17,7	16,7	16,3
	🌡	22,8	25,0	27,2	27,8	28,9	27,2	25,6	26,1	26,1	24,4	23,3	22,2
	🌡	11,7	12,2	13,9	14,4	15,6	16,1	15,6	15,6	15,6	15,6	13,9	12,8
	○	5	5	5	4	3	1	2	1	2	3	5	5
	☔	4	2	3	5	15	23	21	22	22	18	7	4

Station météorologique Guatemala
Altitude 1300 m. Situation 15°29'N/90°16'O

Haïti													
CLIMAT		Janv	Fév	Mars	Avril	Mai	Juin	Juil	Août	Sept	Oct	Nov	Déc
	☀	23,9	24,0	24,5	25,3	25,9	26,5	26,7	27,0	26,8	26,4	26,9	24,6
	🌡	29,0	29,5	29,0	29,5	30,0	30,5	31,0	31,0	31,0	30,5	30,0	29,5
	🌡	19,0	19,0	19,5	20,5	21,5	22,0	22,0	23,0	22,0	22,0	21,0	19,5
	○	6	6	7	6	6	6	7	7	7	6	6	6
	☔	7	6	5	7	11	12	11	11	11	11	10	8
	≈	27	26	26	27	27	27	28	28	28	28	27	27

Station météorologique Saint-Domingue (Rép. dominicaine)
Altitude 19 m. Situation 18°29'N/69°54'O

gouvernements successifs. L'opinion publique mondiale a pris conscience de la situation après l'attribution du prix Nobel de la Paix à Rigoberta Menchú en 1992, mais les négociations de paix entre guérilleros et gouvernement s'avèrent difficiles.

Géographie : séismes et éruptions volcaniques ont modelé un paysage montagneux à l'ouest. Les volcans de la Sierra Madre séparent les hautes terres centrales de la plaine littorale, bordée de marécages le long du Pacifique. Le plateau encastré entre les deux chaînes orientées nord-sud est beaucoup plus densément peuplé que la région de forêt tropicale à l'est.

Haïti (RH)

HAÏTI
Capitale : Port-au-Prince
Situation : 18° – 20° N ; 72° – 74° O
Superficie : 27 750 km²
Population : 8,3 millions
Densité de population : 296 hab./km²
Monnaie : 1 gourde (HTG) = 100 centimes
Langues : français, créole français

Politique et population : les principes démocratiques établis par la Constitution de 1987 et bafoués par un putsch en 1991, ont été restaurés grâce à une intervention militaire des États-Unis, fin 1994. La population, essentiellement noire, est à 90 % chrétienne mais le culte vaudou est très largement répandu.

Économie : six actifs sur dix travaillent dans l'agriculture. Cela explique, avec la grande place tenue par les produits artisanaux dans les exportations, pourquoi Haïti est le pays le plus pauvre de l'Amérique latine. Sa survie économique tout entière dépend des États-Unis, son principal partenaire commercial, qui subordonne toutefois sa coopération économique à la stabilité du pays.

Histoire : à la fin du XVIIᵉ siècle, Haïti passe sous domination française, qui font venir des esclaves d'Afrique noire pour cultiver la canne à sucre, le coton et le café sur de grandes exploitations. La Révolution française libérera les esclaves mais plongera l'île dans le chaos politique. La pauvreté oppressante d'une majorité de la population et la suprématie de l'armée n'ont jamais permis à ce pays de connaître la paix civile. En 1915, les États-Unis finissent par occuper l'île, mais après leur retrait en 1937, la situation politique intérieure redevient incertaine et le restera jusqu'à nos jours.

Géographie : la république d'Haïti occupe le tiers ouest de l'île d'Haïti (autrefois appelée Hispaniola ou l'île de Saint-Domingue). Quatre chaînes de montagnes fragmentent le pays du nord au sud. Deux presqu'îles forment le golfe de la Gonâve au milieu duquel se trouve l'île éponyme, fortement peuplée. Les défrichements pour l'agriculture, échelonnés sur des siècles, et la déforestation plus récente provoquée par l'arrêt de l'approvisionnement en gaz naturel pendant l'embargo international, ont décimé la forêt tropicale.

Honduras (HN)

HONDURAS
Capitale : Tegucigalpa
Situation : 13° – 16° N ; 83° – 89° O
Superficie : 112 088 km²
Population : 7,5 millions
Densité de population : 67 hab./km²
Monnaie : 1 lempira (HNL) = 100 centavos
Langues : espagnol (officielle), anglais, langues amérindiennes

Politique et population : c'est en 1982 que ce pays, longtemps gouverné par l'armée, a fait ses premiers

1 Saint George's sur l'île de la Grenade est l'une des plus belles villes des Caraïbes.

2 Les riches rois du café de Jacmel se sont fait bâtir de splendides maisons.

3 Une Haïtienne allant vendre ses poules au marché.

4 Le « vieil homme », probablement l'un des dirigeants de l'ancienne ville maya de Copán. La ville était autrefois la métropole du sud-est de l'Empire maya.

5 Terres fertiles sur les hauts plateaux du Guatemala.

pas vers un régime de république présidentielle. Les 128 membres du Parlement sont élus tous les quatre ans. Le groupe ethnique de loin le plus important est celui des métis. La population indigène ne représente plus qu'une minorité. Environ 85 % des habitants sont de confession catholique. Une petite minorité protestante vit dans les îles et sur la côte orientale.

Économie : le Honduras compte parmi les pays les plus pauvres de l'Amérique centrale. Environ 40 % de la population travaille dans l'agriculture, qui fournit 50 % des exportations grâce à la banane et au café, mais aussi aux crustacés. Le pays est supposé détenir des gisements prometteurs de matières premières, mais les seuls minerais actuellement exploités en quantité sont le zinc et l'argent.

Histoire : depuis son indépendance en 1839, plus d'une centaine de régimes se sont succédé à la tête du pays. L'instabilité intérieure se traduit par l'existence d'une armée prépondérante sur tous les plans et, toujours prête à se soulever, mais aussi par les litiges frontaliers avec les États voisins. Les conflits ont atteint leur apogée en 1969 avec la guerre contre le Salvador, qui a fait plus de 5 000 morts.

Géographie : la cordillère d'Amérique centrale atteint ses points culminants au sud-ouest (2 800 m). En raison du climat relativement tempéré qui y règne, la densité de population est très élevée dans les hautes vallées de la cordillère. Le nord-est du pays, notamment le littoral caraïbe, est largement marécageux et, par conséquent, peu peuplé.

Jamaica

JAMAÏQUE
Capitale : Kingston
Situation : 18° N ; 76 – 78° O
Superficie : 10 990 km²
Population : 3 millions
Densité de population : 273 hab./km²
Monnaie : 1 dollar jamaïcain (JMD) = 100 cents
Langues : anglais, créole français

Politique et population : cette ancienne colonie britannique est indépendante depuis 1962. Imitant le modèle anglais, c'est une monarchie constitutionnelle, membre du Commonwealth, qui possède une Assemblée et un Sénat comprenant respectivement 60 députés élus et 21 sénateurs nommés. Les élections ont lieu tous les cinq ans. La quasi-totalité de la population (90 %) est composée de Noirs et métis, auxquels se mêlent des Indiens, des Chinois et des Blancs. Il existe environ une centaine de communautés chrétiennes.

Économie : la bauxite et ses produits dérivés, alumine et aluminium, fournissent la moitié des revenus à l'exportation et soutiennent ainsi toute l'économie de l'île. Les variations des cours mondiaux rendent toutefois le pays sujet aux récessions. Les principaux partenaires commerciaux sont les États-Unis, suivis de la Grande-Bretagne et du Canada. Le tourisme réalise environ un quart du PNB.

Histoire : les Espagnols débarquent sur l'île au début du XVIᵉ siècle. Les maladies qu'ils propagent et les guerres déciment la population indigène. En 1655, les Britanniques conquièrent la Jamaïque. L'ancienne île des pirates est alors adaptée à une économie de plantation esclavagiste et, en 1866, elle prend le statut de colonie de la Couronne.

Géographie : extension détachée de la ceinture des cordillères américaines, les Blue Mountains (« Montagnes bleues ») s'élèvent jusqu'à 2 256 m à l'est. Une grande partie de l'île offre un modelé typique des karsts tropicaux, avec des poljés, pitons et tourelles. De fortes précipitations, particulièrement dans le nord de l'île, donnent naissance à de larges zones marécageuses périphériques.

México

MEXIQUE
Capitale : Mexico
(Ciudad de México)
Situation : 15° – 33° N ; 87 – 117° O
Superficie : 1 958 301 km².
Population : 103,3 millions
Densité de population : 53 hab./km²
Monnaie : 1 peso mexicain (MXP) = 100 centavos
Langues : espagnol (officielle), langues amérindiennes (dont environ 25 idiomes mayas)

Politique : la Constitution de 1917 fait du Mexique une démocratie présidentielle de type fédéral (31 États fédérés et 1 district fédéral englobant la capitale). Le président, à la fois chef de l'État et du gouvernement, est élu pour six ans avec impossibilité de renouveler son mandat. Les représentants du peuple siègent à la Chambre des députés et au Sénat. Le Parti révolutionnaire institutionnel (PRI) a géré le pays sans interruption de 1929 à 1997. Cette dominance d'un parti quasi unique a entravé le développement de structures réellement démocratiques. Lors des élections de 1997, le PRI a pour la première fois perdu la majorité absolue ; on peut penser que le succès du parti conservateur, le Parti de l'action nationale (PAN), et du Parti démocrate révolutionnaire (PRD), de gauche, apportera plus de démocratie. Le Mexique cherche, par son adhésion à l'ALENA (Association de libre-échange nord-américain), à se rapprocher des plus grandes nations industrielles du monde.

Population : pays d'Amérique centrale de loin le plus peuplé, le Mexique est caractérisé par un métissage

---

Honduras

Station météorologique Tegucigalpa
Altitude 1007 m. Situation 14°04'N/87°13'O

CLIMAT		Janv	Fév	Mars	Avril	Mai	Juin	Juil	Août	Sept	Oct	Nov	Déc
	↓	19,3	20,5	21,9	23,3	23,6	23,1	22,5	22,8	22,9	22,1	20,7	19,6
	↑	25,0	27,0	29,0	30,0	30,0	28,0	28,0	28,0	29,0	27,0	26,0	25,0
	↓	14,0	14,0	15,0	16,0	18,0	17,0	17,0	17,0	17,0	17,0	16,0	15,0
	☼	8	8	9	8	7	6	6	7	6	6	6	7
	☂	5	3	2	2	9	13	11	11	16	13	8	7

Jamaïque

Station météorologique Kingston
Altitude 35 m. Situation 17°58'N/76°48'O

CLIMAT		Janv	Fév	Mars	Avril	Mai	Juin	Juil	Août	Sept	Oct	Nov	Déc
	↓	25,4	25,4	25,9	26,7	27,6	28,0	28,3	28,5	28,2	27,6	27,1	26,1
	↑	30,0	30,0	30,0	30,6	30,6	31,7	32,2	32,2	31,7	31,1	30,6	30,6
	↓	19,4	19,4	20,0	21,1	22,2	23,3	22,8	22,8	22,8	22,8	21,7	20,6
	☼	8	9	9	9	8	9	8	8	7	8	9	8
	☂	3	3	3	4	6	4	3	7	7	9	6	2
	≈	26	26	26	27	27	28	29	29	28	28	27	27

Mexique

Station météorologique Acapulco
Altitude 3 m. Situation 16°50'N/99°56'O

CLIMAT		Janv	Fév	Mars	Avril	Mai	Juin	Juil	Août	Sept	Oct	Nov	Déc
	↓	26,7	26,5	26,7	27,5	28,5	28,6	28,7	28,8	28,1	28,1	27,7	26,7
	↑	29,5	30,5	30,5	30,5	31,5	31,5	31,5	31,5	31,0	31,0	31,0	30,5
	↓	21,0	21,0	21,0	21,5	23,5	24,5	24,0	24,0	24,0	23,5	22,0	21,0
	☼	8	9	8	7	7	6	7	7	6	7	8	8
	☂	1	0	0	0	3	13	14	13	16	9	2	1
	≈	24	24	24	25	26	27	28	28	28	27	26	25

Station météorologique Mexico
Altitude 2485 m. Situation 19°24'N/99°12'O

CLIMAT		Janv	Fév	Mars	Avril	Mai	Juin	Juil	Août	Sept	Oct	Nov	Déc
	↓	12,2	13,3	16,1	17,8	18,9	18,6	17,2	17,5	17,5	15,6	13,9	12,5
	↑	18,9	20,6	23,9	25,0	25,6	24,4	22,8	22,8	23,3	21,1	20,0	18,9
	↓	5,6	6,1	8,3	10,6	12,2	12,8	11,7	12,2	11,7	10,0	7,8	6,1
	☼	7	8	7	7	7	6	6	6	6	6	7	6
	☂	4	5	9	14	17	21	27	27	23	13	6	4

Station météorologique Mérida
Altitude 30 m. Situation 22°09'N/80°27'O

CLIMAT		Janv	Fév	Mars	Avril	Mai	Juin	Juil	Août	Sept	Oct	Nov	Déc
	↓	23,0	23,8	25,6	27,1	27,8	27,7	27,3	27,4	27,1	25,9	24,2	23,0
	↑	33,0	35,0	37,2	38,8	40,2	37,8	35,4	35,0	35,0	34,0	33,6	35,2
	↓	11,2	9,2	11,0	14,2	17,0	19,0	18,0	17,2	18,2	15,1	13,2	10,2
	☼	6	6	6	6	7	7	7	6	6	6	5	5
	☂	4	4	3	3	7	12	15	14	16	10	5	5

ethnique qu'il serait vain de transcrire en chiffres, beaucoup de métis se sentant plutôt membres de la communauté soit amérindienne soit blanche. Le pourcentage des Amérindiens et des Blancs (Créoles compris) non métissés est probablement inférieur à 10 %. Au moins neuf Mexicains sur dix se disent de confession catholique, les 10 % restants se répartissent entre protestants, hindous et diverses autres confessions. La ville de Mexico, l'une des plus peuplées de la planète, donne à elle seule un aperçu des contrastes qui opposent les mondes rural et urbain. Chaque jour, ce monstre, estimé entre 15 et 20 millions d'habitants, s'accroît d'environ 2 000 nouveaux arrivants. Le conflit de l'État du Chiapas est également loin d'être résolu, les demandes de la population amérindienne à plus d'autonomie et de droits ayant été rejetées par le gouvernement.

Économie : comme le montre la forte augmentation des importations, la priorité est à la croissance économique. Les exportations se sont aussi activement développées. Les produits industriels tels que les automobiles ou les composants électroniques ont désormais détrôné le pétrole resté longtemps en tête des exportations. Les trois quarts du commerce extérieur mexicain sont orientés vers les États-Unis. La moitié du pétrole extrait chaque jour alimente le marché intérieur. La baisse de l'inflation ne doit pas faire oublier que la dette extérieure du pays représente environ la moitié du PNB. Le tourisme est une source importante de revenus.

Communications : le réseau routier en étoile à partir de la capitale permet une utilisation intensive des cars et des camions pour le transport des passagers et des marchandises. Les voies ferrées ne suffisent plus à absorber des transports commerciaux sans cesse croissants.

Médias : la Constitution garantit la liberté de la presse. Les principaux quotidiens paraissent à Mexico, mais dépassent rarement le tirage relativement faible de 400 000 exemplaires.

Histoire : parmi les nombreuses civilisations disparues, des Olmèques aux Zapotèques en passant par les Toltèques, celles des Aztèques et des Mayas prédominaient. L'empire guerrier des premiers s'étendait au nord jusqu'à Tenochtitlán, site sur lequel est bâtie la capitale actuelle, tandis que les Mayas occupaient le Yucatán au sud du pays, étendant leur influence jusqu'au Honduras. La civilisation Maya s'éteignit, pense-t-on, des suites de nombreux conflits internes et d'une importante surpopulation. Lorsque les Espagnols arrivent au début du XVIe siècle, ils n'en découvrent déjà plus que les restes. En 1521, Cortés anéantit l'empire des Aztèques grâce à sa supériorité militaire et à l'aide de tribus indiennes révoltées. La domination espagnole a prévalu pendant près de 300 ans et s'est accompagnée de missions d'évangélisation souvent brutales, de la propagation de maladies épidémiques d'origine européenne et du pillage des richesses du sous-sol, notamment de l'argent. À la suite des troubles politiques dans la métropole, le Mexique obtiendra contre toute attente son indépendance en 1821. Jusqu'en 1910, il restera soumis à l'ingérence des grandes puissances et devra céder la Californie, l'Arizona, le Nouveau-Mexique et le Texas aux États-Unis. Commence ensuite la période troublée des révolutions paysannes, à la fin de laquelle sera établie la Constitution de 1917, encore en vigueur aujourd'hui.

Culture : les grandes civilisations amérindiennes ont laissé des monuments grandioses (Tulúm, Palenque, Chichén-Itzá, Teotihuacán). La colonisation espagnole a aussi marqué le pays d'un riche héritage culturel composé de monuments baroques, religieux ou profanes. L'un des artistes modernes les plus connus au-delà des frontières est le fresquiste Diego Rivera. La musique des Mariachi, jouée par des musiciens en costume traditionnel et sombrero à large bord, incarne l'« âme du Mexique ».

Géographie : le haut plateau central fortement peuplé, qui s'étend du nord au sud a des altitudes comprises entre 1 500 et 2 500 m, forme l'épine dorsale de ce pays à la géologie et aux paysages variés. Il est

1 Depuis 1841, le phare de Morant Point indique aux navires le chemin pour contourner la pointe orientale de la Jamaïque.

2 Le Popocatépetl (5 465 m) est le plus grand volcan du Mexique et l'un des plus actifs du monde.

3 Voiliers à French Harbour, sur la côte sud-ouest de l'île de Roatán, au large du Honduras.

4 La basilique de Guadalupe à Mexico.

5 Les atlantes toltèques de Tula.

encadré par les deux grandes chaînes des Sierras Madre occidentale et orientale, qui se réunissent au sud en une cordillère volcanique, à laquelle appartiennent le Pico de Orizaba (5 760 m), point culminant de toute l'Amérique centrale, et le célèbre Popocatépetl. L'instabilité géologique de cette partie du pays s'est exprimée notamment en 1985 par le tremblement de terre qui a touché la ville de Mexico. La péninsule du Yucatán est très karstifiée ; au sud, elle est couverte par une forêt tropicale. La longue péninsule de la Baja California, au nord-ouest, est quasi désertique. En raison de la présence de hautes montagnes, le Mexique se divise en quatre zones climatiques bien différenciées suivant l'altitude. Les alizés du nord-est apportent beaucoup de pluie en été, mais l'ouest du Mexique est généralement sec. Les cyclones sont fréquents dans le golfe.

Nicaragua (NIC)

NICARAGUA
Capitale : Managua
Situation : 10 – 15° N ; 83° – 87° O
Superficie : 130 000 km²
Population : 5,5 millions
Densité de population : 42 hab./km²
Monnaie : 1 córdoba oro (NIO) = 100 centavos
Langues : espagnol (officielle), anglais, chibcha (langue amérindienne)

Politique et population : dans ce pays, le plus grand d'Amérique centrale, l'opposition entre la gauche aujourd'hui représentée par les Sandinistes (FSLN) et la droite des *contras* et *recontras* s'est toujours traduite

par une grande instabilité politique. La population se compose des deux tiers de métis, ainsi que de Blancs, de Noirs et d'Amérindiens.
Économie : le chômage constitue le principal problème. En 1996, seulement un Nicaraguayen sur deux possédait un travail. Le cyclone Mitch a dévasté des régions entières en octobre 1998. L'agriculture contribue à hauteur de 30 % au PIB. Le produit d'exportation de loin le plus important est le café, suivi des produits de la mer, de la viande et du coton.
Histoire : si Christophe Colomb est le premier à aborder sur la côte est du Nicaragua, ce sont toutefois les Espagnols, sous l'égide d'Hernandez de Cordoba, qui conquièrent le pays en 1524. Le mouvement indépendantiste qui se forme au début du XIXᵉ siècle parvient à ses fins en 1921 avec la déclaration de la souveraineté nationale. Les guerres civiles secouent le pays depuis le début du siècle. Jusqu'en 1979, le Nicaragua était dirigé par le clan Somoza. Après son éviction par l'organisation sandiniste, la nouvelle opposition armée, la *Contra*, déclencha une vague de violences. La guérilla fit plus de 40 000 morts avant qu'il n'y soit mis fin en 1990 par des négociations.
Géographie : les séismes dévastateurs, tels ceux qui ravagèrent la capitale en 1931, 1972 et 1985, font partie des caractéristiques naturelles du pays. La vaste dépression qui s'étire du nord-ouest au sud-est est presque entièrement occupée par les lacs Managua et Nicaragua. À l'ouest, une chaîne montagneuse possédant onze volcans actifs la sépare du littoral Pacifique, très peuplé, à la différence de la côte atlantique.

Nicaragua — Station météorologique Managua
Altitude 56 m. Situation 12°08'N/86°11'O

CLIMAT		Janv	Fév	Mars	Avril	Mai	Juin	Juil	Août	Sept	Oct	Nov	Déc
	🌡	26,3	27,2	28,6	29,3	29,4	27,2	26,9	27,2	26,9	26,5	26,3	26,1
	🌡	30,0	30,0	30,0	32,0	32,0	31,0	31,0	31,0	31,0	31,0	30,0	30,0
	💧	23,0	24,0	26,0	28,0	28,0	26,0	26,0	25,0	26,0	24,0	24,0	24,0
	☀	7	8	8	7	7	6	4	5	6	6	7	7
	☂	3	1	1	1	1	22	15	20	17	20	19	10	2

Panamá — Station météorologique Balboa (près de la ville de Panamá)
Altitude 31 m. Situation 08°58'N/79°33'O

CLIMAT		Janv	Fév	Mars	Avril	Mai	Juin	Juil	Août	Sept	Oct	Nov	Déc
	🌡	26,6	26,9	27,6	27,9	27,2	26,8	26,9	26,8	26,6	26,2	26,2	26,6
	🌡	31,1	31,7	32,2	32,2	30,6	30,0	30,6	30,6	30,0	29,4	29,4	30,6
	💧	21,7	21,7	22,2	23,3	23,3	23,3	23,3	23,3	23,3	22,8	22,8	22,8
	☀	7	9	9	9	6	6	5	4	6	5	5	7
	☂	6	3	<1	5	17	17	20	20	15	22	24	12
	≈	27	27	26	27	27	27	28	27	27	27	27	27

République dominicaine — Station météorologique Saint-Domingue
Altitude 19 m. Situation 18°29'N/69°54'O

CLIMAT		Janv	Fév	Mars	Avril	Mai	Juin	Juil	Août	Sept	Oct	Nov	Déc
	🌡	23,9	24,0	24,5	25,3	25,9	26,5	26,7	27,0	26,8	26,4	26,9	24,6
	🌡	29,0	29,5	29,0	29,5	30,0	30,5	31,0	31,0	31,0	30,5	30,0	29,5
	💧	19,0	19,0	19,5	20,5	21,5	22,0	22,0	23,0	22,0	22,0	21,0	19,5
	☀	6	6	7	7	6	6	7	7	6	6	6	6
	☂	7	6	5	7	11	11	11	11	11	11	10	8
	≈	27	26	26	27	27	27	28	28	28	28	27	27

Saint-Kitts-et-Nevis — Station météorologique St. John's
Altitude 0 m. Situation 17°06'N/61°51'O

CLIMAT		Janv	Fév	Mars	Avril	Mai	Juin	Juil	Août	Sept	Oct	Nov	Déc
	🌡	24,5	24,5	24,0	25,0	26,0	26,5	26,5	26,5	27,0	26,5	25,5	25,0
	🌡	27,0	27,0	27,0	28,0	29,0	29,0	29,0	29,0	30,0	30,0	28,0	27,0
	💧	21,0	21,0	22,0	22,0	23,0	24,0	24,0	24,0	24,0	24,0	23,0	22,0
	☀	7	8	8	8	8	8	8	8	7	7	7	7
	☂	15	12	11	10	11	12	15	15	15	16	14	16
	≈	26	25	26	26	27	27	28	28	28	28	27	27

Panamá (PA)

PANAMÁ
Capitale : Panamá
Situation : 7° – 10° N ; 77° – 83° O
Superficie : 75 517 km²
Population : 3,2 millions
Densité de population : 42 hab./km²
Monnaie : 1 balboa (PAB) = 100 centésimos (1 PAB = 1 USD)
Langues : espagnol (officielle), anglais, langues amérindiennes

Politique et population : le Panamá est depuis 1972 une démocratie présidentielle. Son Parlement est renouvelé par élection tous les 5 ans. Les métis constituent près des deux tiers d'une population en majorité catholique, qui comprend également des Noirs, des Blancs, des Amérindiens et des Asiatiques.
Économie : le pays est étroitement lié à son principal partenaire commercial, les États-Unis ; sa monnaie est d'ailleurs indexée sur le cours du dollar. Les biens de consommation occupent le premier rang des produits importés. Pratiquement la moitié des exportations est destinée aux États-Unis, les produits exportés les plus importants étant les bananes, suivies des crustacés.
Histoire : le canal de Panamá, unique passage maritime entre l'Atlantique et le Pacifique au milieu du continent, a dominé l'histoire de ce pays. Jusqu'au début du XXᵉ siècle, le Panamá n'était qu'une province de la Colombie. Le 31.11.1903, il avait certes obtenu son indépendance, mais la zone du futur canal fut placée sous contrôle américain. Onze ans plus tard, la liaison entre les deux océans était réalisée. Le 01.01.2000, ce canal long de 79 km est revenu entre les mains du Panamá après plusieurs années de gestion mixte.
Géographie : l'axe central du pays est montagneux et entouré de plaines le long des deux côtes. À la frontière avec le Costa Rica, le volcan Barú se dresse à 3 475 m d'altitude. Sous ce climat tropical, les fortes précipitations peuvent atteindre 4 500 mm par an.

Republica Dominicana (DOM)

RÉPUBLIQUE DOMINICAINE
Capitale : Saint-Domingue
Situation : 17° – 20° N ; 68° – 72° O
Superficie : 48 734 km²
Population : 9,1 millions
Densité de population : 187 hab./km²
Monnaie : 1 peso (DOP) =
100 centavos
Langue : espagnol

Politique et population : trois grands partis : le PLD socialiste, le PRSC social-chrétien et le PRD social-démocrate, se disputent tous les quatre ans les 149 sièges de la Chambre des députés et les 30 sièges du Sénat. Un tiers des habitants sont Noirs ou Blancs, et pratiquement les deux tiers métis. 70 % des Dominicains vivent en dessous du seuil de pauvreté.
Économie : le commerce extérieur est réalisé à 50 % avec les États-Unis. Les principaux produits d'importation sont les produits pétroliers, les biens d'équipement et les denrées alimentaires. Les minerais, le sucre et le café représentent le gros des exportations. Le tourisme joue un rôle crucial, multipliant quasiment par trois les revenus de l'exportation.
Histoire : le 06.12.1492, Christophe Colomb débarque sur cette île qu'il baptise Hispaniola et, un an plus tard, il fonde sur la côte Nord le premier établissement espagnol du Nouveau Monde. Sur la côte Sud, Saint-Domingue est fondée en 1496. Les habitants autochtones furent exterminés et peu de temps après, l'île se scinda déjà entre une partie ouest (future Haïti) et une partie est (future République dominicaine), autour desquelles Français et Espagnols se disputèrent jusqu'en 1865. La stabilité politique n'est établie que depuis 1966, année du rétablissement du régime démocratique.
Géographie : les cordillères des Antilles culminent ici à 3 175 m d'altitude. Les paysages se caractérisent par des reliefs abrupts et compartimentés, présentant divers climats et, par conséquent, une végétation très variée mais très dégradée.

Saint Kitts and Nevis (KAN)

SAINT-KITTS-ET-NEVIS
Capitale : Basseterre
Situation : 17° N ; 63° O
Superficie : 261 km²
Population : 46 000, dont 12 000 sur l'île de Nevis
Densité de population : 176 hab./km²
Monnaie : 1 dollar Est Caraïbes (XCD) = 100 cents
Langues : anglais (officielle), créole anglais

Politique et population : la fédération fondée en 1983 par ce couple d'îles, également appelées Saint-Christophe et Nevis, est le plus jeune État des Caraïbes. La petite île de Nevis essaye d'ailleurs de se séparer de Saint-Kitts. Lors d'un référendum en 1998, la majorité des deux tiers n'a toutefois pu être obtenue. Lors de la fondation de cette monarchie constitutionnelle faisant partie du Commonwealth britannique, il était déjà prévu qu'il y aurait deux assemblées nationales distinctes. La plupart des habitants de ces îles sont Noirs ou métis ; Amérindiens, Chinois et Européens représentent moins de 5 % de la population.
Économie : tout le commerce extérieur repose sur l'exportation des produits agricoles, au premier rang desquels figure le sucre. Au cours de ces dernières années, l'éventail des exportations s'est élargi à l'industrie électronique (téléviseurs) et à la confection.
Histoire : Saint-Christophe, comme s'appelait officiellement Saint-Kitts jusqu'en 1987, est la première île des Caraïbes sur laquelle les Britanniques ont posé pied, en 1623. Ils lancèrent de là leurs expéditions conquérantes vers les îles voisines. Ce n'est pourtant qu'en 1783 que cette petite île des Antilles fut reconnue comme britannique par les Espagnols et les Français.

1 Le canal long de 79 km qui traverse l'isthme du Panamá voit passer chaque année plus de 10 000 navires.

2 Du Morne Fortuné s'ouvre une vue imprenable sur la baie de Castries (capitale de Sainte-Lucie).

3 Rêve caraïbe sur la plage de Bayahibe.

4 Si on mange au Nord les bananes fruits, les Dominicains préfèrent cuisiner les plantains.

5 Écolières de Soufrière à Sainte-Lucie.

Géographie : sur l'île de Saint-Christophe, qui mesure à peine 168 km², les plus hauts sommets avoisinent 1 100 m d'altitude. Le plus important est le volcan Liamuiga (1 156 m). La richesse minérale des sols volcaniques favorise une agriculture intensive. Nevis est aussi d'origine volcanique et possède même des sources chaudes sulfureuses.

Saint Lucia

SAINTE-LUCIE
Capitale : Castries
Situation : 14° N ; 61° O
Superficie : 622 km²
Population : 164 000
Densité de population : 264 hab./km²
Monnaie : 1 dollar Est Caraïbes (XCD) = 100 cents
Langues : anglais (officielle), ` créole français

Politique et population : le gouvernement issu d'une Chambre des députés comprenant 17 membres est constitué soit par la gauche (St Lucia Labour Party) soit par les conservateurs (United Workers' Party). Le chef de l'État de cette monarchie parlementaire du Commonwealth est le souverain britannique, représenté par un gouverneur général. 90 % des habitants sont Noirs, les 10 % restants sont métis, Asiatiques ou Blancs.

Économie : le tourisme, principale source de revenus de l'île, fournissait en 1996 environ la moitié du PNB, surpassant ainsi les exportations agricoles. L'île vend à l'étranger essentiellement des denrées alimentaires ; le gros des recettes du commerce extérieur est assuré par le sucre et les bananes. Pour des raisons historiques, la Grande-Bretagne reste le premier partenaire commercial.

Histoire : l'île aurait été découverte en 1502 par Christophe Colomb. Entre 1624 et 1814, l'île a été disputée entre Français et Anglais. Elle change 14 fois de mains avant de devenir colonie britannique. En 1871, elle est intégrée sur le plan politique au groupe des îles du Vent. Depuis le 22.2.1979, l'île est un État indépendant membre du Commonwealth.

Géographie : les deux grands volcans jumeaux le Gros Piton et le Petit Piton, au sud-ouest de l'île, dominent le paysage. Bien que désormais éteints, ils ont laissé par leurs éruptions passées des empreintes fortes dans un relief montagneux aujourd'hui entaillé par de nombreux cours d'eau. La grande majorité de la population est installée dans le bassin de Castries.

Sainte-Lucie   voir Bridgetown/La Barbade

Saint-Vincent-et-les-Grenadines Station météorologique Bridgetown (La Barbade)
Altitude 55 m. Situation 13°08'N/59°36'O

CLIMAT	Janv	Fév	Mars	April	Mai	Juin	Juil	Août	Sept	Oct	Nov	Déc
🌡	25,2	25,1	25,9	26,3	26,8	27,1	26,8	27,1	27,1	26,7	26,3	25,9
↑	28,3	28,3	29,4	30,0	30,6	30,6	30,0	30,6	30,6	30,0	29,4	28,3
↓	21,1	20,6	21,1	22,2	22,8	23,3	23,3	23,3	23,3	23,3	22,8	21,7
☀	8	9	9	9	9	8	9	9	9	8	7	8
↑	13	8	8	7	9	14	18	16	15	15	16	14
≈	26	25	25	26	27	28	28	28	28	28	28	28

Trinité-et-Tobago Station météorologique Piarco
Altitude 14 m. Situation 10°37'N/61°21'O

CLIMAT	Janv	Fév	Mars	April	Mai	Juin	Juil	Août	Sept	Oct	Nov	Déc
🌡	24,5	24,7	25,4	26,3	26,6	26,1	25,9	26,1	26,2	25,9	25,4	24,8
↑	31,1	32,1	32,7	33,9	34,4	35,5	32,7	33,2	33,9	32,7	32,7	31,6
↓	16,1	16,7	16,7	17,2	19,4	18,9	18,3	18,9	19,4	20,5	18,3	16,7
☀	7,4	7,8	8,1	8,0	7,5	6,3	7	7,1	6,7	6,7	6,5	6,5
↑	13	8	8	6	15	22	21	20	14	15	15	15
≈	26	25	25	26	27	28	28	28	28	28	28	28

États-Unis Station météorologique Honolulu/Hawaii
Altitude 10 m. Situation 21°19'N/157°52'O

CLIMAT	Janv	Fév	Mars	April	Mai	Juin	Juil	Août	Sept	Oct	Nov	Déc
🌡	22,5	21,9	22,2	22,8	23,9	24,7	25,3	25,9	25,9	25,0	23,9	23,0
↑	24,4	24,4	25,0	25,6	26,7	27,2	27,8	28,3	28,3	27,8	26,1	24,4
↓	20,6	19,4	19,4	20,0	21,1	22,2	22,8	23,3	23,3	22,2	21,2	20,6
☀	7	6	7	7	8	8	10	9	8	8	7	6
↑	14	11	13	12	11	12	14	13	13	13	13	15
≈	24	24	24	25	26	26	27	27	27	27	26	25

Station météorologique Seattle/Washington
Altitude 4 m. Situation 47°36'N/122°20'O

CLIMAT	Janv	Fév	Mars	April	Mai	Juin	Juil	Août	Sept	Oct	Nov	Déc
🌡	5,1	6,4	8,0	11,0	14,1	16,3	18,7	18,3	16,2	12,4	8,3	6,6
↑	7,2	8,9	11,1	14,4	17,8	20,6	22,2	22,8	19,4	15,0	10,6	8,3
↓	2,2	2,8	3,9	6,1	8,3	11,1	12,2	12,8	11,1	8,3	5,0	3,3
☀	2,3	3,5	5	6,7	8	7,8	9,8	8	6,6	3,9	2,6	2
↑	19	15	16	13	11	9	5	6	8	14	17	19

Station météorologique Chicago/Illinois
Altitude 165 m. Situation 41°47'N/87°47'O

CLIMAT	Janv	Fév	Mars	April	Mai	Juin	Juil	Août	Sept	Oct	Nov	Déc
🌡	-3,3	-2,3	2,4	9,5	15,6	21,5	24,3	23,6	19,1	13,0	4,4	-1,6
↑	0,0	1,1	6,1	12,8	18,3	23,9	27,2	26,1	22,8	16,1	8,3	2,2
↓	-7,7	-6,7	-1,7	4,4	10,0	15,6	18,9	18,3	14,4	8,3	1,1	-5,0
☀	4,1	5,1	6,4	7,4	8,8	10	10,7	9,6	8	6,7	4,5	3,8
↑	10	10	12	13	12	11	9	9	7	10	10	10

Saint Vincent and the Grenadines

SAINT-VINCENT-ET-LES-GRENADINES
Capitale : Kingstown
Situation : 13° N ; 61° O
Superficie : 388 km²
(Grenadines : 45,3 km²)
Population : 117 000
Densité de population : 302 hab./km²
Monnaie : 1 dollar Est Caraïbes (XCD) = 100 cents
Langues : anglais (officielle), créole anglais

Politique et population : Saint-Vincent a obtenu son indépendance en 1979 ; elle a opté pour un régime de monarchie constitutionnelle au sein du Commonwealth et son chef d'État est le souverain britannique. Au Parlement, de type bicaméral, siègent 15 députés et 6 sénateurs. Noirs et métis constituent environ 90 % de la population et pratiquement tous les habitants sont de confession chrétienne, surtout protestante.

Économie : ce groupe d'îles vit d'une économie agricole. Quatre actifs sur dix travaillent dans l'agriculture. Le secteur crucial est celui de la banane ; il réalise près de 40 % des revenus à l'exportation, devant d'autres fruits dont la noix de coco. Le gros des exportations part vers la Grande-Bretagne. Le tourisme joue un rôle de plus en plus grand dans l'économie et devrait rendre celle-ci moins tributaire des exportations agricoles.

Histoire : contrairement aux autres peuples indigènes des Caraïbes, la population de ces îles est restée longtemps à l'abri des conquérants européens. Ce n'est qu'en 1783 que le traité de Versailles accorda la souveraineté de l'île aux Britanniques. Au début du XIXᵉ siècle, ces derniers déplacèrent les Indiens Caraïbes et engagèrent à la place des ouvriers agricoles portugais et indiens.

Géographie : le volcan actif de la Soufrière de Saint-Vincent (1 234 m) dénote bien l'origine de l'île. Si la grande éruption de 1902 fit environ 2 000 morts, celle de 1979 fit moins de dommages. Le sol volcanique permet d'obtenir d'excellents rendements agricoles. La plupart des habitants sont installés près des côtes. Seules huit des quarante petites îles des Grenadines sont habitées.

Trinidad and Tobago (TT)

TRINITÉ-ET-TOBAGO
Capitale : Port-of-Spain
Situation : 10° – 12° N ; 61° – 62° O
Superficie : 5 130 km²
(Tobago 300 km²)
Population : 1,3 million (dont 50 000 sur Tobago)
Densité de population : 253 hab./km²
Monnaie : 1 dollar de Trinité-et-Tobago (TTD)
= 100 cents
Langues : anglais (officielle), français, espagnol, hindi, chinois

Politique et population : ces deux îles des Caraïbes forment ensemble une République. Leur Assemblée nationale compte 36 sièges renouvelés par élection tous les cinq ans. Les Noirs et les Indiens constituent les deux grands groupes ethniques et comptabilisent chacun deux cinquièmes de la population. Le reste de la population comprend surtout des métis ainsi que 1 % de Blancs et de Chinois. Les diverses communautés religieuses reflètent cette variété ethnique. Plus de la moitié des Trinidadais sont chrétiens (au deux tiers catholiques), 25 % hindous et 6 % musulmans.
Économie : l'économie suit les aléas du cours du pétrole. Elle a donc enregistré un repli dans les années 1980, mais le PNB progresse de nouveau depuis 1991. Sur la minuscule île de Tobago, relativement isolée, le tourisme joue un rôle essentiel. L'île principale de Trinité possède le plus grand gisement naturel d'asphalte au monde. Pour cette île aussi, le tourisme constitue une source de revenus.
Histoire : ces deux îles ont été découvertes par Christophe Colomb en 1498. C'est à la vue des trois sommets situés sur la pointe sud-ouest de la plus grande des deux îles (les Trinity Hills d'aujourd'hui) que le navigateur donna à cette dernière le nom de Trinité. De 1552 à la fin du XVIIe siècle, les deux îles restèrent possession espagnole. Du fait de leur position stratégique sur l'une des principales voies maritimes entre l'Europe et l'Amérique centrale, Anglais, Français et Hollandais se les disputèrent toutefois âprement. Les deux îles devinrent finalement britanniques en 1797, au terme des guerres napoléoniennes. La population indienne n'était alors plus que de 2 000 individus environ, et des esclaves furent acheminés d'Afrique pour que l'économie de plantation puisse fonctionner. En 1898, les deux îles furent réunies en une seule et même colonie britannique, statut qu'elles conservèrent jusqu'à leur indépendance en 1962.
Géographie : géologiquement parlant, Trinité et Tobago appartiennent au socle sud-américain, dont elles n'ont été séparées que par la remontée du niveau des mers après la dernière période glaciaire. Distantes d'à peine 20 km du Venezuela, elles sont traversées par trois chaînes montagneuses qui prolongent la cordillère côtière vénézuélienne et s'abaissent vers l'Atlantique en direction de l'est. Ces îles se caractérisent par une forêt tropicale luxuriante et une faune très diversifiée.

United States of America (USA)

ÉTATS-UNIS
Capitale : Washington
Situation : 24° – 72° N ; 67° – 172° O
Superficie : 9 363 520 km²
Population : 298 millions
Densité de population : 32 hab./km²
Monnaie : 1 dollar (USD) = 100 cents
Langues : anglais américain, espagnol

Politique : la Constitution de cette république fédérale présidentielle date de 1787 ; elle est par conséquent le plus ancien document de ce type encore en vigueur. La souveraineté du peuple, l'attribution des postes importants des institutions politiques par le biais

1 Le mont Saint Helens est un volcan actif de l'État de Washington.

2 Par un phénomène d'érosion régressive, les vallées du parc national des Badlands ne cessent de s'allonger.

3 Le Grand Canyon du Colorado.

4 Le Golden Gate Bridge à San Francisco.

5 Vapeur sur le Mississippi.

6 Des lettres qui parlent d'elles-mêmes depuis plus de 70 ans.

United States of America   235

d'élections, la séparation des pouvoirs et le fédéralisme en sont les principes essentiels. Elle fut amendée et complétée en 1791 par le *Bill of Rights*. Ce catalogue des droits fondamentaux de tout individu garantit la liberté de culte, d'expression, d'association ainsi que la liberté de la presse et le droit au port d'arme. Le président des États-Unis est à la fois chef de l'État, chef du gouvernement et chef des armées. Il est élu indirectement tous les quatre ans par 538 « grands électeurs » et, depuis 1951, ne peut se présenter qu'à deux mandats successifs. Le Congrès fédéral assume le pouvoir législatif. Il est composé de deux chambres : le Sénat, comprenant 100 sièges, et la Chambre des représentants, accueillant 435 députés. Ces derniers sont élus pour deux ans, les sénateurs, pour six. Le pays se compose de 50 États juridiquement égaux et d'un district fédéral, le District de Columbia (DC) qui englobe la capitale fédérale Washington. Chaque État dispose de sa propre constitution, d'un Parlement bicaméral (à l'exception du Nebraska, qui a un Parlement monocaméral) et d'un gouverneur élu. Le paysage politique est dominé par deux grands partis, les Républicains et les Démocrates qui alternent au pouvoir.

Population : près des trois quarts (environ 195 millions) des habitants sont blancs ; les Noirs représentent près de 13 % (environ 33 millions), les Hispaniques, 10 % (environ 27 millions) et les Asiatiques, près de 4 % (9 millions). Depuis 1820, plus de 50 millions d'immigrés sont arrivés aux États-Unis, dont près de 8 millions d'Irlandais, plus de 7 millions d'Allemands, 5 millions d'Italiens, 5 millions de Britanniques ainsi que de plusieurs millions de personnes venues d'autres pays européens. La langue officielle commune à l'ensemble du pays est l'anglais américain, le Nouveau-Mexique possédant seul une seconde langue officielle : l'espagnol. Les principales communautés religieuses sont les suivantes : protestants (57 %), catholiques (21 %), juifs (6 %), mormons (4 %), musulmans (2 %).

Économie : les États-Unis constituent la première puissance économique mondiale. Leur économie repose sur les principes du libre-échange. Le PIB provient pour près de 75 % du tertiaire, 25 % de l'industrie et 2 % de l'agriculture et de la sylviculture. Environ 47 % de la superficie totale du pays est utilisée par l'agriculture et les forêts couvrent près de 20 % du territoire. La région traditionnelle la plus industrielle s'étend de la côte nord-atlantique jusqu'au Mississippi. Les secteurs de l'aéronautique, du cinéma et de la microélectronique (Silicon Valley) sont concentrés sur la côte pacifique et les industries chimiques dans la région de La Nouvelle-Orléans. Le pays figure nettement en tête de la liste mondiale des exportateurs, comme de celle des importateurs. En 2001, sa balance commerciale était excédentaire de 200 milliards de dollars. Les États-Unis exportent entre autres des machines, des composants et appareils électrotechniques et des automobiles.

Communications : depuis l'époque d'Henry Ford, l'*American way of life* est entièrement pensé autour du véhicule particulier. Pratiquement 85 % des déplacements des Américains s'effectuent en voiture. Les *Interstate Highways* déroulent environ 700 000 km de bitume pour desservir jusqu'aux coins les plus reculés du pays. Après le réseau routier, c'est le réseau aérien intérieur, extrêmement dense, qui tient le rôle le plus important. Les chemins de fer servent essentiellement au transport de marchandises.

Médias : la diversité de la presse est impressionnante. Les quotidiens les plus lus sont le *New York Times* et le *Washington Post*. Les magazines les plus influents sont *Time* et *Newsweek*. Le principal organe des médias reste cependant la télévision. De nombreuses chaînes commerciales sont accessibles 24 heures sur 24 par câble ou par satellite.

Histoire : le continent nord-américain est habité depuis environ 40 000 ans. Les tribus amérindiennes furent menacées dès la première moitié du XVIe siècle alors que les Espagnols progressaient en Floride et dans la région du Mississippi. Au XVIIe siècle, les Français occupaient la région de plaines s'étendant des Grands Lacs au nord jusqu'à l'embouchure du Mississippi. En 1718, ils fondent La Nouvelle-Orléans. La colonisation de l'Amérique du Nord par les Anglais commence de son côté en 1607 et, en 1733, elle concerne treize colonies distinctes le long de la côte atlantique. La Grande-Bretagne finit par s'assurer la maîtrise du nord de l'Amérique en 1763 (traité de Paris). Les treize colonies se séparent ensuite de leur métropole et déclarent leur indépendance le 4 juillet 1776. Il faut cependant attendre 1853 pour voir le pays acquérir ses frontières actuelles (à l'exception de l'Alaska, rattaché plus tard). D'importantes divergences opposent les États, sur la question de l'esclavage notamment, qui s'expliquent par les différences notables en matière de traditions et de développement économique, politique et social. Ainsi, les États du Sud ont vécu l'élection d'Abraham Lincoln, qui s'opposait ouvertement à l'esclavage, comme une provocation à laquelle ils ne pouvaient répondre que par la sécession. Une guerre sanglante fit rage entre 1861 et 1865, ce qui n'empêcha pas le président Lincoln de déclarer l'abolition de l'esclavage en 1863. Dans les années qui suivirent, le Nord domina le développement économique du pays, et l'essor de l'industrie fut tel que dès la fin du XIXe siècle, les États-Unis étaient la première puissance économique mondiale. En 1917, les États-Unis intervinrent dans la Première Guerre mondiale aux côtés des Alliés, mais le Congrès américain refusa de ratifier le traité de Versailles et d'intégrer la Société des Nations. Le Krach de Wall Street en 1929 mit fin à l'effervescence des années folles, et la crise économique qui suivit ne prit véritablement fin qu'avec la vente d'armement pour la Deuxième Guerre mondiale. L'intervention des États-Unis contre les Japonais après l'attaque de Pearl Harbor en 1941 marqua un tournant décisif dans le conflit. À l'issue de la guerre, les États-Unis se posèrent en leader des pays occidentaux face à la puissance de Staline à l'est. La création de l'OTAN (1949) et le lancement du Plan

États-Unis

Station météorologique Kansas City/Missouri
Altitude 226 m. Situation 39°07'N/94°35'O

CLIMAT		Janv	Fév	Mars	Avril	Mai	Juin	Juil	Août	Sept	Oct	Nov	Déc
	🌡	-0,7	1,6	6,0	12,9	18,4	24,1	27,2	26,3	21,6	15,4	6,7	1,6
	🌡	21,1	27,2	32,8	35,0	39,4	42,2	43,3	45,0	41,7	36,7	28,3	23,3
	🌡	-28,9	-30,0	-19,4	-8,9	-2,8	6,7	11,7	7,8	1,1	-8,3	-15,6	-25,0
	○	4,7	5,7	6,9	7,9	8,2	10,0	10,3	9,3	8,4	7,4	5,7	4,5
	☀	7	7	9	11	12	11	8	8	8	7	6	6

Station météorologique Los Angeles/Californie
Altitude 103 m. Situation 34°03'N/118°14'O

CLIMAT		Janv	Fév	Mars	Avril	Mai	Juin	Juil	Août	Sept	Oct	Nov	Déc
	🌡	13,2	13,9	15,2	16,6	18,2	20,0	22,8	22,8	22,2	19,7	17,1	14,6
	🌡	18,3	18,9	19,4	21,1	22,2	24,4	27,2	27,8	27,2	24,4	22,8	19,4
	🌡	7,8	8,3	8,9	10,0	11,7	13,3	15,6	14,4	12,2	10,0	8,3	8,2
	○	7	7	9	8	10	12	11	10	8	8	7	7
	☀	6	5	6	4	2	1	<1	1	1	2	4	5
	≈	14	14	15	16	18	18	19	20	19	18	17	15

Station météorologique Miami/Floride
Altitude 2 m. Situation 25°48'N/80°16'O

CLIMAT		Janv	Fév	Mars	Avril	Mai	Juin	Juil	Août	Sept	Oct	Nov	Déc
	🌡	19,4	19,9	21,4	23,3	25,3	27,1	27,7	27,9	27,4	25,4	22,4	20,1
	🌡	23,3	23,9	25,6	28,9	28,9	30,0	31,1	31,1	30,6	28,3	25,6	24,4
	🌡	16,1	16,1	17,8	19,4	21,7	23,3	24,4	24,4	23,9	22,2	18,9	16,7
	○	8	8	9	9	9	8	8	8	7	7	8	7
	☀	6	5	4	5	8	13	14	15	13	6	3
	≈	22	23	24	25	28	30	31	32	30	28	25	23

Station météorologique Boston/Massachusetts
Altitude 192 m. Situation 42°13'N/71°07'O

CLIMAT		Janv	Fév	Mars	Avril	Mai	Juin	Juil	Août	Sept	Oct	Nov	Déc
	🌡	-2,8	-2,6	1,6	7,6	13,7	18,4	21,6	20,8	16,9	11,5	5,6	-1,1
	🌡	2,2	2,8	6,1	12,2	18,9	23,9	26,7	25,6	21,7	16,7	9,4	4,4
	🌡	-6,7	-6,1	-2,2	3,3	9,4	14,4	17,2	16,7	12,8	7,8	1,7	-3,9
	○	4	6	6	8	9	9	9	8	7	5	4
	☀	13	11	13	12	13	12	11	10	10	11	11

Marshall annonçaient déjà la Guerre froide qui opposa pendant des années les deux superpuissances très militarisées. Depuis la fin de la Guerre froide et le démantèlement de l'Union soviétique en 1991, les États-Unis sont la seule superpuissance de la planète. Les attentats du 11 septembre 2001 constituent les attaques les plus importantes jamais lancées sur le sol américain. En réaction, les États-Unis mènent depuis une guerre contre le terrorisme islamique, avec notamment les guerres menées en Afghanistan et en Irak. L'essor de l'industrie permet finalement aux États-Unis de devenir, dès la fin du XIXe siècle, l'un des premiers pays industriels du monde.

Culture : la culture américaine est le reflet de sa diversité ethnique. L'éventail va des témoignages laissés par l'histoire des premiers habitants, tels ces villages troglodytes du XIe siècle bâtis par les Indiens Pueblos, au centre historique français de La Nouvelle-Orléans, en passant par les fortifications espagnoles le long des côtes ou les villes portuaires anglaises. La côte Est est encore aujourd'hui dominée par des agglomérations au plan orthogonal de style colonial néerlandais ou anglais. Au centre des grandes villes s'élèvent depuis la fin du XIXe siècle des gratte-ciel géométriques, dont les plus célèbres, les Twin Towers du World Trade Center à New York, ont été détruits par un attentat le 11.09.2001. La culture américaine a une influence mondiale par le biais de ses films. Fondé en 1909 à Los Angeles, Hollywood est très vite devenu le symbole du cinéma récréatif.

Géographie : les États-Unis sont le quatrième plus grand pays du monde par leur superficie. 4 500 km séparent l'Atlantique, à l'est, du Pacifique, à l'ouest, et la distance entre les frontières nord et sud atteint 2 500 km. Deux grands systèmes montagneux, les Cordillères à l'ouest et les Appalaches à l'est, encadrent les plaines centrales. S'articulant en plusieurs unités (les Rocheuses et les chaînes pacifiques), séparées par des plateaux, les Cordillères forment une imposante barrière nord-sud qui atteint 1 700 km de large. Leur point culminant se situe en Alaska, au mont McKinley (6 194 m). Ces chaînes étant géologiquement jeunes, la croûte terrestre n'est pas encore totalement stabilisée : la présence de volcans, dont certains sont actifs, et les fréquents séismes en sont la preuve manifeste. La plus grande partie du pays connaît un climat continental. En raison du dispositif topographique allongé sur près de 50 degrés de latitude, les échanges de masses d'air entre le nord et le sud entraînent de grandes variations de température, l'air froid du nord et l'air chaud du sud pouvant se déplacer sur de longues distances. Le territoire des États-Unis peut être défini par de nombreux superlatifs. Le point culminant absolu de notre planète est le Mauna Kea, sur l'île d'Hawaii, qui s'élève à environ 9 000 m au-dessus des fonds marins. Le Grand Canyon est sans doute le relief le plus impressionnant du globe. Avec ses 350 km de long et une profondeur atteignant 1 000 à 1 800 m, il s'agit des gorges les plus profondes du monde. Le plus grand lac d'eau douce est le lac Supérieur (82 103 km²) ; la vallée de la Mort est l'un des points les plus chauds de la Terre (jusqu'à 56,7 °C, et très souvent plus de 50 °C) ; et les plus fortes précipitations tombent sur le mont Wailaleale à Hawaii (12 547 mm de moyenne annuelle).

1 Depuis l'hôpital méthodiste, le regard s'étend sur la ligne imposante des gratte-ciel de Dallas.

2 Natural Bridges State Beach, à l'ouest de Santa Cruz.

3 Femme de la tribu des Sioux.

4 Le mont Rainier (4 394 m) est entouré de nombreux glaciers. Âgé d'un million d'années environ, il compte parmi les plus jeunes montagnes d'Amérique du Nord. La plupart des sommets voisins se sont formés il y a douze millions d'années.

United States of America 237

Amérique du Sud
– Un avenir incertain

Tous les pays d'Amérique du Sud ont beaucoup de caractéristiques communes issues de leur passé colonial. On note par exemple la dominance du portugais au Brésil et de l'espagnol dans les autres États, l'omniprésence de la religion catholique ainsi que d'énormes difficultés d'organisation qui s'expriment notamment par une explosion démographique, une pauvreté oppressante et un fort endettement extérieur. Une structure foncière très inégalitaire par laquelle une minorité de grands propriétaires terriens exploite une masse de paysans sans terres a provoqué un exode rural sans précédent qui a alimenté une croissance urbaine incontrôlable. Environ 90 % des Sud-Américains vivent aujourd'hui sur une bande côtière large tout au plus de 300 km, et 75 % sont regroupés dans de grandes agglomérations entourées de bidonvilles en expansion constante. Mus par la détresse économique et les contrastes sociaux, de nombreux pays ne font qu'osciller entre dictature et guerre civile. Reste à savoir si la démocratisation en cours apportera les réformes stucturelles qui s'imposent (réforme agraire notamment).

Argentina

ARGENTINE (RA)

Capitale : Buenos Aires
Situation : 22° – 55° S ; 53° – 73° O
Superficie : 2 780 400 km²
Population : 37,1 millions
Densité de population : 13 hab./km²
Monnaie : peso argentin (ARP) = 100 centavos
Langues : espagnol, langues des populations amérindiennes et immigrées

Politique : l'Argentine est toujours régie par la constitution, plusieurs fois modifiée, qui fit d'elle une démocratie présidentielle en 1853. Le pouvoir législatif est entre les mains du Congrès national, constitué d'une Chambre des députés et d'un Sénat. Depuis la dernière réforme constitutionnelle, en 1994, le président est élu au suffrage universel. L'armée dispose encore d'une influence considérable. Ces dernières années ont vu fleurir les révélations scandaleuses sur de nombreux hommes politiques directement impliqués dans le trafic de stupéfiants ou soutenant celui-ci du fait de leur corruption.
Population : la population amérindienne d'origine est aujourd'hui restreinte et tend à disparaître ; les Argentins sont désormais à 90 % d'origine européenne (espagnole, allemande, française ou italienne) et les Japonais constituent aussi une part non négligeable de la population. Ces dernières années, l'immigration était dominée par les Coréens. Neuf habitants sur dix sont de confession catholique, et le catholicisme est d'ailleurs la religion officielle.
Économie : l'Argentine dispose d'importantes capacités de production tant dans le secteur primaire que secondaire. Les élevages ovin et bovin représentent l'essentiel de la production agricole animale, mais certaines régions ont aussi développé l'élevage des porcs (autour des villes) et des caprins (dans les zones sèches). Le blé, le maïs, les oléagineux, ainsi que le tabac et le riz, constituent les principales cultures. La production industrielle, notamment la transformation de produits semi-finis importés, a commencé à se développer dans les années 1940. À cette époque, apparaissent autour de Buenos Aires et Córdoba les premières usines de construction automobile, d'emboutissage et de montage.
Aux exportations agricoles s'ajoutent dès lors celles des produits industriels. L'endettement du pays vis-à-vis de l'étranger est tel qu'une grande partie des revenus de l'exportation sert à rembourser la dette.
Communications : les réseaux routiers et ferrés se concentrent autour des agglomérations et dans les régions les plus développées. S'il n'existe, par exemple, aucune voie ferrée reliant le nord à l'extrême sud, le réseau routier s'étend, lui, d'un bout à l'autre du pays et de l'Atlantique jusqu'aux Andes. Le réseau navigable est bien développé, son principal axe étant le Paraná. L'Argentine possède une dizaine d'aéroports internationaux.
Médias : environ 20 % des ménages possèdent un poste de télévision, et 70 %, un poste de radio. Avec près d'une quarantaine de chaînes de télévision, le paysage audiovisuel est très diversifié.
Histoire : la présence européenne a été précédée par plusieurs grandes civilisations amérindiennes centrées sur le nord-ouest des Andes où l'on trouve des vestiges de type urbain. Au sud, vivaient des tribus de chasseurs-cueilleurs.
Les Incas conquièrent de vastes territoires à partir de 1480 ; l'occupation espagnole commença plus tard, en 1516. La future Argentine appartenait alors à la vice-royauté du Pérou. En 1776, elle devient la vice-royauté du Río de la Plata. Ses habitants se révoltent dès 1810 contre la domination espagnole, déclarent leur indépendance en 1816 pour constituer les « Provinces unies du Río de la Plata ». L'État argentin commence son unification sous la dictature de Juan Manuel de Rosas. La Patagonie n'y fut rattachée qu'en 1880.

L'âge d'or de l'économie argentine s'arrêta brusquement avec la première grande crise mondiale des années 1930. Au cours des décennies suivantes, se sont succédé différents gouvernements militaires et civils. Longtemps considéré comme un réformateur, Juan Domingo Perón, qui présida deux fois aux destinées du pays, instaura une politique populiste qui porte son nom : le « péronisme ». Après sa mort, le gouvernement dirigé par sa dernière femme, Isabel Perón, fut renversé par l'armée (1976). La junte militaire doit quitter le pouvoir le 1er après la défaite dans la guerre éclair des Malouines face aux Britanniques. En octobre 1983 peuvent à nouveau se tenir des élections présidentielles libres. Le processus de démocratisation lèvera le voile sur les exactions des militaires : tortures, assassinats, exécutions en masse, et stratégie de « disparitions » firent quelque 7 000 victimes. L'armée enlevait par ailleurs les enfants de certains opposants pour les « adopter ». Ces pratiques ont fait naître le mouvement des « Mères de la place de Mai », reconnu internationalement pour son action en faveur des droits de l'Homme. En 1985, plusieurs dirigeants militaires ont pu être jugés pour ces crimes et condamnés à de lourdes peines. En 1989, le péronisme revient au pouvoir avec Carlos Menem qui dirigera le pays pendant six ans.
Culture : le caractère hétéroclite de la culture argentine s'explique par la variété des populations immigrées. C'est au xixe siècle que naît le mythe du *gaucho* menant une vie libre et naturelle. Il inspira des chansons et poèmes épiques encore appréciés de nos jours bien que la population argentine soit désormais citadine à plus de 80 %. Apparu à la fin du xixe siècle, le tango a conquis le monde entier de son rythme syncopé. L'*asado*, « barbecue » où l'on fait rôtir la moitié d'un bœuf, fait aussi partie des traditions argentines.
Géographie : étant donné l'étendue du pays, les paysages et les climats sont très variés. L'Argentine se divise en trois grandes régions géographiques : à l'ouest, la cordillère des Andes borde le pays du nord au sud ; au centre, entre les Andes et l'Atlantique, s'étend la pampa, une steppe au sol riche qui forme le cœur économique du pays ; au sud, elle laisse progressivement place aux plateaux de la Patagonie qui descendent par une série de gradins vers l'océan. La végétation varie selon les climats et notamment la pluviosité qui augmente d'ouest en est : aux forêts pluviales subtropicales du nord-est succèdent ainsi les steppes arides de Patagonie. La frontière avec le Chili offre les plus hauts sommets des Andes (Aconcagua à 6 959 m, Nevada Los Ojos del Salado à 6 893 m) ainsi que le plus haut volcan du monde (le Llullaillaco à 6 723 m). Des parcs naturels transfrontaliers ont été aménagés sur les frontières avec le Chili et le Brésil.

Argentine

Station météorologique Buenos Aires
Altitude 25 m. Situation 34°35'S/58°29'O

CLIMAT	Janv	Fév	Mars	Avril	Mai	Juin	Juil	Août	Sept	Oct	Nov	Déc
	23,7	23,0	20,7	16,6	13,7	11,1	10,5	11,5	13,6	16,5	19,5	22,1
	29,4	28,3	26,1	22,2	17,8	13,9	13,9	15,6	17,8	20,6	24,4	27,8
	17,2	17,2	15,6	11,7	8,3	5,0	5,6	6,1	17,8	10,0	13,3	16,1
	9	9	7	7	5	4	5	6	6	7	9	9
	7	7	8	7	6	7	6	7	7	8	8	8
	22	22	21	19	17	14	12	12	12	14	17	20

Station météorologique Ushuaia/Terre de Feu
Altitude 6 m. Situation 54°48'S/68°19'O

CLIMAT	Janv	Fév	Mars	Avril	Mai	Juin	Juil	Août	Sept	Oct	Nov	Déc
	9,2	9,0	7,8	5,7	3,2	1,7	1,6	2,2	3,9	6,2	7,3	8,5
	13,9	14,4	12,8	8,9	6,1	3,9	3,9	5,6	7,8	11,1	12,2	13,3
	5,0	5,0	3,3	0,6	-1,7	-3,3	-3,9	-2,8	-0,6	1,7	2,2	3,9
	5	6	4	3	2	1	1	3	5	6	6	6
	13	12	11	12	13	20	9	8	7	11	11	13

Argentina 239

Bolivia (BOL)

BOLIVIE
Capitale : Sucre (officielle), La Paz (siège du gouvernement)
Situation : 10° – 23° S ; 58° – 69° O
Superficie : 1 098 581 km²
Population : 9,3 millions
Densité de pop. : 8 hab./km²
Monnaie : 1 Boliviano (BOB) = 100 centavos
Langues : espagnol, quechua, aymará, guarani

Politique et population : d'après sa constitution, la Bolivie est une démocratie présidentielle. Toutefois, malgré l'existence d'une Chambre des députés et d'un Sénat, les groupes de pression extra-parlementaires, parmi lesquels l'armée, exercent une influence considérable. Les conservateurs, menés par l'ancien dictateur Hugo Banzer Suárez, sont revenus au pouvoir en 1997. La puissance de la mafia s'est par ailleurs accrue avec l'extension du trafic de cocaïne. Depuis 1991, la lutte contre les narcotrafiquants s'est renforcée, avec l'aide des États-Unis. La vague de privatisations suscite de nombreuses protestations qui obligent le gouvernement à faire marche arrière. Battu en 2002, en raison notamment des pressions exercées par les États-Unis, Evo Moralès est élu en décembre 2005. C'est le premier président indien. La population est constituée à près de 50 % d'Amérindiens et à 30 % de métis ; les 20 % restants sont les descendants des immigrés d'origine européenne qui s'installèrent à la suite de la colonisation espagnole. Environ 80 % des habitants vivent dans les hautes terres andines. La population est à 95 % catholique.

Économie et communications : l'économie repose sur l'agriculture et sur l'exploitation des richesses minières. On cultive entre autres la pomme de terre, le maïs, les haricots, mais aussi le café et le cacao. Dans l'Altiplano, l'élevage joue aussi un grand rôle (moutons, bœufs, porcs, mais aussi lamas et alpagas). Le principal minerai est l'étain, mais la Bolivie possède aussi des mines de fer, d'argent, d'or et d'autres métaux précieux ; elle exploite également du gaz naturel. Une grande partie de la production est destinée à l'exportation. La place du soja dans le commerce extérieur augmente de plus en plus. La grande majorité des agriculteurs est très pauvre et cultive la coca pour disposer d'un revenu complémentaire. Les infrastructures de communication sont insuffisantes, surtout dans la plaine orientale. Moins de 5 % des routes sont goudronnées.

Histoire et culture : dans le bassin du lac Titicaca se développa, de 200 av. J.-C. à 600 apr. J.-C. la brillante civilisation de Tiahuanaco. Ses communautés regroupées dans de petites cités ont été soumises par les Incas vers 1460, avant que les premiers Espagnols n'atteignent la région en 1533. Durant toute la période coloniale, la Bolivie actuelle faisait partie du Haut Pérou. Après la lutte pour l'indépendance, le pays se donna un nom, tiré de celui de son premier président Simón Bolívar (1825). S'ensuivirent près de 100 ans de troubles et de guerres désastreuses contre le Chili (1879-1883), le Brésil (1903-1904) et le Paraguay (1932-1935). L'accès à la mer fut perdu après la défaite de 1883. Depuis les années 1950, la Bolivie vit au rythme des putschs militaires. Les réformes démocratiques commencées en 1952 sous Paz Estenssoro sont constamment remises en cause. Depuis la fin des années 1980, on tente de protéger les modes de vie des nombreux peuples amérindiens. Par entente avec le Pérou en juin 1992, la Bolivie bénéficie de facilités d'accès à l'océan Pacifique.

Géographie : le pays se divise en trois régions. Au sud-ouest, le haut plateau andin, dépourvu de forêts, est froid et sec. Situé entre 3 000 et 4 000 m, il est bordé à l'ouest comme à l'est par des cordillères culminant à 5 000 ou 6 000 m. Dans les vallées de l'est des Andes, les forêts de montagne cèdent la place aux forêts pluviales tropicales qui couvrent le nord-est. Au sud-est règnent des steppes de plus en plus sèches vers le sud.

Brasil (BR)

BRÉSIL
Capitale : Brasilia
Situation : 5° N – 34° S ; 35° – 74° O
Superficie : 8 511 965 km² (dont 55 000 km² d'eaux intérieures)
Population : 182,5 millions
Densité de population : 21 hab./km²
Monnaie : 1 Réal (BRL) = 100 centavos
Langue : portugais

Politique : après trois décennies de domination par la droite conservatrice sous la direction du parti Arena, soutenu par l'armée, la fin des années 1980 a vu s'amorcer un processus de démocratisation. En 1988, le Brésil s'est doté d'une nouvelle constitution. Les premières élections présidentielles au suffrage universel ont eu lieu fin 1989. Le Brésil est une république présidentielle fédérale, s'appuyant sur un système parlementaire bicaméral avec Chambre des députés et Sénat. Le pouvoir est concentré dans les mains d'une oligarchie qui accroît sans cesse ses propriétés foncières en créant des plantations ou en exploitant le bois pour l'exportation. Le géant de l'Amérique latine est partagé en 26 États fédérés. Il a des frontières avec tous les pays du sous-continent, sauf le Chili et l'Équateur.

Population : la population présente un large éventail ethnique : une bonne moitié de Blancs, un tiers de métis, 11 % d'Afro-Brésiliens et environ 1 % d'Asiatiques, surtout des Japonais. Les populations noires descendent des esclaves africains qui furent amenés pour travailler dans les plantations. Pendant ses trois premiers siècles d'existence, le pays fut sous domination européenne et 3,5 millions d'Africains furent vendus au Brésil par les négriers britanniques. La population blanche compte environ 2 millions de personnes d'origine allemande. Les populations amérindiennes indigènes ne comptent plus aujourd'hui que 300 000 personnes vivant dans des territoires d'une superficie totale d'environ 625 000 km², principalement en forêt amazonienne, qui leur ont été réservés. Aujourd'hui comme hier, et malgré les décisions de justice, ces territoires sont toutefois largement revendiqués par les éleveurs et les planteurs. En 1996, un groupe de 300 Guaranis menaça de commettre un suicide collectif si leur territoire n'était pas préservé. En raison de la désagrégation fréquente des familles, le Brésil compte de nombreux enfants des rues. Une commission parle-

Bolivie — Station météorologique La Paz. Altitude 3632 m. Situation 16°30'S/68°08'O

CLIMAT		Janv	Fév	Mars	Avril	Mai	Juin	Juil	Août	Sept	Oct	Nov	Déc
	🌡	11,2	10,9	11,0	10,8	9,7	8,3	8,1	9,2	10,4	11,7	12,2	11,7
	🌡	17,2	17,2	17,8	18,3	17,8	16,7	16,7	17,2	17,8	18,9	19,4	18,3
	🌡	6,1	6,1	5,6	4,4	2,8	1,1	0,6	1,7	3,3	4,4	5,6	5,6
	☀	6	5	5	6	7	8	8	7	6	6	6	6
	🌧	21	18	16	9	5	2	2	4	9	9	11	18

Brésil — Station météorologique Rio de Janeiro. Altitude 31 m. Situation 22°54'S/49°16'O

CLIMAT		Janv	Fév	Mars	Avril	Mai	Juin	Juil	Août	Sept	Oct	Nov	Déc
	🌡	25,1	25,6	24,3	23,6	22,1	21,1	20,2	20,8	21,0	21,8	22,9	22,4
	🌡	28,9	29,4	28,3	26,7	25,0	24,4	23,9	24,4	23,9	25,0	26,1	27,7
	🌡	22,8	22,8	22,2	20,6	18,9	17,9	17,8	17,8	18,3	18,9	20,0	21,7
	☀	7	6	6	6	6	7	7	7	5	5	6	6
	🌧	12	13	13	11	10	8	7	8	11	12	13	14
	≈	25	25	26	25	24	23	22	22	22	22	23	24

Station météorologique Manaus. Altitude 48 m. Situation 03°08'S/60°01'O

CLIMAT		Janv	Fév	Mars	Avril	Mai	Juin	Juil	Août	Sept	Oct	Nov	Déc
	🌡	26,2	26,2	26,4	26,2	26,3	26,6	26,8	27,5	27,9	27,8	27,6	26,8
	🌡	31,1	31,1	31,1	30,6	31,1	31,1	31,7	32,8	33,3	33,3	32,8	32,2
	🌡	23,9	23,9	23,9	23,9	23,9	23,9	23,9	23,9	23,9	24,4	24,4	23,9
	☀	4	4	4	4	5	7	8	8	8	7	6	5
	🌧	20	19	21	20	18	12	8	8	8	11	12	16

mentaire a découvert qu'en 1991 uniquement, environ 350 de ses enfants avaient été assassinés par des groupes paramilitaires. Pour les trois années précédentes, ce chiffre est estimé à plus de 5 000. Près de 90 % de la population est catholique, mais la place des communautés d'inspiration évangéliste augmente. Il existe aussi une multitude de cultes afro-brésiliens.

Économie : l'économie brésilienne est marquée par des contrastes extrêmes. D'un côté, le Brésil dispose d'un important potentiel agricole, industriel et minier (fer, manganèse et or) partiellement inexploité ; l'environnement législatif facilite d'autre part les investissements des grandes entreprises européennes et nord-américaines. Mais, par ailleurs, une grande partie de la population vit dans un total dénuement. En 1994, l'inflation a atteint 1 000 % ; elle a été ramenée en 1995 à 20 % par une politique de rigueur économique. Des millions de personnes sont au chômage. Sa dette extérieure (150 milliards de dollars), fait du Brésil le pays le plus endetté du monde. Outre le café, les principaux produits d'exportation sont les minerais, le soja et ses dérivés et, de plus en plus, les automobiles et les biens d'équipement. Les productions agricoles sont principalement représentées par le café, le sucre, le soja, le cacao, le maïs, le tabac et le coton. L'élevage bovin tient aussi une place importante. Dans le secteur industriel, les anciennes spécialités du textile et du cuir sont aujourd'hui supplantées par la construction automobile, y compris en sous-traitance.

Communications : un réseau routier et ferré assez lâche couvre le pays ; ses mailles se resserrent autour des centres économiques. La Transamazonienne relie l'ouest à l'est ; elle coupe la grande route nord-sud, Santarém-Cuiabá. En Amazonie, la navigation fluviale joue un rôle important. Il existe un millier d'aéroports. La côte est bordée de nombreux ports importants tels que Rio de Janeiro, Santos et Recife.

Médias : 48 quotidiens sont publiés sur l'ensemble du pays. La télévision est présente dans 20 % des foyers, et 37 % d'entre eux possèdent une radio. Malgré un taux d'analphabétisme estimé à 17 %, 20 000 nouveautés littéraires sont publiées chaque année.

Histoire : la présence de l'homme semble plus tardive ici que dans d'autres pays latino-américains (environ 8000 av. J.-C.). Les Espagnols atteignent la côte de l'actuel Brésil en 1500. Après le traité de Tordesillas, les Portugais restent seuls maîtres de la zone côtière. Au XVIIe siècle les *Bandeirantes*, paysans pauvres n'ayant pas les moyens d'acheter des esclaves, commencent à asservir les populations amérindiennes de l'intérieur. Celles-ci résistent avec un certain succès grâce à l'appui des Jésuites. Après la conquête du Portugal par les troupes napoléoniennes, la vice-royauté du Brésil devient entre 1807 et 1821 le siège de la Cour royale portugaise. Le pays acquiert officiellement son indépendance en 1825. Son essor économique commence au XIXe siècle, avec l'exportation du café. L'esclavage est aboli en 1888. La crise de 1929 mettra fin à la prospérité économique. Le développement de l'industrie s'est fait progressivement après la Seconde Guerre mondiale. En 1964, l'armée prend le pouvoir et instaure une nouvelle constitution en 1969. Un système électoral pseudo-démocratique renforce alors la domination militaire puisqu'il stipule que lorsque aucun parti n'obtient la majorité du suffrage lors des élections, le gouvernement reste en place. Les premières élections générales ont de nouveau eu lieu en 1982 et, en 1985, le pays retrouve un président civil. Une opposition s'est également manifestée au sein de la population amérindienne. L'assassinat de son porte-parole, Chico Mendes, en décembre 1988, a attiré l'attention internationale.

Culture : la culture brésilienne s'appuie depuis la seconde moitié du XIXe siècle sur une tradition littéraire bien établie. L'architecture constitue aussi un de ses fleurons. Rio de Janeiro, mais aussi São Paulo et Brasília possèdent des bâtiments administratifs conçus par de brillants architectes. Le carnaval de Rio et le football sont par ailleurs l'expression d'une culture populaire de masse.

1 Le *salar* de Talar est l'un des nombreux lacs salés qui ponctuent le désert d'Atacama, la région la plus aride de la Terre. Aucune précipitation n'y a été enregistrée depuis des siècles.

2 Habitation fluviale sur le Rio Negro, près de Manaus.

3 Des Indiennes des hautes terres de Bolivie vendent les étoffes patiemment tissées à la main.

4 Les cactus candélabres mesurent plusieurs mètres de haut.

Géographie : le Brésil est le 5ᵉ plus grand pays du monde. Il inclut, au nord, une partie de la chaîne guyanaise, avec le pic de la Neblina (3 014 m), point culminant du pays. Au sud de ce massif, le bassin de l'Amazone constitue la plus grande plaine tropicale du monde. Le sud est constitué de hauts plateaux. Au sud-ouest, à l'est du fleuve Paraguay, s'étend la plaine du Pantanal. À l'embouchure de l'Amazone, la plaine côtière est assez étroite, ne dépassant jamais 80 km de large. On y trouve des mangroves. Le climat est équatorial au nord ; vers le sud, il devient tropical puis subtropical, avec une humidité variable. La chaleur de l'été n'est atténuée que par l'altitude. Au nord, le paysage est dominé par la forêt pluviale tropicale à feuilles persistantes dont la forêt amazonienne est un exemple unique au monde. On y trouve non seulement des essences rares, mais aussi beaucoup d'autres plantes ainsi qu'une faune d'une variété exceptionnelle : jaguars et pumas, anacondas et dauphins, perroquets, paresseux…

Chile ⓇⒸⒽ

CHILI
Capitale : Santiago
Situation : 17° – 56° S ; 67 – 76° O
Superficie : 756 945 km²
Population : 16,4 millions
Densité de population : 22 hab./km²
Monnaie : 1 peso chilien (CLP) = 100 centavos
Langue : espagnol

Politique et population : selon la Constitution du 11.3.1981, le Chili est une démocratie présidentielle. Le Parlement se compose d'une Chambre des députés (120 représentants) et d'un Sénat (47 membres). Ce pays vit depuis les élections de 1989 un processus laborieux de démocratisation sur lequel pèsent encore les séquelles de 16 années de dictature militaire. Après le putsch de 1973, les civils ne sont revenus au pouvoir qu'en mai 1990. Le démantèlement de la dictature a plongé le pays dans une crise profonde dans la mesure où il est apparu que même la justice se pliait à l'ordre militaire. Environ 70 % des habitants sont issus d'un métissage entre Européens et Amérindiens ; les Blancs d'origine européenne représentent environ un cinquième de la population. Il existe encore quelques petits groupes d'Amérindiens. Le taux d'analphabétisme est très faible pour un pays sud-américain : environ 5 %.

Économie et communications : l'économie chilienne repose essentiellement sur l'exploitation minière. Outre le pétrole et le gaz, ce pays exploite notamment le cuivre, le principal produit d'exportation. Les produits industriels, et, dans une moindre mesure, alimentaires jouent également un rôle significatif à l'exportation. Les gisements de salpêtre du nord (Atacama), autrefois conquis de haute lutte, jouent maintenant un rôle insignifiant. La dette du Chili diminue. Une importante ligne de chemin de fer traverse le pays, reliant Puerto Montt à l'Argentine et à la Bolivie. Le nord et le centre du pays sont également bien desservis par le réseau routier. Étant donné la configuration du pays, la navigation joue un grand rôle. Santiago est la seule ville à disposer d'un aéroport international.

Histoire et culture : les civilisations les plus anciennes remontent à 12 000 ans av. J.-C. et leur évolution est bien documentée grâce à l'exploration de grottes dans le nord et le centre du pays. La région a été conquise par les Incas vers 1480, avant que les Espagnols venus du Pérou ne l'occupent à partir de 1539. À l'issue de nombreux conflits contre la puissance coloniale, l'indépendance fut déclarée une première fois en 1810, pour le nord et le centre du pays, mais elle ne devint effective qu'en 1818. Après d'autres combats contre les Espagnols, le sud put également en jouir. Le première moitié du xxᵉ siècle a connu de affrontement violents entre les syndicats (le premier date de 1900) et la minorité des riches propriétaires. Des réformes significatives ne purent être amorcées que dans les années 1960 et les changements profonds ne virent vraiment le jour qu'après l'élection de Salvador Allende (1970). Le putsch du général Pinochet en 1973 sonna brutalement leur fin. Il eut également des répercussions dramatiques pour l'art chilien, de nombreux artistes choisissant l'exil.

Géographie : le Chili s'étend sur plus de 39 degrés de latitude, soit 4 300 km, mais ne dépasse jamais 400 km de large. Au sud, le pays se fragmente en un grand nombre d'îles. La nature est partout marquée par la présence de la cordillère des Andes. Compte tenu de l'étendue du pays, le climat passe du tropical (nord) au subtropical à été sec (centre), puis à l'océanique frais et tempéré (sud). Le Chili possède aussi bien des régions désertiques que des forêts de feuillus et des forêts pluviales sempervirentes.

Chili

		Janv	Fév	Mars	Avril	Mai	Juin	Juil	Août	Sept	Oct	Nov	Déc
CLIMAT	🌡	20,0	19,3	17,2	13,9	10,9	8,4	8,1	9,1	11,6	13,8	16,5	18,9
	🌡	29,4	28,9	26,7	23,3	18,3	14,4	15,0	16,7	18,9	22,2	25,6	28,3
	🌡	11,7	11,1	9,4	7,2	5,0	2,8	3,9	5,6	7,2	8,9	10,6
	☀	11	10	9	6	4	3	4	4	5	7	9	11
	🌧	<0,1	<0,1	1	1	5	6	6	5	3	3	1	<1

Station météorologique Santiago
Altitude 520 m. Situation 33°27'S/70°42'O

		Janv	Fév	Mars	Avril	Mai	Juin	Juil	Août	Sept	Oct	Nov	Déc
CLIMAT	🌡	22,1	22,3	21,3	19,6	18,0	16,7	15,9	15,8	16,6	17,6	19,1	20,7
	🌡	25,6	26,1	25,0	23,3	21,1	19,4	18,9	18,3	19,4	20,6	22,2	23,9
	🌡	17,8	18,3	17,2	15,6	14,4	13,9	12,2	12,8	13,3	14,4	15,6	16,7
	☀	6	6	6	7	5	4	3	3	2	5	6	6
	🌧	<0,1	0	0	0	0	0	0	<0,1	0	0	0	<0,1
	〜	23	24	24	22	21	18	17	17	17	18	20	21

Station météorologique Arica
Altitude 29 m. Situation 18°28'S/70°22'O

Colombie

		Janv	Fév	Mars	Avril	Mai	Juin	Juil	Août	Sept	Oct	Nov	Déc
CLIMAT	🌡	12,8	13,2	13,7	13,7	13,7	13,2	12,9	12,9	12,8	12,9	13,1	13,1
	🌡	19,4	20,0	19,4	19,4	18,9	18,3	17,8	18,3	18,9	18,9	18,9	18,9
	🌡	8,9	9,4	10,0	10,6	10,6	10,6	10,0	10,0	9,4	10,0	10,0	9,4
	☀	6	5	4	3	3	4	4	4	4	3	4	5
	🌧	9	10	13	19	21	18	18	17	15	20	19	13

Station météorologique Bogotá
Altitude 2556 m. Situation 04°38'N/74°05'O

Équateur

		Janv	Fév	Mars	Avril	Mai	Juin	Juil	Août	Sept	Oct	Nov	Déc
CLIMAT	🌡	25,5	26,0	26,4	26,3	25,6	24,4	23,5	23,2	23,8	24,0	24,6	25,4
	🌡	31,1	30,6	31,1	31,7	31,1	30,6	28,9	30,0	30,6	30,0	31,1	31,1
	🌡	21,1	21,7	22,2	21,7	20,0	20,0	19,4	18,3	18,9	20,0	20,0	21,1
	☀	3	4	5	5	4	4	5	5	4	4	4	5
	🌧	16	16	19	13	5	2	0	0	0	1	1	4
	〜	24	23	24	25	24	23	23	22	22	22	22	23

Station météorologique Guayaquil
Altitude 6 m. Situation 02°12'S/79°53'O

Colombia ⒸⓄ

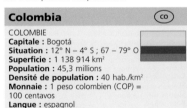

COLOMBIE
Capitale : Bogotá
Situation : 12° N – 4° S ; 67 – 79° O
Superficie : 1 138 914 km²
Population : 45,3 millions
Densité de population : 40 hab./km²
Monnaie : 1 peso colombien (COP) = 100 centavos
Langue : espagnol

Politique et population : la Colombie est une république présidentielle. Le Parlement se compose d'une Chambre des représentants et d'un Sénat. La mafia liée à la drogue exerce une forte influence sur les pouvoirs économiques, politiques et même militaires. Alliées à la corruption, sa puissance financière et la force de frappe de ses troupes paramilitaires en font un acteur de premier plan. La Colombie ne jouit pas encore d'une stabilité intérieure : les accords de paix passés entre la guérilla et le gouvernement après neuf ans d'affrontements sont sans cesse remis en cause. La population est constituée à 70 % de métis issus d'Amérindiens, de descendants d'esclaves africains et d'immigrés européens. Depuis le milieu des années 1980, le pays reconnaît un certain nombre de droits aux quelque 80 tribus amérindiennes représentant environ 500 000 individus. 96 % des Colombiens sont de confession catholique.

Économie et communications : les principaux produits d'exportation tels que le café, le pétrole et ses produits dérivés, le charbon et les fruits sont soumis aux aléas des cours mondiaux. Le trafic des stupéfiants n'est pas négligeable puisqu'il représentait 5 milliards de dollars en 1998. L'endettement extérieur atteint environ 35 milliards de dollars (2001). Le pays est relativement bien relié à la côte par les réseaux ferré et routier. Il dispose aussi de voies navigables et de plusieurs aéroports internationaux.

Histoire et culture : après sa découverte (1499) et sa conquête par les Espagnols (1536-1539), la région de la Colombie appartient à la vice-royauté de la Nouvelle-Grenade, qui regroupe des territoires dépendant aujourd'hui de l'Équateur, du Pérou, du Venezuela et du Panamá. Après la victoire de Simón Bolívar sur les Espagnols en 1819, confirmant une première déclaration d'indépendance en 1810, naît une république de Grande Colombie ; dès 1830, elle se démantèle en divers États indépendants dont la république de Nouvelle-Grenade, qui deviendra plus tard la Colombie et englobera le Panamá jusqu'en 1903. Son développement est entravé pendant la plus grande partie du xxe siècle par des guerres civiles qui atteindront leur apogée entre 1948 et 1958 avec le mouvement dit de la « Violencia ». Les premières élections présidentielles libres ont lieu en 1974, mais les activités terroristes ont pris des proportions effrayantes à partir du début des années 1980. Les tentatives du président de l'époque, Bellsario Betancur, pour conclure des accords de paix avec les terroristes n'ont été que partiellement couronnés de succès. Si certains groupes sont désormais intégrés à la vie politique nationale en tant que partis, des unités paramilitaires ravagent toujours le pays. Les conflits sont souvent liés aux luttes de pouvoir entre narcotrafiquants.

L'écrivain Gabriel García Márquez, a reçu le prix Nobel de littérature en 1982.

Géographie : les Andes divisent le pays entre une plaine côtière à l'ouest et une plaine intérieure à l'est. Alors que les sommets andins sont coiffés de neiges éternelles, les plaines jouissent d'un climat tropical. Le point culminant du pays est le pic Christophe Colomb (5 775 m), au nord-est de la Sierra Nevada de Santa Marta. La côte pacifique ainsi que le sud de la plaine intérieure sont couverts de forêts pluviales tropicales. De grandes villes, dont la capitale Bogota, sont localisées dans certaines hautes vallées des Andes orientales. Les variations de température sont dans l'ensemble assez faibles.

Ecuador (EC)

ÉQUATEUR
Capitale : Quito
Situation : 2° N – 5° S ; 75° – 81° O
Superficie : 283 561 km²
Population : 13,5 millions
Densité de population : 48 hab./km²
Monnaie : 1 $ américain = 100 cents
Langues : espagnol (officielle), quechua, nombreux dialectes

Politique et population : d'après sa Constitution, l'Équateur est une démocratie présidentielle avec un Parlement unicaméral. Les deux cinquièmes de la population sont des métis. Les Amérindiens, en majo-

1 Glaces flottantes sur fond de paysage romantique de la cordillère.

2 À près de 4 000 km à l'ouest du continent américain, se trouve l'île de Pâques, avant-poste chilien en Polynésie.

3 Le parc national chilien Torres del Paine, le glacier et le lac Grey.

4 Un iguane des îles des Galápagos, archipel équatorien.

rité Quechuas, représentent environ la même proportion. Parmi les autres minorités, on trouve un ensemble d'ethnies africaines. La plupart des Équatoriens (93 %) sont catholiques, mais les Indiens demeurent attachés à leurs croyances précolombiennes.

Économie : les conditions économiques du pays sont désespérantes et ont suscité de graves troubles politiques en 1999. Le pays souffre en outre des suites du Niño de 1998/1999, qui a causé d'immenses dégâts. La population amérindienne, qui vit pratiquement en autarcie, est particulièrement pauvre. L'industrie pétrolière est au cœur de l'économie. Le pétrole est le premier produit d'exportation. Suivent les crustacés et les mollusques, les fruits ainsi que le café. Les États-Unis et les pays voisins sont les principaux partenaires commerciaux.

Histoire : certains objets retrouvés en Équateur remontent aux toutes premières civilisations de l'Amérique latine (8 000 ans av. J.-C.). Entre 500 av. J.-C. et 500 apr. J.-C., des techniques céramiques sophistiquées étaient déjà maîtrisées. Après le renversement de l'Empire inca au début du XVIe siècle, l'Équateur fut conquis par les Espagnols. Depuis l'indépendance (1830) son histoire est jalonnée par de nombreux conflits, intérieurs comme extérieurs, entrecoupés de courtes périodes de paix. Après avoir plusieurs fois repoussé ses frontières ou, au contraire, cédé des territoires, notamment en faveur du Pérou en 1942, l'Équateur ne dispose plus que d'une superficie réduite.

Géographie : le pays s'articule en trois régions : la côte, exploitée intensivement pour l'agriculture au nord ; un haut plateau central entre les deux Cordillères andines ; une plaine couverte par une forêt pluviale tropicale, à l'est. La température ne varie que très peu tout au long de l'année. Les variations climatiques sont en revanche importantes entre la plaine côtière et les Andes (Chimborazo, 6 310 m). C'est en observant la faune unique de l'archipel des Galápagos que Charles Darwin a développé sa théorie de l'évolution.

Guyana

GUYANA
Capitale : Georgetown
Situation : 1° – 8° N ; 57° – 61° O
Superficie : 214 969 km²
Population : 769 000
Densité de population : 4 hab./km²
Monnaie : 1 dollar de Guyana (GYD) = 100 cents
Langues : anglais (officielle), hindi, urdu, dialectes

Politique et population : la république a été proclamée dans l'ancienne Guyane britannique en 1970. Après une modification de la Constitution en 1980, la Guyana a maintenant un régime présidentiel d'inspiration socialiste avec parlement unique. Si un tiers de la population est constitué de Noirs, descendants d'esclaves amenés au XVIIe siècle sur les plantations, près de la moitié descend des ouvriers agricoles immigrés d'Inde au XIXe siècle. La population compte aussi 11 % de métis et 5 % d'habitants d'origine amérindienne.

Économie : l'économie nationale est dominée par trois secteurs : l'exploitation minière, l'exploitation forestière et l'industrie du sucre. Les principaux produits d'exportation sont l'or, le sucre et divers minerais (dont la bauxite). Les produits de l'agriculture servent surtout à la consommation intérieure.

Histoire : la région de l'actuelle Guyana était à l'origine peuplée par les Arawaks. La colonisation commença surtout au début du XVIIe siècle avec l'arrivée des Anglais. Les Néerlandais et les Français occupèrent aussi la région. Le territoire annexé par les Néerlandais fut finalement partagé entre la Guyane britannique (actuelle Guyana) et la Guyane hollandaise (actuel Surinam). La Guyana n'acquit l'indépendance qu'en 1966 et se sépara de la Couronne anglaise en 1970 tout en restant membre du Commonwealth.

Géographie : la bande côtière pouvant atteindre 90 km de large est une plaine fertile. Au sud et à l'ouest, des montagnes gréseuses renferment d'importants gisements de bauxite. Le territoire est couvert à 80 % par une forêt pluviale tropicale peu exploitée.

Paraguay (PY)

PARAGUAY
Capitale : Assomption (Asunción)
Situation : 19° – 27° S ; 54° – 62° O
Superficie : 406 752 km²
Population : 5,8 millions
Densité de population : 14 hab./km²
Monnaie : 1 guarani (PYG) = 100 céntimos
Langues : espagnol (officielle), guarani

Politique et population : la Constitution a été révisée en 1992. Le Parlement se compose de deux chambres. Cette jeune démocratie poursuit assidûment l'objectif de se débarrasser de l'influence de l'armée, mais elle souffre encore de ses conséquences. La population est à 90 % métissée et seuls 5 % des habitants appartiennent aux ethnies indigènes. Il existe aussi des minorités allemande, italienne, brésilienne et argentine. 98 % des habitants sont catholiques.

Économie : l'agriculture (maïs, soja et coton) et l'élevage bovin constituent les deux grandes branches de l'économie. Les oléagineux, le coton et la viande constituent les principales exportations. Le Niño a entraîné en 1998 une chute de 50 % des exportations de soja et de coton. Environ 6 000 km² de forêts sont coupés chaque année pour le bois.

Histoire : la région du Paraguay est probablement habitée depuis 8000 av. J.-C. La colonisation a commencé au début du XVIe siècle. Entre le milieu du XIXe et le milieu du XXe siècle, le pays a été ravagé à plusieurs reprises par la guerre (contre le Brésil, l'Argentine et l'Uruguay de 1865 à 1870, contre la Bolivie de 1932 à 1935). Des élections ont pu se tenir et un processus de démocratisation a été amorcé après le renversement du gouvernement militaire du général Stroessner en 1989.

Guyana		Station météorologique Georgetown Altitude 2 m. Situation 06°48'N/58°08'O											
		Janv	Fév	Mars	Avril	Mai	Juin	Juil	Août	Sept	Oct	Nov	Déc
CLIMAT	🌡	26,3	26,4	26,8	27,1	27,0	26,7	26,7	27,2	27,7	27,7	27,4	26,7
	🌡	28,9	28,9	28,9	29,4	29,4	29,4	29,4	30,0	30,6	30,6	30,0	28,9
	🌡	23,3	23,3	23,9	29,4	23,9	23,9	23,9	23,9	24,4	24,4	24,4	23,9
	☀	6	7	7	7	6	6	7	8	8	7	7	6
	🌧	20	16	16	16	23	24	23	17	9	8	13	21

Paraguay		Station météorologique Asunción Altitude 64 m. Situation 25°16'S/57°38'O											
		Janv	Fév	Mars	Avril	Mai	Juin	Juil	Août	Sept	Oct	Nov	Déc
CLIMAT	🌡	29,3	28,8	26,9	23,6	20,9	18,8	18,3	20,6	22,3	24,7	27,0	28,9
	🌡	35,0	34,4	33,3	28,9	25,0	22,2	23,3	25,6	28,3	30,0	32,2	34,4
	🌡	21,7	21,7	20,6	18,3	14,4	11,7	11,7	13,9	15,6	16,7	18,3	21,1
	☀	9	9	8	7	6	6	7	7	8	8	9	10
	🌧	8	7	7	6	6	6	4	6	8	7	6

Pérou		Station météorologique Lima Altitude 11 m. Situation 12°00'S/77°07'O											
		Janv	Fév	Mars	Avril	Mai	Juin	Juil	Août	Sept	Oct	Nov	Déc
CLIMAT	🌡	21,5	22,3	21,9	20,1	17,8	16,0	15,3	15,1	15,4	16,3	17,7	19,4
	🌡	27,8	28,3	28,3	26,7	23,3	20,0	19,4	18,9	20,0	21,7	23,3	25,6
	🌡	18,9	19,4	18,9	17,2	15,6	14,4	13,9	13,3	13,9	14,4	15,6	16,7
	☀	6	7	7	7	4	1	1	1	1	3	4	5
	🌧	<1	<1	<1	<1	<1	1	1	2	1	<1	<1	<1
	🌊	19	20	21	19	18	17	16	16	17	17	17	18

Géographie : le sommet le plus haut de ce pays (700 m), dans l'ensemble plat et partagé en deux par le fleuve Paraguay, est situé à l'est. De vastes zones de steppes arborées couvrent l'ouest (Chaco), tandis que l'est est dominé par la forêt subtropicale humide.

Peru (PE)

PÉROU
Capitale : Lima
Situation : 0° – 18° S ; 69° – 81° O
Superficie : 1 285 216 km²
Population : 27 millions
Densité de population : 21 hab./km²
Monnaie : 1 nuevo sol (PEN) = 100 céntimos
Langues : espagnol et quechua (langues officielles), aymará

Politique et population : selon la Constitution de 1979, le Pérou est une démocratie présidentielle. En 1992, le président Alberto Fujimori a dissous les deux chambres du Parlement. La nouvelle Constitution, acceptée par référendum en 1993, a institué un Parlement unique et renforcé les pouvoirs du président.
La population comprend aujourd'hui encore 50 % d'Amérindiens, principalement des Quechua et des Aymará, auxquels s'ajoutent diverses petites tribus de l'Est amazonien. La majorité des Péruviens sont catholiques ; leur foi se mêle souvent à d'anciennes croyances locales. Un quart de la population vit dans la capitale, Lima, dont la majorité dans les bidonvilles.
Économie et communications : le sous-sol du Pérou est très riche (cuivre, plomb, zinc, pétrole, or, argent, étain, uranium et sel). Le guano a longtemps constitué la principale exportation ; aujourd'hui, ce sont les minerais, le cuivre, les aliments pour bétail, les produits pétroliers et le café qui dominent. Le pays importe en revanche des biens d'équipement et de consommation ainsi que des denrées alimentaires. Le fort taux de chômage représente un grave problème ; il a engendré l'existence d'un marché du travail illégal qui favorise la culture sans cesse croissante de la coca. La région littorale, où se situent les principales villes du pays, est bien équipée en infrastructures de transport.
Histoire et culture : les plus anciennes traces de présence humaine sur le sol péruvien remontent à 20 000 ans av. J.-C. (aux alentours d'Ayacucho). De grandes civilisations régionales se sont développées entre 500 av. J.-C. et 500 apr. J.-C., jusqu'à ce que les Incas fondent un État unifié au XVe siècle. En 1532, les Espagnols atteignirent le pays. Il s'ensuivit des décennies de combats entre les colonisateurs et les Incas, dont la dernière cité, Cuzco, ne tomba qu'en 1572. Le Pérou fut le dernier pays d'Amérique latine à acquérir son indépendance, en 1824, à la suite de la victoire commune des troupes de José de San Martín et de Simón Bolívar, près d'Ayacucho.
Lors de la première moitié du XXe siècle, le pays fut essentiellement gouverné par des dictateurs, parfois sous la coupe des militaires. Des réformes sociales et politiques hardies ont marqué les années 1960, jusqu'à ce qu'en 1975 les milieux conservateurs reprennent le pouvoir par un coup d'État. Grâce à la nouvelle Constitution (1979), les premières élections législatives depuis 1963 purent avoir lieu en mai 1980. La guerre civile qui opposa pendant des années l'armée et le mouvement révolutionnaire du Sentier lumineux a pris temporairement fin en 1992 avec l'arrestation du chef de la guérilla, Abimaël Guzman, mais les troubles se poursuivent, suscités maintenant par le mouvement Tupac Amaru.
Géographie : le pays se partage en trois zones. Une bande littorale de plus de 2 000 km (la *Costa*) pouvant atteindre 140 km de large et délimitée à l'est par les contreforts de la cordillère des Andes, qui culmine ici à 6 768 m (Huascarán). Dix sommets des Andes péruviennes dépassent les 6 000 m d'altitude. De l'autre côté des montagnes s'étend une partie de la plaine amazonienne (la *Selva*) parcourue par de nombreuses rivières.

1 Le Pérou offre des sites uniques, comme ici la Vallée sacrée des Incas.

2 Vue du côté brésilien sur les 271 cascades des chutes d'Iguaçu.

3 La forêt pluviale recouvre les trois quarts du Guyana.

4 Les géoglyphes de Nazca, comme cette araignée de 46 m, auraient été, selon l'une des théories, créés pour plaire aux dieux. Le parc national des Nazca Lineas a été créé il y a quelques années.

D'est en ouest, la forêt tropicale, de type pluvial dans la plaine, se transforme en forêt tropicale de montagne et, finalement, en forêt brumeuse en altitude. Alors que le versant occidental des Andes est très peu arrosé et que le sud possède l'une des régions désertiques les plus arides du monde, les précipitations annuelles dépassent 3 000 mm dans la plaine amazonienne.

Suriname (SME)

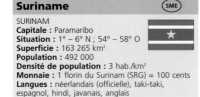

SURINAM
Capitale : Paramaribo
Situation : 1° – 6° N ; 54° – 58° O
Superficie : 163 265 km²
Population : 492 000
Densité de population : 3 hab./km²
Monnaie : 1 florin du Surinam (SRG) = 100 cents
Langues : néerlandais (officielle), taki-taki, espagnol, hindi, javanais, anglais

Politique et population : des années 1970 au milieu des années 1980, le Surinam a été soumis à un régime militaire. Depuis 1987, c'est une démocratie présidentielle, mais ce n'est qu'avec les élections de mai 1991 qu'une union des divers groupes démocratiques a pu obtenir la majorité à l'Assemblée nationale. La population se compose de nombreux groupes ethniques, dont les descendants des colons néerlandais et des anciens esclaves africains. Il existe aussi des minorités javanaises et indiennes. La densité de population est faible. On estime qu'environ un tiers de la population vit aujourd'hui aux Pays-Bas. À peu près la moitié des enfants ne fréquentent que l'école primaire. La majorité des habitants sont chrétiens, 27 % hindous et 20 % musulmans.
Économie : le premier produit d'exportation est de loin la bauxite, qui sert à fabriquer l'aluminium. L'agriculture, qui occupe moins de 1 % du territoire, n'emploie qu'un sixième de la population. Le Surinam cultive essentiellement le riz, la banane, les agrumes et la canne à sucre. Le pays souffre de l'exode de ses paysans vers l'étranger.
Histoire : au début du XVIIᵉ siècle, la région, d'abord anglaise, est ensuite colonisée par les Néerlandais. Elle gardera son état colonial jusqu'au XXᵉ siècle, sous le nom de Guyane hollandaise. Elle obtient un statut d'autonomie en 1954 et acquiert l'indépendance le 25.11.1975.

Uruguay (ROU)

URUGUAY
Capitale : Montevideo
Situation : 30° – 35° S ; 53° – 58° O
Superficie : 177 414 km²
Population : 3,3 millions
Densité de population : 19 hab./km²
Monnaie : 1 peso uruguayen (UYU) = 100 centésimos
Langue : espagnol

Politique et population : le Parlement de cette démocratie présidentielle est bicaméral. Le président, chef de l'État, est élu au suffrage universel tous les cinq ans. La plus grande partie de la population est d'origine européenne, principalement espagnole et italienne. Les populations amérindiennes ont été anéanties entre le XVIᵉ siècle et le milieu du XIXᵉ siècle. L'Uruguay présente le taux d'alphabétisation le plus élevé de l'Amérique du Sud.
Économie : ce pays aux sols pauvres vit essentiellement de l'élevage bovin et ovin. Les principaux produits d'exportation sont, par conséquent, la viande, la laine et le cuir. L'Uruguay doit en revanche importer une partie de ses céréales. Les principaux secteurs tertiaires (transports, communications, assurances) sont contrôlés par des entreprises publiques.
Histoire : la région de l'actuel Uruguay est peuplée depuis 10 000 ans av. J.-C. À la fin du XVIIᵉ siècle, elle fut d'abord sous la domination des Portugais venus du Brésil, puis des Espagnols. Après plusieurs années de lutte contre la Couronne espagnole, puis contre le Brésil qui l'avait annexé, le pays obtint son indépendance par le traité de paix de Rio de Janeiro (1828). Entre 1973 et 1984, le pays fut dirigé par une dictature militaire.
Géographie : le territoire se caractérise par un paysage doucement vallonné de très faible altitude (1/10ᵉ seulement est à plus de 200 mètres). Il est traversé par de nombreuses rivières, dont la plupart sont des affluents de l'Uruguay et du Rio Negro. Le climat est subtropical. Les plaines de la côte atlantique et du Rio de la Plata sont très fertiles.

Venezuela (YV)

VENEZUELA
Capitale : Caracas
Situation : 1° – 12° N ; 60° – 73° O
Superficie : 912 050 km²
Population : 26 millions
Densité de population : 29 hab./km²
Monnaie : 1 bolívar (VEB) = 100 céntimos
Langues : espagnol (officielle), 25 langues régionales indigènes

Politique et population : depuis 1961, le Venezuela est une démocratie présidentielle comprenant 20 États fédérés et 4 territoires fédéraux. Le pouvoir législatif est partagé entre la Chambre des députés et le Sénat. La population se compose pour les deux tiers de métis,

Géographie : la zone la plus fertile est une étroite plaine côtière, à partir de laquelle les terres s'élèvent vers l'intérieur jusqu'aux monts Wilhelmina1 (230 m au Julianatop). Le climat est typiquement tropical, avec de faibles variations de température, de 25 à 30 °C, et une saison des pluies en été.

Surinam — Station météorologique Paramaribo — Altitude 3 m. Situation 05°51'N/55°10'O

CLIMAT	Janv	Fév	Mars	Avril	Mai	Juin	Juil	Août	Sept	Oct	Nov	Déc
	26,4	26,6	27,0	27,2	26,8	26,8	27,1	27,9	28,5	28,5	28,0	26,9
	29,4	29,4	29,4	30,0	30,0	30,0	30,6	31,7	32,8	32,8	31,7	30,0
	22,2	21,7	22,2	22,8	22,8	22,8	22,8	22,8	22,8	22,8	22,8	22,2
☼	6	6	6	6	5	6	8	9	9	9	8	6
≈	22	18	19	20	26	27	25	19	12	12	15	22

Uruguay — Station météorologique Montevideo — Altitude 22 m. Situation 34°52'S/56°12'O

CLIMAT	Janv	Fév	Mars	Avril	Mai	Juin	Juil	Août	Sept	Oct	Nov	Déc
	22,5	22,2	20,3	17,0	13,7	10,9	10,5	11,1	12,8	15,1	18,3	21,0
	28,3	27,8	25,6	21,7	17,8	15,0	14,4	15,0	17,2	20,0	23,3	26,1
	16,7	16,1	15,0	11,7	8,9	6,1	6,1	6,1	7,8	9,4	12,2	15,0
☼	10	10	8	7	6	5	5	6	7	8	10	10
↑	7	7	9	8	9	9	8	8	8	9	8	8
≈	21	22	21	19	15	13	12	11	12	15	18	19

Venezuela — Station météorologique Caracas — Altitude 1035 m. Situation 10°30'N/66°56'O

CLIMAT	Janv	Fév	Mars	Avril	Mai	Juin	Juil	Août	Sept	Oct	Nov	Déc
	19,2	19,7	20,7	21,7	22,0	21,5	21,1	21,6	21,8	21,5	20,8	19,9
	23,9	25,0	26,1	27,2	26,7	25,6	25,6	26,1	26,7	26,1	25,0	25,4
	13,3	13,8	14,4	15,6	16,7	16,7	16,1	16,1	16,1	16,1	15,6	14,4
☼	8	8	8	7	6	7	8	8	7	7	7	7
↑	6	4	3	6	12	16	17	16	14	15	15	11
≈	27	27	28	28	28	28	28	29	29	28	27	27

pour un cinquième de descendants des colons européens, et pour le reste d'Amérindiens et de descendants des esclaves africains (environ 7 %). Le Venezuela a longtemps été considéré comme l'un des pays latino-américains les plus sains économiquement parlant ; il était pour cette raison une terre d'immigration privilégiée par les Européens. Le catholicisme est la religion dominante.

Économie et communications : le Venezuela est resté longtemps au 3e rang mondial des exportateurs de pétrole. Il affichait dans les années 1970 le revenu par habitant le plus élevé de toute l'Amérique latine. Jusque dans les années 1980, les exportations pétrolières assuraient 80 % des recettes de l'État. Après la chute des cours en 1982, le pays a sombré dans une profonde crise. Le pétrole brut et ses produits dérivés représentent toujours l'essentiel des exportations, avec la bauxite et le minerai de fer du massif guyanais. Le Venezuela possède par ailleurs de vastes gisements de gaz naturel, de houille, d'or, de diamants, de manganèse et de cuivre. L'élevage bovin, porcin, caprin et ovin, bien qu'extensif, a aussi une grande importance. Seul le nord du pays est équipé d'un réseau dense de routes et de voies ferrées. Les liaisons aériennes intérieures sont toutefois bien développées.

Histoire et culture : les traces les plus anciennes d'une civilisation humaine datent de 15000 av. J.-C. La région du Venezuela fut découverte par les Européens en 1498, lors du troisième voyage de Christophe Colomb. Les constructions sur pilotis existant alors autour du lac de Maracaibo lui ont valu son nom de *Venezuela* « la petite Venise ». Dès le début du XVIe siècle, les Espagnols s'y établissent et fondent la capitale actuelle, Caracas, en 1567. Les premières velléités d'indépendance remontent à la fin du XVIIIe siècle Après la Révolution de 1810, l'indépendance est finalement déclarée en 1811, mais n'est effectivement acquise qu'après la victoire définitive de Simón Bolívar sur les Espagnols en 1821. En 1830, le Venezuela se sépare de la Grande Colombie. Le pays exporte son pétrole depuis 1922. En raison de sa puissance économique liée au pétrole, il a joué un rôle prépondérant à partir du milieu des années 1950, tant en Amérique latine qu'au sein de l'OPEP, l'Organisation des pays exportateurs de pétrole. La tentative de putsch menée par l'armée en 1992 fut précédée par des émeutes populaires contre la politique économique d'austérité rendue nécessaire par la baisse des prix du pétrole. Élu en 1999 et réélu en 2006, le président Chavez cherche à mettre en place le « socialisme du XXIe siècle ».

Géographie : le pays se divise en trois grandes régions géographiques. Le Nord et l'Ouest sont occupés par le piémont andin et l'extrémité de la cordillère, où se situe le point culminant du pays : le pic Bolívar (5 007 m). Au centre, l'Orénoque draine le troisième plus grand bassin fluvial d'Amérique latine. À ce bassin se rattache, au sud-est, le plateau de la Guyane vénézuélienne aux reliefs tabulaires, appelés *tepuys*, qui occupe près de la moitié de la superficie du pays. Ils abritent un monde végétal et animal unique en son genre avec un taux d'endémicité élevé. C'est dans la partie vénézuélienne de ce massif que se trouvent également les célèbres chutes de l'Ange (Salto del Ángel, 978 m). Au nord du pays s'étend une forêt pluviale tropicale qui devient forêt de montagne au-dessus de 1 800 m. L'intérieur est le domaine de la forêt sèche et des savanes, appelées *llanos*. Sur les hauteurs du Sud, forêts humides et savanes se côtoient. Les températures varient fortement en fonction de l'altitude, mais il règne en général un climat tropical humide avec quelques îlots de sécheresse sur la côte.

1 Le parc national de Mochirma, au Venezuela, protège la faune et la flore de la côte.

2 Derrière La Raya, la voie ferrée des Andes longe le Río Urubamba. Le voyage entre Puno et Cuzco dure douze heures.

3 Les *tepuys* vénézuéliens, sommets tabulaires dominant de vastes plateaux, n'ont pas encore été entièrement explorés.

4 Enveloppé dans son poncho, en symbiose avec sa monture, le « gancho cow-boy » des llanos vénézuéliens surveille son troupeau.

5 La rivière qui forme la cascade de Jaspe a un lit aux éclats rouge vif de pierre semi-précieuse. Bordée d'une forêt-galerie, elle se trouve sur la route qui mène à Santa Elena de Uairén, au sud du Venezuela.

Crédits

Cet ouvrage est paru sous le titre original *Die Welt Atlas und Länderlexikon* © Falk Verlag 2008

Pour l'édition française :
© Éditions France Loisirs 2008
Éditions France Loisirs
123 boulevard de Grenelle, Paris
www.france-loisirs.com
Imprimé au Canada par Friesens

Traduction : Stéphanie Alglave, Sabine Boccador, Claude Checconi, Béatrice Coing, Magali Guenette, Pascale Hervieux, Annick de Scriba, Catherine Weinzorn

Mise à jour : Ghislaine Tamisier
Secrétariat d'édition : Catherine Duras
Composition : Nord Compo, Villeneuve d'Ascq
Version cartonnée ISBN : 978-2-298-01238-5
N° Édition : 51465
Version brochée : ISBN : 978-2-298-1438-9
N° Édition : 52065
Dépôt légal : août 2008
Achevé d'imprimer par N.I.I.A.G.,Italie
En août 2008
Pour le compte de France Loisirs.

Crédits photograhiques

Abréviations : DV Dokument Vortragsring ; IFA IFA Bilderteam ; PP PhotoPress ; SF Silvestris Fotoservice ; TSW Tony Stone Worldwide
Entrées de chapitres : P. 1 HB Verlag/Thomas P. Widmann ; P. 121 HB Verlag/Udo Berhart
P. 125 (1,3,4) Kluyver/HB Verlag, (2) Trippmacher/DV ; 127 (1) HB-Bildarchiv, (2) Studd/TSW, (3) Vahl/PP, (4) Wahl/SF ; (5) Schröder/HB Verlag, 129 (1) Wiesniewski/SF ; (2) Hackenberg/HB Verlag, (3) HB-Bildarchiv, (4) Teschner,Gaasterland/HB Verlag, (5) Krüger/HB Verlag, 131 (1) Modrow/HB-Verlag, (2) Grigoria/TSW, (3) Lehmann ; (4) HB-Bildarchiv, (5) Schwarzbach,Schröder/HB Verlag, 133 (1,2) HB-Bildarchiv, (3) Wiese/HB Verlag, (4) Diaf/IFA ; 135 (1) Sasse/HB Verlag, (2) Studd/TSW, (3,4) Kiedrowski,Schwarz/HB Verlag, 137(1,2) Teschner,Gaasterland/HB Verlag, (3,4) Spitta/HB Verlag, (5) Gebhard/PP, 139 (1,2) HB-Bildarchiv, (3) Fabig/HB Verlag. 141 (1) Luhr/SF ; (2,5) Modrow/HB Verlag, (3,4) Kluyver/HB Verlag, 143 (1) Krewitt/HB Verlag, (2) Rauh/PP, (3) Brachat/ZEFA ; (4) HB-Bildarchiv, 145 (1) Ria-Nowosti, (2) Aberham/SF, (3) Gaasterland/HB Verlag, (4) HB-Bildarchiv, 147 (1,3) Gaasterland/HB Verlag, (2) Modrow/HB Verlag, (4) Wagner/Att ; (5) Spitta/HB Verlag, (6) HB-Bildarchiv 149 (1) HB-Bildarchiv, (2) Vahl/PP, (3) Brucker/PP, (4) Hapf/PP ; 151 (1) Schlierbach/PP, (2,3) HB-Bildarchiv, (4) Wothe/SF ; 153 (1) Lyons/HB Verlag, (2) Grimble/PP, (3) Modrow /HB Verlag, (4) Kiedrowski/HB Verlag, (5) Rose/PP, (6) Nobel/IFA. 157 (1) Lindenburger, (2) Photri/M, (3) Krause/HB Verlag, (4) Moczynski ; 159 (1) Torino/M, (2) Cassio/M, (3,4) Ricatto/M, (5) Moczynski ; 161 (1) Moczynski ; (2,3) Heimbach7HB Verlag, (4) Modrow/HB Verlag, (5,6) HB-Bildarchiv 163 (1) Huber/HB Verlag, (2) Modrow/HB Verlag, (3,4) ,Raupach,Schwarzbach/HB Verlag, 165 (1) JBE/PP, (2) O'Brien/M, (3) Morandi/M, (4) Dr. Reisel/M ; 167 (1) Fabig/HB Verlag, (2) JBE/PP, (3) Rose/PP, (4) Moczynski ; 169 (1) O'Brien/M, (2) NGS, (3) Dr. Longer/NGS, (4) Kiedrowski/HB Verlag, (5) JBE/PP ; 171(1) Friedrich/PP, (2) JBE/PP, (3) Kiedrowski/HB Verlag, (4) K. Günther, (5) C. Dani u. I. Jeske/SF ; 173 (1) Schweitzer/PP ; (2,4) Hackenberg/HB Verlag, (3) HB-Bildarchiv, 175 (1) Schöfmann, (2,3) Heimbach/HB Verlag, (4) Nakada/Zefa, (5) Riehl/HB Verlag, (6) P. Wilkie/TSW ; 177 (1,2) HB-Bildarchiv, (3,5) Sasse/HB Verlag, (4,6) Krause/HB Verlag, 179 (1) Dr. Sevcik/SF (2,3) Vidler/M, (4) Sasse/HB Verlag, (5) Cassio/M ; 181 (1) Hollweck/SF ; (2) HB-Bildarchiv, (3,5) Gaasterland/HB Verlag, (4,6) Krause/HB Verlag, 183 (1) JBE/PP, (2) J.-M. Truchet/TSW, (3) Fotoagentur Argus/HB Verlag, (4) Master/PP, (5) Nowitz/IFA. 187 (1) Hapf/PP, (2) Master/PP, (3,4) Krüger/HB Verlag, 189 (1) Simmons/M, (2) A. Kelvin/SF, (3) IPS/M ; (4,5) Schröder, Schwabach/HB Verlag, 191 (1) HB-Bildarchiv, (2) IPS/M, (3) Friedrich/PP ; (4) Krüger/HB Verlag, 193 (1) Visa Image/M, (2) Torino/M, (3) A.N.T./SF. (4) Krüger/HB Verlag, (5) HB-Bildarchiv, 197 (1) Brucker/PP, (2) Hoa-Qui/SF, (3) U. Pietrusky, (4) K. Gießner ; 199 (1) Fotofile/M, (2) A.N.T./SF, (3) SF, (4) Jensen/M ; 201 (1) Torino/M, (2) De Foy/M, (3) H. Heine/SF ; 203 (1) HB-Bildarchiv, (2) Cotes Vues/M, (3) Torino/M, (4) H. Schwarz/M ; 205 (1) H. Schwarz/M, (2) Jiri/M, (3) Torino/M ; 207 (1) Gartung/Prisma, (2) U. Pietrusky, (3) Hollweg/SF, (4) R. MeyerM, (5) H. Winter/SF ; 209 (1) Visa Image/M, (2,4) Huber/HB Verlag, (3) Weya/SF ; 211 (1) age/M, (2) Morandi/M ; (3) Emmler/HB Verlag, (4) Huber/HB Verlag, 213 (1) Moczynski, (2,3) H. Heine/SF, (4) W. Thamm/M, (5) Ricatto/M ; 215 (1) W. Thamm/M, (2) Huber/HB Verlag, (3) Coli/M, (4) Visa Image/M ; 217 (1) Kiedrowski/HB Verlag, (2) A. Pistolesi/TIB, (3) age/M, (4) Koch/PP ; 219 (1) U. Hoffmann/SF, (2) U. Pietrusky, (3) Koch/PP ; (4) Kiedrowski/HB Verlag, 221 (1) A.N.T./SF, (2,3) Emmler/HB Verlag, (4) R. Bauer/SF. 225 (1) Widmann/HB Verlag, (2,3) Rosing/SF ; (4,5) Kiedrowski/HB Verlag, 227 (1,3) Knobloch/HB Verlag, (2) JBE/PP ; (4) Huber/HB Verlag, 229 (1,2,3) Huber/HB Verlag, (4,5) Kiedrowski/HB Verlag, 231 (1) Sasse/HB Verlag, (2) HB-Bildarchiv, (3) Kiedrowski/HB Verlag, (4) Boutin/Zefa (5) Kiedrowski,Schwarz/HB Verlag, 233 (1) age/M ; ((2,3,4,5) Huber/HB Verlag, 235 (1) Kramer/IFA, (2) Rita/PP, (3) Hackenberg/HB Verlag, (4) Master/PP, (5) Schmied/SF, (6) H. Hunter/TIB ; 237 (1) Leue/HB Verlag, (2) Piepenburg/HB Verlag, (3) V. Wentzel/NGS. (4) Hackenberg/HB Verlag, 241 (1) Gläßer, (2) M. Wendler/(3) Meulemann/IFA, (4) Wolf/SF ; 243 (1,2,3,4) Gonzalez/HB Verlag, 245 (1,2,4) Gonzalez/HB Verlag (3) Günther/PP, 247 (1,3,4,5) Widmann/HB Verlag, (2) Gonzalez/HB Verlag, 248 Pigneter/M

A–Z

Index

A.	Alm (all.) = alpage	C.Ri.	Costa Rica	Îs.	Îles
Abb.	Abbaye	Cs.	Cerros (esp.) = montagnes,	Is.	Islands (angl.) = îles
Abor.	Aboriginal (angl.)		collines	Is.	Islas (esp.) = îles
Aç.	Açude (port.) = petit réservoir	D.	Dake (jap.) = montagne	It.	Italie
Ad.	Adası (turc) = île	Dağl.	Dağlar (turc) = montagnes	Jaz.	Jazovir (bulg.) = réservoir
A.F.B.	Air Force Base (angl.) = base	Dan.	Danemark	Jct.	Junction (angl.) = carrefour
	aérienne militaire	Dist.	District (angl.) = district	Jez.	Jezero (slov.) = lac
Afr.d.S.	Afrique du Sud	Df.	Dorf (all.) = village	Juž.	Južnyj, -aja (rus.) = du sud, sud
Ag.	Agios (grec) = saint	Dl.	Deal (roum.) = hauteur, colline		
Á. I.	Área Indígena (port.) = réserve	Ea.	Estancia (esp.) = domaine	Kan.	Kanal (all.) = canal
	indienne		agricole	Kep.	Kepulauan (indon.) = archipel
Ald.	Aldeia (port.) = village, hameau	É.A.U.	Émirats Arabes Unis	Kg.	Kampong (indon.) = village
Allem.	Allemagne	Ej.	Ejido (esp.) = pâturage de la	K.-l.	Kölli (kazakh) = lac
Arch.	Archipiélago (esp.) = archipel		commune	K.-l.	Küli (ouzbék) = lac
Arg.	Argentine	Emb.	Embalse (esp.) = réservoir	Kör.	Körfez (turc) = golfe, baie
Arh.	Archipelag (rus.) = archipel	Ens.	Enseada (port.) = petite baie	Kp.	Kólpos (grec.) = golfe, baie
Arq.	Arquipélago (port.) = archipel	Erm.	Ermita (esp.) = ermitage	Kr.	Krasno, yj, -aja, -oe (rus.) =
Arr.	Arroyo (esp.) = ruisseau	Ero.	Estero (esp.) = lagune		rouge
Arrond.	Arrondissement	Équ.	Équateur		
Art. Ra.	Artillery Range (angl.) =	Esp.	Espagne	L.	Lac
	champ de tir	Est.	Estación (esp.) = gare	L.	Lacul (roum.) = lac
Austr.	Australie	Estr.	Estrecho (esp.) = détroit	L.	Lago (esp., ital., port.) = lac
Aut.	autonome	É.-U.	États-Unis	L.	Lake (angl.) = lac
		Ez.	Ezero (bulg.) = lac	Lag.	Laguna (esp., rus.) = lagune
B.	Baie	Faz.	Fazenda (port.) = domaine	Lev.	Levyj, -aja, (rus.) = gauche
B.	Biológica, -o (esp., port.) =		agricole	Lim.	Liman (rus.) = lagune
	biologique	Fin	Finlande	Lim.	Limni (grec.) = lac
Ba.	Bahía (esp.) = baie	Fk.	Fork (angl.) = bras d'eau	Lte.	Little (angl.) = petit(e)
Bal.	Balka (rus.) = gorge	Fn.	Fortín (esp.) = fortin, redoute		
Ban.	Banjaran (mal.) = montagne	Fr.	France	M.	Mima (à Mayotte) = Mont
Bel.	Belo, -yi, -aja, oe (rus.) =	Fs.	Falls (angl.) = chute(s) d'eau,	M.	Munte (roum.) = mont
	blanc		cascade(s)	M.	Mys (rus.) = cap
Bk.	Bukit (mal.) = montagne,	Ft.	Fort (angl.) = fort	Mal.	Malo, -yj, -aja, -oe (rus.) = petit
	colline	Ğ.	Ğabal (arab.) = montagne	Man.	Manastir (bulg.) = monastère
Bol.	Boloto (rus.) = marais	G.	Gawa (jap.) = lagune	Man.	Manastur (turc) = monastère
Bol.	Bolšoj,-aja,-oe (rus.) = grand(e)	G.	Gîtul (roum.) = col	Măn.	Mănăstire (roum.) = monastère
Bot.	Botanical (angl.) = botanique	G.	Golfo (esp.) = golfe, baie	Mem.	Memorial (angl.) = monument,
B.P.	Battlefield Park (angl.) = parc	G.	Gora (rus.) = montagne		mémorial
	de la bataille	G.-B.	Royaume-Uni,	Mex.	Mexique
Brés.	Brésil		Grande-Bretagne	Mgne.	Montagne
Brj.	Baraj (turc) = barrage	Gde.	Grande (esp.) = grand(e)	Mi.	Misaki (jap.) = cap
Buch.	Buchta (ukr.) = baie	Gds.	Grandes (esp.) = grand(e)s	Mil. Res.	Military Reservation (angl.) =
Buh.	Buhta (rus.) = baie	Glac.	Glacier		zone militaire interdite
		Gos.	Gosudarstvennyj, -aja (rus.) =	Milli P.	Milli Park (turc) = park national
C.	Cabo (esp.) = cap		d'État	Min.	Minéral
C.	Cap (fr., port.)	Grd.	Grand	Mñas.	Montañas (esp.) = montagnes
Cab.	Cabeça (port.) = éminence,	Gr.	Grèce	Moh.	Mohyla (ukr.) = mausolée,
	sommet	Grl.	General (esp.)		tombeau
Cach.	Cachoeira (port.) = rapides	H.	Hora (ukr.) = montagne	Mon.	Monasteiro (esp.) = monastère
Cal.	Caleta (esp.) = baie	H.	Hütte (all.) = refuge	M. P.	Military Park (angl.) = zone
Can.	Canal (esp.) = canal	Harb.	Harbour (angl.) = port		militaire interdite
Can.	Canalul (roum.) = canal	Hist.	Historic (angl.) = historique	Mt.	Mont
Cast.	Castello (ital.) = château fort,	Hm.	(all.) = domicile	Mt.	Mount (angl.) = mont
	château	Hon.	Honduras	Mte.	Monte (ital.) = mont
Cd.	Ciudad (esp.) = ville	Hr.	Hrebet (rus.) = montagne	Mte.	Monte (esp.) = mont
Cga.	Ciénaga (esp.) = marais,	Hte.	Haute	Mti.	Monti (ital.) = monts
	marécage	Hwy.	Highway (angl.) = autoroute	Mtn.	Mountain (angl.) = mont,
Ch.	Chenal				montagne(s)
Ch.	Chusiouna (à Mayotte) = île	I.	Iglesia (esp.) = église	Mtn. S.P.	Mountain State Park (angl.) =
Chr.	Chrebet (ukr.) = montagne	Î.	Île, Îlot		parc régional de montagne
Co.	Cerro (esp.) = montagne,	I.	Ilha (port.) = île	Mtns.	Mountains (angl.) = montagnes
	colline	I.	Isla (esp.) = île	Mts.	Monts
Col.	Colombie	I.	Island (angl.) = île	Mts.	Montes (esp.) = montagnes
Col.	Colonia (esp.) = colonie	In.	Insulă (roum.) = île	Munţ.	Munţii (roum.) = montagnes
Conv.	Convento (esp.) = monastère	Ind.	Inde	Mus.	Museum (all., angl.) = musée
Cord.	Cordillera (esp.) = montagne,	Ind.	Indian (angl.) = indien(ne)	N.	Nehir/Nehri (turc) = rivière,
	cordillère	Ind. Res.	Indian Reservation (angl.) =		fleuve
Cor.d.S.	Corée du Sud		réserve indienne	N.	Nudo (esp.) = pointe
Corr.	Corredeira (port.) = rapides	Int.	International(e)	Nac.	Nacional (esp.) = national
Cpo.	Campo (ital.) = champ			Nac.	Nacional'nyj, -aja, -oe (rus.) =
Cr.	Creek (angl.) = ruisseau				national

Liste des abréviations

Nat. National
Nat. Mon. National Monument (angl.) = monument national
Nat. P. National Park (angl.) = parc national
Nat. Seas. National Seashore (angl.) = parc national du littoral
Naz. Nazionale (ital.) = national
N.B.P. National Battlefield Park (angl.) = parc national de bataille
N.B.S. National Battlefield Site (angl.) = site national de bataille
Ned. Nederlande (néerl.) = Pays-Bas
Nev. Nevado (esp.) = enneigé
N.H.P. National Historic Park (angl.) = parc national historique
N.H.S. National Historic Site (angl.) = site national historique
Nic. Nicaragua
Niž. Niže, -nij, -naja, -neje (rus.) = bas, basse
Nizm. Nizmennosť (rus.) = plaine
N.M.P. National Military Park (angl.) = parc national militaire
Nördl. Nördlich (all.) = nord, du nord
Norv. Norvège
Nov. Novo, -yj, -aja, -oe (rus.) = nouveau, nouvelle
N.P. National Park (angl.) = parc national
N.R.A. National Recreation Area (angl.) = aire nationale de loisirs
Nsa. Sra. Nossa Senhora (port.) = Notre-Dame
Nth. North (angl.) = nord
Ntra. Sra. Nuestra Señora (esp.) = Notre-Dame
Nva. Nueva (esp.) = nouvelle
Nvo. Nuevo (esp.) = nouveau
N.W.R. National Wildlife Refuge (angl.) = réserve nationale animale
N.Z. Nouvelle-Zélande
O. Ostrov (rus.) = île
Obl. Oblast (rus.) = district
Ö. Östra (suéd.) = est, de l'est
Öv. Övre (suéd.) = haut(e), supérieur(e)
Of. Oficina (esp.) = office
Ostr. Ostrov (roum.) = île
O-va Ostrova (rus.) = îles
Oz. Ozero (rus.) = lac
P. Passe
P. Pico (esp.) = pic
P. Port
P. Pulau (indon.) = île
P.-B. Pays-Bas
Peg. Pegunungan (ind.) = montagne
Pen. Península (esp.) = péninsule, presqu'île
Per. Pereval (rus.) = col
Picc. Piccolo (ital.) = petit
P-iv. Pivostriv (ukr.) = péninsule, presqu'île
Pk. Peak (angl.) = sommet, pic
Pkwy. Parkway (angl.) = route touristique
Pl. Planina (bulg.) = mont, montagne

Plat. Plateau
P.N. Parque Nacional (esp.) = parc national
Po. Paso (esp.) = col
Pol. Pologne
Por. Porog (rus.) = rapides
Port Portugal
P-ov Poluostrov (rus.) = péninsule, presqu'île
Pr. Prohod (rus.) = col
Pr. Proliv (rus.) = détroit
Presq. Presqu'île
Prov. Provincial (angl.)
Prov. P. Provincial Park (angl.) = parc provincial
Pso. Passo (ital.) = col
Psto. Puesto (esp.) = poste
Pt. Point (angl.) = cap, pointe
Pta. Ponta (port.) = cap, pointe
Pta. Punta (esp.) = cap, pointe
Pte. Pointe
Pto. Pôrto (port.) = port
Pto. Puerto (esp.) = port, col
Pzo. Pizzo (ital.) = pointe

Q.N.P. Quasi National Park (jap.) = parc national

R. Reka (bulg.) = rivière
R. Río (esp., port.) = rivière
Ra. Range (angl.) = chaîne de montagnes
Rch. Riachão (port.) = petite rivière
Rch. Riacho (esp.) = petite rivière
Rdl. Raudal (esp.) = fleuve
Rég. Aut. Région autonome
Rep. Republik (all.) = république
Rép. République
Repr. Represa (port.) = barrage
Res. Reserva (esp., port.) = réserve
Res. Reservoir (angl.) = réservoir
Resp. Respublika (rus.) = république
Rib. Ribeira (port.) = rive, rivage
Rib. Ribeiro (port.) = petite rivière
Rif. Rifugio (ital.) = refuge
Riv. River (angl.) = rivière
Riv. Rivière
Rom. Romano, -a (esp.) = romain(e)
Russ. Russie
S. San (esp.) = saint
S. San (jap.) = mont, montagne
S. San, Santo (ital.) = saint
S. São (port.) = saint
Sa. Saki (jap.) = cap
Sa. Serra (port.) = montagne
Sal. Salar (esp.) = désert de sel, lagune de sel
Sanm. Sanmyaku (jap.) = montagne
Sd. Sound (angl.) = détroit
Sel. Selat (indon.) = détroit
Sev. Sever, -nyj, -naja, -noe (rus.) = nord, du nord
Sf. Sfintu (roum.) = saint
Sh. Shima (jap.) = île
S.H.P. State Historic Park (angl.) = parc régional historique
S.H.S. State Historic Site (angl.) = site régional historique
S.M. State Monument (angl.) = monument régional
Sna. Salina (esp.) = saline

Snas. Salinas (esp.) = salines
Snía. Serranía (esp.) = pays de montagnes
S.P. State Park (angl.) = parc régional
Sr. Sredne, -ij, -aja, -ee (rus.) = moyen, central
Sra. Sierra (esp.) = montagnes
St Saint
St. Sankt (all.) = saint
Sta. Santa (ital.) = sainte
Sta. Santa (esp.) = sainte
Sta. Staro, -yj, -aja, -oe (rus.) = vieux, ancien
Ste. Sainte (angl., fr.) = sainte
Sth. South (angl.) = sud, du sud
St. Mem. State Memorial (angl.) = lieu commémoratif régional
Sto. Santo (ital.) = saint
Sto. Santo (port., esp.) = saint
Str. Strait (angl.) = détroit
Suh. Suho, -aja (rus.) = sec
Sv. Svet, -a, -o (bulg.) = saint(e)
Sv. Sveti (croat.) = saint
T. Take (jap.) = sommet, hauteur
T. Tau (kazakh) = mont
T.A.A.F. Terres australes et antarctiques françaises
Tel. Teluk (indon.) = baie
Terr. Aut. Territoire autonome
Tg. Tanjung (indon.) = cap
Tg. Tōge (jap.) = col
Tr. Turquie
Tun. Tunisie
Ukr. Ukraine
Ülk. Ülken (kazakh) = grand
Urug. Uruguay
V. Vallée
Va. Villa (esp.) = bourg
Vda. Vereda (port.) = sentier
Vdhr. Vodohranilišče (rus.) = réservoir
Vdp. Vodospad (ukr.) = cascade, chute d'eau
Vel. Veliko, -ij, -aja, -oe (rus.) = grand(e)
Ven. Venezuela
Verh. Verhnie, -yj, -aja, -ee (rus.) = haut(e), supérieur(e)
Vf. Virf (roum.) = sommet, hauteur
Vill. Village (angl.) = village
Vis. Visočina (bulg.) = éminence
Vjal. Vjalikie (biélorus.) = grand(e)
Vlk. Vulkan (all.) = volcan
Vn. Volcán (esp.) = volcan
Vod. Vodopad (rus.) = cascade, chute d'eau
Vol. Volcán (esp.) = volcan
Vul. Vulcano (philip.) = volcan
W.A. Wilderness Area (angl.) = réserve naturelle
Y. Yama (jap.) = mont. montagne
Zal. Zaliv (rus.) = golfe, baie
Zap. Zapadne, -ji, -aja, -noe (rus.) = ouest, de l'ouest
Zapov. Zapovednik (rus.) = zone protégée

Liste des abréviations

L'index contient, dans un ordre alphabétique strict, tous les toponymes (noms de lieu) figurant sur les différentes cartes de cet Atlas.

D'une manière générale, les toponymes inscrits sur les cartes et portés dans l'index correspondent, à chaque fois, à leur dénomination dans la langue même du pays où ils se situent. Dans le cas des langues utilisant l'alphabet latin, la totalité des signes diacritiques en usage (et, le cas échéant, des lettres supplémentaires) apparaîtront donc : ainsi Tiranë, capitale de l'Albanie ; Sauðarkrökur, ville d'Islande ; Ereğli, port de Turquie.

Dans le cas des langues n'utilisant pas l'alphabet latin, ou des langues n'ayant pas de forme écrite officielle, les toponymes relevés ont été translitérés au moyen de systèmes reconnus internationalement, ou transcrits selon des normes phonétiques précises : ainsi Eşfahān, ville iranienne ; Beijing, capitale de la Chine ; Moruroa, atoll du Pacifique.

Pour un certain nombre de toponymes (un millier environ, et notamment pour les capitales d'États indépendants), il est fait mention de leur dénomination française traditionnelle (exonyme), le lien entre la forme française et la forme telle qu'elle apparaît dans la langue du pays (endonyme) étant introduit par un signe d'égalité : Vienne = Wien ; Azov, mer d' = Azovskoe more ; Tripoli = Tarābulus.

Enfin, dans les cas de bilinguisme officiel, les deux noms en usage entrent dans l'index séparés par un trait oblique (Helsinki/Helsingfors).

Les toponymes ayant dû, faute de place, être inscrits sur les cartes de manière abrégée, apparaissent en toutes lettres dans l'index, à moins qu'il ne s'agisse, comme dans la toponymie nord-américaine d'une abréviation officielle (Washington D.C.). Dans le cas des dénominations de formes géographiques, le terme générique suit le nom propre : Mexique (golfe du), ou Ventoux (mont).

Berlin	★ ⊛	D	(B)	18-19	F 2
	①	②			
toponyme	symbole	nationalité	circonscription administrative	n° de page	coordonnées

① Symboles

■ . . . . État souverain	~ . . . . fleuve, cascade
▫ . . . . circonscription administrative	⊂ . . . . glacier
★ . . . . capitale (État)	⟨ . . . . construction du génie hydraulique
☆ . . . . capitale (région)	≃ . . . . relief sous-marin
○ . . . . localité	⊥ . . . . parc national
▵ . . . . région pittoresque	Ⅹ . . . . réserve
∩ . . . . île	xx . . . . installations militaires
ᴗ . . . . plaine basse	‖ . . . . construction du génie civil
▲ . . . . montagnes	✦ . . . . aéroport
▲ . . . . sommet	∴ . . . . ruines, vestiges d'établissement urbain
▲ . . . . volcan actif	⊛ . . . . patrimoine culturel et naturel mondial
≈ . . . . océan, mer	•• . . . . visite très recommandée
○ . . . . lac, lac salé	• . . . . visite recommandée

Pictogrammes

② États et régions

A	Autriche	**ER**	Érythrée	**MAL**	Malaisie	**SGP**	Singapour
AFG	Afghanistan	**ES**	Salvador	**MC**	Monaco	**SK**	Slovaquie
AG	Antigua-et-Barbuda	**EST**	Estonie	**MD**	Moldavie	**SLO**	Slovénie (République de)
AL	Albanie	**ET**	Égypte	**MEX**	Mexique	**SME**	Suriname
AND	Andorre	**ETH**	Éthiopie	**MGL**	Mongolie	**SN**	Sénégal
ANG	Angola	**F**	France	**MH**	Marshall (Îles)	**SO**	Somalie
ANT	Antarctique	**FIN**	Finlande	**MK**	Macédoine	**SOL**	Îles Salomon
ARM	Arménie	**FJI**	Fidji	**MNE**	Monténégro	**SRB**	Serbie
ARU	Aruba	**FL**	Liechtenstein	**MOC**	Mozambique	**STP**	São Tomé e Príncipe
AUS	Australie	**FR**	Îles Féroé	**MS**	Maurice (Île)	**SUD**	Soudan
AUT	Région autonome	**FSM**	Micronésie	**MV**	Maldives	**SY**	Seychelles
AZ	Azerbaïdjan	**G**	Gabon	**MW**	Malawi	**SYR**	Syrie
AX	Åland	**GB**	Royaume-Uni	**MYA**	Myanmar	**T**	Thaïlande
B	Belgique	**GBA**	Aurigny	**N**	Norvège	**TCH**	Tchad
BD	Bangladesh	**GBG**	Guernesey	**NA**	Antilles néerlandaises	**TJ**	Tadjikistan
BDS	Barbade	**GBJ**	Jersey	**NAM**	Namibie	**TL**	Timor Oriental
BF	Burkina	**GBM**	Île de Man	**NAU**	Nauru	**TM**	Turkménistan
BG	Bulgarie	**GBZ**	Gibraltar	**NEP**	Népal	**TN**	Tunisie
BH	Bélize	**GCA**	Guatemala	**NIC**	Nicaragua	**TO**	Tonga
BHT	Bhoutan	**GE**	Géorgie	**NL**	Pays-Bas	**TR**	Turquie
BIH	Bosnie-Herzégovine	**GH**	Ghana	**NZ**	Nouvelle-Zélande	**TT**	Trinité-et-Tobago
BOL	Bolivie	**GNB**	Guinée-Bissau	**OM**	Oman	**TUV**	Tuvalu
BR	Brésil	**GQ**	Guinée-Équatoriale	**P**	Portugal	**UA**	Ukraine
BRN	Bahreïn	**GR**	Grèce	**PA**	Panamá	**UAE**	Émirats Arabes Unis
BRU	Brunei	**GRØ**	Groenland	**PE**	Pérou	**USA**	États-Unis d'Amérique
BS	Bahamas	**GUY**	Guyana	**PK**	Pakistan	**UZ**	Ouzbékistan
BU	Burundi	**H**	Hongrie	**PL**	Pologne	**V**	Vatican
BY	Biélorussie	**HN**	Honduras	**PNG**	Papouasie-Nouvelle-	**VN**	Viêt-Nam
C	Cuba	**HR**	Croatie		Guinée	**VU**	Vanuatu
CAM	Cameroun	**I**	Italie	**PW**	Palau	**WAG**	Gambie
CDN	Canada	**IL**	Israël	**PY**	Paraguay	**WAL**	Sierra Leone
CGO	Congo (République	**IND**	Inde	**Q**	Qatar	**WAN**	Nigeria
	démocratique du)	**IR**	Iran	**RA**	Argentine	**WD**	Dominique
CH	Suisse	**IRL**	Irlande	**RB**	Botswana	**WG**	Grenade
CI	Côte d'Ivoire	**IRQ**	Irak	**RC**	Taïwan	**WL**	Sainte-Lucie
CK	Îles Cook	**IS**	Islande	**RCA**	République	**WS**	Samoa
CL	Sri Lanka	**J**	Japon		centrafricaine	**WV**	Saint-Vincent-
CN	Chine	**JA**	Jamaïque	**RCB**	Congo		et-les-Grenadines
CO	Colombie	**JOR**	Jordanie	**RCH**	Chili	**YAR**	Yémen
COM	Comores	**K**	Cambodge	**RG**	Guinée	**YV**	Venezuela
CR	Costa Rica	**KIR**	Kiribati	**RH**	Haïti	**Z**	Zambie
CV	Cap-Vert	**KN**	Saint-Christophe-et-Niévès	**RI**	Indonésie	**ZA**	Afrique du Sud
CY	Chypre	**KP**	Corée du Nord	**RIM**	Mauritanie	**ZW**	Zimbabwe
CZ	Tchèque (République)	**KS**	Kirghizistan	**RL**	Liban		
D	Allemagne	**KSA**	Arabie Saoudite	**RM**	Madagascar		
DJI	Djibouti	**KSV**	Kosovo	**RMM**	Mali		
DK	Danemark	**KWT**	Koweït	**RN**	Niger		
DOM	Dominicaine	**KZ**	Kazakhstan	**RO**	Roumanie		
	(République)	**L**	Luxembourg	**ROK**	Corée du Sud		
DY	Bénin	**LAO**	Laos	**ROU**	Uruguay		
DZ	Algérie	**LAR**	Libye	**RP**	Philippines		
E	Espagne	**LB**	Liberia	**RSM**	Saint-Marin		
EAK	Kenya	**LS**	Lesotho	**RT**	Togo		
EAT	Tanzanie	**LT**	Lituanie	**RUS**	Russie		
EAU	Ouganda	**LV**	Lettonie	**RWA**	Rwanda		
EC	Équateur	**M**	Malte	**S**	Suède		
EH	Sahara occidental	**MA**	Maroc	**SD**	Swaziland		

1 - 99

25 de Mayo o **RA** 116-117 D5

A

Aabenraa o• **DK** 12-13 C4
Aalborg o•• **DK** 12-13 C3
Aalborg Bugt ≈12-13 D3
Äänekoski o **FIN** 10-11 N3
Aar, De o **ZA** 86-87 D8
Aarau ✩ **CH** 18-19 D5
Aare ∿ **CH** 18-19 C5
Aba o **WAN** 80-81 F4
Abaco Islands ∩ **BS** 104-105 F2
Ābādān o• **IR** 48-49 G4
Ābāde o• **IR** 48-49 H4
Abaiang Atoll ∩ **KIR** 66-67 G5
Abakaliki o **WAN** 80-81 F4
Abakan ✩ **RUS** 38-39 O5
Abakan ∿ **RUS** 38-39 O5
Abancay ✩ **PE** 112-113 E4
Abapo o **BOL** 112-113 G5
Abarqū o **IR** 48-49 H4
Ābaya Hāyk' ∾ **ETH** 82-83 F4
Ābay Wenz ∿ **ETH** 82-83 E3
Abaza o **RUS** 44-45 F1
Abbazia della Monte Oliveto Maggiore • **I** 24-25 C3
Abbazia di Casamari • **I** 24-25 D4
Abbazia di Montecassino • **I** 24-25 D4
Abbeville o **F** 16-17 E1
Abbeyfeale = Mainistir na Féile o **IRL** 14-15 B5
Abbottābād o **PK** 50-51 J2
'Abd al-Kūrī ∩ **YAR** 50-51 E6
Abéché o **TCH** 82-83 C3
Abel Tasman National Park ⊥ •·· **NZ** 64-65 J5
Abemama Atoll ∩ **KIR** 66-67 G5
Abengourou o• **CI** 80-81 D4
Abenójar o **E** 22-23 D4
Ābenrå = Aabenraa o• **DK** 12-13 C4
Aberaeron o **GB** 14-15 D5
Aberdare National Park ⊥ **EAK** 82-83 F6
Aberdeen o• **GB** 14-15 E3
Aberdeen o **USA** (SD) 100-101 G1
Aberdeen o **USA** (WA) 100-101 B1
Aberdeen o **ZA** 86-87 D8
Aberdeen Lake o **CDN** 96-97 L5
Abergavenny-y-Fenni o **GB** 14-15 E6
Abertawe = Swansea o **GB** 14-15 D6
Aberystwyth o **GB** 14-15 D5
Abganerovo o **RUS** 32-33 J3
Abhā ✩ **KSA** 50-51 C5
Abidjan ✩• ··· **CI** 80-81 D4
Abilene o **USA** 102-103 D4
Abington o **GB** 14-15 E4
Abiseo, Río ∿ **PE** 112-113 D3
Abisko o **S** 8-9 K2
Abisko nationalpark ⊥ •· **S** 8-9 K2
Abitibi, Lake o **CDN** 98-99 J5
Abo, Massif d' ▲ **TCH** 78-79 D4
Åbo = Turku ✩• **FIN** 10-11 M4
Aboisso o **CI** 80-81 D4
Abomey ✩• •• **DY** 80-81 E4
Abong Mbang o **CAM** 80-81 G5
Abou-Deïa o **TCH** 82-83 B3
Abou Dhabi • **UAE** 50-51 F4
Abou-Telfän, Réserve de faune de l'
⊥ **TCH** 82-83 B3
Abraham's Bay o **BS** 104-105 G3
Abrantes o **P** 22-23 B4
Abra Pampa o **RA** 116-117 D2
Abrene = Pytalovo ✩ **LV** 12-13 M3
Abri o **SUD** 78-79 G4

Abrolhos, Banc d' ≃114-115 G5
Abrolhos Bank ≃114-115 G5
Abrud o **RO** 26-27 F2
Abruzzes o **I** 24-25 D3
Abruzzo, Parco Nazionale d' ⊥ **I** 24-25 D4
Absaroka Range ▲ **USA** 100-101 D1
Abū 'Alī, Ǧazīrat ∩ **KSA** 50-51 D3
Abū Gābra o **SUD** 82-83 D3
Abū Hamad o• **SUD** 78-79 G5
Abuja ★ **WAN** 80-81 F4
Abu I-Abyad ∩ **UAE** 50-51 E4
Abulug o **RP** 56-57 D2
Abū Muharrik, Ǧurd ⊥ **ET** 78-79 F3
Abunã o **BR** 112-113 F3
Abuña, Río ∿ **BOL** 112-113 F3
Ābune Yosēf ▲ **ETH** 82-83 F3
Abū Raşãs, Ra's ▲ **OM** 50-51 F4
Abū Simbel ∴•·· **ET** 78-79 G4
Abū Zabad o **SUD** 82-83 D3
Abyad o **SUD** 82-83 D3
Abyei o **SUD** 82-83 D4
Acadia National Park ⊥ **USA** 102-103 K2
Acadie ⊥ **CDN** 98-99 L5
Acaponeta o **MEX** 100-101 E6
Acapulco de Juárez o•• **MEX** 100-101 G7
Acará o **BR** 114-115 E2
Acara ou Acari, Serra ▲ **BR** 110-111 F4
Acaraú o **BR** 114-115 F2
Acarigua o **YV** 110-111 D3
Accra ★•• ••• **GH** 80-81 D4
Achacachi o **BOL** 112-113 F5
Achaguas o **YV** 110-111 D3
Achalpur o **IND** 52-53 C2
Achgabat ★• **TM** 42-43 G4
Achill Island ∩ **IRL** 14-15 A5
Achnasheen o **GB** 14-15 D3
Acıgöl o **TR** 28-29 G4
Ačinsk ✩ **RUS** 38-39 O4
Acıpayam ✩ **TR** 28-29 G4
Acireale o **I** 24-25 D6
Acklins Island ∩ **BS** 104-105 G3
Aconcagua, Cerro ▲ **RA** 116-117 C4
Açores ∩ **P** 76-77 B2
Açores, Archipélago dos ∩ **P** 76-77 B2
Açores-Cap Saint-Vincent, Banc des ≃76-77 E2
Acre o **BR** 112-113 E3
Acre, Rio ∿ **BR** 112-113 F3
Ada o **USA** 102-103 D4
Adaja, Río ∿ **E** 22-23 D3
Adam, Mount ▲ **GB** 116-117 F8
Ādama = Nazrēt o **ETH** 82-83 F4
Adamaoua, Massif de l' ▲ **CAM** 80-81 G4
Adamello ▲ **I** 24-25 C1
Adam's Peak ▲•• **CL** 52-53 D5
'Adan o• **YAR** 50-51 D6
Adana ✩• **TR** 48-49 E3
Adapazarı = Sakarya o **TR** 28-29 H2
Ādaraw Taungdau ▲ **MYA** 52-53 F2
Adda ∿ **I** 24-25 B1
Ad-Dabba o **SUD** 78-79 G5
Ad-Dāhila, al-Wāhāt ⊥• **ET** 78-79 F3
Ad-Dakhla o **EH** 76-77 D5
Ad-Dāmir o **SUD** 78-79 G5
Ad-Dār-al-Bayda ★ **MA** 76-77 F3
Ad-Dauha ★ **Q** 50-51 E3
Addis-Abeba ★•• **ETH** 82-83 F4
Ad-Du'ayn o **SUD** 82-83 D3
Ad-Duwaym o **SUD** 82-83 E3
Adelaide ✩• **AUS** 62-63 F7
Adélaïde, Île ∩ **ANT** 119 C30
Adelaide Peninsula ∩ **CDN** 96-97 L4
Adelaide River o• **AUS** 62-63 E2
Adélie, Terre ⊥ **ANT** 119 C14
Ademuz o **E** 22-23 F3
Aden o **YAR** 50-51 D6
Aden, Golfe d' ≈50-51 B6
Aderbissinat o **RN** 80-81 F2
Adi, Pulau ∩ **RI** 56-57 F6

Ādige ∿ **I** 24-25 D2
Ādige = Etsch ∿ **I** 24-25 C1
Ādīgrat o **ETH** 82-83 F3
Adīrī ✩ **LAR** 78-79 C3
Adirondack Mountains ▲ **USA** 102-103 J2
Ādīs Ābeba ★•• **ETH** 82-83 F4
Ādī Ugrī o **ER** 82-83 F3
Adıyaman ✩ **TR** 48-49 E3
Adjarie ▫ **GE** 48-49 F2
Adjud o **RO** 26-27 H2
Adjuntas, Presa de las < **MEX** 100-101 G6
Adler o **RUS** 42-43 C3
Admer, Erg d' ⊥ **DZ** 76-77 J5
Admiralty Gulf ≈ **AUS** 62-63 D2
Admiralty Inlet ∩ **CDN** 96-97 O3
Admiralty Island ∩ **USA** 92-93 O4
Admiralty Islands ∩ **PNG** 68-69 C1
Admont o•• **A** 18-19 G5
Admundsen, Plaine abyssale d'
≃109 A11
Ado-Ekiti o **WAN** 80-81 F4
Ādoni o **IND** 52-53 C3
Adorf o **D** 18-19 F3
Adour ∿ **F** 16-17 D5
Adra o **E** 22-23 E5
Adrar o **RUS** 42-43 E2
Adrar ✩• **DZ** 76-77 G4
Adrar, Massif de l' ▲ **RIM** 76-77 E5
Adrar Soula, Djebel ▲ **DZ** 76-77 J5
Adré o **TCH** 82-83 C3
Adriatic Sea ≈24-25 D2
Adriatique, Mer ≈24-25 D2
Adua o **RI** 56-57 F5
Adventure Bank ≃24-25 C6
Adyča ∿ **RUS** 40-41 G1
Adygè Respublikèm ▫ **RUS** 42-43 C3
Adyguéens, République des ▫ **RUS** 42-43 C3
Adyk o **RUS** 42-43 E2
Aegviidu o **EST** 12-13 L2
Ærø ∩ **DK** 12-13 D4
Aetós o **GR** 28-29 C2
Affollé ⊥ **RIM** 76-77 E6
Afghanistan ■ **AFG** 50-51 G2
'Afīf o **KSA** 50-51 C4
Afjord o **N** 10-11 F3
Aflou o **DZ** 76-77 H3
Afmadow o **SO** 82-83 G5
Afognak Island ∩ **USA** 92-93 M4
Afrique du Sud ■ **ZA** 86-87 D7
Afyon ✩• **TR** 28-29 H3
Agadem o **RN** 80-81 G2
Agadez ✩• **RN** 80-81 F2
Agādīr ✩• **MA** 76-77 F3
Agana ✩ **USA** 66-67 A3
Agargar ⊥ **EH** 76-77 D5
Agartala ✩ **IND** 52-53 F2
Agboville o **CI** 80-81 D4
Agdam o **AZ** 48-49 G2
Agde o **F** 16-17 E4
Agen o **F** 16-17 E4
Aghzoumal, Sebkhet o **EH** 76-77 E5
Agía Galíni o **GR** 28-29 E5
Agia Napa o **CY** 48-49 D4
Agía Triáda o **GR** 28-29 E5
Aginskoe ✩ **RUS** 44-45 K1
Ágio Orous ▫ **GR** 28-29 E2
Ágios Efstrátios ∩ **GR** 28-29 E3
Ágios Kírikos o **GR** 28-29 F4
Ágios Konstantínos o **GR** 28-29 D3
Agios Nikólaos o **GR** 28-29 E5
Ágiou Orous, Kólpos ≈28-29 D2
Ağlı ✩ **TR** 48-49 D2
Agnethelu o **RO** 26-27 G3
Agnew o **AUS** 62-63 C5
Agnibilékrou o **CI** 80-81 D4
Agnita o **RO** 26-27 G3
Agnone o **I** 24-25 E4
Agra o••• **IND** 52-53 C1
Ágreda o **E** 22-23 F3

Ağrı ✩ **TR** 48-49 F3
Agrigento o **I** 24-25 D6
Agrínio o **GR** 28-29 C3
Agrópoli o **I** 24-25 E4
Água Clara o **BR** 114-115 D6
Aguán, Río ∿ **HN** 104-105 D4
Agua Prieta o **MEX** 100-101 E4
Aguaro-Guariquito, Parque Nacional
⊥ **YV** 110-111 D3
Aguascalientes ✩• **MEX** 100-101 F6
Águeda o **P** 22-23 B3
Aguilar o **E** 22-23 D5
Aguilar de Campoo o **E** 22-23 D2
Águilas o **E** 22-23 F5
Aguja, Punta ▲ **PE** 112-113 C3
Agulhas, Kaap = Cape Agulhas ▲ **ZA** 86-87 D8
Ahad Rāfida o• **KSA** 50-51 C5
Ahalcihe o• **GE** 48-49 F2
Ahar o• **IR** 48-49 G3
Ahe Atoll ∩ **F** 70-71 H3
Ahillio o **GR** 28-29 D3
Ahmadābād o•• **IND** 52-53 B2
Ahmadnagar o• **IND** 52-53 B3
Ahrweiler, Bad Neuenahr- o **D** 18-19 C3
Ähtäri o **FIN** 10-11 N3
Ahtarsk, Primorsko- o **RUS** 32-33 F4
Ahtme, Jõhvi- o **EST** 12-13 M2
Ahtuba ∿ **RUS** 32-33 K4
Ahtubinsk o **RUS** 32-33 K3
Ahunui Atoll ∩ **F** 70-71 J4
Ahvāz ✩• **IR** 48-49 G4
Ahvenanmaa = Åland ∩ **AX** 10-11 K4
Ai-Ais o• **NAM** 86-87 C7
Aianí o **GR** 28-29 C2
Aiddejavrre Fjellstue o **N** 8-9 M2
Aigle, l' o **F** 16-17 D2
Aigues ∿ **F** 16-17 G4
Aiguilles, Cap des ▲ **ZA** 86-87 D8
Ailinginae Atoll ∩ **MH** 66-67 F3
Ailinglapalag Atoll ∩ **MH** 66-67 F4
Ailinglaplap Atoll ∩ **MH** 66-67 F4
Ailuk Atoll ∩ **MH** 66-67 F3
Ain ∿ **F** 16-17 G3
'Ain, al- o **UAE** 50-51 F4
'Ain al-Ǧuwairī o **YAR** 50-51 D5
Ainaži o **LV** 12-13 L3
Aïn Beïda o **DZ** 76-77 J2
Aïn Ben Tili o **RIM** 76-77 F4
Aínsa o **E** 22-23 G2
Aïn Sefra o **DZ** 76-77 G3
Aiquile o **BOL** 112-113 F5
Aire ∿ **F** 16-17 G2
Aïr et du Ténéré, Réserve Naturelle
Nationale de l' ⊥ ••• **RN** 78-79 C4
Air Force Island ∩ **CDN** 96-97 Q4
Aïr ou Azbine ▲ **RN** 80-81 F2
Aisne, l' ∿ **F** 16-17 G2
Aitana ▲ **E** 22-23 F4
Aitutaki Atoll ∩ **CK** 70-71 F4
Aix-en-Provence o• **F** 16-17 G4
Aixiós ∿ **GR** 28-29 D2
Aix-la-Chapelle o•• **D** 18-19 C3
Aix-les-Bains o **F** 16-17 G4
Aizanoi ∴•• **TR** 28-29 G3
Āīzawl o **IND** 52-53 F2
Aizpute o• **LV** 12-13 J3
Ajaccio ✩• **F** 24-25 B4
Ajaköz o **KZ** 42-43 M2
Ajan ∿ **RUS** 38-39 P1
Ajana o **AUS** 62-63 A5
Ajdābiyā o• **LAR** 78-79 E2
Ajdar ∿ **UA** 32-33 F3
Ajjer, Tassili n' ▲• ••• **DZ** 76-77 J4
Ajmer o• **IND** 52-53 B1
Ajon, ostrov ∩ **RUS** 40-41 N1
Ajtos o **BG** 26-27 H4
Akaba, Golfe d' ≈ **ET** 78-79 G3
Akademii, zaliv ≈ **RUS** 40-41 G4
Akagera, Parc National de l' ⊥ **RWA** 86-87 D2
Akakus ••• **LAR** 78-79 C4

Äkäslompolo o **FIN** 8-9 N3
Akçakoca ✩ • **TR** 28-29 H2
Akçakoca Dağları ▲ **TR** 28-29 H2
Akçatau o **KZ** 42-43 K2
Akçay ∼ **TR** 28-29 G4
Ak Dağlar ▲ **TR** 28-29 G4
Ak-Dovurak o **RUS** 44-45 F1
Åkersberga ✩ **S** 12-13 H2
Aketi o **CGO** 82-83 C5
Akhisar ✩ **TR** 28-29 F3
Akimiski Island ⌐ **CDN** 98-99 H4
Akita ✩ **J** 46-47 K3
Akjab = Sittwe ✩ **MYA** 52-53 F2
Akjoujt ✩ **RIM** 76-77 E6
Akka o **MA** 76-77 F4
Akkajaure o **S** 8-9 J3
Akmola = Astana ★ **KZ** 42-43 K1
Akniste o **LV** 12-13 L3
Akola o **IND** 52-53 C2
Akonolinga o **CAM** 80-81 G5
Ak'ordat o **ER** 82-83 F2
Akpatok Island ⌐ **CDN** 96-97 R5
Akranes ✩ **IS** 8-9 b2
Akráta o **GR** 28-29 D3
Akra Ténaro ▲ **GR** 28-29 D4
Åkrestrømmen ⌐ **N** 10-11 F4
Akrokorinthos •• **GR** 28-29 D4
Akron o **USA** 102-103 G2
Akşaj ✩ **KZ** 42-43 F1
Aksaj o **RUS** 32-33 F4
Aksaj ∼ **RUS** 32-33 G4
Aksaj Esaulovskij ∼ **RUS** 32-33 H4
Aksaray ✩ **TR** 48-49 D3
Aksay o **CN** 44-45 F4
Akşehir ✩ **TR** 28-29 H3
Akşehir Gölü o **TR** 28-29 H3
Akseki ✩ **TR** 28-29 H4
Akşoraṇ tauy ▲ **KZ** 42-43 L2
Aksu o **CN** 44-45 D3
Aksu ✩ **KZ** 42-43 L1
Aksu Çayı ∼ **TR** 28-29 H4
Aksüm o••• **ETH** 82-83 F3
Aktarsk o **RUS** 32-33 J2
Aktioubinsk ✩ **KZ** 42-43 G1
Akurę ★ **WAN** 80-81 F4
Akureyri ✩ **IS** 8-9 d2
Akutan Island ⌐ **USA** 92-93 J5
Alabama o **USA** 102-103 F4
Alabama River ∼ **USA** 102-103 F4
Alacant o• **E** 22-23 F4
Aladağ ▲ **TR** 48-49 D3
Älagē ▲ **ETH** 82-83 F3
Alagoas o **BR** 114-115 G3
Alagoinhas o **BR** 114-115 G4
Alagón o **E** 22-23 F3
Alagón, Río ∼ **E** 22-23 C3
Al-'Ain o•••• **OM** 50-51 F4
Alajärvi o **FIN** 10-11 M3
Alaj kyrka ▲ **KS** 42-43 K4
Alakanuk o **USA** 92-93 K3
Al-'Alamain o• **ET** 78-79 F2
Alaminos o **RP** 56-57 C2
Alamogordo o **USA** 100-101 E4
Alamosa o **USA** 100-101 E3
Åland ⌐ **AX** 10-11 K4
Ålands Hav ≈ 10-11 K4
Alange o **E** 22-23 C4
Alantika Mountains ▲ **WAN** 80-81 G4
Alanya o **TR** 48-49 D3
Alaotra, Farihy o **RM** 84-85 F4
Alappuzha o **IND** 52-53 C5
al-'Aqaba, Halīǧ ≈ **ET** 78-79 G3
Al-'Arab, Bahr ∼ **SUD** 82-83 D3
Alarcón, Embalse de ⊏ **E** 22-23 E4
Al-Argoub ⌐ **EH** 76-77 D5
al-'Arīš ✩ **ET** 78-79 G2
Alaşehir ✩ • **TR** 28-29 G3
Alaska o **USA** 92-93 L2
Alaska, Chaîne de l' ▲ **USA** 92-93 M3
Alaska, Golfe d' ≈ 92-93 N4
Alaska, Gulf of ≈ 92-93 N4
Alaska, Péninsule d' ∪ **USA** 92-93 K4

Alássio o• **I** 24-25 B2
Alatskivi o•• **EST** 12-13 M2
Alatyr' o **RUS** 30-31 M4
Ala-Vuokki o **FIN** 8-9 P4
Alavus o **FIN** 10-11 M3
Al-Awaynat o **LAR** 78-79 E4
Al-'Ayun / Laâyoune ★ **EH** 76-77 E4
Alazeja ∼ **RUS** 40-41 K0
Alazejskoe ploskogor'e ▲ **RUS** 40-41 J1
Alba o• **I** 24-25 B2
Albacete o **E** 22-23 F4
Al-Badārī o **ET** 78-79 G3
Alba de Tormes o **E** 22-23 D3
Álbæk Bugt ≈ 12-13 D3
Al-Bahrīya, al-Wāhāt ⊥ • **ET** 78-79 F3
Alba Iulia ✩ **RO** 26-27 F2
Albanie ▪ **AL** 28-29 B1
Albany o **USA** (GA) 102-103 G4
Albany o **USA** (OR) 100-101 B2
Albany ✩ • **USA** 102-103 H2
Albany River ∼ **CDN** 98-99 H4
Albarracín o• **E** 22-23 F3
Albatross Bay ≈ **AUS** 62-63 G2
Al-Bayda ✩ **LAR** 78-79 F2
Albemarle Sound ≈ **USA** 102-103 H3
Albenga o• **I** 24-25 B2
Alberca, La o• **E** 22-23 C3
Albergaria-a-Velha o **P** 22-23 B3
Alberobello o• **I** 24-25 F4
Albert o **F** 16-17 F1
Albert, Lac o **EAU** 82-83 E5
Alberta o **CDN** 94-95 H5
Albert Lea o **USA** 102-103 E2
Albert Nile ∼ **EAU** 82-83 E5
Alberto de Agostini, Parque Nacional ⊥ **RCH** 116-117 C8
Albertville o• **F** 16-17 H4
Albi ✩ • **F** 16-17 F5
Albina o **SME** 110-111 G3
Albina, Ponta ▲ **ANG** 86-87 B5
Alborán, Isla del ⌐ **E** 22-23 E6
Ålborg = Aalborg o• **DK** 12-13 C3
Ålborg Bugt = Aalborg Bugt ≈ 12-13 D3
Albox o **E** 22-23 E5
Albufeira o **P** 22-23 B5
Albuquerque o **USA** 100-101 E3
Alburquerque o• **E** 22-23 C4
Albury-Wodonga o **AUS** 64-65 D4
Alcácer do Sal o **P** 22-23 B4
Alcáçovas o **P** 22-23 B4
Alcalá de Henares o• **E** 22-23 E3
Alcalá del Júcar o **E** 22-23 F4
Alcalá de Xivert o **E** 22-23 G3
Alcalá la Real o **E** 22-23 E5
Álcamo o **I** 24-25 D6
Alcanices o **E** 22-23 C3
Alcañiz o **E** 22-23 F3
Alcántara o **E** 22-23 C4
Alcantarilla o **E** 22-23 F5
Alcaracejos o **E** 22-23 D4
Alcaraz o **E** 22-23 E4
Alcaraz, Sierra de ▲ **E** 22-23 E4
Alcaudete o **E** 22-23 D5
Alcázar de San Juan o **E** 22-23 E4
Alčevs'k o **UA** 32-33 F3
Alcobaça o••• **P** 22-23 B4
Alcoi o **E** 22-23 F4
Alcolea del Pinar o **E** 22-23 E3
Alcorcón o **E** 22-23 E3
Alcoutim o **P** 22-23 C5
Alcoy = Alcoi o **E** 22-23 F4
Alcúdia o **E** 22-23 H4
Alcúdia, l' o **E** 22-23 F4
Aldan ✩ • **RUS** 40-41 E3
Aldan ∼ **RUS** 40-41 F2
Aldan, Plateau de l' ▲ **RUS** 40-41 D3
Aldeburgh o **GB** 14-15 G5
Alderney ⌐ **GBA** 14-15 E7
Aldrich, Cape ▲ **CDN** 118 A
Aldrich, Cape ▲ **CDN** 96-97 R1
Aleg ✩ **RIM** 76-77 E6

Alegrete o **BR** 116-117 F2
Alejsk o **RUS** 42-43 M1
Aleksandra, mys ▲ **RUS** 40-41 G4
Aleksandra I, zeml'a ⊥ **ANT** 119 C29
Aleksandrija = Oleksandrivka o **UA** 32-33 C3
Aleksandrov ✩ • **RUS** 30-31 H3
Aleksandrovsk-Sahalinsij ✩ • **RUS** 40-41 H4
Alekseevaka o **RUS** 32-33 F2
Aleksin ✩ • **RUS** 30-31 G4
Aleksinac o **SRB** 26-27 E4
Álem o **S** 12-13 G3
Ålen ✩ **N** 10-11 F3
Alençon ✩ **F** 16-17 E2
Alenquer o **BR** 114-115 D2
Alentejo ⊥ **P** 22-23 B5
Aléoutienne, Chaîne ▲ **USA** 92-93 L4
Aléoutiennes, Fosse de ≃ 92-93 G5
Aléoutiennes, Îles ⌐ **USA** 92-93 J5
Alep o••• **SYR** 48-49 E3
Aleria o **F** 24-25 B3
Alert o **CDN** 96-97 S1
Alès o **F** 16-17 G4
Ålesund ✩ • **N** 10-11 D3
Aleutian Islands ⌐ **USA** 92-93 J5
Aleutian Trench ≃ 92-93 G5
Alexanderbaai = Alexander Bay o **ZA** 86-87 C7
Alexander Bank ≃ 54-55 E4
Alexandra Channel ≈ 52-53 F4
Alexandre, Archipel ⌐ **USA** 92-93 P4
Alexandria o **BR** 114-115 G3
Alexandria ✩ • **RO** 26-27 G2
Alexandria o **USA** 102-103 E4
Alexándria o **GR** 28-29 D2
Alexandrie ✩ •• **ET** 78-79 F2
Alexandrie ✩ • **I** 24-25 B2
Alexandrina, Lake o **AUS** 62-63 F7
Alexandroúpoli ✩ **GR** 28-29 E2
Alfarràs o **E** 22-23 G3
Al-Fāshir o• **SUD** 82-83 D3
Alfatar o **BG** 26-27 H4
Al-Fifi o **SUD** 82-83 C3
Álfotbreen ⊏ **N** 10-11 C4
Al-Gabalayn o **SUD** 82-83 E3
Al-Ǧadīda o **ET** 78-79 F3
Algarve ∪ **P** 22-23 B5
Al-Ǧazīra ⊥ **SUD** 82-83 E3
Algeciras o **E** 22-23 D5
Algena o **ER** 82-83 F2
Alger ★ •• **DZ** 76-77 H2
Alger = Al-Jaā'ir ★ •••• **DZ** 76-77 H2
Algerian Provenceal Basin ≃ 22-23 J3
Algérie ▪ o **DZ** 76-77 G4
Algéro-Provençal, Bassin ≃ 22-23 J3
Alghero o• **I** 24-25 B4
Algoabaai o **ZA** 86-87 E8
Al-Gurdaqa o• **ET** 78-79 G3
Al-Ḥamadah al Ḥamrạ' ⊥ **LAR** 78-79 C2
Alhama de Murcia o **E** 22-23 F5
Al-Ḥarīǧa o• **ET** 78-79 G3
Al-Ḥarīǧa, al-Wāhāt ⊥ • **ET** 78-79 G3
Al-Hartūm ★ •• **SUD** 78-79 G5
Al-Hartūm Baḥrī o **SUD** 78-79 G5
Al-Haruj al Aswad ▲ **LAR** 78-79 D3
Al-Hawātah o **SUD** 82-83 E3
Al-Hoceima ★ **MA** 76-77 G2
Álhus o **N** 10-11 D4
Aliaga o **E** 22-23 F3
Aliağa ✩ **TR** 28-29 F3
Aliákomon ∼ **GR** 28-29 D2
Alicante o• **E** 22-23 F4
Alice o **USA** 102-103 D5
Alice, Punta ▲ **I** 24-25 F5
Alicudi, Ísola di ⌐ **I** 24-25 E5
Alīgarh o **IND** 52-53 C1
Alima ∼ **RCB** 86-87 B2
Alindao o **RCA** 82-83 C4
Alingsås o **S** 12-13 E3
Aliseda o **E** 22-23 C4

Al-Iskandarīya ✩ •• **ET** 78-79 F2
Al-Ismā'īlīya ✩ **ET** 78-79 G2
Aliwal-Noord = Aliwal North o **ZA** 86-87 E8
Al-Jabal al Akhḍar ▲ **LAR** 78-79 E2
Al-Jawf ✩ **LAR** 78-79 E4
Al-Jazā'ir ★ ••• **DZ** 76-77 H2
Aljezur o **P** 22-23 B5
Aljustrel o **P** 22-23 B5
Al-Kamīlīn o **SUD** 78-79 G5
Al-Khums o **LAR** 78-79 C2
Alkmaar o **NL** 18-19 B2
Al-Lāḍiqīya ★ • **SYR** 48-49 E3
Allahâbâd o• **IND** 52-53 D1
Allah-Jun' ∼ **RUS** 40-41 G2
Allakaket o **USA** 92-93 M2
Allariz o **E** 22-23 C2
Allatzkiwi o•• **EST** 12-13 M2
Ålleberg ▲ **S** 12-13 E2
Allemagne ▪ **D** 18-19 F2
Allende o **MEX** 100-101 F5
Allentown o **USA** 102-103 H2
Alleppey = Alappuzha o **IND** 52-53 C5
Allgäu ⊥ **D** 18-19 E5
Allier ∼ **F** 16-17 F3
Al'ma ∼ **UA** 32-33 C5
Alma-Ata o **KZ** 42-43 L3
Alma-Ata = Almaty o **KZ** 42-43 L3
Almadén o **E** 22-23 D4
Al-Madīna o• **KSA** 50-51 B4
Almagro o **E** 22-23 E4
Al-Manāma ★ • **BRN** 50-51 E3
Almansa o **E** 22-23 F4
Al-Manṣūra ✩ **ET** 78-79 G2
Almanzor, Plaza del Moro ▲ **E** 22-23 D3
Almarcha, La o **E** 22-23 E4
Al-Marj o• **LAR** 78-79 E2
Almazán o **E** 22-23 E3
Almeida o• **P** 22-23 C3
Almeirim o **BR** 114-115 D2
Almeirim o **P** 22-23 B4
Almeirim, Serra do ▲ **BR** 114-115 D2
Almelo o **NL** 18-19 C2
Almenara o **BR** 114-115 F5
Almenar de Soria o **E** 22-23 E3
Almendralejo o• **E** 22-23 C4
Almere o **NL** 18-19 B2
Almería o• **E** 22-23 E5
Almería, Golfo de ≈ 22-23 E5
Ålmhult o **S** 12-13 F3
Almina, Punta ▲ **E** 22-23 D6
Al-Minyā ✩ **ET** 78-79 G3
Almirós o **GR** 28-29 D3
Almodóvar o **P** 22-23 B5
Almodóvar del Río o **E** 22-23 D5
Almonte o **E** 22-23 C5
Almonte, Río ∼ **E** 22-23 D4
Al-Muglad o **SUD** 82-83 D3
Al-Muhā o•• **YAR** 50-51 C6
Al-Mukallā o•• **YAR** 50-51 D4
Almuñécar o **E** 22-23 E5
Almunia de Doña Godina, La o **E** 22-23 F3
Alness o **GB** 14-15 D3
Alnwick o **GB** 14-15 F4
Alofi ✩ **NZ** 70-71 D4
Alofi, Île ⌐ **F** 70-71 B3
Aloja o **LV** 12-13 L3
Alónissos ∪ **GR** 28-29 D3
Alor, Pulau ⌐ **RI** 56-57 D6
Alor Setar ★ **MAL** 54-55 C4
Alotau ✩ **PNG** 68-69 D3
Alpena o **USA** 102-103 G1
Alpes ▲ 24-25 A2
Alpes Juliennes ▲ **SLO** 26-27 A2
Alpes Néo-Zélandaises ▲ **NZ** 64-65 H5
Alpine o **USA** 100-101 F4
Alpu ∼ **TR** 28-29 H3
Al-Qāhira ★ ••• **ET** 78-79 G2
Al-Q'nitra ✩ **MA** 76-77 F3
Alqueva, Barragem do ⊏ **P** 22-23 C4
Al-Quṣair o **ET** 78-79 G3

Alsace □ F 16-17 H3
Alsace ± F 16-17 H3
Alsasu o E 22-23 E2
Alta o• N 8-9 M2
Altaelva ~ N 8-9 M2
Alta Floresta o BR 114-115 C3
Altaï du Gobi ▲ MGL 44-45 G3
Altaj ▲ KZ 42-43 N2
Altaj ✶ MGL 44-45 G2
Altamaha River ~ USA 102-103 G4
Altamira o BR 114-115 D2
Altamira, Cuevas de ••• E 22-23 D2
Altamura o I 24-25 F4
Altar, Desierto de ± MEX 100-101 D4
Altay o CN 44-45 E2
Altdorf ✶• CH 18-19 D5
Altea o E 22-23 F4
Altenburg o• D 18-19 F3
Alter do Chão o P 22-23 C4
Altevatnet o N 8-9 K2
Al Tikuna Evare, Áreas Indígena ✕ BR 112-113 F2
Altiplanicie Mexicana ▲ MEX 100-101 E5
Altiplano ± PE 112-113 F5
Altmühl ~ D 18-19 E4
Alto Araguaia o BR 114-115 D5
Alto de Tamar ▲ CO 110-111 C3
Alto Garças o BR 114-115 D5
Alto Longá o BR 114-115 F3
Alto Molócuè o MOC 84-85 D4
Alton o USA 102-103 E3
Altoona o USA 102-103 H2
Alto Parnaíba o BR 114-115 E3
Alto Purus, Río ~ PE 112-113 E4
Alto Rio Negro, Área Indígena ✕ BR 112-113 F2
Alto Rio Purus, Área Indígena ✕ BR 112-113 E3
Alto Río Senguer o RA 116-117 C7
Alto Turiaçú, Área Indígena ✕ BR 114-115 E2
Altun Shan ▲ CN 44-45 E4
Alturas o USA 100-101 B2
Altus o USA 102-103 D4
Al-Ubayyid ✶• SUD 82-83 E3
Alüksne ✶•• LV 12-13 M3
Al-Uqsur o• ET 78-79 G3
Alušta o•• UA 32-33 D5
Al-'Uwaynāt o LAR 78-79 C3
Alvarães o BR 114-115 B2
Alvdal ✶ N 10-11 F3
Älvdalen o S 10-11 H4
Alvesta ✶ S 12-13 F3
Alvito o P 22-23 C4
Älvkarleby ✶• S 10-11 J4
Älvsbyn o• S 8-9 L4
Alwar o• IND 52-53 C1
Alxa, Plateau ± CN 44-45 H3
Alytus ✶ LT 12-13 L4
Alzira o E 22-23 F4
Ama o PNG 68-69 B1
Amacayacu, Parque Nacional ⊥ CO 110-111 C5
Amadeus, Lake o AUS 62-63 E4
Amadi o SUD 82-83 E4
Amadjuak Lake o CDN 96-97 Q5
Amadora o P 22-23 B4
Amahai o RI 56-57 E6
Åmål ✶ S 12-13 E2
Amalfi o• I 24-25 E4
Amaliáda o GR 28-29 C4
Amamapare o RI 56-57 G6
Amambay, Sierra de ▲ PY 116-117 F2
Amami-shotō ~ J 46-47 G5
Amaná, Lago o BR 114-115 B2
Amankaragaj o KZ 42-43 H1
Amantea o I 24-25 F5
Amanu Atoll ~ F 70-71 J4
Amapá □ BR 110-111 G4
Amapá ± BR 110-111 G4

'Amāra, al- ✶• IRQ 48-49 G4
Amarante o BR 114-115 F3
Amarapura o MYA 52-53 G2
Amarillo o USA 102-103 C3
Amarinthos o GR 28-29 D3
Amasya ✶• TR 48-49 E2
Amata o AUS 62-63 E5
Amazone ~ BR 114-115 D2
Amazone, Cône de l' ≃108-109 H4
Amazone, Estuaire de l' ~ BR 110-111 H4
Amazon Fan ≃108-109 H4
Amazônia, Parque Nacional de ⊥ BR 114-115 C2
Amazonie □ BR 112-113 F3
Ambala o IND 44-45 C5
Ambam o CAM 80-81 G5
Ambanja o RM 84-85 F3
Ambargasta, Salinas de o RA 116-117 E3
Ambato ✶ EC 112-113 D2
Ambatolampy o RM 84-85 F4
Ambatondrazaka o RM 84-85 F4
Ambatosoratra o RM 84-85 F4
Ambatry o RM 84-85 E5
Ambazac o F 16-17 E4
Amberg o D 18-19 E4
Ambérieu-en-Bugey o F 16-17 G4
Ambert o F 16-17 F4
Ambikāpur o IND 52-53 D2
Ambilobe o RM 84-85 F3
Amble-by-the-Sea o GB 14-15 F4
Ambleside o• GB 14-15 E4
Ambohitra ▲•• RM 84-85 F3
Amboine ✶ RI 56-57 E6
Amboise o F 16-17 E3
Ambondromamy o RM 84-85 F4
Ambositra o RM 84-85 F5
Ambovombe o RM 84-85 F6
Ambre, Cap d' = Tanjona Babaomby ▲ RM 84-85 F3
Ambrim = Ambrym, Île ~ VU 68-69 G4
Ambriz o ANG 86-87 B3
Ambriz, Coutada do ⊥ ANG 86-87 B3
Ambrym o VU 68-69 G4
Ambrym, Île = Ambrim ~ VU 68-69 G4
Amderma o RUS 38-39 H2
Ameland ~ NL 18-19 B2
Américano-antarctique, Dorsale ≃75 G12
Amersfoort o• NL 18-19 B2
Amersham o GB 14-15 F6
Amery Ice Shelf ⊂ ANT 119 B7
Ames o USA 102-103 E2
Amfilohía o GR 28-29 C3
Amga o RUS 40-41 F2
Amga ~ RUS 40-41 F2
Amguèma ~ RUS 40-41 P1
Amgun' ~ RUS 40-41 G2
Amherst o CDN 98-99 M5
Amiata, Monte ▲ I 24-25 C3
Amiens o•• F 16-17 F2
Amīndīvi Islands ~ IND 52-53 B4
Amirauté, Îles de l' ~ PNG 68-69 C1
Amistad, Parque Internacional La ⊥ ••• CR 104-105 E6
'Ammān ✶• JOR 48-49 E4
Amman ✶• JOR 48-49 E4
Ämmänsaari o FIN 8-9 P4
Ammarnäs o S 8-9 J4
Ammassalik o GRØ 96-97 X4
Ammer ~ D 18-19 E4
Ammer, Lac o D 18-19 E4
Ammochostos o• TR 48-49 D4
Åmol o• IR 48-49 H3
Amores, Los o RA 116-117 F3
Amorgós o GR 28-29 E4
Amorgós ~ GR 28-29 E4
Amotape, Cerros de ▲ PE 112-113 C2
Amou-Daria ~ UZ 42-43 H3
Amoy o• CN 46-47 F6
Ampanihy o RM 84-85 E5

Ampasimanolotra o RM 84-85 F4
Ampato, Nevado ▲ PE 112-113 E5
Amphithéâtre (El Jem) ••• TN 76-77 K2
Amphitrite Group = Xuande Qundao ~ CN 54-55 E2
'Amrān o• YAR 50-51 C5
Amrāvati o IND 52-53 C2
Amritsar o• IND 44-45 B5
Amsterdam ★• NL 18-19 B2
Amstetten o A 20-21 C4
Am Timan ✶ TCH 82-83 C3
Amudar'ja ~ RUS 42-43 H3
Amund Ringnes Island ~ CDN 96-97 L2
Amundsen, Golfe d' ≈ CDN 94-95 F1
Amundsen havet ≈119 C26
Amundsen-Scott ⊙ ANT 119 A
Amuntai o RI 54-55 F6
Amurang o RI 56-57 D5
Amursk o RUS 40-41 G4
'Āna ✶ IRQ 48-49 F4
Anaa Atoll ~ F 70-71 H4
Anabar ~ RUS 38-39 S1
Anabarskoe plato ▲ RUS 38-39 R1
Anaco o YV 110-111 E3
Anadolu ± TR 28-29 H3
Anadyr' ✶• RUS 40-41 P2
Anadyr' ~ RUS (CUK) 40-41 O1
Anadyr' ~ RUS (CUK) 40-41 N2
Anadyr, Golfe de l' ≈ RUS 40-41 Q2
Anadyrskij liman ≈ RUS 40-41 P2
Anadyrskij zaliv ≈ RUS 40-41 Q2
Anadyrskij zaliv ≈ RUS 40-41 Q2
Anáfi ~ GR 28-29 E4
Anagni o I 24-25 D4
Anaharávi o GR 28-29 B3
Anajás o BR 114-115 E2
Anakāpalle o IND 52-53 D3
Anamã o BR 114-115 B2
Anambas, Îles ~ RI 54-55 D5
Anamur ✶ TR 48-49 D3
Anamur Burnu ▲ TR 48-49 D3
Anantapur o IND 52-53 C4
Anápolis o BR 114-115 E4
Ånarjävri = Inarijärvi o•• FIN 8-9 O2
Ânarjohka ~ FIN 8-9 N2
Anastácio o BR 114-115 C6
Anatolie ± TR 28-29 H3
Anatolikí Macedonía Kai Thráki □ GR 28-29 E2
Añatuya o RA 116-117 E3
'Anaza Ruwāla ▲ KSA 50-51 B2
An Cabhán = Cavan o IRL 14-15 C5
An Caisleán Nua = Newcastle West o IRL 14-15 B5
An Caol = Keel o IRL 14-15 A5
Ancenis o F 16-17 D3
An Chathair = Caher o IRL 14-15 B5
Anchorage o• USA 92-93 N3
An Clochán = Clifden o• IRL 14-15 A5
An Cóbh = Cobh o IRL 14-15 B6
An Coireán = Waterville o IRL 14-15 A6
Ancône o• I 24-25 D3
Ancud o RCH 116-117 C6
Ancud, Golfo de ≈ RCH 116-117 C6
Anda o CN 40-41 E5
An Daingean = Dingle o IRL 14-15 A5
Andalgalá o RA 116-117 D3
Andalousie ± E 22-23 D5
Åndalsnes ✶ N 10-11 D3
Andalucía □ E 22-23 D5
Andalusia o USA 102-103 F4
Andaman, Bassin des ≃52-53 F4
Andaman, Îles ~ IND 52-53 F4
Andaman, Mer des ≈52-53 F4
Andaman Basin ≃52-53 F4
Andaman du Sud, Île d' ~ IND 52-53 F4
Andaman et Nicobar, Îles ~ IND 52-53 F4
Andaman Islands ~ IND 52-53 F4
Andaman Sea ≈52-53 F4
Andamooka Opal Fields o AUS 62-63 F6
Andelys, les o F 16-17 E2
Andenes o• N 8-9 J2

Ånderdalen nasjonalpark ⊥ N 8-9 J2
Andermatt o CH 18-19 D5
Anderson River ~ CDN 94-95 F2
Andes, Cordillera de los ▲108-109 E5
Andes, Cordillère des ▲108-109 E5
Andfjorden ≈8-9 J2
Andhôy o AFG 42-43 J4
Andhra Pradesh □ IND 52-53 C3
Andikíthira ~ GR 28-29 D5
Andíparos ~ GR 28-29 E4
Andira o BR 114-115 D6
Andirá-Marau, Área Indígena ✕ BR 114-115 C2
Andírio o GR 28-29 C3
Andižon ✶ UZ 42-43 K3
Andoain o E 22-23 E2
Andoany o RM 84-85 F3
Andong o ROK 46-47 G3
Andørja ~ N 8-9 J2
Andorre ■ AND 22-23 G2
Andorre-la-Vieille ★• AND 22-23 G2
Andorskaja grjada ▲ RUS 30-31 G2
Andøya ~ N 8-9 H2
Andradina o BR 114-115 D6
Andreanof, Îles ~ USA 92-93 G5
Ándria o I 24-25 F4
Andriba o RM 84-85 F4
Andrijevica o• SRB 26-27 D4
Andringitra ▲ RM 84-85 F5
Androka o RM 84-85 E6
Andropov = Rybinsk ✶ RUS 30-31 H2
Ándros ~ GR 28-29 E4
Andselv o N 8-9 K2
Andújar o E 22-23 D4
Andulo o ANG 86-87 C4
Anéfis o RMM 80-81 E2
Anegada, Bahía ≈ RA 116-117 E6
Anegada Passage ≈104-105 J4
Aneityum = Anatom, Île ~ VU 68-69 G5
Añelo o RA 116-117 D5
Anemourion .✶.•• TR 48-49 D3
Aneto, Pico de ▲ E 22-23 G2
Angara ~ RUS 38-39 O4
Angara, Bassin d' ≈118 A
Angarsk o RUS 44-45 H1
Angarskij krjaž ± RUS 38-39 Q4
Ángel de la Guarda, Isla ~ MEX 100-101 D5
Angeles o RP 56-57 D2
Angeles, Los o RCH 116-117 C5
Ängelholm o S 12-13 E3
Ångelsberg o••• S 12-13 G2
Ångermanälven ~ S 10-11 J3
Ångermanland ± S 10-11 J3
Angermünde o• D 18-19 G2
Angers o F 16-17 D3
Ängesån ~ S 8-9 M3
Angijak Island ~ CDN 96-97 S4
Anglaise, Côte ~ ANT 119 B30
Anglesey ~ GB 14-15 D5
Anglo-Normandes, Îles □ GB 14-15 E7
Angoche o MOC 84-85 D4
Angola ■ ANG 86-87 B4
Angola Basin ≃74-75 H8
Angolais, Bassin ≃74-75 H8
Angoram o PNG 68-69 B1
An Gort = Gort o IRL 14-15 B5
Angostura, Presa de la ⊂ MEX 104-105 C4
Angoulême ✶• F 16-17 E4
Angpawing Bum ▲ MYA 52-53 G1
Anguilla ~ GB 104-105 J4
Anholt ~ DK 12-13 D3
Anhui o CN 46-47 E4
Anhumas o BR 114-115 D5
Aniakchak National Monument and Preserve ⊥ USA 92-93 L4
Anie, Pic d' ▲ F 16-17 D5
Anina o RO 26-27 E3
Aniva, Baie d' ≈ RUS 40-41 H5
Aniva, mys ▲ RUS 40-41 H5
Aniwa Island = Île Nina ~ VU 68-69 G4

Anjou ⊥ F 16-17 D3
Anjou, Îles d' ⌐ RUS 38-39 X0
Anju o KP 46-47 G3
Anjuj, Bol'šoj ~ RUS 40-41 M1
Anjuj, Malyj ~ RUS 40-41 N1
Anjujskij hrebet ▲▲ RUS 40-41 M1
Ankang o CN 46-47 C4
Ankara ★ • TR 28-29 J3
Ankasa National Park ⊥ GH 80-81 D4
Ankazoabo o RM 84-85 E5
Ankazobe o RM 84-85 F4
Anklam o D 18-19 F2
Ankobra ~ GH 80-81 D4
An Láithreach = Laragh o • IRL 14-15 C5
An Longfort = Longford ☆ IRL
   14-15 C5
An Muileann-gCearr = Mullingar o IRL
   14-15 C5
Anna o RUS 32-33 G2
Annaba o DZ 76-77 J2
Annapolis ☆ USA 102-103 H3
An Nás = Naas ☆ IRL 14-15 C5
Annecy o F 16-17 H4
an-Nîl ~ SUD 78-79 G5
Anniston o USA 102-103 F4
Annonay o F 16-17 G4
An Ómaigh = Omagh o • GB 14-15 C4
Anpo Gang ≈ CN 46-47 C6
Anqing o CN 46-47 E4
Ansbach o• D 18-19 E4
Anshan o CN 46-47 F2
Anshun o CN 46-47 C5
Ansonga o RMM 80-81 E2
Ånsurăței o RO 26-27 H3
Antalaha o RM 84-85 G3
Antalya ☆ TR 28-29 H4
Antalya Körfezi ≈28-29 H4
Antananarivo ★ RM 84-85 F4
An tAonach = Nenagh o IRL 14-15 B5
Antarctica ⊥ ANT 119 B28
Antarctico-pacifique, Dorsale ≃119 D24
Antarctique, Péninsule ↶ ANT 119 C30
Ant Atoll ⌐ FSM 66-67 D4
Antequera o• E 22-23 D5
Anthony Island •~~ CDN 94-95 E5
Anti Atlas ▲▲ MA 76-77 F4
Anticosti, Île d' ⌐ CDN 98-99 M5
Antigua-et-Barbuda ■ AG 104-105 J4
Antigua Island ⌐ AG 104-105 J4
Antilles ⌐ 104-105 F4
Antilles, Greater ⌐104-105 F4
Antilles, Lesser ⌐104-105 H5
Antilles, Mer des ≈104-105 F5
Antilles néerlandaises ⌐ NA 104-105 H5
An tInbhear Mór = Arklow o IRL
   14-15 C5
Antioche ☆ • ~ TR 48-49 E3
Antiope Reef ≃70-71 D4
Antipajuta o RUS 38-39 L2
Antipodes Island ⌐ NZ 64-65 K6
Arabian Basin ≃50-51 G6

Anvers ☆ • •• B 18-19 B3
Anvers, Île ⌐ ANT 119 C30
Anxi o CN 44-45 G3
Anxious Bay ≈ AUS 62-63 E6
Anyang o CN 46-47 D3
Anykščiai ~ • • LT 12-13 L4
Anzalî, Bandar-e o• IR 48-49 G3
Anžero-Sudžensk o RUS 38-39 N4
Ánzio o I 24-25 D4
Aoba, Île = Obe ▲ VU 68-69 G4
Aoiz o E 22-23 F2
Aoke = Auki ☆ SOL 68-69 F2
Aomori o J 46-47 K2
Aosta o I 24-25 A2
Aoste, Vallée d' = Valle d'Aosta □ I
   24-25 A2
Aougoundou, Lac o RMM 80-81 D2
Aouk, Bahr ~ TCH 82-83 B4
Aouk-Aoukale, Réserve de faune de l'
   ⊥ RCA 82-83 C4
Aoukâr ⊥ RIM 76-77 E6
Aoukâr ⊥ RMM 76-77 F5
Aousard o EH 76-77 E5
Apalachee Bay ≈ USA 102-103 G5
Apaporis, Río ~ CO 110-111 C4
Apataki Atoll ⌐ F 70-71 H4
Ape o LV 12-13 M3
Apeldoorn o• NL 18-19 B2
Apennins ▲▲ I 24-25 B2
Aphrodisías ••• TR 28-29 G4
Ápia ★ WS 70-71 C3
Apiaí o BR 114-115 E6
Apio o SOL 68-69 F2
Apolo o BOL 112-113 F4
Aporé, Rio ~ BR 114-115 D5
Apostolove o UA 32-33 C4
Appalaches, Monts ▲▲ USA
   102-103 H3
Appennini ▲▲ I 24-25 B2
Appennino Abruzzese ▲▲ I 24-25 D3
Apraksin Bor o RUS 30-31 D2
Apricena o I 24-25 E4
Aprília o I 24-25 D4
Apt o F 16-17 G5
Apucarana o BR 114-115 D6
Apuka o RUS 40-41 N2
Apuka ~ RUS 40-41 O2
Apure o SME 110-111 F3
Apure, Río ~ YV 110-111 D3
Apurímac ~ PE 112-113 E4
Apuseni, Munții ▲▲ RO 26-27 F2
'Aqaba ☆ JOR 48-49 E5
'Aqiq o SUD 78-79 H5
Aqmola ★ KZ 42-43 K1
Aqtau ☆ KZ 42-43 F3
Aquitaine □ F 16-17 D5
Ara o IND 52-53 D1
Arabats, Baie d' ≈32-33 D5
Arabatsk, Flèche d' ↶ UA 32-33 D4
Arabian Basin ≃50-51 G6
Arabian Oryx Sanctuary ⊥ ••• OM
   50-51 F5
Arabian Sea ≃52-53 A3
Arabie, Bassin d' ≃50-51 G6
Arabie, Mer d' ≈52-53 A3
Arabie Saoudite ■ KSA 50-51 C4
Araç ☆ TR 48-49 D2
Aracá, Área Indígena X BR
   110-111 E4
Aracaju o• BR 114-115 G4
Aracati o BR 114-115 G2
Araçatuba o BR 114-115 D6
Aracena o E 22-23 C5
Araçuaí o BR 114-115 F5
Arad ☆ • RO 26-27 E2
Arafura, Mer d' ≈56-57 F7
Arafura Sea ≈56-57 F7
Aragón □ E 22-23 F2
Aragón, Río ~ E 22-23 F2
Aragua de Barcelona o YV 110-111 E3
Araguaia o BR 114-115 F6

Araguaia, Parque Indígena X YV
   110-111 E3
Araguaia, Parque Nacional do X BR
   114-115 D4
Araguaia, Rio ~ BR 114-115 D4
Araguaína o BR 114-115 E3
Araguari o BR 114-115 E5
Araguari, Rio ~ BR 110-111 G4
Araguatins o BR 114-115 E3
Arak o DZ 76-77 H4
Arāk ☆ • IR 48-49 G4
Aral ☆ KZ 42-43 H2
Aral, Mer d' o42-43 G2
Aral Sea o42-43 G2
Aral tețízí o KZ 42-43 G2
Aramac o AUS 62-63 H4
Aranda de Duero o E 22-23 E3
Aran Islands ⌐• IRL 14-15 B5
Aranjuez o E 22-23 E3
Aranos o NAM 86-87 C6
Aranuka Atoll ⌐ KIR 66-67 G5
Araouane o RMM 80-81 D2
Arapiraca o BR 114-115 G3
'Ar'ar o KSA 50-51 C2
Arara o BR 112-113 E2
Arara, Área Indígena X BR 114-115 D2
Araranguá o BR 116-117 H3
Araraquara o BR 114-115 E6
Araras o BR 114-115 D3
Ararat o AUS 64-65 C4
Ararat, Mont ▲ •• TR 48-49 F3
Araribóa, Área Indígena X BR
   114-115 E2
Araripe, Chapada do ▲ BR 114-115 F3
Aratika Atoll ⌐ F 70-71 H4
Arauca o CO 110-111 C3
Arauca, Río ~ YV 110-111 D3
Aravete o EST 12-13 L2
Arawa ☆ PNG 68-69 E2
Arawale National Reserve ⊥ EAK
   82-83 G6
Araweté Igarapé Ipixuna, Área Indígena
   X BR 114-115 D2
Araxá o BR 114-115 E5
Arba Minch ☆ ETH 82-83 F4
Árbatax o• I 24-25 B5
Arbīl ☆ IRQ 48-49 F3
Arboga o• S 12-13 F2
Arbroath o GB 14-15 D4
Arcachon o F 16-17 D4
Arcángelo, Monte ▲ I 24-25 E4
Arc-et-Senans o••• F 16-17 G3
Arches National Park ⊥ USA 100-101 E3
Archipiélago de las Guaitecas, Parque
   Nacional ⊥ RCH 116-117 C6
Arcos o BR 114-115 E5
Arcos de la Frontera o E 22-23 D5
Arctic Bay o CDN 96-97 O3
Arctic Harbour o CDN 96-97 R4
Arctic National Wildlife Refuge ⊥ USA
   92-93 N2
Arctic Océan ≈118 A
Arctic Red River ~ CDN 94-95 E2
Arctique, Océan ≈118 A
Arcyz ☆ UA 26-27 J3
Ardabîl o• IR 48-49 G3
Ardakān o IR 48-49 H4
Ardatov o RUS 30-31 K4
Ardee = Baile Átha Fhirdhia o IRL
   14-15 C5
Ardennes ▲▲ B 18-19 B4
Ardila, Ribeira de ~ P 22-23 C4
Ardila, Río ~ E 22-23 C4
Ard Mhacha = Armagh o• GB 14-15 C4
Ardmore o USA 102-103 H4
Ardrossan o GB 14-15 D4
Åre o• S 10-11 G3
Arecibo o USA 104-105 H4
Areia Branca o BR 114-115 G2
Arenas, Punta de ▲ RA 116-117 D8
Arendal o N 10-11 E5
Areópoli o GR 28-29 D4

Areõs, Área Indígena X BR 114-115 D4
Arequipa o• PE 112-113 E5
Arévalo o E 22-23 D3
Arezzo o I 24-25 C3
Argahtah o RUS 40-41 K1
Argalastí o GR 28-29 D3
Arga-Muora-Sise, ostrov ⌐ RUS
   38-39 U1
Arganda o E 22-23 E3
Arga Sala ~ RUS 38-39 S2
Argent, Côte d' ↶ F 16-17 C5
Argenta o I 24-25 C2
Argentan o F 16-17 D2
Argentia o CDN 98-99 O5
Argentin, Bassin ≃116-117 H5
Argentine ■ RA 116-117 D6
Argentine, Plaine Abyssale d'
   ≃116-117 G7
Argentine Abyssal Plain ≃116-117 G7
Argentino, Lago o RA 116-117 C8
Argentino, Mar ≈116-117 F6
Argenton-sur-Creuse o F 16-17 E3
Argeș ~ RO 26-27 H3
Argolikós Kólpos ≈28-29 D4
Árgos o• GR 28-29 D4
Árgos Orestikó o GR 28-29 C2
Argostóli o GR 28-29 C3
Argoun ~ RUS 40-41 D4
Arguello, Point ▲ USA 100-101 B4
Argungu o WAN 80-81 E3
Argyle, Lake o AUS 62-63 D3
arheologičeskij zapovednik Tanais • RUS
   32-33 F4
Arhipovka o RUS 30-31 D4
Århus o DK 12-13 D3
Ariano Irpino o I 24-25 E4
Aribinda o• BF 80-81 D3
Arica o RCH 112-113 E5
Aridéa o GR 28-29 D2
Ariège ~ F 16-17 E5
Arîhâl ☆ •• AUT 48-49 E4
Arinos o BR 114-115 E5
Arinos, Rio ~ BR 114-115 C4
Ariogala o LT 12-13 K4
Aripuanã o BR (AMA) 112-113 F3
Aripuanã o BR (MAT) 114-115 C3
Aripuanã, Área Indígena X BR
   114-115 B4
Aripuanã, Parque Indígena X BR
   114-115 B4
Aripuanã, Rio ~ BR 114-115 B3
Ariquemes o BR 114-115 B3
Arismendi o YV 110-111 D3
Aristoménis o GR 28-29 C4
Ariza o E 22-23 E3
Arizaro, Salar de o RA 116-117 D2
Arizona o RA 116-117 D5
Arizona □ USA 100-101 D4
Ärjäng o S 12-13 E2
Arjeplog o S 8-9 J3
Arjona o CO 110-111 B2
Arkadak o RUS 32-33 H2
Arkansas □ USA 102-103 J4
Arkansas River ~ USA 102-103 E4
Arkhangelsk o RUS 4-5 Q2
Arklow = An tInbhear Mór o IRL
   14-15 C5
Arknu, Jabal ▲ LAR 78-79 E4
Arkona, Kap ▲ • D 18-19 F1
Arlanza, Río ~ E 22-23 E2
Arlanzón o E 22-23 E2
Arlanzón, Río ~ E 22-23 D2
Arles o••• F 16-17 G5
Arlington o USA 102-103 H3
Arlit o RN 80-81 F2
Arlon o• B 18-19 B4
'Armā'l ▲▲ KSA 50-51 D3
Armagh o• GB 14-15 C4
Armagnac ⊥ F 16-17 D5
Armavir o RUS 32-33 G5
Armavir o RUS 42-43 D2

Armenia ☆ CO 110-111 B4
Arménie ⊥48-49 F2
Arménie ■ ARM 48-49 F2
Armidale o AUS 64-65 E3
Armjans'k o UA 32-33 C4
Armstrong o CDN 98-99 G4
Arnaud (Payne), Rivière ∼ CDN 98-99 K2
Arnedo o E 22-23 E2
Arnhem ★・ NL 18-19 B2
Arnhem Aboriginal Land ⋏ AUS 62-63 E2
Arnhem Land ⊥ AUS 62-63 E2
Arno ∼ I 24-25 C3
Arno Atoll ⌒ MH 66-67 G4
Arnøy ⌒ N 8-9 L1
Arnsberg o D 18-19 D3
Arnstadt o・ D 18-19 E3
Aroab o NAM 86-87 C7
Arorae ⌒ KIR 66-67 H6
Arpajon o F 16-17 F2
Ar-Rachidia ☆ MA 76-77 G3
ar-Rahad o SUD 82-83 E3
Arraial do Cabo o BR 114-115 F6
Arran ⌒ GB 14-15 D4
ar-Rank o SUD 82-83 E3
Arras ☆・ F 16-17 F1
Arrecife o E 76-77 E4
Arriaga o・ MEX 104-105 C4
Ar-Ribât ★・・ MA 76-77 F3
Ar-Rif ▲ MA 76-77 F3
Ar-Riyâd ★・・ KSA 50-51 D4
Arsen'ev o RUS 46-47 H2
Árta o GR 28-29 C3
Artâwîya, al- o KSA 50-51 D3
Artem o RUS 46-47 H2
Artemivs'k o UA 32-33 F3
Artemovsk = Artemivs'k o UA 32-33 F3
Arthur's Pass National Park ⊥ NZ 64-65 J5
Artigas ☆ ROU 116-117 F4
Artois ⊥ F 16-17 E1
Artvin ☆ TR 48-49 F2
Artyk o RUS 40-41 J2
Aru, Îles ⌒ RI 56-57 F7
Arua ☆ EAU 82-83 E5
Aruanã o BR 114-115 D4
Aruba □ ARU 110-111 C2
Aruba ⌒ ARU 110-111 C2
Arunāchal Pradesh □ IND 52-53 F1
Arusha o EAT 84-85 D1
Arutua Atoll ⌒ F 70-71 H4
Aruwimi ∼ CGO 82-83 D3
Arvajhèer ☆ MGL 44-45 H2
Arvidsjaur o・ S 8-9 K4
Arvika ☆・ S 12-13 F2
Árvinsand o N 8-9 L1
Arzamas o RUS 30-31 K4
Arzon o F 16-17 C3
As o B 18-19 B3
Asadābād ☆・ AFG 50-51 J2
Aşağı Pınarbaşı o TR 48-49 D3
Asagny, Parc National d' ⊥ CI 80-81 C5
Asahi-dake ▲ J 46-47 K2
Asahikawa o J 46-47 K2
Āsalē o ETH 82-83 G3
Asankranguaa o GH 80-81 D4
Aschaffenburg o D 18-19 D4
Aschersleben o・ D 18-19 E3
Áscoli Piceno ☆・ I 24-25 D3
Åseb o ER 82-83 G3
Asedjrad ▲ DZ 76-77 H5
Åsela ☆ ETH 82-83 F4
Åsele o・ S 8-9 J4
Asenovgrad o BG 26-27 G4
Aşfi ☆ MA 76-77 F3
Aşğabat ★・ TM 42-43 G4
Ašhabad = Aşğabat ★・ TM 42-43 G4
Ashburton o NZ 64-65 J5

Ashburton River ∼ AUS 62-63 B4
Asheville o・ USA 102-103 G3
Ashland o USA 102-103 E1
Ashmore Reef ⌒ AUS 56-57 D8
ash-Shallāl al-Khāmis = 5th Cataract ∼ SUD 78-79 G5
ash-Shallāl ar-Rābi' = 4th Cataract ∼ SUD 78-79 G5
ash-Shallal as-Sablūkah = 6th Cataract ∼ SUD 78-79 G5
ash-Shallāl ath-Thālith = 3rd Cataract ∼ SUD 78-79 G5
ash-Shurayk o SUD 78-79 G5
Asia, Kepulauan ⌒ RI 56-57 F5
Asinara, Golfo dell' ≈24-25 B4
Asinara, Ísola ⌒ I 24-25 B4
Asino ☆ RUS 38-39 N4
Asir ⊥ KSA 50-51 C5
Asker o N 10-11 F5
Askersund o・ S 12-13 F2
Askim o N 10-11 F5
Äsköping o S 12-13 G2
Askøy o N 10-11 C4
Asmara ☆ ER 82-83 F2
Åsmera = Åsmara ★・ ER 82-83 F2
Ašmjany o BY 20-21 J1
Asoteriba, Ĝabal ▲ SUD 78-79 H4
Aspendos ・・ TR 28-29 H4
Assam ⊙ IND 52-53 F1
Assamakka o RN 80-81 F2
As-Sawîrah ☆・ MA 76-77 F3
Assen o NL 18-19 C2
As Sidr o LAR 78-79 D3
Assiniboine River ∼ CDN 94-95 L5
Assiout o・ ET 78-79 G3
Assis o BR 114-115 D6
Assisi o・・ I 24-25 D3
Assos ・・ TR 28-29 F3
Assouan ★・・ ET 78-79 G4
As-Sûs ⊥ MA 76-77 F3
As-Suwais ☆ ET 78-79 G3
as-Suwais, Ḥalîĝ ≈ ET 78-79 G3
Astakós o GR 28-29 C3
Astara o AZ 48-49 G3
Asti o・ I 24-25 B2
Astillero, El o E 22-23 E2
Astipálea o GR 28-29 F4
Astipálea ⌒ GR 28-29 F4
Astorga o・ E 22-23 C2
Astoria o・ USA 100-101 B1
Astrakhan o RUS 42-43 G2
Ástros o GR 28-29 D4
Astrovna o BY 20-21 K1
Astrovna o BY 30-31 C4
Asturias, Principado de □ E 22-23 C2
Asunción ★・ PY 116-117 F3
Aswa ∼ EAU 82-83 E5
Aswān ☆・・ ET 78-79 G4
Asyma o RUS 40-41 E2
Asyût ☆・ ET 78-79 G3
Atacama, Désert d' ⊥ RCH 116-117 C3
Atacama, Puna de ⊥ RA 116-117 D3
Atacama, Salar de o・・ RCH 116-117 D2
Atacama Trench = Peru-Chile Trench ≃116-117 C1
Atafi, Massif d' ▲ RN 78-79 D4
Atafu Atoll ⌒ NZ 70-71 C2
Atakpamé o RT 80-81 E4
Atalaya o PE 112-113 E4
Atâr ☆ RIM 76-77 E5
Atasu ☆ KZ 42-43 K2
Atatürk Baraji < TR 48-49 E3
Atauro, Pulau (Kambing) ⌒ RI 56-57 E7
'Atbara ∼ ETH 82-83 F3
'Atbara o SUD 78-79 G5
Atbasar o KZ 42-43 J1
Aterau = Atyrau ☆ KZ 42-43 F2
Athabasca o CDN 94-95 J5
Athabasca, Lake o CDN 94-95 K4
Athabasca River ∼ CDN 94-95 J4

Athènes ★・・・ GR 28-29 D3
Athens o USA 102-103 G4
Athi ∼ EAK 82-83 F6
Athína ★・・・ GR 28-29 D3
Athlone = Baile Átha Luain o IRL 14-15 B5
Athos, Mont ▲・・・ GR 28-29 E2
'Ati o SUD 82-83 D3
Ati ☆ TCH 80-81 H3
Atico o PE 112-113 E5
Atienza o E 22-23 E3
Atiu Island ⌒ CK 70-71 F4
Atlanta ☆ USA 102-103 G4
Atlantic City o USA 102-103 J3
Atlantico-indien, Bassin ≃75 G13
Atlantico-indienne, Dorsale ≃75 G11
Atlas, Monts de l' ▲ MA 76-77 F4
Atlasova, ostrov ⌒ RUS 40-41 L4
Atlasovo o RUS 40-41 L3
Atlas Saharien ⊥ DZ 76-77 H3
Atlas Tellien ▲ DZ 76-77 H2
Atlin Lake o CDN 94-95 E4
Atlixco o MEX 100-101 G7
Atmis ∼ RUS 30-31 K5
Atnbrua o N 10-11 F4
Ätran ∼ S 12-13 E3
Atrato, Río ∼ CO 110-111 B3
Atrek o TM 42-43 F4
Attapu o LAO 54-55 D3
Attawapiskat River ∼ CDN 98-99 G4
at-Tîh, Ĝabal ▲ ET 78-79 G3
at-Tîh, Sahrâ' ⊥ ET 78-79 G2
Attock o・ PK 50-51 J2
Åtvidaberg o S 12-13 G2
Atyrau ☆ KZ 42-43 F2
Aubagne o F 16-17 G5
Aube ∼ F 16-17 G3
Aubenas o F 16-17 G4
Aubigny-sur-Nère o F 16-17 F3
Aubusson o F 16-17 F4
Auch o・ F 16-17 E5
Auckland o NZ 64-65 J4
Auckland Islands ⌒ NZ 64-65 H7
Aude ∼ F 16-17 F5
Audern o・ EST 12-13 L2
Audierne o F 16-17 B2
Audo Range ▲ ETH 82-83 G4
Audru o・ EST 12-13 L2
Aue o D 18-19 F3
Augathella o AUS 62-63 H5
Augrabies Falls National Park ⊥ ZA 86-87 D7
Augsburg o・・ D 18-19 E4
Augusta o I 24-25 E6
Augusta o USA 102-103 G4
Augusta o USA 102-103 K2
Augustów o PL 20-21 J2
Augustus, Mount ▲ AUS 62-63 B4
Auki = Aoke ☆ SOL 68-69 F2
Aurangābād o IND 52-53 C3
Aur Atoll ⌒ MH 66-67 G4
Auray o F 16-17 C3
Aure ∼ N 10-11 E3
Aurich (Ostfriesland) o D 18-19 C2
Aurillac o・ F 16-17 F4
Aurlandsvangen o N 10-11 D4
Aurora, Île = Maewo ⌒ VU 68-69 G4
Aus o NAM 86-87 C7
Ausangate, Nudo ▲ PE 112-113 E4
Auschwitz o・・・ PL 20-21 E3
Austin o USA (NV) 100-101 C3
Austin o USA (TX) 102-103 D4
Austin, Lake o AUS 62-63 B5
Australia ■ AUS 60-61 C7
Australie ■ AUS 62-63 C5
Australie méridionale □ AUS 62-63 F5
Australien = Australia ⌒ AUS 60-61 C7
Australien, Grande Baie ≈ AUS 62-63 D6
Austvågøy ⌒ N 8-9 H2

Autriche ■ A 18-19 G5
Autun o・ F 16-17 G3
Auvergne □ F 16-17 F4
Auxerre ☆・ F 16-17 F3
Auyuittug National Park ⊥ CDN 96-97 R4
Avallon o F 16-17 F3
Avalon Peninsula ∪ CDN 98-99 O5
Avare o BR 114-115 E6
Avarua ★ CK 70-71 F5
Avaria = BR 114-115 C2
Aveiro o BR 114-115 C2
Aveiro o・ P 22-23 B3
Aveiro, Floresta Nacional ⊥ BR 114-115 C2
Avellaneda o RA 116-117 F4
Avellino o I 24-25 E4
Aves Ridge ≃104-105 J4
Aveyron ∼ F 16-17 F4
Avezzano o I 24-25 D3
Avignon o・・ F 16-17 G5
Ávila o・・ E 22-23 D3
Avilés o・ E 22-23 D2
Avinurme o EST 12-13 M2
Avis o P 22-23 C4
Avissawella o CL 52-53 D5
Avranches o F 16-17 D2
Awanui o NZ 64-65 J4
Åwasa o ETH 82-83 F4
Åwash o ETH 82-83 G4
Åwash National Park ⊥ ETH 82-83 F4
Åwash Reserve ⊥ ETH 82-83 F4
Åwash Wenz ∼ ETH 82-83 G4
Awaynat, Jabal Al ▲ SUD 78-79 E4
Awbâri ☆ LAR 78-79 C3
Awjilah o LAR 78-79 E3
Axel Heiberg Island ⌒ CDN 96-97 M1
Axixá o BR 114-115 F2
Ayachi, Jbel ▲ MA 76-77 F3
Ayacucho o PE 112-113 E4
Ayacucho o RA 116-117 F5
Ayakkum Hu o CN 44-45 E4
Ayamonte o E 22-23 C5
Ayas o TR 48-49 D2
Aydın o TR 28-29 F4
Aydın Dağları ▲ TR 28-29 F4
Ayerbe o E 22-23 F2
Aylesbury o GB 14-15 F6
Ayllón o E 22-23 E3
Aylmer Lake o CDN 94-95 K3
Ayn al Ghāzalah o LAR 78-79 E2
Ayod o SUD 82-83 E4
'Ayoûn el 'Atroûs o RIM 76-77 F6
Ayr o AUS 62-63 H3
Ayr o・ GB 14-15 D4
Åysha o ETH 82-83 G3
Ayu, Kepulauan ⌒ RI 56-57 F5
Ayvacık o TR 28-29 F3
Ayvalık o TR 28-29 F3
Azahar, Costa del ∪ E 22-23 G4
Azaila o E 22-23 F3
Azangaro o PE 112-113 E4
Azaough ∼ RIM 80-81 E2
Azare o WAN 80-81 G3
Až Bogd ▲ MGL 44-45 G2
Azeffâl ∼ RIM 76-77 D6
Azerbaïdjan ■ AZ 48-49 G2
Azogues o EC 112-113 D2
Azores-Cape Saint Vincent Ridge ≃76-77 E2
Azov o RUS 32-33 F4
Azov, Mer d' ≈ RUS 32-33 E4
Azovskoe more ≈32-33 D4
Azovskoe more ≈ RUS 32-33 E4
Azpeitia o E 22-23 E2
Azrou o MA 76-77 F3
Azuaga o・ E 22-23 D4
Azuer, Río ∼ E 22-23 E4
Azuero, Península de ∪ PA 104-105 E6
Azul o RA 116-117 F5
Azurduy o BOL 112-113 G5

B

Baardheere o **SO** 82-83 G5
Bābā, Kūh-e ▲ **AFG** 50-51 H2
Baba Burnu ▲ **TR** 28-29 F3
Babadag o• **RO** 26-27 J3
Babaeski ☆ **TR** 28-29 F2
Babaevo o **RUS** 30-31 F2
Bāb al-Mandab ≈ **YAR** 50-51 C6
Babana o **WAN** 80-81 E3
Babanūsa o **SUD** 82-83 D3
Babaomby, Tanjona ▲ **RM** 84-85 F3
Babar, Pulau ⌒ **RI** 56-57 E7
Babat o **RI** 54-55 C6
Babati o **EAT** 84-85 D1
Babel, Mont de ▲ **CDN** 98-99 L4
Bābeni o **RO** 26-27 G3
Babinda o **AUS** 62-63 H3
Babine Lake o **CDN** 94-95 F5
Bābol o• **IR** 48-49 H3
Baboua o **RCA** 82-83 B4
Babtai o **LT** 12-13 K4
Babuyan Islands ⌒ **RP** 56-57 D2
Bacabal o **BR** 114-115 E2
Bacaja, Área Indígena ✕ **BR** 114-115 D2
Bacan, Pulau ⌒ **RI** 56-57 E6
Bacău ☆• **RO** 26-27 H2
Bachčysaraj ☆•• **UA** 32-33 C5
Bachkirie, République de ¤ **RUS** 42-43 G1
Bachmač o **UA** 32-33 C2
Bachu o **CN** 44-45 C4
Bačka Palanka o **SRB** 26-27 D3
Bačka Topola o **SRB** 26-27 C3
Bäckefors o **S** 12-13 E2
Bäckhammar o **S** 12-13 F2
Back River ⌒ **CDN** 96-97 L4
Bac Ninh ☆ **VN** 54-55 D1
Bacolod ☆ **RP** 56-57 D3
Bad', al- o **KSA** 50-51 A3
Bada ▲ **ETH** 82-83 F4
Badajós, Lago o **BR** 114-115 B2
Badajoz o•• **E** 22-23 C4
Baddo ⌒ **PK** 50-51 G3
Bad Dürrheim o **D** 18-19 D4
Baden o **A** 18-19 H5
Baden o **CH** 18-19 D5
Baden-Baden o• **D** 18-19 D4
Baden-Württemberg ¤ **D** 18-19 D4
Badgastein o• **A** 18-19 F5
Badgingarra o **AUS** 62-63 B6
Bad Hersfeld o **D** 18-19 D3
Bad Ischl o•• **A** 18-19 F5
Bādiyat aš-Šām ⌂ **SYR** 48-49 E4
Bad Kissingen o **D** 18-19 E3
Bad Kreuznach o **D** 18-19 C4
Badlands ⌂ **USA** 100-101 F1
Badlands National Park ⊥ **USA** 100-101 F2
Bad Neuenahr-Ahrweiler o• **D** 18-19 C3
Bado o **RI** 56-57 G7
Bad Radkersburg o **A** 18-19 G5
Bad Reichenhall o **D** 18-19 F5
Bad Segeberg o• **D** 18-19 E2
Bad Tölz o **D** 18-19 E5
Badulla o **CL** 52-53 D5
Badvel o **IND** 52-53 C4
Baeza o **E** 22-23 E5
Bafata o **GNB** 80-81 B3
Baffin, Bassin de ≃96-97 R3
Baffin, Île de ⌒ **CDN** 96-97 O3
Baffin Bay ≈96-97 Q3
Baffin-Greenland Rise ≃96-97 T4
Bafia o **CAM** 80-81 G5
Bafing ⌒ **RMM** 80-81 B3
Bafoulabé o **RMM** 80-81 B3
Bafoussam ☆ **CAM** 80-81 G4
Bafra ☆ **TR** 48-49 E2
Bafwasende o **CGO** 82-83 D5
Bagaevskaja, stanica o **RUS** 32-33 G4

Bagaevskij = stanica Bagaevskaja o **RUS** 32-33 G4
Bagansiapiapi o **RI** 54-55 C5
Baġdād ★•• **IRQ** 48-49 F4
Bagdad ★•• **IRQ** 48-49 F4
Bagdarin ☆ **RUS** 38-39 S5
Bagé o **BR** 116-117 G4
Baghelkhand Plateau ▲ **IND** 52-53 D2
Bagherhat o•• **BD** 52-53 E2
Bağlān ☆ **AFG** 42-43 J4
Bagnères-de-Bigorre o **F** 16-17 E5
Bagoé ⌒ **RMM** 80-81 C3
Bagomoyo o **EAT** 84-85 D2
Bagrationovsk o•• **RUS** 12-13 J4
Bagrationovsk ⌒ **RUS** 20-21 F1
Baguio o•• **RP** 56-57 D2
Bagzane, Monts ▲ **RN** 80-81 F2
Bāha, al- ☆ **KSA** 50-51 C4
Bahamas ■ **BS** 104-105 F2
Baharampur o• **IND** 52-53 E2
Baharden o **TM** 42-43 G4
Bahariya, Oasis de ⌂• **ET** 78-79 F3
Bahāwalpur o• **PK** 50-51 J3
Bahia ¤ **BR** 114-115 F4
Bahía, Islas de la ⌒ **HN** 104-105 D4
Bahía Grande ≈ **RA** 116-117 D8
Bahía Laura o **RA** 116-117 D7
Bahías, Cabo dos ▲ **RA** 116-117 D6
Bahía Solano o **CO** 110-111 B3
Bahir Dar o **ETH** 82-83 F3
Bahla o•• **OM** 50-51 F4
Bahraich o **IND** 52-53 D1
Bahr al-Abyad, Al- ⌒ **SUD** 82-83 E3
Bahr al-Azraq, Al- ⌒ **SUD** 82-83 E3
Bahr al-Milh < **IRQ** 48-49 F4
Bahr ar Ramla al Kabīr ⌂ **ET** 78-79 F3
Bahreïn ■ **BRN** 50-51 E3
Bahrīya, Barqat al- ⌂ **ET** 78-79 E2
Bāḥtarān ☆• **IR** 48-49 G4
Bahtegān, Daryāče-ye o **IR** 48-49 H5
Baía dos Tigres o **ANG** 86-87 B5
Baia Mare ☆• **RO** 26-27 F2
Baião o **BR** 114-115 E2
Baïbokoum o **TCH** 80-81 H4
Baicheng o **CN** 40-41 D5
Bǎicoi o **RO** 26-27 G3
Baïdaratsa, Baie de ≈ **RUS** 38-39 H2
Baie Blanche o **RA** 116-117 E5
Baie-Comeau o **CDN** 98-99 L5
Baïkal, Lac o **RUS** 38-39 R5
Baïkonour o **KZ** 42-43 J2
Baile Átha Cliath = Dublin ★•• **IRL** 14-15 C5
Baile Átha Fhirdhia = Ardee o **IRL** 14-15 C5
Baile Átha Luain = Athlone o **IRL** 14-15 B5
Baile Átha Troim = Trim o **IRL** 14-15 C5
Baile Brigín = Balbriggan o **IRL** 14-15 C5
Baile Chaisleáin Bhéarra = Castletown Bearhaven o **IRL** 14-15 A6
Baile Chathail = Charlestown o **IRL** 14-15 B5
Báile Herculane o **RO** 26-27 F3
Baile Locha Riach = Loughrea o **IRL** 14-15 B5
Baile Mhistéala = Mitchelstown o **IRL** 14-15 B5
Bailén o **E** 22-23 E4
Băileşti o **RO** 26-27 F3
Bailundo o **ANG** 86-87 C4
Baimuru o **PNG** 68-69 B2
Baing o **RI** 56-57 D7
Baiona o **E** 22-23 B2
Baiquan o **CN** 40-41 E5
Baird Mountains ▲ **USA** 92-93 K2
Baird Peninsula ⌒ **CDN** 96-97 P4
Bairiki ★ **KIR** 66-67 G5
Bairin Zuoqi o **CN** 46-47 E2
Bairnsdale o **AUS** 64-65 D4
Bairūt ★ **RL** 48-49 E4
Baiš, Wādī ⌒ **KSA** 50-51 C5

Baïse ⌒ **F** 16-17 E5
Baisogala o•• **LT** 12-13 K4
Baiyin o **CN** 44-45 H4
Baja o **H** 26-27 D2
Baja, Punta ▲ **YV** 110-111 E3
Baja California ⌄ **MEX** 100-101 C4
Bajanaul o•• **KZ** 42-43 L1
Bajanhongor ☆ **MGL** 44-45 H2
Bajina Bašta o• **SRB** 26-27 D4
Bajkal, ozero o **RUS** 38-39 R5
Bajkal'sk o **RUS** 44-45 H1
Bajkal'skij zapovednik ⊥ **RUS** 44-45 J1
Bajkonyr o **KZ** 42-43 J2
Bajo Nuevo ⌒ **CO** 104-105 F4
Bakel o• **SN** 80-81 B3
Baker Island ⌒ **USA** 60-61 K4
Baker Lake o **CDN** 96-97 L5
Baker Lake o **CDN** 96-97 L5
Bakersfield o **USA** 100-101 C3
Bakırçay ⌒ **TR** 28-29 F3
Bakkafjördur o **IS** 8-9 f1
Bakkejord o **N** 8-9 K2
Bakou ★ **AZ** 48-49 G2
Baksan o• **RUS** 42-43 D3
Baktalórántháza o **H** 26-27 F2
Baku = Bakı ★ **AZ** 48-49 G2
Balā ☆ **TR** 48-49 D3
Balabac Island ⌒ **RP** 56-57 C4
Balabac Strait ≈ **MAL** 54-55 F4
Balabaiba o **ANG** 86-87 B4
Ba'labakk ☆•• **RL** 48-49 E4
Balaguer o **E** 22-23 G3
Balahna o **RUS** 30-31 K3
Balaka o **MW** 84-85 C3
Balaklija o **UA** 32-33 E3
Balakovo ☆ **RUS** 30-31 M5
Balakovo ☆ **RUS** 32-33 K2
Ba Lang An, Mŭi ▲ **VN** 54-55 D2
Bālāngīr o **IND** 52-53 D2
Balašiha ☆ **RUS** 30-31 G4
Balašov o **RUS** 32-33 H2
Balassagyarmat o **H** 26-27 D1
Balaton o **H** 26-27 C2
Balatonfüred o **H** 26-27 C2
Balazote o **E** 22-23 F4
Balbi, Mount ▲ **PNG** 68-69 D2
Balbi, Mount ▲ **PNG** 68-69 E2
Balbina, Represa de < **BR** 114-115 C2
Balbriggan = Baile Brigín o **IRL** 14-15 C5
Balcarce o **RA** 116-117 F5
Bălcești o **RO** 26-27 F3
Balčik o **BG** 26-27 J4
Balclutha o **NZ** 64-65 H6
Balcones Escarpment ⌄ **USA** 102-103 D5
Bald Head ▲ **AUS** 62-63 B7
Baldy Peak ▲ **USA** 100-101 E4
Bâle ☆• **CH** 18-19 C5
Baléares, Îles ⌒ **E** 22-23 H4
Balears, Illes ¤ **E** 22-23 H4
Balears, Illes ⌒ **E** 22-23 H4
Baleia, Ponta da ▲ **BR** 114-115 G5
Baleine, Rivière à la ⌒ **CDN** 98-99 L3
Bale Mount National Park ⊥ **ETH** 82-83 F4
Baleshwar o **IND** 52-53 E2
Balestrand ☆• **N** 10-11 D4
Balḥ o **AFG** 42-43 J4
Balī ⌒ **RI** 54-55 F7
Bali, Laut ≈ **RI** 54-55 F7
Bali, Mer de ≈ **RI** 54-55 F7
Baliem ⌒ **RI** 56-57 G7
Balikesir ☆ **TR** 28-29 F3
Balikpapan o **RI** 54-55 F6
Balkans ▲ **BG** 26-27 F4
Balķaš köli ⌒ **KZ** 42-43 M2
Balkhach o **KZ** 42-43 K2
Balkhach, Lac o **KZ** 42-43 K2
Balladonia Motel o **AUS** 62-63 C6
Ballangen o **N** 8-9 G3
Ballarat o **AUS** 64-65 C4
Ballater o **GB** 14-15 E3

Ballia o **IND** 52-53 D1
Ballina o **AUS** 64-65 E2
Ballina = Béal an Atha o **IRL** 14-15 B4
Ballinasloe = Béal Átha na Sluaighe o **IRL** 14-15 B5
Ballycastle o **GB** 14-15 C4
Ballyshannon o **IRL** 14-15 B4
Balmacara o **GB** 14-15 D3
Balonne River ⌒ **AUS** 62-63 H5
Balotra o **IND** 52-53 B1
Balranald o **AUS** 64-65 C3
Balş o **RO** 26-27 G3
Balsas o **BR** 114-115 E3
Balsas, Río ⌒ **MEX** 100-101 F7
Balta o **UA** 20-21 K5
Balta Brăilei ⌂ **RO** 26-27 H3
Bălţi o **MD** 26-27 H2
Baltic Sea ≈12-13 G4
Baltijsk o **RUS** 12-13 H4
Baltijsk o **RUS** 20-21 E1
Baltimore o **USA** 102-103 H3
Baltimore = Dún na Séad o **IRL** 14-15 B6
Baltique, Mer ≈12-13 G4
Baltrum ⌒ **D** 18-19 C2
Bälüčestan ¤ **IR** 48-49 K5
Baluchistān ⌂48-49 K5
Balvi ☆•• **LV** 12-13 M3
Balwina Aboriginal Land ✕ **AUS** 62-63 D4
Balygyčan ⌒ **RUS** 40-41 K2
Bam o **IR** 48-49 J5
Bamaga ▲ **AUS** 62-63 G2
Bamako ★ **RMM** 80-81 C3
Bamba o **RMM** 80-81 D2
Bambamarca o **PE** 112-113 D3
Bambari o **RCA** 82-83 C4
Bamberg o•• **D** 18-19 E4
Bamenda ☆ **CAM** 80-81 G4
Bamingui-Bangoran, Parc National du ⊥ **RCA** 82-83 B4
Bāmyān ☆• **AFG** 50-51 H2
Banagi o **EAT** 84-85 C1
Banalia o **CGO** 82-83 D5
Banana o **AUS** 62-63 J4
Bananal, Ilha do ⌒ **BR** 114-115 D4
Banās, Ra's ▲ **ET** 78-79 H4
Banat ⌄26-27 E3
Banaue o **RP** 56-57 D2
Banaz ☆ **TR** 28-29 G3
Banaz Çayı ⌒ **TR** 28-29 G3
Banbridge o **GB** 14-15 C4
Banbury o **GB** 14-15 F5
Banc d'Arguin, Parc National du ⊥•• **RIM** 76-77 D5
Banco, El o **CO** 110-111 C3
Bānda o **IND** 52-53 D1
Banda, Kepulauan (Nutmeg Kepulauan) ⌒•• **RI** 56-57 E6
Banda, La o **RA** 116-117 E3
Banda, Laut ≈56-57 E7
Banda, Mer de ≈56-57 E7
Banda Aceh ☆ **RI** 54-55 B4
Bandak o **N** 10-11 E5
Banda méridional, Bassin de ≃56-57 E7
Bandarban o **BD** 52-53 F2
Bandarbeyla o **SO** 82-83 J4
Bandar-e 'Abbās ☆• **IR** 48-49 J5
Bandar-e Anzalī o• **IR** 48-49 G3
Bandar-e Būšehr ☆• **IR** 48-49 H5
Bandar-e Lenge o• **IR** 48-49 H5
Bandar Lampung ☆ **RI** 54-55 D7
Bandar Seri Begawan ★•• **BRU** 54-55 E5
Banda septentrional, Bassin de ≃56-57 D5
Bandeirantes o **BR** 114-115 D4
Bandiagara o **RMM** 80-81 D3
Bandırma o **TR** 28-29 F2
Bandon = Droichead na Bandan o **IRL** 14-15 B6
Bandundu ☆ **CGO** 86-87 C2

Bandung ☆ **RI** 54-55 D7
Bâneasa o **RO** 26-27 H3
Banff o• **GB** 14-15 E3
Banff National Park ⊥ **CDN** 94-95 H5
Banfora o• **BF** 80-81 D3
Banga o **RP** 56-57 D4
Bangalore = Bengaluru ☆ • **IND** 52-53 C4
Bangassou ☆ **RCA** 82-83 C5
Bangda o **CN** 44-45 G5
Bangeta, Mount ▲ **PNG** 68-69 C2
Banggai, Kepulauan ⌐ **RI** 56-57 D5
Banggi, Pulau ⌐ **MAL** 54-55 F4
Banghāzī ☆ • **LAR** 78-79 E2
Bangka, Ilha ⌐ **RI** 54-55 D6
Bangka, Selat ≈ **RI** 54-55 D6
Bangko o **RI** 54-55 C6
Bangkok ☆ • ⊥ **T** 54-55 C3
Bangkok, Baie de ≈ **T** 54-55 C3
Bangladesh ■ **BD** 52-53 E2
Bangor o• **GB** (NIR) 14-15 D4
Bangor o• **GB** (WAL) 14-15 D5
Bangor o **USA** 102-103 K2
Bangsund o **N** 8-9 F4
Bangui ★ • **RCA** 82-83 B5
Bangweulu, Lake o **Z** 86-87 E4
Banhine, Parque Nacional de ⊥ **MOC** 86-87 F6
Bani ∼ **RMM** 80-81 C3
Baní ☆ **DOM** 104-105 G4
Bani, Jbel ▲ **MA** 76-77 F4
Banī ʼAṭīya ⊥ **KSA** 50-51 B3
Banija ▲ **BIH** 26-27 B3
Banī Mazār o **ET** 78-79 G3
Banī Suwaif o **ET** 78-79 G3
Banī Walīd ☆ **LAR** 78-79 C2
Banja Luka o• **BIH** 26-27 C3
Banjaran Titiwangsa ▲ **MAL** 54-55 C5
Banjarmasin ☆ **RI** 54-55 E6
Banjul ★ **WAG** 80-81 A3
Banks, Île ⌐ **CDN** (BC) 94-95 E5
Banks, Île ⌐ **CDN** (NWT) 96-97 F3
Banks, Îles = Banks Island ⌐ **VU** 68-69 G3
Banks Islands = Îles Banks ⌐ **VU** 68-69 G3
Banks Strait ≈ **AUS** 64-65 D5
Bānkura o **IND** 52-53 E2
Bannu o• **PK** 50-51 J2
Banská Bystrica o **SK** 20-21 E4
Banská Štiavnica o **SK** 20-21 E4
Banská Štiavnica o••• **SK** 20-21 E4
Bantry = Beanntraí o **IRL** 14-15 B6
Banyak, Kepulauan ⌐ **RI** 54-55 B5
Banyoles o• **E** 22-23 H2
Banyuwangi o **RI** 54-55 E7
Baoding o **CN** 46-47 E3
Baoji o **CN** 46-47 C4
Bao Lôc o **VN** 54-55 D3
Baoshan o **CN** 44-45 G6
Baotou o **CN** 46-47 C2
Baoulé ∼ **RMM** 80-81 C3
Baʼqūba ☆ **IRQ** 48-49 F4
Baquedano o **RCH** 116-117 D2
Bar o **MNE** 26-27 D4
Baraawe o **SO** 82-83 G5
Baracoa o **C** 104-105 G3
Barahona o **DOM** 104-105 G4
Barakaldo = San Vicente o **E** 22-23 E2
Bārāmati o **IND** 52-53 B3
Baranavičy ☆ **BY** 20-21 J2
Baranof Island ⌐ **USA** 92-93 P4
Baranovici = Baranavičy ☆ **BY** 20-21 J2
Barbacena o **BR** 114-115 F6
Barbacoas o **CO** 110-111 B4
Barbade ▲ **BDS** 104-105 K5
Barbágia Belvì ⊥ **I** 24-25 B5
Barbar o **SUD** 78-79 G5
Barbastro o **E** 22-23 G2
Barbate o **E** 22-23 D5
Bārbele o **LV** 12-13 L3

Barbuda Island ⌐ **AG** 104-105 J4
Bârca o **RO** 26-27 F4
Barcaldine o **AUS** 62-63 H4
Barcarrota o **E** 22-23 C4
Barcelona ☆ **YV** 110-111 E2
Barcelone o••• **E** 22-23 H3
Barcelonnette o• **F** 16-17 H4
Barcelos o **BR** 114-115 B2
Barciany o **PL** 20-21 F1
Barcs o **H** 26-27 C3
Bardaï o **TCH** 78-79 D4
Bårðarbunga ▲ **IS** 8-9 e2
Barddhamān o **IND** 52-53 E2
Bardejov o **SK** 20-21 F4
Barduelva ∼ **N** 8-9 K2
Bareilly o **IND** 52-53 C1
Barents, Mer de ≈8-9 Q1
Barents Sea ≈8-9 Q1
Barentu o **ER** 82-83 F2
Barga o• **CN** 44-45 D5
Bargaal o **SO** 82-83 J3
Barguzin ∼ **RUS** 38-39 S5
Barguzinskij, zapovednik ⊥ **RUS** 38-39 S5
Barguzinskij hrebet ▲ **RUS** 38-39 R5
Bari ☆ • **I** 24-25 F4
Barinas ☆ **YV** 110-111 C3
Baring, Cape ▲ **CDN** 96-97 G3
Baripāda o **IND** 52-53 E2
Bäris o **ET** 78-79 G4
Barisal o **BD** 52-53 F2
Barisan, Monts ▲ **RI** 54-55 C6
Barkam o **CN** 44-45 H5
Barkava o **LV** 12-13 M3
Barkley, Lake o **USA** 102-103 F3
Barkly, Plateau de ▲ **AUS** 62-63 E3
Barkly Homestead Roadhouse o **AUS** 62-63 F3
Bârlad o **RO** 26-27 H2
Bârlad ∼ **RO** 26-27 H2
Barlavento, Ilhas de ⌐ **CV** 76-77 C6
Bar-le-Duc ☆ • **F** 16-17 G2
Barlee, Lake o **AUS** 62-63 B5
Barletta o• **I** 24-25 F4
Barlovento, Islas de ⌐104-105 J4
Barmer o **IND** 52-53 B1
Barnard Castle o• **GB** 14-15 E4
Barnaul o **RUS** 42-43 M1
Barnes Ice Cap ✦ **CDN** 96-97 Q3
Barnstaple o• **GB** 14-15 D6
Barotse ⊥ **Z** 86-87 D5
Barpeta o **IND** 52-53 F1
Barqah ⊥ **LAR** 78-79 E2
Barquisimeto ☆ **YV** 110-111 D2
Barra o **BR** 114-115 F4
Barra ⌐ **GB** 14-15 C3
Barracas o **E** 22-23 F3
Barra do Bugres o **BR** 114-115 C5
Barra do Corda o **BR** 114-115 E3
Barra do Garças o **BR** 114-115 D5
Barranca o **PE** 112-113 D2
Barrancabermeja o **CO** 110-111 C3
Barranca del Cobre, Parque Natural ⊥ ∼ **MEX** 100-101 E5
Barrancos o **P** 22-23 C4
Barranquilla o **CO** 110-111 C2
Barreiras o **BR** 114-115 F4
Barreirinhas o **BR** 114-115 F2
Barreiro o **P** 22-23 B4
Barreiros o **BR** 114-115 G3
Barrême o **F** 16-17 H5
Barren Grounds ⊥ **CDN** 94-95 G2
Barretos o **BR** 114-115 E6
Barrʼīyat al-Baḥrīya ⊥ **SUD** 78-79 G5
Barrow ⌐ **IRL** 14-15 C5
Barrow o **USA** 92-93 L1
Barrow, Détroit de ≈ **CDN** 96-97 M3
Barrow, Point ▲ **USA** 92-93 L1
Barrow-in-Furness o• **GB** 14-15 E4
Barrow Island ⌐ **AUS** 62-63 B4
Barstow o **USA** 100-101 C4
Bar-sur-Aube o **F** 16-17 G2

Bartica ☆ **GUY** 110-111 F3
Bartın ☆ **TR** 48-49 D2
Bartoszyce o **PL** 20-21 F1
Bartow o **USA** 102-103 G5
Baruun-Urt o **MGL** 44-45 K2
Barvinkove o **UA** 32-33 E3
Barycz ∼ **PL** 20-21 D3
Baryš o **RUS** 30-31 M5
Barysav o **BY** 20-21 K1
Basankusu o **CGO** 82-83 B5
Basarabi o **RO** 26-27 J3
Basaseachic o **MEX** 100-101 E5
Basilan Island ⌐ **RP** 56-57 D4
Basilicata o **I** 24-25 E4
Basingstoke o **GB** 14-15 F6
Baška o **HR** 26-27 B3
Baskatong, Réservoir ⊂ **CDN** 98-99 J5
Baškortostan, Republika □ **RUS** 42-43 G1
Baskunčak, ozero o **RUS** 32-33 K3
Bašnja Šamilja • **RUS** 32-33 D2
Bāsoda o **IND** 52-53 C2
Basoko o **CGO** 82-83 C5
Bass, Détroit de ≈ **AUS** 64-65 C4
Bassano del Grappa o **I** 24-25 C2
Bassas da India ⌐ **F** 84-85 E5
Basse Californie ⌐ **MEX** 100-101 C4
Basse Guinée ⊥86-87 B2
Bassein o **MYA** 52-53 F3
Basse-Normandie ⊔ **F** 16-17 C2
Basse Santa Su ☆ • **WAG** 80-81 B3
Basse-Terre ☆ •• **F** 104-105 J4
Basseterre ★ **KN** 104-105 J4
Bassin, Penrhyn ⌐70-71 F2
Bassin Rouge ⊥ **CN** 44-45 H6
Bassorah ☆ **IRQ** 48-49 G4
Bass Strait ≈ **AUS** 64-65 C4
Baštanka o **UA** 32-33 C4
Bastenaken = Bastogne o **B** 18-19 B3
Basti o **IND** 52-53 D1
Bastia ☆ • **F** 24-25 B3
Bastogne o **B** 18-19 B3
Başyurt Tepe ▲ **TR** 28-29 H3
Bat ••• **OM** 50-51 F4
Bata ☆ **GQ** 80-81 F5
Batabanó, Golfo de ≈ **C** 104-105 E3
Batagaj o **RUS** 40-41 F1
Batajsk o **RUS** 32-33 F4
Batalha, Mosteiro de ••• **P** 22-23 B4
Batang o **CN** 44-45 G6
Batangafo o **RCA** 82-83 B4
Batangas ☆ **RP** 56-57 D3
Batan Islands ⌐ **RP** 56-57 D1
Batanta, Pulau ⌐ **RI** 56-57 F3
Bătdâmbâng o **K** 54-55 C3
Bateckij o **RUS** 30-31 D2
Batemans Bay o **AUS** 64-65 E4
Bath o••• **GB** 14-15 E6
Batha ∼ **TCH** 82-83 B3
Bathurst o **AUS** 64-65 D3
Bathurst o **CDN** 98-99 L5
Bathurst, Cape ▲ **CDN** 94-95 F1
Bathurst Island ⌐ **AUS** 62-63 E2
Bathurst Island ⌐ **CDN** 96-97 K2
Batman ☆ **TR** 48-49 F3
Batna o **DZ** 76-77 J2
Baton Rouge ☆ **USA** 102-103 E4
Batoumi ☆ • **GE** 48-49 F2
Batouri o **CAM** 80-81 G5
Båtsfjord o **N** 8-9 P1
Batticaloa o• **CL** 52-53 D5
Battle River ∼ **CDN** 94-95 J5
Batu ▲ **ETH** 82-83 F4
Batu, Kepulauan ⌐ **RI** 54-55 B5
Baturité o **BR** 114-115 G2
Batyrevo o **RUS** 30-31 M4
Baubau o **RI** 56-57 D6
Bauchi ☆ **WAN** 80-81 F3
Bauhinia Downs o **AUS** 62-63 H4
Bauld, Cape ▲ **CDN** 98-99 N4
Baule-Escoublac, la o• **F** 16-17 C3

Baú-Mekragroti, Área Indígena ⊼ **BR** 114-115 D3
Bauru o **BR** 114-115 E6
Bauska ☆ •• **LV** 12-13 L3
Bauske ☆ •• **LV** 12-13 L3
Bautzen o•• **D** 18-19 G3
Bavière □ **D** 18-19 E4
Bavière, Forêt de ⊥ **D** 18-19 F4
Bawean, Pulau ⌐ **RI** 54-55 E7
Bay, Reserve de ⊥ **RMM** 80-81 D3
Bayāḍ, al- ⊥ **KSA** 50-51 D4
Bayāḍ, Raʼs al- ▲ **YAR** 50-51 C5
Bayan o **CN** 44-45 H3
Bayan Har Shan ▲ **CN** 44-45 G5
Bayan Obo o **CN** 46-47 C2
Bayburt ☆ • **TR** 48-49 F2
Bay City o **USA** 102-103 G2
Baydhabo ☆ **SO** 82-83 G5
Bayeux o• **F** 16-17 D2
Bayindir ☆ **TR** 28-29 F3
Bayizhen o **CN** 44-45 F6
Bay of Whales ≈119 B20
Bayonet Point o **USA** 102-103 G5
Bayonne o• **F** 16-17 D5
Bayramiç ☆ **TR** 28-29 F3
Bayreuth o• **D** 18-19 E4
Baza o **E** 22-23 E5
Bazaruto, Ilhas do ⌐ **MOC** 86-87 G6
Bazaruto, Parque Nacional de ⊥ **MOC** 86-87 G6
Bazavluk ∼ **UA** 32-33 D4
Be, Nosy ⌐ **RM** 84-85 F3
Beachport o **AUS** 62-63 F7
Bealanana o **RM** 84-85 F3
Béal an Atha = Ballina o **IRL** 14-15 A4
Béal an Mhuirthead = Belmullet o **IRL** 14-15 A4
Béal Átha na Sluaighe = Ballinasloe o **IRL** 14-15 B5
Beanntraí = Bantry o **IRL** 14-15 B6
Bear Island ∼ **CDN** 98-99 H4
Bear River ∼ **USA** 100-101 D2
Beas de Segura o **E** 22-23 E4
Beata, Cabo ▲ **DOM** 104-105 G4
Beatty o **USA** 100-101 C3
Beaufort, Mer de ≈92-93 O1
Beaufort Sea ≈92-93 O1
Beaufort-Wes = Beaufort West o **ZA** 86-87 D8
Beaugency o• **F** 16-17 E3
Beauly o• **GB** 14-15 D3
Beaumont o **USA** 102-103 E4
Beaumont-de-Lomagne o **F** 16-17 E5
Beaumont-sur-Oise o• **F** 16-17 F2
Beaune o **F** 16-17 G3
Beauvais ☆ • **F** 16-17 F2
Beauval o **CDN** 94-95 K4
Beaver River ∼ **CDN** 94-95 J5
Beāwar o **IND** 52-53 B1
Beazley o **RA** 116-117 D4
Béboura III o **RCA** 82-83 B4
Bebra o **D** 18-19 D3
Becerreá o **E** 22-23 C2
Becerro, Cayos ⌐ **HN** 104-105 F4
Béchar o **DZ** 76-77 G3
Becharof Lake o **USA** 92-93 L4
Becilla de Valderaduey o **E** 22-23 D2
Beddouza, Cap ▲ **MA** 76-77 F3
Bedford o **GB** 14-15 F5
Bedford, Mount ▲ **AUS** 62-63 D3
Bednodemʼjanovsk o **RUS** 30-31 L5
Beʼér Shevaʼ ☆ **IL** 48-49 D4
Beeskow o• **D** 18-19 G2
Beeville o **USA** 102-103 D5
Befale o **CGO** 82-83 C5
Begna ∼ **N** 10-11 E4
Begunicy o **RUS** 30-31 C2
Behbahān o• **IR** 48-49 H4
Beiʼan o **CN** 40-41 E5
Beihai o **CN** 46-47 C6
Beijing ☆ •••• **CN** 46-47 E3
Beijing Shi □ **CN** 46-47 E2

Beipiao o CN 46-47 F 2
Bei Shan ▲ CN 44-45 F 3
Beitbridge o ZW 86-87 F 6
Beitstadfjorden ≈10-11 F 3
Beja o• P 22-23 C 4
Bejaja ✩• DZ 76-77 J 2
Béjar o• E 22-23 D 3
Bejarn o N 8-9 H 3
Bejneu ✩ KZ 42-43 G 2
Bejsug ∼ RUS 32-33 F 5
Bejsugskij liman ≈32-33 F 4
Bekasi o RI 54-55 D 7
Békés o H 26-27 E 2
Békéscsaba o H 26-27 E 2
Bela o PK 50-51 H 3
Belaja ∼ RUS 42-43 G 1
Belaja Berëzka o RUS 30-31 E 5
Belaja Berëzka o RUS 32-33 C 3
Belaja Cerkov' = Bila Cerkva ✩ UA 32-33 B 3
Belaja Kalitva o RUS 32-33 G 3
Belalcázar o E 22-23 D 4
Bela Palanka o• SRB 26-27 F 4
Bela Vista o BR 114-115 C 6
Bela Vista o MOC 86-87 F 7
Belawan o RI 54-55 B 5
Bèl'c' = Bălţi ✩ MD 26-27 H 2
Belchatów o PL 20-21 E 3
Belcher, Îles ∼ CDN 98-99 J 3
Belcher Channel ≈ CDN 96-97 L 2
Belchite o E 22-23 F 3
Bel'cy = Bălţi ✩ MD 26-27 H 2
Belebelka o RUS 30-31 D 3
Beledweyne ✩ SO 82-83 H 5
Belém ✩• BR 114-115 E 2
Belep, Îles ∼ F 68-69 F 4
Belev ✩ RUS 30-31 G 5
Beleya Terara ▲ ETH 82-83 F 3
Belfast ✩• GB 14-15 D 4
Belfort ✩• F 16-17 H 3
Belgaum o• IND 52-53 B 3
Belgique ■ B 18-19 A 3
Belgorod o RUS 32-33 E 2
Belgorod-Dnestrovskij ✩ UA 32-33 B 4
Belgorod-Dnestrovskij =
Bilhorod-Dnistrovs'kyj ✩ UA 26-27 K 2
Belgrade ★ SRB 26-27 E 3
Beli o WAN 80-81 G 4
Bélice ∼ I 24-25 D 6
Belinskij o RUS 30-31 J 5
Belinyu o RI 54-55 D 6
Belitung, Île ∼ RI 54-55 D 6
Bélize ■ BH 104-105 D 4
Belize City o BH 104-105 D 4
Beljanica ▲ SRB 26-27 E 3
Bel'kovskij, ostrov ∼ RUS 38-39 W 0
Bellac o F 16-17 E 3
Bella Coola o CDN 94-95 F 5
Bellary o IND 52-53 C 3
Bella Union o ROU 116-117 F 4
Bella Vista o RA 116-117 E 3
Belle Glade o USA 102-103 G 5
Belle-Île ∼ F 16-17 C 3
Belle Isle ∼ CDN 98-99 N 4
Belle Isle, Strait of ≈ CDN 98-99 N 4
Belleville o ZA 86-87 C 8
Bellingshausensee ≈119 C 28
Bellinzona ✩• CH 18-19 D 5
Bell Island ∼ CDN 98-99 N 4
Bello o CO 110-111 B 3
Bellona Island ∼ SOL 68-69 E 3
Bellona Plateau ∼ F 68-69 E 5
Bellone du Nord-Ouest ∼ F 68-69 E 5
Bell Peninsula ∼ CDN 96-97 O 5
Belluno o I 24-25 D 1
Bell Ville o RA 116-117 E 4
Belmopan ★ BH 104-105 D 4
Belmullet = Béal an Mhuirthead o IRL 14-15 A 4
Beloe, ozero o RUS 12-13 P 2

Beloe, ozero o RUS 4-5 P 2
Beloe more ≈ RUS 4-5 P 1
Belogorsk o RUS 40-41 E 4
Belo Horizonte ✩ BR 114-115 F 5
Belojarskij o RUS 38-39 J 3
Belomorsk o RUS 4-5 O 2
Belo Tsiribihina o RM 84-85 E 4
Belovo ✩ RUS 38-39 N 5
Belozersk o RUS 4-5 P 2
Bel'skaja vozvyšennost' ▲ RUS 30-31 E 4
Beluha, gora ▲ KZ 42-43 N 2
Beluš'ja Guba o RUS 38-39 F 1
Belvedere Maríttimo o I 24-25 E 5
Belyj ✩ RUS 30-31 E 4
Belyj, Île ∼ RUS 38-39 K 1
Belyj, ostrov ∼ RUS 38-39 K 1
Belyj Jar ✩ RUS 38-39 N 4
Bełżec o PL 20-21 G 3
Bemaraha ⊥ RM 84-85 E 4
Bembèrèkè o DY 80-81 E 3
Bemidji o USA 102-103 E 1
Benabarre o• E 22-23 G 2
Bénarès o•• IND 52-53 D 1
Benavente o E 22-23 D 2
Bend o USA 100-101 B 2
Bendeleben Mountains ▲ USA 92-93 K 2
Bendemeer o AUS 64-65 E 3
Bender = Tighina o MD 26-27 J 2
Bendery = Tighina o MD 26-27 J 2
Bendigo o AUS 64-65 C 4
Benešov o CZ 20-21 C 4
Benevento o• I 24-25 E 4
Benga o MOC 86-87 F 5
Bengal, Bay of ≈52-53 D 3
Bengale, Golfe du ≈52-53 D 3
Bengal Fan ≃52-53 E 3
Bengaluru = Bangalore ✩• IND 52-53 C 4
Bengbu o CN 46-47 E 4
Benghazi o• LAR 78-79 E 2
Ben Ghimah, Bi'r o LAR 78-79 E 2
Bengkulu ✩ RI 54-55 C 6
Benguela o• ANG 86-87 B 4
Benguerir o MA 76-77 F 3
Beni o CGO 82-83 D 5
Beni, Río ∼ BOL 112-113 F 4
Beni-Abbès o• DZ 76-77 G 3
Benicarló o E 22-23 G 3
Benicàssim o E 22-23 G 3
Benidorm o E 22-23 F 4
Beni Hammad ⊥ DZ 76-77 H 2
Beni-Mellal ✩ MA 76-77 F 3
Bénin o DY 80-81 E 4
Bénin, Golfe du ≈ WAN 80-81 E 4
Benin City o• WAN 80-81 E 4
Benito Juárez o RA 116-117 F 5
Benito Juárez, Parque Nacional ⊥ MEX 100-101 G 7
Benjamin Constant o BR 112-113 E 2
Ben Lawers ▲ GB 14-15 D 3
Ben Macdui ▲ GB 14-15 E 3
Ben More ▲ GB 14-15 D 3
Ben Nevis ▲•• GB 14-15 D 3
Bénoué, Parc National de la ⊥ CAM 80-81 G 4
Ben Rinnes ▲ GB 14-15 E 3
Benteng o RI 56-57 D 6
Bentiu o SUD 82-83 D 4
Benton Harbor o USA 102-103 F 2
Benue, River ∼ WAN 80-81 F 4
Benxi o CN 46-47 F 2
Beograd ★ SRB 26-27 E 3
Beppu o J 46-47 H 4
Beqa ∼ FJI 70-71 A 4
Berane = Ivangrad o MNE 26-27 D 4
Berat ✩•• AL 28-29 B 2
Beravina o RM 84-85 F 4
Berazino ✩ BY 20-21 K 2
Berbera o SO 82-83 H 3
Berbérati ✩ RCA 82-83 B 5
Berchtesgaden o D 18-19 F 5

Berd'ans'ka kosa ∪ UA 32-33 E 4
Berdičev = Berdyčiv ✩ UA 20-21 K 4
Berdjans'k o UA 32-33 E 4
Berdyčiv ✩ UA 20-21 K 4
Berehove o UA 20-21 G 4
Bereina o PNG 68-69 C 2
Berenike o ET 78-79 H 4
Berens River ∼ CDN 98-99 E 4
Berettvóújfalu o H 26-27 E 2
Berezivka o UA 32-33 B 4
Bereznehuvate o UA 32-33 C 4
Bereznik o RUS 4-5 Q 2
Berezniki o RUS 4-5 T 3
Berg o N 8-9 J 2
Berga o E 22-23 G 2
Bergama ✩• TR 28-29 F 3
Bergame ✩• I 24-25 B 2
Bergara o• E 22-23 E 2
Bergen o• N 10-11 C 4
Bergen o• NL 18-19 B 2
Bergen (Rügen) o D 18-19 F 1
Bergerac o F 16-17 E 4
Berhala, Selat ≈ RI 54-55 C 6
Béring, Détroit de ≈92-93 J 2
Béring, Île ∼ RUS 40-41 N 3
Béring, Mer de ≈40-41 O 3
Beringa, ostrov ∼ RUS 40-41 N 3
Bering Glacier ⊂ USA 92-93 O 3
Bering Land Bridge Nature Reserve ⊥ USA 92-93 J 2
Beringov proliv = Bering Strait ≈90-91 E 3
Bering Sea ≈40-41 O 3
Bering Strait ≈92-93 J 2
Berja o E 22-23 E 5
Berkåk ✩ N 10-11 F 3
Berkeley o USA 100-101 B 3
Berkovica o BG 26-27 F 4
Berlevåg o N 8-9 P 1
Berlin ★•• D 18-19 F 2
Berlin, Mount ▲ ANT 119 B 23
Bermeja, Sierra ▲ E 22-23 D 5
Bermejo o BOL 112-113 G 6
Bermejo o RA 116-117 D 4
Bermejo, Río ∼ RA 116-117 E 3
Bermuda Islands ∼ GB 102-103 L 4
Bermuda Rise ≃102-103 K 4
Bermudes, Îles ∼ GB 102-103 L 4
Bermudes, Seuil des ≃102-103 K 4
Bernardo de Irigoyen o RA 116-117 G 3
Bernardo O'Higgins, Parque Nacional ⊥ RCH 116-117 C 7
Bernay o F 16-17 E 2
Bernburg (Saale) o• D 18-19 E 3
Berne ★•• CH 18-19 C 5
Bernier Bay ≈ CDN 96-97 N 3
Bernina, Piz ▲ CH 18-19 D 5
Berninapass ▲ CH 18-19 D 5
Bernoises, Alpes ▲ CH 18-19 C 5
Beroun o CZ 20-21 C 4
Berounka ∼ CZ 20-21 B 4
Berry ▲ F 16-17 E 3
Berseba o NAM 86-87 C 7
Bertolínia o BR 114-115 F 3
Bertoua ✩ CAM 80-81 G 5
Beru Atoll ∼ KIR 66-67 H 6
Beruri o BR 114-115 B 2
Berwick-upon-Tweed o• GB 14-15 E 4
Beryslav o UA 32-33 C 4
Besançon ✩• F 16-17 H 3
Beshankovichy o• BY 20-21 K 1
Bešankovičy o BY 30-31 C 4
Besar, Gunung ▲ RI 54-55 F 6
Besarabca o MD 26-27 J 2
Besarabjaska = Besarabca o MD 26-27 J 2
Besedz' ∼ BY 20-21 L 2
Beskides ▲ PL 20-21 E 4
Beskidy ▲ PL 20-21 E 4
Beskidy Zachodnie ▲ PL 20-21 E 4
Bessarabie ⊥ MD 26-27 H 1

Bessarabija ⊥ MD 26-27 H 1
Bessarabka = Besarabca o MD 26-27 J 2
Bessaz, togi ▲ KZ 42-43 J 3
Betânia, Área Indígena ✕ BR 112-113 F 2
Betanzos o E 22-23 B 2
Bétaré Oya o CAM 80-81 G 4
Betbakdala ⊥ KZ 42-43 J 2
Bethléem o ZA 86-87 E 7
Bethulie o ZA 86-87 E 8
Betroka o RM 84-85 F 5
Betsjoeanaland ⊥ ZA 86-87 D 7
Beveridge Reef ≃70-71 D 4
Beverley o• GB 14-15 F 5
Bey Dağları ▲ TR 28-29 H 4
Beyla o RG 80-81 C 4
Beylul o ER 82-83 G 3
Beypazari o• TR 28-29 H 2
Beyrouth ★ RL 48-49 E 4
Beyşehir o TR 28-29 H 4
Beyşehir Gölü o TR 28-29 H 4
Bežanicy o RUS 30-31 C 3
Bežeck ✩ RUS 30-31 G 3
Bežeckij verh ▲ RUS 30-31 G 3
Béziers o• F 16-17 F 5
Bhadrak o IND 52-53 E 2
Bhadrāvati o IND 52-53 C 4
Bhāgalpur o IND 52-53 E 1
Bhairab Bazar o BD 52-53 F 2
Bhaktapur o• NEP 52-53 E 1
Bhamo o MYA 52-53 G 2
Bhandāra o IND 52-53 D 2
Bharatpur o IND 52-53 C 1
Bharūch o IND 52-53 B 2
Bhatkal o IND 52-53 B 4
Bhātpāra o IND 52-53 E 2
Bhavnagar o• IND 52-53 B 2
Bhawānipatna o IND 52-53 D 3
Bhilainagar o IND 52-53 D 2
Bhīlwāra o IND 52-53 B 1
Bhind o IND 52-53 C 1
Bhiwandi o IND 52-53 B 3
Bhopāl ✩•• IND 52-53 C 2
Bhoutan ■ BHT 52-53 E 1
Bhubaneshwar ✩•• IND 52-53 E 2
Bhuj o IND 52-53 A 2
Bhusāwal o IND 52-53 C 2
Biak o RI 56-57 G 6
Biak, Pulau ∼ RI 56-57 G 6
Biała, Bielsko- o• PL 20-21 E 4
Biała Podlaska ✩ PL 20-21 G 2
Białogard o PL 20-21 C 1
Białowieski Park Narodowy ⊥ ••• PL 20-21 G 2
Biały Bór o• PL 20-21 D 2
Białystok ✩• PL 20-21 G 2
Biaora o IND 52-53 C 2
Biarritz o• F 16-17 D 5
Biaza o RUS 38-39 L 4
Bibbiena o I 24-25 C 3
Biberach an der Riß o D 18-19 D 4
Bibirevo o RUS 30-31 E 3
Bichkek ★ KZ 42-43 K 3
Bickerton Island ∼ AUS 62-63 F 2
Bicuari, Parque Nacional do ⊥ ANG 86-87 B 5
Bida o WAN 80-81 F 4
Bidal o• IND 52-53 C 3
Bideford o• GB 14-15 D 6
Bidjovagge o N 8-9 M 2
Biel o• CH 18-19 C 5
Bielefeld o D 18-19 D 2
Biella ✩• I 24-25 B 2
Biélorussie ■ BY 20-21 H 2
Bielsa o E 22-23 G 2
Bielsko-Biała ✩• PL 20-21 E 4
Bielsk Podlaski o PL 20-21 G 2
Bienne = Biel o• CH 18-19 C 5
Bienville, Lac o CDN 98-99 K 3
Bierdnačokka ▲ N 8-9 H 3
Biertan o••• RO 26-27 G 2

Bieszczadzki Park Narodowy ⊥ **PL** 20-21 G4
Biga ✩ **TR** 28-29 F2
Bigadiç ✩ **TR** 28-29 G3
Biga Yarımadası ⌣ **TR** 28-29 F3
Big Baldy ▲ **USA** 100-101 C2
Big Bend National Park ⊥ **USA** 100-101 F5
Bighorn Mountains ▲ **USA** 100-101 E2
Bighorn River ∼ **USA** 100-101 E1
Big Island ⌒ **CDN** 96-97 Q5
Big Rapids o **USA** 102-103 F2
Big Spring o **USA** 102-103 C4
Big Trout Lake o **CDN** 98-99 F4
Bihać o• **BIH** 26-27 B3
Bihar ▢ **IND** 52-53 D2
Biharamulo o **EAT** 84-85 C1
Bihorului, Munţii ▲ **RO** 26-27 F2
Biisk ✩ **RUS** 44-45 E1
Bijāpur o• **IND** 52-53 C3
Bijelo Polje o **MNE** 26-27 D4
Bijie o **CN** 46-47 C5
Bīkāner o• **IND** 52-53 B1
Bikar Atoll ⌒ **MH** 66-67 G3
Bikin o **RUS** 40-41 F2
Bikin ∼ **RUS** 40-41 G5
Bikini Atoll ⌒66-67 F4
Bikoro o **CGO** 86-87 C2
Bikubiti ▲ **LAR** 78-79 D4
Bila Cerkva ✩ **UA** 32-33 B3
Bilāspur o **IND** 52-53 D2
Bilbao = Bilbo o• **E** 22-23 E2
Bilbo = Bilbao o• **E** 22-23 E2
Bilecik ✩ **TR** 28-29 G2
Biłgoraj o• **PL** 20-21 G3
Bilhorod-Dnistrovs'kyj ✩ **UA** 26-27 K2
Bilhorod-Dnistrovs'kyj ∼ **UA** 32-33 B4
Bili o **CGO** 82-83 D5
Bilibino o• **RUS** 40-41 N1
Billings o **USA** 100-101 E1
Billund o **DK** 12-13 C4
Bilma o **RN** 80-81 G2
Biloela o **AUS** 62-63 J4
Bilohors'k ✩• **UA** 32-33 D5
Bilopil'l'a o **UA** 32-33 D2
Bilovods'k o **UA** 32-33 F3
Bilpa Morea Claypan o **AUS** 62-63 F5
Biltine ✩ **TCH** 82-83 C3
Bilyj Čeremoš ∼ **UA** 20-21 H5
Binaja, Gunung ▲ **RI** 56-57 E6
Bindura ✩ **ZW** 86-87 F5
Binga, Monte ▲ **MOC** 86-87 F5
Binghamton o **USA** 102-103 H2
Bingöl ✩ **TR** 48-49 F3
Binjai o **RI** 54-55 B5
Bintan, Pulau ⌒ **RI** 54-55 C5
Bintulu o **MAL** 54-55 E5
Bintuni = Steenkool o **RI** 56-57 F6
Binz o **D** 18-19 F1
Binzhou o **CN** 46-47 E3
Biograd na Moru o **HR** 26-27 B4
Bioko ⌒ **GQ** 80-81 F5
Biokovo ▲ **HR** 26-27 C4
Biorra = Birr o **IRL** 14-15 B5
Birāk o **LAR** 78-79 C3
Birao o• **RCA** 82-83 C3
Biratnagar o **NEP** 52-53 E1
Birch Mountains ▲ **CDN** 94-95 J4
Birdsville o **AUS** 62-63 F5
Birğand o **IR** 48-49 J4
Birganj o **NEP** 52-53 D1
Biri ∼ **SUD** 82-83 D4
Birjusa (Ona) ∼ **RUS** 38-39 P4
Birka •• **S** 12-13 G2
Birkenhead o **GB** 14-15 E5
Birmingham o **GB** 14-15 F5
Birmingham o **USA** 102-103 F4
Bîr Mogreïn o **RIM** 76-77 E4
Birnie Island ⌒ **KIR** 70-71 C1
Birni Gwari o **WAN** 80-81 F3
Birnin Kudu o **WAN** 80-81 F3
Birobidžan ✩ **RUS** 40-41 F5

Birr = Biorra o **IRL** 14-15 B5
Biržai ✩• **LT** 12-13 L3
Bīša o **KSA** 50-51 C4
Bisa, Pulau ⌒ **RI** 56-57 E6
Biscarrosse o **F** 16-17 D4
Biscay, Bay of ≈16-17 B4
Bischofshofen o **A** 18-19 F5
Biscoe, Îles ⌒ **ANT** 119 C30
Bisha o **ER** 82-83 F2
Bisho o **ZA** 86-87 E8
Biškek ★ **KS** 42-43 K3
Biskra o• **DZ** 76-77 J3
Biskupiec o **PL** 20-21 F2
Bislig o **RP** 56-57 E4
Bismarck ✩ **USA** 100-101 F1
Bismarck, Archipel ⌒ **PNG** 68-69 C1
Bismarck, Mer de ≈68-69 C1
Bismarck Range ▲ **PNG** 68-69 B2
Bismarck Sea ≈68-69 C1
Bismarcksee o **RI** 68-69 C1
Bispgården o **S** 10-11 J3
Bissagos, Archipel des ⌒ **GNB** 80-81 A3
Bissau ★ **GNB** 80-81 A3
Bistcho Lake o **CDN** 94-95 H4
Bistriţa ✩• **RO** 26-27 G2
Bistritz ∼ **RO** 26-27 G2
Bitjug ∼ **RUS** 30-31 J5
Bitjug ∼ **RUS** 32-33 G1
Bitjug ∼ **RUS** 32-33 G2
Bitkine o **TCH** 82-83 B3
Bitola o∼ **MK** 26-27 E5
Bitterfeld-Wolfen o **D** 18-19 F3
Bitterfontein o **ZA** 86-87 C8
Bitterroot Range ▲ **USA** 100-101 C1
Bitung o **RI** 56-57 E5
Biu o **WAN** 80-81 G3
Biwa-ko ⌣ **J** 46-47 J3
Bizerta = Bizerte ✩• **TN** 76-77 J2
Bizerte ✩• **TN** 76-77 J2
Bjahoml' o **BY** 20-21 K1
Bjala o **BG** 26-27 G4
Bjala Slatina o **BG** 26-27 F4
Bjarèzina ∼ **BY** 20-21 K2
Bjarezinski zapavednik ⊥ **BY** 20-21 K1
Bjarezinski zapavednik ⊥ **BY** 30-31 C4
Bjargtangar ▲ **IS** 8-9 a2
Bjaroza o **BY** 20-21 H2
Bjästa o **S** 10-11 K3
Bjelašnica ▲ **BIH** 26-27 D4
Bjelovar o **HR** 26-27 C3
Bjerkvik o **N** 8-9 J2
Björna o **S** 10-11 K3
Bjørnafjorden ≈10-11 C4
Bjorne Peninsula ⌒ **CDN** 96-97 N2
Bjørnøya ⌒ **N** 4-5 L0
Bjurholm o• **S** 10-11 K3
Blackall o **AUS** 62-63 H4
Blackfeet Indian Reservation 𝕏 **USA** 100-101 D1
Black Hills ▲ **USA** 100-101 F2
Black Lake o **CDN** 94-95 K4
Black Mesa ▲ **USA** 100-101 F3
Blackpool o• **GB** 14-15 E5
Black Rock Desert ⊥ **USA** 100-101 C2
Black Sea ≈48-49 D2
Blåfjellet ▲ **N** 8-9 G4
Blagodarnyj o **RUS** 32-33 H5
Blagoevgrad o **BG** 26-27 F4
Blagoevo o **RUS** 4-5 R2
Blagovechtchensk ✩• **RUS** 40-41 E4
Blagoveščenka ✩ **RUS** 38-39 L5
Blagoveščenskij proliv ≈ **RUS** 38-39 Z0
Blairgowrie o **GB** 14-15 E3
Blanc, Lac o **RUS** 4-5 P2
Blanc, le o **F** 16-17 E3
Blanche, Lake o **AUS** (SA) 62-63 F5
Blanche, Lake o **AUS** (WA) 62-63 C4
Blanche, Mer ≈ **RUS** 4-5 P1
Blanco, Cabo ▲ **CR** 104-105 D6
Blanco, Cape ▲ **USA** 100-101 B2
Blancos, Los o **RA** 116-117 E2

Blanc-Sablon o **CDN** 98-99 N4
Blandá ∼ **IS** 8-9 d2
Blanes o **E** 22-23 H3
Blanquilla, Isla ⌒ **YV** 110-111 E2
Blantyre ✩• **MW** 84-85 D4
Blåsjøen o **N** 10-11 D5
Blåvands Huk ⌒ **DK** 12-13 C4
Blaye o **F** 16-17 D4
Blednaja, gory ▲ **RUS** 38-39 H0
Bleikvassli o **N** 8-9 G4
Blenheim o **NZ** 64-65 J5
Blenheim Palace ••• **GB** 14-15 F6
Blida ✩ **DZ** 76-77 H2
Bligh Water ≈70-71 A4
Blinisht o **AL** 28-29 B2
Blitta o **RT** 80-81 E4
Bloemfontein ★ **ZA** 86-87 E7
Blois ✩• **F** 16-17 E3
Blöndósbær = Blönduós ✩ **IS** 8-9 c2
Blood Indian Reserve 𝕏 **CDN** 94-95 J6
Bloomington o **USA** 102-103 F2
Blosseville Kyst ⊥ **GRØ** 96-97 Z4
Bluefield o **USA** 102-103 G3
Bluefields ✩ **NIC** 104-105 E5
Blue Lagoon National Park ⊥ **Z** 86-87 E5
Blue Mountains ▲ **USA** 100-101 C2
Blue Mountains National Park ⊥•• **AUS** 64-65 E3
Bluenose Lake o **CDN** 96-97 G4
Blue Ridge ▲ **USA** 102-103 G4
Bluff o **AUS** 62-63 H4
Blumenau o• **BR** 116-117 H3
Blunt Peninsula ⌣ **CDN** 96-97 R5
Blyde River Canyon Nature Reserve
⊥•• **ZA** 86-87 F6
Blythe o **USA** 100-101 D4
Bo ✩ **WAL** 80-81 B4
Bø ✩ **N** 10-11 E5
Boac ✩ **RP** 56-57 D3
Boa Esperança, Represa da ⌣ **BR** 114-115 F3
Boali, Chutes de ∼•• **RCA** 82-83 B5
Boat of Garten o• **GB** 14-15 E3
Boa Vista o• **BR** 114-115 B2
Boa Vista ✩ **BR** 110-111 E4
Boa Vista, Ilha de ⌒ **CV** 76-77 C6
Bobo-Dioulasso ✩ **BF** 80-81 D3
Bobolice o **PL** 20-21 D2
Bobr o **BY** 20-21 K1
Bobr o **BY** 30-31 C4
Bóbr ∼ **PL** 20-21 C3
Bobrouisk ✩• **BY** 20-21 K2
Bobrov o **RUS** 32-33 F2
Bobrujsk = Babrujsk ✩• **BY** 20-21 K2
Bobrynec' o **UA** 32-33 C3
Boby ▲ **RM** 84-85 F5
Boca do Acará o **BR** 114-115 B3
Boca do Acre o **BR** 112-113 F3
Bocaiúva o **BR** 114-115 F5
Bocanda o **CI** 80-81 D4
Bocaranga o **RCA** 82-83 B4
Bocholt o **D** 18-19 C3
Boda o **RCA** 82-83 B5
Böda o **S** 12-13 G3
Bodajbo ✩ **RUS** 38-39 S4
Bodélé ⊥ **TCH** 78-79 D5
Boden o• **S** 8-9 L4
Bodmin o **GB** 14-15 D6
Bodø ✩ **N** 8-9 H3
Bodrum ✩• **TR** 28-29 F4
Bodrum o **S** 10-11 J3
Boende o **CGO** 86-87 D2
Boffa o **RG** 80-81 B3
Bogal, Lagh ∼ **EAK** 82-83 F5
Bogale o **MYA** 52-53 F4
Bogan River ∼ **AUS** 64-65 D3
Boggabilla o **AUS** 64-65 E2
Bogia o **PNG** 68-69 B1
Bogia o **PNG** 68-69 C1
Boğnürd o• **IR** 48-49 J3
Bogong, Mount ▲ **AUS** 64-65 D4
Bogor (Buitenzorg) o **RI** 54-55 D7

Bogorodick ✩•• **RUS** 30-31 H5
Bogorodsk o **RUS** 30-31 K3
Bogota ★• **CO** 110-111 C4
Bogučar o **RUS** 32-33 G3
Bo Hai ≈46-47 E3
Bohai, Détroit du ≈46-47 F3
Bohoduchiv o **UA** 32-33 D2
Bohol ⌒ **RP** 56-57 D4
Bohol Sea ≈56-57 D4
Böhönye o **H** 26-27 C2
Bohorods'kyj Kostel • **UA** 20-21 H3
Boiaçu o **BR** 114-115 B2
Boim o **BR** 114-115 C2
Bois, Lac des o **CDN** 94-95 G2
Boise ✩• **USA** 100-101 C2
Bojano o **I** 24-25 E4
Bojčinovci o **BG** 26-27 F4
Boka Kotorska ≈•• **MNE** 26-27 D4
Boké ✩ **RG** 80-81 B3
Bokkeveldberge ▲ **ZA** 86-87 C8
Boknafjorden ≈10-11 C5
Bokoro o **TCH** 80-81 H3
Boksitogorsk ✩ **RUS** 30-31 E2
Bol ✩ **TCH** 80-81 G3
Bolaiti o **CGO** 86-87 D2
Bolama ✩• **GNB** 80-81 A3
Bolbec o **F** 16-17 E2
Bolchevik, Île ⌒ **RUS** 38-39 Q0
Bole o **GH** 80-81 D4
Bolesławiec o• **PL** 20-21 C3
Bolgatanga ✩• **GH** 80-81 D3
Bolhov ✩• **RUS** 30-31 F5
Bolhrad o **UA** 26-27 J3
Boli o **CGO** 86-87 E2
Boliden o **S** 8-9 L4
Bolintin-Vale o **RO** 26-27 G3
Bolívar, Pico ▲•• **YV** 110-111 C3
Bolivie ■ **BOL** 112-113 F5
Boljevac o **SRB** 26-27 E4
Bollène o **F** 16-17 G4
Bollnäs o **S** 10-11 J4
Bollon o **AUS** 62-63 H5
Bolmen o **S** 12-13 E2
Bologne ✩•• **I** 24-25 C2
Bologoe ✩ **RUS** 30-31 F3
Bolovens, Plateau des ▲ **LAO** 54-55 D2
Bol'šaja Kuonamka ∼ **RUS** 38-39 S1
Bol'šaja Martynovka = S'loboda Bol'šaja Martynovka o **RUS** 32-33 G4
Bol'šaja Murata ✩ **RUS** 38-39 O4
Bol'šaja Orlovka o **RUS** 32-33 G4
Bol'šaja Saga, ozero o **RUS** 30-31 J4
Bol'šakovo o **RUS** 20-21 F1
Bolsena, Lago di o **I** 24-25 C3
Bol'šezemel'skaja tundra ⊥ **RUS** 4-5 S1
Bol'šoe Nagatkino o **RUS** 30-31 M4
Bol'šoe Zaborov'e o **RUS** 30-31 D2
Bol'šoj Begičev, ostrov ⌒ **RUS** 38-39 S1
Bol'šoj Kaman ∼ **RUS** 32-33 K2
Bol'šoj Kavkaz ▲48-49 F2
Bol'šoj Ljahovskij, ostrov ⌒ **RUS** 38-39 Y1
Bol'šoj Šantar, ostrov ⌒ **RUS** 40-41 G4
Bolsón de Mapimi ⊥ **MEX** 100-101 F5
Bolton o **GB** 14-15 E5
Bolu ✩ **TR** 28-29 H2
Bolwa ∼ **LV** 12-13 M3
Bolzano ✩• **I** 24-25 C1
Boma o **CGO** 86-87 B3
Bombay = Mumbai ✩•• **IND** 52-53 B3
Bomberai Peninsula ⌣ **RI** 56-57 F6
Bom Jesus o **BR** (P) 114-115 E3
Bom Jesus o **BR** (PIA) 114-115 F3
Bom Jesus da Lapa o **BR** 114-115 F4
Bømlo ⌒ **N** 10-11 C5
Bomokandi ∼ **CGO** 82-83 D5
Bomongo o **CGO** 82-83 B5
Bomu ∼ **CGO** 82-83 D5
Bomu Occidentale, Réserve de faune
⊥ **CGO** 82-83 C5

Bomu Orientale, Réserve de faune
⊥ CGO 82-83 D4
Bon, Cap ▲ TN 76-77 K2
Bonaire ⌒ NA 104-105 H5
Bonaparte Archipelago ⌒ AUS 62-63 C3
Boñar o E 22-23 D2
Bonavista Peninsula ᴗ•• CDN 98-99 O5
Boncuk Dağı ▲ TR 28-29 G4
Bondari o RUS 30-31 K5
Bondo o CGO 82-83 C5
Bondoukou ✰ • CI 80-81 D4
Bône = Annaba o DZ 76-77 J2
Bone, Golfe de ≈ RI 56-57 D5
Bone = Watampone o RI 56-57 D5
Bone-Dumoga National Park ⊥•• RI 56-57 D5
Bonete, Cerro ▲ RA 116-117 D3
Bonga ▲ ETH 82-83 F4
Bongandanga o CGO 82-83 C5
Bongor ✰ TCH 80-81 H3
Bonifacio o• F 24-25 B4
Bonifacio, Bocche di ≈24-25 B4
Bonifacio, Bouches de ≈24-25 B4
Bonin, Fosse de ≃46-47 K4
Boni National Reserve ⊥ EAK 82-83 G6
Bonin Trench ≃46-47 K4
Bonn o• D 18-19 C3
Bonne-Espérance, Cap de ▲• ZA 86-87 C8
Bonny, Bight of ≈80-81 F5
Bonyhád o H 26-27 D2
Booligal o AUS 64-65 C3
Boorama o SO 82-83 G4
Boosaaso = Bender Qaasim ✰ SO 82-83 H3
Boothia, Gulf of ≈ CDN 96-97 M3
Boothia Isthmus ᴗ CDN 96-97 M4
Boothia Peninsula ᴗ CDN 96-97 M3
Booué o G 80-81 G6
Boqueirão o BR 116-117 G4
Boqueirão, Serra do ▲ BR 114-115 F4
Bor o RUS (GOR) 30-31 L3
Bor o RUS 38-39 O3
Bor o SUD 82-83 E4
Bor, Lagh ᴗ EAK 82-83 F5
Bora-Bora, Île ⌒ F 70-71 G4
Borah Peak ▲ USA 100-101 D2
Borås ✰ S 12-13 E3
Borāzğân o IR 48-49 H5
Borba o BR 114-115 C2
Borborema, Planalto da ⊥ BR 114-115 G3
Borchhof o LV 12-13 M3
Bordeaux ✰• F 16-17 D4
Borden Island ⌒ CDN 96-97 H2
Borden Peninsula ᴗ CDN 96-97 O3
Bordeyri o IS 8-9 c2
Bordighera o I 24-25 A3
Bordj Messouda o DZ 76-77 J3
Bordj Mokhtar o DZ 76-77 H5
Bordj Omar Driss o DZ 76-77 J4
Borensberg o S 12-13 F2
Borgå = Porvoo o FIN 10-11 N4
Borgarfjördur o IS 8-9 g2
Borgarnes ✰ IS 8-9 c2
Børgefjellet ▲ N 8-9 G4
Børgefjell nasjonalpark ⊥ N 8-9 G4
Borgholm ✰• S 12-13 G3
Borgomanero o I 24-25 B2
Borgo San Lorenzo o I 24-25 C3
Borgu Game Reserve ⊥ WAN 80-81 E3
Borgund o N 10-11 D4
Borgund stavkirke •• N 10-11 D4
Borisoglebsk o RUS 32-33 H2
Borisov = Barysaw ✰ BY 20-21 K1
Borisovka o RUS 32-33 E2
Borisovo-Sudskoe o RUS 30-31 G2
Boriziny o RM 84-85 F4
Borja o PE 112-113 D2
Borkou ⊥ TCH 78-79 D5
Borkum ⌒ D 18-19 C2
Borlänge ✰ S 10-11 H4

Bornéo ⌒54-55 E5
Bornholm ⌒• DK 12-13 F4
Bornholmsgattet ≈12-13 F4
Borohoro Shan ▲ CN 44-45 D3
Boromo o• BF 80-81 D3
Borovići o RUS 30-31 C3
Borovići o RUS 30-31 E2
Borovsk o• RUS 30-31 G4
Borroloola ✰ AUS 62-63 F3
Borşa o RO 26-27 G2
Borščevočnyj, hrebet ▲ RUS 38-39 S5
Bort-les-Orgues o F 16-17 F4
Börtnan ✰ S 10-11 G3
Borüğerd o• IR 48-49 G4
Boryspil' o UA 32-33 B2
Borzja ✰ RUS 44-45 L1
Borzna o UA 32-33 C2
Bosa o• I 24-25 B4
Bosanska Brod o BIH 26-27 D3
Bosanska Krupa o BIH 26-27 C3
Bosanski Novi o BIH 26-27 C3
Bosanski Petrovac o BIH 26-27 C3
Bosanski Šamac o BIH 26-27 D3
Bosavi, Mount ▲ PNG 68-69 B2
Bosconia o CO 110-111 C2
Bose o CN 52-53 J2
Bosna ⌒ BIH 26-27 D3
Bosnie-Herzégovine ■ BIH 26-27 C3
Bosobolo o CGO 82-83 B5
Bosporus = Istanbul Boğazı ≈28-29 G2
Bossangoa o RCA 82-83 B4
Bossembélé o RCA 82-83 B4
Bosso o RN 80-81 G3
Bosso ⌒ RN 80-81 E3
Bosten Hu • CN 44-45 E3
Boston o GB 14-15 F5
Boston ✰ USA 102-103 J2
Boston Mountains ▲ USA 102-103 E3
Botãd o IND 52-53 B2
Botev ▲ BG 26-27 G4
Bothnia, Gulf of ≈10-11 L3
Botkul', ozero o RUS 32-33 K3
Botnie, Golfe de ≈10-11 L3
Botnie, Golfe de ≈10-11 L3
Botoşani ✰ RO 26-27 H2
Botswana ■ RB 86-87 D6
Bottenhavet ≈10-11 K3
Bouaké ✰• CI 80-81 C4
Bouar ✰• RCA 82-83 B4
Bouba Ndjida, Parc National de ⊥ CAM 80-81 G4
Bouca o RCA 82-83 B4
Boucle du Baoulé, Parc National de la ⊥ RMM 80-81 C3
Bougainville Island ⌒ PNG 68-69 D2
Bougainville Island ⌒ PNG 68-69 E2
Bougaroun, Cap ▲ DZ 76-77 J2
Bougouni o RMM 80-81 C3
Bougtob o DZ 76-77 H3
Boujdour o EH 76-77 E4
Boujdour, Cap ▲ EH 76-77 E4
Boukhara ✰ UZ 42-43 H4
Boukra o EH 76-77 E4
Boulder o USA 100-101 E2
Boulia o AUS 62-63 F4
Boulogne-sur-Mer o• F 16-17 E1
Bouna ✰ CI 80-81 D4
Boundiali o CI 80-81 C4
Bounty, Dépression des ≃64-65 K6
Bounty, Plateau des ≃64-65 K6
Bounty Islands ⌒ NZ 64-65 K6
Bounty Plateau ≃64-65 K6
Bounty Trough ≃64-65 K6
Bouor-Khaïa, Baie de ≈ RUS 38-39 V1
Bourbonnais ⊥ F 16-17 F3
Bourea, Monts de ▲ RUS 40-41 F5
Bourem o RMM 80-81 D2
Bourg-en-Bresse ✰ F 16-17 G3
Bourges •••• F 16-17 F3
Bourgogne ⊐ F 16-17 F3

Bourgogne ⊥ F 16-17 G3
Bourgoin-Jallieu o F 16-17 G4
Bourg-Saint-Maurice o F 16-17 H4
Bouriatie, République de ⊐ RUS 38-39 R5
Bourke o AUS 64-65 D3
Bournemouth o GB 14-15 E6
Bou Saada o• DZ 76-77 H2
Bousso o TCH 80-81 H3
Boutilimit o RIM 76-77 E6
Boutourou, Monts ▲ CI 80-81 D4
Bowen o AUS 62-63 H4
Bow River ⌒ CDN 94-95 H5
Boyabo o CGO 82-83 B5
Boyle = Mainistir na Búille o IRL 14-15 B5
Boyne Valley •••• IRL 14-15 C5
Boyuibe o BOL 112-113 G6
Bozburun o TR 28-29 G4
Bozcaada ⌒ TR 28-29 F3
Bozdağlar ▲ TR 28-29 F3
Bozeman o USA 100-101 D1
Bozhou o CN 46-47 E4
Bozkır ✰ TR 48-49 D3
Bozoum ✰• RCA 82-83 B4
Bozüyük ✰ TR 28-29 H3
Bozyazı ✰ TR 48-49 D3
Brač ⌒ HR 26-27 C4
Bracciano, Lago di o• I 24-25 D3
Bräcke o S 10-11 H3
Bracknell o GB 14-15 F6
Brad o RO 26-27 F2
Brădano ᴗ I 24-25 E4
Bradford o GB 14-15 F5
Braemar o GB 14-15 E3
Braga o• P 22-23 B3
Bragado o RA 116-117 E5
Bragança o BR 114-115 E2
Bragança o•• P 22-23 C3
Brahestad o FIN 8-9 N4
Brahmapur o IND 52-53 D3
Brahmaputra ⌒ IND 52-53 F1
Bräila o• RO 26-27 H3
Brainerd o USA 102-103 E1
Braintree o GB 14-15 G6
Brålos o GR 28-29 F3
Branco, Cabo ▲ BR 114-115 H3
Branco, Rio ᴗ BR 114-115 B2
Brandberg •• NAM 86-87 B6
Brandbu o N 10-11 F4
Brandenburg o DK 12-13 C4
Brandenbourg-sur-l'Havel o• D 18-19 F2
Brandenburg ⊐ D 18-19 F2
Brandon o CDN 98-99 E5
Brandýs nad Labem-Stará Boleslav o CZ 20-21 C3
Braniewo o• PL 20-21 E1
Br'anka o UA 32-33 F3
Bransfield Strait ≈119 C30
Brantôme o F 16-17 E4
Bras d'Or Lake o CDN 98-99 M5
Brasiléia o BR 112-113 F4
Brasileiro, Planalto ⊥ BR 114-115 E5
Brasília ★•••• BR 114-115 E5
Braslav o BY 12-13 M4
Braslav o BY 20-21 J1
Braşov ✰ RO 26-27 G3
Brasschaat o B 18-19 B3
Brassey, Mount ▲ AUS 62-63 E4
Bratislava ★• SK 20-21 D4
Bratovoești o RO 26-27 F3
Bratsk ✰ RUS 38-39 Q4
Bratsk, Lac-réservoir de < RUS 38-39 Q4
Bratskoe vodhranilišče < RUS 38-39 Q4
Braunau am Inn o A 18-19 F4
Braunlage o D 18-19 E3
Brava, Ilha ⌒ CV 76-77 C7
Bravo del Norte, Río ᴗ MEX 100-101 F5
Bray = Bré o IRL 14-15 C5
Bray Island ⌒ CDN 96-97 P4
Bray-sur-Seine o F 16-17 F2
Brazos River ᴗ USA 102-103 D4

Brazzaville ★• RCB 86-87 C2
Brčko o BIH 26-27 D3
Brdy ▲ CZ 20-21 B4
Bré = Bray o IRL 14-15 C5
Brebes o RI 54-55 D7
Brecon o• GB 14-15 E6
Brecon Beacons National Park ⊥ GB 14-15 D6
Breda o• NL 18-19 B3
Bredasdorp o ZA 86-87 D8
Bredbyn o S 10-11 K3
Bredsel o S 8-9 L4
Bregalnica ⌒ MK 26-27 F3
Bregenz ▲ A 18-19 D5
Bregovo o BG 26-27 F3
Bréhal o F 16-17 D2
Breiðafjördur ≈8-9 b2
Breivikbotn o N 8-9 M1
Brejinho de Nazaré o BR 114-115 E4
Brekken o N 10-11 F3
Brekstad o N 10-11 E3
Bremangerlandet ⌒ N 10-11 C4
Brême o• D 18-19 D2
Bremerhaven o D 18-19 D2
Bremervörde o D 18-19 D2
Brennerpass = Passo del Brennero ▲ A 18-19 E5
Brenta ⌒ I 24-25 C2
Bréscia o• I 24-25 C2
Brésil ■ BR 114-115 B3
Brésilien, Plateau ⊥ BR 114-115 E5
Bressanone = Brixen o I 24-25 C1
Bressuire o F 16-17 D3
Brest o F 16-17 B2
Brèst o BY 20-21 G2
Brest = Brèst o BY 20-21 G2
Bretagne ⊐ F 16-17 B2
Breteuil o F 16-17 F2
Breves o BR 114-115 D2
Brewarrina o AUS 64-65 D2
Brezovo Polje ▲ HR 26-27 C3
Bria ✰ RCA 82-83 C4
Briançon o• F 16-17 H4
Bričany = Briceni ✰ MD 26-27 H1
Bričen' = Briceni ✰ MD 26-27 H1
Briceni ✰ MD 26-27 H1
Bridgeport o USA 102-103 J2
Bridgetown o AUS 62-63 B6
Bridgetown ★ BDS 104-105 K5
Bridlington o GB 14-15 F4
Bridport o GB 14-15 E6
Brie ⊥• F 16-17 F2
Brig o• CH 18-19 C5
Brighton o GB 14-15 F6
Brignoles o F 16-17 H5
Brilhante, Rio ᴗ BR 114-115 C6
Brilon o D 18-19 D3
Bríndisi ✰• I 24-25 F4
Brin-Navolok o RUS 4-5 Q2
Brisbane ✰• AUS 62-63 J5
Bristol o• GB 14-15 E6
Bristol o USA 102-103 G3
Bristol Bay ≈92-93 K4
Bristol Channel ≈14-15 D6
British Empire Range ▲ CDN 96-97 P1
British Mountains ▲ USA 94-95 D2
British Virgin Islands ⌒ GB 104-105 J4
Brive-la-Gaillarde o F 16-17 E4
Brixen = Bressanone o I 24-25 C1
Brjanka = Br'anka o UA 32-33 F3
Brjansk o RUS 30-31 F5
Brno o• CZ 20-21 D4
Broad Sound ≈ AUS 62-63 H4
Brocken ▲ D 18-19 E3
Brock Island ⌒ CDN 96-97 H2
Brodec'ke o UA 20-21 K4
Brodeur Peninsula ᴗ CDN 96-97 N3
Brodick o GB 14-15 D4
Brodnica o• PL 20-21 E2
Brody o UA 20-21 H3
Brokopondo ✰ SME 110-111 G3
Brønderslev o DK 12-13 C3

Calkiní o **MEX** 104-105 C3
Callanish o **GB** 14-15 C2
Callao o **PE** 112-113 D4
Cal Miskaat, Buuraha ▲ **SO** 82-83 H3
Caloundra o **AUS** 62-63 J5
Caltagirone o **I** 24-25 E6
Caltanissetta o **I** 24-25 E6
Calulo o **ANG** 86-87 B3
Caluquembe o **ANG** 86-87 B4
Čalūs o• **IR** 48-49 H3
Caluula o **SO** 82-83 J3
Caluula, Raas = Ilaawe ▲ **SO** 82-83 J3
Calvert Island ⌢ **CDN** 94-95 F5
Calvert River ⌣ **AUS** 62-63 F3
Calvi o•• **F** 24-25 B3
Calvinia o **ZA** 86-87 C8
Calzada de Calatrava o **E** 22-23 E4
Camabatela o **ANG** 86-87 C3
Camacupa o **ANG** 86-87 C4
Camagüey ☆• **C** 104-105 F3
Camagüey, Archipiélago de ⌢ **C** 104-105 F3
Camana o **PE** 112-113 E5
Camaquã o **BR** 116-117 G4
Camarata o **YV** 110-111 E3
Camarones o **RA** 116-117 D6
Camaruã o **BR** 114-115 B3
Cà Mau o **VN** 54-55 D4
Cà Mau, Mũi ▲ **VN** 54-55 C4
Cambaxi o **ANG** 86-87 C3
Cambay, Golfe de ≈ **IND** 52-53 B2
Cambodge ■ **K** 54-55 C3
Cambrai o• **F** 16-17 F1
Cambridge o•• **GB** 14-15 G5
Cambridge Bay o **CDN** 96-97 K4
Cambriens, Monts ▲ **GB** 14-15 D5
Cambrils o **E** 22-23 G3
Cameia, Parque Nacional da ⊥ **ANG** 86-87 D4
Čameli o **TR** 28-29 G4
Cameroun ■ **CAM** 80-81 G5
Cameroun, Mont / Cameroon, Mount ▲•• **CAM** 80-81 F5
Cametá o **BR** 114-115 E2
Camiguin Island ⌢ **RP** 56-57 D2
Caminha o **P** 22-23 B3
Camiri o **BOL** 112-113 G6
Camisea o **PE** 112-113 E4
Çamlıdere ☆ **TR** 48-49 D2
Cammarata, Monte ▲ **I** 24-25 D6
Camocim o **BR** 114-115 F2
Camooweal o **AUS** 62-63 F3
Campana, Isla ⌢ **RCH** 116-117 B7
Campana, Monte ▲ **RA** 116-117 D8
Campanie o **I** 24-25 E4
Campbell Plateau ≃64-65 H6
Campbell River o **CDN** 94-95 F5
Campbeltown o **GB** 14-15 D4
Campeche ☆• **MEX** 104-105 C4
Campeche, Golfe de ≈ **MEX** 100-101 G7
Câmpeni o **RO** 26-27 F2
Campidano ⌣ **I** 24-25 B5
Campillos o **E** 22-23 D5
Câmpina o **RO** 26-27 G3
Campina Grande o **BR** 114-115 G3
Campinas o **BR** 114-115 E6
Campo o• **CAM** 80-81 F5
Campo, Réserve de = Campo Reserve ⊥ **CAM** 80-81 F5
Campobasso ☆ **I** 24-25 E4
Campo Belo o **BR** 114-115 E6
Campo do Padre, Morro ▲ **BR** 116-117 H3
Campo Grande ☆ **BR** 114-115 D6
Campo Maior o **BR** 114-115 F2
Campo Maior o **P** 22-23 C4
Campos o **BR** 114-115 F6
Campos ⌣ **BR** 114-115 E4
Campos, Tierra de ▲ **E** 22-23 D3
Campos Belos o **BR** 114-115 E4

Campo Viera o **RA** 116-117 F3
Câmpulung o **RO** 26-27 G3
Câmpulung Moldovenesc o• **RO** 26-27 G2
Čamzihka o **RUS** 30-31 L4
Čamzinka o **RUS** 30-31 L4
Çan ☆ **TR** 28-29 F2
Canabal o **E** 22-23 C2
Canada ■ **CDN** 94-95 E3
Canada, Bassin du ≃118 B32
Canada Basin ≃118 B32
Cañada de Gómez o **RA** 116-117 E4
Canadian-Pacific-Railway II **CDN** 94-95 K5
Canadian River ⌣ **USA** 100-101 F3
Canaima, Parque Nacional ⊥••• **YV** 110-111 E3
Çanakkale o• **TR** 28-29 F2
Canal de Túnis ≃24-25 C6
Canale di Sicilia ≃24-25 C6
Cañar o **EC** 112-113 D2
Canarias, Islas ⌢ **E** 76-77 D4
Canaries ⌢ **E** 76-77 D4
Canaries, Bassin des ≃76-77 E3
Canary Basin ≃76-77 E3
Canaveral, Cape ▲ **USA** 102-103 G5
Cañaveras o **E** 22-23 E3
Canavieiras o **BR** 114-115 G5
Canberra ★• **AUS** 64-65 D4
Canconga o **ANG** 86-87 C4
Cancún o• **MEX** 104-105 D3
Çandarlı Körfezi ≈28-29 F3
Candelada o **E** 22-23 D3
Canée, La o **GR** 28-29 E5
Cañete o **E** 22-23 F3
Cangamba o **ANG** 86-87 C4
Cangandala, Parque Nacional de ⊥ **ANG** 86-87 C3
Cangas o **E** 22-23 B2
Cangas del Narcea o **E** 22-23 C2
Çangrâfa o **RIM** 76-77 F5
Cangzhou o• **CN** 44-47 E3
Caniapiscau, Réservoir < **CDN** 98-99 L4
Caniapiscau, Rivière ⌣ **CDN** 98-99 L3
Canicattì o **I** 24-25 D6
Canindé o **BR** 114-115 G2
Çankırı ☆• **TR** 48-49 D2
Cannanore o• **IND** 52-53 C4
Cannanore Islands ⌢ **IND** 52-53 B4
Cannes o• **F** 16-17 H5
Cann River o **AUS** 64-65 D4
Canoas o **BR** 116-117 G3
Canobolas, Mount ▲ **AUS** 64-65 D3
Canosa di Púglia o• **I** 24-25 F4
Canso, Strait of ≈ **CDN** 98-99 M5
Cantábrica, Cordillera ▲ **E** 22-23 C2
Cantabrie ▫ **E** 22-23 D2
Cantabriques, Monts ▲ **E** 22-23 C2
Cantalejo o **E** 22-23 E3
Cantalpino o **E** 22-23 D3
Canterbury o••• **GB** 14-15 G6
Canterbury Bight ≈ **NZ** 64-65 J5
Cân Tho' o• **VN** 54-55 D3
Canto do Buriti o **BR** 114-115 F3
Canton o• **CN** 46-47 D6
Canton o **USA** 102-103 G2
Canton Island ⌢ **KIR** 70-71 C1
Canutama o **BR** 114-115 B3
Canyonlands National Park ⊥ **USA** 100-101 D3
Cao Bang o• **VN** 54-55 D1
Cáorle o **I** 24-25 D2
Čapaev = Čapaevo o **KZ** 42-43 F1
Čapaevo o **KZ** 42-43 F1
Capanema o **BR** 114-115 E2
Capbreton o• **F** 16-17 D5
Cape Adare ▲ **ANT** 119 B18
Cape Arid National Park ⊥ **AUS** 62-63 D6
Cape Barren Island ⌢ **AUS** 64-65 D5
Cape Borda o **AUS** 62-63 F7

Cape Breton Highlands National Park ⊥ **CDN** 98-99 M5
Cape Breton Island ⌢ **CDN** 98-99 M5
Cape Coast ☆• **GH** 80-81 D4
Cape Crawford o **AUS** 62-63 F3
Cape Dorset o **CDN** 96-97 P5
Cape Fear River ⌣ **USA** 102-103 H3
Cape Girardeau o **USA** 102-103 F3
Cape Krusenstern National Monument ⊥ **USA** 92-93 K2
Capel'ka o **RUS** 30-31 C2
Capelle, la o **F** 16-17 F2
Capenda-Camulemba o **ANG** 86-87 C3
Cape of Good Hope = Kaap die Goeie Hoop ▲• **ZA** 86-87 C8
Cape Race o **CDN** 98-99 O5
Cape Town = Kaapstad ☆•• **ZA** 86-87 C8
Cape York Peninsula ⌣ **AUS** 62-63 G2
Cap-Haïtien o• **RH** 104-105 G4
Capim, Rio ⌣ **BR** 114-115 E2
Capitán Pablo Lagerenza ☆ **PY** 116-117 E1
Capitol Reef National Park ⊥ **USA** 100-101 D3
Čapljina o **BIH** 26-27 C4
Čaplygin o **RUS** 30-31 H5
Čaplynka o **UA** 32-33 C4
Caponda o **MOC** 84-85 C3
Capo Rizzuto o **I** 24-25 F5
Capoto, Área Indígena ⋏ **BR** 114-115 D3
Capráia, Ísola di ⌢ **I** 24-25 B3
Capri, Ísola di ⌢•• **I** 24-25 E4
Caprivi Game Park ⊥ **NAM** 86-87 D5
Caprivistrook ⌣ **NAM** 86-87 D5
Cap-Vert ■ **CV** 76-77 C6
Cap-Vert, Archipel du ⌢ **CV** 76-77 C6
Cap Vert, Plateau du ≃76-77 C6
Cap York, Péninsule du ⌣ **AUS** 62-63 G2
Caquetá, Río ⌣ **CO** 110-111 C5
Čara ⌣ **RUS** 38-39 T4
Caracal o **RO** 26-27 G3
Caracarai o **BR** 110-111 E4
Caracaraí, Estação Ecológica ⊥ **BR** 110-111 E4
Caracas ★• **YV** 110-111 D2
Carahué o **RCH** 116-117 C5
Carajás, Serra dos ▲ **BR** 114-115 D3
Caransebeş o **RO** 26-27 F3
Caratasca, Laguna de ≈ **HN** 104-105 E4
Caratinga o **BR** 114-115 F5
Carauari o **BR** 112-113 F2
Caraúbas o **BR** 114-115 G3
Caravaca de la Cruz o **E** 22-23 F4
Caravelas o **BR** 114-115 G5
Caraveli o **PE** 112-113 E5
Carazinho o **BR** 116-117 F3
Carballino, O o **E** 22-23 B2
Carballo o **E** 22-23 B2
Carbonara, Capo ▲ **I** 24-25 B5
Carbondale o **USA** 102-103 F3
Carboneras o **E** 22-23 F5
Carbónia o **I** 24-25 B5
Carcassonne o•• **F** 16-17 F5
Çardak ☆ **TR** 28-29 G4
Cardeña o **E** 22-23 D4
Cardiel, Lago o **RA** 116-117 C7
Cardiff o **GB** 14-15 E6
Cardigan o **GB** 14-15 D5
Cardigan Bay ≈ **GB** 14-15 D5
Cardona o **E** 22-23 G3
Carei o **RO** 26-27 F2
Careiro o **BR** 114-115 B2
Carélie ⌣ 4-5 O1
Carélie, République de ▫ **RUS** 4-5 O2
Carentan o **F** 16-17 D2
Carevo o **BG** 26-27 H4
Carey, Lake o **AUS** 62-63 C5
Čarğev ☆ **TM** 42-43 H4
Carhaix-Plouguer o **F** 16-17 C2

Cariati o **I** 24-25 F5
Caribbean Sea ≈104-105 F5
Cariboo Mountains ▲ **CDN** 94-95 G5
Caribou, Lac o **CDN** 94-95 L4
Caribou Mountains ▲ **CDN** 94-95 H4
Cãrikãr ▲ **AFG** 50-51 H2
Cariñena o **E** 22-23 F3
Carinhanha o **BR** 114-115 F4
Caripito o **YV** 110-111 E2
Caripuyo o **BOL** 112-113 F5
Carlisle o **GB** 14-15 E4
Carloforte o **I** 24-25 B5
Carlota, La o **RA** 116-117 E4
Carlow = Ceatharlach o **IRL** 14-15 C5
Carlsbad o **USA** 100-101 F4
Carlsbad Caverns National Park ⊥••• **USA** 100-101 F4
Carmagnola o **I** 24-25 A2
Carmarthen o **GB** 14-15 D6
Carmaux o **F** 16-17 F4
Carmen de Patagones o **RA** 116-117 E6
Carmona o•• **E** 22-23 D5
Carnarvon o **ZA** 86-87 D8
Carndonagh o **IRL** 14-15 C4
Carnegie, Lake o **AUS** 62-63 C5
Carn Eige ▲ **GB** 14-15 D3
Car Nicobar Island ⌢ **IND** 52-53 F5
Carnikava o **LV** 12-13 L3
Carnot o• **RCA** 82-83 B5
Carnsore Point ▲ **IRL** 14-15 C5
Carolina o **BR** 114-115 E3
Carolina o **USA** 104-105 H4
Carolina o **ZA** 86-87 F7
Carolina, La o **E** 22-23 E4
Caroline du Nord ▫ **USA** 102-103 G3
Caroline du Sud ▫ **USA** 102-103 G4
Caroline Island = Millenium Island ⌢ **KIR** 70-71 G2
Carolines, Chaîne des ≃66-67 A4
Carolines, Îles ⌢ **FSM** 68-69 B1
Caroline Seamounts ≃66-67 A4
Carolines Oriental, Bassin des ≃66-67 B5
Caroni, Río ⌣ **YV** 110-111 E3
Carora o **YV** 110-111 C2
Carpates Orientales ▲ **RO** 26-27 G2
Carpaţii ▲ **RO** 6-7 K4
Carpaţii Meridionali ▲ **RO** 26-27 F3
Carpaţii Orientali ▲ **RO** 26-27 G2
Carpentaria, Gulf of ≈62-63 F2
Carpentaria, Golfe de ≈62-63 F2
Carpentras o **F** 16-17 G4
Carpi o **I** 24-25 C2
Carpina o **BR** 114-115 G3
Carrara o **I** 24-25 C2
Carreta, Punta ▲ **PE** 112-113 D4
Carrick o **IRL** 14-15 B4
Carrión, Río ⌣ **E** 22-23 D2
Carrizal, Punta ▲ **RCH** 116-117 C3
Carrizal Bajo o **RCH** 116-117 C3
Carrizo Springs o **USA** 102-103 D5
Carson City ☆ **USA** 100-101 C3
Cartagena ☆••• **CO** 110-111 B2
Carthage ∴••• **TN** 76-77 K2
Carthagène o **E** 22-23 F5
Cartier Islet ⌢ **AUS** 56-57 D8
Caruaru o **BR** 114-115 G3
Carúpano o **YV** 110-111 E2
Caryčanka o **UA** 32-33 D3
Casablanca ☆• **MA** 76-77 F3
Casa Grande o **USA** 100-101 D4
Casale Monferrato o• **I** 24-25 B2
Casamozza o **F** 24-25 B3
Casa Nova o **BR** 114-115 F3
Casaviejo o• **E** 22-23 D3
Cascade Range ▲ **USA** 100-101 B2
Cascais o **P** 22-23 B4
Cascavel o **BR** 114-115 D6
Caserta ☆ **I** 24-25 E4
Caseyr, Raas = Cap Gwardafuy ▲ **SO** 82-83 J3
Cashel = Caiseal o• **IRL** 14-15 B5

Casiguran ○ **RP** 56-57 D 2
Casilda ○ **RA** 116-117 E 4
Casino ○ **AUS** 64-65 E 2
Casinos ○ **E** 22-23 F 4
Casma ○ **PE** 112-113 D 3
Čašniki ✱ **BY** 20-21 K 1
Čašniki ✱ **BY** 30-31 C 4
Caspe ○ **E** 22-23 F 3
Casper ○ **USA** 100-101 E 2
Caspian Sea ≈ 48-49 G 2
Caspienne, Dépression ⌣ 42-43 E 3
Caspienne, Mer ≈ 48-49 G 2
Cassai, Rio ~ **ANG** 86-87 D 4
Cassiar Mountains ▲ **CDN** 94-95 F 4
Cassino ○ **I** 24-25 D 4
Castanhal ○ **BR** 114-115 E 2
Castaños ○ **MEX** 100-101 F 5
Castèl del Monte ⁛ **I** 24-25 F 4
Casteljaloux ○ **F** 16-17 E 4
Castellana, Grotte di •• **I** 24-25 F 4
Castellar de Santisteban ○ **E** 22-23 E 4
Castelldefels ○ **E** 22-23 G 3
Castelló de la Plana ○ **E** 22-23 F 4
Castellón de la Plana = Castelló de la
    Plana ○ **E** 22-23 F 4
Castelnaudary ○• **F** 16-17 E 5
Castelnau-Magnoac ○ **F** 16-17 E 5
Castelo Branco ○• **P** 22-23 C 4
Castelsardo ○ **I** 24-25 B 4
Castelsarrasin ○ **F** 16-17 E 4
Castelvetrano ○ **I** 24-25 D 6
Casterton ○ **AUS** 64-65 C 4
Castilho ○ **BR** 114-115 D 6
Castilla y León ⊟ **E** 22-23 C 2
Castilla-la-Mancha ⊟ **E** 22-23 E 4
Castillo de Bayuela ○ **E** 22-23 D 3
Castlebar = Caisleán an Bharraigh ○ **IRL**
    14-15 B 5
Castlemaine ○ **AUS** 64-65 C 4
Castletown ○ **GBM** 14-15 D 4
Castletown Bearhaven = Baile Chaisleáin
    Bhéarra ○ **IRL** 14-15 A 6
Castle Windsor •• **GB** 14-15 F 6
Castres ○ **F** 16-17 F 5
Castries ★ **WL** 104-105 J 5
Castro Daire ○ **P** 22-23 C 3
Castrovillari ○ **I** 24-25 F 5
Castuera ○ **E** 22-23 D 4
Catanzaro ○ **I** 24-25 F 5
Cataract, 1st ~• **ET** 78-79 G 4
Cataratas del Iguazú ~•• **RA**
    116-117 G 3
Cateté, Área Indígena ⊠ **BR** 114-115 D 3
Cathair na Mart = Westport ○• **IRL**
    14-15 B 5
Catia la Mar ○ **YV** 110-111 D 2
Cat Island ~ **BS** 104-105 G 4
Catoche, Cabo ▲ **MEX** 104-105 D 3
Catoute ▲ **E** 22-23 C 2
Cátria, Monte ▲ **I** 24-25 D 3
Catrilo ○ **RA** 116-117 E 5
Catrimani, Rio ~ **BR** 110-111 E 4
Cauca, Río ~ **CO** 110-111 C 3
Caucase ▲ 48-49 F 2
Caucasia ○ **CO** 110-111 B 3
Caucolican ⊥ **BOL** 112-113 F 4
Cauquenes ○ **RCH** 116-117 C 5
Caura, Río ~ **YV** 110-111 E 3
Căuşeni ○ **MD** 26-27 J 2
Cavalcante ○ **BR** 114-115 E 4
Cavalla River ~ **LB** 80-81 C 4
Cavan = An Cabhán ○• **IRL** 14-15 C 5
Čavaš respublika⌷ ⊟ **RUS** 30-31 M 4
Čavdarhisar ✱ **TR** 28-29 C 3
Caviana de Fora, Ilha ~ **BR** 110-111 G 4

Cawinpore ○ **IND** 52-53 D 1
Caxias ○ **BR** 114-115 F 2
Caxias do Sul ○ **BR** 116-117 G 3
Caxito ✱ **ANG** 86-87 B 3
Caxiuaná, Reserva Florestal de ⊥ **BR**
    114-115 D 2
Çay ✱• **TR** 28-29 H 3
Cayambe ○ **EC** 112-113 D 1
Cayambe, Volcán ▲ **EC** 112-113 D 1
Cayenne ★ **F** 110-111 G 4
Cayes, Les ~ **RH** 104-105 G 4
Cayman, Dorsale des ≃ 104-105 E 4
Cayman Ridge ≃ 104-105 E 4
Cayman Trench ≃ 104-105 E 4
Cayos Becerro ~ **HN** 104-105 E 4
Cazalla de la Sierra ○ **E** 22-23 D 5
Cazorla ○ **E** 22-23 E 5
Cazorla ○ **YV** 110-111 D 3
Cazorla, Parque Nacional de ⊥ **E**
    22-23 E 4
Cea, Río ~ **E** 22-23 D 2
Ceará ○ **BR** 112-113 E 3
Ceará ⊟ **BR** 114-115 F 3
Ceara, Plaine Abyssale de ≃ 114-115 G 1
Ceará Abyssal Plain ≃ 114-115 G 1
Ceatharlach = Carlow ○ **IRL** 14-15 C 5
Čeboksary ✱ **RUS** 42-43 E 1
Cebu ~ **RP** 56-57 D 4
Cebu ○ **RP** 56-57 D 4
Cebu City ○ • **RP** 56-57 D 3
Čečenskaja Respublika = Nohčijčo'
    Respublika ⊟ **RUS** 42-43 E 3
Cècèrlèg ✱ **MGL** 44-45 H 2
Čechy ⌷ **CZ** 20-21 C 4
Cecina ○ **I** 24-25 C 3
Cedar City ○ **USA** 100-101 D 3
Cedar Lake ~ **CDN** 98-99 D 4
Cedar Rapids ○ **USA** 102-103 E 2
Cedro ○ **BR** 114-115 G 3
Cedros, Isla ~ **MEX** 100-101 C 5
Ceduna ○ **AUS** 62-63 E 6
Ceelbuur ○ **SO** 82-83 H 5
Ceeriigaabo ○ **SO** 82-83 H 3
Cefalù ○ **I** 24-25 E 5
Cega, Río ~ **E** 22-23 D 3
Čegdomyn ○ **RUS** 40-41 F 4
Cegléd ○ **H** 26-27 D 2
Ceheng ○ **CN** 46-47 C 6
Čehov ○• **RUS** 30-31 G 4
Ceiba, La ✱ **HN** 104-105 D 4
Ceiba, La ○ **YV** 110-111 C 3
Čekanovskogo, krjaž ▲ **RUS** 38-39 U 1
Čekurdah ○ **RUS** 38-39 Z 1
Celaya ○ **MEX** 100-101 F 6
Čelbas ~ **RUS** 32-33 G 5
Célèbes ~ **RI** 56-57 C 6
Célèbes, Bassin des ▲ 56-57 D 5
Célèbes, Mer de ≈ 56-57 D 5
Celebes Basin ▲ 56-57 D 5
Celebes Sea ≈ 56-57 D 5
Celina ○ **RUS** 32-33 G 4
Celje ○ **SLO** 26-27 B 2
Celorico da Beira ○ **P** 22-23 C 3
Celtic Sea ≈ 14-15 B 6
Çeltik ✱ **TR** 28-29 H 3
Celtique, Mer ≈ 14-15 B 6
Cenajo, Embalse del < **E** 22-23 F 4
Cenderawasih, Teluk ≈ **RI** 56-57 F 6
Centrafricaine, République ■ **RCA**
    82-83 B 4
Central Australia Aboriginal Land ⊠ **AUS**
    62-63 D 4
Central Brāhui Range ▲ **PK** 50-51 H 3
Central Desert Aboriginal Land ⊠ **AUS**
    62-63 E 3
Centrale, Chaîne ▲ **RUS** 40-41 M 3
Central Eastern Australian Rainforest
    ⊥ ••• **AUS** 64-65 E 2
Central Kalahari Game Reserve ⊥ **RB**
    86-87 D 6

Central'nojakutskaja ravnina ⌣ **RUS**
    38-39 T 3
Central'nolesnoj zapovednik ▲ **RUS**
    30-31 F 3
Central'nosibirskij zapovednik učastok
    Elogujskij ⊥ **RUS** 38-39 N 3
Central'nosibirskij zapovednik učastok
    Enisejsko-Stolbovoj ⊥ **RUS** 38-39 O 3
Central'no-Tungusskoe, plato ⌢ **RUS**
    38-39 Q 3
Central Patricia ○ **CDN** 98-99 F 4
Central Range ▲ **PNG** 68-69 B 1
Centre ⊟ **F** 16-17 E 3
Centro, El ○ **USA** 100-101 C 4
Cerezo de Abajo ○ **E** 22-23 E 3
Cerignola ○ **I** 24-25 E 4
Ceres ○ **BR** 114-115 E 5
Čerepovec ○ **RUS** 30-31 G 2
Ceres ○ **BR** 114-115 E 5
Čerkasskoe ○ **RUS** 30-31 M 5
Čerkasskoe ○ **RUS** 32-33 K 1
Čerkassy = Čerkasy ○ **UA** 32-33 C 3
Čerkasy ✱ **UA** 32-33 C 3
Çerkeş ✱ **TR** 28-49 D 2
Čerkessk ✱ **RUS** 42-43 D 3
cerkva Česnoho chresta • **UA**
    20-21 G 4
Cerna ○ **RO** 26-27 J 3
Cernavodă ○ **RO** 26-27 J 3
Černigov = Černihiv ○• **UA** 32-33 B 2
Černihiv ○• **UA** 32-33 B 2
Černihiv'ske polissja ⌣ **UA** 32-33 B 2
Černivci ✱ **UA** 20-21 H 4
Černjachiv ○• **UA** 20-21 K 3
Černjahovsk ✱•• **RUS** 12-13 J 4
Černjahovsk ✱•• **RUS** 20-21 F 1
Černjanka ○ **RUS** 32-33 E 2
Černovcy = Černivci ○• **UA** 20-21 H 4
Černye zemli ⌣ **RUS** 30-31 J 4
Černyševskij ○ **RUS** 38-39 S 3
Černyškovskij ○ **RUS** 32-33 H 3
Cerralvo, Isla ~ **MEX** 100-101 E 6
Cêrrik ✱ **AL** 28-29 B 2
Cerro, El ○ **BOL** 112-113 G 5
Cerro de Pasco ✱ **PE** 112-113 D 4
Čerskij ○ **RUS** 40-41 M 1
Čerskogo, hrebet ▲ **RUS** 40-41 G 1
Certaldo ○ **I** 24-25 C 3
Čertkovo ○ **RUS** 32-33 G 3
Cervantes ○ **AUS** 62-63 B 6
Cervati, Monte ▲ **I** 24-25 E 4
Červen' ✱ **BY** 20-21 K 2
Cervera ○ **E** 22-23 G 3
Cervera de Pisuerga ○ **E** 22-23 D 2
Cervéteri ○ **I** 24-25 D 4
Cérvia ○ **I** 24-25 D 2
Cervino, Monte = Matterhorn ▲•• **I**
    24-25 A 1
Červonograd = Červonohrad ○ **UA**
    20-21 H 3
Červonohrad ○ **UA** 20-21 H 3
Červonoznam'janka ○ **UA** 26-27 K 2
Červonoznam'janka ○ **UA** 32-33 B 4
Cesena ○ **I** 24-25 D 2
Cēsis ○ •• **LV** 12-13 L 3
Česká Třebová ○ **CZ** 20-21 D 4
Česká Třebová ○ **CZ** 20-21 D 4
České Budějovice ○ **CZ** 20-21 C 4
Českomoravská vrchovina ▲ **CZ**
    20-21 C 4
Český Krumlov ○ **CZ** 20-21 C 4
Český Krumlov ○••• **CZ** 20-21 C 4
Český Šternberk •• **CZ** 20-21 C 4
Český Těšín ○ **CZ** 20-21 E 4
Çeşme ✱ **TR** 28-29 F 3
Česnoho chresta, cerkva • **UA** 20-21 G 4
Češt-e Šarīf ○• **AFG** 50-51 G 2
Cestos River ~ **LB** 80-81 C 4
Cesvaine ○ •• **LV** 12-13 M 3
Cetraro ○ **I** 24-25 E 5
Ceuta ○ **E** 22-23 D 6
Cévennes ▲ **F** 16-17 F 4

Cévennes, Parc National des ⊥ • **F**
    16-17 F 4
Chacahua, Parque Natural Laguna de
    ⊥ **MEX** 100-101 G 7
Chachapoyas ○ **PE** 112-113 D 3
Chaco ○ **RA** 116-117 E 3
Chaco Austral ⌣ **RA** 116-117 E 3
Chaco Boreal ⌣ **PY** 116-117 E 2
Chaco Central ⌣ **PY** 116-117 E 2
Chadayang ○ **CN** 46-47 E 6
Chain, Zone de Fractures de ≃ 80-81 A 6
Chai Nat ○ **T** 54-55 C 2
Chain Fracture Zone ≃ 80-81 A 6
Chala ○ **PE** 112-113 E 5
Chalais ○ **F** 16-17 E 4
Chaleur Bay ≈ **CDN** 98-99 L 5
Challans ○ **F** 16-17 C 3
Challapata ○ **BOL** 112-113 F 5
Challenger, Fosse ≃ 66-67 A 3
Challenger Deep ≃ 66-67 A 3
Challenger Plateau ≃ 64-65 H 4
Châlons-en-Champagne ✱ • **F** 16-17 G 2
Châlons-sur-Marne =
    Châlons-en-Champagne ✱• **F**
    16-17 G 2
Chalon-sur-Saône ○ **F** 16-17 G 3
Chaltel o Fitz Roy, Cerro ▲ **RA**
    116-117 C 7
Chaltubo ○ **GE** 48-49 F 2
Cham ○ **D** 18-19 F 4
Chamba ○•• **IND** 44-45 C 5
Chambéry ✱ • **F** 16-17 G 4
Chamical ○ **RA** 116-117 D 4
Champagne ⌣ • **F** 16-17 G 2
Champagne-Ardenne ⊟ **F** 16-17 G 3
Champaign ○ **USA** 102-103 F 2
Champasak ○ **LAO** 54-55 D 3
Champlain, Lake ○ **USA** 102-103 J 2
Champotón ○• **MEX** 104-105 C 4
Chañaral ○ **RCH** 116-117 C 3
Chança, Rio ~ **P** 22-23 C 5
Chancay ○ **PE** 112-113 D 4
Chandalar River ~ **USA** 92-93 N 2
Chandeleur Islands ~ **USA** 102-103 F 5
Chandigarh ✱ ••• **IND** 44-45 C 5
Chandrapur ○ **IND** 52-53 C 3
Changane, Rio ~ **MOC** 86-87 F 6
Changara ○ **MOC** 86-87 F 5
Changchun ✱ **CN** 46-47 G 2
Changde ○ **CN** 46-47 D 5
Changji ○ **CN** 44-45 E 3
Chang Jiang ~ **CN** 46-47 C 4
Changsha ✱ • **CN** 46-47 D 5
Changtu ○ **CN** 46-47 F 2
Changzhi ○ **CN** 46-47 D 3
Changzhou ○ **CN** 46-47 E 4
Channel Islands ⌷ **GB** 14-15 E 7
Channel Islands ~ **USA** 100-101 B 4
Channel Islands National Park ⊥ **USA**
    100-101 B 4
Channel-Port-aux-Basques ○ **CDN**
    98-99 N 5
Chantada ○ **E** 22-23 C 2
Chantar, Îles ~ **RUS** 40-41 G 3
Chanthaburi ○ **T** 54-55 C 3
Chantrey Inlet ≈ **CDN** 96-97 M 4
Chaohu ○ **CN** 46-47 E 4
Chaoyang ○ **CN** 46-47 F 2
Chaozhou ○ **CN** 46-47 E 6
Chapadinha ○ **BR** 114-115 F 2
Chapala, Lago de ○ **MEX** 100-101 F 6
Chaparaó, Serra do ▲ **BR** 114-115 F 6
Chapeco ○ **BR** 116-117 G 3
Chapleau ○ **CDN** 98-99 H 5
Chapra ○ **IND** 52-53 D 1
Charagua ○ **BOL** 112-113 G 5
Charaña ○ **BOL** 112-113 F 5
Charente ~ **F** 16-17 E 3
Charentes ~ **F** 16-17 D 4
Chari ~ **TCH** 80-81 H 3
Charité-sur-Loire, la ○ **F** 16-17 F 3
Charity ○ **GUY** 110-111 F 3

Charleroi o **B** 18-19 B3
Charles Island ⌐ **CDN** 96-97 Q5
Charleston o• **USA** 102-103 H4
Charleston ✩ **USA** 102-103 G3
Charlestown = Baile Chathail o **IRL** 14-15 B5
Charleville o **AUS** 62-63 H5
Charleville-Mézières ✩ **F** 16-17 G2
Charlotte o **USA** 102-103 G3
Charlotte Amalie ⌐ **USA** 104-105 J4
Charlotte Bank ≃68-69 H3
Charlottesville o••• **USA** 102-103 H3
Charlottetown ✩• **CDN** 98-99 M5
Charlton o **AUS** 64-65 C4
Charlton Island ⌐ **CDN** 98-99 J4
Chârsadda o• **PK** 50-51 J2
Charters Towers o• **AUS** 62-63 H4
Chartres ✩•• **F** 16-17 E2
Chascomús o **RA** 116-117 F5
Châtaigneraie, la o• **F** 16-17 D3
Châteaubriant o **F** 16-17 D3
Château-d'Oex o **CH** 18-19 C5
Châteaudun o **F** 16-17 E2
Château-Gontier o **F** 16-17 D3
Châteaulin o **F** 16-17 B2
Châteauneuf-sur-Charente o **F** 16-17 D4
Châteauneuf-sur-Loire o **F** 16-17 F3
Château-Renault o **F** 16-17 E3
Châteauroux ✩ **F** 16-17 E3
Château-Thierry o **F** 16-17 F2
Châtellerault o **F** 16-17 E3
Châtillon-sur-Seine o• **F** 16-17 G3
Chattahoochee River ⌐ **USA** 102-103 G4
Chattanooga o• **USA** 102-103 F3
Chaumont o **F** 16-17 E3
Chaumont o **F** 16-17 G2
Chaves o **BR** 114-115 E2
Chaves o• **P** 22-23 C3
Cheb o **CZ** 20-21 B3
Cheboygan o **USA** 102-103 G1
Checa o **E** 22-23 F3
Chech, Erg ⌐ **DZ** 76-77 G5
Chegga o **RIM** 76-77 F4
Chegutu o **ZW** 86-87 F5
Cheju o **ROK** 46-47 G4
Cheju Do ⌐ **ROK** 46-47 G4
Chela, Serra da ▲ **ANG** 86-87 B5
Chelforó o **RA** 116-117 D5
Chelikhov, Détroit de ≈ **USA** 92-93 L4
Chelikhov, Golfe de ≈ **RUS** 40-41 L2
Chełm ✩ **PL** 20-21 G3
Chełmno o• **PL** 20-21 E2
Chelmsford o **GB** 14-15 G6
Chełmża o• **PL** 20-21 E2
Cheltenham o• **GB** 14-15 E6
Chemcham, Sebkhet o **RIM** 76-77 E5
Chemillé o **F** 16-17 D3
Chemnitz o **D** 18-19 F3
Chenal des 8° ≈52-53 B5
Chenal des 9° ≈52-53 B5
Chengde o••• **CN** 46-47 E2
Chengdu ✩ **CN** 44-45 H5
Chengshan Jiao ▲ **CN** 46-47 F3
Chennai ✩ •• **IND** 52-53 D4
Chenzhou o **CN** 46-47 D5
Chepes o **RA** 116-117 D4
Chepstow o **GB** 14-15 E6
Cherbourg-Octeville o **F** 16-17 D2
Cherry Island ⌐ **SOL** 68-69 G3
Cherson o• **UA** 32-33 C2
Cherson ✩ **UA** 32-33 C4
Chesapeake Bay ≈ **USA** 102-103 H3
Chester o•• **GB** 14-15 E5
Chesterfield o **GB** 14-15 F5
Chesterfield, Île ⌐ **RM** 84-85 E4
Chesterfield, Îles ⌐ **F** 68-69 E4
Chesterfield Inlet o **CDN** 96-97 M5

Chesterfield Inlet ≈ **CDN** 96-97 M5
Chetlat Island ⌐ **IND** 52-53 B4
Chetumal ✩ **MEX** 104-105 D4
Chetumal, Bahía de ≈ **MEX** 104-105 D4
Cheviot Hills, The ▲ **GB** 14-15 E4
Cheyenne ✩ **USA** 100-101 F2
Cheyenne River ⌐ **USA** 100-101 F2
Cheyenne River Indian Reservation ✕ **USA** 100-101 F1
Cheyenne Wells o **USA** 100-101 F3
Chhatarpur o **IND** 52-53 C2
Chhattisgarh ⊥ **IND** 52-53 D2
Chhindwāra o **IND** 52-53 C2
Chiang Mai ✩ **T** 54-55 B2
Chiang Rai o **T** 54-55 B2
Chiari o **I** 24-25 B2
Chiávari o• **I** 24-25 B2
Chiavenna o **I** 24-25 B1
Chiayi o **RC** 46-47 F6
Chiba ✩ **J** 46-47 K3
Chibabava o **MOC** 86-87 F6
Chibia o **ANG** 86-87 B5
Chibougamau o **CDN** 98-99 K5
Chicago o• **USA** 102-103 F2
Chicapa, Rio ⌐ **ANG** 86-87 D3
Chichagof Island ⌐ **USA** 92-93 P4
Chichén Itzá ∴••• **MEX** 104-105 D3
Chiclayo o• **PE** 112-113 D3
Chico o **USA** 100-101 B3
Chico, Río ⌐ **RA** 116-117 D6
Chicoutimi o **CDN** 98-99 K5
Chicualacuala o **MOC** 86-87 F6
Chidenguele o **MOC** 86-87 F6
Chiem, Lac o **D** 18-19 F5
Chiese ⌐ **I** 24-25 C2
Chieti ✩ **I** 24-25 E3
Chifeng o **CN** 46-47 E2
Chihuahua ✩• **MEX** 100-101 E5
Chilca o **PE** 112-113 D4
Chile Basin ≃112-113 D6
Chilecito o• **RA** 116-117 D3
Chile Rise ≃108-109 D9
Chili ■ **RCH** 116-117 C3
Chili, Bassin du ≃112-113 D6
Chili, Fosse du ⌐109 E10
Chililabombwe o **Z** 86-87 E4
Chilko Lake o **CDN** 94-95 G5
Chillán o **RCH** 116-117 C5
Chiloé, Isla de ⌐ **RCH** 116-117 C6
Chiloé, Parque Nacional ⊥ **RCH** 116-117 C6
Chilpancingo de los Bravos ✩ **MEX** 100-101 G7
Chilwa, Lake o **MW** 84-85 D4
Chimanimani o• **ZW** 86-87 F5
Chimanovsk ✩ **RUS** 40-41 E4
Chimborazo, Volcán ▲ **EC** 112-113 D2
Chimbote o **PE** 112-113 D3
Chimoio ✩ **MOC** 86-87 F5
Chinandega ✩ **NIC** 104-105 D5
Chincha Alta o **PE** 112-113 D4
Chinchilla de Monte Aragón o **E** 22-23 F4
Chinchorro, Banco ⌐ **MEX** 104-105 D4
Chinde o **MOC** 84-85 D4
Chine ■ **CN** 44-45 F5
Chine, Plaine de ⌐ **CN** 46-47 D3
Chine du Sud, Plateau de ▲ **CN** 46-47 D6
Chine méridionale, Bassin de ≃54-55 F2
Chine Méridionale, Mer de ≈54-55 E4
Chine orientale, Mer de ≈46-47 F4
Chingola o **Z** 86-87 E4
Chinguetti o• **RIM** 76-77 E5
Chinhoyi ✩• **ZW** 86-87 F5
Chiniot o• **PK** 50-51 J2
Chinko ⌐ **RCA** 82-83 C4
Chinnūr o **IND** 52-53 C3
Chinon o **F** 16-17 E3
Chióggia o• **I** 24-25 D2
Chipata ✩ **Z** 86-87 F4

Chipewyan Indian Reserve ✕ **CDN** 94-95 J4
Chipiona o **E** 22-23 C5
Chipipa o **ANG** 86-87 C4
Chippenham o **GB** 14-15 E6
Chiquinquirá o **CO** 110-111 C3
Chiquitos, Llanos de ⊥ **BOL** 112-113 G5
Chiraz ✩•• **IR** 48-49 H5
Chirfa o **RN** 78-79 C4
Chirikof Island ⌐ **USA** 92-93 L4
Chiri San ▲ **ROK** 46-47 G3
Chisamba o **Z** 86-87 E4
Chisasibi o **CDN** 98-99 J4
Chisinau ★ **MD** 26-27 J2
Chişineu-Criş o **RO** 26-27 E2
Chitado o **ANG** 86-87 B5
Chitāpur o **IND** 52-53 C3
Chitembo o **ANG** 86-87 C4
Chitongo o **Z** 86-87 E5
Chitrāl o• **PK** 42-43 K4
Chitré o **PA** 104-105 E6
Chitre, Serra do ▲ **BR** 114-115 F5
Chittagong o• **BD** 52-53 F2
Chittoor o **IND** 52-53 C4
Chitungwiza o **ZW** 86-87 F5
Chiumbe, Rio ⌐ **ANG** 86-87 D3
Chiume o **ANG** 86-87 D5
Chivasso o **I** 24-25 A2
Chivay o **PE** 112-113 E5
Chivhu o **ZW** 86-87 F5
Chivilcoy o **RA** 116-117 F4
Chizarira National Park ⊥ **ZW** 86-87 E5
Chlef ✩ **DZ** 76-77 H2
Chmel'nickij = Chmel'nyc'kyj o **UA** 20-21 J4
Chmel'nyc'kyj ✩ **UA** 20-21 J4
Chmel'nyc'kyj, Perejaslav- o **UA** 32-33 B2
Chobe ⌐ **NAM** 86-87 D5
Chobe National Park ⊥ **RB** 86-87 D5
Chodzież o• **PL** 20-21 D2
Choele Choel o **RA** 116-117 D5
Choiseul ⌐ **SOL** 68-69 E2
Chojnice o **PL** 20-21 D2
Chojniki o **BY** 20-21 L3
Chojniki o **BY** 32-33 L3
Chole • **EAT** 84-85 D2
Cholet o **F** 16-17 D3
Choluteca ✩ **HN** 104-105 D5
Choma o **Z** 86-87 E5
Chon Buri o **T** 54-55 C3
Chone o **EC** 112-113 C2
Chongjin ✩ **KP** 46-47 G2
Chongqing o• **CN** 46-47 C5
Chonos, Archipiélago de los ⌐ **RCH** 116-117 B7
Choqã Zanbil ∴••• **IR** 48-49 G4
Chorol o **UA** 32-33 C3
Chos Malal o **RA** 116-117 C5
Choûm o **RIM** 76-77 E5
Chowduār o **IND** 52-53 E2
Christchurch o•• **NZ** 64-65 J5
Christie Bay o **CDN** 94-95 J3
Christmas, Île ⌐ **AUS** 54-55 D8
Christmas Island ⌐ **AUS** 54-55 D8
Chromer o• **GB** 14-15 G5
Chubut □ **RA** 116-117 D6
Chubut, Río ⌐ **RA** 116-117 D6
Chu Dang Sin ▲ **VN** 54-55 D3
Chugach Mountains ▲ **USA** 92-93 N3
Chukchi Plateau ≃118 B34
Chukchi Sea ≈40-41 R1
Chulucanas o **PE** 112-113 C3
Chumbicha o **RA** 116-117 D3
Chumphon o **T** 54-55 B3
Ch'unch'ŏn o **ROK** 46-47 G3
Chunchura o **IND** 52-53 E2
Chuquicamata o **RCH** 116-117 D2
Churchill o• **CDN** 98-99 F3
Churchill, Cap ▲ **CDN** 98-99 F3
Churchill Falls o **CDN** 98-99 M4
Churchill River ⌐ **CDN** 98-99 E3

Churu o **IND** 52-53 B1
Chust ✩ **UA** 20-21 G4
Chuxiong o **CN** 44-45 H6
Chuy o **ROU** 116-117 G4
Chypre ■ **CY** 48-49 R2
Chypre ⌐ **CY** 48-49 D4
Ciágola, Monte ▲ **I** 24-25 E5
Cide ✩ **TR** 48-49 D2
Ciechanów ✩• **PL** 20-21 F2
Ciego de Ávila ✩ **C** 104-105 F3
Ciempozuelos o **E** 22-23 E3
Ciénaga o **CO** 110-111 C2
Cienfuegos ✩ **C** 104-105 E3
Cieszanów o **PL** 20-21 G3
Cieza o **E** 22-23 F4
Çifteler ✩ **TR** 28-29 H3
Cifuentes o **E** 22-23 E3
Cihanbeyli ✩ **TR** 48-49 D3
Cihanbeyli Yaylási ▲ **TR** 48-49 D3
Cíjara, Reserva Nacional de ⊥ **E** 22-23 D4
Čikoj ⌐ **RUS** 44-45 J1
Cilacap o **RI** 54-55 D7
Čil'či o **RUS** 40-41 D3
Cilibia o **RO** 26-27 H3
Čilik = Šelek o **KZ** 42-43 L3
Cilipi o **HR** 26-27 D4
Cill Airne = Killarney o• **IRL** 14-15 B5
Cill Bheagáin = Kilbeggan o **IRL** 14-15 C5
Cill Chainnigh = Kilkenny ✩• **IRL** 14-15 C5
Cill Chaoi = Kilkee o **IRL** 14-15 B5
Cill Dara = Kildare o **IRL** 14-15 C5
Cill Mhantáin = Wicklow ✩ **IRL** 14-15 C5
Cill Orglan = Killorglin o **IRL** 14-15 B5
Cill Rois = Kilrush o **IRL** 14-15 B5
Cimarron River ⌐ **USA** 102-103 C3
Cimişlia ✩ **MD** 26-27 J2
Cimljansk o **RUS** 32-33 H4
Cimljanskoe vodohranilišče o **RUS** 32-33 H4
Cimljanskoe vodohranilišče ⊂ **RUS** 32-33 H4
Cincinnati o **USA** 102-103 G3
Çine ✩• **TR** 28-29 G4
Cinto, Monte ▲ **F** 24-25 B3
Ciotat, la o **F** 16-17 G5
Cipa ⌐ **RUS** 38-39 S4
Čir ⌐ **RUS** 32-33 H3
Circle o **USA** 92-93 O2
Cirebon o• **RI** 54-55 D7
Čirikovo o **RUS** 30-31 G4
Cirò o **I** 24-25 F5
Čirpan o **BG** 26-27 G4
Cisne, Islas del ⌐ **HN** 104-105 E4
Cistierna o **E** 22-23 D2
Čita ✩• **RUS** 38-39 S5
Città del Vaticano ★••• **V** 24-25 D4
Cittanova o **I** 24-25 F5
Ciudad Acuña o **MEX** 100-101 F5
Ciudad Bolívar ✩• **YV** 110-111 E3
Ciudad Camargo o• **MEX** 100-101 E5
Ciudad Constitución o• **MEX** 100-101 D5
Ciudad del Carmen o **MEX** 104-105 C4
Ciudad del Este ✩ **PY** 116-117 G3
Ciudad del Maíz o **MEX** 100-101 G6
Ciudad de México ★••• **MEX** 100-101 G7
Ciudad Guayana o• **YV** 110-111 E3
Ciudad Guzman o• **MEX** 100-101 F7
Ciudad Juárez o• **MEX** 100-101 E4
Ciudad Madero o **MEX** 100-101 G6
Ciudad Mante o **MEX** 100-101 G6
Ciudad Mutis = Bahía Solano o **CO** 110-111 B3
Ciudad Obregón o **MEX** 100-101 E5
Ciudad Ojeda o **YV** 110-111 C2
Ciudad Piar o **YV** 110-111 E3
Ciudad Real o• **E** 22-23 E4
Ciudad Rodrigo o••• **E** 22-23 C3
Ciudad Valles o• **MEX** 100-101 G6
Ciudad Victoria ✩• **MEX** 100-101 G6

Ciutadella o **E** 22-23 H3
Civil'sk o **RUS** 30-31 M4
Civita Castellana o **I** 24-25 D3
Civitanova Marche o **I** 24-25 D3
Civitavécchia o **I** 24-25 C3
Çivril ☆ **TR** 28-29 G3
Cjurupyns'k o **UA** 32-33 C4
Ckalovsk o **RUS** 30-31 K3
Clacton-on-Sea o **GB** 14-15 G6
Clain ~ **F** 16-17 E3
Claire, Lake o **CDN** 94-95 J4
Clamecy o **F** 16-17 F3
Clanwilliam o **ZA** 86-87 C8
Clarence o **RCH** 116-117 C8
Clarence, Isla ~ **RCH** 116-117 C8
Clarence Town o• **BS** 104-105 G3
Clarinda o **USA** 102-103 D2
Clarión, Isla ~ **MEX** 100-101 D7
Clark, Lake o **USA** 92-93 M3
Clarke River ~ **AUS** 62-63 G3
Clark Fork River ~ **USA** 100-101 C1
Clarksdale o **USA** 102-103 E4
Clarks Hill Lake o **USA** 102-103 G4
Clarksville o **USA** 102-103 F3
Clay Belt ± **CDN** 98-99 H4
Clear Hills ▲ **CDN** 94-95 H4
Clermont o **AUS** 62-63 H4
Clermont o **F** 16-17 F2
Clermont-Ferrand ☆ • **F** 16-17 F4
Clermont-l'Hérault o **F** 16-17 F5
Cleveland o • **USA** 102-103 G2
Clifden = An Clocháin o• **IRL** 14-15 A5
Cliffs of Moher •• **IRL** 14-15 B5
Cloncurry o **AUS** 62-63 G4
Clonmacnoise o •• **IRL** 14-15 B5
Clonmel = Cluain Meala o **IRL** 14-15 C5
Cloppenburg o **D** 18-19 D2
Clovis o **USA** 100-101 F4
Cluain Meala = Clonmel o **IRL** 14-15 C5
Cluj-Napoca ☆ • **RO** 26-27 F2
Clyde o **CDN** 96-97 R3
Clyde ~ **GB** 14-15 E4
Cna ~ **RUS** 30-31 J5
Coari o **BR** 114-115 B2
Coari, Rio ~ **BR** 114-115 B2
Coast Mountains ▲ **CDN** 94-95 E4
Coast Range ▲ **USA** 100-101 B1
Coatá Laranjal, Área Indígena ✕ **BR** 114-115 C2
Coatbridge o **GB** 14-15 D4
Coats, Île ~ **CDN** 96-97 O5
Coats, Terre de ± **ANT** 119 B34
Coatzacoalcos o• **MEX** 104-105 C4
Cobadin o **RO** 26-27 J3
Cobán ☆ **GCA** 104-105 C4
Cobar o **AUS** 64-65 D3
Cobh = An Cóbh o **IRL** 14-15 B6
Cobija ☆ **BOL** 112-113 F4
Coblence o• **D** 18-19 C3
Cobourg Peninsula ⌣ **AUS** 62-63 E2
Coburg o• **D** 18-19 E3
Coburg Island ~ **CDN** 96-97 P2
Coca = Puerto Francisco de Orellana o **EC** 112-113 D2
Cochabamba ☆ **BOL** 112-113 F5
Cochem o• **D** 18-19 C3
Cochin = Kochi o•• **IND** 52-53 C5
Cochrane o **CDN** 98-99 H5
Cochrane, Cerro ▲ **RCH** 116-117 C7
Cockburn, Mount ▲ **AUS** 62-63 D5
Cockburn Town ☆ **GB** 104-105 G3
Cocobeach o **G** 80-81 F1
Coco Channel ≈ **CDN** 96-97 P2
Coconho, Ponta ▲ **BR** 114-115 G3
Coco o Segovia ~ **HN** 104-105 D5
Cocos, Dorsale des ≃108-109 D4
Cocos Ridge ≃ 108-109 D4
Cocuy, El o **CO** 110-111 C3
Codajás o **BR** 114-115 B2
Codó o **BR** 114-115 F2
Codri ▲ **MD** 26-27 H1
Codru-Moma, Munţii ▲ **RO** 26-27 F2

Cody o **USA** 100-101 E2
Coeroeni o **SME** 110-111 F4
Coesfeld o **D** 18-19 C3
Coeur d'Alene o **USA** 100-101 C1
Coevorden o **NL** 18-19 C2
Coffin Bay National Park ⊥ **AUS** 62-63 F6
Coffs Harbour o **AUS** 64-65 E3
Cœgat Irystony Respublikoœ ▪ **RUS** 42-43 D3
Cognac o• **F** 16-17 D4
Coiba, Isla de ~ **PA** 104-105 E6
Coihaique o• **RCH** 116-117 C7
Coimbatore o **IND** 52-53 C4
Coimbra o•• **P** 22-23 B3
Coín o **E** 22-23 D5
Coipasa, Salar de o **BOL** 112-113 F5
Coire ~ **CH** 18-19 D5
Čojbalsan o **MGL** 44-45 K2
Cojudo Blanco, Cerro ▲ **RA** 116-117 D7
Colatina o **BR** 114-115 F5
Colca, Río ~ **PE** 112-113 E5
Colchester o• **GB** 14-15 G6
Cold Bay o **USA** 92-93 K4
Coldstream o **GB** 14-15 E4
Coleraine o **GB** 14-15 C4
Coles, Punta ▲ **PE** 112-113 E5
Colesberg o **ZA** 86-87 E8
Colhué Huapi, Lago o **RA** 116-117 D7
Colima ☆ • **MEX** 100-101 F7
Colima, Nevado de ▲ **MEX** 100-101 F7
Colin Archer Peninsula ⌣ **CDN** 96-97 M2
Colinas o **BR** 114-115 F3
Coll ~ **GB** 14-15 C3
Collado-Villalba o **E** 22-23 E3
Collie o **AUS** 62-63 K6
Collier Bay Aboriginal Land ✕ **AUS** 62-63 C3
Collier Range National Park ⊥ **AUS** 62-63 B4
Collinson Peninsula ⌣ **CDN** 96-97 K3
Colmar ☆ • **F** 16-17 H2
Colmenar Viejo o **E** 22-23 E3
Cologne o•• **D** 18-19 C3
Cololo Keasani, Nevado ▲ **BOL** 112-113 F4
Colombia Basin ≃104-105 F5
Colombie ▪ **CO** 110-111 C4
Colombie, Bassin de ≃104-105 F5
Colombie-Britannique ▫ **CDN** 94-95 F4
Colombo o **CL** 52-53 C5
Colomiers o **F** 16-17 E5
Colonel Hill o **BS** 104-105 G3
Colorado o **USA** 100-101 E3
Colorado, Plateau du ▲ **USA** 100-101 D3
Colorado, Río ~ **RA** 116-117 E5
Colorado Desert ± **USA** 100-101 C4
Colorado River ~ **USA** (CO) 100-101 E3
Colorado River ~ **USA** (TX) 102-103 C4
Colorado Springs o• **USA** 100-101 F3
Colotlan o **MEX** 100-101 F6
Columbia o **USA** 102-103 E3
Columbia ☆ **USA** 102-103 G4
Columbia Mountains ▲ **CDN** 94-95 G5
Columbia Plateau ▲ **USA** 100-101 C1
Columbia Reach ~ **CDN** 94-95 H5
Columbia River ~ **USA** 100-101 B1
Columbretes, Islas ~ **E** 22-23 G4
Columbus o **USA** (GA) 102-103 G4
Columbus o **USA** (IN) 102-103 F3
Columbus o **USA** (MS) 102-103 F4
Columbus ☆ **USA** 102-103 G3
Colville, Ride de o ≈64-65 K3
Colville Indian Reservation ✕ **USA** 100-101 C1
Colville River ~ **USA** 92-93 M2
Comácchio o **I** 24-25 D2
Comăneşti o **RO** 26-27 H2
Combommune o **MOC** 86-87 F6
Côme ☆ • **I** 24-25 B2
Côme, Lac de o **I** 24-25 B2

Comilla o **BD** 52-53 F2
Comino, Capo ▲ **I** 24-25 B4
Commandeur, Îles du ~ **RUS** 40-41 N3
Committee Bay ≈ **CDN** 96-97 N4
Comodoro Rivadavia o **RA** 116-117 D7
Comoé ~ **CI** 80-81 D4
Comores ▪ **COM** 84-85 E3
Comores ~ **COM** 84-85 E3
Comores, Archipel des ~ **COM** 84-85 E3
Comorin, Cape ▲ **IND** 52-53 C5
Compiègne o• **F** 16-17 F2
Comrat o **MD** 26-27 J2
Čona ~ **RUS** 38-39 R3
Conakry ★ **RG** 80-81 B4
Concarneau o• **F** 16-17 B3
Conceição do Araguaia o **BR** 114-115 E3
Concepción o **BOL** 112-113 G5
Concepción o **RA** 116-117 D3
Concepción o **RCH** 116-117 C5
Concepción del Oro o **MEX** 100-101 F6
Conchos, Río ~ **MEX** 100-101 E5
Concord o **USA** 102-103 J2
Concordia o **RA** 116-117 F4
Côn Đao ~ **VN** 54-55 D4
Conde o **BR** 114-115 G4
Condobolin o **AUS** 64-65 D3
Condom o **F** 16-17 E5
Confolens o **F** 16-17 E3
Congaz o **MD** 26-27 J2
Congo ▪ **RCB** 86-87 B2
Congo ~ **RCB** 86-87 C2
Congo, Bassin du ± **CGO** 86-87 C2
Congo, République démocratique du ▪ **CGO** 86-87 C2
Connecticut o **USA** 102-103 J2
Conquet o **F** 16-17 B2
Conselheiro Lafaiete o **BR** 114-115 F6
Consett o **GB** 14-15 E4
Constance o• **D** 18-19 D5
Constance, Lac de o **CH** 18-19 D5
Constance, Lac de = Bodensee o **CH** 18-19 D5
Constanţa o **RO** 26-27 J3
Constantina o• **E** 22-23 D5
Constantine ☆•• **DZ** 76-77 J2
Constitución o **RCH** 116-117 C5
Consuelo Peak ▲ **AUS** 62-63 H4
Contagem o **BR** 114-115 F5
Contamana o **PE** 112-113 E3
Contamana, Sierra ▲ **PE** 112-113 E3
Contas, Rio de ~ **BR** 114-115 G4
Contreras, Isla ~ **RCH** 116-117 C8
Contwoyto Lake o **CDN** 96-97 H4
Coober Pedy o **AUS** 62-63 E5
Cook, Détroit de ≈ **NZ** 64-65 J5
Cook, Îles ▪ **CK** 70-71 E3
Cook, Îles ~ **CK** 70-71 E3
Cook, Mount ▲ **NZ** 64-65 J5
Cook Inlet ≈ **USA** 92-93 M4
Cookstown o **GB** 14-15 C4
Cooktown o• **AUS** 62-63 H3
Coolangatta o **AUS** 64-65 E4
Coolgardie o **AUS** 62-63 C6
Cooma o **AUS** 64-65 D4
Coonabarabran o **AUS** 64-65 D3
Coonamble o **AUS** 64-65 D3
Coondapoor o **IND** 52-53 B4
Coon Rapids o **USA** 102-103 E1
Cooper Creek ~ **AUS** 62-63 F5
Coorabie o **AUS** 62-63 E6
Coos Bay o **USA** 100-101 B2
Cootamundra o **AUS** 64-65 D3
Čop o **UA** 20-21 G4
Copacabana o **RA** 116-117 D3
Copenhague ★•• **DK** 12-13 E4
Copiapó o **RCH** 116-117 C3
Coppermine o **CDN** 96-97 H4
Coppermine River ~ **CDN** 94-95 H2
Copper River ~ **USA** 92-93 O3
Coquimbo o **RCH** 116-117 C3
Corabia o **RO** 26-27 G4

Corail, Mer de ≈62-63 H2
Coral Basin ≃68-69 D3
Coral Harbour o **CDN** 96-97 O5
Coral Sea ≈68-69 D4
Corby o **GB** 14-15 F5
Corcaigh = Cork ☆ **IRL** 14-15 B6
Corcovado, Golfo ≈ **RCH** 116-117 C6
Corcovado, Volcán ▲ **RCH** 116-117 C6
Corcubión o **E** 22-23 B2
Cordillera Central ▲ **BOL** 112-113 F5
Cordillera Central ▲ **E** 22-23 D3
Cordillera Central ▲ **PE** 112-113 D3
Cordillera Central ▲ **RP** 56-57 D2
Cordillera Occidental ▲ **PE** 112-113 D3
Cordillera Oriental ▲ **PE** 112-113 D3
Cordillère Australienne ▲ **AUS** 62-63 G2
Córdoba o **RA** 116-117 E4
Córdoba ☆ • **RA** 116-117 E4
Córdoba, Sierra de ▲ **RA** 116-117 D4
Cordoue o••• **E** 22-23 D5
Corée, Golfe de ≈46-47 F3
Corée du Nord ▪ **KP** 46-47 G2
Corée du Sud ▪ **ROK** 46-47 G3
Corée Orientale, Baie de ≈ **KP** 46-47 G3
Corfield o **AUS** 62-63 G4
Corfou o **GR** 28-29 B3
Corfou ☆•• **GR** 28-29 B3
Corfou ~ **GR** 28-29 B3
Coria del Río o **E** 22-23 C5
Corinthe o **GR** 28-29 D4
Corinthe, Golfe de ≈28-29 D3
Corinto o **BR** 114-115 F5
Corisco, Baie de ≈ **G** 80-81 F5
Cork ☆ **IRL** 14-15 B6
Corleone o **I** 24-25 D6
Çorlu ☆ **TR** 28-29 F2
Corme e Laxe, Ría de ≈22-23 B2
Čornae, vozero o **BY** 20-21 H2
Cornate, le ▲ **I** 24-25 C3
Čorne more ≈32-33 B5
Corner Brook o **CDN** 98-99 N5
Čornobyl' o **UA** 32-33 B2
Čornomors'ke o **UA** 32-33 C5
Cornouaille ± **F** 16-17 B2
Cornouailles ± **GB** 14-15 D5
Cornwall Coast o••• **GB** 14-15 D6
Cornwall Island ~ **CDN** 96-97 L2
Cornwall Island ~ **CDN** 96-97 L2
Čornyj Čeremoš ~ **UA** 20-21 H4
Coro o **YV** 110-111 D2
Coroatá o **BR** 114-115 F2
Corocoro o **BOL** 112-113 F5
Coroico o **BOL** 112-113 F5
Coromandel, Côte de ⌣ **IND** 52-53 D4
Coromandel Peninsula ⌣•• **NZ** 64-65 K4
Coron o **RP** 56-57 D3
Coronado, Bahía de ≈ **CR** 104-105 E6
Coronation Island ~ **ANT** 119 C32
Coronel Dorrego o **RA** 116-117 E5
Coronel Oviedo o **PY** 116-117 F3
Coronel Pringles o **RA** 116-117 E5
Corongo o **PE** 112-113 D4
Coropuna, Nevado ▲ **PE** 112-113 E5
Corpus Christi o **USA** 102-103 D5
Corrales, Los (Corralles de Buelna, Los) o **E** 22-23 D2
Corrente, Rio ~ **BR** 114-115 F4
Correnti, Capo Ísola delle ▲ **I** 24-25 E6
Correntina o **BR** 114-115 F4
Corrib, Lough o **IRL** 14-15 B5
Corrientes ▫ **RA** 116-117 F3
Corrientes ☆ **RA** 116-117 F3
Corrientes, Cabo ▲ **CO** 110-111 B3
Corrientes, Cabo ▲ **MEX** 100-101 E6
Corse o **F** 24-25 B3
Corse ~ **F** 24-25 B4
Corse, Cap ▲ **F** 24-25 B3
Corte o• **F** 24-25 B3
Cortegana o **E** 22-23 C5
Cortina d' Ampezzo o **I** 24-25 D1
Čortkiv ☆ **UA** 20-21 H4
Cortona o• **I** 24-25 C3
Coruche o **P** 22-23 B4

Çorum ☆ • TR 48-49 D2
Corumbá o BR 114-115 C5
Corwen o GB 14-15 E5
Cosa • I 24-25 C3
Cosenza o I 24-25 F5
Coşeşti o RO 26-27 G3
Cosmo Newbery Mission ✕ AUS 62-63 C5
Cosne-Cours-sur-Loire o F 16-17 F3
Costa, Cordillera de la ▲ RCH 116-117 B5
Costa Blanca ↳ E 22-23 F5
Costa Brava ↳ E 22-23 H3
Costa del Sol ↳ E 22-23 D5
Costa Marques o BR 114-115 B4
Costa Rica ■ CR 104-105 E5
Costa Vasca ↳ E 22-23 E2
Costa Verde ↳ E 22-23 C2
Costa Verde ↳ P 22-23 B3
Costera del Pacífico, Llanura ↳ MEX 100-101 D5
Costeşti o MD 26-27 H2
Costeşti o RO 26-27 G3
Cotabato City ☆ RP 56-57 D4
Cotagaita o BOL 112-113 F6
Coteau des Prairies ▲ USA 100-101 G1
Coteau du Missouri ▲ USA 100-101 F1
Côte d'Azur ↳ F 16-17 H5
Côte d'Ivoire ↳ CI 80-81 C4
Côte Nord ⟂ CDN 98-99 L4
Contentin ⟂ F 16-17 D2
Côtière, Chaîne ▲ CDN 94-95 E4
Coto de Doñana, Parque Nacional ⟂↳ E 22-23 C5
Cotonou ☆ DY 80-81 E4
Cotopaxi, Volcán ▲ EC 112-113 D2
Cotronei o I 24-25 F5
Cottbus o D 18-19 G3
Couëron o F 16-17 D3
Couhé o F 16-17 E3
Coulommiers o F 16-17 F2
Council Bluffs o USA 102-103 D2
Country Force Base Suffield ✕✕ CDN 94-95 J5
Courantyne ↳ GUY 110-111 F4
Courmayeur o I 24-25 A2
Couronnement, Golfe du ≈ CDN 96-97 H4
Cours-sur-Loire, Cosne o F 16-17 F3
Coutances o F 16-17 D2
Coutras o F 16-17 D4
Coventry o GB 14-15 F5
Covilhã o P 22-23 C3
Covington o USA 102-103 G3
Cowan, Lake o AUS 62-63 C6
Cowra o AUS 64-65 D3
Coxilha de Santana ▲ BR 116-117 F2
Coxilha Grande ▲ BR 116-117 G3
Coxim o BR 114-115 D5
Cox's Bazar o• BD 52-53 F2
Cozes o F 16-17 D4
Cozumel, Isla del ↳↳ MEX 104-105 D3
Cracovie ☆••• PL 20-21 E3
Cradock o ZA 86-87 E8
Craig o USA 100-101 E2
Craignure o GB 14-15 D3
Craiova ☆ • RO 26-27 F3
Cranbourne o AUS 64-65 D4
Cranbrook o CDN 94-95 H6
Cranz ☆ • RUS 12-13 J4
Crary Mountains ▲ ANT 119 B25
Crasna ↳ RO 26-27 F2
Crater Lake National Park ⟂••• USA 100-101 B2
Cratéus o BR 114-115 F3
Crati ↳ I 24-25 F5
Crato o BR 114-115 G3
Cravo Norte o CO 110-111 C3
Cree Lake o CDN 94-95 K4
Creil o F 16-17 F2
Cremona ☆ I 24-25 C2
Cres o HR 26-27 B3

Cres ⟂ HR 26-27 B3
Crescent Group = Yongle Qundao ↳ CN 54-55 E2
Crest o F 16-17 G4
Crète ↳ GR 28-29 E5
Creus, Cap de ▲ E 22-23 H2
Creuse ↳ F 16-17 F3
Crewe o GB 14-15 E5
Cricamola, Reserva Indígena de ✕ PA 104-105 E6
Crieff o GB 14-15 D3
Crikvenica o HR 26-27 B3
Crimée ↳ UA 32-33 C5
Criş, Chişineu- o RO 26-27 E2
Cristóbal Cólon, Pico ▲•• CO 110-111 C2
Crna gora ▲ MK 26-27 E4
Crni vrh ▲ BIH 26-27 C3
Croatie ■ HR 26-27 B3
Crocodiles • BF 80-81 D3
Croix-de-Vie, Saint-Gilles- o F 16-17 C3
Cromwell o NZ 64-65 H6
Crooked Island ↳ BS 104-105 G3
Cross Lake o CDN 98-99 E4
Cross Sound ≈ USA 92-93 P4
Crotone o I 24-25 F5
Crow Indian Reservation ✕ USA 100-101 E1
Crown Prince Frederik Island ↳ CDN 96-97 N4
Croyden o AUS 62-63 G3
Crozon o F 16-17 B2
Cruces, Las o USA 100-101 E4
Cruz, Cabo ▲ C 104-105 F4
Cruz Alta o BR 116-117 G3
Cruz del Eje o RA 116-117 E4
Cruzeiro o BR 114-115 F6
Cruzeiro do Sul o BR 112-113 E3
Cserhát ⟂ H 26-27 D2
Csorna o H 26-27 C2
Cuamba o MOC 84-85 D3
Cuando, Rio ↳ ANG 86-87 D4
Cuangar o ANG 86-87 C5
Cuango o ANG 86-87 C3
Cuango ↳ ANG 86-87 C3
Cuanza, Rio ↳ ANG 86-87 C3
Cuarto, Río ↳ RA 116-117 E4
Cuba ■ C 104-105 E3
Cuba ↳ C 104-105 E3
Cubal o ANG 86-87 B4
Cubango o ANG 86-87 C4
Cubango, Rio ↳ ANG 86-87 C4
Cubara o CO 110-111 C3
Çubuk o TR 48-49 D2
Cuchi ↳ ANG 86-87 C5
Cucuta o CO 110-111 C3
Cuddapah o IND 52-53 C4
Čudovo ☆ RUS 30-31 D2
Cuéllar o E 22-23 D3
Cuenca o••• E 22-23 E3
Cuenca ☆ • EC 112-113 D2
Cuenca, Serranía de ▲ E 22-23 E3
Cuernavaca ☆ • MEX 100-101 G7
Çuhloma o RUS 30-31 K2
Çuhujiv o UA 32-33 E3
Cuiabá o BR 114-115 C5
Cuiabá, Rio ↳ BR 114-115 C4
Cuima o ANG 86-87 C4
Cuito, Rio ↳ ANG 86-87 C5
Cuito Cuanavale o ANG 86-87 C5
Çukotskij, mys ▲ RUS 40-41 R2
Čukotskij poluostrov ↳ RUS 40-41 Q1
Čukotskoe more = Chukchi Sea ≈40-41 R1
Cula ↳ MD 26-27 J2
Culiacán ☆ MEX 100-101 E6
Cullera o E 22-23 F4
Čul'man o RUS 40-41 D3
Culuene, Rio ↳ BR 114-115 D4
Culver, Point ▲ AUS 62-63 C6
Čulym ☆ RUS 38-39 M4
Čulym ↳ RUS 38-39 M4

Čulymskaja ravnina ↳ RUS 38-39 N4
Cumaná ☆ • YV 110-111 E2
Cumberland, Cape = Cape Nahoi ▲ VU 68-69 G3
Cumberland Island ↳ USA 102-103 G4
Cumberland Peninsula ↳ CDN 96-97 R4
Cumberland Plateau ▲ USA 102-103 F4
Cumberland River ↳ USA 102-103 F3
Cumberland Sound ≈ CDN 96-97 R4
Cumbres de Majalca, Parque Nacional ∴ MEX 100-101 E5
Cumbrian Mountains ▲ GB 14-15 E4
Čumikan ☆ RUS 40-41 G4
Cuminá, Rio ↳ BR 110-111 F4
Cumnock ☆ GB 14-15 D4
Čumra ☆ TR 48-49 D3
Čuna ↳ RUS 38-39 P4
Cunene, Rio ↳ ANG 86-87 B5
Cúneo ☆ I 24-25 A2
Čunja ↳ RUS 38-39 P3
Cunnamulla o AUS 62-63 H5
Čun'skij ☆ RUS 38-39 P4
Čuokkarašša ▲ N 8-9 N2
Curaça o BR 114-115 G3
Curaçao ↳ NA 104-105 H5
Curacautín o RCH 116-117 C5
Čurapča ☆ • RUS 40-41 F2
Curaray, Río ↳ EC 112-113 D2
Curico o RCH 116-117 C4
Curitiba ☆ • BR 116-117 H3
Currais Novos o BR 114-115 G3
Currie o AUS 64-65 C4
Curtea de Argeş o• RO 26-27 G3
Curtis Island ↳ NZ 64-65 L3
Curuá, Rio ↳ BR 114-115 C3
Curuaí o BR 114-115 C2
Curuça o BR 114-115 E2
Curup o RI 54-55 C6
Cururupu o BR 114-115 F2
Curvelo o BR 114-115 F5
Čutove o UA 32-33 D3
Cuttack = Kataka o IND 52-53 E2
Cuvelai o ANG 86-87 C5
Cuxhaven o D 18-19 D2
Cuy, El o RA 116-117 D5
Cuyo Islands ↳ RP 56-57 D3
Cuyuni, Río ↳ YV 110-111 E3
Cuzco ☆ PE 112-113 E4
Čvrsnica ▲ BIH 26-27 C4
Cyclades ↳ GR 28-29 E4
Çyhyryn o UA 32-33 C3
Cypnavolok, mys ▲ RUS 8-9 R2
Cypress Hills ▲ CDN 94-95 R3
Cyrénaïque ↳ LAR 78-79 Q2
Çyrvonae, vozero o BY 20-21 K2
Çyrvonae, vozero o BY 20-21 S2
Cythère ☆ GR 28-29 E4
Czaplinek o PL 20-21 R2
Czarnków o PL 20-21 D2
Czarnków o PL 20-21 R2
Czersk o PL 20-21 D2
Czersk o PL 20-21 Q3
Częstochowa ☆ •• PL 20-21 E3
Częstochowa ☆ •• PL 20-21 Q2
Człuchów o•20-21 D2
Człuchów o•20-21 P2

D

Dabaro o SO 82-83 H4
Dabeiba o CO 110-111 R2
Dabola o RG 80-81 B2
Dacca ★• BD 52-53 F2
Dachau o D 18-19 P2
Dachsteingruppe ▲ A 18-19 P2
Dacia Seamount ≃76-77 Q2

Dadra and Nagar Haveli ☐ IND 52-53 Q2
Dâdu o PK 50-51 P2
Daet o• RP 56-57 Q2
Dagana o• SN 80-81 R2
Dagda o LV 12-13 M3
Dagda o LV 12-13 Q2
Dagestan, Respublika ☐ RUS 42-43 R2
Dagö = Hiiumaa saar ⟂ EST 12-13 K2
Dagö = Hiiumaa saar ⟂ EST 12-13 R2
Daguestan ☐ RUS 42-43 R2
Da Hinggan Ling ▲ CN 46-47 R2
Dahlak Archipelago ↳ ER 82-83 G2
Dahnä', ad- ⟂ KSA 50-51 R2
Dâhod o IND 52-53 Q2
Dahûk ☆ IRQ 48-49 Q2
Daimiel o E 22-23 Q2
Dair az-Zaur ☆ SYR 48-49 F3
Dairut o ET 78-79 G3
Dajarra o AUS 62-63 F4
Dakar ★• SN 80-81 A3
Dakota du Nord ☐ USA 100-101 F1
Dakota du Sud ☐ USA 100-101 F2
Dakovica o KSV 26-27 E4
Đakovo o• HR 26-27 D3
Dalälven ↳ S 10-11 J4
Dalaman Çayı ↳ TR 28-29 G4
Dalanzadgad ☆ MGL 44-45 H3
Dalap-Uliga-Darrit ★ MH 66-67 G4
Dalarna ⟂ S 10-11 G4
Đa Lát ☆ •• VN 54-55 D3
Dalby o AUS 62-63 J5
Dale o N 10-11 C4
Dale ☆ N 10-11 C4
Dalgaranga Hill ▲ AUS 62-63 B5
Dâlgopol o BG 26-27 H4
Dalhousie, Cape ▲ CDN 94-95 F1
Dali o• CN 44-45 H6
Dalian o CN 46-47 F3
Daliang Shan ▲ CN 44-45 H6
Dallas o USA 102-103 D4
Dall Island ↳ USA 92-93 O4
Dalmacija ⟂ HR 26-27 B4
Dalmatie ⟂ HR 26-27 B4
Dal'negorsk o RUS 46-47 J2
Dal'nerečensk o RUS 40-41 F5
Daloa ☆ CI 80-81 C4
Dalrymple Lake < AUS 62-63 H4
Dalsland ⟂ S 12-13 D2
Dalsmynni o IS 8-9 c2
Dältenganj o IND 52-53 D2
Dalvík o IS 8-9 d2
Dalwhinnie o GB 14-15 D3
Daly River Aboriginal Land ✕ AUS 62-63 D2
Daly Waters o AUS 62-63 E3
Dam, Am- o TCH 82-83 C3
Dâmân ☆ IND 52-53 B2
Damân and Diu ☐ IND 52-53 B2
Damanhûr o ET 78-79 G2
Damâr o YAR 50-51 C6
Đamar, Pulau ↳ RI 56-57 E7
Damara o RCA 82-83 B5
Damaraland ⟂ NAM 86-87 C6
Damas ★••• SYR 48-49 E4
Damaturu o WAN 80-81 G3
Damâvand, Küh-e ▲•• IR 48-49 H3
Damazine o SUD 82-83 E3
Damba o ANG 86-87 C3
Damboa o WAN 80-81 G3
Đâmgân o• IR 48-49 H3
Damiette o ET 78-79 G2
Dammâm, ad- ★ KSA 50-51 E3
Damoh o IND 52-53 C2
Dampier o AUS 62-63 B4
Dampier Archipelago ↳ AUS 62-63 B4
Damqaut o YAR 50-51 E5
Damrûr o KSA 50-51 B4
Dana Barat, Kepulauan ↳ RI 56-57 E7
Đà Nang ☆ • VN 54-55 D2
Danau Toba ↳↳ RI 54-55 B5
Dandong o CN 46-47 F2
Danemark ■ DK 12-13 R2

Dangriga o **BH** 104-105 D 4
Dan-Gulbi o **WAN** 80-81 F 3
Danilov o **RUS** 30-31 J 2
Danilovka o **RUS** 32-33 J 2
Danilovskaja vozvyšennosť ▲ **RUS** 30-31 H 2
Danjiangkou o••• **CN** 46-47 D 4
Dankov o **RUS** 30-31 H 5
Danli o **HN** 104-105 D 5
Danmark Fjord ≈ **GRØ** 96-97 a 1
Dannenberg (Elbe) o **D** 18-19 E 2
Danube ~ **A** 6-7 K 4
Danube ~ **BG** 26-27 G 4
Danube ~ **RO** 26-27 F 3
Danube ~ **UA** 26-27 J 3
Danville o **USA** (IL) 102-103 F 2
Danville o **USA** (VA) 102-103 H 3
Dan Xian o **CN** 54-55 D 2
Danzig ☆•• **PL** 20-21 E 1
Daoura, Oued ~ **DZ** 76-77 G 3
Dapaong ☆ **RT** 80-81 E 3
Da Qaidam o **CN** 44-45 G 4
Daqing o **CN** 40-41 D 5
Daraj o **LAR** 78-79 C 2
Darasun o **RUS** 44-45 K 1
Darbhanga o **IND** 52-53 E 1
Dardanelles ≈28-29 F 2
Dar es Salaam ☆• **EAT** 84-85 D 2
Dārfūr ⏄ **SUD** 82-83 C 3
Darhan o **MGL** 44-45 J 2
Darién, Golfo del ≈108-109 E 3
Darién, Parque Nacional de ⏄ ••• **PA** 104-105 F 6
Darién, Serranía del ▲ **PA** 104-105 F 6
Darjiling o **IND** 52-53 E 1
Darling Downs ⏄ **AUS** 62-63 H 5
Darling Range ▲ **AUS** 62-63 B 6
Darling River ~ **AUS** 64-65 C 3
Darlington o **GB** 14-15 F 4
Darłowo o **PL** 20-21 D 1
Darmstadt o• **D** 18-19 D 4
Darnétal o **F** 16-17 E 2
Darnick o **AUS** 64-65 C 3
Darnis ☆ **LAR** 78-79 E 2
Darnley, Cape ▲ **ANT** 119 C 7
Darnley Bay ≈ **CDN** 94-95 G 2
Daroca o **E** 22-23 F 3
Dartford o **GB** 14-15 G 6
Dartmoor National Park ⏄ **GB** 14-15 D 6
Daru o **PNG** 68-69 B 2
Daruvar o **HR** 26-27 C 3
Darvinskij zapovednik ⏄ **RUS** 30-31 G 2
Darwin ☆ **AUS** 62-63 E 2
Datça ☆ **TR** 28-29 F 4
Datong o **CN** (QIN) 44-45 H 4
Datong o **CN** (SHA) 46-47 D 2
Datu, Tanjung ▲ **RI** 54-55 D 5
Datu, Teluk ≈ **MAL** 54-55 E 5
Daugava ~ **LV** 12-13 M 3
Daugavpils ☆ **LV** 12-13 M 4
Dauka o **OM** 50-51 E 5
Daund o **IND** 52-53 B 3
Dauphin o **CDN** 98-99 D 4
Dauphiné ⏄ **F** 16-17 G 4
Daurada, Costa ⌣ **E** 22-23 G 3
Dāvangere o **IND** 52-53 C 4
Davao City o **RP** 56-57 E 4
Davenport o **USA** 102-103 E 2
David ☆•• **PA** 104-105 E 6
Davidson Mountains ▲ **USA** 92-93 O 2
Davis, Détroit de ≈96-97 T 4
Davis Sea ≈119 C 10
Davis Strait ≈96-97 T 4
Davos o• **CH** 18-19 D 5
Dawādimī, ad- o• **KSA** 50-51 C 4
Dawson o **CDN** 94-95 D 3
Dawson Creek o **CDN** 94-95 G 4
Dawson Range ▲ **CDN** 94-95 D 3
Dawson River ~ **AUS** 62-63 H 5
Dawu o **CN** 44-45 H 5
Dax o **F** 16-17 D 5
Da Xian o **CN** 46-47 C 4

Daxue Shan ▲ **CN** 44-45 H 5
Dayton o **USA** 102-103 G 3
Daytona Beach o **USA** 102-103 G 5
Dazkırı ☆ **TR** 28-29 G 4
Deakin o **AUS** 62-63 D 6
Deán Funes o **RA** 116-117 E 4
Dease Arm ≈ **CDN** 94-95 G 2
Dease Lake o **CDN** 94-95 E 4
Dease Strait ≈ **CDN** 96-97 J 4
Death Valley ⌣ **USA** 100-101 C 3
Deauville o• **F** 16-17 E 2
Debal'ceve o **UA** 32-33 F 3
Debar o• **MK** 26-27 E 5
Debo, Lac o **RMM** 80-81 D 2
Debre Birhan o **ETH** 82-83 F 4
Debrecen o **H** 26-27 F 2
Debre Markos ☆ **ETH** 82-83 F 3
Decatur o **USA** 102-103 F 3
Decazeville o **F** 16-17 F 4
Deccan ⏄ **IND** 52-53 B 3
Decelles, Réservoir o **CDN** 98-99 J 5
Děčín o **CZ** 20-21 C 3
Decize o **F** 16-17 F 3
Dedegöl Dağları ▲ **TR** 28-29 H 4
Dédougou o **BF** 80-81 D 3
Dedoviči o **RUS** 30-31 C 3
Dedza o **MW** 84-85 C 3
Dee ~ **GB** 14-15 E 3
Dee ~ **GB** 14-15 E 5
Defensores del Chaco, Parque Nacional ⏄ **PY** 116-117 E 2
Degeh Bur o **ETH** 82-83 G 4
Deggendorf o **D** 18-19 F 4
De Grey River ~ **AUS** 62-63 B 4
Dehiba o **TN** 76-77 K 3
Dehra Dun o••• **IND** 44-45 C 5
Dehri o **IND** 52-53 D 2
Dej o **RO** 26-27 F 2
Dejneva, Cap ▲ **RUS** 40-41 S 1
Dekese o **CGO** 86-87 D 2
Delaware o **USA** 102-103 H 3
Delaware Bay ≈ **USA** 102-103 H 3
Delaware River ~ **USA** 102-103 J 2
Delčevo o• **MK** 26-27 F 5
Delegate River o **AUS** 64-65 D 4
Delft o• **NL** 18-19 B 2
Delfzijl o **NL** 18-19 C 2
Delgado, Cabo ▲ **MOC** 84-85 E 3
Delhi ☆ **IND** 52-53 C 1
Delicias o **MEX** 100-101 E 5
Delingha o **CN** 44-45 G 4
Delmenhorst o **D** 18-19 D 2
De Long, Détroit ≈ **RUS** 40-41 P 0
De Long, Îles ▲ **RUS** 118 B 8
De Long Mountains ▲ **USA** 92-93 K 2
Delos ••• **GR** 28-29 E 4
Delphi ••• **GR** 28-29 D 3
Del Rio o **USA** 102-103 C 5
Delsbo o **S** 10-11 J 4
Delta du Gange ⏄ **IND** 52-53 E 2
Delta Dunării ⏄ ••• **RO** 26-27 J 3
Delta Junction o **USA** 92-93 N 3
Demalinius de Leshwe ⏄ **CGO** 86-87 E 4
Demba o **CGO** 86-87 D 3
Dembī Dolo o• **ETH** 82-83 E 4
Demensk, Spas- o **RUS** 30-31 F 4
Demerara Abyssal Plain ≈110-111 G 3
Demidov o **RUS** 30-31 D 4
Deming o **USA** 100-101 E 4
Demini, Rio ~ **BR** 110-111 E 4
Demirci o **TR** 28-29 G 3
Dem'janka ~ **RUS** 38-39 J 4
Demjansk o **RUS** 30-31 E 3
Demmin o **D** 18-19 F 2
Demta o **RI** 56-57 H 6
Denakil ⏄ **ETH** 82-83 G 3
Denali National Park o **USA** 92-93 N 3
Denali National Park and Preserve ⏄ **USA** 92-93 M 3
Denan o **ETH** 82-83 G 4
Dengkou o **CN** 46-47 C 2

Denham o **AUS** 62-63 A 5
Den Helder o **NL** 18-19 B 2
Deni, Área Indígena ⌾ **BR** 112-113 F 3
Denia o **E** 22-23 G 4
Deniliquin o **AUS** 64-65 C 4
Denizli ☆ **TR** 28-29 G 4
Den Oever o **NL** 18-19 B 2
Denov o **UZ** 42-43 J 4
Denpasar o **RI** 54-55 F 7
Denton o **USA** 102-103 D 4
D'Entrecasteaux Islands ⏄ **PNG** 68-69 D 2
D'Entrecasteaux National Park ⏄ **AUS** 62-63 B 6
Denver o• **USA** 100-101 F 3
Deogarh o **IND** 52-53 D 2
Deoghar o **IND** 52-53 E 2
De Panne o **B** 18-19 A 3
Deposito o **BR** 110-111 E 4
Deputatskij ☆ **RUS** 40-41 G 1
Dera ~ **SO** 82-83 G 5
Dera Ghāzi Khān o• **PK** 50-51 J 2
Dera Ismāīl Khān o **PK** 50-51 J 2
Derbent o **RUS** 42-43 E 3
Derby o **AUS** 62-63 C 3
Derby o **GB** 14-15 F 5
Derdepoort o **ZA** 86-87 E 6
Derg, Lough o **IRL** 14-15 B 5
Derhačy o **UA** 32-33 E 2
Derry ☆• **GB** 14-15 C 4
Derry Doire = Derry ☆• **GB** 14-15 C 4
Derudeb o **SUD** 78-79 H 5
Derval o **F** 16-17 D 3
Deržavinsk ☆ **KZ** 42-43 J 1
Deržavnyj zapovednyk Dunajskie plavni ⏄ ••• **UA** 26-27 J 3
Desch o **RO** 26-27 F 2
Deschutes River ~ **USA** 100-101 B 2
Desē ☆ **ETH** 82-83 F 3
Deseado, Cabo ▲ **RCH** 116-117 C 8
Deseado, Río ~ **RA** 116-117 D 7
Desenzano del Garda o **I** 24-25 C 2
Désert Sableux ⏄ **PK** 50-51 G 3
Desierto Central de Baja California, Parque Nacional del ⏄ **MEX** 100-101 D 5
Des Moines ☆• **USA** 102-103 E 2
Desna ~ **RUS** 30-31 E 4
Desna ~ **UA** 32-33 B 2
Desnățui ~ **RO** 26-27 F 3
Desolación, Isla ▲ **RCH** 116-117 C 8
Despotovac o **SRB** 26-27 E 3
Dessau-Roßlau o••• **D** 18-19 F 3
Dete o **ZW** 86-87 E 5
Detmold o• **D** 18-19 D 3
Detroit o• **USA** 102-103 G 2
Détroit de Corée ≈46-47 G 4
Dettifoss o **IS** 8-9 e 2
Deutsche Bucht ≈ **D** 18-19 C 1
Deux Balé, Forêt des ⏄ **BF** 80-81 D 3
Deva o **RO** 26-27 F 3
Devgarh o **IND** 52-53 B 1
Devica ~ **RUS** 32-33 F 2
Devil's Hole ≃ **GB** 14-15 G 3
Devils Lake o **USA** 100-101 G 1
Devils Tower National Monument ⏄ **USA** 100-101 F 2
Devin o **BG** 26-27 G 5
Devnja o **BG** 26-27 H 4
Devoll, Lumi ~ **AL** 28-29 C 2
Devon ⏄ **GB** 14-15 D 6
Devon Island ▲ **CDN** 96-97 M 2
Devonport o **AUS** 64-65 D 5
Devrek ☆ **TR** 28-29 H 2
Dewās o **IND** 52-53 C 2
Deyang o **CN** 44-45 H 5
Dezfūl o• **IR** 48-49 G 4
Dezhou o **CN** 46-47 E 3
Dežneva, mys ▲ **RUS** 40-41 S 1
Dhahran o **KSA** 50-51 D 3
Dhamtari o **IND** 52-53 D 2
Dhanbād o **IND** 52-53 E 2

Dhaulagiri ▲ **NEP** 52-53 D 1
Dhorāji o **IND** 52-53 B 2
Dhuburi o **IND** 52-53 E 1
Dhule o **IND** 52-53 B 2
Dhuusa Mareeb ☆ **SO** 82-83 H 4
Diablo, Punta del ▲ **ROU** 116-117 G 4
Diamantina, Chapada ▲ **BR** 114-115 F 4
Diamantina, Zone de Fractures de la ≈60-61 B 8
Diamantina Fracture Zone ≈60-61 B 8
Diamantina River ~ **AUS** 62-63 G 4
Diamantino o **BR** 114-115 C 4
Diamond Area Restricted ×× **NAM** 86-87 C 7
Diamond Jennes Peninsula ⌣ **CDN** 96-97 G 3
Dian Chi o **CN** 52-53 H 2
Dianópolis o **BR** 114-115 F 4
Diávlos Zakinthou ≈28-29 C 4
Dibble Glacier ⊏ **ANT** 119 C 14
Dibdiba, ad- ▲ **KSA** 50-51 D 3
Dī Bīn ∴• **YAR** 50-51 C 5
Ďibrugarh o **IND** 52-53 F 1
Dibs o **SUD** 82-83 C 3
Dibulla o **CO** 110-111 C 2
Dickinson o **USA** 100-101 F 1
Dıcle Nehri ~ **TR** 48-49 F 3
Didiéni o **RMM** 80-81 C 3
Didimótiho o **GR** 28-29 F 2
Didyma ∴•• **TR** 28-29 F 4
Diébougou o **BF** 80-81 D 3
Diego de Almagro, Isla ⏄ **RCH** 116-117 B 8
Diemrich •• **RO** 26-27 F 3
Điên Biên o• **VN** 54-55 C 1
Dienné o••• **RMM** 80-81 D 3
Diepholz o **D** 18-19 D 2
Dieppe o• **F** 16-17 E 2
Diffa ☆ **RN** 80-81 G 3
Diffa, ad- ⏄ **ET** 78-79 F 2
Digboi o **IND** 52-53 G 1
Digby o **CDN** 98-99 L 6
Diglea ~ **IRQ** 48-49 G 4
Digne-les-Bains o• **F** 16-17 H 4
Digoin o **F** 16-17 G 3
Digul ~ **RI** 56-57 H 7
Digya National Park ⏄ **GH** 80-81 D 4
Dijon o **F** 16-17 G 3
Dikāka, ad- ⏄ **KSA** 50-51 E 5
Dikanäs o **S** 8-9 H 4
Dikhil o **DJI** 82-83 G 3
Dikili ☆ **TR** 28-29 F 3
Dikson ☆ **RUS** 38-39 M 1
Dikwa o **WAN** 80-81 G 3
Dili ★ **TL** 56-57 E 7
Dilia ~ **RN** 80-81 G 3
Dilj ▲ **HR** 26-27 C 3
Dilling o **SUD** 82-83 D 3
Dillingham o **USA** 92-93 L 4
Dilolo o **CGO** 86-87 D 4
Dimāpur o **IND** 52-53 F 1
Dimašq ★ **SYR** 48-49 G 4
Dimboola o **AUS** 64-65 C 4
Dimitrovica o **RUS** 30-31 J 5
Dimitrovgrad o **BG** 26-27 G 4
Dimitrovgrad ☆ **RUS** 42-43 E 1
Dimitrovgrad o **SRB** 26-27 F 4
Dimlang ▲ **WAN** 80-81 G 4
Dinan o• **F** 16-17 C 2
Dinant o• **B** 18-19 B 3
Dinar ☆ **TR** 28-29 H 3
Dinara ▲ **SRB** 26-27 C 3
Dinariques, Alpes ▲ **SRB** 26-27 C 3
Dindar National Park ⏄ **SUD** 82-83 F 3
Dindigul o **IND** 52-53 C 4
Dingle = An Daingean o **IRL** 14-15 A 5
Dingle Bay ≈14-15 A 5
Dinguiraye o **RG** 80-81 B 3
Dingwall o **GB** 14-15 D 3
Dingxi o **CN** 44-45 H 4
Dinosaur Provincial Park ⏄ ••• **CDN** 94-95 J 5

Diou o **F** 16-17 F 3
Diourbel ☆ **SN** 80-81 A 3
Dipolog ☆ **RP** 56-57 D 4
Diré o **RMM** 80-81 D 2
Dirē Dawa o• **ETH** 82-83 G 4
Dirico o **ANG** 86-87 D 5
Dirk Hartog Island ⌒•• **AUS** 62-63 A 5
Dirranbandi o **AUS** 62-63 H 5
Disappointment, Lake o **AUS** 62-63 C 4
Disko Bugt ≈ **GRØ** 96-97 U 4
Disko Ø ⌒ **GRØ** 96-97 U 4
Diss o **GB** 14-15 G 5
Distrito Federal ⊡ **BR** 114-115 E 5
Divinópolis o **BR** 114-115 F 6
Divisões ou de Santa Marta, Serra das ▲ **BR** 114-115 D 5
Divisor, Serra de ▲ **BR** 112-113 E 3
Divo ☆ **CI** 80-81 C 4
Divor, Ribeira do ⌒ **P** 22-23 B 4
Diwānīya, ad- ☆ **IRQ** 48-49 F 4
Dixième Degré, Chenal du ≈52-53 F 4
Dixon Entrance ≈ **CDN** 94-95 E 5
Diyarbakır o•• **TR** 48-49 F 3
Dja ⌒ **CAM** 80-81 G 5
Dja, Réserve du = Dja Reserve ⊥••• **CAM** 80-81 G 5
Djado, Plateau du ▲ **RN** 78-79 C 4
Djambala ☆ **RCB** 86-87 B 2
Djanet ☆• **DZ** 76-77 J 5
Djat'kovo o **RUS** 30-31 F 5
Djeddah o• **KSA** 50-51 B 4
Djedi, Oued ⌒ **DZ** 76-77 H 3
Djelfa ☆• **DZ** 76-77 H 3
Djéma o **RCA** 82-83 D 4
Djemena, Am o **TCH** 80-81 H 3
Djerba ⌒•• **TN** 76-77 K 3
Djerem ⌒ **CAM** 80-81 G 4
Djezkazgan ☆ **KZ** 42-43 J 2
Djibo o **BF** 80-81 D 3
Djibouti ■ **DJI** 82-83 G 3
Djibouti ★ **DJI** 82-83 G 3
Djolu o **CGO** 82-83 C 5
Djoudj, Parc National des oiseaux du ⊥••• **SN** 80-81 A 2
Djougou o **DY** 80-81 E 4
Djourab, Erg du ⊥ **TCH** 78-79 D 5
Djugu o **CGO** 82-83 E 5
Djúpivogur o **IS** 8-9 I 2
Dmitrievka o **KZ** 42-43 J 1
Dmitriev-L'govskij o **RUS** 30-31 F 5
Dmitriev-L'govskij o **RUS** 32-33 D 1
Dmitri Laptev, Détroit de ≈ **RUS** 38-39 X 1
Dmitrov ☆• **RUS** 30-31 G 3
Dmytrivka o **UA** 32-33 C 2
Dnepr ⌒ **RUS** 30-31 D 4
Dneprodzeržinsk = Dniprodzeržyns'k o **UA** 32-33 D 3
Dnepropetrovsk = Dnipropetrovs'k ☆ **UA** 32-33 D 3
Dnestr = Dnister ⌒ **UA** 20-21 J 4
Dnestr = Nistru ⌒ **MD** 26-27 J 2
Dniepropetrovs'k ☆ **UA** 32-33 D 3
Dnipro ⌒ **UA** 32-33 B 2
Dnipro ⌒ **UA** 32-33 D 3
Dniprodzeržyns'k o **UA** 32-33 D 3
Dniprorudne o **UA** 32-33 D 4
Dniprovskyj lyman ≈26-27 K 2
Dniprovskyj lyman ≈32-33 B 4
Dnister ⌒ **UA** 20-21 J 4
Dnistrovs'kyj lyman ≈26-27 K 2
Dnjapro ⌒ **BY** 20-21 L 2
Dnjaprovska-Buhski, Kanal < **BY** 20-21 H 2
Dno ⌒ **RUS** 30-31 C 3
Doba ⌒ **TCH** 80-81 H 4
Dobbíaco = Toblach o **I** 24-25 D 1
Dobele o•• **LV** 12-13 K 3
Dobeln o⌒ **LV** 12-13 K 3
Doberai Peninsula ⌣ **RI** 56-57 F 6
Doboj o• **BIH** 26-27 D 3
Dobre Miasto o• **PL** 20-21 F 2

Dobrič o **BG** 26-27 H 4
Dobrinka o **RUS** 30-31 J 5
Dobrinka o **RUS** 32-33 G 1
Dobromyl' o **UA** 20-21 G 4
Dobron' o **UA** 20-21 G 4
Dobropil'l'a o **UA** 32-33 E 3
Dobrotešti o **RO** 26-27 G 3
Dobruči o **RUS** 12-13 M 2
Dobruš o **BY** 20-21 L 2
Doce, Rio ⌒ **BR** 114-115 F 5
Docking o **GB** 14-15 G 5
Doctor Pedro P. Peña ☆ **PY** 116-117 E 2
Dodekanissa ⌒ **GR** 28-29 F 4
Dodge City o• **USA** 102-103 C 3
Dodoma ★ **EAT** 84-85 D 2
Dogger Bank ≈14-15 G 4
Dogoba o **SUD** 82-83 D 4
Dogondoutchi o **RN** 80-81 E 3
Doğu Karadeniz Dağları ▲ **TR** 48-49 E 2
Doğu Menteşe Dağları ▲ **TR** 28-29 G 4
Doha ⌒ **Q** 50-51 E 3
Doi Inthanon ▲ **T** 54-55 B 2
Doktor Petru Groza = Ştei o **RO** 26-27 F 2
Dokučaevs'k o **UA** 32-33 E 4
Dolak, Pulau ⌒ **RI** 56-57 G 7
Dole o **F** 16-17 G 3
Dolenci o **MK** 26-27 E 5
Dolgellau o **GB** 14-15 D 5
Dollo Odo ⌒ **ETH** 82-83 G 5
Dolní Lom o **BG** 26-27 F 4
Dolný Kubín o **SK** 20-21 E 4
Dolomites ▲ **I** 24-25 C 1
Dolores o **RA** 116-117 F 5
Dolores o **ROU** 116-117 F 4
Dolphin, Cape ▲ **GB** 116-117 F 8
Dolphin and Union Strait ≈ **CDN** 96-97 G 4
Dolyna ☆ **UA** 20-21 H 4
Dolyns'ka o **UA** 32-33 C 3
Domar o **CN** 44-45 D 5
Domažlice o **CZ** 20-21 B 4
Dombås o **N** 10-11 E 3
Dombe Grande o **ANG** 86-87 B 4
Dombóvár o **H** 26-27 D 2
Domfront o **F** 16-17 E 3
Dominicaine, République ■ **DOM** 104-105 G 4
Dominique ■ **WD** 104-105 J 4
Domodedovo ☆ **RUS** 30-31 G 4
Domodóssola o **I** 24-25 B 1
Dompu o **RI** 54-55 F 7
Domuyo, Volcán ▲ **RA** 116-117 C 5
Don ⌒ **GB** 14-15 E 3
Don ⌒ **RUS (ROS)** 32-33 G 4
Don ⌒ **RUS** 30-31 H 5
Don ⌒ **RUS** 32-33 F 2
Donauwörth o• **D** 18-19 E 4
Donbass ▲ **UA** 32-33 E 3
Don Benito **E** 22-23 D 4
Doncaster o **GB** 14-15 F 5
Dondo o **ANG** 86-87 B 3
Donec ⌒ **RUS** 32-33 E 2
Doneck o **RUS** 32-33 E 3
Doneck = Donec'k ☆ **UA** 32-33 E 4
Donec'kyj krjaž ▲ **UA** 32-33 E 3
Donegal o• **IRL** 14-15 B 4
Donegal Bay ≈14-15 B 4
Donetsk ☆ **UA** 32-33 E 4
Donga, River ⌒ **WAN** 80-81 G 4
Dongara o **AUS** 62-63 A 5
Dongbei ⌒ **CN** 44-45 L 2
Dongchuan o **CN** 44-45 H 6
Dongco o **CN** 44-45 D 5
Dongeleksor o **KZ** 42-43 H 2
Dongfang o **CN** 54-55 D 2
Donggala o• **RI** 56-57 C 6
Dông Hà ☆ **VN** 54-55 D 2
Đông Hô'i ☆ **VN** 54-55 D 2
Dongnan Qiuling ▲ **CN** 46-47 D 6
Dongo o **CGO** 82-83 B 5
Dongsha Dao ⌒ **CN** 46-47 E 6

Dongsheng o **CN** 46-47 C 3
Dongtai o **CN** 46-47 F 4
Dongting Hu ⌣ **CN** 46-47 D 5
Dongying o **CN** 46-47 E 3
Donji Vakuf o **BIH** 26-27 C 3
Dønna ⌒ **N** 8-9 G 3
Donon ▲ **F** 16-17 H 2
Donostia = San Sebastián o•• **E** 22-23 F 2
Donqula ☆ **SUD** 78-79 G 5
Donskaja grjada ▲ **RUS** 32-33 F 3
Donskaja ravnina ▲ **RUS** 30-31 J 5
Donskaja ravnina ▲ **RUS** 32-33 G 1
Donskoj o **RUS** 30-31 H 5
Doornik = Tournai o• **B** 18-19 A 3
Dora, Lake o **AUS** 62-63 C 4
Dorada, La o **CO** 110-111 D 3
Dorado, El o **YV** 110-111 E 3
Dorchester ☆• **GB** 14-15 E 6
Dorchester, Cape ▲ **CDN** 96-97 P 4
Dordogne ⌒ **F** 16-17 E 4
Dordrecht o **NL** 18-19 B 3
Dori ☆ **BF** 80-81 D 3
Dornoch o **GB** 14-15 D 3
Dorogobuž o **RUS** 30-31 E 4
Dorohoi o **RO** 26-27 H 2
Dorohovo o **RUS** 30-31 G 4
Döröö nuur ⌣ **MGL** 44-45 F 2
Dorotea o **S** 8-9 J 4
Dorpat = **EST** 12-13 M 2
Dortmund o• **D** 18-19 C 3
Doruma o **CGO** 82-83 D 5
Dos Hermanas o **E** 22-23 D 5
Dospat o **BG** 26-27 G 5
Dosso ☆ **RN** 80-81 E 3
Dothan o **USA** 102-103 F 4
Douai o **F** 16-17 F 1
Douala ☆ **CAM** 80-81 F 5
Douala-Edéa, Réserve ⊥ **CAM** 80-81 F 5
Douarnenez o **F** 16-17 B 2
Doubs ⌒ **F** 16-17 H 3
Douentza o **RMM** 80-81 D 2
Douglas ☆• **GBM** 14-15 D 4
Douglas o **USA (AZ)** 100-101 E 4
Douglas o **USA (WY)** 100-101 E 2
Douliens o **F** 16-17 F 1
Dourada, Serra ▲ **BR** 114-115 E 4
Dourados o **BR** 114-115 D 6
Dove Bugt ≈ **GRØ** 96-97 b 2
Dover o• **GB** 14-15 G 6
Dover ☆ **USA** 102-103 H 3
Dover, Strait of ≈14-15 G 6
Dovsk o **BY** 20-21 L 2
Drâa, Oued ⌒ **MA** 76-77 F 4
Dra Afratir ⊥ **EH** 76-77 E 4
Drachten o **NL** 18-19 C 2
Drăgăneşti-Olt o **RO** 26-27 G 3
Drăgăneşti-Vlaşca o **RO** 26-27 G 3
Drăgăşani o **RO** 26-27 G 3
Draguignan o **F** 16-17 H 5
Drahičyn o **BY** 20-21 H 2
Drake, Passage de ≃119 C 29
Drakensberge ▲ **ZA** 86-87 E 8
Drake Passage ≃119 C 29
Dráma o **GR** 28-29 E 2
Drammen ☆ **N** 10-11 F 5
Drangajökull < **IS** 8-9 b 1
Drave ⌒ **HR** 26-27 C 3
Drawa ⌒ **PL** 20-21 C 2
Drawsko Pomorskie o **PL** 20-21 C 2
Dresde ☆•• **D** 18-19 F 3
Dreux o **F** 16-17 E 2
Drevsjø o **N** 10-11 G 4
Drezdenko o **PL** 20-21 C 2
Driffield o **GB** 14-15 F 4
Drin, Lumi ⌒ **AL** 28-29 B 1
Drina ⌒ **SRB** 26-27 D 3
Drniš o **HR** 26-27 C 4
Drobeta-Turnu Severin o• **RO** 26-27 F 3
Drobin o **PL** 20-21 E 2
Drogheda = Droichead Átha o **IRL** 14-15 C 5

Drogobyč = Drohobyč ☆ **UA** 20-21 G 4
Drohobyč ☆ **UA** 20-21 G 4
Droichead Átha = Drogheda o **IRL** 14-15 C 5
Droichead na Bandan = Bandan o **IRL** 14-15 B 6
Drome o **PNG** 68-69 B 1
Drôme ⌒ **F** 16-17 G 4
Dronne ⌒ **F** 16-17 E 4
Dronning Ingrid Land ⊥ **GRØ** 96-97 U 5
Dronten o **NL** 18-19 B 2
Drottningholm ••• **S** 12-13 G 2
Druk Yul = Bhoutan ■ **BHT** 52-53 E 1
Drume o **SRB** 26-27 D 4
Drumheller o **CDN** 94-95 J 5
Drummondville o **CDN** 98-99 K 5
Drumochter, Pass of ▲ **GB** 14-15 D 3
Druskininkai o•• **LT** 12-13 K 4
Družkivka o **UA** 32-33 E 3
Družkovka = Družkivka o **UA** 32-33 E 3
Dryden o **CDN** 98-99 F 5
Drysdale River ⌒ **AUS** 62-63 D 3
Duaringa o **AUS** 62-63 H 4
Dubā o **KSA** 50-51 B 3
Dubaï o• **UAE** 50-51 F 3
Dubāsari ☆ **MD** 26-27 J 2
Dubawnt Lake o **CDN** 96-97 K 5
Dubawnt River ⌒ **CDN** 96-97 K 5
Dubayy o• **UAE** 50-51 F 3
Dubbo o **AUS** 64-65 D 3
Dubec o **RUS** 30-31 H 2
Dubèsar' = Dubāsari ☆ **MD** 26-27 J 2
Dublin o **USA** 102-103 G 4
Dublin = Baile Átha Cliath ★•• **IRL** 14-15 C 5
Dubna o **RUS** 30-31 G 3
Dubno o **UA** 20-21 H 3
Du Bois o **USA** 102-103 H 2
Dubossary = Dubāsari ☆ **MD** 26-27 J 2
Dubovka o **RUS** 32-33 J 3
Dubréka o **RG** 80-81 B 4
Dubrovnik o•••• **HR** 26-27 D 4
Dubrovycja o **UA** 20-21 J 3
Dubuque o• **USA** 102-103 E 2
Duc de Glouchester, Îles du ⌒ **F** 70-71 J 5
Duchess o **AUS** 62-63 F 4
Duck Valley Indian Reservation ⅄ **USA** 100-101 C 2
Dudduumo o **SO** 82-83 G 5
Düdensuyu Mağarası ••• **TR** 28-29 H 4
Dudinka ★ **RUS** 38-39 N 2
Dudley o **GB** 14-15 E 5
Dudorovskij o **RUS** 30-31 F 5
Dudypta ⌒ **RUS** 38-39 O 1
Duero, Río ⌒ **E** 22-23 E 3
Duff Islands ⌒ **SOL** 68-69 G 2
Dugi Otok ⌒ **HR** 26-27 B 3
Duhovščina ☆ **RUS** 30-31 E 4
Duida, Cerro ▲ **YV** 110-111 D 4
Duisburg o **D** 18-19 C 3
Dujiangyan o **CN** 44-45 H 5
Duke of York Archipelago ⌒ **CDN** 96-97 H 4
Dūk Faiwīl o **SUD** 82-83 E 4
Dūkštas o **LT** 12-13 M 4
Dulan o **CN** 44-45 G 4
Dulgalah ⌒ **RUS** 40-41 F 1
Dulovo o **BG** 26-27 H 4
Duluth o **USA** 102-103 E 1
Dumai o **RI** 54-55 C 5
Dumaran Island ⌒ **RP** 56-57 C 3
Dūmat al-Gandal ⌒ **KSA** 50-51 B 3
Dumfries o• **GB** 14-15 E 4
Dumont d'Urville o **ANT** 119 C 14
Dumyāt ☆ **ET** 78-79 G 2
Dūna ⌒ **LV** 12-13 M 3
Dünaburg = **LV** 12-13 M 4
Dunaföldvár o **H** 26-27 D 2
Dunajivci ☆ **UA** 20-21 J 4
Dunaújváros o **H** 26-27 D 2
Dunav ⌒ **SRB** 26-27 D 3

Dunbar o **GB** 14-15 E4
Dunbrody Abbey ·· **IRL** 14-15 C5
Duncansby Head ▲ **GB** 14-15 E2
Dundaga o· **LV** 12-13 K3
Dundalk o· **IRL** 14-15 C4
Dundas, Lake ~ **AUS** 62-63 C6
Dundas Peninsula ᴗ **CDN** 96-97 H3
Dún Dealgan = Dundalk o· **IRL** 14-15 C4
Dundee o **GB** 14-15 E3
Dundee o **ZA** 86-87 F7
Dundret ▲·· **S** 8-9 L3
Dunedin o **NZ** 64-65 J6
Dunfermline o **GB** 14-15 E3
Dungannon o **GB** 14-15 C4
Dún Garbhán = Dungarvan o **IRL** 14-15 C5
Dungarvan = Dún Garbhán o **IRL** 14-15 C5
Dungunāb o **SUD** 78-79 H4
Dunhua o **CN** 46-47 G2
Dunkwa o **GH** 80-81 D4
Dun Laoghaire o **IRL** 14-15 C5
Dunmore Town o·· **BS** 104-105 F2
Dún na Séad = Baltimore o **IRL** 14-15 B6
Dupnica o **BG** 26-27 F4
Duqm o **OM** 50-51 F5
Duque de Caxias o **BR** 114-115 F6
Duque de York, Isla ᴗ **RCH** 116-117 B8
Durack River ~ **AUS** 62-63 D3
Dur al Fawākhir ⌉ **LAR** 78-79 E3
Durance ~ **F** 16-17 H4
Durango o· **E** 22-23 E2
Durango ☆· **MEX** 100-101 F6
Durango o **USA** 100-101 E3
Durazno ☆ **ROU** 116-117 F4
Durban o· **ZA** 86-87 F7
Durg o **IND** 52-53 D2
Durgapur o **BD** 52-53 E2
Durham ☆·-· **GB** 14-15 F4
Durham o **USA** 102-103 H3
Durlas = Thurles o **IRL** 14-15 C5
Durmitor ▲ **MNE** 26-27 D4
Durmitor Nacionalni park ⊥·-·· **MNE** 26-27 D4
Durness o **GB** 14-15 D2
Durrës ☆·-· **AL** 28-29 B2
Dušanbe ★ **TJ** 42-43 J4
Düsseldorf ☆· **D** 18-19 C3
Duta o **Z** 86-87 F4
Dutch Harbour o **USA** 92-93 J5
Duvno o **BIH** 26-27 C4
Duwwa o **OM** 50-51 F4
Duyun o **CN** 46-47 C5
Düzce ☆ **TR** 28-29 H2
Dvina, Baie de la ~ **RUS** 4-5 P1
Dvina septentrionale ~ **RUS** 4-5 Q2
Dyer, Cape ▲ **CDN** 96-97 S4
Dyersburg o **USA** 102-103 F3
Dyje ~ **CZ** 20-21 C4
Dynaj, ostrova ᴗ **RUS** 38-39 U1
Dyrhóley ▲ **IS** 8-9 d3
Dytiki Macedonia ◻ **GR** 28-29 C2
Džankoj ☆ **UA** 32-33 D5
Džargalah o **RUS** 40-41 F1
Dzeržinsk o **RUS** 30-31 K3
Dzeržyns'k o **UA** 32-33 E3
Działdowo o· **PL** 20-21 F2
Dzierżoniów o· **PL** 20-21 D3
Dzisna o **BY** 20-21 K1
Dzisna o **BY** 30-31 C4
Dzisna ~ **BY** 20-21 J1
Dzjarżynsk ☆ **BY** 20-21 J2
Dzoungarie ⌉ **CN** 44-45 E2
Džug-Džur, hrebet ▲ **RUS** 40-41 G3
Džugdžurskij zapovednik ⊥ **RUS** 40-41 G3
Džurak-Sal ~ **RUS** 32-33 H4
Džuryn o **UA** 20-21 K4
Dźwierzuty o **PL** 20-21 F2

E

Eagle o **USA** 92-93 O3
Earn ~ **GB** 14-15 E3
East Bluff ▲ **CDN** 96-97 R5
Eastbourne o **GB** 14-15 G6
East Cape ▲ **NZ** 64-65 K4
East China Sea ≈46-47 F4
East Dereham o **GB** 14-15 G5
Eastern Fields ᴗ **PNG** 68-69 C3
Eastern Group = Lau Group ᴗ **FJI** 70-71 B4
East Falkland ᴗ **GB** 116-117 F8
East London = Oos-Londen o· **ZA** 86-87 E8
Eastmain, Rivière ~ **CDN** 98-99 J4
East Tasman Plateau ≃64-65 D5
Eau Claire o **USA** 102-103 E2
Eau Claire, Lac à l' o **CDN** 98-99 K3
Eauripik Rise ≃66-67 A5
Ebeltoft o **DK** 12-13 D3
Eberswalde o **D** 18-19 F2
Ebinur Hu o **CN** 44-45 D3
Ebola ~ **CGO** 82-83 C5
Éboli o **I** 24-25 E4
Ebolowa o **CAM** 80-81 G5
Ebon Atoll ᴗ **MH** 66-67 F5
Ebre, l' ~ **E** 22-23 G3
Ebro, Río ~ **E** 22-23 F3
Ebručorr, gora ▲ **RUS** 8-9 R3
Echambot o **CAM** 80-81 G5
Ech Chergui, Chott ᴗ **DZ** 76-77 H3
Echuca-Moama o **AUS** 64-65 C4
Écija o **E** 22-23 D5
Ěcijskij massiv ▲ **RUS** 38-39 V2
Eckernförde o **D** 18-19 D1
Eckerö ᴗ **AX** 10-11 K4
Eclipse Sound ≈ **CDN** 96-97 P3
Écosse ◻ **GB** 14-15 D4
Ecrins, Barre des ▲ **F** 16-17 H4
Écrins, Parc National des ⊥·-· **F** 16-17 H4
Ěd o **ER** 82-83 G3
Edam o· **NL** 18-19 B2
Edéa o **CAM** 80-81 G5
Edefors o **S** 8-9 L3
Eden o **AUS** 64-65 D4
Édessa o· **GR** 28-29 D2
Edge, Île ᴗ **N** 118 B16
Edgell Island ᴗ **CDN** 96-97 S5
Édimbourg ★·-·· **GB** 14-15 D5
Edincy = Edineţ ☆ **MD** 26-27 H1
Edinec = Edineţ ☆ **MD** 26-27 H1
Edineţ ☆ **MD** 26-27 H1
Edirne ☆·-· **TR** 28-29 F2
Edjeleh o **DZ** 76-77 J4
Edmonton ★ **CDN** 94-95 J5
Edmundston o **CDN** 98-99 L5
Èdolo o **I** 24-25 C1
Edouard, Lac = Edward, Lake o **CGO** 86-87 E2
Edremit o· **TR** 28-29 F3
Edremit Körfezi ≈28-29 F3
Edsbyn o **S** 10-11 H4
Edson o **CDN** 94-95 H5
Edward River ⋊ **AUS** 62-63 G2
Edwards Plateau ▲ **USA** 102-103 C4
Eeklo o **B** 18-19 A3
Éfaté o **VU** 68-69 G4
Éfaté = Île Vaté ᴗ **VU** 68-69 G4
Efes ·-· **TR** 28-29 F3
Efesos = Efes ·-·· **TR** 28-29 F3
Effingham o **USA** 102-103 F3
Efimovskij o **RUS** 30-31 F2
Eforie Nord o· **RO** 26-27 J3
Efremov o **RUS** 30-31 H5
Égadi, Ísole ᴗ **I** 24-25 D6
Ege Denizi ≈28-29 E3
Égée, Mer ≈28-29 E3
Egeo Pelagos ≈28-29 E3

Egéo Pélagos ≈28-29 E3
Eger o **H** 26-27 E2
Egersund ☆ **N** 10-11 D5
Eggenfelden o **D** 18-19 F4
Ěg gol ~ **MGL** 44-45 H2
Egilsstaðir o **IS** 8-9 f2
Egina o **GR** 28-29 D4
Ěgine ᴗ **GR** 28-29 D4
Ěgio o **GR** 28-29 D3
Ěgirdir ☆· **TR** 28-29 H4
Egirdir Gölü o **TR** 28-29 H3
Eglinton Island ᴗ **CDN** 96-97 G2
Egmont National Park ⊥ **NZ** 64-65 J4
Egor'evsk o· **RUS** 30-31 H4
Egorlyk ~ **RUS** 32-33 G5
Eğrigöz Dağı ▲ **TR** 28-29 G3
Égypte ◼ **ET** 78-79 F3
Ehodak o **N** 8-9 M2
Eichstätt o **D** 18-19 E4
Eide ☆ **N** 10-11 D3
Eifel ▲ **D** 18-19 C3
Eiger ▲ **CH** 18-19 C5
Eikefjord o **N** 10-11 C4
Eildon o **AUS** 64-65 D4
Eildon, Lake o **AUS** 64-65 D4
Eilerts de Haan, National Reservaat ⊥ **SME** 110-111 F4
Eindhoven o **NL** 18-19 B3
Éire ᴗ 14-15 A5
Eiríksjökull ⊂ **IS** 8-9 c2
Eirunepé o **BR** 112-113 F3
Eiseb ~ **NAM** 86-87 D6
Eisenach o· **D** 18-19 E3
Eisenerz o **A** 18-19 G5
Eisenmarkt o· **RO** 26-27 F3
Eisenstadt ★ **A** 18-19 H5
Eišiškes o **LT** 12-13 L4
Eivissa o· **E** 22-23 G4
Eja ~ **RUS** 32-33 F4
Ejea de los Caballeros o **E** 22-23 F2
Ejer Bavnehøj ▲ **DK** 12-13 C4
Ějna o **RUS** 8-9 R2
Ejsk o **RUS** 32-33 F4
Ejsk o **RUS** 32-33 Q2
Ekaterinovka o **RUS** 30-31 L5
Ekaterinovka o **RUS** 32-33 R2
Ekenäs o· **FIN** 10-11 M5
Ekibastūz o **KZ** 42-43 L1
Ekshärad o **S** 10-11 G4
Eksjö o **S** 12-13 F3
Ěkvyvatapskij hrebet ▲ **RUS** 40-41 P1
Ekwan River ~ **CDN** 98-99 G4
El Abiodh Sidi Cheikh o· **DZ** 76-77 H3
El 'Açâba ▲ **RIM** 76-77 E6
Elada ◻ **GR** 28-29 D3
El Adeb Larache o **DZ** 76-77 J4
Elan' o **RUS** 32-33 H2
Elan'-Kolenovskij o **RUS** 32-33 G2
El-Araïch o **MA** 76-77 F2
Elassóna o **GR** 28-29 D3
Elat o **IL** 48-49 F5
El Atázar, Embalse de ⊂ **E** 22-23 E3
Elâzığ ☆ **TR** 48-49 E3
Elba, Ísola d' ᴗ **I** 24-25 C3
Elbasan o· **AL** 28-29 C2
El Bayadh o **DZ** 76-77 H3
Elbe ~ **D** 18-19 D2
Elbert, Mount ▲ **USA** 100-101 E3
Elbeuf o **F** 16-17 E2
Elblag ☆· **PL** 20-21 E1
El Bordo o **CO** 110-111 B4
Elbourz, Monts ▲ **IR** 48-49 H3
El'brus, gora ▲·· **RUS** 42-43 D3
El Cantador, Cerro ▲ **MEX** 100-101 F7
El Carmen, Isla ᴗ **MEX** 100-101 D5
Elche = Elx o **E** 22-23 F4
Elche = Elx o· **E** 22-23 F4
Elche de la Sierra o **E** 22-23 E4
El Cocuy, Parque Nacional ⊥ **CO** 110-111 C3
El'cy o **RUS** 30-31 E3
Elda o **E** 22-23 F4

El Dere o **SO** 82-83 H5
Eldjarnsstaðir o **IS** 8-9 d2
Eldorado o **RA** 116-117 G3
El Dorado o **USA** 102-103 E4
Eldoret o **EAK** 82-83 F5
Elec o **RUS** 30-31 H5
Elec o **RUS** 32-33 F1
Eleja o·-· **LV** 12-13 K3
Elektrénai o **LT** 12-13 L4
Ělektrostal' o **RUS** 30-31 H4
Éléphant, Île ᴗ **ANT** 119 C31
Elephantine ·-·· **ET** 78-79 G4
Eleuthera Island ᴗ **BS** 104-105 F2
Elgin o· **GB** 14-15 E3
El Goléa o· **DZ** 76-77 H3
Elgon, Mount ▲ **EAU** 82-83 E5
Ělgoras, gora ▲ **RUS** 8-9 Q2
El Hammâmi ▲ **RIM** 76-77 E5
El Homr o **DZ** 76-77 H4
Elhovo o **BG** 26-27 H4
Elila ~ **CGO** 86-87 E2
Ělista ☆ **RUS** 30-31 J4
Ělista ☆ **RUS** 32-33 J4
Elizabeth Reef ᴗ64-65 F2
Elizavety, mys ▲ **RUS** 40-41 H4
Elizovo o **RUS** 40-41 L4
El-Jadida ☆· **MA** 76-77 F3
El Jerid, Chott o **TN** 76-77 J3
Elk o **PL** 20-21 G2
el Khatt, Oued ~ **RIM** 76-77 E4
El Khnâchîch ▲ **RMM** 76-77 G4
Ěl K'oran o **ETH** 82-83 G4
Ellef Ringnes Island ᴗ **CDN** 96-97 K2
Ellesmere, Île d' ᴗ **CDN** 96-97 N1
Ellice Islands ᴗ **TUV** 70-71 A2
Elliot o **ZA** 86-87 E8
Elliott o **AUS** 62-63 E3
Ellisras o **ZA** 86-87 E6
Elliston o **AUS** 62-63 E6
Ellsworth Highland ▲ **ANT** 119 B28
Elmadağ o **TR** 48-49 D3
Elma Dağı ▲ **TR** 48-49 D3
El Mahbas o **EH** 76-77 F4
Elmalı ~ **TR** 28-29 G4
El Medo o **ETH** 82-83 G4
El Ménia = El Goléa o· **DZ** 76-77 H3
Elmira o **USA** 102-103 H2
El Nido o·· **RP** 56-57 C3
El'nja o **RUS** 30-31 E4
El Obeid ☆· **SUD** 82-83 E3
Elogujskij, učastok ⊥ **RUS** 38-39 M3
El Oued ~· **DZ** 76-77 J3
El Paso o **USA** 100-101 E4
El Progreso o **HN** 104-105 D4
Elstad o **N** 10-11 F4
El Tigre o **YV** 110-111 E3
El'ton o **RUS** 32-33 K3
El'ton, ozero o·· **RUS** 32-33 K3
El Tuparro, Parque Nacional (Reserva Biológica) ⊥ **CO** 110-111 D3
Eluanbi = Oluanpi ▲ **RC** 46-47 F6
Ělūru o **IND** 52-53 D3
Elva o·· **EST** 12-13 M2
Elvas o·· **P** 22-23 C4
Elverum ☆ **N** 10-11 F4
Elvira, Cape ▲ **CDN** 96-97 J3
Elx o·· **E** 22-23 F4
Ely o· **GB** 14-15 G5
Ely o **USA** 100-101 D3
Emån ~ **S** 12-13 F3
Embi ~ **KZ** 42-43 G2
Embí ~ **KZ** 42-43 G2
Emden o· **D** 18-19 C2
Emden Deep ᴗ56-57 E3
Emerald o **AUS** 62-63 H4
Emet o **TR** 28-29 G3
Emi Koussi ▲ **TCH** 78-79 D5
Emilia-Romagna ◻ **I** 24-25 B2
Émirats Arabes Unis ◼ **UAE** 50-51 F4
Emirdağ ☆ **TR** 28-29 H3
Emmaboda o **S** 12-13 F3
Emmen o **NL** 18-19 C2

Empedrado o **RA** 116-117 F3
Emporia o **USA** 102-103 D3
Ems ~ **D** 18-19 C2
Emu Park o **AUS** 62-63 J4
Emva o **RUS** 4-5 S2
Enakievo = Jenakijeve o **UA** 32-33 F3
Encarnación ☆ **PY** 116-117 F3
Encontrados o **YV** 110-111 C3
Endeh o **RI** 56-57 D6
Enderbury Island ⌐ **KIR** 70-71 C1
Enderby, Plaine abyssale d' ≃75 K12
Enderby, Terre d' ⊥ **ANT** 119 C5
Endicott Mountains ▲ **USA** 92-93 M2
Eneabba o **AUS** 62-63 B5
Enez ☆ **TR** 28-29 F2
Engadine ⊥ **CH** 18-19 D5
Engels o **RUS** 32-33 K2
Engelsbergs bruk ••• **S** 12-13 G2
Enggano, Pulau ⌐ **RI** 54-55 C7
English Channel ≈14-15 D7
Engure o **LV** 12-13 K3
Enid o **USA** 102-103 D3
Enisej, Bol'šoj ~ **RUS** 44-45 G1
Enisejsk ☆ **RUS** 38-39 O4
Enisejskij zaliv ≈ **RUS** 38-39 L1
Enisejsko-Stolbovoj, učastok ⊥ **RUS** 38-39 N3
Eniwetok ⌐ **MH** 66-67 E3
Eniwetok Atoll ⌐ **MH** 66-67 E3
Enjukovo o **RUS** 30-31 G2
Ênkên, mys ▲ **RUS** 40-41 H3
Enkhuizen o• **NL** 18-19 B2
Enköping ☆ **S** 12-13 G2
Ênmelen o **RUS** 40-41 Q2
Enna o **I** 24-25 E6
Ennadai Lake o **CDN** 96-97 K5
En Nahûd o **SUD** 82-83 D3
Ennedi ▲ **TCH** 78-79 E5
Enngonia o **AUS** 64-65 D2
Ennis = Inis ☆• **IRL** 14-15 B5
Enniscorthy = Inis Córthaidh o **IRL** 14-15 C5
Enniskillen ☆• **GB** 14-15 C4
Enns ~ **A** 18-19 G5
Enontekiö o **FIN** 8-9 M2
Enotaevka ☆ **RUS** 32-33 K4
Enrekang o **RI** 56-57 C6
Enschede o **NL** 18-19 C2
Ensenada o• **MEX** 100-101 C4
Enshi o **CN** 46-47 C4
Entebbe o **EAU** 82-83 E5
Entrecasteaux, Récifs d' ⌐ **F** 68-69 F4
Entre-Rios o **BR** 114-115 G4
Entre Ríos o **RA** 116-117 F4
Enugu ☆ **WAN** 80-81 F4
Envira o **BR** 112-113 E3
Enyellé o **RCB** 80-81 H5
Eo, Río ~ **E** 22-23 C2
Eochaill = Youghal o **IRL** 14-15 B6
Éoliennes ou Lipari, Îles ⌐ **I** 24-25 E5
Epanomí o• **GR** 28-29 D2
Épernay o• **F** 16-17 F2
Ephesus = Efes ∴• **TR** 28-29 F3
Epi o **VU** 68-69 G4
Epi ⌐ **VU** 68-69 G4
Epidauros ••• **GR** 28-29 D4
Épinal ☆• **F** 16-17 H2
Epizana o **BOL** 112-113 F5
Epupa Falls ~ **NAM** 86-87 B5
Équateur ▪ **EC** 112-113 C2
Erahtur o **RUS** 30-31 J4
Eram o **PNG** 68-69 F3
Erátini o **GR** 28-29 D3
Eravur o **CL** 52-53 D5
Erâwadî Myit ~ **MYA** 52-53 G2
Erdek ☆• **TR** 28-29 F2
Erdi ⊥ **TCH** 78-79 E5
Erebus, Mount ▲ **ANT** 119 B17
Erechim o **BR** 116-117 G3
Ereğli ☆ **TR** (42) 48-49 D3
Ereğli ☆ **TR** 28-29 H2
Erejmentau ☆ **KZ** 42-43 K1

Erenhot o **CN** 46-47 D2
Erevan ★ **ARM** 48-49 F2
Erfoud o **MA** 76-77 G3
Erfurt ☆•• **D** 18-19 E3
Ergene Çayı ~ **TR** 28-29 F2
Ergene Nehri ~ **TR** 28-29 F2
Ergeni ▲ **RUS** 32-33 J3
Érgli o **LV** 12-13 L3
Ergun Zuoqi o **CN** 40-41 D4
Er Hai o **CN** 44-45 H6
Ería, Río ~ **E** 22-23 C2
Erie o **USA** 102-103 G2
Eriksmála o **S** 12-13 F3
Erikub Atoll ⌐ **MH** 66-67 F4
Erimo-misaki ▲ **J** 46-47 K2
Erlangen o **D** 18-19 E4
Erldunda o **AUS** 62-63 E5
Ermenek ☆ **TR** 48-49 D3
Ermoúpoli o• **GR** 28-29 E4
Ernakulam o **IND** 52-53 C5
Ernée o **F** 16-17 D2
Erode o **IND** 52-53 C4
Eromanga Island = Île Erromango ⌐ **VU** 68-69 G4
Erongoberg ▲ **NAM** 86-87 C6
er Raoui, Erg ⊥ **DZ** 76-77 G4
Errego o **MOC** 84-85 D4
Errigal Mountain ▲ **IRL** 14-15 B4
Erris Head ▲ **IRL** 14-15 A4
Erromango, Île = Eromanga Island ⌐ **VU** 68-69 G4
Erronan, Île = Futuna Island ⌐ **VU** 68-69 H4
Ersekë ☆• **AL** 28-29 C2
Erši o **RUS** 30-31 F4
Ertai o **CN** 44-45 F2
Ertil' o **RUS** 32-33 G2
Ertís ~ **KZ** 42-43 L1
Eruslan ~ **RUS** 32-33 K2
Érythrée ▪ **ER** 82-83 F2
Ērzin o **RUS** 44-45 G1
Erzincan ☆ **TR** 48-49 E3
Erzurum ☆ **TR** 48-49 F3
Eržvilkas o **LT** 12-13 K4
Esbjerg o• **DK** 12-13 C4
Esbo = Espoo o **FIN** 10-11 N4
Escanaba o **USA** 102-103 F1
Escárcega o• **MEX** 104-105 C4
Eschwege o• **D** 18-19 E3
Esclave, Petit Lac de l' o **CDN** 94-95 H4
Esclave, Rivière de l' ~ **CDN** 94-95 J3
Esclaves, Côte des ⌣80-81 E4
Esclaves, Grand Lac des o **CDN** 94-95 H3
Escorial, El o••• **E** 22-23 D3
Eşen Çayı ~ **TR** 28-29 G4
Esfahân ☆ **IR** 48-49 N4
Eşğer, Küh-e ▲ **IR** 48-49 J4
Esíl ☆ **KZ** 42-43 J1
Esíl ~ **KZ** 42-43 J1
Eskifjörður o **IS** 8-9 f2
Eskilstuna ☆• **S** 12-13 G2
Eskimo Lakes o **CDN** 94-95 E2
Eskişehir ☆ **TR** 28-29 H3
Esla, Río ~ **E** 22-23 D3
Eslöv o **S** 12-13 E4
Eşme ☆ **TR** 28-29 G3
Esmeralda, Isla ⌐ **RCH** 116-117 B7
Esmeralda, La o **YV** 110-111 D4
Esmeraldas ☆• **EC** 112-113 D1
Espagne ▪ **E** 22-23 D3
Espalion o• **F** 16-17 F3
Española, Isla ⌐ **EC** 112-113 B2
Esperance Bay ≈ **AUS** 62-63 C6
Esperanza o **RA** 116-117 F4
Espichel, Cabo ▲ **P** 22-23 B4
Espiel o **E** 22-23 D4
Espinhaço, Serra do ▲ **BR** 114-115 F5
Espinho o **P** 22-23 B3
Espino o **YV** 110-111 D3

Espírito Santo ◻ **BR** 114-115 F5
Espíritu Santo ⌐ **VU** 68-69 G4
Espoo o **FIN** 10-11 N4
Esquel o **RA** 116-117 C6
Essaouira ☆• **MA** 76-77 F3
Essej o **RUS** 38-39 Q2
Essen o **B** 18-19 B3
Essen o• **D** 18-19 C3
Essequibo ~ **GUY** 110-111 F4
Esslingen am Neckar o• **D** 18-19 D4
Ésso ☆ **RUS** 40-41 L5
Estaca de Bares, Punta de la ▲ **E** 22-23 C2
Estacas o **RA** 116-117 F4
Estacia Camacho o **MEX** 100-101 F6
Estado Cañitas de Felipe Pescador o **MEX** 100-101 F6
Estados, Isla de los ⌐ **RA** 116-117 E8
Estahbânât o **IR** 48-49 H5
Estância o **BR** 114-115 G4
Estella o **E** 22-23 E2
Estepa o **E** 22-23 D5
Estépar o **E** 22-23 E2
Estepona o **E** 22-23 D5
Estirão do Equador o **BR** 112-113 E2
Estonie ▪ **EST** 12-13 L2
Estreito o **BR** (MAR) 114-115 E3
Estreito o **BR** (P) 114-115 D3
Estremadura ⌣ **P** 22-23 B4
Estrémadure ▪ **E** 22-23 C4
Estremoz o• **P** 22-23 C4
Estrondo, Serra do ▲ **BR** 114-115 E3
Estuário do Sado, Reserva Natural do ⊥ **P** 22-23 B4
Esztergom o **H** 26-27 D2
Étampes o **F** 16-17 F2
États-Unis d'Amérique ▪ **USA** 100-101 C2
Etawah o **IND** 52-53 C1
Ethiopian Highlands ▲ **ETH** 82-83 F3
Éthiopie ▪ **ETH** 82-83 F4
Éthiopie, Massif d' ▲ **ETH** 82-83 F3
Etna, Monte ▲ **I** 24-25 E6
Etolin Strait ≈ **USA** 92-93 J3
Etosha National Park ⊥ **NAM** 86-87 B5
Etosha Pan o **NAM** 86-87 C5
Etropole o **BG** 26-27 G4
Etsch = Ådige ~ **I** 24-25 C1
Eucla Basin ⊥ **AUS** 62-63 C6
Eucla o **AUS** 62-63 D6
Euclides da Cunha o **BR** 114-115 G4
Eugene o **USA** 100-101 B2
Eulo o **AUS** 62-63 H5
Eungella o **AUS** 62-63 H4
Eupen o **B** 18-19 C3
Euphrate ~48-49 F2
Euphrate ~ **TR** 48-49 E3
Eura o **FIN** 10-11 M4
Eureka o• **USA** 100-101 B2
Eureka Sound ≈ **CDN** 96-97 N2
Euromos o **TR** 28-29 F4
Europa, Île ⌐ **F** 84-85 E5
Europa, Picos de ▲ **E** 22-23 D2
Europoort ⌐ **NL** 18-19 B3
Eutin o• **D** 18-19 E1
Evans Strait ≈ **CDN** 96-97 O5
Evansville o **USA** 102-103 F3
Évensk o **RUS** 40-41 L2
Everard, Lake o **AUS** 62-63 E6
Everglades, The ⊥ **USA** 102-103 G5
Everglades National Park ⊥••• **USA** 102-103 G5
Évia ⌐ **GR** 28-29 D3
Evijärvi o **FIN** 10-11 M3
Evinayong o **GQ** 80-81 G5
Evje ☆ **N** 10-11 D5
Évora o••• **P** 22-23 C4
Evpatoriia = Jevpatorija ☆• **UA** 32-33 C5
Évreux ☆• **F** 16-17 E2
Evron o **F** 16-17 D2
Ewaso Ngiro ~ **EAK** 82-83 F5

Executive Committee Range ▲ **ANT** 119 B24
Exeter o• **GB** 14-15 E6
Exeter Sound ≈ **CDN** 96-97 S4
Exmoor National Park ⊥ **GB** 14-15 E6
Exmouth o **AUS** 62-63 A4
Exmouth Plateau ≃62-63 A3
Eyasi, Lake o **EAT** 84-85 C1
Eyl o **SO** 82-83 H4
Eyre, Lac o **AUS** 62-63 F5
Eyre, Péninsule d' ⌐ **AUS** 62-63 F6
Ezere o•• **LV** 12-13 K3
Ezernieki o **LV** 12-13 M3
Ezgueret ~ **RMM** 80-81 E2
Ezhou o **CN** 46-47 D4
Ezine ☆ **TR** 28-29 F3

F

Faaborg o **DK** 12-13 D4
Faaite Atoll ⌐ **F** 70-71 H4
Fâborg = Faaborg o **DK** 12-13 D4
Fabriano o **I** 24-25 D3
Fachi o **RN** 80-81 G2
Fada o **TCH** 78-79 E5
Fada-N'gourma o **BF** 80-81 E3
Faddeevskij, ostrov ⌐ **RUS** 38-39 Y0
Faddeja, zaliv ≈ **RUS** 38-39 R0
Fâgâraş o• **RO** 26-27 G3
Fagatogo ☆ **USA** 70-71 C3
Fagernes o **N** 10-11 E4
Fâget o **RO** 26-27 F3
Faget, Munţii ▲ **RO** 26-27 F2
Fagrinkotti o **SUD** 78-79 G5
Faguibine, Lac o **RMM** 80-81 D2
Fagurhólsmýri o **IS** 8-9 e3
Failaka, Ǧazîrat ⌐•• **KWT** 48-49 G5
Faim, Steppe de la ⊥ **KZ** 42-43 J2
Fairbanks o• **USA** 92-93 N3
Fair Isle ⌐ **GB** 14-15 F2
Fairweather, Mount ▲ **USA** 92-93 P4
Faisalâbâd o **PK** 50-51 J2
Faizabad ☆ **AFG** 42-43 K4
Faizâbâd o **IND** 52-53 D1
Fakahina Atoll ⌐ **F** 70-71 J4
Fakaofo Atoll ⌐ **NZ** 70-71 C2
Fakarava Atoll ⌐ **F** 70-71 H4
Fakenham o **GB** 14-15 G5
Fakfak o **RI** 56-57 F6
Fakse Bugt ≈12-13 E4
Falaise o **F** 16-17 D2
Falémé ~ **SN** 80-81 B3
Falfurrias o **USA** 102-103 D5
Falkenberg ☆• **S** 12-13 E3
Falkenberg (Elster) o **D** 18-19 F3
Falkland, Escarpement des ≃116-117 G7
Falkland, Islas ⌐ 116-117 G8
Falkland Escarpment ≃116-117 G7
Falkland Islands ⌐ **GB** 116-117 E8
Falkland Plateau ≃116-117 G8
Falkland Sound ≈116-117 E8
Falköping ☆ **S** 12-13 E2
Fallûğa, al- o **IRQ** 48-49 F4
Falmouth o **GB** 14-15 D6
False Pass o **USA** 92-93 K5
Falster ⊥ **DK** 12-13 D4
Falterona, Monte ▲ **I** 24-25 C3
Falun o **S** 10-11 H4
Fama, Ouidi ~ **TCH** 78-79 E5
Famatina, Sierra de ▲ **RA** 116-117 D3
Fang o **T** 54-55 B2
Fangak o **SUD** 82-83 E4
Fangatau Atoll ⌐ **F** 70-71 J4
Fano o **I** 24-25 D3
Fanø o **DK** 12-13 C4
Faouët, le o **F** 16-17 C2
Faradje o **CGO** 82-83 D5

Farafangana — Fort Yukon

Forvik o **N** 8-9 G4
Foshan o• **CN** 46-47 D6
Fosheim Peninsula ⌣ **CDN** 96-97 O2
Fosnavåg ☆ **N** 10-11 C3
Fotiná o **GR** 28-29 D2
Fougamou o **G** 80-81 G6
Fougères o• **F** 16-17 D2
Foula ∼ **GB** 14-15 E1
Foulwind, Cape ▲ **NZ** 64-65 J5
Foumban o•• **CAM** 80-81 G4
Fountains Abbey ••• **GB** 14-15 F4
Fouta Djalon ▲ **RG** 80-81 B3
Foveaux, Détroit de ≈ **NZ** 64-65 H6
Fowlers Bay ≈ **AUS** 62-63 E6
Foxe, Bassin de ≈ **CDN** 96-97 P4
Foxe Channel ≈ **CDN** 96-97 O4
Foxe Peninsula ⌣ **CDN** 96-97 P5
Fox Islands ∼ **USA** 92-93 J5
Foyle, Lough ≈14-15 C4
Foz do Iguaçu o **BR** 116-117 G3
Fraga o **E** 22-23 G3
Franca o **BR** 114-115 E6
Franca-Iosifa, Zemlja ∼ **RUS** 118 A
Français, Récif des ∼ **F** 68-69 F4
Francavilla Fontana o **I** 24-25 F4
France ■ **F** 16-17 E3
Franceville ☆ **G** 80-81 G6
Francfort-sur-le-Main o• **D** 18-19 D3
Francfort-sur-l'Oder o• **D** 18-19 G2
Franche-Comté ▲ **F** 16-17 G3
Francis Case, Lake o **USA** 100-101 G2
Francistown ☆ **RB** 86-87 E6
François-Joseph, Terre de ∼ **RUS** 118 A
Frankfort ☆ **USA** 102-103 G3
Frank Hann National Park ⊥ **AUS** 62-63 C6
Fränkische Saale ∼ **D** 18-19 D3
Franklin o **USA** 102-103 H2
Franklin Bay ≈ **CDN** 94-95 F2
Franklin D. Roosevelt Lake o **USA** 100-101 C1
Franklin Mountains ▲ **CDN** 94-95 F2
Franklin Strait ≈ **CDN** 96-97 L3
Fransfontein o **NAM** 86-87 B6
Franske Øer ∼ **GRØ** 96-97 b2
Fränsta o **S** 10-11 J3
Frascati o **I** 24-25 D4
Fraser, Île ∼ ••• **AUS** 62-63 J5
Fraser Basin ⌣ **CDN** 94-95 G5
Fraserburg o **ZA** 86-87 D8
Fraserburgh o **GB** 14-15 E3
Fraser Plateau ▲ **CDN** 94-95 F5
Fraser River ∼ **CDN** 94-95 G5
Frauenbach o **RO** 26-27 F2
Frauenburg o•• **LV** 12-13 K3
Fray Bentos o **ROU** 116-117 F4
Fredericia o **DK** 12-13 C4
Frederick, Mount ▲ **AUS** 62-63 B4
Fredericksburg o **USA** 102-103 H3
Fredericton ☆ **CDN** 98-99 L5
Frederikshåb = Paamiut o **GRØ** 96-97 V5
Frederikshavn o **DK** 12-13 D3
Fredrika o **S** 8-9 K4
Fredriksberg o **S** 10-11 H4
Fredrikstad ☆ **N** 10-11 F5
Freeport o **BS** 104-105 F2
Freeport o **USA** 102-103 D5
Freetown ★ • **WAL** 80-81 B4
Fregenal de la Sierra o• **E** 22-23 C4
Freiberg o• **D** 18-19 F3
Freising o **D** 18-19 E4
Fréjus o **F** 16-17 H5
Fremantle o **AUS** 62-63 B6
Fresnillo de González Echeverría o **MEX** 100-101 F6
Fresno o **USA** 100-101 C3
Freycinet Peninsula ⌣ **AUS** 64-65 D5
Fria o **RG** 80-81 B3
Fria, Kaap ▲ **NAM** 86-87 B5

Friedberg (Hessen) o **D** 18-19 D3
Friedrichshafen o **D** 18-19 D5
Friesach o **A** 18-19 G5
Friggesund o **S** 10-11 J4
Frisonnes du Nord, Îles ⊥ **D** 18-19 D1
Frisonnes occidentales ⊥ **NL** 18-19 B2
Frisonnes orientales, Îles ⊥ **D** 18-19 C2
Friuli-Venézia Giúlia ▫ **I** 24-25 D1
Frobisher, Baie de ≈ **CDN** 96-97 R5
Frobisher Bay = Iqaluit o **CDN** 96-97 R5
Frohavet ≈10-11 E3
Frolovo o **RUS** 32-33 H3
Frome, Lake o **AUS** 62-63 F6
Frome Downs o **AUS** 62-63 F6
Fronteiras o **BR** 114-115 F3
Frontera o• **MEX** 104-105 H4
Frosinone ☆ **I** 24-25 D4
Frøya ∼ **N** 10-11 E3
Frozen Strait ≈ **CDN** 96-97 N4
Fuengirola o **E** 22-23 D5
Fuente de Cantos o **E** 22-23 C4
Fuente del Fresno o **E** 22-23 E4
Fuente Obejuna o **E** 22-23 D4
Fuentesaúco o **E** 22-23 D3
Fuerte, El o **MEX** 100-101 E5
Fuerte, Rio ∼ **MEX** 100-101 E5
Fuerte Olimpo ☆ **PY** 116-117 F2
Fuerteventura ∼ **E** 76-77 E4
Fugãira, al- o **UAE** 50-51 F3
Fuglasker ∼ **IS** 8-9 b3
Fugløy Bank ≃8-9 K1
Fuhai o **CN** 44-45 E2
Fujian ▫ **CN** 46-47 E5
Fujin o **CN** 40-41 F5
Fukue-shima ∼ **J** 46-47 G4
Fukui ☆ **J** 46-47 J3
Fukuoka o **J** 46-47 H4
Fukushima ☆ **J** 46-47 K3
Fulda o• **D** 18-19 D3
Fulda ∼ **D** 18-19 D3
Fuling o **CN** 46-47 C5
Fulunäs o **S** 10-11 G4
Fumel o **F** 16-17 E4
Funabashi o **J** 46-47 K3
Funäsdalen o **S** 10-11 G3
Funchal ☆ **P** 76-77 D3
Fundación o **CO** 110-111 C2
Fundão o **BR** 114-115 F5
Fundão o **P** 22-23 C3
Fundy, Bay of o **CDN** 98-99 L6
Funhalouro o **MOC** 86-87 F6
Funtua o **WAN** 80-81 F3
Furãt, al- ∼48-49 F4
Furmanov ☆ **RUS** 30-31 J3
Furnas, Represa de **BR** 114-115 E6
Furneaux Group ∼ **AUS** 64-65 D5
Fürstenfeld o **A** 18-19 G5
Fürstenwalde (Spree) o• **D** 18-19 G2
Fürth o **D** 18-19 E4
Fury and Hecla Strait ≈ **CDN** 96-97 O4
Fushun o **CN** 46-47 F2
Füssen o• **D** 18-19 E5
Futuna ∼ **F** 70-71 B3
Futuna, Île ∼ **F** 70-71 B3
Futuna Island = Erronan, Île ∼ **VU** 68-69 H4
Futuna Island = Île Erronan ∼ **VU** 68-69 H4
Fuxian Hu o• **CN** 52-53 H2
Fuxin o **CN** 46-47 F2
Fuyang o **CN** 46-47 E4
Fuyu o **CN** 40-41 D5
Fuyun o **CN** 44-45 E2
Fuzhou ☆ • **CN** 46-47 E5
Fyn ∼ **DK** 12-13 D4
Fyresvatn o **N** 10-11 E5

G

Gaalkacyo ☆ **SO** 82-83 H4
Gaasefjord ≈ **GRØ** 96-97 Z3
Gabbac, Raas ▲ **SO** 82-83 J4
Gabela o **ANG** 86-87 B4
Gabès ☆ **TN** 76-77 K3
Gabes, Golfe de ≈ **TN** 76-77 K3
Gabir o **SUD** 82-83 C4
Gabon ■ **G** 80-81 G6
Gabon, Estuaire de ≈ **G** 80-81 F5
Gaborone ★ **RB** 86-87 E6
Gabreševci o **BG** 26-27 F4
Gabrovo o **BG** 26-27 G4
Gacko o **BIH** 26-27 D4
Gadag o **IND** 52-53 C3
Gäddede o **S** 8-9 H4
Gadsden o **USA** 102-103 F4
Găeşti o **RO** 26-27 G3
Gaète, Golfe de ≈24-25 D4
Gafsa ☆ • **TN** 76-77 J3
Gagarin o• **RUS** 30-31 F4
Gagnoa ☆ **CI** 80-81 C4
Gagnon o **CDN** 98-99 L4
Ģahra, al- o• **KWT** 48-49 G5
Ğahrom o• **IR** 48-49 H5
Gail ∼ **A** 18-19 F5
Gaillac o **F** 16-17 E5
Gaillimh = Galway ☆ • **IRL** 14-15 B5
Gainesville o **USA** (FL) 102-103 G5
Gainesville o **USA** (GA) 102-103 G4
Gajny ☆ **RUS** 4-5 S2
Ġalãlãbãd ☆ • **AFG** 50-51 J2
Galán, Cerro ▲ **RA** 116-117 D3
Galápagos, Îles ∼ **EC** 112-113 B1
Galápagos, Souil des ≃108-109 C4
Galápagos Rise ≃108-109 D2
Galashiels o **GB** 14-15 E4
Galata o **CY** 48-49 D4
Galaţi ☆ • **RO** 26-27 J3
Galdhøpiggen ▲ **N** 10-11 E4
Galera, Punta ▲ **EC** 112-113 C1
Galgaj Respublika ▫ **RUS** 42-43 D3
Gali o **GE** 48-49 F2
Galič o• **RUS** 30-31 K2
Galicia ▫ **E** 22-23 B2
Galičskaja vozvyšennosť ▲ **RUS** 30-31 J3
Galle o••• **CL** 52-53 D5
Gállego, Río ∼ **E** 22-23 F2
Gallegos, Río ∼ **RA** 116-117 D8
Galles, Pays de ▫ **GB** 14-15 D5
Gallipoli o• **I** 24-25 F4
Gallipoli o **I** 24-25 F4
Gällivare o **S** 8-9 L3
Galloway ⊥ **GB** 14-15 D4
Gallup o **USA** 100-101 E3
Gal'šany o **BY** 20-21 J1
Galveston o **USA** 102-103 E5
Galway = Gaillimh ☆ • **IRL** 14-15 B5
Galway Bay ≈14-15 B5
Gama o **BR** 114-115 E5
Gamaches o **F** 16-17 E2
Gambēla o **ETH** 82-83 E4
Gambela National Park ⊥ **ETH** 82-83 E4
Gambell o **USA** 92-93 H3
Gambia, River ∼ **WAG** 80-81 A3
Gambie ∼ **WAG** 80-81 A3
Gamboma o **RCB** 86-87 C2
Gamboula o **RCA** 82-83 B5
Gammelstaden o• **S** 8-9 M4
Gammon Ranges National Park ⊥ **AUS** 62-63 F6
Gamsberg ▲ **NAM** 86-87 C6
Gamvik o **N** 8-9 P1
Ğâncâ o• **AZ** 48-49 G2
Gand ☆ • **B** 18-19 A3
Gandajika o **CGO** 86-87 D3
Gander o **CDN** 98-99 O5

Gãndhi Dhãm o• **IND** 52-53 B2
Gãndhinagar ☆ • **IND** 52-53 B2
Gandía o **E** 22-23 F4
Ganga ∼ **IND** 52-53 E1
Ganga Delta ⊥ **IND** 52-53 E2
Ganganagar o **IND** 52-53 B1
Gangca o **CN** 44-45 H4
Gangdisê Shan ▲ **CN** 44-45 D5
Gange, Bouches du ≈52-53 E2
Gange, Cône du ≃52-53 E3
Ganges o **F** 16-17 F5
Ganges, Mouths of the ≈52-53 E2
Gangtok ☆ • **IND** 52-53 E1
Ganhe o **CN** 40-41 D4
Gan Jiang ∼ **CN** 46-47 E5
Gannat o **F** 16-17 F3
Gannett Peak ▲ **USA** 100-101 E2
Gansu ▫ **CN** 44-45 F3
Ganta o **LB** 80-81 C4
Gãnzã o• **AZ** 48-49 G2
Ğãnžã = Gãncã o• **AZ** 48-49 G2
Ganzhou o **CN** 46-47 D5
Gao o• **RMM** 80-81 D2
Gaoua o **BF** 80-81 D3
Gaoual o **RG** 80-81 B3
Gap o **F** 16-17 H4
Garabil ▲ **TM** 42-43 H4
Garabogazköl ajlagy ≈ **TM** 42-43 F3
Garacad o **SO** 82-83 H4
Gara Dragoman o **BG** 26-27 F4
Garagum ⊥ **TM** 42-43 G3
Garagum kanaly < **TM** 42-43 H4
Garamba, Parc National de la ⊥ ••• **CGO** 82-83 D5
Garanhuns o **BR** 114-115 G3
Garapu o **BR** 114-115 D4
Garbahaarrey ☆ **SO** 82-83 G5
Garda o **I** 24-25 C2
Gardelegen o• **D** 18-19 E2
Garden City o **USA** 102-103 C3
Gardēz ☆ **AFG** 50-51 H2
Gardner ∼ **KIR** 70-71 C1
Gardunha, Serra da ▲ **P** 22-23 C3
Gargano, Promontorio del ▲ **I** 24-25 E4
Gargnäs o **S** 8-9 J4
Gargždai ☆ •• **LT** 12-13 J4
Ģarib, Ğabal ▲ **ET** 78-79 G3
Garibaldi o **CDN** 94-95 G6
Garies o **ZA** 86-87 C8
Garissa o **EAK** 82-83 F6
Garmisch-Partenkirchen o• **D** 18-19 E5
Garmsãr ☆ **AFG** 50-51 G2
Garnpung, Lake o **AUS** 64-65 C3
Garonne ∼ **F** 16-17 D4
Garoowe ☆ **SO** 82-83 H4
Garoua ☆ **CAM** 80-81 G4
Garry Lake o **CDN** 96-97 K4
Garsden ☆ •• **LT** 12-13 J4
Garsen o **EAK** 82-83 G6
Gartempe ∼ **F** 16-17 E3
Garut o• **RI** 54-55 D7
Garwa o **IND** 52-53 D2
Garwolin o **PL** 20-21 F3
Gary o **USA** 102-103 F2
Garzê o **CN** 44-45 G5
Garzón o **CO** 110-111 C4
Gascogne ⊥ **F** 16-17 D5
Gascogne, Golfe de ≈16-17 B4
Gascogne, Golfe de ≈16-17 C5
Gascoyne, Mount ▲ **AUS** 62-63 B4
Gascoyne Junction o **AUS** 62-63 B5
Gascoyne River ∼ **AUS** 62-63 A4
Ğãsk o **IR** 48-49 J5
Gaskačokka ▲ **N** 8-9 J3
Gaspar o **BR** 116-117 H3
Gaspar, Selat ≈ **RI** 54-55 D6
Gaspé o **CDN** 98-99 M5
Gaspé, Cap ▲ **CDN** 98-99 M5
Gaspésie, Péninsule de la ⌣ **CDN** 98-99 L5
Gasteiz, Vitoria- o• **E** 22-23 E2
Gastonia o **USA** 102-103 G3
Gastre o **RA** 116-117 D6

Gata, Cabo de ▲ E 22-23 E5
Gata, Sierra de ▲ E 22-23 C3
Gatčina ✿ RUS 30-31 D2
Gatehouse of Fleet o GB 14-15 D4
Gateshead Island ⌐ CDN 96-97 L3
Gates of the Arctic National Park and
    Preserve ⊥ USA 92-93 L2
Gatineau o CDN 98-99 J5
Gau ⌐ FJI 70-71 A4
Gaua, Île = Santa Maria Island ⌐ VU
    68-69 G3
Gaujas nacionālais parks ⊥ LV 12-13 L3
Gaula ~ N 10-11 F3
Gausta ▲ N 10-11 E5
Gávdos ⌐ GR 28-29 K4
Gave de Pau ~ F 16-17 D5
Gavião o P 22-23 C4
Gävle ✿ S 10-11 J4
Gavrilov - Jam ✿ RUS 30-31 H3
Gávrio o GR 28-29 E4
Gaya o⸱ IND 52-53 E2
Gaza/Gazza ✿ AUT 48-49 D4
Gazačak o TM 42-43 H3
Gazi Antep ✿ TR 48-49 E3
Gazipaşa ✿ TR 48-49 D3
Gazli o UZ 42-43 H3
Ġaz Mürián, Hämün-e o IR 48-49 J5
Gaznī o⸱ AFG 50-51 H2
Gbadolite o CGO 82-83 C5
Gbarnga o LB 80-81 C4
Gbele Game Production Reserve ⊥ GH
    80-81 D3
Gdańsk o⸱⸱ PL 20-21 E1
Gdańska, Baie de ≈ PL 20-21 E1
Gdańska, Zatoka ≈ PL 20-21 E1
Gdov o RUS 12-13 M2
Gdynia o⸱⸱ PL 20-21 E1
Géants, Monts des ▲ CZ 20-21 C3
Gebe, Pulau ⌐ RI 56-57 E6
Gebze ✿ TR 28-29 G3
Gediz ✿ TR 28-29 G3
Gediz Nehri ~ TR 28-29 G3
Gedser o DK 12-13 D4
Geel o B 18-19 B3
Geelong o⸱ AUS 64-65 C4
Geelvink Channel ≈ AUS 62-63 A5
Geidam o WAN 80-81 G3
Geilo o N 10-11 E4
Geirangerfjorden o⸱⸱o 10-11 D3
Geita o EAT 84-85 C1
Gejiu o CN 52-53 H2
Gela o I 24-25 E6
Geladī o ETH 82-83 H4
Gelsenkirchen o D 18-19 C3
Gembu o WAN 80-81 G4
Gemena o CGO 82-83 B5
Gemlik ✿ TR 28-29 G2
Gemlik Körfezi ≈28-29 G2
Gemona del Friuli o I 24-25 D1
Gemsbok National Park ⊥ RB 86-87 D6
Genalē Wenz ~ ETH 82-83 G4
General Acha o RA 116-117 E5
General Alvear o RA 116-117 E5
General Carrera, Lago o RCH
    116-117 C7
General Enrique Mosconi o RA
    116-117 E2
General Eugenio A. Garay ✿ PY
    116-117 E2
General Güemes o RA 116-117 D2
General Juan Madariaga o RA
    116-117 F5
General Pico o RA 116-117 E5
General Pinedo o RA 116-117 E3
General Santos ✿ RP 56-57 E4
General Toševo o BG 26-27 J4
General Villegas o RA 116-117 E5
Gênes ✿⸱⸱ I 24-25 B2
Gênes, Golfe de ≈24-25 B2
Genève ✿⸱ CH 18-19 F3
Genfer See = Lac Léman o CH
    18-19 C5

Genil, Río ~ E 22-23 D5
Genk o B 18-19 B3
Gennargentu, Monti del ▲ I 24-25 B4
Genova o⸱ I 24-25 B2
Genova, Golfo di ≈24-25 B2
Génova, Golfo di ≈ I 24-25 B2
Genovesa, Isla ⌐ EC 112-113 B1
Géographe, Baie du ≈ AUS 62-63 B6
Géographe, Canal du ≈ AUS 62-63 A4
Geok-Tepe o TM 42-43 G4
George o ZA 86-87 D8
George, Rivière ~ CDN 98-99 L3
Georges Bank ≃102-103 K2
Georges V, Côte ⊥ ANT 119 B16
Georgetown o GB 104-105 E4
Georgetown ★ GUY 110-111 F3
George Town ✿⸱⸱ MAL 54-55 C4
Georgetown o⸱ USA 102-103 H4
Georgia ▫ USA 102-103 G4
Georgia, Strait of ≈ CDN 94-95 G6
Georgian Bay o CDN 98-99 H5
Géorgie ▪ GE 48-49 F2
Géorgie du Sud o GB 119 D33
Georgievka o KZ 42-43 M2
Georgiu-Dež = Liski o RUS 32-33 F2
Georg von Neumayer o ANT 119 B36
Gera o⸱ D 18-19 F3
Gerace o I 24-25 F5
Geráki o GR 28-29 D4
Geral, Serra ▲ BR 114-115 D6
Geral de Goiás, Serra ▲ BR 114-115 E4
Geralzinho o BR 114-115 F5
Gerede ✿ TR 48-49 D2
Gerede Çayı ~ TR 48-49 D2
Gerešk o AFG 50-51 G2
Germania Land ⊥ GRØ 96-97 a2
Germencik o⸱ TR 28-29 F4
Gernika-Lumo o E 22-23 E2
Geroliménas o GR 28-29 D4
Gérone o E 22-23 H3
Gérone o⸱⸱ E 22-23 H3
Gers ~ F 16-17 E5
Gestro, Wabē ~ ETH 82-83 G4
Geta o AX 10-11 K4
Getafe o E 22-23 E3
Gevgelija o MK 26-27 F5
Geyik Dağları ▲ TR 48-49 D3
Geyser, Banc du ⌐ RM 84-85 F3
Geyve ✿ TR 28-29 H2
Ghadāmis o⸱⸱ LAR 78-79 B2
Ghaddūwah o LAR 78-79 C3
Ghana ▪ GH 80-81 D4
Ghanzi ✿ RB 86-87 D6
Ghardaïa o⸱ DZ 76-77 H3
Gharyān ✿ LAR 78-79 C2
Ghât o LAR 78-79 C4
Ghâts Occidentaux ⊥ IND 52-53 B2
Ghâts Occidentaux ⊥ IND 52-53 B2
Ghâts Orientaux ⊥ IND 52-53 C4
Ghaziābād o IND 52-53 C1
Ghāzīpur o IND 52-53 D1
Gheorghe Gheorghiu-Dej = Oneşti o RO
    26-27 H2
Gheorgheni o RO 26-27 G2
Gherla o RO 26-27 F2
Ghilarza o I 24-25 B4
Ghimpaţi o RO 26-27 G3
Giàng o VN 54-55 D2
Giannitsá o GR 28-29 D2
Giants Castle ▲⸱⸱ ZA 86-87 E7
Giant's Causeway ⸱⸱⸱ GB 14-15 C4
Giarre o I 24-25 E6
Giba o I 24-25 B5
Gibeon o NAM 86-87 C7
Gibraltar o GBZ 22-23 D5
Gibraltar, Détroit de ≈22-23 D6
Gibson, Désert de ⊥ AUS 62-63 C4
Gibson Desert ⊥ AUS 62-63 C4
Ġidda o⸱ KSA 50-51 B4
Giddalur o IND 52-53 C3
Ġiddat al-Harâsîs ⊥ OM 50-51 F5
Gideán ~ S 10-11 K3

Gien o F 16-17 F3
Gießen o D 18-19 D3
Gifu ✿ J 46-47 J3
Gigant o RUS 32-33 G4
Giganta, Sierra de la ▲ MEX
    100-101 D5
Giglio, Ísola del ⌐ I 24-25 C3
Gigüela, Río ~ E 22-23 E4
Gijón = Xixón o⸱ E 22-23 D2
Gila River ~ USA 100-101 D4
Gilbert, Îles ⌐ KIR 66-67 G5
Gilbert River o AUS 62-63 G3
Gilbert River ~ AUS 62-63 G3
Gilbués o BR 114-115 E3
Gilgandra o AUS 64-65 D3
Gilgit o IND 44-45 B4
Gilgit Mountains ▲ IND 44-45 B4
Gillam o CDN 98-99 F3
Gilleleje o DK 12-13 E3
Gillen, Lake o AUS 62-63 C5
Gillette o USA 100-101 E2
Gillingham o GB 14-15 G6
Gīmbī o ETH 82-83 F4
Gimo o S 10-11 K4
Gineta, La o E 22-23 F4
Gingindlovu o ZA 86-87 F7
Ĝinīr o ETH 82-83 G4
Gióia del Colle o I 24-25 F4
Gióia Táuro o I 24-25 E5
Girardot o CO 110-111 C4
Giresun ✿ TR 48-49 E2
Giri ~ CGO 82-83 B5
Girīdīh o IND 52-53 E2
Gironde ~ F 16-17 D4
Girvan o GB 14-15 D4
Gisborne o NZ 64-65 K4
Gislaved ✿ S 12-13 E3
Gisors o F 16-17 E2
Gitega o BU 86-87 E2
Githio o GR 28-29 D4
Giulianova o I 24-25 D3
Giurgiu ✿⸱ RO 26-27 G4
Givet o F 16-17 G1
Giyon o ETH 82-83 F4
Ĝīzān ✿ KSA 50-51 C5
Gizeh ✿⸱⸱ ET 78-79 G2
Gizo ✿ SOL 68-69 E2
Gizo ✿ SOL (Wes) 68-69 E2
Gizo ~ SOL 68-69 E2
Giżycko o⸱ PL 20-21 F1
Gjiri i Drinit ≈28-29 B2
Gjirokastër o⸱⸱ AL 28-29 C2
Gjoa Haven o CDN 96-97 M4
Gjøgur ▲ IS 8-9 c1
Gjøvik ✿ N 10-11 F4
Gjuhëzës, Kepi i ▲ AL 28-29 B2
Gjumri o ARM 48-49 F2
Glace Bay o CDN 98-99 N5
Glacier Bay National Park and Preserve
    ⊥ USA 92-93 J4
Glacier Bay N.P.=Wrangell-St.Elias N.P.
    &Pres.& Glac. B.N.P. ⊥⸱⸱⸱ USA
    92-93 O3
Gladstad o N 8-9 F4
Gladstone o AUS 62-63 J4
Gláma ▲ IS 8-9 b2
Gláma ~ N 10-11 F4
Glamoč o BIH 26-27 C3
Glarner Alpen ▲ CH 18-19 D5
Glasgow ⸱ GB 14-15 D4
Glasgow o USA (KY) 102-103 F3
Glasgow o USA (MT) 100-101 E1
Glavinica o BG 26-27 H3
Glazov ✿ RUS 4-5 S3
Gleisdorf o A 18-19 G5
Glénan, Îles de ⌐ F 16-17 B3
Glendive o USA 100-101 F1
Glen Helen o AUS 62-63 E4
Glen Innes o AUS 64-65 E2
Glen Mor ⊥ GB 14-15 D3
Glen More ⌐ GB 14-15 D3
Glennallen o USA 92-93 N3

Glenties o IRL 14-15 B4
Glina o HR 26-27 C3
Glittertinden ▲ N 10-11 E4
Gliwice o⸱ PL 20-21 E3
Głogów o⸱ PL 20-21 D3
Glomfjord o N 8-9 G3
Glommersträsk o S 8-9 K4
Glorieuses, Îles ⌐ F 84-85 F3
Gloucester o GB 14-15 E6
Głubczyce o⸱ PL 20-21 D3
Glubokij o RUS 32-33 G3
Glymur ~ IS 8-9 c2
Gmünd o A 20-21 C4
Gmunden o⸱⸱ A 18-19 F5
Gnarp o S 10-11 J3
Gniezno o⸱⸱ PL 20-21 D2
Gnjilane o KSV 26-27 E4
Goa ▫ IND 52-53 B3
Goageb o NAM 86-87 C7
Goālpārā o IND 52-53 F1
Goba ✿ ETH 82-83 F4
Gobabis o NAM 86-87 C6
Gobernador Gregores o RA 116-117 C7
Gobi, Désert de ⊥ MGL 44-45 H3
Goce Delčev o BG 26-27 F5
Goðafoss ≃8-9 e2
Godāvari ~ IND 52-53 C3
Godhavn = Qeqertarsuaq o GRØ
    96-97 U4
Godhra o IND 52-53 B2
Godoy Cruz o RA 116-117 D4
Gods Lake o CDN 98-99 F4
Godthåb = Nuuk ★ GRØ 96-97 U5
Goeree ⊥ NL 18-19 A3
Goes o NL 18-19 A3
Gogland, ostrov ⌐ RUS 12-13 M2
Gogrial o SUD 82-83 D4
Goiana o BR 114-115 H3
Goiandira o BR 114-115 E5
Goianésia o BR 114-115 E5
Goiânia ✿ BR 114-115 E5
Goiás o⸱ BR 114-115 D5
Goiás ▫ BR 114-115 D5
Gökçeada ⌐ TR 28-29 E2
Gökova o TR 28-29 G4
Gol ✿ N 10-11 E4
Golaghāt o IND 52-53 F1
Golan ▲ SYR 48-49 E4
Gölbaşı o TR 48-49 D3
Gölcük ✿ TR 28-29 G2
Gołdap o PL 20-21 G1
Gold Coast ⌣ AUS 62-63 J5
Gold Coast ⌣ GH 80-81 D5
Golden Gate Bridge ⸱⸱ USA 100-101 B3
Goldingen o⸱⸱ LV 12-13 J3
Goleniów o PL 20-21 C2
Golfo Aranci o I 24-25 B4
Gölgeli Dağları ▲ TR 28-29 G4
Gölhisar ✿ TR 28-29 G4
Golija ▲⸱ SRB 26-27 E4
Goliševo o LV 12-13 M3
Gölmarmara o TR 28-29 F3
Golmud o CN 44-45 F4
Goma o CGO 86-87 E2
Gombe o WAN 80-81 G3
Gomel ✿ BY 20-21 L2
Gomel' = Homel' ✿ BY 20-21 L2
Gomera, La ⌐ E 76-77 D4
Gómez Palacio o MEX 100-101 F5
Gonâbād o⸱ IR 48-49 J4
Gonaïves o RH 104-105 G4
Gonam ~ RUS 40-41 E3
Gonarezhou National Park ⊥ ZW
    86-87 F6
Gonâve, Golfe de la ≈ RH 104-105 G4
Gonâve, Île de la ⌐ RH 104-105 G4
Gonbad-e Qabūs o⸱ IR 48-49 J3
Gonda o IND 52-53 D1
Gonder ✿⸱ ETH 82-83 F3
Gondia o IND 52-53 D2
Gondomar o⸱ P 22-23 B3
Gönen ✿ TR 28-29 F2

Gonggar o CN 44-45 F6
Gongga Shan ▲ CN 44-45 H6
Gongola, River ~ WAN 80-81 G3
Gongpoquan o CN 44-45 G3
Goodenough Island ⌐ PNG 68-69 D2
Goodhouse o ZA 86-87 C7
Goodland o USA 102-103 C3
Goole o GB 14-15 F5
Goolgowi o AUS 64-65 D3
Goomalling o AUS 62-63 B6
Goondiwindi o AUS 62-63 J5
Goose Bay o CDN 98-99 M4
Goose Creek o USA 102-103 G4
Goose Lake o USA 100-101 B2
Goplo, Jezioro o PL 20-21 F2
Góra Kalwaria o PL 20-21 F3
Gorakhpur o IND 52-53 D1
Goražde o BIH 26-27 D4
Gördes ✧ TR 28-29 G3
Gorë o ETH 82-83 F4
Gore o NZ 64-65 H6
Goré o TCH 80-81 H4
Göreme ··· TR 48-49 D3
Gorgān o· IR 48-49 H3
Gorgān, Rūdhāne-ye ~ IR 48-49 H3
Gorgora o ETH 82-83 F3
Gori o· GE 48-49 F2
Goricy o RUS 30-31 G3
Gorinchem o NL 18-19 B3
Gorizia o I 24-25 D2
Gorkij = Nižnij Novgorod ✧·· RUS
    30-31 L3
Gorlice o PL 20-21 F4
Görlitz o·· D 18-19 G3
Gorlovka = Horlivka o UA 32-33 F3
Gorna Mitropolia o BG 26-27 G4
Gornjackij o RUS 32-33 G3
Gorno-Altajsk ✧ RUS 44-45 E1
Gornyj Altaj, Respublika ▫ RUS
    44-45 D1
Gorodec o RUS 30-31 K3
Gorodišče o RUS 30-31 L5
Gorodnja = Horodnja o UA 32-33 B2
Gorodok = Haradok ✧ BY 30-31 C4
Gorodok = Horodok o UA 20-21 G4
Gorodovikovsk o RUS 32-33 G4
Gorohovec o RUS 30-31 K3
Goroka ✧· PNG 68-69 C2
Gorong, Kepulauan ⌐ RI 56-57 F6
Gorongosa ▲ MOC 86-87 F5
Gorongosa, Parque Nacional de ⊥ MOC
    86-87 F5
Gorontalo o RI 56-57 D5
Goršečnoe o RUS 32-33 F2
Gort = An Gort o IRL 14-15 B5
Goryn' = Haryn' ~ BY 20-21 J2
Goryn' = Horyn' ~ UA 20-21 J3
Gorzów Wielkopolski ✧· PL
    20-21 C2
Goslar o··· D 18-19 E3
Gospić o HR 26-27 B3
Gostivar o· MK 26-27 E5
Gostynin o PL 20-21 E2
Göta älv ~ S 12-13 E2
Götaland ⊥ S 12-13 E3
Göteborg ✧·· S 12-13 D3
Gotha o· D 18-19 E3
Gotland ⌐·~ S 12-13 H3
Gotska Sandön ⌐·~ S 12-13 H2
Gotska Sandön Nationalpark ⊥ S
    12-13 H2
Göttingen o· D 18-19 D3
Gotval'd = Zimijiv o UA 32-33 E3
Gouda o· NL 18-19 B2
Gouda o ZA 86-87 C8
Gouin, Réservoir o CDN 98-99 K5
Goulburn o AUS 64-65 D3
Goulburn Island, North ⌐ AUS 62-63 E2
Goulimine o MA 76-77 E4
Goumbi ▲ G 80-81 G6
Goúra o GR 28-29 D4
Gourdon o F 16-17 E4

Gouré o RN 80-81 G3
Gouzon o F 16-17 F3
Governador Valadares o BR 114-115 F5
Goya o RA 116-117 F3
Goz-Beida o TCH 82-83 C3
Graaff-Reinet o· ZA 86-87 D8
Gracias a Dios, Cabo de ▲ HN
    104-105 E4
Gradaús, Serra dos ▲▪ BR 114-115 D3
Grado, Embalse de El < E 22-23 G2
Gradsko o MK 26-27 E5
Grafton o AUS 64-65 E2
Graham, Mount ▲ USA 100-101 E4
Graham Island ⌐ CDN (BC) 94-95 E5
Graham Island ⌐ CDN (NWT) 96-97 M2
Graham Moore, Cape ▲ CDN 96-97 P3
Grahamstad = Grahamstown o ZA
    86-87 E8
Gråhs Øer ⌐ GRØ 96-97 X4
Grain Coast ⌐ LB 80-81 B4
Graines, Côte des ⌐ LB 80-81 B4
Grajaú o BR 114-115 E3
Grajaú, Rio ~ BR 114-115 E2
Grajewo o PL 20-21 G2
Grajvoron o RUS 32-33 D2
Grammos ▲ GR 28-29 C2
Grampians ▲ GB 14-15 D3
Gramsh ✧· AL 28-29 C2
Granada ✧·· NIC 104-105 D5
Gran Altiplanicie Central ⊥ RA
    116-117 C7
Gran Canaria ⌐ E 76-77 D4
Gran Chaco ⊥ RA 116-117 E3
Grand Ballon, le ▲ F 16-17 H3
Grand Banc des Bahamas ≃104-105 F3
Grand Bassin ⌐ USA 100-101 C2
Grand Bassin Artésien ⌐ AUS 62-63 G4
Grand Belt ≋ DK 12-13 F4
Grand Canal < IRL 14-15 C5
Grand Canyon ⌐ USA 100-101 D3
Grand Canyon National Park ⊥ ··· USA
    100-101 D3
Grand-Combe, la o F 16-17 G4
Grand Désert de Victoria ⊥ AUS
    62-63 D5
Grand Désert Salé ⊥ IR 48-49 H4
Grande, Rio ~ BR 114-115 F4
Grande, Rio ~ USA 100-101 F5
Grande, Rio ~ RA 116-117 D8
Grande Bahama, Île ⌐ BS 104-105 F2
Grande Barrière, Récif de la ⊥ AUS
    62-63 G2
Grande-Bretagne ⌐ GB 14-15 F3
Grande Casse, Pointe de la ▲ F
    16-17 H4
Grande de Gurupa, Ilha ⌐ BR
    114-115 D2
Grande Dépression Centrale ⊥ CGO
    86-87 C2
Grande de Santiago, Río ~ MEX
    100-101 F6
Grande Muraille ··· CN 46-47 D3
Grande Prairie o CDN 94-95 H4
Grand Erg de Bilma ⊥ RN 80-81 G2
Grand Erg Occidental ⊥ DZ 76-77 G3
Grand Erg Oriental ⊥ DZ 76-77 H4
Grande Rivière de la Baleine ~ CDN
    98-99 J3
Grândola o P 22-23 B4
Grand Rapids o CDN 98-99 H4
Grand Rapids o USA 102-103 F2
Grand Récif Sud ⌐ F 68-69 G5
Grand-Remous o CDN 98-99 J5

Grand Teton National Park ⊥ USA
    100-101 D2
Grand Teton Peak ▲ USA 100-101 D2
Granite Peak ▲ USA 100-101 E1
Gränna o· S 12-13 F2
Granollers o E 22-23 H3
Gran Paradiso ▲ I 24-25 A2
Gran Sabana, La ⊥ YV 110-111 E3
Gran Sasso d'Italia ▲▪ I 24-25 D3
Grantham o GB 14-15 F5
Grants o USA 100-101 E3
Granville o F 16-17 D2
Gras, Lac de o CDN 94-95 J3
Grasse o F 16-17 H5
Grasslands National Park ⊥ CDN
    94-95 K6
Gravures rupestres ··· DZ 76-77 J4
Gray o F 16-17 G3
Graz ✧·· A 18-19 G5
Great Australian Bight ≋ AUS 62-63 D6
Great Bahama Bank ≃104-105 F3
Great Barrier Island ⌐ NZ 64-65 K4
Great Barrier Reef ⊥ AUS 62-63 G2
Great Barrier Reef Marine Park
    ⊥ ··· AUS 62-63 G2
Great Basin National Park ⊥ USA
    100-101 D2
Great Bear Lake o CDN 94-95 G2
Great Britain ⊥ GB 14-15 F3
Great Coco Island = Kōkō Kyūn ⌐ MYA
    52-53 F4
Great Divide Basin ⌐ USA 100-101 E2
Great Exhibition Bay ≋ NZ 64-65 J3
Great Falls o USA 100-101 D1
Great Inagua Island ⌐ BS 104-105 G3
Great Lake o AUS 64-65 D5
Great Nicobar Island ⌐ IND 52-53 F5
Great Ouse ~ GB 14-15 F5
Great Sandy Desert ⊥ AUS 62-63 C3
Great Sandy Desert ⊥ USA 100-101 B2
Great Sea Reef ~ FJI 70-71 A4
Great Slave Lake o CDN 94-95 H3
Great Wall, The ··· CN 46-47 D3
Great Yarmouth o GB 14-15 G5
Gréboun, Mont ▲ RN 80-81 F1
Grèce ▪ GR 28-29 E4
Gredos, Coto Nacional de ⊥ E 22-23 D3
Greeley o USA 100-101 F2
Greely Fiord ≋ CDN 96-97 N1
Greém Bell, ostrov ⌐ RUS 118 A
Green Bay ≋ USA 102-103 F2
Green Bay o USA 102-103 F2
Greenland-Iceland Rise ≃96-97 Z4
Greenland Sea ≋96-97 d2
Greenock o GB 14-15 D4
Green River o USA 100-101 E2
Green River o USA 100-101 E3
Green River Basin ⌐ USA 100-101 D2
Greensboro o USA 102-103 H3
Greenvale o AUS 62-63 G3
Greenville ✧ USA 100-101 C4
Greenville o USA (SC) 102-103 G4
Greenville o USA (TN) 102-103 H3
Greenwich o GB 14-15 G6
Greenwood o USA 102-103 E4
Greifswald o· D 18-19 F1
Greiz o· D 18-19 F3
Gremjač'e o RUS 32-33 F2
Grená o DK 12-13 D3
Grenada ⌐ WG 104-105 J5
Grenade o··· E 22-23 E5
Grenade ▪ WG 104-105 J5
Grenen ⊥·· DK 12-13 D3
Grenivík o IS 8-9 e2
Grenoble ✧ F 16-17 G4
Grense Jakobselv o N 8-9 Q2
Gressåmoen nasjonalpark ⊥ N 8-9 G4
Grevená o GR 28-29 C2
Grey Islands ⌐ CDN 98-99 N4
Greymouth o NZ 64-65 J5
Grey Range ▲ AUS 62-63 G5
Greytown o ZA 86-87 F7

Gribanovskij o RUS 32-33 G2
Griekwastad = Griquatown o ZA
    86-87 D7
Griffith o AUS 64-65 D3
Griffiths Point ▲ CDN 96-97 F2
Grigor'evskaja o RUS 4-5 T3
Grimma o D 18-19 F3
Grimsby o· GB 14-15 F5
Grimselpass ▲·· CH 18-19 D5
Grimsey ~ IS 8-9 e1
Grímsstaðir o IS 8-9 e2
Grimsvötn ▲ IS 8-9 b3
Grindavík o IS 8-9 b3
Grindsted o DK 12-13 C4
Grinnel Peninsula ⌐ CDN 96-97 M2
Grise Fiord o CDN 96-97 O2
Grisslehamn o S 10-11 K4
Grivița o RO 26-27 H3
Grjazi o RUS 30-31 H5
Grjazi o RUS 32-33 F1
Grjazovec o RUS 30-31 J2
Grobiņa ✧· LV 12-13 J3
Grodno = Hrodna ✧ BY 20-21 G2
Groenland ▫ GRØ 96-97 V3
Groenland ⊥ GRØ 96-97 V3
Groenland, Bassin du ≃118 B19
Groenland, Mer du ≋96-97 d2
Groenland-Islande, Seuil ≃96-97 Z4
Groenlo o NL 18-19 C2
Groix, Île de ⌐ F 16-17 C3
Grójec o PL 20-21 F3
Grong o N 8-9 G4
Groningen ✧· NL 18-19 C2
Groningen o SME 110-111 F3
Grønland ⊥ GRØ 96-97 V3
Grønland = Kalaallit Nunaat ▫ GRØ
    96-97 V3
Grønlandshavet ≋96-97 d2
Grønlingrotten · N 8-9 H3
Grootfontein ✧ NAM 86-87 C5
Groot Karasberge ▲ NAM
    86-87 C7
Groot Karoo / Great Karoo ⊥ ZA
    86-87 D8
Groot Waterberg ▲ NAM 86-87 C6
Gros Morne National Park ⊥ ··· CDN
    98-99 N5
Grossanktnikolaus o RO 26-27 E2
Großer Arber ▲ D 18-19 F4
Großer Ötscher ▲ A 18-19 G5
Großer Schwielowsee o D
    18-19 G2
Grosseto ✧ I 24-25 C3
Großglockner ▲·· A 18-19 F5
Grosswardein ✧· RO 26-27 E2
Groswater Bay ≋ CDN 98-99 N4
Grottes · RCA 82-83 B4
Groundhog River ~ CDN 98-99 H5
Groznyj ✧ RUS 42-43 E3
Grudovo = Sredec o BG 26-27 H4
Grudziądz o· PL 20-21 D2
Grumo Áppula o I 24-25 F4
Grums o· S 12-13 E2
Grünau o NAM 86-87 C7
Grundarfjörður o IS 8-9 b2
Gruzdžiai o LT 12-13 K3
Gryfice o PL 20-21 C2
Gryllefjord o N 8-9 J2
Gryt o S 12-13 G2
Grytøya ⌐ N 8-9 J2
Guadajoz, Río ~ E 22-23 D5
Guadalajara o E 22-23 E3
Guadalajara ✧·· MEX 100-101 F6
Guadalcanal o E 22-23 D4
Guadalcanal ⌐ SOL 68-69 F2
Guadalimar, Río ~ E 22-23 E4
Guadálmez, Río ~ E 22-23 D4
Guadalope, Río ~ E 22-23 F3
Guadalupe o··· E 22-23 D4
Guadalupe, Isla de ⌐ MEX 100-101 C5
Guadalupe Mountains National Park
    ⊥ USA 100-101 F4

Hangzhou ☆ •• **CN** 46-47 F4
Haniš al-Kabîr ⌒ **YAR** 50-51 C6
Hank, El ⌐ **DZ** 76-77 F5
Hanka, ozero o **RUS** 40-41 F5
Hanko = Hangö o•• **FIN** 10-11 M5
Hann, Mount ▲ **AUS** 62-63 D3
Hanna o **CDN** 94-95 J5
Hannibal o **USA** 102-103 E3
Hann. Münden o• **D** 18-19 D3
Hanöbukten o•12-13 F4
Hà Nôi ★ •• **VN** 54-55 D1
Hanover, Isla ⌒ **RCH** 116-117 C8
Hanovre ☆ • **D** 18-19 D2
Han Shui ⌐ **CN** 46-47 D4
Hanskoe, ozero o **RUS** 32-33 F4
Hanstholm o **DK** 12-13 C3
Hanty-Mansijsk ☆ **RUS** 38-39 J3
Hanzhong o **CN** 46-47 C4
Hao Atoll ⌒ **F** 70-71 J4
Haora o **IND** 52-53 E2
Haparanda o **S** 8-9 N4
Happy-Valley-Goose Bay o **CDN** 98-99 M4
Hapsal = Haapsalu ☆ **EST** 12-13 K2
Hâpur o **IND** 52-53 C1
Harabali ☆ **RUS** 32-33 K4
Harad o **KSA** 50-51 D4
Haradok ☆ **BY** 20-21 K1
Haradok ⌒ **BY** 30-31 C4
Haraĝa o **KSA** 50-51 C5
Haraiki Atoll ⌒ **F** 70-71 J4
Harare ★ •• **ZW** 86-87 F5
Haraze Mangueigne o **TCH** 82-83 C4
Harbin ☆ **CN** 40-41 E5
Hardangerfjorden ≋10-11 D4
Hardangerjøkulen ⊂ **N** 10-11 D4
Hardangervidda ▲ **N** 10-11 D4
Hardangervidda nasjonalpark ⊥ **N** 10-11 D4
Harderwijk o **NL** 18-19 B2
Harding o **ZA** 86-87 E8
Hârer ☆ **ETH** 82-83 G4
Hârer Wildlife Sanctuary ⊥ **ETH** 82-83 G4
Harewa o **ETH** 82-83 G4
Harĝ, al– o **KSA** 50-51 D4
Hargeysa ☆ **SO** 82-83 G4
Hari ⌒ **RI** 54-55 C6
Harihari o **NZ** 64-65 J5
Haritona Lapteva, bereg ⌣ **RUS** 38-39 N0
Härjedalen ⌐ **S** 10-11 G3
Harkány o **H** 26-27 D3
Har'kov = Charkiv o **UA** 32-33 E3
Harlingen o **NL** 18-19 B2
Harlingen o **USA** 102-103 D5
Härmänkylä o **FIN** 8-9 P4
Harmanli o **BG** 26-27 G5
Harney Basin ⌣ **USA** 100-101 C2
Härnösand ☆ **S** 10-11 J3
Haro o•• **E** 22-23 E2
Harobo o **J** 46-47 K2
Harovsk o **RUS** 30-31 J2
Harovskaja grjada ▲ **RUS** 30-31 J2
Harper ☆ **LB** 80-81 C5
Harrat Ĥaïbar ⌐ **KSA** 50-51 B3
Harricana, Rivière ⌒ **CDN** 98-99 J4
Harrisburg ☆ **USA** 102-103 H2
Harrison, Cape ▲ **CDN** 98-99 N4
Harrogate o•• **GB** 14-15 F5
Hârşova o• **RO** 26-27 H3
Hârşova o• **RO** 26-27 J3
Harstad o **N** 8-9 J2
Hårteigen ▲ **N** 10-11 D4
Hartford ☆ **USA** 102-103 J2
Hartlepool o **GB** 14-15 F4
Hartola o **FIN** 10-11 O4
Ħãruĝ ⌐ **TJ** 42-43 K4
Har Us nuur o **MGL** 44-45 F2
Harwich o **GB** 14-15 G6
Haryana ⊡ **IND** 52-53 C1
Haryn' ⌐ **BY** 20-21 J2

Harz ▲ **D** 18-19 E3
Hâš o **IR** 48-49 K5
Hasâ', al– ▲ **KSA** 50-51 D3
Hasaka, al– ☆ **SYR** 48-49 F3
Hasavjurt o **RUS** 42-43 E3
Haskovo o **BG** 26-27 G5
Hassan o **IND** 52-53 C4
Hassela o **S** 10-11 J3
Hasselt ☆ **B** 18-19 B3
Hassi Messaoud o **DZ** 76-77 J3
Hässleholm o **S** 12-13 E3
Hastings o **GB** 14-15 G6
Hastings o **NZ** 64-65 K4
Hastings o **USA** 102-103 D2
Hasvik o **N** 8-9 M1
Hatanga o **RUS** 38-39 Q1
Hatanga ⌐ **RUS** 38-39 Q1
Hateg o **RO** 26-27 F3
Hatgal o **MGL** 44-45 H1
Hathras o **IND** 52-53 C1
Hà Tiên o• **VN** 54-55 C3
Hà Tĩnh o **VN** 54-55 D2
Hatteras, Cape ▲ **USA** 102-103 H3
Hatteras, Plaine Abyssale d'
≃102-103 J4
Hatteras Abyssal Plain ⌣102-103 J4
Hatteras Island ⌒ **USA** 102-103 H3
Hattfjelldal o **N** 8-9 G4
Hattiesburg o **USA** 102-103 F4
Hatvan o **H** 26-27 D2
Hat Yai o• **T** 54-55 C4
Hatyngnah o **RUS** 40-41 K1
Haud ⌐ **ETH** 82-83 G4
Haugesund ☆ **N** 10-11 C5
Haukeligrend o **N** 10-11 D5
Haukivesi o **FIN** 10-11 P3
Haukivuori o **FIN** 10-11 O3
Hauraha o **SOL** 68-69 F3
Hauraki Gulf ≋ **NZ** 64-65 K4
Haur al-Hammâr o **IRQ** 48-49 G4
Hautajärvi o **FIN** 8-9 P3
Haut Atlas ▲ **MA** 76-77 F3
Haute-Normandie ⊟ **F** 16-17 E2
Haut-Palatinat, Forêt de ⌐ **D** 18-19 F4
Hauts Plateaux ▲ **DZ** 76-77 H3
Havel ⌐ **D** 18-19 F2
Haverfordwest o **GB** 14-15 D6
Havlíčkův Brod o **CZ** 20-21 C4
Havlíčkův Brod o• **CZ** 20-21 C4
Havøysund o **N** 8-9 N1
Havre o **USA** 100-101 E1
Havre, Le o **F** 16-17 E2
Havrylivka o **UA** 32-33 E3
Hawaï, Îles ⌒ **USA** 90-91 D7
Hawaii ⊡ **USA** 90-91 D7
Hawaii, Dorsale des ≃90-91 D7
Hawaiian Islands ⌒ **USA** 90-91 D7
Hawaiian Ridge ≃90-91 D7
Hawera o **NZ** 64-65 J4
Hawick o **GB** 14-15 E4
Hawke, Cape ▲ **AUS** 64-65 E3
Hawke Bay ≋ **NZ** 64-65 K4
Hay o **AUS** 64-65 C3
Haya o **SUD** 78-79 H5
Hayes, Mount ▲ **USA** 92-93 N3
Hayes Halvø ⌣ **GRØ** 96-97 R2
Hayes River ⌒ **CDN** 96-97 M4
Haymana ☆ **TR** 48-49 D3
Hayrabolu ☆ **TR** 28-29 F2
Hay River o• **CDN** 94-95 H3
Hay River ⌐ **CDN** 94-95 H4
Hays o **USA** 102-103 D3
Hazârîbâg o **IND** 52-53 E2
Hazen Strait ≋ **CDN** 96-97 H2
Head of Bight ≋ **AUS** 62-63 E6
Head Smashed-in Bison Jump ••• **CDN** 94-95 J6
Hearst o **CDN** 98-99 H5
Hebel o **AUS** 62-63 H5
Hebi o **CN** 46-47 D3
Hébrides ⌒ **GB** 14-15 C3
Hebrides, Sea of the ≋14-15 C3

Hébrides Extérieures ⌒ **GB** 14-15 C2
Hébrides Intérieures ⌒ **GB** 14-15 C3
Hebrides or Western Isles ⌒ **GB** 14-15 C3
Hebron o **CDN** 98-99 M3
Heby ☆ **S** 12-13 G2
Hecate Strait ≋ **CDN** 94-95 E5
Hechi o **CN** 46-47 C6
Hecla and Griper Bay ≋ **CDN** 96-97 H2
Hedaru o **EAT** 84-85 D1
Heddal stavkirke •• **N** 10-11 E5
Hede o **S** 10-11 G3
Hedenäset o **S** 8-9 M3
Hedjaz ▲ **KSA** 50-51 B3
Heerenveen o **NL** 18-19 B2
Heerlen o **NL** 18-19 B3
Hefa ☆ • **IL** 48-49 D4
Hefei ☆ **CN** 46-47 E4
Hegang o **CN** 40-41 F5
Heide o **D** 18-19 D2
Heidekrug ☆•• **LT** 12-13 J4
Heidelberg o•• **D** 18-19 D4
Heidenheim an der Brenz o **D** 18-19 E4
Heihe o **CN** 40-41 E4
Heilbron o **ZA** 86-87 E7
Heilbronn o• **D** 18-19 D4
Heilongjiang ⊡ **CN** 40-41 E5
Heilong Jiang ⌐ **CN** 40-41 D4
Heimaey ⌒ **IS** 8-9 c3
Heinola o **FIN** 10-11 O4
Heist, Knokke- o• **B** 18-19 A3
Hejaz = al-Hiĝâz ▲ **KSA** 50-51 B3
Hekla ▲ **IS** 8-9 d2
Helagsfjället ▲ **S** 10-11 G3
Helder, Den o **NL** 18-19 B2
Helena o **USA** 100-101 D1
Helen Island ⌒56-57 F5
Helgoland ⌒ **D** 18-19 C1
Helgoland, Baie d' ≋ **D** 18-19 C1
Helgum o **S** 10-11 J3
Helleland o **N** 10-11 C5
Hellerstinninger ••• **N** 8-9 M2
Hellesvik o **N** 10-11 E3
Hellín o **E** 22-23 F4
Helmand, Rūd-e ⌐ **AFG** 50-51 G2
Helmeringhausen o **NAM** 86-87 C7
Helmond o **NL** 18-19 B3
Helmsdale o **GB** 14-15 E2
Helmstedt o• **D** 18-19 E2
Helong o **CN** 46-47 G2
Helsingborg o• **S** 12-13 E3
Helsingfors / Helsinki ★•• **FIN** 10-11 N4
Helsingør o•• **DK** 12-13 E3
Helsinki ★ **FIN** 10-11 N4
Helska, Mierzeja ⌣ **PL** 20-21 E1
Hemnesberget o **N** 8-9 G3
Hemse o **S** 12-13 H3
Hemsö o **S** 10-11 K3
Henan o **CN** 46-47 D4
Henares, Río ⌐ **E** 22-23 E3
Hendek ☆ **TR** 28-29 H2
Hendükoš ▲ 42-43 J4
Hengduan Shan ▲ **CN** 44-45 G6
Hengelo o **NL** 18-19 C2
Hengyang o **CN** 46-47 D5
Heniĉes'k o **UA** 32-33 D4
Hennebont o **F** 16-17 C3
Hennigsdorf o **D** 18-19 F2
Henrietta Maria, Cape ▲ **CDN** 98-99 H3
Henry Kater Peninsula ⌣ **CDN** 96-97 R4
Henzada o **MYA** 52-53 F4
Heraclea ⌒ **MK** 26-27 E5
Héraðsvötn ⌐ **IS** 8-9 d2
Heraïon ☆•• **GR** 28-29 F4
Héraklion ou Candie o•• **GR** 28-29 E5
Herât ☆•• **AFG** 50-51 G2
Herbert Wash o **AUS** 62-63 C5
Herbiers, les o **F** 16-17 D3
Herceg-Novi o• **MNE** 26-27 D4
Herđubreið ▲ **IS** 8-9 e2
Hereford • **GB** 14-15 E5
Hereheretue Atoll ⌒ **F** 70-71 J4

Hereke o **TR** 28-29 G2
Hereroland ⌐ **NAM** 86-87 C6
Herford o• **D** 18-19 D2
Hèrlèn gol ⌐ **MGL** 44-45 K2
Herlen He ⌐ **CN** 44-45 L2
Hermannstadt ☆• **RO** 26-27 G3
Hermit Islands ⌒ **PNG** 68-69 C1
Hermosillo ☆ **MEX** 100-101 D5
Herning o **DK** 12-13 C3
Herøy o **N** 8-9 G4
Herrera del Duque o• **E** 22-23 D4
Herrera de Pisuerga o **E** 22-23 D2
Herschel Island ⌒ **CDN** 94-95 D2
Hersfeld, Bad o• **D** 18-19 D3
Herson = Cherson o **UA** 32-33 C4
Hertogenbosch, 's- ☆ • **NL** 18-19 B3
Hervey Bay ≋ **AUS** 62-63 J4
Heshan o **CN** 46-47 C6
Hesse ⊡ **D** 18-19 D3
Hessfjord o **N** 8-9 K2
Hestkjølen ▲ **N** 8-9 G4
Heva ☆ ••• **UZ** 42-43 H3
Hexham o• **GB** 14-15 E4
Heze o **CN** 46-47 E3
Hian o **GH** 80-81 D3
Hidalgo o **MEX** 100-101 F6
Hidalgo del Parral o• **MEX** 100-101 E5
Hiddensee ⌒ **D** 18-19 F1
Hierapolis ••• **TR** 28-29 G4
Hiĝâz, al– ▲ **KSA** 50-51 B3
High Level o **CDN** 94-95 H4
High Peak ▲ **GB** 14-15 E5
Higuerote o• **YV** 110-111 D2
Higüey o **DOM** 104-105 H4
Hiiumaa saar ⌐ **EST** 12-13 K2
Hîjar o **E** 22-23 F3
Hikueru Atoll ⌒ **F** 70-71 J4
Hikurangi Trench ≃64-65 K5
Hildesheim o•• **D** 18-19 D2
Hiliomódi o **GR** 28-29 D4
Hilla, al– ☆ **IRQ** 48-49 F4
Hillerød o **DK** 12-13 E4
Hillston o **AUS** 64-65 D3
Hilok ⌐ **RUS** 44-45 K1
Hilversum o **NL** 18-19 B2
Himachal Pradesh ⊡ **IND** 44-45 C5
Himalaya ▲52-53 C1
Himalaya Shan ▲52-53 C1
Himanka o **FIN** 8-9 M4
Himarë o **AL** 28-29 B2
Himki ☆ **RUS** 30-31 G4
Himora o **ETH** 82-83 F3
Hînceşti o **MD** 26-27 J2
Hinche o **RH** 104-105 G4
Hinchinbrook Island ⌒ **AUS** 62-63 H3
Hindaun o **IND** 52-53 C1
Hindmarsh, Lake o **AUS** 64-65 C4
Hindou Kouch ▲42-43 J4
Hingol ⌐ **PK** 50-51 H3
Hinnøya ⌒ **N** 8-9 H2
Hinojosa del Duque o•• **E** 22-23 D4
Híos o **GR** 28-29 F3
Híos ⌒ **GR** 28-29 F3
Hiroo o **J** 46-47 K2
Hirosaki o• **J** 46-47 K2
Hiroshima ☆ **J** 46-47 H4
hirs'ka miscevisc' • **UA** 32-33 D3
Hirs'kyj Tikyč ⌐ **UA** 20-21 K4
Hirson o **F** 16-17 G2
Hirtshals o **DK** 12-13 C3
Hislaviĉi o **RUS** 30-31 E4
Hitachi o **J** 46-47 K3
Hitra ⌐ **N** 10-11 E3
Hiu, Île = Hiw ⌒ **VU** 68-69 G3
Hiw = Île Hiu ⌒ **VU** 68-69 G3
Hjälmaren o **S** 12-13 F2
Hjargas nuur o **MGL** 44-45 F2
Hjellset o **N** 10-11 D3
Hjerkinn o **N** 10-11 E3
Hjørring o **DK** 12-13 D3
Hlebarovo = Car Kalojan o **BG** 26-27 H4

Hlobyne o **UA** 32-33 C3
Hluchiv ○ **UA** 32-33 C2
Hlybokae o **BY** 20-21 J1
Hmel'nickij = Chmel'nyc'kyj ☆ **UA** 20-21 J4
Hnilij Tikič ~ **UA** 32-33 B3
Hoare Bay ≈ **CDN** 96-97 S4
Hobart ☆ **AUS** 64-65 D5
Hobbs o **USA** 100-101 F4
Hobro o **DK** 12-13 C3
Hobyo o **SO** 82-83 H4
Hochalmspitze ▲ **A** 18-19 F5
Hochstetter Forland ⏄ **GRØ** 96-97 a2
Hodeïda o **YAR** 50-51 C6
Hodh ⏄ **RIM** 76-77 F6
Hódmezővásárhely o **H** 26-27 E2
Hodna, Chott el o **DZ** 76-77 H2
Hodonín o **CZ** 20-21 D4
Hodq Shamo ⏄ **CN** 46-47 C2
Hoedspruit o **ZA** 86-87 F6
Hoë Karoo / Upper Karoo ⏄ **ZA** 86-87 D8
Hoek van Holland o **NL** 18-19 B3
Hof o **D** 18-19 F3
Höfðakaupstaður = Skagaströnd o **IS** 8-9 c2
Hofmarkt = Odorheiu Secuiesc o **RO** 26-27 G2
Höfn o **IS** 8-9 f2
Hofsjökull ⊂ **IS** 8-9 d2
Hofsós o **IS** 8-9 d2
Höfu o **J** 46-47 H4
Hofu o **J** 46-47 H4
Höganäs o **S** 12-13 E3
Høgeloft ▲ **N** 10-11 E4
Hoggar ▲ **DZ** 76-77 H5
Hoggar, Tassili du ⏄ **DZ** 76-77 H5
Høggia ▲ **N** 10-11 F3
Högsby ☆ **S** 12-13 G3
Høgtuvbreen ▲ **N** 8-9 G3
Hohe Tauern ▲ **A** 18-19 F5
Hohhot ☆ **CN** 46-47 D2
Hoh Xil Shan ▲ **CN** 44-45 F4
Hôi An o•• **VN** 54-55 D2
Hoima o **EAU** 82-83 E5
Hokkaidô ⌐ **J** 46-47 K2
Hokksund ☆ **N** 10-11 E5
Hola Prystan' o **UA** 32-33 C4
Holbæk o **DK** 12-13 D4
Holešov o **CZ** 20-21 D4
Holguín ☆ **C** 104-105 F3
Hollabrunn o **A** 20-21 D4
Holland o **USA** 102-103 F2
Hollókő o•••• **H** 26-27 D2
Hollywood o **USA** 102-103 G5
Holm ⚭ **RUS** 30-31 D3
Holman Island o **CDN** 96-97 G3
Hólmavík ☆ **IS** 8-9 c2
Holm Land ⏄ **GRØ** 96-97 b1
Holmsund o **S** 10-11 L3
Holm-Žirkovskij o **RUS** 30-31 E4
Holstebro o•• **DK** 12-13 C3
Holsteinsborg = Sisimiut o **GRØ** 96-97 U4
Holton o **CDN** 98-99 N4
Holy Cross o **USA** 92-93 L3
Holyhead o **GB** 14-15 D5
Holy Island o **GB** 14-15 F4
Hombori o **RMM** 80-81 D2
Home Bay ≈ **CDN** 96-97 R4
Homer o **USA** 92-93 M4
Homestead o **AUS** 62-63 H4
Homs ⚭ **SYR** 48-49 E4
Honaz Dağ ▲ **TR** 28-29 G4
Honda o **CO** 110-111 C3
Hondo River ~ **BH** 104-105 D4
Honduras ⏄ **HN** 104-105 D5
Honduras, Golfo de ≈ 104-105 D4
Hønefoss ☆ **N** 10-11 F4
Hông Gai ☆ **VN** 54-55 D1
Hongguqu o **CN** 44-45 H4

Honghu o **CN** 46-47 D5
Hongjiang o **CN** 46-47 C5
Hong-Kong / (Xianggang) ⬜ **CN** 46-47 D6
Hongrie ▪ **H** 26-27 D2
Honguedo, Détroit d' ≈ **CDN** 98-99 L5
Honiara ★• **SOL** 68-69 E2
Honiara ★• **SOL** 68-69 F2
Honiton o **GB** 14-15 E6
Honningsvåg o **N** 8-9 N1
Honshū ⌐ **J** 46-47 H3
Honuu ⚭ **RUS** 40-41 H1
Hood, Mount ▲ **USA** 100-101 B1
Hood River ~ **CDN** 96-97 J4
Hoogeveen o **NL** 18-19 C2
Hoop Nature Reserve, De ⊥ **ZA** 86-87 D8
Hoover Dam • **USA** 100-101 D3
Hopa ☆ **TR** 48-49 F2
Hope o **CDN** 94-95 G6
Hopefield o **ZA** 86-87 C8
Hopei ⚭ **CN** 46-47 D3
Hopen o **N** 10-11 E3
Hopen, Île ⌐ **N** 118 B16
Hoper ~ **RUS** 30-31 K5
Hoper ~ **RUS** 32-33 H1
Hoper ~ **RUS** 32-33 H2
Hope River ~ **AUS** 62-63 B5
Hopetown o **ZA** 86-87 D7
Hopi Indian Reservation ✕ **USA** 100-101 D3
Hopin o **MYA** 52-53 G2
Hopkins, Lake o **AUS** 62-63 D4
Hor ~ **RUS** 40-41 G5
Horasan ☆ **TR** 48-49 F2
Hörby o **S** 12-13 E4
Horcajo de los Montes o **E** 22-23 D4
Horezu • **RO** 26-27 F3
Horinsk ☆ **RUS** 44-45 J1
Horki ☆ **BY** 20-21 L1
Horlick, Monts ▲ **ANT** 119 A9
Horlivka o **UA** 32-33 F3
Hormoz, Tange-ye ≈ 50-51 F3
Hornachos o **E** 22-23 C4
Hornavan o **S** 8-9 J3
Hornbjarg ▲ **IS** 8-9 b1
Horndal o **S** 10-11 J4
Horno Islands ⌐ **PNG** 68-69 C1
Hornos, Cabo de ▲ **RCH** 116-117 D9
Horn Plateau ⏄ **CDN** 94-95 G3
Hornslandet ⏄ **S** 10-11 J4
Horodnja o **UA** 32-33 B2
Horodok ☆ **UA** 20-21 G4
Horramābād ☆• **IR** 48-49 G4
Horramšahr o• **IR** 48-49 G4
Horsens o **DK** 12-13 C4
Horsham o **AUS** 64-65 C4
Horten ⚭ **N** 10-11 F5
Hortobágy ⚭ **H** 26-27 E2
Hortobágyi Nemzeti Park ⊥ **H** 26-27 E2
Horton River ~ **CDN** 94-95 F2
Horus, Temple of ∴•• **ET** 78-79 G4
Horyn' ~ **UA** 20-21 J3
Hosa'ina o **ETH** 82-83 F4
Hose, Pegunungan ▲ **MAL** 54-55 E5
Hošeutovo o **RUS** 32-33 K4
Hospet o **IND** 52-53 C3
Hoste, Isla ⌐ **RCH** 116-117 D9
Hostomel' o **UA** 32-33 B2
Hotaka-dake ▲ **J** 46-47 J3
Hotan o **CN** 44-45 C4
Hotazel o **ZA** 86-87 D7
Hot Springs o•• **USA** 102-103 E4
Hot Springs National Park ⊥ **USA** 102-103 E4
Hottah Lake o **CDN** 94-95 H2
Houghton o **USA** 102-103 F1
Houlton o **USA** 102-103 K1
Houma o **CN** 46-47 D3
Houma o **USA** 102-103 E5
Houndé o• **BF** 80-81 D3

Hourtin et de Carcans, Lac d' o **F** 16-17 D4
Houston o• **USA** 102-103 D5
Hova o **S** 12-13 F2
Hovd ☆ **MGL** 44-45 F2
Hovden o **N** 10-11 D5
Hoverla, hora ▲ **UA** 20-21 H4
Hövsgöl nuur o **MGL** 44-45 H1
Howe, Cape ▲ **AUS** 64-65 D4
Höy o• **IR** 48-49 F3
Høyanger ☆ **N** 10-11 D4
Hoyerswerda o **D** 18-19 G3
Høylandet o **N** 8-9 G4
Hradec Králové o **CZ** 20-21 C3
Hradyz'k o **UA** 32-33 C3
Hrebinka o **UA** 32-33 C2
Hrodna ☆ **BY** 20-21 G2
Hromtau ☆ **KZ** 42-43 G1
Hron ~ **SK** 20-21 E4
Hrubieszów o **PL** 20-21 G3
Hsinchu o **RC** 46-47 F6
Hsipaw o **MYA** 52-53 G2
Huabei ⚭ **CN** 46-47 D3
Huacho o **PE** 112-113 D4
Hua Hin o **T** 54-55 B3
Huahine, Îles ⌐ **F** 70-71 G4
Huai'an o **CN** 46-47 E4
Huaibei o **CN** 46-47 E4
Huai He ~ **CN** 46-47 E4
Huaihua o **CN** 46-47 C5
Huainan o **CN** 46-47 E4
Huaiyin o **CN** 46-47 E4
Huajuapan de León o• **MEX** 100-101 G7
Huaki o **RI** 56-57 E7
Hualapai Indian Reservation ✕ **USA** 100-101 D3
Hualien o **RC** 46-47 F6
Huallaga, Río ~ **PE** 112-113 D3
Huambo o **ANG** 86-87 C4
Huancabamba o **PE** 112-113 D3
Huancane o **PE** 112-113 F5
Huancavelica o **PE** 112-113 D4
Huancayo o• **PE** 112-113 D4
Huanchaca, Parque Nacional ⊥ **BOL** 112-113 G4
Huang He ~ **CN** 46-47 E3
Huangshan o• **CN** 46-47 E5
Huangyuan o **CN** 44-45 H4
Huánuco o **PE** 112-113 D3
Huan Xian o **CN** 46-47 C3
Huaraz ☆ **PE** 112-113 D3
Huarmey o **PE** 112-113 D4
Huascarán, Nevado ▲ **PE** 112-113 D3
Huasco o **RCH** 116-117 C3
Huashixia o **CN** 44-45 G4
Huatugou o **CN** 44-45 F4
Huatunas, Lago o **BOL** 112-113 F4
Hubei ⚭ **CN** 46-47 D4
Hubli o **IND** 52-53 C3
Hubynycha o **UA** 32-33 D3
Huddersfield o **GB** 14-15 F5
Hudiksvall o **S** 10-11 J4
Hudson, Baie d' ≈ **CDN** 96-97 M5
Hudson, Détroit d' ≈ **CDN** 96-97 P5
Hudson Bay o **CDN** 94-95 L5
Hudson Mountains ▲ **ANT** 119 B27
Hudson River ~ **USA** 102-103 J2
Hudson Strait ≈ **CDN** 96-97 P5
Hüdžiajli ☆ **UZ** 42-43 G3
Huê ☆ ••• **VN** 54-55 D2
Huedin o **RO** 26-27 F2
Huelma o **E** 22-23 E5
Huelva o• **E** 22-23 C5
Huéneja o **E** 22-23 E5
Huércal-Overa o **E** 22-23 F5
Huesca o **E** 22-23 F2
Huéscar o **E** 22-23 E5
Huetamo de Nuñez o **MEX** 100-101 F7
Huftarøy ~ **N** 10-11 C4
Hufūf, al- o **KSA** 50-51 D3
Huğand ☆ **TJ** 42-43 J3
Huib-Hochplato ⏄ **NAM** 86-87 C7

Huichon o **KP** 46-47 G2
Huila o **ANG** 86-87 B4
Huila, Nevado del ▲ **CO** 110-111 B4
Huila Plateau ▲ **ANG** 86-87 B5
Huisne ~ **F** 16-17 E2
Huittinen o **FIN** 10-11 M4
Huizhou o **CN** 46-47 D6
Hukovo o **UA** 32-33 F3
Hukuntsi o **RB** 86-87 D6
Hul'ajpole o **UA** 32-33 E4
Hulhuta o **RUS** 32-33 K4
Hull Island ⌐ **KIR** 70-71 C1
Hultsfred ☆ **S** 12-13 F3
Hulun Nur o **CN** 44-45 L2
Humaitá o **BR** 114-115 B3
Humansdorp o **ZA** 86-87 D8
Humber ≈14-15 F5
Humboldt Gletscher ⊂ **GRØ** 96-97 S2
Humboldt River ~ **USA** 100-101 C2
Húmeda, Pampa ⏄ **RA** 116-117 E5
Humenné o **SK** 20-21 F4
Humphreys Peak ▲ **USA** 100-101 D3
Humpolec o **CZ** 20-21 C4
Hün ☆• **LAR** 78-79 D3
Húnaflói ≈8-9 c2
Hunan ⚭ **CN** 46-47 D5
Hundested o **DK** 12-13 D4
Hunedoara o• **RO** 26-27 F3
Hungerford o **AUS** 62-63 G5
Hunjiang o **CN** 46-47 G2
Hunsrück ▲ **D** 18-19 C4
Hunte ~ **D** 18-19 D2
Hunter, Île ⌐ **F** 68-69 H5
Hunter, Seuil des Îles ≃ **FJI** 70-71 A5
Hunter Island ⌐ **AUS** 64-65 C5
Huntington o **USA** 102-103 G3
Huntly o **GB** 14-15 E3
Huntsville o **CDN** 98-99 J5
Huntsville o **USA** 102-103 F4
Huolingol o **CN** 46-47 E1
Huon Gulf ≈68-69 C2
Huon Gulf ≈ **PNG** 68-69 C2
Huon Peninsula ⚭ **PNG** 68-69 C2
Hurdiyo o **SO** 82-83 J3
Hurki o **BY** 20-21 L1
Hurki o **BY** 30-31 D4
Hurma, al- o **KSA** 50-51 C4
Huron o **USA** 100-101 G2
Húsavík ☆ **IS** 8-9 e1
Husum o **D** 18-19 D1
Hutchinson o **USA** 102-103 D3
Huwār, Wādī ~ **SUD** 78-79 F5
Huxi Xincun o **CN** 44-45 H3
Hvammstangi o **IS** 8-9 c2
Hvar o• **HR** 26-27 C4
Hvar ⌐ **HR** 26-27 C4
Hvojnaja o **RUS** 30-31 D4
Hvolsvöllur ☆ **IS** 8-9 c3
Hwange o **ZW** 86-87 E5
Hwange National Park ⊥ **ZW** 86-87 E5
Hyderābād o **IND** 52-53 C3
Hyderābād o•• **PK** 50-51 H3
Hyen o **N** 10-11 C4
Hyères o **F** 16-17 H5
Hyères, Îles d' ⌐•• **F** 16-17 H5
Hyesan ☆ **KP** 46-47 G2
Hynčešť = Hînceşti o **MD** 26-27 J2
Hyrynsalmi o **FIN** 8-9 P4

I

Iablonovy, Monts ▲ **RUS** 44-45 J1
Iaco, Rio ~ **BR** 112-113 F3
Iacoutsk ☆•• **RUS** 40-41 E2
Ialomiţa ~ **RO** 26-27 H3

Ialpug ∼ **MD** 26-27 J2
Iana, Golfe de la ≈ **RUS** 38-39 W1
Ianca o **RO** 26-27 H3
Iaroslavl ★•• **RUS** 30-31 H3
Iaşi ★ • **RO** 26-27 H2
Iauaretê o **BR** 110-111 D4
Ibadan ★ **WAN** 80-81 E4
Ibague ★ **CO** 110-111 B4
Ibar ∼ **SRB** 26-27 E4
Ibarra ★ **EC** 112-113 D1
Ibarreta o **RA** 116-117 F3
Ibb o• **YAR** 50-51 C6
Iberá, Esteros del o **RA** 116-117 F3
Iberville, Lac d' o **CDN** 98-99 K3
Ibestad o **N** 8-9 J2
Ibi o **E** 22-23 F4
Ibiá o **BR** 114-115 E5
Ibiapaba, Sierra de ▲ **BR** 114-115 F2
Ibicuí, Rio ∼ **BR** 116-117 F2
Ibiza ⌐ **E** 22-23 G4
Ibiza = Eivissa ⌐ **E** 22-23 G4
Ibotirama o **BR** 114-115 F4
Ica o **PE** 112-113 D4
Içá, Rio ∼ **BR** 112-113 F2
Içana o **BR** 110-111 D4
İçel (Mersin) ★ **TR** 48-49 D3
Iceland-Færoe Rise ≃4-5 E2
Icelandic Plateau ≃4-5 D1
Ichalkaranji o **IND** 52-53 B3
Ichim o **RUS** 38-39 J4
Ichim ∼ **RUS** 38-39 K4
Ičigemskij hrebet ▲ **RUS** 40-41 M2
Icy Cape ▲ **USA** 92-93 O4
Idah o **WAN** 80-81 F4
Idaho o **USA** 100-101 C2
Idaho Falls o **USA** 100-101 D2
Idar-Oberstein o **D** 18-19 C4
'Idd al-Ghanam o **SUD** 82-83 C3
Idfû o• **ET** 78-79 G4
Idhan' Awbāri ⊥ **LAR** 78-79 C3
Idiofa o **CGO** 86-87 C2
Idlib o **SYR** 48-49 E3
Idra ⌐ **GR** 28-29 D4
Idre o **S** 10-11 G4
Idrigill o **GB** 14-15 C3
Idrija o **SLO** 26-27 A3
Iecava o **LV** 12-13 L3
Iekaterinbourg ★ **RUS** 38-39 H4
Iekaterinbourg ★ **RUS** 38-39 S2
Ienisseï ∼ **RUS** 38-39 N2
Ieper o• **B** 18-19 A3
Ierápetra o **GR** 28-29 E4
Ifakara o **EAT** 84-85 D2
Ifẹ o• **WAN** 80-81 E4
Iferouâne o **RN** 80-81 F2
Ifjord o **N** 8-9 O1
Iforhas, Adrar des ▲ **RMM** 76-77 H5
Igarapé Lourdes, Área Indígena ✕ **BR** 114-115 B4
Igarapé Mirim o **BR** 114-115 E2
Igarite o **BR** 114-115 F4
Igarka o **RUS** 38-39 N2
Iglesias o **I** 24-25 B5
Ignalina o **LT** 12-13 M4
Iğneada o **TR** 28-29 F2
Igoma o **EAT** 84-85 C2
Igombe ∼ **EAT** 84-85 C1
Igoumenitsa o **GR** 28-29 C3
Igrim o **RUS** 38-39 H3
Iguache, Mesas de ⊥ **CO** 110-111 C4
Iguaçu, Parque Nacional do ⊥•• **BR** 116-117 G3
Iguaçu, Rio ∼ **BR** 116-117 G3
Iguala de la Independencia o **MEX** 100-101 G7
Iguape o **BR** 114-115 E6
Iguatu o **BR** 114-115 G3
Iguéla o **G** 80-81 F6
Iguetti, Sebkhet o **RIM** 76-77 F4
Iguidi, Erg ⊥ **DZ** 76-77 F4
Iharaña o **RM** 84-85 G3
Ihiala o **WAN** 80-81 F4

Ihosy o **RM** 84-85 F5
Ihtiman o **BG** 26-27 F4
Iijoki ∼ **FIN** 8-9 O4
Iisaku o **EST** 12-13 M2
Iisalmi o **FIN** 10-11 O3
Ijâfene ⊥ **RIM** 76-77 F5
Ijẹbu-Ode o **WAN** 80-81 E4
Ijevsk ★ **RUS** 42-43 F0
Ijevsk ★ **RUS** 42-43 F1
IJsselmeer ≈18-19 B2
Ikaría ⌐ **GR** 28-29 F4
Ikela o **CGO** 86-87 D2
Iki ∼ **J** 46-47 G4
Ikpikpuk River ∼ **USA** 92-93 M1
Ilâm ★ • **IR** 48-49 G4
Ilbenge o **RUS** 40-41 D2
Ilebo o **CGO** 86-87 D2
Île-de-France ⌐ **F** 16-17 F2
Île-du-Prince-Édouard ⌐ **CDN** 98-99 M5
Île-Rousse, L' o **F** 24-25 B3
Ileşa o **WAN** 80-81 E4
Îles Cook ⌐ **CK** 70-71 E3
Îles de la Mer de Corail, Territoire des ⌐ **AUS** 62-63 H2
Îles Marshall ■ **MH** 66-67 G4
Îles sous le Vent ⌐ **F** 70-71 G4
Îles Vierges ⌐ **USA** 104-105 J4
Ilfracombe o• **GB** 14-15 D6
Ilgın o **TR** 28-29 H3
Ilhéus o• **BR** 114-115 G4
Ili ∼ **RUS** 40-41 E3
Ilia o **RO** 26-27 F3
Iliamna Lake ⌐ **USA** 92-93 L4
Iliamna Volcano ▲ **USA** 92-93 M3
Ilıca o **TR** 28-29 F3
Ilidža o **BIH** 26-27 D4
Iligan o **RP** 56-57 D4
Il'ino o **RUS** 30-31 D4
Il'inskij o **RUS** 4-5 T3
Iljara o **EAK** 82-83 G6
Ill ∼ **F** 16-17 H2
Illampu, Nevado ▲ **BOL** 112-113 F5
Illapel o **RCH** 116-117 C4
Illbillee, Mount ▲ **AUS** 62-63 E5
Iller ∼ **D** 18-19 E4
Illinois o **USA** 102-103 E3
Illinois River ∼ **USA** 102-103 E3
Illizi o **DZ** 76-77 J4
Íllora o **E** 22-23 E5
Illueca o **E** 22-23 F3
Ilmen, Lac o **RUS** 30-31 D2
Il'men', ozero o **RUS** 30-31 D2
Ilo o **PE** 112-113 E5
Iloilo City ★ •• **RP** 56-57 D3
Ilomantsi o **FIN** 10-11 Q3
Ilorin ★ **WAN** 80-81 E4
Ilovlja ∼ **RUS** 32-33 J2
Ilūkste o **LV** 12-13 M4
Imandra, ozero o **RUS** 4-5 O1
Imanombo o **RM** 84-85 F5
Imatra o **FIN** 10-11 P4
Îmî o **ETH** 82-83 G4
Imofossen ∼ **N** 8-9 L2
Ímola o **I** 24-25 C2
Imotski o **HR** 26-27 C4
Imperatriz o **BR** 114-115 E3
Imperia o **I** 24-25 B3
Impfondo o **RCB** 80-81 H5
Imphâl ★• **IND** 52-53 F2
Imroz o **TR** 28-29 E2
Ina ∼ **PL** 20-21 C2
Inâl o **RIM** 76-77 E5
In Amenas o **DZ** 76-77 J4
Inanwatan o **RI** 56-57 F6
Iñapari o **PE** 112-113 F4
Inari o **FIN** 8-9 O2
Inari, Lac o•• **FIN** 8-9 O2
Inarijärvi o•• **FIN** 8-9 O2
Inca o **E** 22-23 H4
İnce Burnu ▲ **TR** 48-49 D2
Inch'ŏn o **ROK** 46-47 G3
Inchul ∼ **UA** 32-33 C3

Inchulec' ∼ **UA** 32-33 C3
Incisioni Rupestri, Parco Nazionale ⊥ •• **I** 24-25 C1
Incudine, Monte ▲ **F** 24-25 B4
Indalsälven ∼ **S** 10-11 J3
Inde ■ **IND** 52-53 B2
Independence Fjord ≈ **GRØ** 96-97 Y1
Independença o **RO** 26-27 J3
Inderbor ★ **KZ** 42-43 F2
Inderborskij ★ **KZ** 42-43 F2
Indiana o **USA** 102-103 F3
Indianapolis ★ **USA** 102-103 F3
Indiens, Lac des o• **CDN** 98-99 E3
Indigirka ∼ **RUS** 40-41 H1
Indio o **USA** 100-101 C4
Indispensable Reefs ⊥ **SOL** 68-69 F3
Indispensable Strait ≈ **SOL** 68-69 F2
Indonésie ■ **RI** 54-55 C6
Indore o•• **IND** 52-53 C2
Indre ∼ **F** 16-17 E3
Indus o **PK** 50-51 H3
Indus, Bouches de l' ∼ **PK** 50-51 H4
Indus, Cône de l' ≃50-51 H4
Indus Fan ≃50-51 H4
İnebolu ★ **TR** 48-49 D2
İnegöl ★ **TR** 28-29 G2
Infiernillo, Presa del < **MEX** 100-101 F7
Inga • **CGO** 86-87 B3
Ingeniero Jacobacci o **RA** 116-117 D6
Ingham o **AUS** 62-63 H3
Inglefield Bredning ≈ **GRØ** 96-97 R2
Inglefield Land ⊥ **GRØ** 96-97 Q2
Ingoda ∼ **RUS** 44-45 K1
Ingolfshöfði ▲ **IS** 8-9 e3
Ingolstadt o **D** 18-19 E4
Ingouchie ⌐ **RUS** 42-43 D3
Ingušskaja Respublika = Galgaj Respublika ⌐ **RUS** 42-43 D3
Inhambane ★ **MOC** 86-87 G6
Inhambane, Baía de ≈ **MOC** 86-87 G6
Inhaminga o **MOC** 84-85 D4
Inharrime o **MOC** 86-87 G6
Inhul ∼ **UA** 32-33 C4
Inhulec' ∼ **UA** 32-33 C4
Inírida, Río ∼ **CO** 110-111 D4
Inis = Ennis ★ • **IRL** 14-15 B5
Inis Ceithleann = Enniskillen ★ • **GB** 14-15 C4
Inis Córthaidh = Enniscorthy o **IRL** 14-15 C5
Inja o **RUS** 44-45 E1
Injune o **AUS** 62-63 H5
Inkerman o **AUS** 62-63 G3
Inn ∼ **D** 18-19 F4
Inndyr o **N** 8-9 H3
Inner Hebrides ⌐ **GB** 14-15 C3
Inneston o **AUS** 62-63 F7
Innisfail o **AUS** 62-63 H3
Innsbruck ★ **A** 18-19 E5
Inongo o **CGO** 86-87 C2
Inowrocław o• **PL** 20-21 E2
In Salah o• **DZ** 76-77 H4
Insar o **RUS** 30-31 L5
Institut Arctique, Îles de l' ∼ **RUS** 38-39 M0
Interlaken o• **CH** 18-19 C5
International Falls o **USA** 102-103 E1
Inukjuak o **CDN** 98-99 J3
Inuvik o• **CDN** 94-95 E2
In'va ∼ **RUS** 4-5 S3
Inveraray o• **GB** 14-15 D3
Invercargill o **NZ** 64-65 H6
Inverell o **AUS** 64-65 K2
Inverness o• **GB** 14-15 D3
Inverurie o **GB** 14-15 E3
Investigator Strait ≈ **AUS** 62-63 F7
Inyangani ▲ **ZW** 86-87 F5
Inyonga o **EAT** 84-85 C2
Inza o **RUS** 30-31 M5
Inza ∼ **RUS** 30-31 L5
Inžavino o **RUS** 30-31 K5
Inžavino o **RUS** 32-33 H1

Inzia ∼ **CGO** 86-87 C2
Ioánnina o• **GR** 28-29 C3
Iolotan o **TM** 42-43 H4
Iona, Parque Nacional do ⊥ **ANG** 86-87 B5
Ionava ★ **LT** 12-13 L4
Ionian Sea ≈6-7 J5
Ionienne, Mer ≈6-7 J5
Ioniennes, Îles ⌐ **GR** 28-29 B3
Iónio, Mare ≈28-29 B4
Iónioi Nísoi ⌐ **GR** 28-29 C3
Iónioi Nísoi ⌐ **GR** 28-29 B3
Iónio Pélagos ≈28-29 B4
Ión Nísoi ≈28-29 B3
Iony, ostrov ∼ **RUS** 40-41 H3
Ios ⌐ **GR** 28-29 E4
Ioué Juruena, Estação Ecológica ⊥ **BR** 114-115 C4
Ioujno-Sakhalinsk ★ **RUS** 40-41 H5
Iowa o **USA** 102-103 D2
Iowa City o **USA** 102-103 E2
Ipameri o **BR** 114-115 E5
Iparia o **PE** 112-113 E3
Ipatinga o **BR** 114-115 F5
Ipatovo o **RUS** 32-33 H5
Ipiaú o **BR** 114-115 G4
Ippy o **RCA** 82-83 C4
Ipsári ▲ **GR** 28-29 E2
Ipswich o **AUS** 62-63 J5
Ipswich o **GB** 14-15 G5
Ipu o **BR** 114-115 F3
Iqaluit ≈ **CDN** 96-97 R5
Iqe o **CN** 44-45 G4
Iquique o **RCH** 116-117 C1
Iquitos ★ • **PE** 112-113 E2
Ira Banda o **RCA** 82-83 C4
Iracoubo o **F** 110-111 G3
Irak ■ **IRQ** 48-49 F4
Iran ■ **IR** 48-49 H4
Îrānšahr o **IR** 48-49 K5
Irapuato o **MEX** 100-101 F6
Irati o **BR** 116-117 G3
Irbeni väin ≈12-13 J3
Irbes Šaurums ≈12-13 J3
Irbid o **JOR** 48-49 E4
Irecê o **BR** 114-115 F4
Irene o **RA** 116-117 E5
Irharhar, Oued ∼ **DZ** 76-77 J4
Irhil M'Goun ▲ **MA** 76-77 F3
Iringa o **EAT** 84-85 D2
Iriomote shima ⌐ **J** 46-47 F6
Iriri, Rio ∼ **BR** 114-115 D2
Irish Sea ≈14-15 D5
Irituia o **BR** 114-115 E2
Irkoutsk ★ • **RUS** 44-45 H1
Irlande ⌐14-15 A5
Irlande ■ **IRL** 14-15 A6
Irlande, Mer d' ≈14-15 D5
Irlande du Nord ⌐ **GB** 14-15 C4
Irminger, Mer d' ≈96-97 Y5
Irminger Sea ≈96-97 Y5
Iroise ≈16-17 B2
Iron-Bridge o **GB** 14-15 E5
Ironbridge ••• **GB** 14-15 E5
Irondro o **RM** 84-85 F5
Iron Knob o **AUS** 62-63 F6
Irrawaddy ∼ **MYA** 52-53 F4
Irrawaddy, Bouches de l' ∼ **MYA** 52-53 F3
Irsina o **I** 24-25 F4
Irtych ∼ **RUS** 38-39 J3
Irtyšsk ★ **KZ** 42-43 L1
Irún o **E** 22-23 F2
Irurita o **E** 22-23 F2
Irurzun o **E** 22-23 F2
Isabela, Isla ⌐ **EC** 112-113 A2
Isabella, Cordillera ▲ **NIC** 104-105 D5
Isaccea o **RO** 26-27 J3

Isachsen, Cape ▲ CDN 96-97 J2
Ísafjörður ☆ IS 8-9 b1
Isalo, Parc National de l' ⊥ RM 84-85 F5
Isana o CO 110-111 D4
Isangano National Park ⊥ Z 86-87 F4
Isar ∼ D 18-19 F4
Isbîl, Ǧabal ▲ YAR 50-51 C6
Iscehisar ☆ TR 28-29 H3
Ischia o I 24-25 C1
Íschia o• I 24-25 D4
Íschia, Ísola d' ∩ I 24-25 D4
Iseo, Lago d' o I 24-25 C2
Isérnia o I 24-25 E4
Iseyin o WAN 80-81 E4
Ishigaki shima ∩ J 46-47 F6
Ishinomaki o J 46-47 K3
Isiboro Securé, Parque Nacional ⊥ BOL 112-113 F5
Isil'kul' o RUS 38-39 K5
Isimala · EAT 84-85 D2
Isiolo o EAK 82-83 F5
Isiro o CGO 82-83 D5
Iskår ∼ GB 14-15 C4
İskenderun ☆ TR 48-49 E3
İskenderun, Golfe de ≈ TR 48-49 E3
Iskitim ☆ RUS 42-43 M1
Islamabad ★ • PK 50-51 J2
Isla Magdalena, Parque Nacional ⊥ RCH 116-117 C6
Ísland ∼ IS 4-5 C2
Islande ■ IS 8-9 c2
Islande ∩ IS 4-5 C2
Islande, Plateau d' ≃4-5 D1
Island Lagoon o AUS 62-63 F6
Island Lake o CDN 98-99 F4
Islay ∩ GB 14-15 C4
Islaz o RO 26-27 G4
Isle of Wight ∩ GB 14-15 F6
Isle Royale National Park ⊥ USA 102-103 F1
Isles of Scilly ∩ • • GB 14-15 C7
Isluga o RCH 112-113 F5
Isluga, Parque Nacional ⊥ RCH 112-113 F5
Ismâ'īlīya, al- ★ ET 78-79 G2
Ismaning o D 18-19 E4
Isoka o Z 86-87 F4
Iso-Vietonen o FIN 8-9 N3
Ispahan = • • • IR 48-49 M4
Isparta ☆ TR 28-29 H4
İsperih o BG 26-27 H4
Íspica o I 24-25 E6
Israël ■ IL 48-49 C4
Israelite Bay o AUS 62-63 C6
Issa o RUS 30-31 L5
Isseke o EAT 84-85 D2
Issoire o F 16-17 F4
Issoudun o F 16-17 E3
İstanbul = • • • TR 28-29 G2
İstanbul Boğazı ≈28-29 G2
Istiéa o GR 28-29 D3
Istmina o CO 110-111 B3
Istra ☆ • RUS 30-31 G4
Istra ⊥ SLO 26-27 A2
Istrie ⊥ SLO 26-27 A2
Istunmäki o FIN 10-11 O3
Itaberaba o BR 114-115 F4
Itaberaí o BR 114-115 E5
Itabuna o BR 114-115 G4
Itacaré o BR 114-115 G4
Itaeté o BR 114-115 F4
Itaipu, Represa de < BR 116-117 G3
Itäisen Suomenlahden kansallispuisto ⊥ FIN 10-11 O4
Itaituba o BR 114-115 C2
Itajaí o BR 116-117 H3
Itajubá o BR 114-115 E6
Italie ■ I 24-25 B2
Itanagar ☆ • IND 52-53 F1
Itapajé o BR 114-115 G2
Itapebi o BR 114-115 G5
Itapecurumirim o BR 114-115 F2

Itapeipu o BR 114-115 F4
Itapetinga o BR 114-115 F5
Itapeva o BR 114-115 E6
Itapicuru, Rio ∼ BR 114-115 G4
Itapipoca o BR 114-115 G2
Itaquatiara o BR 114-115 C2
Itaqui o BR 116-117 F2
Itauba o BR 114-115 C4
Itéa o GR 28-29 D3
Itenes o Guaporé, Río ∼ BOL 112-113 G4
Ithaque, Île d' o GR 28-29 C3
Itimbiri ∼ CGO 82-83 C5
Itiquira o BR 114-115 D5
Itō o J 46-47 J4
Ittoqqortoormiit = Scoresbysund o GRØ 96-97 a3
Itui, Rio ∼ BR 112-113 E3
Ituiutaba o BR 114-115 E5
Itula o CGO 86-87 E2
Itumbiara o BR 114-115 E5
Ituni o GUY 110-111 F3
Itupiranga o BR 114-115 E3
Iturup, ostrov ∩ RUS 46-47 L2
Ituxi, Rio ∼ BR 112-113 F3
Iul'tin o RUS 40-41 Q1
Ivacevičy o BY 20-21 H2
Ivalo o FIN 8-9 O2
Ivalojoki o FIN 8-9 O2
Ivangorod o RUS 30-31 C2
Ivangrad = Berane o MNE 26-27 D4
Ivanhoe o AUS 64-65 C3
Ivanivka o UA 20-21 G4
Ivanjica o• SRB 26-27 E4
Ivankiv o UA 20-21 K3
Ivano-Frankivs'k ☆ UA 20-21 H4
Ivano-Frankovsk = Ivano-Frankivs'k ☆ UA 20-21 H4
Ivanovo o• • BG 26-27 G4
Ivanovo o RUS 30-31 D3
Ivanovo ☆ RUS 30-31 J3
Ivdel' o RUS 38-39 H3
Ivindo ∼ G 80-81 G5
Ivoire, Côte de l' ∪ CI 80-81 C5
Ivory Coast ∪ CI 80-81 C5
Ivrea o I 24-25 A2
Ivrindi ☆ TR 28-29 F3
Ivujivik o CDN 98-99 J2
Iwaki o J 46-47 K3
Iwo o WAN 80-81 E4
Ixtlán del Río o MEX 100-101 F6
Izabal, Lago de o GCA 104-105 D4
Izborsk o• RUS 12-13 M3
Izborsk o• RUS 30-31 B3
Izjum o UA 32-33 E3
Ižma ∼ RUS 4-5 S2
Izmail = Izmajil ☆ UA 26-27 J3
Izmajil ☆ UA 26-27 J3
İzmir ☆ • • TR 28-29 F3
İzmit=Kocaeli o TR 28-29 G2
İznik ☆ TR 28-29 G2
İznik Gölü o TR 28-29 G2
Izobil'nyj o RUS 32-33 G5
Izu, Îles ∩ J 46-47 J4
Izu-Ogasawara Trench ≃46-47 K4
Izvestij CIK, ostrova ∩ RUS 38-39 M0

J

Jaala o FIN 10-11 O4
Jabal, Bahr al- (White Nile) ∼ SUD 82-83 F4
Jabalón, Río ∼ E 22-23 E4
Jabalpur o IND 52-53 C2
Jabiru o AUS 62-63 E2
Jablanica o BR 114-115 G3
Jablanica o BIH 26-27 C4
Jaboatão o BR 114-115 G3
Jaca o E 22-23 F2

Jacareacanga o BR 114-115 C3
Jáchal, Río ∼ RA 116-117 D4
Jáchymov o CZ 20-21 B3
Jaci Paraná o BR 114-115 B3
Jackson o USA (MI) 102-103 G2
Jackson o USA (MS) 102-103 E4
Jackson o USA (TN) 102-103 F3
Jacksonville o USA (AR) 102-103 E4
Jacksonville o USA (FL) 102-103 G4
Jacmel ★ RH 104-105 G4
Jacobābād o• PK 50-51 H3
Jacques-Cartier, Détroit de ≈ CDN 98-99 M4
Jacuí, Rio ∼ BR 116-117 G3
Jacundá o BR 114-115 E2
Jadebusen ≈ D 18-19 D2
Jadranska magistrala ∥ HR 26-27 C4
Jadransko more ≈24-25 D2
Jādū o• LAR 78-79 C2
Jaén o• E 22-23 E5
Jaffna o•• CL 52-53 D5
Jagdagi o CN 40-41 D4
Jagdalpur o IND 52-53 D3
Jaghbūb, Al o LAR 78-79 E3
Jagodnoe ☆ RUS 40-41 J2
Jaguarão o BR 116-117 G4
Jaguaribe, Rio ∼ BR 114-115 G3
Jahorina ▲ BIH 26-27 D4
Jailieu, Bourgoin- o F 16-17 G4
Jailolo o RI 56-57 E5
Jaipur o•• IND 52-53 C1
Jaisalmer o• IND 52-53 B1
Jajce o BIH 26-27 C3
Jakarta ★ RI 54-55 D7
Jäkkvik o S 8-9 J3
Jakobstad o FIN 10-11 M3
Jakobstadt o•• LV 12-13 L3
Jakutija, Respublika = Republika Saha ▫ RUS 38-39 R2
Jalandhar = Jullundur o IND 44-45 C5
Jalapa o• MEX 100-101 G7
Jalasjärvi o FIN 10-11 M3
Jālgaon o•• IND 52-53 C2
Jalingo o WAN 80-81 G4
Jālna o IND 52-53 C3
Jalpa o MEX 100-101 F6
Jalpuh, ozero o UA 26-27 J3
Jalta ☆ •• UA 32-33 D5
Jaluit ∩ MH 66-67 F4
Jamaame o SO 82-83 G5
Jamaica ∪ JA 104-105 F4
Jamaïque ■ JA 104-105 F4
Jamaïque ∩ JA 104-105 F4
Jamal, poluostrov ∪ RUS 38-39 J1
Jamantau, gora ▲ RUS 42-43 G1
Jamanxim, Rio ∼ BR 114-115 C3
Jambi ★ RI 54-55 C6
Jambol o BG 26-27 H4
James, Baie ≈ CDN 98-99 H4
Jameson Land ⊥ GRØ 96-97 a3
James River ∼ USA 102-103 H3
Jamestown o USA 100-101 G3
Jämjö o S 12-13 F3
Jamm o RUS 30-31 C2
Jammerbugten ≈12-13 C3
Jammu o IND 44-45 B5
Jammu et Cachemire ▫ IND 44-45 B4
Jāmnagar o• IND 52-53 B2
Jampil' ☆ UA 20-21 K4
Jämsä o FIN 10-11 N4
Jamshedpur o•• IND 52-53 E2
Jamsk o RUS 40-41 K3
Jamskaja guba ≈ RUS 40-41 K3
Jämtland ⊥ S 10-11 G3
Jana ∼ RUS 40-41 F1
Janaúba o BR 114-115 F5
Jan Mayen, Zone de Fractures de ≃4-5 F0
Jan Mayen Fracture Zone ≃4-5 F0
Jano-Indigirskaja nizmennost ∪ RUS 38-39 W1
Janów Lubelski o PL 20-21 G3

Januária o BR 114-115 F5
Jaora o IND 52-53 C2
Japan, Sea of ≈46-47 H2
Japan Basin ≃46-47 J2
Japan Trench ≃46-47 K3
Japon ■ J 46-47 J4
Japon, Bassin du ≃46-47 J2
Japon, Fosse du ≃46-47 K3
Japon, Mer du ≈46-47 H2
Japurá o BR 112-113 F2
Japurá, Rio ∼ BR 112-113 F2
Jaramillo o RA 116-117 D7
Jarcevo ☆ RUS 30-31 E4
Jardine River National Park ⊥ AUS 62-63 G2
Jari, Lago o BR 114-115 B3
Jari, Rio ∼ BR 114-115 D2
Jarina, Área Indígena ✕ BR 114-115 D4
Jarny o F 16-17 G2
Jarocin o• PL 20-21 D3
Jarosław o• PL 20-21 G3
Järpen o S 10-11 G3
Jaru, Reserva Biológica do ⊥ BR 114-115 B3
Järva-Jaani o EST 12-13 L2
Järvakandi o EST 12-13 L2
Järvenpää o FIN 10-11 N4
Jarvis Island ∩ USA 60-61 L5
Järvsö o S 10-11 J4
Jasel'da o BY 20-21 H2
Jašiūnai o•• LT 12-13 L4
Jaškul' o RUS 30-31 J4
Jasło o• PL 20-21 F4
Jasnoe o RUS 12-13 J4
Jasnogorsk ☆ • RUS 30-31 G4
Jasper o CDN 94-95 H5
Jasper National Park ⊥ •••• CDN 94-95 H5
Jastrowie o PL 20-21 D2
Jataí o BR 114-115 D5
Jatapu, Rio ∼ BR 114-115 C2
Jati o PK 50-51 H4
Jaú o BR 114-115 E6
Jaú, Parque Nacional do ⊥ BR 114-115 B2
Jaú, Rio ∼ BR 114-115 B2
Jauja o• PE 112-113 D4
Jaune, Mer ≈46-47 F3
Jaunpiebalga o•• LV 12-13 M3
Jaunpur o IND 52-53 D1
Java ∩ RI 54-55 D7
Java, Fosse de ≃54-55 C7
Java, Laut ≈54-55 D6
Java, Mer de ≈54-55 D6
Javaj, poluostrov ∪ RUS 38-39 L1
Javari, Rio ∼ BR 112-113 E3
Java Trench ≃54-55 C7
Jawor o• PL 20-21 D3
Jaworzno o PL 20-21 E3
Jaya, Puncak = Carstensz, Peak ▲ RI 56-57 G6
Jayapura o RI 56-57 H6
Jaželbicy o RUS 30-31 E2
Jazykovo o RUS 30-31 M4
Jędrzejów o• PL 20-21 F3
Jefferson, Mount ▲ USA 100-101 C3
Jefferson City o USA 102-103 E3
Jēkabpils o•• LV 12-13 L3
Jelenia Góra ☆ • PL 20-21 C3
Jelgava o•• LV 12-13 K3
Jelsa o HR 26-27 C4
Jemaja, Pulau ∩ RI 54-55 D5
Jemil'čyne o UA 20-21 J3
Jena o D 18-19 E3
Jenakijeve o UA 32-33 F3
Jendouba o TN 76-77 J2
Jeneponto o RI 54-55 F7
Jenerhodar o UA 32-33 D4
Jenissej = Enisej ∼38-39 N2
Jenny Lind Island ∩ CDN 96-97 K4
Jeno Island ∩ MH 66-67 F3
Jens Munk Island ∩ CDN 96-97 O4

Jens Munk Ø ∩ GRØ 96-97 W5
Jequié o BR 114-115 F4
Jequintinhonha, Rio ~ BR 114-115 G5
Jérémie ☆•• RH 104-105 G4
Jeremoabo o BR 114-115 G4
Jerez de la Frontera o E 22-23 C5
Jerez de los Caballeros o•• E 22-23 C4
Jericho o AUS 62-63 H4
Jéricho ☆•• AUT 48-49 E4
Jerramungup o AUS 62-63 B6
Jersey ∩ GBJ 14-15 E7
Jérusalem ☆•• IL 48-49 E4
Jesenice o SLO 26-27 B2
Jeseník o CZ 20-21 D3
Jesi o I 24-25 D3
Jesi, Monte ▲ MOC 84-85 D3
Jessheim ☆ N 10-11 F4
Jessore o BD 52-53 E2
Jetpur o IND 52-53 B2
Jevnaker ☆ N 10-11 F4
Jevpatorija ☆• UA 32-33 C5
Jeypore o IND 52-53 D3
Jezercës, maja e ▲ AL 28-29 B1
Jhang o PK 50-51 J2
Jhelum o PK 50-51 J2
Jiamusi o CN 40-41 F5
Ji'an o CN 46-47 D5
Jianchang o CN 46-47 E2
Jiangling o CN 46-47 D4
Jiangsu ▫ CN 46-47 E4
Jiangxi ▫ CN 46-47 D5
Jiangyin o CN 46-47 F4
Jiangyou o CN 44-45 H5
Jian'ou o CN 46-47 G2
Jiaohe o CN 46-47 G2
Jiaozuo o CN 46-47 D3
Jiaxing o CN 46-47 F4
Jiayi = Chiayi o RC 46-47 F6
Jiayuguan o CN 44-45 G4
Jibou o RO 26-27 F2
Jicarilla Apache Indian Reservation
    ⅄ USA 100-101 E3
Jičín o CZ 20-21 C3
Jiekkevarrebreen ▲ N 8-9 K2
Jiexiu o CN 46-47 D3
Jieznas o LT 12-13 L4
Jiggalong Aboriginal Land ⅄ AUS
    62-63 C4
Jihlava o CZ 20-21 C4
Jihlava ~ CZ 20-21 C4
Jijona = Xixona o E 22-23 F4
Jilib ☆ SO 82-83 G5
Jilin o CN 46-47 G2
Jilong = Keelung o• RC 46-47 F5
Jīma ▲ ETH 82-83 F4
Jimbe o ANG 86-87 D4
Jiménez o MEX 100-101 F5
Jinan ☆• CN 46-47 E3
Jinchang o CN 44-45 H4
Jincheng o CN 46-47 D3
Jindřichův Hradec o CZ 20-21 C4
Jingbian o CN 46-47 C3
Jingdezhen o• CN 46-47 E5
Jinggu o CN 52-53 H2
Jinghe o CN 44-45 D3
Jinghong o CN 52-53 H2
Jingmen o CN 46-47 D4
Jinhua o CN 46-47 F4
Jining o CN (NMZ) 46-47 D2
Jining o CN (SHD) 46-47 E3
Jinja ☆ EAU 82-83 E5
Jinka o ETH 82-83 F4
Jinsha Jiang ~ CN 44-45 G5
Jinxi o CN 46-47 F2
Jinzhou o CN 46-47 F2
Ji-Paraná o BR 114-115 B4
Jipijapa o EC 112-113 C2
Jishou o CN 46-47 C5
Jiu ~ RO 26-27 F4
Jiujiang o CN 46-47 E5
Jiulongpo o CN 46-47 C5
Jiuquan o CN 44-45 G4

Jīwani, Rās ▲ PK 50-51 G3
Jixi o CN 40-41 F5
Joaçaba o BR 116-117 G3
Joana Peres o BR 114-115 E2
João Monlevade o BR 114-115 F5
João Pessoa ☆• BR 114-115 H3
Jocoli o RA 116-117 D4
Jódar o E 22-23 E5
Jodhpur o• IND 52-53 B1
Joensuu ☆ FIN 10-11 P3
Jōetsu o J 46-47 J3
Jofane o MOC 86-87 F6
Jõgeva o EST 12-13 M2
Johannesburg o•• ZA 86-87 E7
Johnston Lakes, The ~ AUS 62-63 C6
Johnstown o USA 102-103 H2
Johor Baharu ☆•• MAL 54-55 C5
Jõhvi-Ahtme o EST 12-13 M2
Joigny o F 16-17 F3
Joinville o BR 116-117 H3
Joinville, Île ∩ ANT 119 C31
Jøkel-bugten ≈ GRØ 96-97 a2
Jokkmokk o• S 8-9 K3
Jökulsá á Brú ~ IS 8-9 f2
Jökulsá á Fjöllum ~ IS 8-9 e2
Joliet o USA 102-103 F2
Jolo ☆ RP 56-57 D4
Jolo Group ∩ RP 56-57 D4
Jomala o AX 10-11 K4
Jonava ☆ LT 12-13 L4
Jones, Détroit de ≈ CDN 96-97 N2
Jonesboro o USA 102-103 E3
Joniškis ☆ LV 12-13 K3
Jönköping o• S 12-13 F3
Joowhar ☆ SO 82-83 H5
Joplin o USA 102-103 E3
Jordanie ■ JOR 48-49 E4
Jorgucat o• AL 28-29 C3
Jörn o S 8-9 L4
Jos ☆• WAN 80-81 F4
José de San Martín o RA 116-117 C6
José Pedro Varela o ROU 116-117 G4
Joseph, Lake ~ CDN 98-99 J5
Joseph-Bonaparte, Golfe ≈ AUS
    62-63 D2
Jos Plateau ▲ WAN 80-81 F3
Jostedalsbreen ⊏ N 10-11 D4
Jotunheimen ▲ N 10-11 E4
Jotunheimen nasjonalpark ⊥ N 10-11 E4
Joutsa o FIN 10-11 O4
Joutsijärvi o FIN 8-9 O3
Jovellanos o C 104-105 E3
Juami-Japurá, Reserva Ecológica ⊥ BR
    112-113 F2
Juan de Fuca Strait ≈ USA 100-101 B1
Juán de Nova, Île ∩ F 84-85 E4
Juanjui o PE 112-113 D3
Juankoski o FIN 10-11 P3
Juara o BR 114-115 C4
Juázeiro o• BR 114-115 F3
Juázeiro do Norte o• BR 114-115 G3
Jūbā ☆ SUD 82-83 E5
Jubba, Webi ~ SO 82-83 G5
Jubilee Lake ~ AUS 62-63 D5
Júcar, Río ~ E 22-23 F3
Judenburg o A 18-19 G5
Judoma ~ RUS 40-41 G2
Juelsminde o DK 12-13 D4
Jufra, Wāhāt al ⊥ LAR 78-79 D3
Jug ~ RUS 30-31 L2
Juganskij, zapovednik ⊥ RUS 38-39 K4
Jugorskij poluostrov ~ RUS 38-39 H2
Juhnov o RUS 30-31 F4
Juhoviči o RUS 30-31 C3
Jui ~ RO 26-27 F3
Juist ∩ D 18-19 C2
Juiz de Fora o BR 114-115 F6
Jujuy ▫ RA 116-117 D2
Jukagirskoe ploskogor'e ▲ RUS
    40-41 K1
Jukkasjärvi o• S 8-9 L3
Jukseevo o RUS 4-5 S3

Julaca o BOL 112-113 F6
Juliaca o PE 112-113 E5
Julia Creek o AUS 62-63 G4
Julianeháb = Qaqortoq o GRØ 96-97 V5
Jullundur = Jalandhar o IND 44-45 C5
Jumelles, Longué- o F 16-17 D3
Jumilla o E 22-23 F4
Jūnāgadh o• IND 52-53 B2
Junayneh, Al- o SUD 82-83 C3
Jundiaí o BR 114-115 E6
Juneau ☆ USA 92-93 O4
Jungfrau ▲ CH 18-19 C5
Junggar Pendi ⊥ CN 44-45 E2
Junin o RA 116-117 D4
Junin, Parque Nacional ⊥ PE
    112-113 D4
Junín de los Andes o RA 116-117 C5
Junosuando o S 8-9 M3
Junsele o S 10-11 J3
Juntusranta o FIN 8-9 P4
Jur ~ SUD 82-83 D4
Jura ∩ GB 14-15 C4
Jura Franconien ▲ D 18-19 E4
Jura Franco-Suisse ▲ CH 18-19 C5
Jura Souabe ▲ D 18-19 D4
Jurbarkas ☆• LT 12-13 K4
Jur'evec o RUS 30-31 K3
Jur'ev-Pol'skij o• RUS 30-31 H3
Jurga o RUS 38-39 M4
Jürgensburg o LV 12-13 L3
Jurilovca o RO 26-27 J3
Jurla ▲ RUS 4-5 S3
Jūrmala ☆•• LV 12-13 K3
Juruá o BR 112-113 F2
Juruá, Área Indígena ⅄ BR 112-113 F2
Juruá, Rio ~ BR 112-113 F3
Juruena, Rio ~ BR 114-115 C3
Juruena ou Ananiná, Rio ~ BR
    114-115 C4
Juruti o BR 114-115 C2
Jus'va o RUS 4-5 T3
Jutaí, Rio ~ BR 112-113 F2
Jutai-Solimões, Reserva Ecológica ⊥ BR
    112-113 F2
Jüterbog o• D 18-19 F3
Jutland ⊥ DK 12-13 C4
Juuka o FIN 10-11 P3
Juva o FIN 10-11 O4
Juventud, Isla de la = Pinos, Isla de
    ∩•L C 104-105 E3
Juža o RUS 30-31 K3
Južna Morava ~ SRB 26-27 E4
Južno-Kurilsk o RUS 46-47 L2
Južnoukrains'k o UA 32-33 E3
Južnyj, mys ▲ RUS 40-41 L3
Jylland ⊥ DK 12-13 C4
Jyväskylä o• FIN 10-11 N3

K

Kaamanen o FIN 8-9 O2
Kaap de Goeie Hoop = Cape of Good
    Hope ▲• ZA 86-87 C8
Kaapplato ⊥ ZA 86-87 D7
Kaapstad = Cape Town ☆•• ZA
    86-87 C8
Kaaresuvanto o FIN 8-9 M2
Kaavi o FIN 10-11 P3
Kabaena, Pulau ∩ RI 56-57 D6
Kabale o EAU 82-83 E6
Kabalo o CGO 86-87 E3
Kabambare o CGO 86-87 E2
Kabankalan o RP 56-57 D4
Kabarai o RI 56-57 F6
Kabardino-Balkarskaja Respublika ▫ RUS
    42-43 D3
Kabardino-Balkharie, République de
    ▫ RUS 42-43 D3

Kabinda o CGO 86-87 D3
Kabīr, Wāw al o LAR 78-79 D3
Kabkābīyah o SUD 82-83 C3
Kabo o RCA 82-83 B4
Kabompo ~ Z 86-87 D4
Kabondo-Dianda o CGO 86-87 E3
Kabongo o CGO 86-87 E3
Kaboul ☆ AFG 50-51 H2
Kabš, Ra's al- ▲ OM 50-51 F4
Kābul ☆ AFG 50-51 H2
Kaburuang, Pulau ∩ RI 56-57 E5
Kabwe ☆ Z 86-87 E4
Kačanik o• KSV 26-27 E4
Kachgar o• CN 44-45 C4
Kachovka o UA 32-33 C4
Kachovs'ke vodoschovyšče ⊏ UA
    32-33 C4
Kachovs'kyj kanal ⊏ UA 32-33 D4
Kačul = Cahul o• MD 26-27 J3
Kaczawa ~ PL 20-21 C3
Kadavu ∩ FJI 70-71 A4
Kadavu Passage ≈ 70-71 A4
Kaddam o IND 52-53 C3
Kadijivka o UA 32-33 F3
Kadınhanı o TR 48-49 D3
Kadoma o ZW 86-87 E5
Kadugli o SUD 82-83 D3
Kaduj o RUS 30-31 G2
Kaduna ☆• WAN 80-81 F3
Kadyj o RUS 30-31 K3
Kaédi o• RIM 76-77 E6
Kaesŏng o KP 46-47 G3
Kafakumba o CGO 86-87 D3
Kaffrine o SN 80-81 A3
Kåfjord o N 8-9 N1
Kafue o Z 86-87 E5
Kafue ~ Z 86-87 E5
Kafue National Park ⊥ Z 86-87 E5
Kaga Bandoro ☆ RCA 82-83 B4
Kagal'nik ~ RUS 32-33 G4
Kagera ~ EAT 84-85 C1
Kagoshima o J 46-47 H4
Kagoshima ▫ J 46-47 H4
Kahama o EAT 84-85 C1
Kahayan ~ RI 54-55 E6
Kahemba o CGO 86-87 C3
Kahnūg o IR 48-49 J5
Kahramanmaraş ☆• TR 48-49 E3
Kahul = Cahul ☆ MD 26-27 J3
Kahuzi-Biega, Parc National du
    ⊥•• CGO 86-87 E2
Kai, Kepulauan ∩ RI 56-57 F7
Kai Besar, Pulau ∩ RI 56-57 F7
Kaifeng o• CN 46-47 D4
Kaikoura o NZ 64-65 J5
Kaili o CN 46-47 C5
Kaimana o RI 56-57 F6
Käina o•• EST 12-13 K2
Kainji Reservoir ⊏ WAN 80-81 E3
Kaipara Harbour ≈ NZ 64-65 J4
Kairouan ☆•• TN 76-77 K2
Kaiserslautern o D 18-19 C4
Kaiserstuhl ▲ D 18-19 C4
Kaišiadorys ☆ LT 12-13 L4
Kaitaia o NZ 64-65 J4
Kaitum o S 8-9 L3
Kaitumälven ~ S 8-9 K3
Kaiyuan o CN 52-53 H2
Kaiyuh Mountains ▲ USA 92-93 L3
Kajaani o FIN 8-9 O4
Kajnar o KZ 42-43 L2
Kakadu National Park ⊥••• AUS
    62-63 E2
Kakamas o ZA 86-87 D7
Kakamega ☆ EAK 82-83 E5
Kakavi Theollogu o GR 28-29 C3
Kakinäda o IND 52-53 D3
Kakuma o EAK 82-83 E5
Kalabahi o RI 56-57 D6
Kalač o RUS 32-33 G2
Kalač-na-Donu o RUS 32-33 H3
Kalahari, Désert de ⊥ RB 86-87 D6

Kalahari Gemsbok National Park ⊥ ZA 86-87 D7
Kalajoki o FIN 8-9 M4
Kalamariá o GR 28-29 D2
Kalamáta o GR 28-29 D4
Kalambáka o· GR 28-29 C3
Kalamits'ka zatoka ≈32-33 C5
Kalana o EST 12-13 K2
Kalangali o EAT 84-85 C2
Kalaraš = Călăraşi ☆ MD 26-27 J2
Kälarne o S 10-11 J3
Kalasin o T 54-55 C2
Kalät o· PK 50-51 H3
Kalaus ~ RUS 32-33 H5
Kalb, Ra's al- ▲ YAR 50-51 D6
Kalbarri National Park ⊥ AUS 62-63 A5
Kaldakvistl ~ IS 8-9 d2
Kale ☆ TR 28-29 G4
Kale ☆ TR 28-29 H4
Kalecik o· TR 48-49 D2
Kalemie o CGO 86-87 E3
Kaleste o EST 12-13 K2
Kalewa o MYA 52-53 F2
Kálfafell o IS 8-9 e3
Kálfafellsstaður o IS 8-9 f2
Kali ~ NEP 52-53 D1
Kaliakra, Nos ▲ BG 26-27 J4
Kalibo ☆ RP 56-57 F3
Kalimantan ~54-55 E5
Kálimnos o· GR 28-29 F4
Kálimnos ~ GR 28-29 F4
Kalinin = Tver' ☆ RUS 30-31 F3
Kaliningrad o ·· RUS 12-13 J4
Kaliningrad o ~ RUS 20-21 F1
Kalininsk o RUS 32-33 J2
Kalinkavičy o BY 20-21 K2
Kalispell o USA 100-101 D1
Kalisz ☆·· PL 20-21 E3
Kalitva ~ RUS 32-33 G3
Kaliua o EAT 84-85 C2
Kalivia o GR 28-29 D4
Kalívta ~ RUS 32-33 G3
Kalix o S 8-9 M4
Kalixälven ~ S 8-9 M3
Kaljazin o ·· RUS 30-31 G3
Kalkan o TR 28-29 G4
Kalkaringi o AUS 62-63 E3
Kållandsö ~ S 12-13 E2
Kalli o EST 12-13 L2
Kallislahti o FIN 10-11 P4
Kallsjön o S 10-11 G3
Kalmar ☆ S 12-13 G3
Kalmarsund ≈12-13 G3
Kal'mius ~ UA 32-33 E4
Kalmoukie, République de ¤ RUS 32-33 J4
Kalmunai o CL 52-53 D5
Kalmykija, Respublika = Hal'mg-Tangč ¤ RUS 32-33 J4
Kalnciems o LV 12-13 K3
Kalocsa o H 26-27 D2
Kalomo o Z 86-87 E5
Kalouga ☆·· RUS 30-31 G4
Kalpáki o GR 28-29 C3
Kaltinènai o LT 12-13 K4
Kalumburu X AUS 62-63 D2
Kalundborg o· DK 12-13 D4
Kaluš ~ UA 20-21 H4
Kalvarija o~ LT 12-13 K4
Kalyän o IND 52-53 B3
Kalynivka ☆ UA 20-21 K4
Kama ~ RUS 42-43 F1
Kama, Réservoir de la < RUS 4-5 T3
Kamaishi o J 46-47 K3
Kamanjab o NAM 86-87 B5
Kamarän ~ YAR 50-51 C5
Kamba o WAN 80-81 E3
Kambia o WAL 80-81 B4
Kamčatka, poluostrov ↝ RUS 40-41 L3
Kamčatskij zaliv ≈ RUS 40-41 M3
Kämdêš o· AFG 42-43 K4
Kamen' o BY 20-21 K1

Kamen' o BY 30-31 C4
Kamenec-Podol'skij = Kam'janec'-Podil'skyj ☆ UA 20-21 J4
Kamenica o BIH 26-27 D4
Kamenka o RUS (PEN) 30-31 L5
Kamenka o RUS (SML) 30-31 E4
Kameno o BG 26-27 H4
Kamenskoe ☆ RUS 40-41 N2
Kamensk-Šantinskij o RUS 32-33 G3
Kamensk-Ural'skij ☆ RUS 38-39 H4
Kamenz o D 18-19 G3
Kameškovo o· RUS 30-31 J3
Kamienna, Skarżysko- o PL 20-21 F3
Kamina o CGO 86-87 E3
Kamin'-Kašyrs'kyj o UA 20-21 H3
Kamjana mohyla • UA 32-33 D4
Kamjani Mohyly • UA 32-33 E4
Kam'janka o UA 26-27 K2
Kam'janka o UA 32-33 B4
Kamjanka o UA 32-33 C3
Kam'janske o UA 20-21 G4
Kamloops o CDN 94-95 G5
Kämmunizm, Qullai ▲ TJ 42-43 K4
Kampa do Rio Amônea, Área Indígena X BR 112-113 E3
Kampala ★ EAU 82-83 E5
Kamparkan o RI 54-55 C5
Kâmpóng Cham o K 54-55 D3
Kâmpóng Chhnâng o K 54-55 C3
Kâmpóng Saôm o K 54-55 C3
Kâmpóng Thum o K 54-55 C3
Kâmpôt o K 54-55 C3
Kamrau, Teluk ≈ RI 56-57 F6
Kamtchatka, Bassin du ≃ RUS 40-41 N3
Kamtchatka, Presq'île du ↝ RUS 40-41 L3
Kamychin o RUS 32-33 J2
Kamyševatskaja o RUS 32-33 E4
Kamyzjak o RUS 42-43 E2
Kanadej o RUS 30-31 M5
Kanamari do Rio Juruá, Área Indígena X BR 112-113 F3
Kananga ★ CGO 86-87 D3
Kanaš o RUS 30-31 M4
Kanazawa ☆· J 46-47 J3
Kanbalu o MYA 52-53 G2
Kančalan ~ RUS 40-41 P1
Kanchana Buri o T 54-55 B3
Kânchipuram o·· IND 52-53 C4
Kandahar ☆· AFG 50-51 H2
Kandalakša o RUS 4-5 O1
Kandi o DY 80-81 E3
Kandıra ☆ TR 28-29 H2
Kandololo o CGO 82-83 D5
Kandreho o RM 84-85 F4
Kandrian o PNG 68-69 C2
Kandy o··· CL 52-53 D5
Kane Basin ≃ CDN 96-97 Q2
Kanevskaja o RUS 32-33 F4
Kang o RB 86-87 D6
Kangän o IR 48-49 H5
Kangasniemi o FIN 10-11 O4
Kangean, Kepulauan ~ RI 54-55 F7
Kangerlussuaq ≈ GRØ (ØGR) 96-97 Y4
Kangerlussuaq ≈ GRØ (VGR) 96-97 U3
Kangerlussuaq = Søndrestrømfjord o GRØ 96-97 U4
Kanggye o KP 46-47 G2
Kangnŭng o ROK 46-47 G3
Kangourou, Île ↝~ AUS 62-63 F7
Kangsar, Kuala o~ MAL 54-55 C5
Kaniama o CGO 86-87 D3
Kanin, Cap ▲ RUS 4-5 Q1
Kanin, poluostrov ↝ RUS 4-5 Q1
Kanivs'ke vodoschovyšče < UA 32-33 B2
Kankaanpää o FIN 10-11 M4
Kankan ☆ RG 80-81 C3
Känker o IND 52-53 D2
Kannoka = Sillamäe o EST 12-13 M2
Kannonkoski o FIN 10-11 N3
Kannonsaha o FIN 10-11 N3

Kannus o FIN 10-11 M3
Kano o~ WAN 80-81 F3
Kanona o Z 86-87 F4
Kanouri ~ RN 80-81 G3
Kansas ▲ USA 102-103 C3
Kansas City o USA (KS) 102-103 E3
Kansas City o USA (MO) 102-103 E3
Kansas River ~ USA 102-103 D3
Kansk ☆ RUS 38-39 P4
Kantchari o BF 80-81 E3
Kantemirovka o RUS 32-33 F3
Kanye ☆ RB 86-87 E6
Kaohsiung o RC 46-47 F6
Kaokoveld ⊥ NAM 86-87 B5
Kaolack o SN 80-81 A3
Kaolinovo o BG 26-27 H4
Kaoma o Z 86-87 D4
Kapanga o CGO 86-87 D3
Kapčiamiéstis o LT 12-13 K4
Kapingamarangi Atoll ~ FSM 66-67 C5
Kapini o LV 12-13 M3
Kapiri Mposhi o Z 86-87 E4
Kapka, Massif du ▲ TCH 78-79 E5
Kaplankyrskij zapovednik ⊥ TM 42-43 G3
Kapoeta o SUD 82-83 E5
Kaposvár o H 26-27 C2
Kappellskär o S 12-13 H2
Kappelshamn o S 12-13 H3
Kapšagaj bögeni < KZ 42-43 L3
Kapuas ~ RI 54-55 E5
Kapuskasing o CDN 98-99 H5
Kapustin Jar o RUS 32-33 J3
Kapverdenplateau = Cape Verde Plateau ≃76-77 C6
Kara o RT 80-81 E4
Kara, Mer de ≈ RUS 38-39 K0
Karaba, Ra's ▲ KSA 50-51 B3
Kara-Balty o KS 42-43 K3
Karabük ☆ TR 48-49 D2
Karaburun ☆ TR 28-29 F3
Karačaevo-Čerkesskaja Respublika = Karačaj-Čerkes Resp. ¤ RUS 42-43 D3
Karačaj-Čerkes Respublika ¤ RUS 42-43 D3
Karacaköy o TR 28-29 G2
Karacasu ☆ TR 28-29 G4
Karačev o RUS 30-31 F5
Karâchi ☆· PK 50-51 H4
Karâd o IND 52-53 B3
Kara Deniz ≈28-29 H1
Karadeniz Boğazi = Bosporus ≈28-29 G2
Karağ o IR 48-49 H3
Karagaj o RUS 4-5 T3
Karaganda ☆ KZ 42-43 K2
Karaginskij zaliv ≈ RUS 40-41 M3
Karaginskii, Île ~ RUS 40-41 M3
Karahalı ☆ TR 28-29 G3
Karakelong, Kepulauan ~ RI 56-57 E5
Karaklis = Vanadzor o ARM 48-49 F2
Karakoram ▲ IND 44-45 C4
Kara K'orê o ETH 82-83 F3
Karakoum, Désert de ⊥ TM 42-43 G3
Karaķüm ⊥ KZ 42-43 F2
Karaküm ⊥ KZ 42-43 F2
Karaman ☆· TR 48-49 D3
Karamanbeyli Geçidi ▲ TR 28-29 H4
Karamay o CN 44-45 D2
Karamian, Pulau ~ RI 54-55 E7
Karangasem = Amlapura o· RI 54-55 F7
Kâranja o IND 52-53 C2
Karansebesch o RO 26-27 F3
Kararaô, Área Indígena X BR 114-115 D2
Kara-Sal ~ RUS 32-33 H4
Karasavvon o FIN 8-9 M2
Karasburg ☆ NAM 86-87 C7
Karasjok o N 8-9 N2
Karašjokka ~ N 8-9 N2
Karasu ☆ TR 28-29 H2

Karasuk ☆ RUS 38-39 L5
Karatau žotasy ▲ KZ 42-43 J3
Karatchaévie-Tcherkessie, République de ¤ RUS 42-43 D3
Karats o S 8-9 K3
Karaudanawa o GUY 110-111 F4
Karaul o RUS 38-39 M1
Karavâs o GR 28-29 D4
Karawang o RI 54-55 D7
Karawanken ▲ A 18-19 F5
Karažal o KZ 42-43 K2
Karbalâ' o IRQ 48-49 F4
Kårböle o S 10-11 H4
Kardakäta o GR 28-29 C3
Kardeljevo = Ploče o HR 26-27 C4
Kardítsa o GR 28-29 C3
Kärdla o EST 12-13 K2
Kärdžali o BG 26-27 G5
Kârdžali o BG 26-27 G5
Karé, Monts ▲ RCA 82-83 B4
Kareeberge ▲ ZA 86-87 D8
Karelien = Karjala ⊥ FIN 10-11 P4
Karelija ±4-5 O1
Karelija, Respublika ¤ RUS 4-5 O2
Karesuando o S 8-9 M2
Kargasok ☆ RUS 38-39 M4
Kargat ☆ RUS 38-39 M4
Kargopol' ☆ RUS 4-5 P2
Kariba o ZW 86-87 E5
Kariba, Lake < Z 86-87 E5
Karibib o NAM 86-87 C6
Kariés o GR 28-29 E2
Karigasniemi o FIN 8-9 N2
Karilatsi o EST 12-13 M2
Karîma o SUD 78-79 G5
Karimata, Détroit de ≈54-55 D6
Karimata, Kepulauan ~ RI 54-55 D6
Karimata, Selat ≈54-55 D6
Karimunjawa, Kepulauan ~ RI 54-55 E7
Karin o SO 82-83 H3
Káristos o GR 28-29 E3
Karjala ⊥ FIN 10-11 P4
Karkaraly o KZ 42-43 L2
Karkar Island ~ PNG 68-69 C1
Karkinits'ka zatoka ≈32-33 C5
Karkonosze ▲ PL 20-21 C3
Karksi-Nuia o·· EST 12-13 L2
Karleby = Kokkola o FIN 10-11 M3
Karlik ▲ CN 44-45 F3
Karlivka o UA 32-33 D3
Karlobag o HR 26-27 B3
Karlo-Libknehtovsk = Soledar o UA 32-33 F3
Karlovac o HR 26-27 B3
Karlovássi o GR 28-29 F4
Karlovo o BG 26-27 G4
Karlovy Vary o CZ 20-21 B3
Karlsborg ☆ S 12-13 F2
Karlsburg ★ · RO 26-27 F2
Karlshamn o S 12-13 F3
Karlskoga ☆ S 12-13 F2
Karlskrona ☆· S 12-13 F3
Karlsruhe o· D 18-19 D4
Karlstad o· S 12-13 F2
Karlstadt o· D 18-19 D4
Karlštejn · CZ 20-21 D4
Karma o SUD 78-79 G5
Karmäla o· IND 52-53 C3
Karmelitskyj monastýr · UA 20-21 J4
Karmøy ~ N 10-11 C5
Karnataka o IND 52-53 B4
Karnobat o BG 26-27 H4
Kärnten ¤ A 18-19 F5
Karoi o ZW 86-87 E5
Karonga o MW 84-85 C2
Karoo National Park ⊥ ZA 86-87 D8
Karpaten ▲ 20-21 G4
Karpathio Pélagos ≈28-29 F5
Kárpathos o GR 28-29 F5
Kárpathos ~ GR 28-29 F5
Karpaty ▲ 20-21 F4
Karpeníssi o GR 28-29 C3

Karpuzlu ☆ **TR** 28-29 F 4
Karrats Fjord ≈ **GRØ** 96-97 U 3
Kars ☆ • **TR** 48-49 F 2
Kärsämäki o **FIN** 10-11 N 3
Kârsava o **LV** 12-13 M 3
Kar̄ši ☆ **UZ** 42-43 J 4
Karskoe more ⌒ **RUS** 38-39 K 0
Karthala ▲ **COM** 84-85 E 3
Kartuzy o • **PL** 20-21 E 1
Karuḥ o • **AFG** 50-51 G 2
Karumba o **AUS** 62-63 G 3
Karūr o **IND** 52-53 C 4
Karvinâ o **CZ** 20-21 E 4
Kārwār o **IND** 52-53 B 4
Kaş ☆ •• **TR** 28-29 G 4
Kasai ⌒ **CGO** 86-87 D 3
Kasaji o **CGO** 86-87 D 4
Kasama ☆ **Z** 86-87 F 4
Kāšān o • **IR** 48-49 H 4
Kasane ☆ **RB** 86-87 E 5
Kasanka National Park ⊥ **Z** 86-87 F 4
Kāsaragod o **IND** 52-53 B 4
Kasba Lake o **CDN** 96-97 K 5
Kascjukovičy o **BY** 30-31 E 5
Kasempa o **Z** 86-87 E 4
Kasenga o **CGO** 86-87 E 4
Kasese o **EAU** 82-83 E 5
Kasimov o **RUS** 30-31 J 4
Kašin ☆ • **RUS** 30-31 J 3
Kašira ☆ • **RUS** 30-31 H 4
Kasiruta, Pulau ⌒ **RI** 56-57 E 6
Kaskinen o **FIN** 10-11 L 3
Kaskö = Kaskinen o **FIN** 10-11 L 3
Kasongo o **CGO** 86-87 E 2
Kasongo-Lunda o **CGO** 86-87 C 3
Kaspij many sineklizasy ⌣ **KZ** 42-43 E 2
Kaspijsk o **RUS** 42-43 E 3
Kassalâ ☆ • **SUD** 78-79 H 5
Kassándra ⌣ **GR** 28-29 D 3
Kassándras, Kólpos ≈28-29 D 2
Kassándria o **GR** 28-29 D 2
Kassel o • **D** 18-19 D 3
Kasserine ☆ **TN** 76-77 J 2
Kássos ⌒ **GR** 28-29 F 5
Kastamonu ☆ • **TR** 48-49 D 2
Kastéli o **GR** 28-29 D 5
Kastellorizon ⌒ **GR** 28-29 G 4
Kastoriá o **GR** 28-29 C 2
Kasungu o **MW** 84-85 C 3
Kasungu National Park ⊥ **MW** 84-85 C 3
Kataba o **Z** 86-87 E 5
Katahdin, Mount ▲ **USA** 102-103 K 1
Kataka = Cuttack o **IND** 52-53 E 2
Katako-Kombe o **CGO** 86-87 D 2
Katavi National Park ⊥ **EAT** 84-85 C 2
Katchall Island ⌒ **IND** 52-53 F 5
Katengo o **CGO** 86-87 E 3
Katerini o **GR** 28-29 D 2
Katete o **Z** 86-87 F 4
Katha o **MYA** 52-53 G 2
Kathmandu ★ • ••• **NEP** 52-53 E 1
Katihar o **IND** 52-53 E 1
Katima Mulilo ☆ **NAM** 86-87 D 5
Katiola o **CI** 80-81 C 4
Katiti Aboriginal Land 🗙 **AUS** 62-63 G 5
Katiu Atoll ⌒ **F** 70-71 J 4
Katlanovo o **MK** 26-27 C 3
Katmai, Mount ▲ **USA** 92-93 M 4
Katmai National Park and Preserve ⊥ **USA** 92-93 L 4
Katmandou ★ ••• **NEP** 52-53 E 1
Káto Glikóvrisi o **GR** 28-29 D 4
Katompi o **CGO** 86-87 E 3
Katonga ⌣ **EAU** 82-83 E 5
Káto Soúnio o **GR** 28-29 E 4
Katowice o • **PL** 20-21 E 3
Katrancık Daği ▲ **TR** 28-29 H 4
Katrína, Gabal ▲ **ET** 78-79 G 3
Katrineholm ☆ **S** 12-13 L 2
Katsina o **WAN** 80-81 F 3
Katsina-Ala o **WAN** 80-81 F 4
Kattakürgon o **UZ** 42-43 J 4

Kattara, Dépression de ⌣ **ET** 78-79 F 3
Kattavía o **GR** 28-29 F 5
Kattegat ≈12-13 D 3
Katterjåkk o **S** 8-9 K 2
Katun' ⌣ **RUS** 44-45 E 1
Kaudom Game Park ⊥ **NAM** 86-87 D 5
Kauehi Atoll ⌒ **F** 70-71 H 4
Kaufbeuren o • **D** 18-19 E 5
Kauhajoki o **FIN** 10-11 M 3
Kauhava o **FIN** 10-11 M 3
Kaukasus ▲▲26-27 E 2
Kaukauveld ⌣ **NAM** 86-87 D 5
Kauksi o • **EST** 12-13 M 2
Kaukura Atoll ⌒ **F** 70-71 H 4
Kaunas ☆ •• **LT** 12-13 K 4
Kaupanger o **N** 10-11 D 4
Kaušany = Căușeni o **MD** 26-27 J 2
Kaustinen o **FIN** 10-11 M 3
Kautokeino o **N** 8-9 M 2
Kavadarci o **MK** 26-27 F 5
Kavála o **GR** 28-29 E 2
Kāvali o **IND** 52-53 D 4
Kavaratti o **IND** 52-53 B 4
Kavieng ☆ **PNG** 68-69 D 1
Kavîr, Dašt-e ⌣ **IR** 48-49 H 4
Kavkazkij zapovednik ⊥ **RUS** 42-43 D 3
Kávos o **GR** 28-29 C 3
Kawakawa o **NZ** 64-65 J 4
Kawambwa o **Z** 86-87 E 3
Kawassi o **RI** 56-57 E 6
Kawlin o **MYA** 52-53 G 2
Kaxgar He ⌣ **CN** 44-45 C 4
Kaya ☆ **BF** 80-81 D 3
Kayak Island ⌒ **USA** 92-93 O 4
Kayapó, Área Indígena 🗙 **BR** 114-115 D 3
Kayes ☆ **RMM** 80-81 B 3
Kayoa, Pulau ⌒ **RI** 56-57 E 5
Kayseri ☆ •• **TR** 48-49 E 3
Kazača Lopan' o **UA** 32-33 E 2
Kazahskij melkosopočnik ⌣ **KZ** 42-43 K 1
Kazakhes, Steppes ⌣ **KZ** 42-43 K 1
Kazakhstan ■ **KZ** 42-43 F 2
Kazan ☆ • **RUS** 42-43 E 0
Kazan River ⌣ **CDN** 96-97 L 5
Kazantip'ska zatoka ⌣32-33 D 5
Kaz Daği ▲ **TR** 28-29 F 3
Kāzerūn o **IR** 48-49 H 5
Kâzımkarabekir ☆ • **TR** 48-49 D 3
Kažužas = Marijampole ☆ • ••• **LT** 12-13 K 4
Kazumba o **CGO** 86-87 D 3
Kazungula o **Z** 86-87 E 5
Kéa ⌒ **GR** 28-29 E 4
Keban Barajı < **TR** 48-49 E 3
Kèbèrdej-Balkèr Respublikèm ⌷ **RUS** 42-43 D 3
Kebnekaise ▲ •• **S** 8-9 K 3
Kebumen o **RI** 54-55 D 7
Kech ⌣ **PK** 50-51 G 3
Kecskemét o **H** 26-27 D 2
Kėdainiai ☆ • **LT** 12-13 K 4
Kediri o **RI** 54-55 E 7
Kédougou o **SN** 80-81 B 3
Kędzierzyn o **PL** 20-21 E 3
Kędzierzyn-Koźle o • **PL** 20-21 E 3
Keel ⌣ **RI** 54-55 D 4
Keele Peak ▲ **CDN** 94-95 F 3
Keele River ⌣ **CDN** 94-95 F 3
Keelung o • **RC** 46-47 F 5
Keenjhar Lake o •• **PK** 50-51 H 4
Keetmanshoop ☆ **NAM** 86-87 C 7
Kefaloniá ⌒ **GR** 28-29 C 3
Kefamenanu o **RI** 56-57 D 6
Keflavík o **IS** 8-9 b 2
K'eftya o **ETH** 82-83 F 3
Kehl o **D** 18-19 C 4
Keidany ⌣ **LT** 12-13 K 4
Keila o •• **EST** 12-13 L 2
Ķeipene o **LV** 12-13 L 3
Keita ou Douka, Bahr ⌣ **TCH** 82-83 B 4
Keitele o **FIN** 10-11 O 3

Keitele o **FIN** 10-11 N 3
Keith o **AUS** 64-65 C 4
Keith Arm ⌣ **CDN** 94-95 G 2
Kejimkujik National Park ⊥ **CDN** 98-99 L 6
Kekova Adası ⌒ **TR** 28-29 G 4
Kekovandasi ⌒ **TR** 28-29 G 4
K'elafo o **ETH** 82-83 G 4
Kelankyla o **FIN** 8-9 O 4
Këlcyrë o • **AL** 28-29 C 2
Kělèraş' = Călăraşi ☆ **MD** 26-27 J 2
Kelil'vun, gora ▲ **RUS** 40-41 N 1
Kéllé o **RCB** 86-87 B 2
Keller Lake o **CDN** 94-95 G 3
Kellet, Cape ▲ **CDN** 94-95 F 1
Kellett Strait ≈ **CDN** 96-97 G 2
Kelloselkä o **FIN** 8-9 P 3
Kelmé ☆ **LT** 12-13 K 4
Kelo o **TCH** 80-81 H 4
Kelowna o **CDN** 94-95 H 6
Kelso o • **GB** 14-15 E 4
Kem' ⌣ **RUS** 4-5 O 1
Kem' ⌣ **RUS** 4-5 O 1
Kembé o **RCA** 82-83 C 5
Kembé, Chutes de ⌣ **RCA** 82-83 C 5
Kemer o **TR** 28-29 G 4
Kemer ☆ **TR** 28-29 H 4
Kemerovo ☆ **RUS** 38-39 N 4
Kemi o **FIN** 8-9 N 4
Kemijärvi o **FIN** 8-9 O 3
Kemijärvi o **FIN** 8-9 O 3
Kemijoki ⌣ **FIN** 8-9 N 3
Kemkara o **RUS** 40-41 G 3
Kemlja o **RUS** 30-31 L 4
Kemp, Terre de ⌣ **ANT** 119 B 6
Kempele o **FIN** 8-9 N 4
Kempten (Allgäu) o • **D** 18-19 E 5
Kenai o **USA** 92-93 M 3
Kenai Fjords National Park ⊥ **USA** 92-93 M 4
Kenai Peninsula ⌣ **USA** 92-93 M 3
Kendal o • **GB** 14-15 E 4
Kendall o **USA** 102-103 G 5
Kendall, Mount ▲ **NZ** 64-65 J 5
Kendari o **RI** 56-57 D 5
Kendawangan o **RI** 54-55 E 6
Kèndégué o **TCH** 82-83 B 3
Kendujhargarh o **IND** 52-53 E 2
Kenema o **WAL** 80-81 B 4
Kenge o **CGO** 86-87 C 2
Keng Tung o **MYA** 52-53 G 2
Kenhardt o **ZA** 86-87 D 7
Kénitra ☆ **MA** 76-77 F 3
Kenmare = Neidín o **IRL** 14-15 B 6
Kenmare River ≈14-15 A 6
Kennedy Channel ≈ **CDN** 96-97 R 1
Kennewick o **USA** 100-101 C 1
Keno City o **CDN** 94-95 F 3
Kenora o **CDN** 98-99 F 5
Kenosha o **USA** 102-103 F 2
Kentau o **KZ** 42-43 J 3
Kent Group ⌒ **AUS** 64-65 D 4
Kent Peninsula ⌣ **CDN** 96-97 J 4
Kentriki Macedonía ⌣ **GR** 28-29 D 2
Kentucky ⌣ **USA** 102-103 F 3
Kentucky Lake o **USA** 102-103 F 3
Kenya ■ **EAK** 82-83 F 5
Kenya, Mount ▲ •• **EAK** 82-83 F 6
Kenya National Park, Mount ⊥ **EAK** 82-83 F 6
Keperveem o **RUS** 40-41 N 1
Kepno o **PL** 20-21 D 3
Keppel Bay ≈ **AUS** 62-63 J 4
Kepsut ☆ **TR** 28-29 G 3
Kerala o **IND** 52-53 C 4
Kéran, Parc National de la ⊥ **RT** 80-81 E 3
Kerema ☆ **PNG** 68-69 C 2
Kerempe Burnu ▲ **TR** 48-49 D 2
Kerinci, Gunung ▲ **RI** 54-55 C 6
Kerkenah, Îles de ⌒ **TN** 76-77 K 3
Kerki o **TM** 42-43 J 4

Kerkouane ∴ ••• **TN** 76-77 K 2
Kermadec, Dorsale des ≃64-65 L 3
Kermadec, Fosse des ≃64-65 L 3
Kermadec, Îles ⌒ **NZ** 64-65 K 3
Kermân ☆ • **IR** 48-49 J 4
Kerme, Golfe de ≈28-29 F 4
Kérouané o **RG** 80-81 C 4
Kerrville o **USA** 102-103 D 4
Kertch o **UA** 32-33 E 5
Kertch o • **UA** 32-33 E 5
Kerteminde o • **DK** 12-13 D 4
Keryneia o • **TR** 48-49 D 4
Keşan ☆ **TR** 28-29 F 2
Keswick o **GB** 14-15 E 4
Keszthely o **H** 26-27 C 2
Ket' ⌣ **RUS** 38-39 N 4
Keta o **GH** 80-81 E 4
Ketapang o **RI** 54-55 D 6
Ketčenery o **RUS** 30-31 J 4
Ketchikan o **USA** 92-93 O 4
Kętrzyn o **PL** 20-21 F 1
Ketsko-Tymskaja, ravnina ⌣ **RUS** 38-39 M 3
Keuruu o **FIN** 10-11 N 3
Kèušen' = Căuseni ☆ **MD** 26-27 J 2
Keweenaw Peninsula ⌣ **USA** 102-103 F 1
Key Largo o **USA** 102-103 G 5
Key Lake Mine o **CDN** 94-95 K 4
Key West o • **USA** 102-103 G 6
Kežma o **RUS** 38-39 Q 4
Kežmarok o **SK** 20-21 F 4
Khabarovsk o **RUS** 40-41 G 5
Khadwa o **IND** 52-53 C 2
Khairpur o **PK** 50-51 H 3
Khakassie ⌷ **RUS** 38-39 N 5
Khakhea o **RB** 86-87 D 6
Khalij Surt ≈ **LAR** 78-79 D 2
Khambhat o **IND** 52-53 B 2
Khami Ruins ∴ ••• **ZW** 86-87 E 6
Khānewāl o **PK** 50-51 J 2
Khanka, Lac ⌣ **RUS** 40-41 F 5
Khānpur o **PK** 50-51 J 3
Kharagpur o **IND** 52-53 E 2
Kharga = Al-Hārija o **ET** 78-79 G 3
Khargon o **IND** 52-53 C 2
Kharkov o **UA** 32-33 E 3
Khartoum ★ • **SUD** 78-79 G 5
Khatanga, Baie de la ≈ **RUS** 38-39 R 1
Khatt Atoui ⌣ **RIM** 76-77 D 5
Kheta ⌣ **RUS** 38-39 P 1
Khingan, Grand ▲▲ **CN** 46-47 J 2
Kholmsk o **RUS** 40-41 H 5
Khon Kaen o **T** 54-55 C 2
Khouribga o **MA** 76-77 F 3
Khulna o **BD** 52-53 E 2
Khushāb o **PK** 50-51 J 2
Khuzdār o **PK** 50-51 H 3
Kiambi o **CGO** 86-87 E 3
Kibangou o **RCB** 86-87 B 2
Kibaya o **EAT** 84-85 D 2
Kibombo o **CGO** 86-87 E 2
Kibondo o **EAT** 84-85 C 1
Kibrıs = Kypros ⌒ **CY** 48-49 D 4
Kibrıscık ☆ **TR** 28-29 H 2
Kibwezi o **EAK** 82-83 F 6
Kičevo o **MK** 26-27 E 5
Kičmengskij Gorodok ☆ **RUS** 30-31 L 2
Kidal o **RMM** 80-81 E 2
Kidatu o **EAT** 84-85 D 2
Kidekša o ••• **RUS** 30-31 J 3
Kidira o **SN** 80-81 B 3
Kiekinkoski o **FIN** 8-9 Q 4
Kiel ☆ • **D** 18-19 E 1
Kiel, Baie de ≈ **D** 18-19 E 1
Kielce ☆ • **PL** 20-21 F 3
Kiev ⌣ ••• **UA** 32-33 D 2
Kiffa ☆ **RIM** 76-77 E 6
Kifissiá o **GR** 28-29 D 3

Kom ▲ **BG** 26-27 F 4
Komandorskie ostrova ⌒ **RUS** 40-41 N 3
Komandorskij Basin ≃ **RUS** 40-41 N 3
Komárom o **H** 26-27 D 2
Komering ⌒ **RI** 54-55 C 6
Komis, République des ▫ **RUS** 4-5 S 2
Kommunarsk = Alčevs'k o **UA** 32-33 F 3
Kommunizma, pic ▲ **TJ** 42-43 K 4
Komono o **RCB** 86-87 B 2
Komoran, Pulau ⌒ **RI** 56-57 G 7
Komorane o **SRB** 26-27 E 4
Komotiní o **GR** 28-29 E 2
Komrat = Comrat o **MD** 26-27 J 2
Komsomolec, ostrov ⌒ **RUS** 118 A
Komsomol'sk ✩ • **RUS** 30-31 J 3
Komsomol'skij o **RUS** 30-31 L 4
Komsomol'skoj Pravdy, ostrova ⌒ **RUS** 38-39 R 0
Komsomolsk-sur-l'Amour o• **RUS** 40-41 G 4
Kona o **RMM** 80-81 D 3
Konakovo ✩ **RUS** 30-31 G 3
Konda ⌒ **RUS** 38-39 J 4
Kondoa o **EAT** 84-85 D 1
Kondrovo ✩ **RUS** 30-31 F 4
Koné ✩ **F** 68-69 F 5
Köneürgenč ✩ **TM** 42-43 G 3
Kong Christian IX Land ⌐ **GRØ** 96-97 X 4
Kong Christian X Land ⌐ **GRØ** 96-97 Y 3
Kong Frederik IX Land ⌐ **GRØ** 96-97 U 4
Kong Frederik VIII Land ⌐ **GRØ** 96-97 a 2
Kong Frederik VI Kyst ⌐ **GRØ** 96-97 W 5
Kongolo o **CGO** 86-87 E 3
Kongsberg ✩ **N** 10-11 E 5
Kongsvinger ✩ **N** 10-11 G 4
Kongur Shan ▲ **CN** 44-45 C 4
Kong Wilhelm Land ⌐ **GRØ** 96-97 a 2
Konin ✩ **PL** 20-21 E 2
Konka ⌒ **UA** 32-33 E 4
Könkamäälven ⌒ **S** 8-9 L 2
Könkämäeno ⌒ **FIN** 8-9 L 2
Konni, Birnin- o **RN** 80-81 F 3
Konoša o **RUS** 12-13 Q 2
Konoša o **RUS** 4-5 Q 2
Konotop o **UA** 32-33 C 2
Końskie o• **PL** 20-21 F 3
Konstantinovsk o **RUS** 32-33 G 4
Konta o **IND** 52-53 D 3
Kontagora o **WAN** 80-81 F 3
Kontcha o **CAM** 80-81 G 4
Kontinemo, Área Indigena ⋏ **BR** 114-115 D 2
Kontiolahti o **FIN** 10-11 P 3
Kontiomäki o **FIN** 8-9 P 4
Kon Tum o **VN** 54-55 D 3
Konya ⌒ **TR** 48-49 D 3
Konžakovskij Kamen', gora ▲ **RUS** 38-39 G 3
Kookooligit Mountains ▲ **USA** 92-93 H 3
Koolyanobbing o **AUS** 62-63 B 6
Kootenay River ⌒ **CDN** 94-95 H 5
Kopaonik ▲ **SRB** 26-27 E 3
Kópasker o **IS** 8-9 e 1
Kópavogur o **IS** 8-9 c 2
Kopé, Mont ▲ **CI** 80-81 C 5
Koper o **SLO** 26-27 A 3
Kopervik o **N** 10-11 C 5
Kopet, Monts ▲ **IR** 48-49 J 3
Ko Phangan ⌒ **T** 54-55 C 4
Ko Phuket ⌒ **T** 54-55 B 4
Köping ✩ • **S** 12-13 F 2
Koppang ✩ **N** 10-11 F 4
Kopparberg o **S** 12-13 F 2
Koprivnica o **HR** 26-27 C 2
Köprüçay ⌒ **TR** 28-29 H 4
Korab ▲ **AL** 28-29 C 2
Korača o **RUS** 32-33 E 2
K'orahē o **ETH** 82-83 G 4
Kora National Park ⌐ **EAK** 82-83 F 6

Korbu, Gunung ▲ **MAL** 54-55 C 5
Korçë ✩ •• **AL** 28-29 C 2
Korčula ⌒ **HR** 26-27 C 4
Korčula ⌒ **HR** 26-27 C 4
Kordofan ⌐ **SUD** 82-83 D 3
Korea Bay ≈46-47 F 3
Korea Strait ≈46-47 G 4
Korec' o **UA** 20-21 K 3
Korenevo o **RUS** 32-33 D 2
Korenovsk o **RUS** 32-33 F 5
Korf o **RUS** 40-41 N 2
Korfa, zaliv ≈ **RUS** 40-41 N 2
Korfu = Kérkira ⌒ **GR** 28-29 B 3
Korgen o **N** 8-9 G 3
Korhogo ✩ • **CI** 80-81 C 4
Koriaksk, Monts ▲ **RUS** 40-41 N 2
Kőris-hegy ▲ • **H** 26-27 C 2
Korissía o **GR** 28-29 E 4
Korjakskaja Sopka, vulkan ▲ **RUS** 40-41 L 4
Korjakskoe nagor'e ▲ **RUS** 40-41 N 2
Korkuteli ✩ **TR** 28-29 H 4
Korla o **CN** 44-45 E 3
Kormakitis, Cape ▲ **TR** 48-49 D 4
Kornati ⌒ **HR** 26-27 B 4
Kórnik o• **PL** 20-21 D 2
Koro ⌒ **FJI** 70-71 A 4
Koroba o **PNG** 68-69 B 2
Köroğlu Dağlari ▲ **TR** 28-29 H 2
Köroğlu Tepe ▲ **TR** 28-29 H 2
Koróni o **GR** 28-29 C 4
Korónia, Limni o **GR** 28-29 D 2
Koror ✩ **PW** 56-57 F 4
Körös ⌒ **H** 26-27 E 2
Koro Sea ≈70-71 A 4
Koro Sea ≈ **FJI** 70-71 A 4
Korosten' o **UA** 20-21 K 3
Korostyšiv o **UA** 20-21 K 3
Korotčaevo o **RUS** 38-39 L 2
Korpilahti o **FIN** 10-11 N 3
Korsakow o **RUS** 40-41 H 5
Korskrogen o **S** 10-11 H 4
Korsnäs o **FIN** 10-11 L 3
Korsør o **DK** 12-13 D 4
Kortrijk o **B** 18-19 A 3
Korup, Park National de ⌐ **CAM** 80-81 F 4
Kós o•• **GR** 28-29 F 4
Kós ⌒ **GR** 28-29 F 4
Kosa ✩ **RUS** 4-5 T 3
Kosa Arabats'ka Strilka ⌣ **UA** 32-33 D 4
Kosa Byr'učyj Ostriv ⌣ **UA** 32-33 D 4
Kosaja Gora o• **RUS** 30-31 G 4
Ko Samui ⌒•• **T** 54-55 C 4
Kościan o **PL** 20-21 D 2
Kościerzyna o **PL** 20-21 D 1
Kosciusko, Mount ▲ **AUS** 64-65 D 4
Kosciusko National Park ⌐ **AUS** 64-65 D 4
Kose o•• **EST** 12-13 L 2
Košice o **SK** 20-21 F 4
Kosjerić o **SRB** 26-27 D 3
Kosong o **KP** 46-47 G 3
Kosovo ✱ **KSV** 26-27 E 4
Kosovo Polje ⌐ **SRB** 26-27 E 4
Kosovska Mitrovica o• **KSV** 26-27 E 4
Kosrae ⌒ **FSM** 66-67 E 4
Kossou, Lac de < **CI** 80-81 C 4
Kósta o **GR** 28-29 D 4
Kostinbrod o **BG** 26-27 F 4
Kostopil' o **UA** 20-21 J 3
Kostroma o• **RUS** 30-31 J 3
Kostroma ⌒ **RUS** 30-31 J 2
Kostrzyn o• **PL** 20-21 C 2
Koszalin ✩• **PL** 20-21 D 1
Kőszeg o•• **H** 26-27 C 2
Kota o **IND** (MAP) 52-53 B 2
Kota o **IND** (RAJ) 52-53 C 1
Kota Baharu ✩ **MAL** 54-55 C 4
Kotabaru o **RI** 54-55 F 6
Kota Bumi o **RI** 54-55 C 6
Kota Kinabalu ✩• **MAL** 54-55 F 4

Kotamobagu o **RI** 56-57 D 5
Kot Diji o•• **PK** 50-51 H 3
Kotel'nikovo o **RUS** 32-33 H 4
Kotelny, Île ⌒ **RUS** 38-39 X 0
Kotel'va o **UA** 32-33 D 2
Kotido o **EAU** 82-83 E 5
Kotka ✩ **FIN** 10-11 O 4
Kotlas ✱ **RUS** 4-5 R 2
Kotor o•• **MNE** 26-27 D 4
Kotor Varoš o **BIH** 26-27 C 3
Kotovo o **RUS** 32-33 J 2
Kotovsk o **RUS** 30-31 J 5
Kotovsk o **RUS** 32-33 G 1
Kotovs'k o **UA** 20-21 K 5
Kotovsk = Hînceşti o **MD** 26-27 J 2
Kottagüdem o **IND** 52-53 D 3
Kotto ⌒ **RCA** 82-83 C 5
Kotuj ⌒ **RUS** 38-39 T 2
Kotzebue o **USA** 92-93 K 2
Kotzebue Sound ≈ **USA** 92-93 K 2
Kouango o **RCA** 82-83 B 4
Koudougou ✩ **BF** 80-81 D 3
Kouen-Louen ▲ **CN** 44-45 C 4
Kouh Roud ▲ **IR** 48-49 H 4
Koukdjuak, Great Plain of the ⌐ **CDN** 96-97 Q 4
Koulamoutou ✩ **G** 80-81 G 6
Koulikoro o **RMM** 80-81 C 3
Koundara o **RG** 80-81 B 3
Koupéla o **BF** 80-81 D 3
Kouriles, Bassin des ≃40-41 J 5
Kouriles, Fosse des ≃40-41 K 5
Kouriles, Îles ⌒ **RUS** 40-41 J 5
Kourou o **F** 110-111 G 3
Kouroussa o **RG** 80-81 C 3
Kourskaïa, Flèche de ⌐ **RUS** 12-13 J 4
Kourski, Lagune ⌣ **RUS** 12-13 J 4
Koustanaï ✩ **KZ** 42-43 H 1
Koutiala o **RMM** 80-81 C 3
Kouvola o **FIN** 10-11 O 4
Kouyou ⌒ **RCB** 86-87 C 2
Kovdor o **RUS** 30-31 G 2
Kovel' o **UA** 20-21 H 3
Kovel' = Kovil' o **UA** 32-33 D 6
Kovernino o **RUS** 30-31 K 3
Kovero o **FIN** 10-11 Q 3
Kovil' o **UA** 32-33 D 6
Kovin o **SRB** 26-27 E 3
Kovrov o **RUS** 30-31 J 3
Kovylkino o **RUS** 30-31 K 4
Koweït ★ **KWT** 48-49 G 5
Koweït ✩ **KWT** 48-49 G 5
Kowloon = Jiulong o **CN** 46-47 D 6
Kowno o•• **LT** 12-13 K 4
Köyceğiz ✩ **TR** 28-29 G 4
Koyukuk National Wildlife Refuge ⌐ **USA** 92-93 L 2
Koyukuk River ⌒ **USA** 92-93 M 2
Kozáni ✩• **GR** 28-29 C 2
Kozel'sk o • **RUS** 30-31 F 4
Kozhikode = Calicut o• **IND** 52-53 C 4
Kozienice o **PL** 20-21 F 3
Koźle, Kędzierzyn- o• **PL** 20-21 E 3
Kozloduj o **BG** 26-27 F 4
Kožuf ▲ **MK** 26-27 F 5
Kpalimé o• **RT** 80-81 E 4
Kra, Isthme de ⌒ **T** 54-55 B 3
Krách̊éh o **K** 54-55 D 3
Kracnooskil's'k vodoschovyšče < **UA** 32-33 E 3
Kragerø ✩ **N** 10-11 E 5
Kragujevac o• **SRB** 26-27 E 3
Kraj Gorbatka o **RUS** 30-31 J 4
Krajište ▲ **SRB** 26-27 F 4
Kraków o•• **PL** 20-21 E 3
Kralendijk o **NA** 104-105 H 5
Kraljevo o **SRB** 26-27 E 4
Kramators'k o **UA** 32-33 E 3
Kramatorsk = Kramators'k o **UA** 32-33 E 3
Kramfors o **S** 10-11 J 3
Kranéa o **GR** 28-29 C 3

Kranídi o **GR** 28-29 D 4
Kranj o **SLO** 26-27 B 2
Kraolândia, Área Indígena ⋏ **BR** 114-115 E 3
Krapina o **HR** 26-27 B 2
Kraslau ⌒• **LV** 12-13 M 4
Krãslava o •• **LV** 12-13 M 4
Krasnaja Jaruga o **RUS** 32-33 D 2
Krasnapolle o **BY** 20-21 L 2
Krasneno o **RUS** 40-41 O 2
Krasnij Luč = Krasnyj Luč o **UA** 32-33 F 3
Krašnik o **PL** 20-21 G 3
Krasni Okny ✩ **UA** 20-21 K 5
Krasnoarmejsk o **RUS** 32-33 J 2
Krasnoarmejsk o **RUS** 30-31 H 3
Krasnoarmejsk o **RUS** 30-31 H 4
Krasnoarmejsk = Krasnoarmijs'k o **UA** 32-33 E 3
Krasnoarmejskaja o **RUS** 32-33 F 5
Krasnoarmijs'k o **UA** 32-33 E 3
Krasnodar ✩ • **RUS** 32-33 F 5
Krasnodar ✩ • **RUS** 42-43 C 2
Krasnodon o **UA** 32-33 F 3
Krasnoe Selo o **RUS** 30-31 D 2
Krasnohorivka o **UA** 32-33 E 3
Krasnohrad o **UA** 32-33 D 3
Krasnohvardijs'ke ✩ **UA** 32-33 D 5
Krasnoïarsk ✩ • **RUS** 38-39 O 4
Krasnojarskoe, vodohranilišče o **RUS** 38-39 O 5
Krasnokamensk ✩ **RUS** 44-45 L 1
Krasnokamsk o **RUS** 4-5 T 3
Krasnomajskij o **RUS** 30-31 F 3
Krasnoperekops'k ✩ • **UA** 32-33 C 5
Krasnopil'l'a o **UA** 32-33 D 2
Krasnoslobodsk o **RUS** (MOR) 30-31 K 4
Krasnoslobodsk o **RUS** (VLG) 32-33 J 3
Krasnovodsk platosy ▲ **TM** 42-43 F 3
Krasnoznamjans'kyj kanal < **UA** 32-33 C 4
Krasnye Barrikady o **RUS** 32-33 K 4
Krasnyj Holm o **RUS** 30-31 G 2
Krasnyj Jar o **RUS** 32-33 J 2
Krasnyj Kut ✩ **RUS** 32-33 K 2
Krasnyj Luč o **UA** 32-33 F 3
Krasnystaw o **PL** 20-21 G 3
Krasuha o **RUS** 30-31 F 2
Kratovo o **MK** 26-27 F 4
Krefeld o **D** 18-19 C 3
Kremenčuc'ke vodoschovyšče < **UA** 32-33 C 3
Kremenčug = Kremenčuk o **UA** 32-33 C 3
Kremenčuk o **UA** 32-33 C 3
Kremenec' o **UA** 20-21 H 3
Kremenec'ki hory • **UA** 20-21 H 3
Kreminci o **UA** 20-21 H 4
Kreminna o **UA** 32-33 F 3
Krems an der Donau o•• **A** 20-21 C 4
Krenitzin Islands ⌒ **USA** 92-93 J 5
Kresta, zaliv ≈ **RUS** 40-41 Q 1
Krestcy ✩ **RUS** 30-31 E 2
Kresty o **RUS** (Mos) 30-31 G 4
Kresty o **RUS** 30-31 G 4
Kretinga o **LT** 12-13 J 4
Kreuznach, Bad o **D** 18-19 C 4
Krěva o **BY** 20-21 J 1
Kribi o• **CAM** 80-81 F 5
Krim ⌐ **UA** 32-33 D 5
Krishna ⌒ **IND** 52-53 C 3
Krishnagiri o **IND** 52-53 C 4
Kristiansand ✱ **N** 10-11 D 5
Kristianstad o **S** 12-13 F 3
Kristiansund ✩ **N** 10-11 D 3
Kristiinankaupunki = Kristinestad o•• **FIN** 10-11 L 3
Kristinehamn ✩ **S** 12-13 F 2
Kristinestad o•• **FIN** 10-11 L 3
Kríti ▫ **GR** 28-29 E 5
Kríti ⌒ **GR** 28-29 E 5
Kritiko Pelagos ≈28-29 E 4
Kriva Palanka o **MK** 26-27 F 4
Krivodol o **BG** 26-27 F 4

Krivoï Rog o **UA** 32-33 C 4
Križevci o **HR** 26-27 C 2
Krk ⌒ **SRB** 26-27 B 3
Krka ⌒ **HR** 26-27 C 3
Krkonošský národní park ⊥ **CZ** 20-21 C 3
Krohnwodoke o **LB** 80-81 C 5
Krokek o **S** 12-13 G 2
Krokom o **S** 10-11 H 3
Króksfjarðarnes ⌒ **IS** 8-9 c 2
Krolevec' o **UA** 32-33 C 2
Kroměřiž o **CZ** 20-21 D 4
Krŏng Kaôh Kŏng o **K** 54-55 C 3
Kronockij, zaliv ≈ **RUS** 40-41 M 4
Kronockij zapovednik ⊥ **RUS** 40-41 M 4
Kronockoe, ozero o **RUS** 40-41 M 4
Kronprins Christian Land ⊥ **GRØ** 96-97 b 1
Kronstadt ✩• **RO** 26-27 G 3
Kronštadt o **RUS** 30-31 C 2
Kronstadt o **RUS** 30-31 C 2
Kroonstad o **ZA** 86-87 E 7
Kropotkin o **RUS** 32-33 G 5
Kropotkin o **RUS** 42-43 D 2
Krośniewice o **PL** 20-21 E 2
Krosno ✩• **PL** 20-21 F 4
Krosno Odrzańskie o **PL** 20-21 C 2
Krotoszyn o **PL** 20-21 D 3
Krško o **SLO** 26-27 B 3
Kruger National Park ⊥•• **ZA** 86-87 F 6
Krugersdorp o **ZA** 86-87 E 7
Krui o **RI** 54-55 C 7
Kruis, Kaap = Cross, Cape ▲ **NAM** 86-87 B 6
Krujë ✩• **AL** 28-29 B 2
Krumë o•• **AL** 28-29 C 1
Krumovgrad o **BG** 26-27 G 5
Krupanj o **SRB** 26-27 D 3
Kruševac o• **SRB** 26-27 E 4
Kruševo o **MK** 26-27 E 5
Krušné hory ▲ **CZ** 20-21 B 3
Kruševone o **BG** 26-27 G 4
Krutec ⌒ **RUS** 30-31 L 5
Kryčav ✩ **BY** 20-21 L 2
Krylovo o **RUS** 12-13 J 4
Krylovo o **RUS** 20-21 F 1
Krym ⌒ **UA** 32-33 C 4
Krym, Respublika ▬ **UA** 32-33 C 5
Kryms'ki hory ▲ **UA** 32-33 C 5
Kryms'kyj pivostriv ⌣ **UA** 32-33 C 5
Kryms'kyj pivostriv ⌣ **UA** 32-33 D 5
Krynica o•• **PL** 20-21 F 4
Kryve Ozero o **UA** 32-33 B 4
'Ksan Indian Village •• **CDN** 94-95 F 4
Kšenskij o **RUS** 32-33 E 2
Kstovo o **RUS** 30-31 L 3
Kuala Dungun o• **MAL** 54-55 C 5
Kualakapus o **RI** 54-55 E 6
Kuala Lumpur ★•• **MAL** 54-55 C 5
Kuala Terengganu o• **MAL** 54-55 C 4
Kuantan ✩• **MAL** 54-55 C 5
Kubenskoe, ozero o **RUS** 30-31 H 2
Kučevo o **SRB** 26-27 E 3
Kuching ✩• **MAL** 54-55 E 5
Kučurhan ⌒ **UA** 20-21 K 5
Kudever' o **RUS** 30-31 C 3
Kudirkos Naumiestis o•• **LT** 12-13 K 4
Kudus o **RI** 54-55 E 7
Kudymkar o **RUS** 4-5 S 3
Kufra, Wāhāt al ⊥ **LAR** 78-79 E 4
Kufstein o• **A** 18-19 F 5
Küh-e Bahūn ▲ **IR** 48-49 J 5
Küh-e Vāhān ▲ **AFG** 42-43 K 4
Kuhmo o **FIN** 8-9 P 4
Kuiseb Canyon ⊥•• **NAM** 86-87 C 6
Kuito ✩ **ANG** 86-87 C 4
Kujbyschew = Samara ✩ **RUS** 42-43 F 1
Kujbyšev ⌒ **RUS** 38-39 U 4
Kujbyševskoe ⊂ **RUS** 30-31 L 3
Kujdusun o **RUS** 40-41 H 2
Kukawa o **WAN** 80-81 G 3
Ķūķon o **UZ** 42-43 K 3
Kula o **BG** 26-27 F 4

Kula ✩ **TR** 28-29 G 3
Kular, hrebet ▲ **RUS** 40-41 F 1
Kuldīga o•• **LV** 12-13 J 3
Kulebaki o **RUS** 30-31 K 4
Kulgera o **AUS** 62-63 E 5
Kulim o **MAL** 54-55 C 4
Kulin o **AUS** 62-63 B 6
Kulina do Médio Juruá, Área Indígena ⋏ **BR** 112-113 E 3
Kuljab ✩ **TJ** 42-43 J 4
Kullen ▲ **S** 12-13 E 3
Kulmbach o **D** 18-19 E 3
Ķŭlsary ✩ **KZ** 42-43 F 2
Kulu ✩ **TR** 48-49 D 3
Kulunda ✩ **RUS** 38-39 L 5
Kulungu o **CGO** 86-87 C 2
Kumamoto o **J** 46-47 H 4
Kumanovo o• **MK** 26-27 E 4
Kumarina Roadhouse o **AUS** 62-63 B 4
Kumasi ✩•• **GH** 80-81 D 4
Kumba o **CAM** 80-81 F 5
Kumbakonam o **IND** 52-53 C 4
Kumbe o **RI** 56-57 H 7
Kumla ✩ **S** 12-13 F 2
Kumluca ✩ **TR** 28-29 H 4
Kumo-Manyčskaja vpadina ⌣ **RUS** 32-33 G 4
Kumon Taungdan ▲ **MYA** 52-53 G 1
Kumrovec o **HR** 26-27 B 2
Kumta o **IND** 52-53 B 4
Kunašir, ostrov ⌒ **RUS** 46-47 L 2
Kunda ⌣ **EST** 12-13 M 2
Kundelungu, Parc National de ⊥ **CGO** 86-87 E 4
Kundūz ✩• **AFG** 42-43 J 4
Kunene ⌣ **NAM** 86-87 B 5
Kungälv ✩• **S** 12-13 D 3
Ķŭngirod o **UZ** 42-43 G 3
Kungsbacka o• **S** 12-13 E 3
Kungu o **CGO** 82-83 B 5
Kungur ⌣ **RUS** 42-43 G 0
Kun'ja ⌣ **RUS** 30-31 D 3
Kunming ✩• **CN** 44-45 H 6
Kunsan o **ROK** 46-47 G 3
Kununurra o **AUS** 62-63 D 3
Kuopio ✩ **FIN** 10-11 O 3
Kuortane o **FIN** 10-11 M 3
Kupang ✩ **RI** 56-57 D 7
Kup'ans'k o **UA** 32-33 E 3
Kupiano o **PNG** 68-69 C 2
Kupiano o **PNG** 68-69 C 3
Kupiškis o•• **LT** 12-13 L 4
Kupreanof Island ⌒ **USA** 92-93 O 4
Kuqa o **CN** 44-45 D 3
Kura = Kür ⌣ **AZ** 48-49 G 2
Kura Kurk ≈12-13 J 3
Kurdufan ⊥ **SUD** 82-83 D 3
Küre Dağları ▲ **TR** 48-49 D 2
Kurejka ⌣ **RUS** 38-39 O 3
Kurejskoe vodohranilišče ⊂ **RUS** 38-39 N 2
Kurenalus = Pudasjärvi o **FIN** 8-9 O 4
Kuressaare o•• **EST** 12-13 K 2
Kurgan ✩ **RUS** 38-39 J 4
Kurgan-Tjube ✩ **TJ** 42-43 J 4
Kuria Island ⌒ **KIR** 66-67 G 5
Kurikka o **FIN** 10-11 M 3
Kuril'sk o **RUS** 40-41 J 5
Kuril'skie ostrova ⌒ **RUS** 40-41 J 5
Kuril Trench ≃40-41 K 5
Kurkino o **RUS** 30-31 H 5
Kurmuk o **SUD** 82-83 E 3
Kurnool o **IND** 52-53 C 3
Kuror, Ǧabal ▲ **SUD** 78-79 G 4
Kurovskoe o **RUS** 30-31 H 4
Kurovyči o **UA** 20-21 H 4
Kurów o **PL** 20-21 F 3
Kuršėnai o **LT** 12-13 K 3
Kursk o **RUS** 32-33 E 2
Kuršskaja kosa ⊥ **RUS** 12-13 J 4
Kuršskij zaliv ≈ **RUS** 30-31 B 3
Kuršskij zaliv o **RUS** 12-13 J 4

Kurşunlu o **TR** 48-49 D 2
Kuru o **FIN** 10-11 M 4
Kuruktag ▲ **CN** 44-45 E 3
Kuruman o **ZA** 86-87 D 7
Kuruman ⌣ **ZA** 86-87 D 7
Kurumkan ✩ **RUS** 38-39 S 5
Kurunegala o **CL** 52-53 D 5
Kuşadası ✩• **TR** 28-29 F 4
Kuşadası Körfezi ≈28-29 F 4
Kušalino o **RUS** 30-31 G 3
Kuščevskaja o **RUS** 32-33 F 4
Kuş Gölü ⌣ **TR** 28-29 F 2
Kushiro o **J** 46-47 K 2
Kuskokwim Bay ≈ **USA** 92-93 K 4
Kuskokwim Mountains ▲ **USA** 92-93 L 3
Kuskokwim River ⌣ **USA** 92-93 K 3
Küstī ✩ **SUD** 82-83 E 3
Küt, al- ✩ **IRQ** 48-49 G 4
Kütahya ✩ **TR** 28-29 G 3
Kutaisi o••• **GE** 48-49 F 2
Kutana o **RUS** 40-41 F 3
Kutch, Golfe de ≈ **IND** 52-53 A 2
Kutina o **HR** 26-27 C 3
Kutná Hora o••• **CZ** 20-21 C 4
Kutno o **PL** 20-21 E 2
Kutop'jugan o **RUS** 38-39 K 2
Kutse Game Reserve ⊥ **RB** 86-87 D 6
Kutu o **CGO** 86-87 C 2
Kuujjuaq o **CDN** 98-99 L 3
Kuusalu o **EST** 12-13 L 2
Kuusamo o **FIN** 8-9 P 4
Kuusankoski o **FIN** 10-11 O 4
Kuvšinovo o **RUS** 30-31 F 3
Kuytun o **CN** 44-45 D 3
Kužai o **LT** 12-13 K 4
Kuzey Anadolu Dağları ▲ **TR** 48-49 D 2
Kuzneck o **RUS** 30-31 M 5
Kuzovatovo ✩ **RUS** 30-31 M 5
Kvænangen ⌣ **N** 8-9 L 1
Kværndrup o **DK** 12-13 D 4
Kvaløy ⌒ **N** 8-9 K 2
Kvaløya ⌒ **N** 8-9 M 1
Kvalsund o **N** 8-9 M 1
Kvarner ≈26-27 B 3
Kvarnerič ≈26-27 B 3
Kvichak Bay ≈ **USA** 92-93 L 4
Kvikkjokk o **S** 8-9 J 3
Kvina ⌣ **N** 10-11 D 5
Kvinesdal ✩ **N** 10-11 D 5
Kviteseid o **N** 10-11 E 5
Kwadacha Wilderness Provincial Park ⊥ **CDN** 94-95 F 4
Kwajalein ⌒ **MH** 66-67 F 4
Kwajalein Atoll ⌒ **MH** 66-67 F 4
Kwamouth o **CGO** 86-87 C 2
Kwangju o **ROK** 46-47 G 3
Kwango ⌣ **CGO** 86-87 C 2
Kwania, Lake o **EAU** 82-83 E 5
Kwekwe o **ZW** 86-87 E 5
Kwenge o **CGO** 86-87 C 3
Kwiambana Game Reserve ⊥ **WAN** 80-81 F 3
Kwidzyn o• **PL** 20-21 E 2
Kwilu ⌣ **CGO** 86-87 C 2
Kwisa ⌣ **PL** 20-21 C 3
Kyancutta o **AUS** 62-63 F 6
Kyaukme o **MYA** 52-53 G 2
Kyaukpyu o **MYA** 52-53 F 3
Kybartai o •• **LT** 12-13 K 4
Kyjiv ★•• **UA** 32-33 B 2
Kyjivs'ke vodoschovyšče ⊂ **UA** 32-33 B 2
Kyll ⌣ **D** 18-19 C 3
Kyoga, Lake o **EAU** 82-83 E 5
Kyōto ✩•• **J** 46-47 J 4
Kyren o **RUS** 44-45 H 1
Kyritz o• **D** 18-19 F 2
Kyrönjoki ⌣ **FIN** 10-11 M 3
Kystyk, plato ▲ **RUS** 38-39 U 1
Kytaj, ozero o **UA** 26-27 J 3
Kytyl-Djura o **RUS** 40-41 E 2
Kyūshū ⌒ **J** 46-47 G 4

Kyyjärvi o **FIN** 10-11 N 3
Kyzyl ✩ **RUS** 44-45 F 1
Kyzylorda ✩ **KZ** 42-43 J 3
Kyzyltu o **KZ** 42-43 K 1

L

Laa an der Thaya o **A** 20-21 D 4
La Adela o **RA** 116-117 E 5
Laascaanood o **SO** 82-83 H 4
Laasqoray o **SO** 82-83 H 3
Laayoune ★ **EH** 76-77 E 4
Labasa o **FJI** 70-71 A 4
Labbezzanga o **RMM** 80-81 E 3
Labdah ∴••• **LAR** 78-79 C 2
Labe ⌣ **CZ** 20-21 C 3
Labé o **RG** 80-81 B 3
Labin o **HR** 26-27 B 3
Labinsk, Ust'- o **RUS** 32-33 F 5
Laboulaye o **RA** 116-117 E 4
Labrador ⌣ **CDN** 98-99 K 3
Labrador, Bassin du ≃98-99 N 3
Labrador, Côte du ⊥ **CDN** 98-99 M 3
Labrador, Mer du ≈98-99 N 3
Labrador, Newfoundland o ▫ **CDN** 98-99 M 3
Labrador Basin ≃98-99 N 3
Labrador City o **CDN** 98-99 L 4
Labrador Sea ≈98-99 N 3
Lábrea o **BR** 114-115 B 3
Laç o•• **AL** 28-29 B 2
Lacanau o **F** 16-17 D 4
Lacanau-Océan o **F** 16-17 D 4
Lacaune o **F** 16-17 F 5
Laccadive Islands ⌒ **IND** 52-53 B 5
Läckö o•• **S** 12-13 E 2
Lac Mazures, Plateau des ⊥ **PL** 20-21 E 2
La Concepcion o **YV** 110-111 C 2
La Corogne o•• **E** 22-23 B 2
La Crosse o **USA** 102-103 E 2
Lacs de Poméranie, Plateau des ⊥ **PL** 20-21 C 2
Lac Seul o **CDN** 98-99 F 4
Ládi o **GR** 28-29 F 2
Ladoga, Lac o **RUS** 4-5 O 2
Ladožskoe ozero o **RUS** 4-5 O 2
Ladushkin o **RUS** 12-13 J 4
Laduškin o **RUS** 20-21 F 1
Ladysmith o **ZA** 86-87 E 7
Lae ✩ **PNG** 68-69 C 2
Lae Atoll ⌒ **MH** 66-67 F 4
Lærdalsøyri ✩• **N** 10-11 D 4
Læsø ⌒ **DK** 12-13 D 3
Lævvajokgiedde o **N** 8-9 O 2
Lafayette o **USA** 102-103 F 2
Lafayette o• **USA** 102-103 E 4
Lafia o **WAN** 80-81 F 4
Lafoi, Chute de la ⌣•• **CGO** 86-87 E 4
La Fragua o **RA** 116-117 E 3
La Fria o **YV** 110-111 C 3
La Galite o **TN** 76-77 J 2
Lagan' o **RUS** 42-43 E 2
Lagan ⌣ **S** 12-13 E 3
Lågen ⌣ **N** 10-11 E 4
Lages o **BR** 116-117 G 3
Laġġ, Umm o **KSA** 50-51 B 3
Laghouart o• **DZ** 76-77 H 3
La Gomera ⌒ **E** 76-77 D 4
Lago Piratuba, Parque Natural do ⊥ **BR** 110-111 G 4
Lagos o• **P** 22-23 B 5
Lagos ★• **WAN** 80-81 E 4
Lagossa o **EAT** 84-85 B 2
La Grande-Deux, Réservoir ⊂ **CDN** 98-99 J 4
La Grange ⋏ **AUS** 62-63 C 3
Laguna o• **BR** 116-117 H 3

Lagunas o **PE** (LOR) 112-113 D3
Lagunas o **PE** (PIU) 112-113 D2
Laguna San Rafael, Parque Nacional
⊥ **RCH** 116-117 C7
Laguna Yema o **RA** 116-117 E2
La Habana ★ ▪▪▪ **C** 104-105 E3
Lahat o **RI** 54-55 C6
La Havane ★ ▪▪▪ **C** 104-105 E3
La Haye ✩ ▪▪ **NL** 18-19 B2
Lahemaa Rahvuspark ⊥ ▪ **EST** 12-13 L2
Lahn ~ **D** 18-19 D3
Laholmsbukten ≈12-13 E3
Lahore ✩ ▪▪ **PK** 50-51 J2
Lahti o **FIN** 10-11 N4
Laï ✩ **TCH** 80-81 H4
Lai Châu ~ **VN** 54-55 C1
Laihia o **FIN** 10-11 M3
Lailā o **KSA** 50-51 D4
Laingsburg o **ZA** 86-87 D8
Lainioälven ~ **S** 8-9 M3
Lairg o **GB** 14-15 D2
Laisälven ~ **S** 8-9 J4
Laitila o **FIN** 10-11 L4
Laiwu o **CN** 46-47 E3
Laiyang o **CN** 46-47 F3
Laiyuan o **CN** 46-47 D3
Laizhou Wan ≈ **CN** 46-47 E3
Lajes o **BR** 114-115 G3
Lakeba ~ **FJI** 70-71 B4
Lake Charles o **USA** 102-103 E4
Lake Clark National Park and Preserve
⊥ **USA** 92-93 M3
Lake District National Park ⊥ **GB**
14-15 E4
Lake Eyre National Park ⊥ **AUS**
62-63 F5
Lake Gairdner National Park ⊥ **AUS**
62-63 F6
Lake Grace o **AUS** 62-63 B6
Lake Harbour o **CDN** 96-97 R5
Lake Havasu City o **USA** 100-101 D4
Lake Mackay Aboriginal Land ✕ **AUS**
62-63 D4
Lake Torrens National Park ⊥ **AUS**
62-63 F6
Lake Wales o **USA** 102-103 G5
Lakhimpur o **IND** 52-53 D1
Lakhpat o **IND** 52-53 A2
Lakinsk o **RUS** 30-31 H3
Lákkoma o **GR** 28-29 E2
Lakonikós Kólpos ≈28-29 D4
Laksefjorden ≈8-9 O1
Lakselv o **N** 8-9 N1
Laksfossen ▪▪ ~ **N** 8-9 G4
Laktaši o **BIH** 26-27 C3
Lakuramau o **PNG** 68-69 D1
Lalapaşa ✩ **TR** 28-29 F2
Lālezār, Kūh-e ▲ **IR** 48-49 J5
Lalibela o▪▪▪ **ETH** 82-83 F3
Lalín o **E** 22-23 B2
Lalitpur o **IND** 52-53 C2
Lalitpur o▪▪ **NEP** 52-53 E1
Lamalaga ⊥ **EH** 76-77 D5
Lamassa o **PNG** 68-69 D1
Lamballe o **F** 16-17 C2
Lambaréné ✩ ▪ **G** 80-81 G6
Lambert, Glacier ⊂ **ANT** 119 B7
Lamborn o **S** 10-11 H4
Lambton, Cape ▲ **CDN** 96-97 F3
Lame Burra Game Reserve ⊥ **WAN**
80-81 F3
Lamego o **P** 22-23 C3
Lamía o **GR** 28-29 D3
Lampang o **T** 54-55 B2
Lampedusa, Ísola di ~ **I** 78-79 C1
Lamu o▪ **EAK** 82-83 G6
Lamu Island ~ **EAK** 82-83 G6
Lan' ~ **BY** 20-21 J2
Lanark o **GB** 14-15 E4
Lancang o **CN** 52-53 H2
Lancang Jiang ~ **CN** 52-53 H2
Lancaster o▪ **GB** 14-15 E4

Lancaster o **USA** (CA) 100-101 C4
Lancaster o **USA** (SC) 102-103 G4
Lancaster, Détroit de ≈ **CDN** 96-97 N3
Lanciano o **I** 24-25 E3
Landeck o **A** 18-19 E5
Landegode ~ **N** 8-9 H3
Lander River ~ **AUS** 62-63 E4
Landete o **E** 22-23 F4
Landšaftnyj park "Sofijivka" ▪ **UA**
32-33 B3
Land's End ▲▪▪ **GB** 14-15 D6
Landshut o▪▪ **D** 18-19 F4
Landskrona o▪ **S** 12-13 E4
Landštejn ▪ **CZ** 20-21 C4
Lan'ga Co o **CN** 44-45 D5
Langadás o **GR** 28-29 D2
Langeac o **F** 16-17 F4
Langeland ~ **DK** 12-13 D4
Langeoog ~ **D** 18-19 C2
Langfang o **CN** 46-47 E3
Langjökull ⊂ **IS** 8-9 c2
Langkawi, Pulau ~ **MAL** 54-55 B4
Langnes o **N** 8-9 P1
Langogne o **F** 16-17 F4
Langon o **F** 16-17 D4
Langøya ~ **N** 8-9 H2
Langres o **F** 16-17 G3
Langsa o **RI** 54-55 B5
Långseleån ~ **S** 8-9 H4
Lang So'n ~ **VN** 54-55 D1
Lang Suan o **T** 54-55 B4
Långträsk o **S** 8-9 L4
Langudi Rassa National Park ⊥ **ETH**
82-83 G3
Languedoc ⊥ **F** 16-17 F5
Languedoc-Roussillon □ **F** 16-17 F5
Lanín, Parque Nacional ⊥ **RA**
116-117 C5
Lanín, Volcán ▲ **RA** 116-117 C5
Länkäran o▪ **AZ** 48-49 G3
Lannemezan o **F** 16-17 E5
Lannion o **F** 16-17 C2
L'Anse aux Meadows National Historic
Park ▪▪ **CDN** 98-99 N4
Lansing ✩ **USA** 102-103 G2
Lansjärv o **S** 8-9 M3
Lanthenay, Romorantin- o **F** 16-17 E3
Lanusei o **I** 24-25 B5
Lanxi o **CN** 40-41 E5
Lanyu ~ **RC** 46-47 F6
Lan Yu = Lanyu ~ **RC** 46-47 F6
Lanzarote ~ **E** 76-77 E4
Lanzhou o▪ **CN** 44-45 H4
Laoag ✩ **RP** 56-57 D2
Laohekou o **CN** 46-47 D4
Laon ✩▪ **F** 16-17 F2
Laoong o **RP** 56-57 E3
Laos ▪ **LAO** 54-55 C2
Lapa o **BR** 114-115 F6
Lapalisse o **F** 16-17 F3
La Palma ~ **E** 76-77 D4
La Pampa □ **RA** 116-117 D5
La Paz □ **BOL** 112-113 F5
La Paz ✩▪ **MEX** 100-101 D6
La Pérouse, Détroit de ≈40-41 H5
Laperuza, proliv ≈40-41 H5
Lapinlahti o **FIN** 10-11 O3
La Plata ✩ **RA** 116-117 F4
Laponie ⊥8-9 K3
Lappajärvi o **FIN** 10-11 M3
Lappeenranta o▪ **FIN** 10-11 P4
Lapseki ✩ **TR** 28-29 F2
Laptev, Mer des ≈ **RUS** 38-39 U0
Laptevykh, more ≈ **RUS** 38-39 U0
Lapua o **FIN** 10-11 M3
Lapus, Munţii ▲ **RO** 26-27 F2
Laquedives, Îles ~ **IND** 52-53 B4
Laquedives, Îles ~ **IND** 52-53 B5
Laquedives, Mer des ≈52-53 B4
L'Áquila ✩ **I** 24-25 D3
Larache o **MA** 76-77 D2
Laragh = An Láithreach o **IRL** 14-15 C5

Laramie o **USA** 100-101 E2
Laramie Mountains ▲ **USA** 100-101 E2
Larantuka o **RI** 56-57 D6
Lárbro o **S** 12-13 H3
Laredo o **E** 22-23 E2
Laredo o **USA** 102-103 D5
Largeau ✩ **TCH** 78-79 D5
Largo, Cayo ~ **C** 104-105 E3
Lario = Lago di Como o **I** 24-25 B2
La Rioja □ **RA** 116-117 D3
Lárissa o **GR** 28-29 D3
Lar'jak o **RUS** 38-39 M3
Lärkäna o▪ **PK** 50-51 H3
Larnaka o▪ **CY** 48-49 D4
Larne o▪ **GB** 14-15 D4
Larocu, Qaşr o **LAR** 78-79 C3
La Romana ✩ **DOM** 104-105 H4
La Ronge, Lac o **CDN** 94-95 K4
Larrey Point ▲ **AUS** 62-63 B3
Larrimah o **AUS** 62-63 E3
Larvik ✩ **N** 10-11 F5
Lascaux, Grotte de ▪▪▪ **F** 16-17 E4
Lascelles o **AUS** 64-65 C4
Las Heras o **RA** 116-117 D7
Las Palmas de Gran Canaria ✩ **E**
76-77 D4
La Spézia o **I** 24-25 B2
Las Plumas o **RA** 116-117 D6
Lassen Volcanic National Park ⊥ **USA**
100-101 B2
Lastoursville o **G** 80-81 G6
Lastovo o **HR** 26-27 C4
Lastovo ~ **HR** 26-27 C4
Las Tunas ✩ **C** 104-105 F3
Las Vegas o **USA** 100-101 C3
Las Vegas o▪▪ **USA** 100-101 C3
Latacunga ✩ **EC** 112-113 D2
Lätäseno ~ **FIN** 8-9 M2
Latina ✩ **I** 24-25 D4
Latium □ **I** 24-25 D3
Látrar o **IS** 8-9 b1
Lattaquié ✩ **SYR** 48-49 E3
Lätür o **IND** 52-53 C3
Lau Basin ≈ **FJI** 70-71 B5
Lauca, Parque Nacional ⊥ **RCH**
112-113 F5
Laudar o **YAR** 50-51 D6
Lauenburg/Elbe o **D** 18-19 E2
Lauge Koch Kyst ⊥ **GRØ** 96-97 S2
Lau Group = Eastern Group ~ **FJI**
70-71 B4
Launceston o **AUS** 64-65 D5
Launceston o **GB** 14-15 D6
La Unión o **PE** 112-113 D3
La Urbana o **YV** 110-111 D3
Laurel o **USA** 102-103 F4
Lausanne o▪ **CH** 18-19 C5
Laut, Pulau ~ **RI** (KSE) 54-55 F6
Laut, Pulau ~ **RI** 54-55 D5
Lautaret, Col du ▲▪ **F** 16-17 H4
Laut Kecil, Kepulauan ~ **RI** 54-55 F6
Lautoka o **FJI** 70-71 A4
Laval ✩▪ **F** 16-17 D2
La Valette ★▪ **M** 24-25 E7
Lávan, Ğazire-ye ~ **IR** 48-49 H5
Lavapié, Punta ▲ **RCH** 116-117 C5
Lavaur o **F** 16-17 E5
Laverton o **AUS** 62-63 C5
Lavik o **N** 10-11 C4
Lavongai ~ **PNG** 68-69 D1
Lavras o **BR** 114-115 F6
Lavrio o **GR** 28-29 E4
Lavumisa o **SD** 86-87 F7
Lawrence o **USA** 102-103 D3
Lawton o **USA** 102-103 D4
Lawushi Manda National Park ⊥ **Z**
86-87 F4
Lazarev o **RUS** 40-41 H4
Lazarevac o **SRB** 26-27 C2
Lazarevskoe o **RUS** 42-43 C3

Lazarevskoe o▪ **RUS** 42-43 C3
Lázaro Cárdenas o **MEX** 100-101 F7
Lazdijai o **LT** 12-13 K4
Łeba o▪ **PL** 20-21 D1
Lebanon o **USA** (KS) 102-103 D3
Lebanon o **USA** (MO) 102-103 E3
Lebbeke o **B** 18-19 B3
Lebedjan' o **RUS** 30-31 H5
Lebedyn o **UA** 32-33 D2
Lebo o **CGO** 82-83 C5
Łęborok o▪ **PL** 20-21 D1
Lebrija o **E** 22-23 C5
Lebu o **RCH** 116-117 C5
Le Caire ★ ▪▪▪ **ET** 78-79 G2
Le Cap ★ ▪▪ **ZA** 86-87 C8
Lecce ★ ▪ **I** 24-25 G4
Lecco o **I** 24-25 B2
Lech ~ **D** 18-19 E4
Lēči o **LV** 12-13 J3
Łęczyca o▪ **PL** 20-21 E2
Ledesma o **E** 22-23 C3
Ledjanaja, gora ▲ **RUS** 40-41 O2
Lednikovaja, gora ▲ **RUS** 38-39 R0
Leeds o▪ **GB** 14-15 F5
Leek o **GB** 14-15 E5
Leer (Ostfriesland) o **D** 18-19 C2
Leeuwarden o▪ **NL** 18-19 B2
Leeuwin, Cape ▲ **AUS** 62-63 B6
Léfini, Réserve de chasse de la ⊥ **RCB**
86-87 C2
Lefkáda o **GR** 28-29 C3
Lefkáda ~ **GR** 28-29 C3
Lefkónas o **GR** 28-29 D2
Lefkosia ★ ▪▪ **CY** 48-49 D3
Lefroy, Lake o **AUS** 62-63 C6
Legazpi ✩ **RP** 56-57 D3
Legionowo o **PL** 20-21 F2
Legnica ✩▪ **PL** 20-21 D3
Leh o▪ **IND** 44-45 C5
Le Havre o **F** 16-17 E2
Lehena o **GR** 28-29 C4
Leiah o **PK** 50-51 J2
Leibnitz o **A** 18-19 G5
Leicester o **GB** 14-15 F5
Leichhardt, Mount ▲ **AUS** 62-63 E4
Leigh Creek o **AUS** 62-63 F6
Leine ~ **D** 18-19 D2
Leipzig o▪▪ **D** 18-19 F3
Leira ✩ **N** (OPP) 10-11 E4
Leira ✩ **N** (ROM) 10-11 E3
Leiria o▪ **P** 22-23 B4
Leirvik ✩ **N** 10-11 C5
Leisi o **EST** 12-13 K2
Leiyang o **CN** 46-47 D5
Leizhou Bandao ~ **CN** 46-47 D6
Lek ~ **NL** 18-19 B3
Leka ~ **N** 8-9 F4
Leknes o **N** 8-9 G2
Leksand o **S** 10-11 H4
Lel'čycy o **BY** 20-21 K3
Leleque o **RA** 116-117 C6
Lelingluang o **RI** 56-57 F7
Lelystad o **NL** 18-19 B2
Le Maire, Estrecho de ≈ **RA** 116-117 D8
Léman, Lac o **CH** 18-19 C5
Lemankoa o **PNG** 68-69 D2
Le Mans o▪ **F** 16-17 E3
Lemesos o▪ **CY** 48-49 D4
Lemieux Islands ~ **CDN** 96-97 R5
Lemmenjoen kansallispuisto ⊥ **FIN**
8-9 N2
Lemnos ~ **GR** 28-29 E3
Lempäälä o **FIN** 10-11 M4
Lemvig o **DK** 12-13 C3
Lena ~ **RUS** 38-39 U2
Lena, Delta de la ~ **RUS** 38-39 V1
Lençóis o **BR** 114-115 F4
Lendava o **SLO** 26-27 C2
Lenge, Bandar-e o **IR** 48-49 H5
Lengua de Vaca, Punta ▲ **RCH**
116-117 C4
Lengwe National Park ⊥ **MW** 84-85 C4

Lenhovda o **S** 12-13 F 3
Lenin, Qullai ▲ **TJ** 42-43 K 4
Lenine o **UA** 32-33 D 5
Leningradskaja o **RUS** 32-33 F 4
Leninsk o **RUS** 32-33 J 3
Leninsk-Kuzneckij ☆ **RUS** 38-39 N 5
Lenkivci o **UA** 20-21 J 3
Leno-Angarskoe plato ⏛ **RUS** 38-39 Q 5
Lens o **F** 16-17 F 1
Lensk ☆ · **RUS** 38-39 S 3
Lent'evo o **RUS** 30-31 G 2
Lentiira o **FIN** 8-9 P 4
Lentini o **I** 24-25 E 6
Léo o **BF** 80-81 D 3
Leoben o **A** 18-19 G 5
Leominster o· **GB** 14-15 E 5
León o· **E** 22-23 D 2
León o· **MEX** 100-101 F 6
León ☆ ··· **NIC** 104-105 D 5
León o **F** 16-17 D 5
León, Cerro ▲ **MEX** 100-101 G 7
Leonardville o **NAM** 86-87 C 6
Leonídio o **GR** 28-29 D 4
Leonora o **AUS** 62-63 C 5
Leopoldsburg o **B** 18-19 B 3
Leova ☆ **MD** 26-27 J 2
Leovo = Leova o **MD** 26-27 J 2
Lepel ☆ **BY** 20-21 K 1
Lepel' ☆ **BY** 30-31 C 4
Lépoura o **GR** 28-29 E 3
Lepsi o **KZ** 42-43 L 2
Leptis Magna = Labdah ∴··· **LAR** 78-79 C 2
Leptokariá o **GR** 28-29 D 2
Lercara Friddi o **I** 24-25 D 6
Lerida o **CO** 110-111 C 4
Lérida o·· **E** 22-23 G 3
Lerma o **E** 22-23 E 2
Leros ☆ **GR** 28-29 F 4
Lerum ☆ **S** 12-13 E 3
Lerwick o **GB** 14-15 F 1
Lescoff o **F** 16-17 B 2
Leshan o **CN** 44-45 H 6
Lesjaskog o **N** 10-11 E 3
Lesjöfors o **S** 12-13 F 2
Leskino o **RUS** 38-39 L 1
Lesko o· **PL** 20-21 G 4
Leskovac o· **SRB** 26-27 E 4
Leskovik o· **AL** 28-29 C 2
Lesnoj Voronež ~ **RUS** 30-31 J 5
Lesosibirsk o **RUS** 38-39 O 4
Lesotho ■ **LS** 86-87 E 7
L'Esperance Rock ⌒ **NZ** 64-65 L 3
Lesperon o **F** 16-17 D 5
Lestijärvi o **FIN** 10-11 N 3
Lesvos ☆ **GR** 28-29 F 3
Leszno ☆· **PL** 20-21 D 3
Lethbridge o· **CDN** 94-95 J 6
Lethem ☆ **GUY** 110-111 F 4
Leticia o **CO** 110-111 D 5
Letnica o **BG** 26-27 G 4
Letoon ∴··· **TR** 28-29 G 4
Letterkenny o **IRL** 14-15 C 4
Lettonie ■ **LV** 12-13 L 3
Leuven o·· **B** 18-19 B 3
Levaja Vetv', kanal ⦉ **RUS** 32-33 H 5
Levanger o **N** 10-11 F 3
Levant, Bassin du ≃28-29 F 5
Levante, Riviera di ⌣ **I** 24-25 B 2
Levantine Basin ≃28-29 F 5
Leven o **GB** 14-15 E 3
Leven ~ **GB** 14-15 E 3
Leveque, Cape ▲ **AUS** 62-63 C 3
Leverkusen o **D** 18-19 C 3
Levídi o **GR** 28-29 D 3
Levkadíti o **GR** 28-29 D 3
Levroux o **F** 16-17 E 3
Levski o **BG** 26-27 G 4
Lewis Range ▲ **USA** 100-101 D 1
Lewiston o **USA** 100-101 C 1
Lexington o **USA** 102-103 G 3
Leyde o· **NL** 18-19 B 2

Leyte ⌒ **RP** 56-57 D 3
Lezhë ☆ ··· **AL** 28-29 B 2
L'gov o **RUS** 32-33 D 2
L'govski, Dmitriev o **RUS** 30-31 F 5
L'govski, Dmitriev o **RUS** 32-33 D 1
Lhasa o· ··· **CN** 44-45 F 6
Lhokseumawe o **RI** 54-55 B 4
Liakhov, Îles ⌒ **RUS** 38-39 X 1
Liangpran, Gunung ▲ **RI** 54-55 E 5
Lianyuan o **CN** 46-47 D 5
Lianyungang o **CN** 46-47 E 4
Liaodong, Golfe de ≈ **CN** 46-47 F 2
Liaodong Wan ≈ **CN** 46-47 F 2
Liao He ~ **CN** 46-47 F 2
Liaoning □ **CN** 46-47 F 2
Liaoyuan o **CN** 46-47 G 2
Liard Plateau ⏛ **CDN** 94-95 F 3
Liard River ~ **CDN** 94-95 G 3
Liban ■ **RL** 48-49 E 4
Libau ☆ ··· **LV** 12-13 J 3
Libenge o **CGO** 82-83 B 5
Liberal o **USA** 102-103 C 3
Liberec o· **CZ** 20-21 C 3
Liberia ☆ **CR** 104-105 D 5
Liberia ■ **LB** 80-81 B 4
Liboi o **EAK** 82-83 G 5
Libourne o **F** 16-17 D 4
Librazhd ☆· **AL** 28-29 C 2
Libreville · ★ **G** 80-81 F 5
Libyan Desert = as-Saḥrā' al-Lībīyā ⏛ **LAR** 78-79 E 3
Libye ■ **LAR** 78-79 C 3
Libye, Désert de ⏛ **LAR** 78-79 E 3
Licanten o **RCH** 116-117 C 4
Licata o **I** 24-25 D 6
Lichinga o **MOC** 84-85 D 3
Lichtenburg o **ZA** 86-87 E 7
Lida ☆ **BY** 20-21 H 2
Lidan ~ **S** 12-13 E 2
Liden o **S** 10-11 J 3
Lidköping ☆ **S** 12-13 E 2
Lido di Òstia o **I** 24-25 D 4
Lidskaja ravnina ⏛ 20-21 H 2
Lidzbark Warmiński o· **PL** 20-21 F 1
Lidzbark Warmiński o· **PL** 20-21 F 1
Liebig, Mount ▲ **AUS** 62-63 E 4
Liechtenstein ■ **FL** 18-19 D 5
Liège ☆ · **B** 18-19 B 3
Lieksa o **FIN** 10-11 Q 3
Lienz o **A** 18-19 F 5
Liepāja ☆ ··· **LV** 12-13 J 3
Lier o· **B** 18-19 B 3
Lierre = Lier o· **B** 18-19 B 3
Liezen o **A** 18-19 G 5
Lifford ☆ **IRL** 14-15 C 4
Lifjell ▲ **N** 10-11 E 5
Lifou ~ **F** 68-69 G 5
Ligne, Îles de la ⌒ **KIR** 60-61 L 4
Ligonha, Rio ~ **MOC** 84-85 D 4
Ligua, La o **RCH** 116-117 C 4
Ligunga o **EAT** 84-85 D 3
Ligure, Mare ≈24-25 B 3
Ligurie □ **I** 24-25 B 2
Ligurienne, Mer ≈24-25 B 3
Lihás o **GR** 28-29 D 3
Lihir Group ⌒ **PNG** 68-69 D 1
Liholslavl' o **RUS** 30-31 F 3
Lihou Reefs and Cays ⌒ **AUS** 68-69 D 4
Lihovskoj o **RUS** 32-33 G 3
Lihula o **EST** 12-13 K 2
Liivi Laht ≈12-13 K 2
Liivi Laht ≈12-13 K 3
Lijiang o· **CN** 44-45 H 6
Likasi o **CGO** 86-87 D 3
Likati o **CGO** 82-83 C 5
Likiep Atoll ⌒ **MH** 66-67 F 4
Likouala ~ **RCB** 80-81 H 5
Lille ☆ **F** 16-17 F 1
Lille Bælt ≈ **DK** 12-13 C 4
Lillehammer ☆ **N** 10-11 F 4
Lillesand ☆ · **N** 10-11 E 5
Lillestrøm ☆ **N** 10-11 F 5

Lilongwe ★ · **MW** 84-85 C 3
Lim ~ **SRB** 26-27 D 4
Lima ★ ··· **PE** 112-113 D 4
Lima o **PY** 116-117 F 2
Lima o **USA** 102-103 G 2
Limavady o **GB** 14-15 C 4
Limay, Río ~ **RA** 116-117 D 5
Limay Mahuida o **RA** 116-117 D 5
Limba Limba ~ **EAT** 84-85 C 2
Limbaži ☆ ··· **LV** 12-13 L 3
Limbé o· **CAM** 80-81 F 5
Limburg an der Lahn o·· **D** 18-19 D 3
Limeira o **BR** 114-115 E 6
Limerick = Luimneach o **IRL** 14-15 B 5
Limfjorden ≈12-13 C 3
Limia, Río ~ **E** 22-23 C 2
Limingen o **N** 8-9 G 4
Liminka o **FIN** 8-9 N 4
Limmen Bight River ~ **AUS** 62-63 F 3
Limoges ☆ · **F** 16-17 E 4
Limousin □ **F** 16-17 E 4
Limoux ☆ **F** 16-17 F 5
Limpopo ~ **ZA** 86-87 E 6
Limpopo, Rio ~ **MOC** 86-87 F 6
Linaälven ~ **S** 8-9 L 3
Linahamari o **RUS** 8-9 Q 2
Linares o **E** 22-23 E 4
Linares o **MEX** 100-101 G 6
Linares o **RCH** 116-117 C 5
Linas, Monte ▲ **I** 24-25 B 5
Lincang o **CN** 52-53 H 2
Linchuan o **CN** 46-47 E 5
Lincoln ☆· **GB** 14-15 F 5
Lincoln o **RA** 116-117 E 4
Lincoln ☆ **USA** 102-103 D 2
Lincoln, Mer de ≈96-97 S 1
Lincoln Island = Dong Dao ⌒ **CN** 54-55 E 2
Lincoln National Park ⊥ **AUS** 62-63 F 6
Lindau (Bodensee) o·· **D** 18-19 D 5
Linde ~ **RUS** 38-39 U 3
Lindesnes ▲ **N** 10-11 D 6
Lindi ~ **CGO** 82-83 D 5
Lindi ☆ · **EAT** 84-85 D 2
Lindi Bay ≈ **EAT** 84-85 D 2
Líndos o·· **GR** 28-29 G 4
Línea de la Concepción, La o **E** 22-23 D 5
Linejnoe o **RUS** 32-33 K 4
Linfen o **CN** 46-47 D 3
Lingen (Ems) o **D** 18-19 C 2
Lingga, Pulau ⌒ **RI** 54-55 C 3
Linguère o **SN** 80-81 A 2
Linh, Ngoc ▲ **VN** 54-55 D 2
Linhai o **CN** 46-47 F 5
Linhares o **BR** 114-115 F 5
Linhe o **CN** 46-47 D 2
Linköping ☆· **S** 12-13 F 2
Linkou o **CN** 40-41 F 5
Linlithgow o **GB** 14-15 E 4
Lins o **BR** 114-115 E 6
Linsell o **S** 10-11 G 3
Linxia o **CN** 44-45 H 4
Linyanti ~ **RB** 86-87 D 5
Linyi o **CN** 46-47 E 3
Linz o·· **A** 20-21 C 4
Lion, Golfe du ≈16-17 F 5
Lios Tuathail = Listowel o **IRL** 14-15 B 5
Liouesso o **RCB** 80-81 H 5
Lípari o **I** 24-25 E 5
Lípari, Ìsola ⌒ **I** 24-25 E 5
Lipcani o **MD** 26-27 H 1
Lipeck o **RUS** 30-31 H 5
Lipeck o **RUS** 32-33 F 1
Liperi o **FIN** 10-11 P 3
Lipez, Cordillera de ⏛ **BOL** 112-113 F 6
Lipkany = Lipcani o **MD** 26-27 H 1
Lipki o **RUS** 30-31 G 5
Lipljan o· **KSV** 26-27 E 4
Lipno o **PL** 20-21 E 2
Lipno, údolní nádrž o **CZ** 20-21 C 4
Lipobane, Ponta ▲ **MOC** 84-85 D 4

Lipova o **RO** 26-27 E 2
Lippe ~ **D** 18-19 D 3
Lippstadt o· **D** 18-19 D 3
Lira o **EAU** 82-83 E 5
Liranga o **RCB** 86-87 C 2
Lisala o **CGO** 82-83 C 5
Lisboa ★ ··· **P** 22-23 B 4
Lisbonne ★ ··· **P** 22-23 B 4
Lisburne, Cape ▲ **USA** 92-93 J 2
Lishui o **CN** 46-47 E 5
Lisičansk = Lysyčans'k o **UA** 32-33 F 3
Lisica-Pass ⏛ **SRB** 26-27 E 4
Lisieux o· **F** 16-17 E 2
Lisjanskogo, poluostrov ⌣ **RUS** 40-41 J 3
Liski o **RUS** 32-33 F 2
Lismore o **AUS** 64-65 E 2
Lisnaskea o· **GB** 14-15 C 4
Lištica = Široki Brijeg o **BIH** 26-27 C 4
Listowel = Lios Tuathail o **IRL** 14-15 B 5
Litang o **CN** 44-45 H 5
Lithgow o **AUS** 64-65 E 3
Litoměřice o **CZ** 20-21 C 3
Litomyšl o **CZ** 20-21 D 4
Little Andaman ⌒ **IND** 52-53 F 4
Little Colorado River ~ **USA** 100-101 E 4
Little Karoo ⏛ **ZA** 86-87 D 8
Little Mecatina River ~ **CDN** 98-99 M 4
Little Missouri River ~ **USA** 100-101 F 1
Little Nicobar Island ⌒ **IND** 52-53 F 5
Little Rock ☆ **USA** 102-103 E 4
Lituanie ■ **LT** 12-13 J 4
Liupanshui o **CN** 44-45 H 6
Liuwa Plain National Park ⊥ **Z** 86-87 D 4
Liuzhou o· **CN** 46-47 C 6
Livádi o **GR** 28-29 E 4
Livadiá o· **GR** 28-29 D 3
Livani o·· **LV** 12-13 M 3
Livermore, Mount ▲ **USA** 100-101 F 4
Liverpool o· **GB** 14-15 E 5
Liverpool Bay ≈ **CDN** 94-95 E 2
Liviko Pélagos ≈28-29 D 5
Livno o **BIH** 26-27 C 4
Livny o **RUS** 30-31 G 5
Livny o **RUS** 32-33 E 1
Livourne o **I** 24-25 C 3
Livradois-Forez, Parc Naturel Régional ⊥ **F** 16-17 F 4
Liwale o **EAT** 84-85 D 2
Liwonde National Park ⊥ **MW** 84-85 D 3
Lizarda o **BR** 114-115 E 3
Lizard Point ⏛ **GB** 14-15 D 7
Lizums o **LV** 12-13 M 3
Ljadova ~ **UA** 20-21 J 4
Ljady o **RUS** 30-31 C 2
Ljig o **SRB** 26-27 E 3
Ljuban' o **BY** 20-21 K 2
Ljuban' o **RUS** 30-31 D 2
Ljubanskae vadashovišča ⦉ **BY** 20-21 K 2
Ljubar o **UA** 20-21 J 4
Ljubercy ☆ **RUS** 30-31 G 4
Ljubešiv o **UA** 20-21 H 3
Ljubljana ★ · **SLO** 26-27 B 2
Ljuboml' o **UA** 20-21 H 3
Ljubovija o **SRB** 26-27 D 3
Ljubytino o **RUS** 30-31 E 2
Ljudinovo o **RUS** 30-31 F 5
Ljugarn o **S** 12-13 H 3
Ljungan ~ **S** 10-11 J 3
Ljungby ☆ **S** 12-13 E 3
Ljungdalen o **S** 10-11 G 3
Ljusdal o **S** 10-11 J 4
Ljusnan ~ **S** 10-11 H 4
Llançà o **E** 22-23 H 2
Llanddovery o **GB** 14-15 E 6
Llanes o· **E** 22-23 D 2
Llano Estacado ⌣ **USA** 100-101 F 4
Llerena o **E** 22-23 C 4
Lleyn Peninsula ⌣ **GB** 14-15 D 5
Llíria o **E** 22-23 F 4
Lloydminster o **CDN** 94-95 J 5
Llucmajor o **E** 22-23 H 4
Llullaillaco, Volcán ▲ **RCH** 116-117 D 2

Loange ~ CGO 86-87 D3
Lobatse ☆ RB 86-87 D7
Lobaye ~ RCA 82-83 B5
Łobez o PL 20-21 C2
Lobito o ANG 86-87 B4
Lobuja ~ RUS 40-41 K1
Lochboisdale o GB 14-15 C3
Loche, La o CDN 94-95 K4
Loches o• F 16-17 E3
Loch Fyne ≈14-15 D4
Loch Garman = Wexford ☆ IRL 14-15 C5
Lochgilphead o GB 14-15 D3
Lochinvar National Park ⊥ Z 86-87 E5
Lochinver o GB 14-15 D2
Loch Linnhe ≈14-15 D3
Loch Lomond o GB 14-15 D3
Lochmaddy o GB 14-15 C3
Lochnagar ▲ GB 14-15 E3
Loch Ness o GB 14-15 D3
Łochów o PL 20-21 F2
Lockhart River ✕ AUS 62-63 G2
Locri o I 24-25 F5
Lodève o F 16-17 F5
Lodi o• I 24-25 B2
Løding o N 8-9 H3
Lødingen o N 8-9 H2
Lodja o CGO 86-87 D2
Lodmalasin ▲ EAT 84-85 D1
Łódź ☆ •• PL 20-21 E3
Loei o T 54-55 C2
Lofoten, Îles ~• N 8-9 G2
Loftahammar o S 12-13 G3
Log o RUS 32-33 H3
Logan o USA 100-101 D2
Logan, Mount ▲ •• CDN 94-95 D3
Logan Mountains ▲ CDN 94-95 F3
Logaškino o RUS 40-41 K0
Lögdeälven ~ S 10-11 K3
Loge, Rio ~ ANG 86-87 B3
Logone ~ TCH 80-81 H4
Logroño o E 22-23 E2
Løgstør o DK 12-13 C3
Lohéac o F 16-17 C3
Lohiniva o FIN 8-9 N3
Lohja o FIN 10-11 N4
Lohjanan o RI 54-55 F6
Loimaa o FIN 10-11 M4
Loir ~ F 16-17 E2
Loire ~ F 16-17 D3
Loja o E 22-23 D5
Loja o EC 112-113 D2
Lokan tekojärvi o FIN 8-9 O3
Lokichar o EAK 82-83 F5
Lokitaung o EAK 82-83 F5
Loknja ☆ RUS 30-31 D3
Lokoja o WAN 80-81 F4
Lokossa ☆ DY 80-81 E4
Lokot o RUS 30-31 F5
Lokot o RUS 32-33 D1
Loks Land ~ CDN 96-97 S5
Lol ~ SUD 82-83 D4
Lolland ~ DK 12-13 D4
Lom o BG 26-27 F4
Lom ~ CAM 80-81 G4
Lom ☆ N 10-11 E4
Lomami o CGO 82-83 C5
Loma Mountains ▲ WAL 80-81 B4
Lombardia ◻ I 24-25 B2
Lomblen (Kawela), Pulau ~ RI 56-57 D6
Lombok ~ RI 54-55 F7
Lombok, Selat ≈ RI 54-55 F7
Lomé ★• RT 80-81 E4
Lomela o CGO 86-87 D2
Lomela ~ CGO 86-87 D2
Lomitas, Las o RA 116-117 E2
Lomonosov Ridge ≃118 A
Łomża ☆ PL 20-21 G2
Lonāvale o• IND 52-53 B3
Loncoche o RCH 116-117 C5
London o• CDN 98-99 H6
Londonderry, Cape ▲ AUS 62-63 D2
Londonderry = Derry ☆• GB 14-15 C4

Londonderry, Isla ~ RCH 116-117 C8
Londres ★ ••• GB 14-15 F6
Londrina o BR 114-115 D6
Longa o ANG 86-87 C4
Longa, proliv ≈ RUS 40-41 P0
Longa-Mavinga, Coutada Pública do
   ⊥ ANG 86-87 C5
Long Bay ≈ USA 102-103 H4
Long Beach o USA 100-101 C4
Longford = An Longfort ☆ IRL 14-15 C5
Longiram o RI 54-55 F6
Long Island ~ CDN 98-99 J4
Long Island ~ PNG 68-69 C2
Long Island ~ USA 102-103 J2
Long Island Sound ≈ USA 102-103 J2
Longkou o CN 46-47 F3
Long Range Mountains ▲ CDN
   98-99 N4
Longreach o AUS 62-63 G4
Longs Peak ▲ USA 100-101 E2
Longview o USA (TX) 102-103 E4
Longview o USA (WA) 100-101 B1
Long Xuyên ☆ VN 54-55 D3
Longyan o CN 46-47 E5
Lons-le-Saunier o F 16-17 G3
Lookout, Cape ▲ USA 102-103 H4
Lopatina, gora ▲ RUS 40-41 H4
Lopatino o RUS 30-31 L5
Lopatino o RUS 32-33 J1
Lopatka, mys ▲ RUS 40-41 L4
Lopez o RP 56-57 D3
Lopez, Cap ▲ G 80-81 F6
Lop Nur o CN 44-45 F3
Lopori ~ CGO 82-83 C5
Lopphavet ≈8-9 L1
Loralai o PK 50-51 H2
Lorca o E 22-23 F5
Lord Howe, Chaîne de ≃68-69 E6
Lord Howe, Seuil de ≃64-65 G2
Lord Howe Rise ≃64-65 G2
Lord Howe Seamounts ≃68-69 E6
Lord Mayor Bay ≈ CDN 96-97 M4
Lorena o BR 114-115 E6
Lorengau o PNG 68-69 C1
Lorentz ~ RI 56-57 G7
Loreto o RI 114-115 E3
Loreto o CO 110-111 C5
Loreto o I 24-25 D3
Loreto o• MEX 100-101 D5
Lorian Swamp o EAK 82-83 F5
Lorica o CO 110-111 B3
Lorient o F 16-17 C3
Lorino o RUS 40-41 R1
Lormes o F 16-17 F3
Lorn, Firth of ≈14-15 D3
Lörrach o D 18-19 C5
Lorraine ◻ F 16-17 G2
Lorsch o ••• D 18-19 D4
Los o S 10-11 H4
Losai National Reserve ⊥ EAK 82-83 F5
Los Angeles o• USA 100-101 C4
Losap Atoll ~ FSM 66-67 C4
Los Frentones o RA 116-117 E3
Lošinj ~ HR 26-27 B3
Los Mochis o MEX 100-101 E5
Lospatos o TL 56-57 E7
Los Roques, Islas ~ YV 110-111 D2
Lossiemouth o GB 14-15 E3
Los Vilos o RCH 116-117 C4
Lot ~ F 16-17 E4
Lota o RCH 116-117 C5
Lotta ~ RUS 8-9 P2
Louangphrabang o •• LAO 54-55 C2
Loubomo o RCB 86-87 B2
Loudéac o F 16-17 C2
Loudi o CN 46-47 D5
Loudun o F 16-17 E3
Louga ☆ SN 80-81 A2
Lougansk ☆ UA 32-33 F3
Lougheed Island ~ CDN 96-97 J2
Loughrea = Baile Locha Riach o IRL
   14-15 B5

Louisiade, Archipel de la ~ PNG
   68-69 D3
Louisiade Rise ≃68-69 E3
Louisiana ◻ USA 102-103 E4
Louis Trichardt o ZA 86-87 E6
Louisville o USA 102-103 F3
Louis-XIV, Pointe ▲ CDN 98-99 J4
Loulé o P 22-23 B5
Loup River ~ USA 102-103 D2
Lourdes o• F 16-17 D5
Louth o AUS 64-65 D3
Louth o GB 14-15 F5
Loutrã o GR 28-29 E4
Louvain = Leuven o •• B 18-19 B3
Louviers o F 16-17 E2
Louxor o •• ET 78-79 G3
Lövånger o• S 8-9 L4
Loveč o BG 26-27 G4
Lóvere o I 24-25 C2
Loviisa = Lovisa o FIN 10-11 O4
Lovisa o FIN 10-11 O4
Low, Cape ▲ CDN 96-97 N5
Lowa ~ CGO 86-87 E2
Lowell o USA 102-103 J2
Lower Guinea ⊥86-87 B5
Lower Hutt o NZ 64-65 J5
Lower Lough Erne o GB 14-15 C4
Lower Pensinsula ⌣ USA 102-103 F2
Lower Red Lake o USA 102-103 D1
Lower Valley of the Awash ••• ETH
   82-83 G3
Lower Zambezi National Park ⊥ Z
   86-87 E5
Lowestoft o GB 14-15 G5
Łowicz o• PL 20-21 E2
Loxton o ZA 86-87 D8
Loyauté, Îles ~ F 68-69 G5
Loyoro o EAU 82-83 E5
Lozère, Mont ▲ F 16-17 F4
Loznica o SRB 26-27 D3
Lozova o UA 32-33 E3
Luacano o ANG 86-87 D4
Luachimo o ANG 86-87 D3
Luali o CGO 86-87 B3
Luama ~ CGO 86-87 E2
Lu'an o CN 46-47 E4
Luanco o Lluanco o E 22-23 D2
Luanda ★• ANG 86-87 B3
Luando, Reserva Natural Integral do
   ⊥ ANG 86-87 C4
Luanginga, Rio ~ Z 86-87 D4
Luangue, Rio ~ ANG 86-87 C3
Luangwa ~ Z 86-87 F4
Luan He ~ CN 46-47 E2
Luanping o CN 46-47 E2
Luanshya o Z 86-87 E4
Luarca o E 22-23 C2
Lubahanbajo o RI 54-55 F7
Lubań o PL 20-21 C3
Lubana ezeri o LV 12-13 M3
Lubango ☆ ANG 86-87 B4
Lubao o CGO 86-87 D2
Lubartów o PL 20-21 G3
Lubbock o USA 100-101 F4
Lübeck o ••• D 18-19 E2
Lubefu o CGO 86-87 D2
Lubefu ~ CGO 86-87 D2
Lubero o CGO 86-87 E2
Lubilanji ~ CGO 86-87 D3
Lubin o• PL 20-21 D3
Lublin ☆ PL 20-21 G3
Lubliniec o PL 20-21 D3
Lubny o UA 32-33 D3
Lubudi o CGO 86-87 D3
Lubuklinggau o RI 54-55 C6
Lubumbashi ☆• CGO 86-87 E4
Lubungu o Z 86-87 E4
Lubutu o CGO 86-87 E2
Lucapa o ANG 86-87 D3
Lucas do Rio Verde o BR 114-115 C4
Lucca o I 24-25 C3
Lucena o• E 22-23 D5

Lucena ☆ RP 56-57 D3
Lučenec o SK 20-21 E4
Lucera o I 24-25 E4
Lucerne ☆ •• CH 18-19 D5
Lucerne ☆ • CH 18-19 D5
Lucira o ANG 86-87 B4
Luc'k o UA 20-21 H3
Luck = Luc'k o UA 20-21 H3
Luckau o• D 18-19 F3
Lucknow ☆ •• IND 52-53 D1
Luçon o F 16-17 D3
Luçon ☆ RP 56-57 D2
Luçon, Détroit de ≈56-57 C1
Lucusse o ANG 86-87 D4
Luda o CN 46-47 F3
Ludas o RO 26-27 G2
Lüderitz ☆ • NAM 86-87 C7
Lüderitzbaai ≈ NAM 86-87 C7
Ludhiana o IND 44-45 C5
Ludogorie ⊥ BG 26-27 H4
Luduş o RO 26-27 G2
Ludwigsburg o• D 18-19 D4
Ludwigshafen am Rhein o D 18-19 D4
Ludwigslust o• D 18-19 E2
Ludwigsort o RUS 12-13 J4
Ludza ☆ •• LV 12-13 M3
Luebo o CGO 86-87 D3
Luena ☆ ANG 86-87 C4
Luena ~ Z 86-87 D4
Luengué, Coutada Pública do ⊥ ANG
   86-87 C5
Luepa o YV 110-111 E3
Lufeng o CN 46-47 E6
Lufkin o USA 102-103 E4
Luga ☆ RUS 30-31 C2
Luga ~ RUS 30-31 C2
Lugano o• CH 18-19 D5
Lugansk = Luhans'k ☆ UA 32-33 F3
Luganville o• VU 68-69 G4
Lugenda, Rio ~ MOC 84-85 D3
Lugo o •• E 22-23 C2
Lugo o I 24-25 C2
Lugoj o RO 26-27 E3
Lugosch o RO 26-27 E3
Luhans'ke, Stanyčno- o UA 32-33 F3
Luhovicy ☆ RUS 30-31 H4
Luiana ~ ANG 86-87 D5
Luiana, Coutada Pública do ⊥ ANG
   86-87 D5
Luik = Liège ☆ • B 18-19 B3
Luilaka ~ CGO 86-87 D2
Luimneach = Limerick o IRL 14-15 B5
Luishia o CGO 86-87 E4
Luis Moya o MEX 100-101 F6
Luiza o CGO 86-87 D3
Luján o RA 116-117 F4
Lukenie ~ CGO 86-87 C2
Lukojanov o RUS 30-31 L4
Lukolela o CGO 86-87 C2
Lukovit o BG 26-27 G4
Lukovnikovo o RUS 30-31 F3
Łuków o• PL 20-21 G3
Lukuga ~ CGO 86-87 E3
Lukusuzi National Park ⊥ Z 86-87 F4
Luleå o S 8-9 M4
Luleälven ~ S 8-9 L3
Lüleburgaz ☆ TR 28-29 F2
Lulonga ~ CGO 82-83 B5
Lulua ~ CGO 86-87 D3
Lumajang o RI 54-55 E7
Lumbala o ANG 86-87 D4
Lumbala N'guimbo o ANG 86-87 D4
Lumeje o ANG 86-87 D4
Lumi o PNG 68-69 B1
Lunca o RO 26-27 G4
Lund o•• S 12-13 E4
Lundazi o Z 86-87 F4
Lunebourg o •• D 18-19 E2
Lunebourg, Landes de ⊥ D 18-19 D2
Lunéville o • F 16-17 H2
Lunga ~ Z 86-87 E4
Lunga Lunga o EAK 82-83 F6

Lungué-Bungo, Rio ~ ANG 86-87 C4
Lunin o BY 20-21 J2
Luninec o BY 20-21 J2
Luohe o CN 46-47 D4
Luoyang o• GB 14-15 C4
Lurgan o• GB 14-15 C4
Lúrio, Rio ~ MOC 84-85 D3
Lusaka ★ • Z 86-87 E5
Lusambo o CGO 86-87 D2
Lushnjë ☆ • AL 28-29 B2
Lüt, Dašt-e ⊥ IR 48-49 J4
Lutherstadt Wittenberg o• D 18-19 F3
Luton o GB 14-15 F6
Lüttich = Liège ☆ • B 18-19 B3
Lutuhyne o UA 32-33 F3
Luuq o SO 82-83 G5
Luvua ~ CGO 86-87 E3
Luwingu o Z 86-87 E4
Luwuk o RI 56-57 D5
Luxembourg ■ L 18-19 B4
Luxembourg ★ •• L 18-19 C4
Luz o BR 114-115 E5
Luz, Costa de la ✓ E 22-23 C5
Luzhou o CN 46-47 C5
Luziania o BR 114-115 E5
Lužica o RUS 30-31 C2
Luzilândia o BR 114-115 F2
Lužnice ~ CZ 20-21 H4
Luzon Strait ≈56-57 C1
Luzy o F 16-17 F3
L'viv ★ •• UA 20-21 H4
Lvov ☆ • UA 20-21 H4
L'vov = L'viv ★ •• UA 20-21 H4
Lycksele o S 8-9 K4
Lydenburg o ZA 86-87 F7
Lyme Bay ≈14-15 E6
Lynchburg o USA 102-103 H3
Lyness o GB 14-15 E2
Lyngdal o N 10-11 E5
Lyngen ≈•8-9 L2
Lyngseidet o N 8-9 L2
Lyon ☆ •• F 16-17 G4
Lypci o UA 32-33 E2
Lyra Reef ~ PNG 68-69 D1
Lysaja, gora ▲ RUS 38-39 O4
Lysekil ☆ S 12-13 D2
Lyskovo o RUS 30-31 L4
Lysyčans'k o UA 32-33 F3
Lysye Gory o RUS 32-33 J2

M

Ma'ān ☆ JOR 48-49 E4
Maaninkavaara o FIN 8-9 P3
Maanselkä ⊥ FIN 8-9 P3
Maardu o EST 12-13 L2
Maarianhamina = Mariehamn ☆ AX
   10-11 K4
Ma'arrat an-Nū'mān o• SYR 48-49 E3
Maas ~ NL 18-19 C3
Maasin ★ RP 56-57 D3
Maastricht ☆ •• NL 18-19 B3
M.A.B., Réserve ⊥ CGO 86-87 D4
Mabaruma o GUY 110-111 F3
Mabote o MOC 86-87 F6
Mabuasehube Game Reserve ⊥ RB
   86-87 D4
Mabuki o EAT 84-85 C1
Macaé o BR 114-115 F6
MacAlpine Lake o CDN 96-97 K4
Macao ~ CN 46-47 D6
Macapá ☆ BR 110-111 G4
Macará o EC 112-113 D2
Macarena, Parque Nacional la ⊥ CO
   110-111 C4
Macas o EC 112-113 D2
Macassar, Détroit de ≈ RI 54-55 F6
Macaú o BR 114-115 G3

Macauley Island ~ NZ 64-65 L3
Macclesfield Bank ≈54-55 E2
MacDonald, Lake o AUS 62-63 D4
Macdonnell, Monts ▲ • AUS 62-63 E4
Macdonnell Ranges ▲ • AUS 62-63 E4
Macedo de Cavaleiros o P 22-23 C3
Macédoine ⊥ GR 28-29 C2
Macédoine ■ MK 26-27 E5
Maceió ☆ BR 114-115 G3
Macenta o RG 80-81 C4
Macerata ☆ I 24-25 D3
Macgillycuddy's Reeks ▲ IRL 14-15 B6
Machacalis o BR 114-115 F5
Machachi o EC 112-113 D2
Machado ou Ji-Paraná, Rio ~ BR
   114-115 B4
Machaila o MOC 86-87 F6
Machakos o EAK 82-83 F6
Machala ☆ EC 112-113 D2
Machecoul o F 16-17 D3
Macheng o CN 46-47 E4
Mācherla o IND 52-53 C3
Machilípatnam o IND 52-53 D3
Machu Picchu ••• PE 112-113 E4
Măcin o RO 26-27 J3
Mackay o AUS 62-63 H4
MacKay Lake o CDN 94-95 J3
Mackenzie o GUY 110-111 F3
Mackenzie, Monts ▲ CDN 94-95 E2
Mackenzie Bay ≈ CDN 94-95 D2
Mackenzie Delta ⊥ • CDN 94-95 E2
Mackenzie Highway II CDN 94-95 H4
Mackenzie King Island ~ CDN 96-97 H2
Mackenzie River ~ CDN 94-95 E2
Maclean Strait ≈ CDN 96-97 J2
Maclear o ZA 86-87 E8
MacLeod, Lake o AUS 62-63 A4
Macocha ▲ CZ 20-21 D4
Macomér o I 24-25 B4
Macomia o MOC 84-85 E3
Macon o USA 102-103 G4
Mâcon ☆ • F 16-17 G3
Macondo o ANG 86-87 D4
Macquarie Harbour ≈ AUS 64-65 D5
Macroom = Maigh Chromtha o IRL
   14-15 B6
Macumba River ~ AUS 62-63 F5
Macusani o PE 112-113 E4
Madagascar ■ RM 84-85 E5
Madagascar o RM 84-85 E5
Madagascar, Bassin de ≈84-85 G6
Madagascar, Dorsale de ≈74-75 N10
Madagascar Basin ≈84-85 G6
Madagascar Ridge ≈74-75 N10
Madagasikara ~ RM 84-85 E5
Mada'in Salih ••• KSA 50-51 B3
Madang ☆ • PNG 68-69 C1
Madang ☆ • PNG 68-69 C2
Madaoua o RN 80-81 F3
Madara o••• BG 26-27 H4
Maddalena, Ísola ~ I 24-25 B4
Maddalena, la o I 24-25 B4
Madeira, Arquipélago da ~ P 76-77 D3
Madeira, Rio ~ BR 114-115 B3
Madeira Rise ≈76-77 D3
Madeleine, Îles de la ~ CDN 98-99 M5
Madère ~ P 76-77 D3
Madère, Seuil de ≈76-77 D3
Madhya Pradesh □ IND 52-53 C2
Madikeri o IND 52-53 C4
Madimba o CGO 86-87 C2
Madison ☆ • USA 102-103 F2
Madiun o RI 54-55 E7
Madley, Mount ▲ AUS 62-63 C4
Mado Gashi o EAK 82-83 F5
Madona o LV 12-13 M3
Madra Dağı ▲ TR 28-29 F3
Madraka, Ra's ▲ OM 50-51 F5
Madras = Chennai ~ IND 52-53 D4
Madre, Laguna ✓ USA 102-103 D5
Madre de Chiapas, Sierra ▲ MEX
   104-105 C4

Madre de Dios, Isla ~ RCH 116-117 B8
Madre de Dios, Río ~ BOL 112-113 F4
Madre del Sur, Sierra ▲ MEX
   100-101 F7
Madre Occidental, Sierra ▲ MEX
   100-101 E5
Madre Oriental, Sierra ▲ MEX
   100-101 F5
Madrid ★ •• E 22-23 E3
Madrid, Comunidad de □ E 22-23 E3
Madridejos o E 22-23 E4
Madrona, Sierra ▲ E 22-23 D4
Madura, Pulau ~ RI 54-55 E7
Madura, Selat ≈ RI 54-55 E7
Madurai o•• IND 52-53 C5
Madurãntakam o IND 52-53 C4
Madžarovo o BG 26-27 G5
Maebashi ☆ J 46-47 J3
Mae Hong Son o T 54-55 B2
Mae Sariang o T 54-55 B2
Maevo o RUS 30-31 C3
Maewo = Aurora, Île ~ VU 68-69 G4
Maewo = Île Aurora ~ VU 68-69 G4
Mafara, Talata o WAN 80-81 F3
Mafia Channel ≈ EAT 84-85 D2
Mafia Island ~ EAT 84-85 D2
Mafra o BR 116-117 H3
Mafraq ☆ YAR 50-51 C6
Magadan ☆ • RUS 40-41 K3
Magadanskij Kava-Čelomdžinskoe
   lesničestvo, zapovednik ⊥ RUS
   40-41 J2
Magadanskij Ol'skoe lesničestvo,
   zapovednik ⊥ RUS 40-41 K3
Magadi o EAK 82-83 F6
Magangue o CO 110-111 C3
Magaria o RN 80-81 F3
Magburaka o WAL 80-81 B4
Magdalena o BOL 112-113 G4
Magdalena, Isla ~ MEX 100-101 D6
Magdalena, Isla ~ RCH 116-117 C6
Magdalena, Río ~ CO 110-111 C3
Magdalena, Río ~ MEX 100-101 D4
Magdebourg ☆ • D 18-19 E2
Magellan, Détroit de ≈ RCH 116-117 C8
Magerøya ~ N 8-9 N1
Maggiore, Lago ✓ I 24-25 B2
Magistral'nyj o RUS 38-39 R4
Máglie o I 24-25 G4
Mağma'a, al- o KSA 50-51 D3
Magnetity o RUS 8-9 R2
Magnitogorsk o RUS 42-43 G1
Màgoe o MOC 86-87 F5
Maguari, Cabo ▲ BR 114-115 E2
Magude o MOC 86-87 F7
Mahābād o• IR 48-49 G3
Mahād o IND 52-53 B4
Mahaicony o GUY 110-111 F3
Mahajanga ☆ RM 84-85 F4
Mahakam ~ RI 54-55 F5
Mahākālī, al- ~ KSA 50-51 E4
Mahalapye o RB 86-87 E6
Mahānadi ~ IND 52-53 D2
Mahanoro o RM 84-85 F4
Maharashtra □ IND 52-53 B3
Mahavelona o RM 84-85 F4
Mahdia o GUY 110-111 F3
Mahe o• IND 52-53 C4
Mahenge o EAT 84-85 D2
Mahesãna o IND 52-53 B2
Mahilëv o• BY 20-21 L2
Mahora o E 22-23 F4
Mahra, al- ⊥ YAR 50-51 E5
Mahuva o IND 52-53 B2
Maiama o PNG 68-69 C2
Maiana Atoll ~ KIR 66-67 G5
Maiao, Île ~ F 70-71 G4
Maicuru, Rio ~ BR 114-115 D2
Maidstone o GB 14-15 G6
Maiduguri o WAN 80-81 J3
Maiella, la ▲ I 24-25 E3

Maigh Chromtha = Macroom o IRL
   14-15 B6
Maigh Nuad = Maynooth o IRL 14-15 C5
Maiko ~ CGO 86-87 E2
Maiko, Parc National de la ⊥ CGO
   86-87 E2
Maimana ☆ • AFG 42-43 H4
Main ~ D 18-19 E3
Mainau ~•• D 18-19 D5
Maí-Ndombe, Lac o CGO 86-87 C2
Main-Donau-Kanal < D 18-19 E4
Maine o USA 102-103 K1
Maine, Gulf of ≈ USA 102-103 K2
Mainistir Fhear Maí = Fermoy o IRL
   14-15 B5
Mainistir na Búille = Boyle o IRL
   14-15 B5
Mainistir na Féile = Abbeyfeale o IRL
   14-15 B5
Mainland ~ GB 14-15 E2
Maintirano o RM 84-85 E4
Maio, Ilha de ~ CV 76-77 C6
Maipu o RA 116-117 D4
Maiquetía o YV 110-111 D2
Maišiagala o LT 12-13 L4
Maitland o AUS 64-65 E3
Maja ~ RUS 40-41 F2
Majdanpek o SRB 26-27 E3
Majene o RI 56-57 C6
Majkapčigaj o KZ 42-43 N2
Majkop ★ RUS 42-43 D3
Majmeča ~ RUS 38-39 Q1
Majn ~ RUS 40-41 O2
Majorque ~ E 22-23 H4
Majseevščyna o BY 20-21 K1
Majseevščyna o BY 30-31 C4
Majuro Atoll ~ MH 66-67 G4
Makale o RI 56-57 C6
Makambako o EAT 84-85 C2
Makar'ev o RUS 30-31 K3
Makarska o HR 26-27 C4
Makasar, Selat ≈ RI 54-55 F6
Makat ~ KZ 42-43 F2
Makatea, Île ~ F 70-71 H4
Makeevka = Makijivka o UA 32-33 F3
Makemo Atoll ~ F 70-71 J4
Makeni ~ WAL 80-81 B4
Makgadikgadi Pans Game Park ⊥ RB
   86-87 D6
Makhatchkala ~ RUS 42-43 E3
Makijivka o UA 32-33 F3
Makī National Park ⊥ ETH 82-83 F4
Makin Island ~ KIR 66-67 G5
Makka ~ KSA 50-51 B4
Makkovik o CDN 98-99 N3
Makó o H 26-27 E2
Makokou ~ G 80-81 G5
Makongolosi o EAT 84-85 C2
Makoua o RCB 80-81 H5
Makran Central, Chaîne du ▲ PK
   50-51 G3
Makran Coast Range ▲ PK 50-51 G3
Maksatiha ☆ RUS 30-31 F3
Makurdi o WAN 80-81 F4
Makuti o ZW 86-87 E5
Makuyuni o EAT 84-85 D1
Mala = Mallow o IRL 14-15 B5
Mala, Punta ▲ PA 104-105 E6
Malabar, Côte de ✓ IND 52-53 B4
Malabo ★ GQ 80-81 F5
Malacca ☆ • MAL 54-55 C5
Malacca, Détroit de ≈54-55 B5
Malacky o SK 20-21 D4
Maladzečna o BY 20-21 J1
Málaga o• E 22-23 D5
Malagarasi ~ EAT 84-85 C1
Malaimbandy o RM 84-85 F5
Malaise, Péninsule ✓ MAL 54-55 C5
Malaisie ■ MAL 54-55 C5
Malaita ~ SOL 68-69 F2
Malaja Bykovka o RUS 32-33 K2
Malaja Višera ★ RUS 30-31 E2

Malakāl ✩ SUD 82-83 E 4
Malakheti o NEP 52-53 D 1
Malakula ▫ VU 68-69 G 4
Malakula = Île Mallicolo ⌒ VU 68-69 G 4
Malakula = Mallicolo, Île ⌒ VU 68-69 G 4
Malang o• RI 54-55 E 7
Malanje ✩ ANG 86-87 C 3
Mälaren o S 12-13 G 2
Malargüe o RA 116-117 D 5
Malaspina Glacier ⊂ USA 92-93 O 4
Malatya ✩ TR 48-49 E 3
Malaut o IND 44-45 B 5
Malawi ▪ MW 84-85 C 3
Malawi, Lac o MW 84-85 C 3
Malawi National Park, Lake ⊥ ••• MW 84-85 C 3
Malãyer o• IR 48-49 G 4
Malaysia, Semenanjung ⌣ MAL 54-55 C 5
Malbork o•• PL 20-21 E 1
Malden Island ⌒ KIR 70-71 G 1
Maldive Islands ⌒ MV 36-37 L 9
Maldives ▪ MV 52-53 B 6
Maldives, Îles ⌒ MV 36-37 L 9
Maldonado o ROU 116-117 G 4
Male ★ MV 52-53 B 6
Mãlegaon o IND 52-53 B 2
Malema o MOC 84-85 D 3
Male polissja ⊥ UA 20-21 G 3
Malfa o I 24-25 E 5
Malgrat de Mar o E 22-23 H 3
Malha o SUD 78-79 F 5
Mali ▪ RMM 80-81 C 3
Màlilla o S 12-13 F 3
Mali Lošinj o HR 26-27 B 3
Malindi o•• EAK 82-83 G 6
Malines = Mechelen o• B 18-19 B 3
Malin Head ▲ IRL 14-15 C 4
Maliq o•• AL 28-29 C 2
Mali Rajinac ▲ HR 26-27 B 3
Malkara ✩ TR 28-29 F 2
Malko Tãrnovo o BG 26-27 H 5
Mallacoota Inlet • AUS 64-65 D 4
Mallaig o GB 14-15 D 5
Mallawĩ o ET 78-79 G 3
Mallicolo, Île = Malakula ⌒ VU 68-69 G 4
Mallow = Mala o IRL 14-15 B 5
Malm o N 8-9 F 4
Malmberget o•• S 8-9 L 3
Malmédy o B 18-19 C 3
Malmesbury o ZA 86-87 C 8
Malmö o• S 12-13 E 4
Maloelap Atoll ⌒ MH 66-67 G 4
Malouines, Îles ⌒ GB 116-117 E 8
Måløy ✩ N 10-11 C 4
Malpelo, Isla de ⌒ CO 110-111 A 4
Malpica o E 22-23 B 2
Malpica de Bergantiños = Malpica o E 22-23 B 2
Mãlpura o IND 52-53 C 1
Malta o LV 12-13 M 3
Maltahöhe ⌒ NAM 86-87 C 6
Malte ▪ M 24-25 E 7
Malton o GB 14-15 F 4
Maluku, Kepulauan ⌒ RI 56-57 E 5
Maluku, Laut ⌒ RI 56-57 D 5
Malunda o RI 56-57 C 6
Malung o S 10-11 G 4
Malũt o SUD 82-83 E 3
Mãlvan o IND 52-53 B 3
Malvinas, Islas = Falkland Islands ⌒ GB 116-117 E 8
Malyj Ljahovskij, ostrov ⌒ RUS 38-39 X 1
Malyj Uzen' ⌒ RUS 32-33 K 2
Malyj Uzen' ⌒ RUS 32-33 K 2
Malyn o UA 20-21 K 3
Mama o RUS 38-39 S 4
Mamasa o RI 56-57 C 6
Mambasa o CGO 82-83 D 5
Mamberamo ⌒ RI 56-57 G 6
Mamfé o CAM 80-81 F 4
Mãmĩ, Ra's ▲ YAR 50-51 E 6

Mamiá, Lago o BR 114-115 B 2
Mamljutka o KZ 42-43 J 1
Mamoadate, Áreas Indígenas ⋏ BR 112-113 E 4
Mamonovo ⌒ RUS 12-13 H 4
Mamonovo ⌒ RUS 20-21 E 1
Mamoré, Río ⌒ BOL 112-113 F 4
Mamou o RG 80-81 B 3
Mamry, Jezioro o PL 20-21 F 1
Mamuju o RI 56-57 C 6
Mamuno o RB 86-87 D 6
Mamure Kalesi • TR 48-49 D 3
Man ✩•• CI 80-81 C 4
Man, Île de ▫ GBM 14-15 D 4
Manacapurú o BR 114-115 B 2
Manacor o E 22-23 H 4
Manado ✩ RI 56-57 D 5
Managua ★ NIC 104-105 D 5
Managua, Lago de o NIC 104-105 D 5
Manãha o• YAR 50-51 C 5
Manakara o RM 84-85 F 5
Manali o• IND 44-45 C 5
Mananara Avaratra o RM 84-85 F 4
Mananjary o RM 84-85 F 5
Manantali, Lac de < RMM 80-81 B 3
Manantenina o RM 84-85 F 5
Manantiales o RCH 116-117 D 8
Mana Pools National Park ⊥ ••• ZW 86-87 E 4
Manapouri, Lake o NZ 64-65 H 6
Manas He ⌒ CN 44-45 E 2
Mãnãstire Horezu ••• RO 26-27 F 3
Manastir Morača • MNE 26-27 D 4
Manastir Ostrog • MNE 26-27 D 4
Manaus o BR 114-115 B 2
Manavgat ✩ TR 28-29 H 4
Mancha, La ⊥ E 22-23 E 4
Manche ≈14-15 D 7
Manche = English Channel ≈14-15 E 6
Manchester o• GB 14-15 E 5
Manciano o I 24-25 C 3
Máncora o PE 112-113 C 2
Manda, Parc National de ⊥ TCH 80-81 H 4
Mandabe o RM 84-85 E 5
Mandal ✩ N 10-11 D 5
Mandala, Puncak ▲ RI 56-57 H 6
Mandalay ✩• MYA 52-53 G 2
Mandalgovʼ ✩ MGL 44-45 J 2
Mandalselva ⌒ N 10-11 D 5
Mandara Mountains ▲ WAN 80-81 G 3
Mándas o I 24-25 B 5
Mandasor o IND 52-53 C 2
Mandchourie ⊥ CN 46-47 G 2
Mandera o EAK 82-83 G 5
Mandi o• IND 44-45 C 5
Mandimba o MOC 84-85 D 3
Mandla o IND 52-53 D 2
Mandritsara o RM 84-85 F 4
Mandurah o• AUS 62-63 B 6
Mandúria o I 24-25 F 4
Manevyči o UA 20-21 H 3
Manfredónia o I 24-25 E 4
Manfredónia, Golfo di ≈24-25 F 4
Manga o BR 114-115 F 4
Manga ⊥ RN 80-81 G 3
Mangabeiras, Chapada das ▲ BR 114-115 E 3
Manga Grande o ANG 86-87 B 3
Mangaia Island ⌒ CK 70-71 F 5
Mangalia o• RO 26-27 J 4
Mangalmé o TCH 82-83 B 3
Mangalore = Mangaluru o• IND 52-53 B 4
Mangaluru = Mangalore o• IND 52-53 B 4
Manggar o RI 54-55 D 6
Mangkalihat, Tanjung ▲ RI 54-55 F 5
Manglares, Cabo ▲ CO 110-111 B 4
Mangoky ⌒ RM 84-85 E 5
Mangole, Pulau ⌒ RI 56-57 E 6
Mangueira, Lagoa o BR 116-117 G 4
Mangui o CN 40-41 D 4
Manhuaçu o BR 114-115 F 6

Mania ⌒ RM 84-85 F 5
Manicoré o BR 114-115 B 3
Manicouagan o CDN 98-99 L 4
Manicouagan, Réservoir ⊥ •• CDN 98-99 L 4
Manicouagan, Rivière ⌒ CDN 98-99 L 5
Manihiki, Plateau de ≈70-71 E 3
Manihiki Atoll ⌒ CK 70-71 F 3
Manihiki Plateau ≈70-71 E 3
Manille ✩•• RP 56-57 D 3
Manipur ▫ IND 52-53 F 2
Manisa ✩ • TR 28-29 F 3
Manita pećina •• HR 26-27 B 3
Manitoba ▫ CDN 98-99 D 3
Manitoba, Lake o CDN 98-99 E 4
Manitoulin Island ⌒ CDN 98-99 H 5
Manizales ✩ CO 110-111 B 3
Manjimup o AUS 62-63 B 6
Mankanza o CGO 82-83 B 5
Mankato o USA 102-103 E 2
Mankono ✩ CI 80-81 C 4
Maņķyšlaķ ⌒ KZ 42-43 F 3
Maņķyšlaķ üstirti ▲ KZ 42-43 F 3
Maņķystau ▲ KZ 42-43 F 3
Maņķystau üstirti ▲ KZ 42-43 F 3
Manna o RI 54-55 C 6
Mannar, Golfe de ≈52-53 C 5
Mannheim o• D 18-19 D 4
Manokwari o RI 56-57 F 6
Manombo Atsimo o RM 84-85 E 5
Manono o CGO 86-87 E 3
Manosque o F 16-17 G 5
Manresa o E 22-23 G 3
Mansa ✩ Z 86-87 E 4
Mansa Konko ✩• WAG 80-81 A 3
Mansel, Île ⌒ CDN 96-97 O 5
Mansfield o GB 14-15 F 5
Mansilla o E 22-23 E 4
Mansle ✩ F 16-17 E 4
Manta o EC 112-113 C 2
Mantalingajan, Mount ▲ RP 56-57 C 4
Mantena o BR 114-115 F 5
Mantiqueira, Serra da ▲ BR 114-115 E 6
Mantova o• I 24-25 C 2
Mäntsälä o FIN 10-11 N 4
Manturovo o RUS 30-31 L 2
Manú o PE 112-113 E 4
Manú, Parque Nacional ⊥ ••• PE 112-113 E 4
Manuae Atoll ⌒ CK 70-71 F 4
Manuae Atoll ⌒ F 70-71 G 4
Manuʼa Islands ⌒ USA 70-71 J 4
Manuel o MEX 100-101 G 6
Manuelzinho o BR 114-115 D 3
Manuhangi Atoll ⌒ F 70-71 J 4
Manui, Pulau ⌒ RI 56-57 D 5
Manuripi Heath, Reserve Natural ⊥ BOL 112-113 F 4
Manus Island ⌒ PNG 68-69 C 1
Manyas ✩ TR 28-29 F 2
Manyč ⌒ RUS 32-33 H 5
Manyinga o Z 86-87 D 4
Manyoni o EAT 84-85 C 2
Manzanares o• E 22-23 E 4
Manzanillo o C 104-105 F 3
Manzanillo o• MEX 100-101 F 7
Manzhouli o CN 44-45 L 2
Manzini o SD 86-87 F 7
Mao ★ TCH 80-81 H 3
Maó o E 22-23 J 4
Maoke, Pegunungan ▲ RI 56-57 G 6
Maoming o CN 46-47 D 6
Mapane o RI 56-57 D 5
Mapia, Kepulauan ⌒ RI 56-57 F 5
Mapinhane o MOC 86-87 G 6
Mapire o YV 110-111 E 3
Maprik o PNG 68-69 B 1
Mapuera, Rio ⌒ BR 110-111 F 4
Maputo ★ MOC 86-87 F 7
Maputo, Baía do ≈ MOC 86-87 F 7
Maputo, Reserva de Elefantes do ⊥ MOC 86-87 F 7

Maqteïr ⊥ RIM 76-77 E 5
Maqueze o MOC 86-87 F 6
Maquinchao o RA 116-117 D 6
Mar, Serra do ▲ BR 116-117 H 3
Maraã o BR 112-113 F 2
Marabá o BR 114-115 E 3
Maracá, Ilha de ⌒ BR 110-111 G 4
Maracaibo o YV 110-111 C 2
Maracaibo, Lago de ≈ YV 110-111 C 2
Maracaju o BR 114-115 C 6
Maracajú, Serra de ▲ BR 114-115 C 6
Maracay ✩ YV 110-111 D 2
Marãdah o LAR 78-79 D 3
Maradi ✩ RN 80-81 F 3
Marãge o• IR 48-49 G 3
Marajó, Baía de o BR 114-115 E 2
Marajó, Ilha de ⌒ BR 114-115 D 2
Marakei Atoll ⌒ KIR 66-67 G 5
Maralal o EAK 82-83 F 5
Maralinga o AUS 62-63 E 6
Maralinga - Tjarutja Aboriginal Lands ⋏ AUS 62-63 E 5
Maramasike = Small Malaita ⌒ SOL 68-69 F 2
Maramba ✩ Z 86-87 E 5
Maranchón, Puerto de ▲ E 22-23 E 3
Maranhão ▫ BR 114-115 E 3
Marañón, Río ⌣ PE 112-113 E 2
Maraoué, Parc National de la ⊥ CI 80-81 C 4
Mãrãşeşti o RO 26-27 H 3
Marat, Ģabal ▲ YAR 50-51 E 5
Marateca o P 22-23 B 4
Marawĩ = Merowe o SUD 78-79 G 5
Marbella o E 22-23 D 5
Marble Bar o AUS 62-63 B 4
Marblethorpe o GB 14-15 G 5
Marburg (Lahn) o•• D 18-19 D 3
Marcali o H 26-27 C 2
Marche ⊥ F 16-17 E 3
Marche o I 24-25 D 3
Marche-en-Famenne o B 18-19 B 3
Marchena o E 22-23 D 5
Marchena, Isla ⌒ EC 112-113 A 1
Marchinbar Island ⌒ AUS 62-63 F 2
Mar Chiquita, Laguna o RA 116-117 E 4
Marcona o PE 112-113 D 5
Marcus Baker, Mount ▲ USA 92-93 N 3
Mar del Plata o• RA 116-117 F 5
Mar del Plata Canyon ≈116-117 F 5
Mardin ✩ TR 48-49 F 3
Maré ✩ F 68-69 G 5
Mareeba o AUS 62-63 H 3
Maremma ⊥ I 24-25 C 3
Maréna o RMM 80-81 B 3
Marennes o F 16-17 D 4
Marganec = Marhanec' o• UA 32-33 D 4
Margarita, Isla de ⌒ •• YV 110-111 E 2
Margeride, Monts de la ▲ F 16-17 F 4
Marghita o RO 26-27 F 2
Marha ⌒ RUS 38-39 S 2
Marhanec' o UA 32-33 D 4
Maria Atoll ⌒ F 70-71 G 5
Maria Island ⌒ AUS 62-63 F 2
Marialva o•• P 22-23 C 3
Mariana Islands ⌒ USA 66-67 A 3
Mariana Trench ≈66-67 A 3
Marianne, Fosse ≈66-67 A 3
Mariannes, Fosse des ≈66-67 A 3
Mariannes, Îles ⌒ USA 66-67 A 3
Mariannes occidentales, Dorsale des ≈66-67 A 3
Mariannes orientales, Dorsale des ≈66-67 B 3
Mariánské Lázně o CZ 20-21 B 4
Marías, Islas ⌒ MEX 100-101 E 6
Mariazell o A 18-19 G 5
Maʼrib o• YAR 50-51 D 5
Maribo o• DK 12-13 D 4
Maribor o• SLO 26-27 B 2
Marica ⌒ BG 26-27 H 5
Maridi o SUD 82-83 D 5

Marié, Rio ∼ **BR** 112-113 F2
Marie-Galante ⌐ **F** 104-105 J4
Mariehamn ✶ **AX** 10-11 K4
Mariel o **C** 104-105 E3
Marienburg o•• **LV** 12-13 M3
Mariental ⌐ **NAM** 86-87 C6
Mariestad ✶ **S** 12-13 E2
Marignane o **F** 16-17 G5
Mariinsk ✶ **RUS** 38-39 N4
Marijampolė ✶•• **LT** 12-13 K4
Marilia o **BR** 114-115 E6
Marín o **E** 22-23 B2
Marina di Léuca o• **I** 24-25 G5
Mar'ina Horka ✶ **BY** 20-21 K2
Marinduque Island ⌐ **RP** 56-57 D3
Marine National Park ⊥ **ER** 82-83 G2
Marine National Reserve ⊥ **EAK** 82-83 G6
Maringa ∼ **CGO** 82-83 C5
Maringá o **BR** 114-115 D6
Marion, Lake o **USA** 102-103 G4
Marion Reef ⌐ **AUS** 68-69 D4
Marioupol o **UA** 32-33 E4
Maripasoula o **F** 110-111 G4
Mariscal Estigarribia o **PY** 116-117 E2
Marismas, Las ⌐ **E** 22-23 C5
Mariupol = Maryupol' o **UA** 32-33 E4
Mariveles o **RP** 56-57 D3
Märjamaa o•• **EST** 12-13 L2
Marka ✶ **SO** 82-83 G5
Markam o **CN** 44-45 G6
Markivka o **UA** 32-33 F3
Markovac ✶ **SRB** 26-27 E3
Marks o **RUS** 32-33 K2
Marktredwitz o **D** 18-19 F3
Marla o **AUS** 62-63 E5
Marlborough ⌐ **AUS** 62-63 H4
Marlborough o **GB** 14-15 F6
Marmande o **F** 16-17 E4
Marmara, Mer de ≈28-29 F2
Marmara Adasi ⌐ **TR** 28-29 F2
Marmara Ereğlisi ✶ **TR** 28-29 F2
Marmaris o•• **TR** 28-29 G4
Mar Menor ⊂ **E** 22-23 F5
Marmolada ▲ **I** 24-25 C1
Marne ∼ **F** 16-17 G2
Marne-au-Rhin, Canal de la ⊂ **F** 16-17 H2
Maroa o **YV** 110-111 D4
Maroantsetra o **RM** 84-85 F4
Maroc ■ **MA** 76-77 F3
Marokau Atoll ⌐ **F** 70-71 J4
Maroni ∼ **SME** 110-111 G3
Maros ∼ **H** 26-27 E2
Maroua ✶• **CAM** 80-81 G3
Marovoalavo, Lembalemban'i ▲ **RM** 84-85 F4
Marovoay o **RM** 84-85 F4
Marquette o **USA** 102-103 F1
Marra, Ĝabal ▲•• **SUD** 82-83 C3
Marrakech ✶•• **MA** 76-77 F3
Marrākush ✶•• **MA** 76-77 F3
Marree o **AUS** 62-63 F5
Marromeu o **MOC** 84-85 D4
Marromeu, Reserva de ⊥ **MOC** 84-85 D4
Marroquí o de Tarifa, Punta ▲ **E** 22-23 D5
Marrupa o **MOC** 84-85 D3
Marsá al Burayqah o **LAR** 78-79 D2
Marsabit o **EAK** 82-83 F5
Marsabit National Reserve ⊥ **EAK** 82-83 F5
Marsala o **I** 24-25 D6
Marsā I-'Alam o **ET** 78-79 G3
Marsā Matrüh ✶• **ET** 78-79 F2
Marsden o **AUS** 64-65 D3
Marseille ✶• **F** 16-17 G5
Marsfjällen ▲ **S** 8-9 H4
Marshall, Chaîne des ≈66-67 F3
Marshall, Îles ⌐ **MH** 66-67 G4
Marshall Islands ⌐ **MH** 66-67 G4
Marsh Harbour o **BS** 104-105 F2

Marsh Island ⌐ **USA** 102-103 E5
Märsta o **S** 12-13 G2
Martaban, Golfe de ≈ **MYA** 52-53 F4
Martapura o **RI** 54-55 E6
Martha's Vineyard ⌐ **USA** 102-103 J2
Martigny o **CH** 18-19 C5
Martigues o **F** 16-17 G5
Martin o **SK** 20-21 E4
Martin, Lake ⊂ **USA** 102-103 F4
Martinas, Las o **C** 104-105 E3
Martinique ⌐ **F** 104-105 J5
Martinique, Passage de la ≈104-105 J4
Martos o **E** 22-23 E5
Martre, Lac la o **CDN** 94-95 H3
Martti o **FIN** 8-9 P3
Marungu ▲ **CGO** 86-87 E3
Marutea Atoll ⌐ **F** 70-71 J4
Marvão o **P** 22-23 C4
Mary ✶• **TM** 42-43 H4
Mary Anne Passage ≈ **AUS** 62-63 B4
Maryborough o **AUS** 62-63 J5
Maryland ⧠ **USA** 102-103 H3
Mary River ∼ **AUS** 62-63 E2
Masai Mara National Reservat ⊥ **EAK** 82-83 E6
Masaka ✶ **EAU** 82-83 E6
Masalembobesar, Pulau ⌐ **RI** 54-55 E7
Masamba o **RI** 56-57 D5
Masan o **ROK** 46-47 G3
Masasi o **EAT** 84-85 D3
Masbate o **RP** 56-57 D3
Masbate ⌐ **RP** 56-57 D3
Mascarene Plain ≃84-85 G5
Mascate ★•• **OM** 50-51 F4
Máselvfossen ∼•• **N** 8-9 K2
Maseru ✶ **LS** 86-87 E7
Mašğed-e Soleimãn o• **IR** 48-49 G4
Mašhad ✶•• **IR** 48-49 J3
Masi o **N** 8-9 M2
Masi-Manimba o **CGO** 86-87 C2
Masoala, Tanjona ▲ **RM** 84-85 G4
Mason City o **USA** 102-103 E2
Masqat ★•• **OM** 50-51 F4
Massaango o **ANG** 86-87 C3
Massachusetts ⧠ **USA** 102-103 J2
Massafra o• **I** 24-25 F4
Massaguet o **TCH** 80-81 H3
Massakory o **TCH** 80-81 H3
Massa Maríttima o• **I** 24-25 C3
Massanguena o **MOC** 86-87 F6
Massena o **USA** 102-103 J2
Massenya o **TCH** 80-81 H3
Massey Sound ≈ **CDN** 96-97 L2
Massiac o **F** 16-17 F4
Massif Central ▲ **F** 16-17 F4
Massinga o **MOC** 86-87 F6
Massira, Golfe de ≈50-51 F5
Massirah, Île ⌐ **OM** 50-51 F4
Mastic Point o **BS** 104-105 F2
Mastung o **PK** 50-51 H3
Masvingo o **ZW** 86-87 F6
Maswa Game Reservat ⊥ **EAT** 84-85 C1
Matachel, Río ∼ **E** 22-23 C4
Matadi o• **CGO** 86-87 B3
Matagalpa o **NIC** 104-105 D5
Matagami o **CDN** 98-99 J5
Matagorda Bay ≈ **USA** 102-103 D5
Mataive Atoll ⌐ **F** 70-71 H3
Matakil, Chutes de ∼•• **RCA** 82-83 C4
Matala o **ANG** 86-87 C4
Matala o **GR** 28-29 E5
Matamoros o **MEX** 100-101 G5
Ma'tan as Sarah o **LAR** 78-79 E4
Matandu ∼ **EAT** 84-85 D2
Matane o **CDN** 98-99 L5
Matanzas o• **C** 104-105 E3
Matara o **CL** 52-53 F7
Mataram o **RI** 54-55 F7
Mataranka o **AUS** 62-63 E2
Mataró o **E** 22-23 H3
Mata Uta ✶ **F** 70-71 B3
Mategua o **BOL** 112-113 G4

Matehuala o **MEX** 100-101 F6
Matera ✶• **I** 24-25 F4
Mátészalka o **H** 26-27 F2
Mateur o **TN** 76-77 J2
Mathura o•• **IND** 52-53 C1
Mati ✶ **RP** 56-57 E4
Matías Romero o **MEX** 104-105 B4
Matienzo o **ANT** 119 C31
Matiši o **LV** 12-13 L3
Matočkin Šar o **RUS** 38-39 F1
Mato Grosso ⧠ **BR** 114-115 C4
Mato Grosso, Planalto do ⊥ **BR** 114-115 C4
Mato Grosso do Sul ⧠ **BR** 114-115 C5
Matrah o• **OM** 50-51 F4
Matsalu Riiklik Looduskaitseala ⊥ **EST** 12-13 K2
Matsue o **J** 46-47 H3
Matsumoto o **J** 46-47 J3
Matsuyama o **J** 46-47 H4
Matsuzaka o **J** 46-47 J4
Mattagami River ∼ **CDN** 98-99 H4
Matterhorn ▲•• **CH** 18-19 C5
Matthew, Île ⌐ **F** 68-69 H5
Matthews Ridge o **GUY** 110-111 E3
Matthew Town o **BS** 104-105 G3
Matuku ⌐ **FJI** 70-71 A4
Maturín ✶ **YV** 110-111 E3
Matusadona National Park ⊥ **ZW** 86-87 E5
Matveev Kurgan o **RUS** 32-33 F4
Maués o **BR** 114-115 C2
Maués, Rio ∼ **BR** 114-115 C2
Mauke Island ⌐ **CK** 70-71 F5
Maulamyaing o **MYA** 52-53 F4
Maulbronn o•• **D** 18-19 D4
Maun o **RB** 86-87 D5
Maunoir, Lac o **CDN** 94-95 G2
Maupihaa Atoll ⌐ **F** 70-71 G4
Maupiti, Île ⌐ **F** 70-71 G4
Maure, Col de ▲ **F** 16-17 H4
Maurice ■ **MS** 84-85 H5
Maurice, Lake o **AUS** 62-63 E5
Maurice-Ewing, Banc ≃116-117 J8
Maurice Ewing Bank ≃116-117 J8
Mauritanie ■ **RIM** 76-77 E6
Mauterndorf o **A** 18-19 F5
Mavinga o **ANG** 86-87 D5
Mawa o **CGO** 82-83 D5
Mawlaik o **MYA** 52-53 F2
Mawson o **ANT** 119 C7
Maya, Pulau ⌐ **RI** 54-55 D6
Mayaguana Island ⌐ **BS** 104-105 G3
Mayagüez o **USA** 104-105 H4
Mayala o **CGO** 86-87 D2
Mayari o **C** 104-105 F3
Maych'ew o **ETH** 82-83 F3
Maydena o **AUS** 64-65 D5
Maydh ∼ **SO** 82-83 H5
Mayence ✶• **D** 18-19 D4
Mayenne o **F** 16-17 D2
Mayenne ∼ **F** 16-17 D2
Maymyo o **MYA** 52-53 G2
Maynas ∼ **PE** 112-113 D2
Maynooth = Maigh Nuad o **IRL** 14-15 C5
Mayombé ▲ **G** 80-81 G6
Mayran, Desierto de ⊥ **MEX** 100-101 F5
Mayumba o **G** 80-81 G6
Mazabuka o **Z** 86-87 E5
Mazagão o **BR** 114-115 D2
Mazagón o **E** 22-23 C5
Mazamet o **F** 16-17 F5
Mazara del Vallo o **I** 24-25 D6
Mazãr-e Šarif o **AFG** 42-43 J4
Mazarrón o **E** 22-23 F5
Mazatenango ✶ **GCA** 104-105 C5
Mazatlán o• **MEX** 100-101 E6
Mažeikiai ✶• **LT** 12-13 K3
Mazsalaca o•• **LV** 12-13 L3
Mazurskie, Pojezierze ⊥ **PL** 20-21 E2
Mazyr o **BY** 20-21 K2
Mbabane ✶ **SD** 86-87 F7

Mbaïki ✶ **RCA** 82-83 B5
Mbakaou, Lac de ⊂ **CAM** 80-81 G4
Mbala o• **Z** 86-87 F3
Mbalabala o **ZW** 86-87 E6
Mbale ✶• **EAU** 82-83 E5
Mbamba Bay o **EAT** 84-85 C3
Mbandaka ✶• **CGO** 82-83 B5
M'banza Congo ✶ **ANG** 86-87 B3
Mbanza-Ngungu = Thysville o **CGO** 86-87 B3
Mbarara o **EAU** 82-83 E6
Mbari ∼ **RCA** 82-83 C4
Mbé o **RCB** 86-87 B2
Mbeya ✶ **EAT** 84-85 C2
Mbinda o **RCB** 86-87 B2
Mbomou ∼ **RCA** 82-83 D4
Mbout o **RIM** 76-77 E6
Mbrés o• **RCA** 82-83 B4
Mbuji-Mayi ✶ **CGO** 86-87 D3
McAlester o **USA** 102-103 D4
Mc Arthur River ∼ **AUS** 62-63 F3
McCarthy o **USA** 92-93 O3
Mcensk o **RUS** 30-31 G5
McGrath o **USA** 92-93 L3
McKean Island ⌐ **KIR** 70-71 C1
McKinlay o **AUS** 62-63 G4
McKinley, Mount ▲•• **USA** 92-93 M3
McLeod Bay o **CDN** 94-95 J3
M'Clintock Channel ≈ **CDN** 96-97 K3
M'Clure Strait ≈ **CDN** 96-97 F2
McMinnville o **USA** 100-101 B1
McVicar Arm o **CDN** 94-95 G3
Mealhada o **P** 22-23 B3
Meaux o **F** 16-17 F2
Mebo, Gunung ▲ **RI** 56-57 F6
Mebridege, Rio ∼ **ANG** 86-87 B3
Mechelen o• **B** 18-19 B3
Mecheria o **DZ** 76-77 G3
Mecklembourg, Baie du ≈ **D** 18-19 E1
Mecklenburg-Vorpommern ⧠ **D** 18-19 F1
Mecque, La ★•• **KSA** 50-51 B4
Mecula o **MOC** 84-85 D3
Medan o **RI** 54-55 B5
Médéa ✶ **DZ** 76-77 H2
Medellín o **CO** 110-111 B3
Medellin o **RA** 116-117 E3
Medelpad ⊥ **S** 10-11 J3
Medenine o **TN** 76-77 K3
Medford o• **USA** 100-101 B2
Medgidia o **RO** 26-27 J3
Mediaș o **RO** 26-27 G2
Mediasch o• **RO** 26-27 G2
Medicine Hat o **CDN** 94-95 J5
Medina Azahara • **E** 22-23 D5
Medina del Campo o **E** 22-23 D3
Medina de Ríoseco o **E** 22-23 D3
Medina-Sidonia o **E** 22-23 D5
Médine ✶•• **KSA** 50-51 B4
Medininkai o•• **LT** 12-13 L4
Méditerranée, Mer ≈3 J6
Medny, Île ⌐ **RUS** 40-41 N4
Médoc ⊥ **F** 16-17 D4
Medsen o **LV** 12-13 J3
Medvedica ∼ **RUS** 32-33 J2
Medvež'i ostrova ⌐ **RUS** 40-41 M0
Medvežka o **RUS** 40-41 M1
Medyn' o **RUS** 30-31 F4
Medze o **LV** 12-13 J3
Medzilaborce o **SK** 20-21 F4
Meekatharra o **AUS** 62-63 B5
Meerut o **IND** 52-53 C1
Mēga o **ETH** 82-83 F5
Mega o **RI** 56-57 F6
Megalópoli o **GR** 28-29 D4
Megara o **GR** 28-29 D4
Meghālaya ⧠ **IND** 52-53 F1
Mehamn o **N** 8-9 O1
Mehrãn, Rūd-e ∼ **IR** 48-49 H5
Meidãnšahr ✶• **AFG** 50-51 H2
Meihekou o **CN** 46-47 G2
Meiktila o **MYA** 52-53 G2

Meiningen o•- D 18-19 E3
Meißen o••- D 18-19 F3
Meizhou o CN 46-47 E6
Mejillones o RCH 116-117 C2
Mejit Island ⌐ MH 66-67 G3
Mékambo o G 80-81 G5
Mek'elë ✶• ETH 82-83 F3
Meknés ✶•• MA 76-77 F3
Mekong ∿ K 54-55 F3
Mékong, Bouches du ⊥ VN 54-55 D4
Melaka, Selat ≈54-55 B5
Melanesia ⌐68-69 B1
Melanesian Basin ≃66-67 E5
Mélanésie ⌐68-69 B1
Mélanésien, Bassin ≃66-67 E5
Melbourne ✶•- AUS 64-65 C4
Melbourne o USA 102-103 G5
Melchor, Isla ⌐ RCH 116-117 C7
Melchor Múzquiz o MEX 100-101 F5
Meldal ✶ N 10-11 E3
Meleck o RUS 38-39 O4
Melenki o RUS 30-31 J4
Mélèzes, Rivière aux ∿ CDN 98-99 K3
Melfi o• I 24-25 E4
Mélfi o TCH 80-81 H3
Melhus ✶ N 10-11 F3
Melide o E 22-23 B2
Melides o P 22-23 B4
Melilla o• E 22-23 E6
Melipilla o RCH 116-117 C4
Mélito di Porto Salvo o I 24-25 E6
Melitopol' o UA 32-33 D4
Melívia o GR 28-29 D3
Melk o A 20-21 C4
Mellerud ✶ S 12-13 E2
Mellish Reef ⌐ AUS 68-69 E4
Mělník o CZ 20-21 C3
Melo o ROU 116-117 G4
Melrhir, Chott ∿ DZ 76-77 J3
Meltaus o FIN 8-9 N3
Melton o AUS 64-65 C4
Melun ✶ F 16-17 F2
Melville, Cape ▲ AUS 62-63 G2
Melville, Île ⌐ AUS 62-63 E2
Melville, Île ⌐ CDN 96-97 H2
Melville, Presqu'île de ∪ CDN 96-97 O4
Melville Bugt ≈ GRØ 96-97 S2
Melville Hills ▲ CDN 94-95 G2
Melville Lake o CDN 98-99 M4
Memboro o RI 54-55 E7
Memmingen o• D 18-19 D5
Memphis .·. ET 78-79 G3
Memphis o USA 102-103 E3
Mena o UA 32-33 C2
Menabe ⊥ RM 84-85 E5
Ménaka o RMM 80-81 E2
Menarandra ∿ RM 84-85 F5
Menawashei o SUD 82-83 C3
Mendana, Zone de Fractures de
≃108-109 C6
Mendana Fracture Zone ≃108-109 C6
Mendawai ∿ RI 54-55 E6
Mende o• F 16-17 F4
Mendi o ETH 82-83 F4
Mendi ⊥ PNG 68-69 B2
Mendi ✶ PNG 68-69 B4
Mendocino, Cape ▲ USA 100-101 B2
Mendoza □ RA 116-117 D5
Mendoza •• RA 116-117 D4
Menemen ✶ TR 28-29 F3
Menen o B 18-19 A3
Menesjärvi o FIN 8-9 O2
Menga, Puerto de ▲ E 22-23 D3
Mengzi o CN 52-53 H2
Mendí o GR 28-29 D3
Menindee o AUS 64-65 C3
Menkerja o RUS 38-39 U2
Menominee o USA 102-103 F1
Menominee Indian Reservation ⋏ USA
102-103 F1
Menongue ✶ ANG 86-87 C4
Mentawai, Détroit des ≈ RI 54-55 B6

Mentawai, Îles ⌐ RI 54-55 B6
Mentawai, Selat ≈ RI 54-55 B6
Menton o F 16-17 H5
Menzies o AUS 62-63 C5
Menzies, Mount ▲ ANT 119 B7
Meppel o NL 18-19 C2
Meppen o D 18-19 B3
Mequinenza, Embalse de ⊂ E 22-23 G3
Meråker o N 10-11 F3
Meran = Merano o I 24-25 C1
Merano = Meran o I 24-25 C1
Merauke o RI 56-57 H7
Mercantour, Parc National du ⊥• F
16-17 H4
Merced o USA 100-101 B3
Mercedario, Cerro ▲ RA 116-117 C4
Mercedes o RA (CO) 116-117 F3
Mercedes o RA (SLU) 116-117 D4
Merchants Bay ≈ CDN 96-97 S4
Mercy, Cape ▲ CDN 96-97 S5
Mer de Corail, Bassin de la ≃62-63 H2
Mer de Corail, Plateau de la ≃62-63 H3
Meredith, Cape ▲ GB 116-117 E8
Merefa o UA 32-33 E3
Mergui o MYA 52-53 F5
Mergui, Archipel de ⌐ MYA 52-53 F5
Mergui Archipelago = Myeik Kyûnzu
⌐ MYA 52-53 F5
Meriç Nehri ∿ TR 28-29 F2
Mérida o• E 22-23 C4
Mérida ✶•• MEX 104-105 D3
Mérida o• YV 110-111 C3
Mérida, Cordillera de ▲ YV 110-111 C3
Meridian o USA 102-103 F4
Merikarvia o FIN 10-11 L4
Merin, Laguna ⊂ ROU 116-117 G4
Merir ⌐ USA 56-57 F5
Mer Noire ≈26-27 J4
Mer Noire ≈48-49 D2
Meroe .·. SUD 78-79 G5
Merredin o AUS 62-63 B6
Merrick ▲ GB 14-15 D4
Merritt o CDN 94-95 G5
Merseburg o• D 18-19 E3
Mersey ∿ GB 14-15 E5
Mersin = İçel o TR 48-49 D3
Mérsrags o LV 12-13 K3
Merthyr Tydfil o GB 14-15 E6
Mértola o• P 22-23 C5
Meru o EAK 82-83 F5
Meru ▲•• EAT 84-85 D1
Meru National Park ⊥ EAK 82-83 F5
Mëry ✶ BY 12-13 M4
Mëry ✶ BY 20-21 J1
Meryemana .·.•• TR 28-29 F4
Mesa o USA 100-101 D4
Mesagrós o GR 28-29 D4
Mesa Verde National Park ⊥ ••• USA
100-101 E3
Mescalero Apache Indian Reservation
⋏ USA 100-101 E4
Meščërskaja nizmennost' ▲ RUS
30-31 H4
Mésima ∿ I 24-25 F5
Mesopotamia ⊥ IRQ 48-49 F3
Mesopotamia ⊥ RA 116-117 F4
Mésopotamie ⊥ IRQ 48-49 F3
Messalo, Rio ∿ MOC 84-85 D3
Messina o ZA 86-87 F4
Messine o I 24-25 E5
Messine, Détroit de ≈24-25 E5
Messiniakós Kólpos ≈28-29 D4
Meta, Río ∿ CO 110-111 C3
Metaca o MOC 84-85 D3
Meta Incognita Peninsula ∪ CDN
96-97 Q5
Metaliferi, Munţii ▲ RO 26-27 F2
Métallifères, Monts ▲ D 18-19 F3
Metán o RA 116-117 E3
Metangula o MOC 84-85 C3
Metaponto o• I 24-25 F4
Metema o ETH 82-83 F3

Meteóra ••• GR 28-29 C3
Metković o• HR 26-27 C4
Metohija ⊥ SRB 26-27 E4
Metoro o MOC 84-85 D3
Metz ✶•• F 16-17 H2
Meulaboh o RI 54-55 B5
Meuse ∿ B 18-19 B3
Meuse ∿ F 16-17 G2
Meuse, Côtes de ⊥ F 16-17 G2
Mexicains, Hauts Plateau ▲ MEX
100-101 E5
Mexicali ✶ MEX 100-101 C4
Mexico o MEX 100-101 G7
México = Ciudad de México ✶ ••• MEX
100-101 G7
Mexico, Gulf of ≈104-105 C2
Mexique ■ MEX 100-101 E5
Mexique, Fosse du ≃104-105 B4
Mexique, Golfe du ≈104-105 C2
Mezdra o BG 26-27 F2
Meždurečensk o RUS 38-39 N5
Mezen' o RUS 4-5 Q1
Mezen' ∿ RUS 4-5 Q1
Mézenc, Mont ▲• F 16-17 G4
Mezenskaja guba ≈4-5 Q1
Mézier, Charleville ✶ F 16-17 G2
Mezquita Catedral ••• E 22-23 D5
Miahuatlán, Sierra de ▲ MEX
100-101 G7
Miajadas o E 22-23 D4
Miami o USA 102-103 E3
Miami o• USA 102-103 G5
Miami Beach o• USA 102-103 G5
Miandrivazo o RM 84-85 F4
Miangas, Pulau ⌐ RI 56-57 E4
Miânwâli o PK 50-51 J2
Mianyang o CN 44-45 H5
Miaodao Qundao ⌐ CN 46-47 F3
Miass ✶ RUS 38-39 H4
Miass ✶ RUS 42-43 H1
Miastko o PL 20-21 D1
Michalovce o SK 20-21 F4
Michelson, Mount ▲ USA 92-93 O2
Michigan o USA 102-103 F1
Michigan, Lake o USA 102-103 F2
Michipicoten Island ⌐ CDN 98-99 G5
Miconge o CGO 86-87 B2
Micronésie ■ FSM 66-67 A5
Micronésie ⌐ FSM 66-67 B3
Mičurinsk o RUS 30-31 J5
Midai, Pulau ⌐ RI 54-55 D5
Midas Şehri .·. TR 28-29 H3
Middelburg ✶ NL 18-19 A3
Middelburg o ZA (CAP) 86-87 E8
Middelburg o ZA (TRA) 86-87 E7
Middle America Trench ≃104-105 B4
Middle Andaman ⌐ IND 52-53 F5
Middlesboro o USA 102-103 G3
Middlesbrough o GB 14-15 F4
Middleton o AUS 62-63 G4
Midi, Canal du ⊂ F 16-17 F5
Midi-Pyrénées □ F 16-17 F5
Midland o USA 102-103 C4
Midouze ∿ F 16-17 D5
Midsandur o IS 8-9 c2
Midu o CN 44-45 H6
Midžor ▲••• SRB 26-27 F4
Miechów o• PL 20-21 F3
Międzyrzec Podlaski o• PL 20-21 G3
Międzyrzecz o• PL 20-21 C2
Mielec o• PL 20-21 F3
Miercurea-Ciuc ✶ RO 26-27 G2
Mieres o E 22-23 D2
Mierzeja Wiślana ∪ PL 20-21 E1
Miglonico o• I 24-25 F4
Mihajlov ✶• RUS 30-31 H4
Mihajlovgrad = Monatana ✶ BG
26-27 F4
Mihajlovka o RUS 32-33 H2
Mihajlovo o BG 26-27 F4
Mihalıççık o TR 28-29 H3
Mihnevo o RUS 30-31 G4

Mihrãd, al- ⊥ KSA 50-51 E4
Mijek o EH 76-77 E5
Mikaševičy o BY 20-21 J2
Mikkeli ✶ FIN 10-11 O4
Miknãs ✶•• MA 76-77 F3
Mikonos ⌐ GR 28-29 E4
Mikumi National Park ⊥ EAT 84-85 D2
Mikun' o RUS 4-5 S2
Miladummadulu Atoll ∿ MV 52-53 B5
Milan ✶ ••• I 24-25 B2
Milando, Reserva Especial do ⊥ ANG
86-87 C3
Milange o CGO 86-87 E2
Milano ✶ ••• I 24-25 B2
Milas ✶• TR 28-29 F4
Milazzo o I 24-25 E5
Mildura o AUS 64-65 C3
Miles o AUS 62-63 J5
Miles City o USA 100-101 E1
Mľlëso o ETH 82-83 G4
Milet .·.•• TR 28-29 F4
Milhana o MOC 84-85 D3
Mili Atoll ∿ MH 66-67 G4
Milim o PNG 68-69 D2
Milk, Wâdî al- ∿ SUD 78-79 F5
Milk River ∿ CDN 94-95 J6
Millas o F 16-17 F5
Millau o F 16-17 F4
Mille Lacs Lake o USA 102-103 E1
Millenium Island = Caroline Island ⌐ KIR
70-71 G2
Millerovo o RUS 32-33 G3
Millevaches, Plateau de ▲ F 16-17 E4
Millicent o AUS 64-65 C4
Mill Island ⌐ CDN 96-97 P5
Millstream Chichester National Park
⊥ AUS 62-63 B4
Milne Land ⌐ GRØ 96-97 Z3
Milo ∿ GR 28-29 E4
Milo ∿ RG 80-81 C3
Mílos o GR 28-29 E4
Milparinka o AUS 64-65 C2
Milwaukee o• USA 102-103 F2
Mimizan o F 16-17 D4
Mimongo o G 80-81 G6
Minas o ROU 116-117 F4
Minas de Matahambre o C 104-105 E3
Minas Gerais □ BR 114-115 E5
Minatitlán o• MEX 104-105 C4
Minbu o MYA 52-53 F2
Minch, The ≈14-15 C3
Minch, The Little ≈14-15 C3
Mindanao ⌐ RP 56-57 E4
Mindelo o• CV 76-77 B6
Minden o• D 18-19 D2
Mindoro ⌐ RP 56-57 D3
Mindoro Strait ≈ RP 56-57 D3
Minehead o GB 14-15 E6
Mingaçevir o• AZ 48-49 G2
Minghoshan = Dunhuang o• CN
44-45 F3
Mingora o PK 50-51 J2
Minh Hai o VN 54-55 D4
Minho, Rio ∿ P 22-23 B2
Minicoy Island ⌐ IND 52-53 B5
Minigwal, Lake o AUS 62-63 C5
Minna ✶ WAN 80-81 F4
Minneapolis o• USA 102-103 E2
Minnesota □ USA 102-103 D1
Minnesota River ∿ USA 102-103 D2
Miño, Volcán ▲ RCH 116-117 D2
Minorque ⌐ E 22-23 H3
Minot o USA 100-101 F1
Minsk ★ BY 20-21 J2
Mińsk Mazowiecki o• PL 20-21 F2
Minto o CDN 94-95 D3
Minto, Lac o CDN 98-99 J3
Minto Reef ⌐ FSM 66-67 C4
Minusinsk o RUS 38-39 O5
Min Xian o CN 44-45 H5
Minyã, al- ✶ ET 78-79 G3
Mira o P 22-23 B3

Miracema de Tocantins o **BR** 114-115 E 3
Mirador o **BR** 114-115 F 3
Mirador, Parque Nacional de ⊥ **BR** 114-115 E 3
Miraflores o **CO** 110-111 C 4
Miráglia, Portella della ▲ **I** 24-25 E 6
Miramar o **RA** 116-117 F 5
Miranda o **BR** 114-115 C 6
Miranda de Ebro o **E** 22-23 E 2
Miranda do Douro o **P** 22-23 C 3
Mirandela o **P** 22-23 C 3
Miravalles ▲ **E** 22-23 C 2
Mirğäve o **IR** 48-49 K 5
Miri o **MAL** 54-55 E 5
Mírina o **GR** 28-29 E 3
Mirnyj o **ANT** 119 C 10
Mirnyj ✰ · **RUS** 38-39 S 3
Mirosławiec o **PL** 20-21 D 2
Mīrpur Khäs o· **PK** 50-51 H 3
Misi o **FIN** 8-9 O 3
Misima Island ⌒ **PNG** 68-69 D 3
Misiones ▭ **PY** 116-117 F 3
Miskitos, Cayos ⌒ **NIC** 104-105 E 5
Miskolc o **H** 26-27 E 1
Mismär o **SUD** 78-79 H 5
Misool, Pulau ⌒ **RI** 56-57 F 6
Mişrätah ✰ **LAR** 78-79 D 2
Mississippi o **USA** 102-103 E 4
Mississippi River ~ **USA** 102-103 E 4
Mississippi River Delta ⌣ **USA** 102-103 F 5
Missolonghi o **GR** 28-29 C 3
Missoula o **USA** 100-101 D 1
Missouri o **USA** 102-103 E 3
Missouri River ~ **USA** 102-103 D 3
Mistassini, Lac o **CDN** 98-99 K 4
Mistassini, Réserve de ⊥ **CDN** 98-99 K 4
Mistelbach an der Zaya o **A** 20-21 D 4
Mistra ··· **GR** 28-29 D 4
Misvær o **N** 8-9 H 3
Mitau o·· **LV** 12-13 K 3
Mitchell o **AUS** 62-63 H 5
Mitchell o **USA** 100-101 G 2
Mitchell, Mount ▲ **USA** 102-103 G 3
Mitchell River ~ **AUS** 62-63 G 3
Mitchelstown = Baile Mhistéala o **IRL** 14-15 B 5
Mithankot o **PK** 50-51 J 3
Mithi o **PK** 50-51 H 4
Mithimna o **GR** 28-29 F 3
Mitiaro Island ⌒ **CK** 70-71 F 4
Mito ✰ **J** 46-47 K 3
Mitsinjo o **RM** 84-85 F 4
Mitsio, Nosy ⌒ **RM** 84-85 F 3
Mits'iwa o· **ER** 82-83 F 2
Mitu ✰ **CO** 110-111 C 4
Mitumba, Monts ▲ **CGO** 86-87 E 2
Mitwaba o **CGO** 86-87 E 3
Mitzic o **G** 80-81 G 5
Mius ~ **RUS** 32-33 F 4
Miyako shima ⌒ **J** 46-47 H 3
Miyäne o· **IR** 48-49 G 3
Miyazaki ✰ **J** 46-47 H 4
Mîzan Teferî o **ETH** 82-83 F 4
Mizdah o **LAR** 78-79 C 2
Mizen Head ▲ **IRL** 14-15 B 6
Mizil o **RO** 26-27 H 3
Mizoram ▭ **IND** 52-53 F 2
Mjadzel ✰ **BY** 20-21 J 1
Mjölby ✰ **S** 12-13 F 2
Mjörn o **S** 12-13 E 3
Mjøsa o **N** 10-11 F 4
Mkambati Nature Reserve ⊥ **ZA** 86-87 E 8
Mkomazi Game Reserve ⊥ **EAT** 84-85 D 1
Mkuzi Game Reserve ⊥ **ZA** 86-87 F 7
Mladá Boleslav o·· **CZ** 20-21 C 3
Mladenovac o **SRB** 26-27 E 3
Mlandizi o **EAT** 84-85 D 2
Mława o **PL** 20-21 F 2
Mljet ⌒ **HR** 26-27 C 4

Mmabatho o **ZA** 86-87 D 7
Moa ~ **WAL** 80-81 B 4
Moa Island ⌒ **AUS** 62-63 G 2
Moala ⌒ **FJI** 70-71 A 4
Moamba o **MOC** 86-87 F 7
Moanda o **G** 80-81 G 6
Moba o **CGO** 86-87 E 3
Mobaye ✰ · **RCA** 82-83 C 5
Mobile o **USA** 102-103 F 4
Mobridge o **USA** 100-101 F 1
Mocajuba o **BR** 114-115 E 2
Moçambique o **MOC** 84-85 E 4
Moçambique, Ilha de ⌒ ··· **MOC** 84-85 E 4
Mocha o·· **YAR** 50-51 C 6
Mocha, Isla ⌒ **RCH** 116-117 C 5
Mochis, Los o **MEX** 100-101 E 5
Mochudi o **RB** 86-87 E 6
Mocímboa da Praia o **MOC** 84-85 E 3
Môco ▲ **ANG** 86-87 C 4
Mocoa o **CO** 110-111 B 4
Mocuba o **MOC** 84-85 E 4
Modane o **F** 16-17 H 4
Modena o **I** 24-25 C 2
Modesto o **USA** 100-101 B 3
Modriča o **BIH** 26-27 D 3
Moen o **N** 8-9 K 2
Moero, Lac = Lake Mweru o **CGO** 86-87 E 3
Moers o **D** 18-19 C 3
Moffat o **GB** 14-15 E 4
Mogadiscio ★ **SO** 82-83 H 5
Mogadouro o **P** 22-23 C 3
Mogao Ku ··· **CN** 44-45 F 3
Mogilev = Mahilëv o· **BY** 20-21 L 2
Mogilno o· **PL** 20-21 D 2
Mogincual o **MOC** 84-85 E 4
Mogoča ✰ **RUS** 38-39 T 5
Mogotes, Punta ⌒ **RA** 116-117 F 5
Mohács o **H** 26-27 D 2
Mohe (Xilinji) o **CN** 40-41 D 4
Mohenjo Daro ∴··· **PK** 50-51 H 3
Mohican, Cape ▲ **USA** 92-93 J 3
Mohoro o **EAT** 84-85 D 2
Mohyliv-Podil's'kyj o **UA** 20-21 J 4
Moili ~ **COM** 84-85 E 3
Mo i Rana o **N** 8-9 H 3
Mõisaküla o **EST** 12-13 L 2
Moisie, Rivière ~ **CDN** 98-99 L 4
Moissac o **F** 16-17 E 4
Moïssala o **TCH** 80-81 H 4
Mojave Desert ⌣ **USA** 100-101 C 3
Mojkovac o **SRB** 26-27 D 4
Mojos, Llanos de ⌣ **BOL** 112-113 F 4
Mojynķüm ⌣ **KZ** 42-43 H 2
Mokäma o **IND** 52-53 E 1
Mokil Atoll ⌒ **FSM** 66-67 D 4
Mokp'o o **ROK** 46-47 G 4
Mokrous o **RUS** 32-33 K 2
Mokša ~ **RUS** 30-31 L 5
Molat ⌒ **HR** 26-27 B 3
Moldau ~ **CZ** 20-21 C 4
Moldavie = **MD** 26-27 J 2
Molde ✰ **N** 10-11 D 3
Moldova Nouă o **RO** 26-27 E 3
Moldoveanu ▲ **RO** 26-27 G 3
Mole National Park ⊥ **GH** 80-81 D 4
Molétai o **LT** 12-13 L 4
Molfetta o **I** 24-25 F 4
Molina o **E** 22-23 F 3
Molina de Segura o **E** 22-23 F 4
Moliro o **CGO** 86-87 F 3
Molise ▭ **I** 24-25 E 4
Mollendo o **PE** 112-113 E 5
Mollerusa = Mollerussa o **E** 22-23 G 3
Mollerussa o **E** 22-23 G 3
Moločna ~ **UA** 32-33 D 4
Moločnyj lyman ≈32-33 D 4
Molodečno = Maladzečna o· **BY** 20-21 J 1
Molodežnaja o **ANT** 119 C 5
Mologa ~ **RUS** 30-31 F 2
Molopo ~ **RB** 86-87 D 7

Moloskovicy o **RUS** 30-31 C 2
Moloundou o **CAM** 80-81 H 5
Molsheim o· **F** 16-17 H 2
Moluques ⌒ **RI** 56-57 E 5
Moluques, Mer des ≈ **RI** 56-57 D 5
Moma o **MOC** 84-85 D 4
Moma ~ **RUS** 40-41 H 1
Mombasa ✰·· **EAK** 82-83 F 6
Mombasa Marine National Reserve ⊥ **EAK** 82-83 F 6
Mombetsu o **J** 46-47 K 2
Mombongo o **CGO** 82-83 C 5
Momskij hrebet ▲ **RUS** 40-41 H 1
Møn ⌒ **DK** 12-13 E 4
Mona, Isla ⌒ **USA** 104-105 H 4
Monaco ■ **MC** 16-17 H 5
Monaco ★·· **MC** 16-17 H 5
Monaco, Fosse de ≃76-77 C 3
Monaco Deep ≃76-77 C 3
Monaghan = Muineachán ✰ **IRL** 14-15 C 4
Mona Passage ≈104-105 H 4
Monashee Mountains ▲ **CDN** 94-95 H 5
Monäši o **UA** 26-27 K 2
Monäši o **UA** 32-33 B 4
Monasterace Marina o **I** 24-25 F 5
Monastir ✰ **TN** 76-77 K 2
Monastyrščina ✰ **RUS** 30-31 D 4
Mončegorsk o **RUS** 4-5 O 1
Mönchengladbach o **D** 18-19 C 3
Monclova o **MEX** 100-101 F 5
Moncton o **CDN** 98-99 M 5
Mondego, Cabo ▲ **P** 22-23 B 3
Mondego, Rio ~ **P** 22-23 B 3
Mondoñedo o· **E** 22-23 C 2
Mondovì o· **I** 24-25 A 2
Mondragone o **I** 24-25 D 4
Monemvassía o··· **GR** 28-29 D 4
Monfalcone o **I** 24-25 D 2
Monforte o· **P** 22-23 C 4
Monforte de Lemos o· **E** 22-23 C 2
Monga o **CGO** 82-83 C 5
Mongala ~ **CGO** 82-83 B 3
Mongers Lake o **AUS** 62-63 B 5
Mong Hsan o **MYA** 52-53 G 2
Möng Mit o **MYA** 52-53 G 2
Mongo ✰ **TCH** 82-83 B 3
Mongol, Plateau ⌣ **CN** 46-47 C 2
Mongol Altajn Nuruu ▲ **MGL** 44-45 E 2
Mongolie ■ **MGL** 44-45 G 2
Mongolie intérieure (Région autonome de) ▭ **CN** 44-45 H 4
Mongu ✰ **Z** 86-87 D 5
Mońki o **PL** 20-21 G 2
Monkoto o **CGO** 86-87 D 2
Mono ~ **DY** 80-81 E 4
Mono Lake o **USA** 100-101 C 3
Monólithos o **GR** 28-29 F 4
Monreal del Campo o **E** 22-23 F 3
Monroe o **USA** 102-103 E 4
Monrovia ★· **LB** 80-81 B 4
Mons o· **B** 18-19 A 3
Møns Klint ⌣··· **DK** 12-13 E 4
Montagne d'Ambre, Parc National de la ⊥ **RM** 84-85 F 3
Montague Island ⌒ **USA** 92-93 N 3
Montaigu o **F** 16-17 D 3
Montalbán o **E** 22-23 F 3
Montalbo o **E** 22-23 E 4
Montalegre o **ANG** 86-87 C 3
Montalegre o **P** 22-23 C 3
Montalto (Monte Cocuzza) ▲ **I** 24-25 E 5
Montana ■ **BG** 26-27 F 4
Montana o **USA** 100-101 D 1
Montaña, La o **PE** 112-113 E 3
Montargis o **F** 16-17 F 3
Montauban ✰· **F** 16-17 E 4
Montbard o **F** 16-17 G 3
Montbéliard o· **F** 16-17 H 3
Mont Blanc ▲·· **F** 16-17 H 4
Mont Blanc ▲·· **I** 24-25 A 2
Montceau-les-Mines o **F** 16-17 G 3

Mont-de-Marsan ✰ **F** 16-17 D 5
Mont-Dore, le o **F** 16-17 F 4
Mont-Dore, Le o **F** 68-69 G 5
Monte Alegre o **BR** 114-115 D 2
Montebello Islands ⌒ **AUS** 62-63 B 4
Monte-Carlo o **MC** 16-17 H 5
Monte Caseros o **RA** 116-117 F 4
Monte Comán o **RA** 116-117 D 4
Monte Cristi ★ **DOM** 104-105 G 4
Montecristo, Ísola di ⌒ **I** 24-25 C 3
Monte Dourado o **BR** 114-115 D 2
Montego Bay o·· **JA** 104-105 F 4
Montélimar o **F** 16-17 G 4
Montemorelos o **MEX** 100-101 G 5
Montemor-o-Novo o **P** 22-23 B 4
Monténégro ■ **MNE** 26-27 D 4
Monténégro □ **MNE** 26-27 D 4
Monte Pascoal, Parque Nacional de ⊥ **BR** 114-115 G 5
Montepescali o **I** 24-25 C 3
Montepuez o **MOC** 84-85 D 3
Montepulciano o· **I** 24-25 C 3
Monte Quemado o **RA** 116-117 E 3
Monterey o· **USA** 100-101 B 3
Monteria ✰ **CO** 110-111 B 3
Montero o **BOL** 112-113 G 5
Monte Rosa ▲ **CH** 18-19 C 6
Monterrey ✰· **MEX** 100-101 F 5
Monterrey Bay ≈ **USA** 100-101 B 3
Montesano sulla Marcellana o **I** 24-25 E 4
Monte Sant'Ángelo o **I** 24-25 E 4
Montes Claros o **BR** 114-115 F 5
Montevideo ★· **ROU** 116-117 F 4
Montgomery ✰· **USA** 102-103 F 4
Monticello o **USA** (AR) 102-103 E 4
Monticello o **USA** (UT) 100-101 E 3
Montijo o **E** 22-23 C 4
Montilla o **E** 22-23 D 5
Mont-Louis o **F** 16-17 F 5
Montluçon o **F** 16-17 F 3
Montmagny o **CDN** 98-99 K 5
Montmarault o **F** 16-17 F 3
Monto o **AUS** 62-63 J 4
Montoro o· **E** 22-23 D 4
Montpelier o **USA** 102-103 J 2
Montpellier ✰· **F** 16-17 F 5
Montréal o· **CDN** 98-99 K 5
Montreux o· **CH** 18-19 C 5
Montrose o **GB** 14-15 E 3
Montserrat □ **GB** 104-105 J 4
Montsinéry o **F** 110-111 G 4
Monza o· **I** 24-25 B 2
Monze o **Z** 86-87 E 5
Monzón o· **E** 22-23 G 3
Moonie o **AUS** 62-63 J 5
Moora o **AUS** 62-63 B 6
Moore, Lake o **AUS** 62-63 B 5
Moorea, Île ⌒ **F** 70-71 H 4
Moorhead o **USA** 102-103 D 1
Moose River ~ **CDN** 98-99 H 4
Moosonee o **CDN** 98-99 H 4
Mopti ✰ **RMM** 80-81 D 3
Moquegua o **PE** 112-113 E 5
Mór o **H** 26-27 D 2
Mora o **E** 22-23 E 4
Mora o **P** 22-23 B 4
Mora o **S** 10-11 H 4
Morača ~ **SRB** 26-27 D 4
Moradabad o **IND** 52-53 C 1
Morafenobe o **RM** 84-85 E 4
Morag o **PL** 20-21 E 2
Morag o **PL** 20-21 E 2
Moraleja o **E** 22-23 C 3
Moramanga o **RM** 84-85 F 4
Moranbah o **AUS** 62-63 H 4
Moratalla o **E** 22-23 F 4
Moratuwa o **CL** 52-53 C 5
Morava ⊥ **CZ** 20-21 D 4
Morava ~ **CZ** 20-21 D 4
Morawa o **AUS** 62-63 B 5
Moray Firth ≈14-15 D 3
Mörbylånga o **S** 12-13 G 3

Mordovie ¤ RUS 30-31 K4
Mordovo o RUS 30-31 J5
Mordovo o RUS 32-33 G1
Mordovskaja Respublika ¤ RUS 30-31 K4
Mordovskij zopovednik ⊥ RUS 30-31 K4
Morecambe o GB 14-15 E4
Moree o AUS 64-65 D2
Morehead o PNG 68-69 B2
Morelia ✰ • ••• MEX 100-101 F7
Morella o AUS 62-63 J4
Morella o E 22-23 F3
Morembe o RM 84-85 E5
Moremi Wildlife Reserve ⊥ RB 86-87 D5
Moresby Island ⌒ CDN 94-95 E5
Moreton Bay ≈ AUS 62-63 J5
Moreton Island ⌒ AUS 62-63 J5
Morgan o AUS 62-63 F6
Morgantown o USA 102-103 H3
Morioka ✰ • J 46-47 K3
Morkoka ⌒ RUS 38-39 S3
Morlaix o F 16-17 C2
Mormanno o I 24-25 E5
Morne Diablotins ▲ WD 104-105 J4
Mornington, Isla ⌒ RCH 116-117 B7
Mornington Island ⌒ AUS 62-63 F3
Morogoro ✰ EAT 84-85 D2
Morokweng o ZA 86-87 D7
Mörön ✰ MGL 44-45 H2
Morón o C 104-105 F3
Morón o RA 116-117 F4
Morondava o RM 84-85 E5
Morón de la Frontera o E 22-23 D5
Moroni ✰ • COM 84-85 E3
Morotai, Pulau ⌒ RI 56-57 E5
Moroto, Mount ▲ EAU 82-83 E5
Morozovsk o RUS 32-33 G3
Morpeth o GB 14-15 F4
Morrinhos o BR 114-115 E5
Morris Jesup, Cap ▲ GRØ 96-97 Y1
Morrumbala o MOC 84-85 D4
Moršank o RUS 30-31 J5
Morsø o DK 12-13 C3
Mørsvikbotn o N 8-9 H3
Mortara o I 24-25 B2
Morteros o RA 116-117 E4
Mortes, Rio das ~ BR 114-115 D4
Mortlock Islands = Nomoi Islands ⌒ FSM 66-67 C4
Morton National Park ⊥ AUS 64-65 E3
Morven o AUS 62-63 H5
Morwell o AUS 64-65 D4
Mosel ~ D 18-19 C4
Moselle ~ F 16-17 H2
Mošens'ka dubrava • UA 32-33 B3
Moses Lake o• USA 100-101 C1
Moshi o EAT 84-85 D1
Mosjøen o N 8-9 G4
Moskenesøya ⌒ N 8-9 G3
Moskosel o S 8-9 K4
Moscou ★ • ••• RUS 30-31 G4
Moskva ~ RUS 30-31 F4
Mošok o RUS 30-31 J4
Mosonmagyaróvár o H 26-27 C2
Mosquitos, Costa de ⌣ NIC 104-105 E5
Mosquitos, Golfo de los ≈ PA 104-105 E6
Moss ✰ N 10-11 F5
Mossaka o RCB 86-87 C2
Mosselbaai = Mossel Bay o ZA 86-87 D8
Mossel Bay = Mosselbaai o ZA 86-87 D8
Mossman o AUS 62-63 H3
Mossoró o BR 114-115 G3
Mossoul ✰ • IRQ 48-49 F3
Moss Vale o AUS 64-65 E3
Most o CZ 20-21 B3
Mostaganem o DZ 76-77 H2
Mostar o• BIH 26-27 C4
Mostardas o BR 116-117 G4
Moşteni, Trivalea- o RO 26-27 G3
Móstoles o E 22-23 E3
Møsvatnet o N 10-11 E5
Motacucito o BOL 112-113 G5

Motala ✰ • S 12-13 F2
Motherwell o GB 14-15 D4
Motihari o IND 52-53 D1
Motilla del Palancar o E 22-23 F4
Motril o E 22-23 E5
Motru o RO 26-27 F2
Motru o RO 26-27 F3
Motu One Atoll ⌒ F 70-71 G4
Motutunga Atoll ⌒ F 70-71 J4
Motygino ✰ RUS 38-39 O4
Moudjéria o RIM 76-77 E6
Moúdros o GR 28-29 E3
Mougalaba, Reserve de la ⊥ G 80-81 G6
Mouïla ✰ G 80-81 G6
Mould Bay o CDN 96-97 G2
Moulins ✰ • F 16-17 F3
Moulmein o MYA 52-53 F4
Moulouya, Oued ~ MA 76-77 G3
Moundou ✰ TCH 80-81 H4
Mount Aspiring National Park ⊥ NZ 64-65 H5
Mount Barker o AUS 62-63 B6
Mount Cook National Park ⊥ •••• NZ 64-65 J5
Mount Coolon o AUS 62-63 H4
Mount Garnet o AUS 62-63 H3
Mount Hagen ✰ •• PNG 68-69 C2
Mount Hope o AUS 62-63 F6
Mount Rainier National Park ⊥ USA 100-101 B1
Mount Rushmore National Memorial ∴ USA 100-101 F2
Mount Vernon o USA 102-103 F3
Moura o BR 114-115 B2
Moura o• P 22-23 C4
Mourão o P 22-23 C4
Mourdi, Dépression du ⊥ TCH 78-79 E5
Mourdiah o RMM 80-81 C3
Mourmansk o RUS 4-5 O1
Mourmansk, Seuil de ≃4-5 P0
Mourzouq o LAR 78-79 C3
Mouscron o B 18-19 A3
Moussoro o TCH 80-81 H3
Moustiers-Sainte-Marie o F 16-17 H5
Moûtiers o F 16-17 H4
Movila Miresii o RO 26-27 H1
Moyale o EAK 82-83 F5
Moyamba o WAL 80-81 B4
Moyen Atlas ▲ MA 76-77 F3
Moyobamba o PE 112-113 D3
Møysalen ▲ N 8-9 H2
Możaisk ✰ •• RUS 30-31 G4
Mozambique ■ MOC 86-87 F6
Mozambique, Bassin du ≃74-75 M9
Mozambique, Canal du ≈84-85 D4
Mozambique, Plateau du ≃86-87 G8
Mozambique Channel ≈84-85 D4
Mozyr' = Mazyr o BY 20-21 K2
Mpanda o EAT 84-85 C2
Mpika o Z 86-87 F4
Mporokoso o Z 86-87 F3
Mpume o CGO 86-87 C2
Mrčajevci o SRB 26-27 E4
Mšinskaja o RUS 30-31 C2
Msta ~ RUS 30-31 F3
Mszczonów o PL 20-21 F3
Mtwara ✰ EAT 84-85 E3
Mualama o MOC 84-85 D4
Muanda o CGO 86-87 B3
Muang Khammouan o LAO 54-55 C2
Muang Không o LAO 54-55 D3
Muang Pakxan o LAO 54-55 C2
Muang Sing o LAO 54-55 C1
Muarabungo o RI 54-55 C6
Muarasiberut o RI 54-55 B6
Muarateweh o RI 54-55 E6
Mubarraz o KSA 50-51 D3
Mubende o EAU 82-83 E5
Mubi o WAN 80-81 G3
Mucajaí, Rio ~ BR 110-111 E4
Mucajaí, Serra ▲ BR 110-111 E4
Muchinga Mountains ▲ Z 86-87 F4

Muconda o ANG 86-87 D4
Mucusso, Coutada Pública do ⊥ ANG 86-87 D5
Mudanjiang o CN 46-47 G2
Mudanya ✰ TR 28-29 G2
Muddus nationalpark ⊥ • S 8-9 L3
Mudgee o AUS 64-65 D3
Mueda o MOC 84-85 D3
Mufulira o Z 86-87 E4
Mughsail o OM 50-51 E5
Mugla ✰ TR 28-29 G4
Mühammad, Ra's ▲ ET 78-79 G3
Mühlbach o RO 26-27 F3
Mühldorf am Inn o D 18-19 F4
Mühlhausen/Thüringen o• D 18-19 E3
Muhos o FIN 8-9 O4
Muhu saar ⌒ EST 12-13 K2
Muineachán = Monaghan ✰ IRL 14-15 C4
Mujeres, Isla ⌒ •• MEX 104-105 D3
Müjnok o UZ 42-43 G3
Mukačeve o UA 20-21 G4
Mukačevo = Mukačeve o UA 20-21 G4
Mukdahan o T 54-55 C2
Mula o E 22-23 F4
Mula, la ▲ I 24-25 E5
Mulailih, al- o KSA 50-51 B4
Mulanje o MW 84-85 D4
Mulanje, Mount ▲ MW 84-85 D4
Mulde ~ D 18-19 F3
Mulhacén ▲ E 22-23 E5
Mulhouse o F 16-17 H3
Mull ⌒ GB 14-15 C3
Müller, Pegunungan ▲ RI 54-55 E5
Mullewa o AUS 62-63 B5
Mullingar = An Muileann-gCearr o IRL 14-15 C5
Mulobezi o Z 86-87 E5
Multán o•• PK 50-51 J2
Mumbai ✰ •• IND 52-53 B3
Mumbeji o Z 86-87 D4
Muna ~ RUS 38-39 T2
Muncho Lake Provincial Park ⊥ CDN 94-95 F4
Muncie o USA 102-103 F2
Mundo Novo o BR 114-115 F4
Mundubbera o AUS 62-63 J5
Mundurucânia, Reserva Florestal ⊥ BR 114-115 C3
Mundurucu, Área Indígena X BR 114-115 C3
Munera o E 22-23 E4
Mungbere o CGO 82-83 D5
Mungindi o AUS 62-63 H5
Mungo o SME 110-111 G3
Munich ✰• D 18-19 E4
Muniesa o E 22-23 F3
Münster o• D 18-19 D3
Münster = Müstair o•• CH 18-19 E5
Muntok o RI 54-55 D6
Muodoslompolo o S 8-9 M3
Muonio o FIN 8-9 M3
Muonioälven ~ S 8-9 M3
Muonionjoki ~ FIN 8-9 M3
Mupa, Parque Nacional da ⊥ ANG 86-87 C5
Muqdisho ★ SO 82-83 H5
Murafa ~ UA 20-21 K4
Murat Dağı ▲ TR 28-29 G3
Muratus, Pegunungan ▲ RI 54-55 F6
Muravera o I 24-25 B5
Murça o P 22-23 C3
Murchison, Cape ▲ CDN 96-97 S5
Murchison Falls National Park ⊥ EAU 82-83 E5
Murchison River ~ AUS 62-63 B5
Murcia, Región de o E 22-23 F5
Murcie ✰• E 22-23 F5
Mureş ~ RO 26-27 G2
Muret o F 16-17 E5
Murgab ~ TM 42-43 H4

Muriaê o BR 114-115 F6
Murighiol = Indenpenţa o• RO 26-27 J3
Murilo Atoll ⌒ FSM 66-67 C4
Muritiba o BR 114-115 G4
Müritz o D 18-19 F2
Müritz-National-Park ⊥ D 18-19 F2
Murmanskij bereg ⌣ RUS 8-9 R2
Murmanskoye Rise ≃4-5 P0
Murmaši o RUS 8-9 R2
Muro Lucano o I 24-25 E4
Murom o RUS 30-31 K4
Muroran o J 46-47 K2
Muros o E 22-23 B2
Murray, Lake o PNG 68-69 B2
Murray Bridge o AUS 62-63 F7
Murray River ⌣ AUS 64-65 C3
Murray River Basin ⊥ AUS 64-65 C3
Murtovaara o FIN 8-9 P4
Murua Island = Woodlark Island ⌒ PNG 68-69 D2
Mururoa Atoll ⌒ F 60-61 O7
Murwāra o IND 52-53 D2
Mürzzuschlag o A 18-19 G5
Musa Äli Terara ▲ DJI 82-83 G3
Musaï'īd o Q 50-51 E3
Musala ▲ BG 26-27 F4
Mušbih, Ǧabal ▲ ET 78-79 G4
Musgrave Ranges ▲ AUS 62-63 C5
Mus-Haja, gora ▲ RUS 40-41 H2
Mushie o CGO 86-87 C2
Musi ~ RI 54-55 C6
Muşin o WAN 80-81 E4
Muskogee o USA 102-103 D3
Musoma o EAT 84-85 C1
Mussau Island ⌒ PNG 68-69 C1
Musselshell River ~ USA 100-101 E1
Mussende o ANG 86-87 C3
Mussolo o ANG 86-87 C3
Mustafakemalpaşa o TR 28-29 G2
Müstair = Münster o•• CH 18-19 E5
Mustjala o EST 12-13 K2
Mustvee o EST 12-13 M2
Mût o ET 78-79 F3
Mutare ⌣ ZW 86-87 F5
Mutoto o CGO 86-87 E3
Mutsamudu o• COM 84-85 E3
Mutshatsha o CGO 86-87 D4
Mutsu o J 46-47 K2
Muttaburra o AUS 62-63 G4
Muurola o FIN 8-9 N3
Muxima o ANG 86-87 B3
Muyinga o BU 86-87 F2
Muzaffargarh o PK 50-51 J2
Muzaffarnagar o IND 52-53 C1
Muzaffarpur o IND 52-53 E1
Muzej narodnoji architektury i pobutu • UA 32-33 B2
muzej-usad'ba """Tarhany""" • RUS 30-31 K5
Mvuma o ZW 86-87 F5
Mwanza o CGO 86-87 E3
Mwanza o• EAT 84-85 C1
Mweka o CGO 86-87 D2
Mwene-Ditu o CGO 86-87 D3
Mweru, Lake = Lac Moero o Z 86-87 E3
Mweru Wantipa National Park ⊥ Z 86-87 E3
Mwinilunga o Z 86-87 D4
Myanmar ■ MYA 52-53 F2
Mychajilvka o UA 32-33 D3
Myeik Kyünzu ⌒ MYA 52-53 F5
Myingyan o MYA 52-53 G2
Myitkyina o MYA 52-53 G1
Mykenai •• GR 28-29 E4
Mykolajiv o UA 32-33 B4
Mykolajivs'ka cerkva • UA 20-21 G4
Mymensingh o BD 52-53 F2
Mynämäki o FIN 10-11 L4
Myohaung o MYA 52-53 F2
Myra ⌐ •••• TR 28-29 H4
Myre o N 8-9 H2
Myrhorod o UA 32-33 C3

Mýri o **IS** 8-9 e2
Myronivka ⋆ **UA** 32-33 B3
Myrtle Beach o **USA** 102-103 H4
Myrto, Mer de ≈28-29 D4
Mysen ⋆ **N** 10-11 F5
Myškin ⋆ **RUS** 30-31 H3
Myškino = Myškin ⋆ **RUS** 30-31 H3
Myślenice o⋆ **PL** 20-21 E4
Mysore o⋆ **IND** 52-53 C4
Myszyniec o **PL** 20-21 F2
Mỹ Tho ⋆ **VN** 54-55 D3
Mytilène ⋆⋆ **GR** 28-29 F3
Mytišči ⋆ **RUS** 30-31 G4
Mývatn ⋆ **IS** 8-9 e2
Myzeqe ⌣ **AL** 28-29 B2
M'Zab ⌣ **DZ** 76-77 H3
Mže ⌣ **CZ** 20-21 B4
Mziha o **EAT** 84-85 D2
Mzimba o **MW** 84-85 C3
Mzimkulwana Nature Reserve ⊥ **ZA** 86-87 E7
Mzuzu ⋆ **MW** 84-85 C3

N

Naab ⌣ **D** 18-19 F4
Naantali o⋆ **FIN** 10-11 M4
Naas = An Nás ⋆ **IRL** 14-15 C5
Nabire o **RI** 56-57 G6
Nabouwalu ⋆ **FJI** 70-71 A4
Nacala o **MOC** 84-85 E3
Nacaroa o **MOC** 84-85 D3
Nacionalni park Brioni ⊥ **HR** 26-27 A3
Nacionalni park Kornati ⊥ **HR** 26-27 B4
Nacionalni park Kozara ⊥ **BIH** 26-27 C3
Nacionalni park Mljet ⊥ **HR** 26-27 C4
Nacionalni park Orjen ⊥ **MNE** 26-27 C4
Nacionalni park Paklenica ⊥⋆ **HR** 26-27 B3
Nacionalni park Plitvička Jezera ⊥⋆⋆ **HR** 26-27 B3
Nacional'nyj park "Losinyj ostrov" ⊥ **RUS** 30-31 G4
Nacyjanal'ny park Belavežskaja pušča ⊥⋆⋆⋆ **BY** 20-21 H2
Nãd-e 'Alí o **AFG** 50-51 G2
Nadi o **FJI** 70-71 A4
Nadiãd o **IND** 52-53 B2
Nadjaf ⋆ **IRQ** 48-49 H4
Nadvirna o **UA** 20-21 H4
Nadym o **RUS** 38-39 K2
Nærøyfjorden ⌣ ⋆ **N** 10-11 D4
Næstved o **DK** 12-13 D4
Nafoud ⌣ **KSA** 50-51 C3
Náfpaktos o **GR** 28-29 C3
Nafplio o⋆ **GR** 28-29 C3
Nafûd ad-Dahî ⌣ **KSA** 50-51 C4
Naga o **RP** (CAS) 56-57 D3
Naga o **RP** (CEB) 56-57 D3
Nagafãbãd o **IR** 48-49 H4
Nagai Island ⌢ **USA** 92-93 K4
Nãgãland o **IND** 52-53 F1
Nagano o **J** 46-47 J3
Nagasaki ⋆⋆ **J** 46-47 G4
Nãgaur o **IND** 52-53 B1
Nagĝ ⌣ **KSA** 50-51 C3
Nãgda o **IND** 52-53 C2
Nãgercoil o **IND** 52-53 C5
Nagĝ 'Hammãdî o **ET** 78-79 G3
Nagor'e o **RUS** 30-31 H3
Nagornyj ⋆ **RUS** 40-41 P2
Nagoya ⋆ **J** 46-47 J3
Nãgpur o **IND** 52-53 C2
Nagqu o **CN** 44-45 F5
Nağrãn ⋆ **KSA** 50-51 C5
Nagykanizsa o **H** 26-27 C2
Naha ⋆ **J** 46-47 G5

Nahanni National Park ⊥ ⋆⋆⋆ **CDN** 94-95 F3
Nahodka o **RUS** 46-47 H2
Nahoi, Cape = Cape Cumberland ▲ **VU** 68-69 G3
Nahuel Huapi, Parque Nacional ⊥ **RA** 116-117 C6
Naidi o **FJI** 70-71 A4
Naila o **D** 18-19 E3
Nain o **CDN** 98-99 M3
Nãïn o **IR** 48-49 H4
Nairai ⌣ **FJI** 70-71 A4
Nairn o **GB** 14-15 D3
Nairobi ★ **EAK** 82-83 F6
Naivasha o **EAK** 82-83 F6
Nájera o⋆⋆ **E** 22-23 E2
Nakanno o **RUS** 38-39 R3
Nak'fa o **ER** 82-83 F2
Nakhchyvan = Naxçıvan ⋆ **AZ** 48-49 G3
Nakhchyvan = Naxçıvan Muxtar Respublikası ⌂ **AZ** 48-49 F3
Nakhitchévan ⋆ **AZ** 48-49 F3
Nakhon Pathom o **T** 54-55 C3
Nakhon Sawan o **T** 54-55 C2
Nakhon Si Thammarat o⋆⋆ **T** 54-55 B4
Nakina o **CDN** 98-99 G4
Nakło nad Notecią o **PL** 20-21 D2
Naknek o **USA** 92-93 L4
Nakskov o **DK** 12-13 D4
Nakuru ⋆ **EAK** 82-83 F6
Nal'čik ⋆ **RUS** 42-43 D3
Nal'čik ⋆⋆ **RUS** 42-43 D3
Näljänkä o **FIN** 8-9 P4
Nallıhan ⋆ **TR** 28-29 H2
Nãlût o **LAR** 78-79 C2
Namacurra o **MOC** 84-85 D4
Namak, Daryã-ye o **IR** 48-49 H4
Namaksãr ⌣ **AFG** 50-51 G2
Namakwaland ⌣ **ZA** 86-87 C8
Namaland ⌣ **NAM** 86-87 C7
Namangan o **UZ** 42-43 K3
Namapa o **MOC** 84-85 D3
Namatanai o **PNG** 68-69 D1
Nambikwara, Área Indígena ⋇ **BR** 114-115 C4
Nam Co o **CN** 44-45 F5
Namen = Namur ⋆⋆ **B** 18-19 B3
Nametil o **MOC** 84-85 D4
Namib, Désert du ⌣ **NAM** 86-87 B5
Namib = Namib Desert = Namibwoestyn ⌣ **NAM** 86-87 B5
Namibe ⋆⋆ **ANG** 86-87 B5
Namibe, Reserva de ⊥ **ANG** 86-87 B5
Namibia Abyssal Plain ≈74-75 J9
Namibie ■ **NAM** 86-87 C6
Namibia, Plaine Abyssale de ≈74-75 J9
Namib-Naukluft Park ⊥ **NAM** 86-87 B6
Namlea o **RI** 56-57 E6
Namoluk Atoll ⌢ **FSM** 66-67 C4
Namorik Atoll ⌢ **MH** 66-67 F4
Nampala o **RMM** 80-81 C2
Nampo o **KP** 46-47 G3
Nampula o **MOC** 84-85 D4
Namsos o **N** 8-9 F4
Namsskogan o **N** 8-9 G4
Namtu o **MYA** 52-53 G2
Namtumbo o **EAT** 84-85 D3
Namu Atoll ⌢ **MH** 66-67 F4
Namuli, Monte ▲ **MOC** 84-85 D4
Namur ⋆⋆ **B** 18-19 B3
Namwala o **Z** 86-87 B5
Namysłów o⋆ **PL** 20-21 D3
Nan o **T** 54-55 C2
Nana ⌣ **RCA** 82-83 B4
Nana Barya, Réserve de la ⊥ **RCA** 82-83 B4
Nanchang ⋆⋆ **CN** 46-47 E5
Nanchong o **CN** 46-47 D4
Nancy ⋆⋆⋆ **F** 16-17 H2
Nanda Devi ▲⋆⋆⋆ **IND** 44-45 C5
Nanded o **IND** 52-53 C3
Nandi o **FJI** 70-71 A4

Nandi o **ZW** 86-87 F6
Nandikotkür o **IND** 52-53 C3
Nandurbãr o **IND** 52-53 B2
Nanga Eboko o **CAM** 80-81 G5
Nangah Pinoh o **RI** 54-55 E6
Nanga Parbat ▲ **PK** 42-43 K4
Nanga Tayap o **RI** 54-55 E6
Nangong o **CN** 46-47 E3
Nanjing ⋆⋆ **CN** 46-47 E4
Nankin ⋆⋆ **CN** 46-47 E4
Nan Ling ▲ **CN** 46-47 D5
Nanning o **CN** 46-47 C6
Nanping o **CN** 46-47 E5
Nansei, Archipel ⌢ **J** 46-47 F6
Nansei-shotō ⌢ **J** 46-47 F6
Nansen Sound ≈ **CDN** 96-97 M1
Nantes o⋆ **F** 16-17 D3
Nantong o **CN** 46-47 F4
Nantucket Island ⌢ **USA** 102-103 J2
Nanumanga ⌢ **TUV** 68-69 J2
Nanumea ⌢ **TUV** 68-69 J2
Nanuque o **BR** 114-115 F5
Nanutarra Roadhouse o **AUS** 62-63 B4
Nanyang o **CN** 46-47 D4
Nanyuki ⋆ **EAK** 82-83 F5
Naocoocane, Lac o **CDN** 98-99 K4
Náoussa o **GR** 28-29 D2
Napaiskak o **USA** 92-93 K3
Napier o **NZ** 64-65 K4
Napier, Monts ▲ **ANT** 119 C6
Naples ⋆⋆⋆ **I** 24-25 E4
Naples o **USA** 102-103 G5
Napo, Río ⌣ **PE** 112-113 E2
Napo ⌣ **PE** 112-113 E2
Nápoli ⋆⋆ **I** 24-25 E4
Nápoli, Golfo di ≈24-25 E4
Napuka Atoll ⌢ **F** 70-71 J3
Nara o **RMM** 80-81 C2
Naraç o **BY** 20-21 J1
Naracoorte o **AUS** 64-65 C4
Naranjas, Punta ▲ **PA** 104-105 E6
Narathiwat ⋆ **T** 54-55 C4
Narbonne o⋆ **F** 16-17 F5
Nares, Plaine Abyssale de ≈104-105 H3
Nares Abyssal Plain ≈104-105 H3
Nares Stræde o **GRØ** 96-97 Q2
Nares Strait ≈ **GRØ** 96-97 Q2
Narew ⌣ **PL** 20-21 G2
Narew ⌣ **PL** 20-21 F2
Narimanov ⋆ **RUS** 32-33 K4
Narimanov ⋆ **RUS** 42-43 E2
Nar'jan-Mar ⋆ **RUS** 4-5 S1
Narmada ⌣ **IND** 52-53 C2
Narodnaja, gora ▲ **RUS** 38-39 H3
Naro-Fominsk ⋆ **RUS** 30-31 G4
Narok o **EAK** 82-83 F6
Narrabri o **AUS** 64-65 D3
Narrandera o **AUS** 64-65 D3
Narrogin o **AUS** 62-63 B6
Narsarsuaq o **GRØ** 96-97 V5
Narsimhapur o **IND** 52-53 C2
Narva o⋆ **EST** 12-13 N2
Narva laht ≈12-13 M2
Narvik ⋆ **N** 8-9 J2
Narvskoe vodohranilišče < **RUS** 30-31 C2
Naryn o **RUS** 42-43 L3
Nãsãud o **RO** 26-27 D2
Nãshik o **IND** 52-53 B3
Našice o **HR** 26-27 D3
Näsijärvi o **FIN** 10-11 M4
Nãsir o **SUD** 82-83 E4
Nãsir, Buhairat < **ET** 78-79 G4
Nãşiriya, an- ⋆ **IRQ** 48-49 G4
Nasondoye o **CGO** 86-87 E4
Nasorolevu ▲ **FJI** 70-71 A4
Nassau ⋆⋆ **BS** 104-105 F2
Nassau Island ⌢ **CK** 70-71 D3
Nasser, Lac < **ET** 78-79 G4
Nass River ⌣ **CDN** 94-95 F4
Nastapoka Islands ⌢ **CDN** 98-99 J3
Nasva o **RUS** 30-31 D3

Nata o **RB** 86-87 E6
Natagaima o **CO** 110-111 B4
Natal ⋆ **BR** 114-115 G3
Natashquan o **CDN** 98-99 M4
Natashquan, Rivière ⌣ **CDN** 98-99 M4
Natashquan River ⌣ **CDN** 98-99 M4
Natchez o **USA** 102-103 E4
Natewa Bay ≈70-71 A4
Nationalpark Bayerischer Wald ⊥ **D** 18-19 F4
Nationalpark Hochharz ⊥ **D** 18-19 E3
Nationalpark i Nørdgrønland og Østgrønland ⊥ **GRØ** 96-97 X2
Nationalpark Niedersächsisches Wattenmeer ⊥ **D** 18-19 C2
Nationalpark Sächsische Schweiz ⊥ **D** 18-19 G3
Nationalpark Schleswig-Holsteinisches Wattenmeer ⊥ **D** 18-19 D1
Nationalpark Vorpommersche Boddenlandschaft ⊥ **D** 18-19 F1
Natitingou ⋆ **DY** 80-81 E3
Natividade o **BR** 114-115 E4
Natron, Lake o **EAT** 84-85 D1
Nattavaara station o **S** 8-9 L3
Natuna, Laut ≈54-55 D5
Natuna Besar, Pulau ⌢ **RI** 54-55 D5
Naturaliste, Cape ▲ **AUS** 62-63 B6
Naturaliste Plateau ≃62-63 A6
Naturreservat ⊥ **GRØ** 96-97 S2
Nau, Cap de la ▲ **E** 22-23 G4
Naumburg (Saale) o⋆ **D** 18-19 E3
Nauru ■ **NAU** 66-67 E6
Nauta o **PE** 112-113 E2
Nautsi o **RUS** 8-9 P2
Nava de Ricomalillo, La o **E** 22-23 D4
Navahrudak ⋆ **BY** 20-21 H2
Navahrudskae uzvyšša ▲ **BY** 20-21 H2
Navajo Indian Reservation ⊥ **USA** 100-101 D3
Navajo Mountain ▲ **USA** 100-101 D3
Navalmoral de la Mata o **E** 22-23 D4
Navalmorales, Los o **E** 22-23 D4
Navan = An Uaimh o **IRL** 14-15 C5
Navapolack ⋆⋆ **BY** 20-21 K1
Navapolack o⋆ **BY** 30-31 C4
Navarin, mys ▲ **RUS** 40-41 P2
Navarino, Isla ⌢ **RCH** 116-117 D8
Navarra, Comunidad Foral de ⌂ **E** 22-23 F2
Navašino o **RUS** 30-31 K4
Navia o **E** 22-23 C2
Navlja o **RUS** 30-31 F5
Nãvodari o **RO** 26-27 J3
Navoiij o **UZ** 42-43 J3
Navojoa o **MEX** 100-101 E5
Navsãri o **IND** 52-53 B2
Nawãbshãh o **PK** 50-51 H3
Nawãbshüt = Nouakchott ★ ⋆ **RIM** 76-77 D6
Naxçıvan ⋆ **AZ** 48-49 G3
Naxçıvan Muxtar Respublikası ⌂ **AZ** 48-49 F3
Náxos ⋆⋆ **GR** 28-29 E4
Náxos ⌢ **GR** 28-29 E4
Nazaré o⋆ **P** 22-23 B4
Nazca o⋆ **PE** 112-113 E4
Nazca, Dorsale de ≃112-113 D5
Nazca Ridge ≃112-113 D5
Nazilli ⋆ **TR** 28-29 G4
Nazrêt o **ETH** 82-83 F4
Nazwã o⋆ **OM** 50-51 F4
Nchelenge o **Z** 86-87 E3
Ncue o **RG** 82-83 A4
N'Dalatando o **ANG** 86-87 B3
Ndélé ⋆⋆ **RCA** 82-83 C4
Ndendé o **G** 80-81 G6
Ndjamena ★ **TCH** 80-81 H3
Ndjolé o **G** 80-81 G6
Ndola ⋆ **Z** 86-87 E4
Neagh, Lough o **GB** 14-15 C4
Néa Moudania o **GR** 28-29 D2

Neamţ, Piatra- ☆ • RO 26-27 H2
Neápoli o GR 28-29 C2
Neápoli o GR 28-29 D4
Nebit-Dag o TM 42-43 F4
Neblina, Cerro de la ▲ YV 110-111 D4
Nebo o AUS 62-63 H4
Nebraska ▫ USA 102-103 C2
Nébrodes, Monts ▲ I 24-25 E6
Nechako Plateau ▲ CDN 94-95 F5
Nechisar National Park ⊥ ETH 82-83 F4
Necochea o RA 116-117 F5
Nédéley o TCH 78-79 D5
Nedrata o ETH 82-83 F3
Nedryhajliv o UA 32-33 C2
Nedumangad o IND 52-53 C5
Neftejugansk ☆ RUS 38-39 K3
Neftekamsk ☆ RUS 42-43 F1
Negara o RI 54-55 F6
Negélê o ETH 82-83 F4
Negev, ha- ⊥ IL 48-49 D4
Negombo o• CL 52-53 C5
Negotin o• SRB 26-27 F3
Negotino o MK 26-27 F5
Negra, Ponta ▲ BR 114-115 G3
Negra, Punta ▲ PE 112-113 C3
Negro, Cerro ▲ PA 104-105 E6
Negro, Rio ~ BR 114-115 C5
Negro, Río ~ RA 116-117 D5
Negros ⌐ RP 56-57 D4
Negru Vodă o RO 26-27 J4
Nehaevskij o RUS 32-33 G2
Nehoiu o RO 26-27 H3
Neiden o N 8-9 P2
Neidín = Kenmare o IRL 14-15 B6
Neijiang o CN 46-47 C5
Nei Mongol Zizhiqu ▫ CN 44-45 H4
Neiriz o• IR 48-49 H5
Neiße ~ D 18-19 G3
Neiva ☆ CO 110-111 B4
Neja o RUS 30-31 K2
Nek'emte ☆ ETH 82-83 F4
Nekljudovo o RUS 30-31 K3
Neksø o DK 12-13 F4
Nelidovo ☆ RUS 30-31 E3
Nellimö o FIN 8-9 P2
Nellore o IND 52-53 C4
Nelson o NZ 64-65 J5
Nelson, Cape ▲ AUS 64-65 C4
Nelson, Port ≈ CDN 98-99 F3
Nelson Island ⌐ USA 92-93 J3
Nelson Lakes National Park ⊥ NZ
64-65 J5
Nelspruit o• ZA 86-87 F7
Nem, Ust'- o RUS 4-5 T2
Néma ☆ RIM 76-77 F6
Neman ☆ RUS 12-13 K4
Nēman ~ BY 20-21 J2
Nemenčinė o LT 12-13 L4
Nemours o F 16-17 F2
Nemrut Dağı ••• TR 48-49 E3
Nemunas ~ LT 12-13 K4
Nemyriv ☆ UA 20-21 K4
Nenagh = An tAonach o IRL 14-15 B5
Nendo Island ⌐ SOL 68-69 G3
Nengongongo Atoll ⌐ F 70-71 J4
Nenjiang o CN 40-41 E5
Nen Jiang ~ CN 40-41 D5
Néo Petrítsi o GR 28-29 D2
Neosho River ~ USA 102-103 D3
Nepa o RUS 38-39 R4
Nepal ■ NEP 52-53 D1
Nepalganj o NEP 52-53 D1
Nephin Beg Range ▲ IRL 14-15 B4
Nérac o F 16-17 E4
Nerča ~ RUS 38-39 T5
Nerehta o• RUS 30-31 J3
Nereta o• LV 12-13 L3
Neretva ~ HR 26-27 C4
Neria ☆• ANG 86-87 D5
Neris (Vilija) ~ LT 12-13 L4
Nerja o E 22-23 E5
Nerjungri ☆• RUS 40-41 D3

Nerl' ~ RUS 30-31 G3
Nero, ozero o RUS 30-31 H3
Nerojka, gora ▲ RUS 38-39 H2
Nes o N 10-11 E4
Nēšāpūr o• IR 48-49 J3
Nesebâr o••• BG 26-27 H4
Neskaupstadur o IS 8-9 g2
Nesna o N 8-9 G3
Nesøya ⌐ N 8-9 G3
Nesterov = Žovkva ☆ UA 20-21 G3
Nestiary o RUS 30-31 L3
Neto ~ I 24-25 F5
Nettilling Lake o CDN 96-97 Q4
Neubrandenburg o D 18-19 F2
Neuchâtel ☆• CH 18-19 C5
Neuchâtel, Lac de o• CH 18-19 C5
Neuenahr-Ahrweiler, Bad o• D 18-19 C3
Neuenburg = Neuchâtel ☆• CH 18-19 C5
Neuenburger See = Lac de Neuchâtel
o CH 18-19 C5
Neufchâteau o B 18-19 B4
Neufchâteau o F 16-17 G2
Neufchâtel-en-Bray o F 16-17 E2
Neugut o LV 12-13 L3
Neumarkt am Muresch ☆• RO 26-27 G2
Neumarkt in der Oberpfalz o D 18-19 E4
Neumünster o D 18-19 D1
Neunkirchen o A 18-19 H5
Neunkirchen o D 18-19 C4
Neu-Pebalg o••• LV 12-13 M3
Neuquén ▫ RA 116-117 C5
Neuquén ~ RA 116-117 D5
Neuruppin o• D 18-19 F2
Neuschloss o RO 26-27 F2
Neuschwabenland ⊥ ANT 119 B1
Neuschwanstein •• D 18-19 E5
Neuse River ~ USA 102-103 H3
Neusiedl, Lac ~ A 18-19 H5
Neustadt (Orla) o D 18-19 E3
Neustadt an der Aisch o D 18-19 E4
Neustrelitz o• D 18-19 F2
Neuwied o D 18-19 C3
Neva ~ RUS 30-31 D2
Nevada ▫ USA 102-103 E3
Nevada o USA 100-101 B3
Nevada, Sierra ▲ USA 100-101 B3
Nevado, Cerro el ▲ RA 116-117 D5
Neve, Serra do ▲ ANG 86-87 B4
Nevel' ☆ RUS 30-31 C3
Nevers o• F 16-17 F3
Nevertire o AUS 64-65 D3
Nevesinje o BIH 26-27 D4
Nevinnomyssk o RUS 42-43 D3
Nevşehir ☆• TR 48-49 D3
Newala o EAT 84-85 F3
New Amsterdam o GUY 110-111 F3
Newark o USA 102-103 J2
Newark on Trent o• GB 14-15 F5
New Bedford o USA 102-103 J2
New Bern o USA 102-103 H3
New Britain ⌐ PNG 68-69 C2
New Britain Trench ≈68-69 D2
Newbury o GB 14-15 F6
New Bussa o WAN 80-81 E4
New Caledonia Basin ≈64-65 H2
Newcastle o AUS 64-65 E3
Newcastle o CDN 98-99 L5
Newcastle o GB 14-15 C4
Newcastle o USA 100-101 F2
New Castle o USA 102-103 G2
Newcastle upon Tyne ☆ GB 14-15 F4
Newcastle Waters o AUS 62-63 E3
Newcastle West = An Caisleán Nua
o IRL 14-15 B5
New Delhi ★ IND 52-53 C1
New England Seamounts ≈90-91 P6
Newenham, Cape ▲ USA 92-93 K4
Newfoundland, Grand Banks of
≈98-99 O5
Newfoundland, Island of ⌐ CDN
98-99 N5

Newfoundland and Labrador ▫ CDN
98-99 M3
New Galloway o GB 14-15 D4
New Georgia Sound = The Slot
≈68-69 E2
New Glasgow o CDN 98-99 M5
New Guinea ⌐ RI 56-57 G6
New Guinea Trench ≈56-57 G6
New Hampshire ▫ USA 102-103 J2
Newhaven o GB 14-15 G6
New Haven o USA 102-103 J2
New Hazelton o CDN 94-95 F4
New Hebrides = Nouvelles Hébrides
⌐ VU 68-69 G4
New Iberia o USA 102-103 E4
New Ireland ⌐ PNG 68-69 D1
New Jersey ▫ USA 102-103 J3
Newmarket o• GB 14-15 G5
New Plymouth o NZ 64-65 J4
Newport o GB (ENG) 14-15 F6
Newport o GB (WAL) 14-15 E6
New Providence Island ⌐ BS
104-105 F2
Newquay o• GB 14-15 D6
New Ross = Ros Mhic Thriúin o IRL
14-15 C5
Newtownabbey o GB 14-15 C4
Newtown Steward o GB 14-15 C4
New York o• USA 102-103 J2
New York ▫ USA 102-103 H2
Nezahualcóyotl, Ciudad o MEX
100-101 G7
Nežin = Nižyn o UA 32-33 B2
Neznanovo o RUS 30-31 J4
Nez Perce Indian Reservation X USA
100-101 C1
Ngabang o RI 54-55 D5
Ngala o WAN 80-81 G3
Ngangla Ringco o CN 44-45 D5
Nganglong Kangri ▲ CN 44-45 D5
Ngaoundéré ☆ CAM 80-81 G4
Ngatik Atoll ⌐ FSM 66-67 D4
Ngato o CAM 80-81 H5
Ngazidja ⌐ COM 84-85 E3
N'Giva ☆ ANG 86-87 C5
Ngoko ⌐ CAM 80-81 H5
Ngourti o RN 80-81 G2
Ngovayang ▲ CAM 80-81 G5
Nguigmi o RN 80-81 G3
Nguni o EAK 82-83 F6
Nguru o WAN 80-81 G3
Nhamundá Mapuera, Área Indígena
X BR 114-115 C2
Nharêa o ANG 86-87 C4
Nha Trang o• VN 54-55 D3
Nhulunbuy (Gove) o AUS 62-63 F2
Niafounké o RMM 80-81 D2
Niagara, Chutes du ~ o• CDN 98-99 J6
Niagara Falls o CDN 98-99 J6
Niamey ★ RN 80-81 E3
Niangara o CGO 82-83 D5
Nia-Nia o CGO 82-83 D5
Niari ⌐ RCB 86-87 B2
Nias, Pulau ⌐ RI 54-55 B5
Niassa, Reserva do ⊥ MOC 84-85 D3
Niáta o GR 28-29 D4
Niau, Île ⌐ F 70-71 K4
Nicaragua ■ NIC 104-105 D5
Nicaragua, Lac de o NIC 104-105 D5
Nicastro o I 24-25 F5
Nice ☆• F 16-17 H5
Nicholson o AUS 62-63 D3
Nicobar, Îles ⌐ IND 52-53 F5
Nicobar Islands ⌐ IND 52-53 F5
Nicosia o I 24-25 E6
Nicosie ★• CY 48-49 D3
Nicoya, Península de o CR
104-105 D6
Nida o• LT 12-13 J4
Nidelva ~ N 10-11 E5
Nidzica o• PL 20-21 F2
Niebla o RCH 116-117 C5

Niebüll o D 18-19 D1
Niechorze o PL 20-21 C1
Niedere Tauern ▲ A 18-19 F5
Niederösterreich ▫ A 20-21 C4
Niellé o CI 80-81 C3
Niémen ~ LT 12-13 K4
Niemisel o S 8-9 M3
Nienburg (Weser) o D 18-19 D2
Nieuw Amsterdam ☆ SME
110-111 F3
Nieuw Nickerie ☆ SME 110-111 F3
Niğde ☆• TR 48-49 D3
Niger ~ RMM 80-81 C3
Niger ■ RN 80-81 F2
Niger, Cône du ≈80-81 E4
Niger, River ~ WAN 80-81 F4
Niger Delta ~ WAN 80-81 F5
Niger Fan ≈80-81 E4
Nigeria ■ WAN 80-81 F4
Nihiru Atoll ⌐ F 70-71 J4
Niigata ☆ J 46-47 J3
Nijmegen o• NL 18-19 B3
Nijnekama, Réservoir de ⟨ RUS
42-43 F1
Nijnevartovsk ☆ RUS 38-39 L3
Nijni-Novgorod ☆ •• RUS 30-31 K3
Nijni-Novgorod ☆ •• RUS 30-31 L3
Nijni Novgorod, Réservoir de ⟨ RUS
30-31 K3
Nijni-Taguil ☆ RUS 38-39 G4
Nikel' o RUS 8-9 Q2
Nikkaluokta o S 8-9 K3
Niklasmarkt o RO 26-27 G2
Nikolaev = Mykolajïv o UA 32-33 B4
Nikolaevo o RUS 30-31 C2
Nikolaevsk o RUS 32-33 J2
Nikolaïevsk-sur-l'Amour ☆• RUS
40-41 H4
Nikol'sk o RUS (PNZ) 30-31 M5
Nikol'sk o RUS 30-31 L2
Nikol'sk o RUS 30-31 M5
Nikol'skoe o RUS 32-33 K4
Nikopol o BG 26-27 G4
Nikopol' o UA 32-33 D4
Nikopolis ☆• GR 28-29 C3
Nikšić o MNE 26-27 D4
Nikunau Atoll ⌐ KIR 66-67 H6
Nil ~ ET 78-79 G3
Nīl, an- ~ ET 78-79 G3
Nil = an-Nīl ~ SUD 78-79 G5
Nil Blanc ~ SUD 82-83 E3
Nil Bleu ~ ETH 82-83 E3
Nil Bleu ~ SUD 82-83 E3
Nilópolis o BR 114-115 F6
Nilsiä o FIN 10-11 P3
Nīmach o IND 52-53 B2
Nimba, Monts ▲ ••• RG 80-81 C4
Nîmes ☆• F 16-17 G5
Nimmitabel o AUS 64-65 D4
Nimule o SUD 82-83 E5
Nimule National Park ⊥ SUD 82-83 E5
Nina, Île = Aniwa Island ⌐ VU
68-69 G4
Nînawâ ⁘• IRQ 48-49 F3
Ninfas, Punta ▲ RA 116-117 E6
Ning'an o CN 46-47 G2
Ningbo o• CN 46-47 F5
Ningming o CN 46-47 C6
Ningxia Huizu Zizhiqu ▫ CN 46-47 C3
Ninigo Group ⌐ PNG 68-69 B1
Niobrara River ~ USA 102-103 D2
Niokolo-Koba, Parc National du ⊥ ••• SN
80-81 B3
Niono o RMM 80-81 C3
Nioro du Sahel o RMM 80-81 C2
Niort o• F 16-17 D3
Nipigon o CDN 98-99 G5
Nipigon, Lake o CDN 98-99 G5
Nipissing, Lake o CDN 98-99 J5
Niquelândia o BR 114-115 F4
Niš o•• SRB 26-27 E4
Nisa o P 22-23 C4

Nisko — Novyj Uojan

Novyj Urengoj o **RUS** 38-39 L 2
Novyj Uzen' o **KZ** 42-43 F 3
Nowa Sól o **PL** 20-21 C 3
Nowe o• **PL** 20-21 E 2
Nowogard o **PL** 20-21 C 2
Nowra-Bomaderry o **AUS** 64-65 E 3
Nowy Sącz ★• **PL** 20-21 F 4
Noyon o **F** 16-17 F 2
Nritu Ga o **MYA** 52-53 G 1
Ntchisi o **MW** 84-85 C 3
Ntomba, Lac o• **CGO** 86-87 C 2
Nûba, an- ⊥ **SUD** 78-79 F 5
Nûba, Sahrā' an- ⊥ **SUD** 78-79 G 4
Nubie ⊥ **SUD** 78-79 F 5
Nubie, Désert de ⊥ **SUD** 78-79 G 4
Nueces River ∿ **USA** 102-103 D 5
Nueltin Lake o **CDN** 96-97 L 5
Nueva Gerona ☆ **C** 104-105 E 3
Nueva Rosita o **MEX** 100-101 F 5
Nuevo Andoas o **PE** 112-113 D 2
Nuevo Casas Grandes o **MEX**
   100-101 E 4
Nuevo Laredo o **MEX** 100-101 G 5
Nuevo Riaño o **E** 22-23 D 2
Nui ∿ **TUV** 70-71 A 2
Nuja = Karksi-Nuja o•• **EST** 12-13 L 2
Nu Jiang ∿ **CN** 44-45 G 6
Nuku'alofa ★• **TO** 70-71 B 5
Nuku'alofa ★• **TO** 70-71 C 5
Nukufetau Atoll ∿ **TUV** 70-71 A 2
Nukulaelae Atoll ∿ **TUV** 70-71 A 2
Nukunonu Atoll ∿ **NZ** 70-71 C 2
Nukuoro Atoll ∿ **FSM** 66-67 C 5
Nukutepipi Atoll ∿ **F** 70-71 J 5
Nulato o **USA** 92-93 L 3
Nullagine o **AUS** 62-63 C 4
Nullarbor, Plaine ⊥ **AUS** 62-63 D 6
Nullarbor National Park ⊥ **AUS** 62-63 D 6
Numan o **WAN** 80-81 G 4
Nü'mān, Ma'arrat an- o• **SYR** 48-49 E 3
Numancia ∴• **E** 22-23 E 3
Numedal ⊥ **N** 10-11 E 4
Numfor, Pulau ∿ **RI** 56-57 F 6
Nunavik ↝ **GRØ** 96-97 U 3
Nunavut ⬜ **CDN** 96-97 J 4
Nunivak Island ∿ **USA** 92-93 J 3
Nunligran o **RUS** 40-41 Q 2
Nuoro o **I** 24-25 B 4
Nuqay, Jabal ▲ **LAR** 78-79 D 4
Nūra o **KZ** 42-43 K 2
Nuremberg o **D** 18-19 E 4
Nuri •• **SUD** 78-79 G 5
Nurmes o **FIN** 10-11 P 3
Nurmijärvi o **FIN** 10-11 P 3
Nushki o **PK** 50-51 H 3
Nussdorf o **RO** 26-27 G 2
Nuuk = Godthåb ★• **GRØ** 96-97 U 5
Nuussuaq Halvø ↝ **GRØ** 96-97 U 3
Nuyts Archipelago ∿ **AUS** 62-63 C 6
Nxai Pan National Park ⊥ **RB** 86-87 D 5
Nyagassola o **RG** 80-81 C 3
Nyaingêntanglha Shan ▲ **CN** 44-45 F 5
Nyalâ ⬦ **SUD** 82-83 C 3
Nyanga ∿ **G** 80-81 G 6
Nyaunglebin o **MYA** 52-53 F 4
Nybergsund o **N** 10-11 G 4
Nyborg o• **DK** 12-13 D 4
Nybro ☆ **S** 12-13 F 3
Nyeboe Land ⊥ **GRØ** 96-97 T 1
Nyeri ★ **EAK** 82-83 F 6
Nyima o **CN** 44-45 E 5
Nyingchi o **CN** 44-45 F 6
Nyírbátor o **H** 26-27 F 2
Nyíregyháza o **H** 26-27 E 2
Nykarleby o **FIN** 10-11 M 3
Nykia National Park ⊥ **MW** 84-85 C 3
Nykia Plateau ▲• **MW** 84-85 C 3
Nykøbing Falster o **DK** 12-13 D 4
Nykøbing Mors o **DK** 12-13 C 3
Nyköping o **S** 12-13 G 2
Nyland = Uusima ⊥ **FIN** 10-11 N 4
Nylstroom o **ZA** 86-87 E 6

Nymburk o• **CZ** 20-21 C 3
Nymphe Bank ≃14-15 C 6
Nynäshamn ▲ **S** 12-13 G 2
Nyngan o **AUS** 64-65 D 3
Nyong ∿ **CAM** 80-81 G 5
Nyons o **F** 16-17 G 4
Nyrud o **RUS** 8-9 P 2
Nysa o• **PL** 20-21 D 3
Nysa Kłodzka ∿ **PL** 20-21 D 3
Nysa Łużycka ∿ **PL** 20-21 C 3
Nyunzu o **CGO** 86-87 E 3
Nyžni Sirohozy o **UA** 32-33 D 4
Nyžni Torhaji o **UA** 32-33 D 4
Nyžn'ohirs'kyj ☆ **UA** 32-33 D 5
Nzega o **EAT** 84-85 C 1
Nzérékoré ▪ **RG** 80-81 C 4
N'Zeto o **ANG** 86-87 B 3

O

Oamaru o **NZ** 64-65 J 6
Oaxaca de Juárez ☆ ••• **MEX**
   100-101 G 7
Ob ∿ **RUS** 38-39 J 3
Ob, Golfe de l' ≈ **RUS** 38-39 K 2
Oban o **GB** 14-15 D 3
Öbe ∿ **AFG** 50-51 G 2
Obe = Aoba, Île ∿ **VU** 68-69 G 4
Obe = Île Aoba ∿ **VU** 68-69 G 4
Obeliai o **LT** 12-13 L 4
Obel-prolaz ▲ **MK** 26-27 F 5
Obera o• **RA** 116-117 F 3
Oberösterreich □ **A** 18-19 F 4
Oberstein, Idar- o **D** 18-19 C 4
Obi, Pulau ∿ **RI** 56-57 E 6
Óbidos o **BR** 114-115 C 2
Óbidos o•• **P** 22-23 B 4
Obihiro o **J** 46-47 K 2
Obitočna kosa ↝ **UA** 32-33 E 4
Oblačnaja, gora ▲ **RUS** 46-47 H 2
Obluč'e o **RUS** 40-41 F 5
Obninsk o **RUS** 30-31 G 4
Obo ☆ **RCA** 82-83 D 4
Oboa ▲ **EAU** 82-83 E 5
Obock o **DJI** 82-83 G 3
Obojan o **RUS** 32-33 E 2
Obouya o **RCB** 86-87 C 2
Obra ∿ **PL** 20-21 C 2
Obregón, Ciudad o **MEX** 100-101 E 5
Obrenovac o **SRB** 26-27 E 3
Obrouchev, Seuil d' ≃40-41 M 4
Obrovac o **HR** 26-27 B 3
Obruchev Rise ≃40-41 M 4
Obskaja guba ≈ **RUS** 38-39 K 2
Obuchiv o **UA** 32-33 D 2
Obytočna zatoka ≈32-33 D 4
Očakiv o **UA** 26-27 K 2
Očakiv o **UA** 32-33 B 4
Ocala o **USA** 102-103 G 5
Ocaña o **CO** 110-111 C 3
Ocaña o **E** 22-23 E 4
Ocapi, Parc National de la ⊥ **CGO**
   82-83 D 5
Oceanside o **USA** 100-101 C 4
Očenyrd, gora ▲ **RUS** 38-39 J 2
Ocho Rios o• **JA** 104-105 F 4
Ochtyrka o **UA** 32-33 D 2
Ockelbo o **S** 10-11 J 4
Ocotal ☆ **NIC** 104-105 F 4
Ocotlán o **MEX** 100-101 F 6
Ocreza, Ribeira da ∿ **P** 22-23 C 4
Octeville, Cherbourg- o **F** 16-17 D 2
Octy, Marais ⊾ **AUS** 62-63 E 4
Ódáðahraun ▲ **IS** 8-9 e 2
Ódemira o **P** 22-23 B 5
Ödemiş ☆ **TR** 28-29 F 3
Odense o• **DK** 12-13 D 4
Oder ∿ **D** 18-19 G 2

Oderbruch ⊥ **D** 18-19 G 2
Odesa ☆• **UA** 26-27 K 2
Odesa ☆ •• **UA** 32-33 B 4
Odessa ☆• **UA** 32-33 B 4
Odessa o **USA** 102-103 C 4
Odienné ☆• **CI** 80-81 C 4
Odincovo ∿ **RUS** 30-31 G 4
Odoev ∿ **RUS** 30-31 G 5
Odomlja o **RUS** 30-31 F 3
Odorheiu Secuiesc o **RO** 26-27 G 2
Odra ∿ **PL** 20-21 C 2
Odžaci o **SRB** 26-27 D 3
Odzala, Parc National d' ⊥ **RCB**
   80-81 G 5
Oever, Den o **NL** 18-19 B 2
Öfærufoss ∿ **IS** 8-9 d 3
Öfanto ∿ **I** 24-25 E 4
Offenbach am Main o **D** 18-19 D 3
Offenburg o **D** 18-19 C 4
Ofotfjorden ≈8-9 J 2
Ogaden ⊥ **ETH** 82-83 G 4
Oganda, Parc National de l' ⊥ **G**
   80-81 G 6
Ogbomoşo o **WAN** 80-81 E 4
Ogden o **USA** 100-101 D 2
Ogilvie Mountains ▲ **CDN** 94-95 D 2
Ognon ∿ **F** 16-17 H 3
Ogoki Reservoir < **CDN** 98-99 G 4
Ogoki River ∿ **CDN** 98-99 G 4
Ogooué ∿ **G** 80-81 G 6
Ogr o **SUD** 82-83 D 3
Ogre ☆ **LV** 12-13 L 3
Ogre ∿ **LV** 12-13 L 3
Ogulin o **HR** 26-27 B 3
Óhi ▲ **GR** 28-29 E 3
Ohio □ **USA** 102-103 G 2
Ohio River ∿ **USA** 102-103 F 3
Ohota ∿ **RUS** 40-41 H 2
Ohotsk, Sea of ≈40-41 J 4
Ohotskoe more ≈40-41 J 4
Ohře ∿ **CZ** 20-21 B 3
Ohrid o••• **MK** 26-27 E 5
Ohridsko Ezero ∿ **MK** 26-27 E 5
Ohrit, Liqueni i ∿ **AL** 28-29 C 2
Oiapoque ∿ **BR** 110-111 G 4
Oiapoque, Reserva Biológica de ⊥ **BR**
   110-111 G 4
Oijärvi o **FIN** 8-9 N 4
Oise ∿ **F** 16-17 F 2
Öita o **J** 46-47 H 4
Ojmjakonskoe nagor'e ▲ **RUS** 40-41 H 2
Ojos del Salado, Nevado ▲ **RCH**
   116-117 D 3
Oka ∿ **RUS** (IRK) 38-39 Q 5
Oka ∿ **RUS** 30-31 G 4
Okahandja ☆ **NAM** 86-87 C 6
Okanagan Lake o **CDN** 94-95 H 6
Okano ∿ **G** 80-81 G 5
Okanogan River o **USA** 100-101 C 1
Okavango ∿ **RB** 86-87 D 5
Okavango, Marais de l' ⊥ **RB** 86-87 D 5
Okavango Basin ⊥ **RB** 86-87 D 5
Okavango Delta ⊥ **RB** 86-87 D 5
Okayama o **J** 46-47 H 4
Okeechobee, Lake o **USA** 102-103 G 5
Okha ☆• **RUS** 40-41 H 4
Okhotsk ☆• **RUS** 40-41 H 3
Okhotsk, Mer d' ≈40-41 J 4
Okhotsk, Sea of = Ohotskoe more
   ≈40-41 H 3
Oki ∿ **J** 46-47 H 3
Okinawa Shima ∿ **J** 46-47 G 5
Okinawa-shotö ∿ **J** 46-47 G 5
Okinoerabu-shima ∿ **J** 46-47 G 5
Oklahoma □ **USA** 102-103 D 3
Oklahoma City o **USA** 102-103 D 3
Øksfjord o **N** 8-9 M 1
Øksfjordjøkelen ▲• **N** 8-9 M 1
Okskij Gosudarstevennyi zapovednik
   ⊥ **RUS** 30-31 J 4
Okstindan ▲• **N** 8-9 H 4
Oktjabr' o **KZ** 42-43 G 2

Oktjabr'skij o **RUS** (BAS) 42-43 F 1
Oktjabr'skij o **RUS** (KMC) 40-41 L 4
Oktjabr'skij o **RUS** (ULN) 42-43 F 1
Okulovka o **RUS** 30-31 E 2
Okushiri-tö ↝ **J** 46-47 J 2
Okwa ∿ **RB** 86-87 D 6
Ólafsfjörður o **IS** 8-9 d 1
Ólafsvík o **IS** 8-9 b 2
Öland ∿• **S** 12-13 G 3
Olary o **AUS** 64-65 C 3
Olavarria o **RA** 116-117 E 5
Olbernhau o **D** 18-19 F 3
Ólbia o **I** 24-25 B 4
Old Crow o **CDN** 94-95 D 2
Oldeani ▲ **EAT** 84-85 D 1
Oldenbourg o **D** 18-19 D 2
Oldenburg (Holstein) o **D** 18-19 E 1
Olderdalen o **N** 8-9 L 2
Olderfjord o **N** 8-9 N 1
Oldham o **GB** 14-15 E 5
Olecko o **PL** 20-21 G 1
Oleiros o **P** 22-23 C 4
Olëkma ∿ **RUS** 40-41 D 3
Olëkma ∿ **RUS** 40-41 D 3
Olëkminsk ☆• **RUS** 40-41 D 2
Olëkminskij zapovednik ⊥ **RUS** 40-41 D 3
Oleksandrivka o **UA** 32-33 C 3
Olenëk o **RUS** 38-39 S 2
Olenëk ∿ **RUS** 38-39 R 2
Olenek, Baie de l' ≈ **RUS** 38-39 T 1
Olenij, ostrov ∿ **RUS** 38-39 L 1
Olenino o **RUS** 30-31 E 3
Olenogorsk o **RUS** 8-9 R 2
Oléron, Île d' ∿ **F** 16-17 D 4
Olesskyj zamok • **UA** 20-21 H 3
Olevs'k o **UA** 20-21 J 3
Ölfjellet ▲ **N** 8-9 H 3
Ol'ga o **RUS** 46-47 J 2
Ölgij ☆ **MGL** 44-45 E 2
Ol'ginsk o **RUS** 40-41 F 4
Olhão o **P** 22-23 C 5
Ol'hovka o **RUS** 32-33 J 3
Olib ∿ **HR** 26-27 B 3
Olifantsrivier ∿ **NAM** 86-87 C 6
Olifantsrivier ∿ **ZA** 86-87 E 6
Olimarao Atoll ∿ **FSM** 66-67 D 4
Olímbía o **GR** 28-29 C 4
Ólimpos ▲ **GR** 28-29 D 2
Olinda o••• **BR** 114-115 H 3
Olioutorski, Cap ▲ **RUS** 40-41 O 3
Olita ☆ **LT** 12-13 L 4
Oliva o **E** 22-23 F 4
Oliva de la Frontera o **E** 22-23 C 4
Olivenza o **E** 22-23 C 4
Oljutorskij poluostrov ↝ **RUS** 40-41 O 2
Oljutorskij zaliv ≈ **RUS** 40-41 N 2
Ollagüe, Volcán ▲ **BOL** 112-113 F 6
Olmalik o **UZ** 42-43 J 3
Olmedo o **E** 22-23 D 3
Olmos o **PE** 112-113 D 3
Oločí o **RUS** 38-39 T 5
Olofström ☆ **S** 12-13 F 3
Ologbo Game Reserve ⊥ **WAN** 80-81 F 4
Oloj ∿ **RUS** 40-41 M 1
Olojskij hrebet ▲• **RUS** 40-41 L 1
Olomouc o **CZ** 20-21 D 4
Oloron-Sainte-Marie o• **F** 16-17 D 5
Ol'ša o **RUS** 30-31 D 4
Olsztyn ★• **PL** 20-21 F 1
Olsztynek o **PL** 20-21 F 2
Olt ∿ **RO** 26-27 G 3
Olt, Drăgăneşti o **RO** 26-27 G 3
Olten o **CH** 18-19 C 5
Olteniţa o **RO** 26-27 H 3
Oluanpi ▲ **RC** 46-47 F 6
Olympia ∿• **GR** 28-29 C 4
Olympia ★• **USA** 100-101 B 1
Olympic National Park ⊥••• **USA**
   100-101 B 1
Olympos ▲ **CY** 48-49 D 4
Olympus, Mount ▲ **USA** 100-101 B 1
Olynthos • **GR** 28-29 D 2

Alphabet sidebar markers: A B C D E F G H I J K L M N O P Q R S T U V W X Y Z

Om' ~ **RUS** 38-39 L4
Omagh ✩ • **GB** 14-15 C4
Omaha o **USA** 102-103 D2
Oman ■ **OM** 50-51 E5
Oman, Golfe d' ≈50-51 F3
Oman, Gulf of ≈50-51 F3
Omapere o **NZ** 64-65 J4
Omaruru ✩ **NAM** 86-87 C6
Omatako ~ **NAM** 86-87 D5
Omboué o **G** 80-81 F6
Ombrie □ **I** 24-25 C3
Ombrone ~ **I** 24-25 C3
Omdurman o•• **SUD** 78-79 G5
Ometepe, Isla de ⌐ **NIC** 104-105 D5
Omineca Mountains ▲ **CDN** 94-95 F4
Omiš o• **HR** 26-27 C4
Ōmiya o **J** 46-47 J3
Ommanney Bay ≈ **CDN** 96-97 K3
Omoloj ~ **RUS** 38-39 W1
Omolon o **RUS** 40-41 M1
Omolon ~ **RUS** 40-41 L1
Omo National Park ⊥ **ETH** 82-83 F4
Omo Wenz ~ **ETH** 82-83 F5
Omsk ✩• **RUS** 38-39 K5
Omsukčan ✩ **RUS** 40-41 L2
Omsukčanskij hrebet ▲ **RUS** 40-41 K2
Omurtag o **BG** 26-27 H4
Omutinskij ✩ **RUS** 38-39 J4
Oña o **E** 22-23 E3
Oncócua o **ANG** 86-87 B5
Onda o **E** 22-23 F4
Öndörhaan ✩ **MGL** 44-45 K2
Oneata ⌐ **FJI** 70-71 B4
Onega o **RUS** 4-5 P2
Onega ~ **RUS** 4-5 P2
Onega, Baie de l' ≈ **RUS** 4-5 P2
Onega, Lac o **RUS** 4-5 P2
Oneşti o **RO** 26-27 H2
Onežskaja guba ≈ **RUS** 4-5 P2
Onežskoe ozero o **RUS** 4-5 P2
Ongjin o **KP** 46-47 G3
Ongole o **IND** 52-53 D3
Onikschty ~ **LT** 12-13 L4
Onitsha ✩ **WAN** 80-81 F4
Onkamo o **FIN** 10-11 Q3
Onkivesi ~ **FIN** 10-11 O3
Ono-i-Lau ⌐ **FJI** 70-71 B5
Onon ~ **RUS** 44-45 L1
Onotoa Atoll ⌐ **KIR** 66-67 H6
Onslow o **AUS** 62-63 A4
Onslow Bay ≈ **USA** 102-103 H4
Ontario □ **CDN** 98-99 F4
Ontong Java ⌐ **SOL** 68-69 E2
Ontong Java, Plateau d' ≃68-69 E1
Oodnadatta o **AUS** 62-63 F5
Oos-Londen = East London o• **ZA** 86-87 E8
Oosterschelde ≈18-19 A3
Opaka o **BG** 26-27 H4
Opala o **RDC** 86-87 D2
Opatija o **HR** 26-27 B3
Opava o **CZ** 20-21 D4
Opelika o **USA** 102-103 F4
Opienge o **CGO** 82-83 D5
Opiljja ▲ **UA** 20-21 H4
Opišn'a o **UA** 32-33 D3
Opočka ✩ **RUS** 30-31 C3
Opoczno o **PL** 20-21 F3
Opole ✩• **PL** 20-21 D3
Opotiki o **NZ** 64-65 K4
Oppdal o **N** 10-11 E3
Oppstryn o **N** 10-11 D4
Opunake o **NZ** 64-65 J4
Opuwo ✩ **NAM** 86-87 B5
Or, Côte de l' ↩ **GH** 80-81 D5
Oradea ✩• **RO** 26-27 E2
Öræfajökull ▲ **IS** 8-9 e2
Orai o **IND** 52-53 C1
Oral ✩ **KZ** 42-43 F1
Oran ✩•• **DZ** 76-77 G2
Orange o **AUS** 64-65 D3
Orange ⌐• **F** 16-17 G4

Orange ~ **ZA** 86-87 C7
Orange, Cap ▲ **F** 110-111 G4
Orange, Cône de l' ≃86-87 B7
Orange Fan ≃86-87 B7
Orango, Ilha de ⌐ **GNB** 80-81 A3
Oranje Gebergte ▲ **SME** 110-111 F4
Oranjerivier ~ **ZA** 86-87 C7
Oranjestad ✩ **ARU** 110-111 C2
Oratia, Mount ▲ **USA** 92-93 K4
Oraviţa o **RO** 26-27 E3
Orawitza o **RO** 26-27 E3
Orb ~ **F** 16-17 F5
Orbetello o **I** 24-25 C3
Órbigo, Río ~ **E** 22-23 D2
Orbost o **AUS** 64-65 D4
Orcades ⌐ **GB** 14-15 E2
Orco ~ **I** 24-25 A2
Ord, Mount ▲ **AUS** 62-63 D3
Ordes o• **E** 22-23 B2
Ordos, Plateau de l' ⊥ **CN** 46-47 C3
Ord River ~ **AUS** 62-63 D3
Ordu o **TR** 48-49 E2
Ordžonikidze o **UA** 32-33 D4
Örebro ✩• **S** 12-13 F2
Oredež o **RUS** 30-31 D2
Oregon □ **USA** 100-101 B2
Orehovo-Zuevo o **RUS** 30-31 H4
Orel o **RUS** 30-31 G5
Orel' ~ **UA** 32-33 D3
Orellana la Vieja o **E** 22-23 D4
Ören o **TR** 28-29 F4
Orenburg ✩ **RUS** 42-43 G1
Orénoque o **YV** 110-111 E3
Orénoque, Delta de l' ≈ **YV** 110-111 E3
Orense = Ourense o **E** 22-23 C2
Øresund ≈12-13 E4
Orgeev = Orhei o **MD** 26-27 J2
Orhaneli ✩ **TR** 28-29 G3
Orhangazi o **TR** 28-29 G2
Orhei ✩ **MD** 26-27 J2
Orhej = Orhei o **MD** 26-27 J2
Orhon gol ~ **MGL** 44-45 H2
Orichiv o **UA** 32-33 D4
Oriental, Désert ⊥ **ET** 78-79 G3
Orihuela o **E** 22-23 F4
Orillia o **CDN** 98-99 J6
Orinduik o **GUY** 110-111 E4
Orinoco, Llanos del ⊥ **CO** 110-111 C4
Oriola = Orihuela o **E** 22-23 F4
Orissa □ **IND** 52-53 D3
Orissaare o **EST** 12-13 K2
Oristano o• **I** 24-25 B5
Orivesi o **FIN** 10-11 N4
Oriximiná o **BR** 114-115 C2
Orizaba o• **MEX** 100-101 G7
Orjahovo o **BG** 26-27 F4
Orjen ▲ **MNE** 26-27 D4
Orkanger o **N** 10-11 E3
Örkelljunga o **S** 12-13 E3
Orkla o **N** 10-11 E3
Orkney Islands ⌐ **GB** 14-15 E2
Orlando o• **USA** 102-103 G5
Orléanais ⌐ **F** 16-17 E3
Orléans o **F** 16-17 E3
Orle River Game Reserve ⊥ **WAN** 80-81 F4
Orlik ✩ **RUS** 44-45 G1
Orlovskij o **RUS** 32-33 H4
Ormâra, Râs ▲ **PK** 50-51 G3
Ormea o•• **I** 24-25 A2
Ormoc o **RP** 56-57 D3
Ormos Almirou ≈28-29 E5
Ormtjørn nasjonalpark ⊥ **N** 10-11 E4
Ormuz, Détroit d' ≈50-51 F3
Orne ~ **F** 16-17 D2
Ørnes o **N** 8-9 G3
Örnsköldsvik o **S** 10-11 K3
Orocue o **CO** 110-111 C4
Orodel o **RO** 26-27 F3
Orol dengizi o **UZ** 42-43 G2
Oroluk Atoll ⌐ **FSM** 66-67 F4
Oropesa o• **E** 22-23 D4

Orosei o **I** 24-25 B4
Orosháza o **H** 26-27 E2
Orotukan o **RUS** 40-41 K2
Oroya, La o **PE** 112-113 D4
'orquinco o **RA** 116-117 C6
Orša o **BY** 20-21 L1
Orsa o **S** 10-11 H4
Orsk o **RUS** 42-43 G1
Ørstavik ✩ **N** 10-11 D3
Ortaca ✩ **TR** 28-29 G4
Orte o **I** 24-25 D3
Ortegal, Cabo ▲ **E** 22-23 C2
Orthez o **F** 16-17 D5
Ortigueira o **E** 22-23 C2
Ortler = Örtles ▲ **I** 24-25 C1
Ortona o **I** 24-25 E3
Orūmīye ✩ **IR** 48-49 G3
Orūmīye, Daryāče-ye o **IR** 48-49 F3
Oruro o **BOL** 112-113 F5
Orust ~ **S** 12-13 D2
Orvieto o **I** 24-25 D3
Oržycja ~ **UA** 32-33 C3
Orzysz o• **PL** 20-21 F2
Oš ✩ **KS** 42-43 K3
Os ✩ **N** 10-11 F3
Osa, Península de ~ **CR** 104-105 E6
Ōsaka ✩ **J** 46-47 J4
Osasco o **BR** 114-115 E6
Osby o **S** 12-13 E3
Öschiri o **I** 24-25 B4
Osetr ~ **RUS** 30-31 H4
Oshakati o **NAM** 86-87 C5
Oshawa o **CDN** 98-99 J6
Ō-shima ~ **J** 46-47 G5
Ōshima ~ **J** 46-47 J4
Oshivelo o **NAM** 86-87 C5
Oshwe o **CGO** 86-87 C2
Osijek o• **HR** 26-27 D3
Osinniki ✩ **RUS** 38-39 N5
Oskarshamn ✩ **S** 12-13 G3
Os'kino o **RUS (IRK)** 38-39 R3
Os'kino o **RUS** 30-31 C2
Oslo ✩•• **N** 10-11 F5
Oslofjorden ≈10-11 F5
Osmaneli ✩ **TR** 28-29 H2
Osmaniye ✩ **TR** 48-49 E3
Os'mino o **RUS** 30-31 C2
Ōsmo o **S** 12-13 G2
Osnabrück o• **D** 18-19 D2
Osogbo o• **WAN** 80-81 E4
Osorno o **E** 22-23 D2
Osorno o **RCH** 116-117 C6
Osøyra o **N** 10-11 D5
Osprey Reef ~ **AUS** 62-63 H2
Ossa, Mount ▲ **AUS** 64-65 D5
Ossa de Montiel o **E** 22-23 E4
Ossélé o **RCB** 86-87 B2
Ossétie du Nord □ **RUS** 42-43 D3
Ostaškov ✩ **RUS** 30-31 E3
Östavall o **S** 10-11 H3
Østby o **N** 10-11 F3
Oste ~ **D** 18-19 D2
Ostende o• **B** 18-19 A3
Oster ~ **RUS** 30-31 E5
Österbotten = Pohjanmaa ⊥ **FIN** 10-11 M3
Österbybruk o **S** 10-11 J4
Østerdalen ↩ **N** 10-11 F4
Östergötland ⊥ **S** 12-13 F2
Østerø = Eysturoy ⌐ **FR** 10-11 a1
Östersund ✩• **S** 10-11 H3
Östhammar o **S** 10-11 K4
Ostrava o **CZ** 20-21 E4
Ostróda o• **PL** 20-21 E2
Ostrogožsk o **RUS** 32-33 F2
Ostrołęka ✩• **PL** 20-21 F2
Ostrov o **RO** 26-27 H3
Ostrov ✩ **RUS** 30-31 C3
Ostrov nad Oslavou o **CZ** 20-21 C4
Ostrovskoe o **RUS** 30-31 K3
Ostrowiec Świętokrzyski o **PL** 20-21 F3

Ostrów Mazowiecka o **PL** 20-21 F2
Ostrów Wielkopolski ✩ • **PL** 20-21 D3
Osttirol ⊥ **A** 18-19 F5
Ostuni o **I** 24-25 F4
Ōsumi, Détroit d' ≈ **J** 46-47 H4
Osuna o **E** 22-23 D5
Oświęcim o••• **PL** 20-21 E3
Otago Peninsula ↩••• **NZ** 64-65 J6
Otaru o **J** 46-47 K2
Otavi o **NAM** 86-87 C5
Oti ~ **GH** 80-81 E4
Otjiwarongo ✩ **NAM** 86-87 C6
Otra ~ **N** 10-11 D5
Otrante, Canal d' ≈24-25 G4
Otranto o **I** 24-25 G4
Otta ~ **N** 10-11 D4
Ottawa ★ **CDN** 98-99 J5
Ottawa Islands ⌐ **CDN** 98-99 H3
Ottawa River ~ **CDN** 98-99 J5
Ottenby o **S** 12-13 G3
Ottumwa o **USA** 102-103 E2
Otuzco o **PE** 112-113 D3
Otway, Cape ▲ **AUS** 64-65 C4
Ouachita Mountains ▲ **USA** 102-103 D4
Ouachita River ~ **USA** 102-103 E4
Ouadda o **RCA** 82-83 C4
Ouagadougou ★ **BF** 80-81 D3
Ouahigouya ✩ **BF** 80-81 D3
Oualâta o **RIM** 76-77 F6
Ouanda Djallé o **RCA** 82-83 C4
Ouandja-Vakaga, Réserve de faune de la ⊥ **RCA** 82-83 C4
Ou'Apelle River ~ **CDN** 94-95 L5
Ouarâne ⊥ **RIM** 76-77 E4
Ouargla ✩ • **DZ** 76-77 J3
Ouarkziz, Jbel ⊥ **MA** 76-77 E4
Ouarzazate ✩ **MA** 76-77 F3
Oubangui ~ **RCB** 80-81 H5
Oudâne o• **RIM** 76-77 E5
Oudenaarde o• **B** 18-19 A3
Oudmourtie, République d' □ **RUS** 4-5 S3
Oudtshoorn o **ZA** 86-87 D8
Ouémé ~ **DY** 80-81 E4
Ouessant ~ **F** 16-17 B2
Ouezzane o **MA** 76-77 F3
Oufa ★ **RUS** 38-39 G4
Oufa o **RUS** 42-43 G1
Oufa ~ **RUS** 42-43 G1
Ouganda ■ **EAU** 82-83 E5
Oughterard = Uachtar Ard o **IRL** 14-15 B5
Oujda ✩ **MA** 76-77 G3
Oukhta o **RUS** 4-5 S2
Oulainen o **FIN** 8-9 N4
Oulan-Bator ★ **MGL** 44-45 J2
Oulan-Oude ✩ • **RUS** 44-45 J1
Oulu ✩ **FIN** 8-9 N4
Oulujärvi ~ **FIN** 8-9 O4
Oulujoki ~ **FIN** 8-9 N4
Oum-Chalouba o **TCH** 78-79 F5
Oum-Hadjer o **TCH** 82-83 B3
Oumm ed Droûs Guebli, Sebkhet o **RIM** 76-77 E5
Ounasjoki ~ **FIN** 8-9 N3
Ounianga Kébir o **TCH** 78-79 E5
Oural ▲ **RUS** 38-39 G4
Ourense (Orense) o **E** 22-23 C2
Ourgentch o **UZ** 42-43 H3
Ourinhos o **BR** 114-115 E6
Ourique o **P** 22-23 B5
Ouro Sogui o **SN** 80-81 B2
Ouroumtsi ✩ **CN** 44-45 E3
Ours, Grand Lac de l' o **CDN** 94-95 G2
Ours, Îles des ⌐ **RUS** 40-41 M0
Ouse ~ **GB** 14-15 F5
Ousolie-Sibirskoïe o **RUS** 38-39 Q5
Oussourisk o **RUS** 46-47 H2
Oust-Ilimsk o **RUS** 38-39 Q4
Oustiouort ▲ **UZ** 42-43 G3
Oust-Kamenogorsk o **KZ** 42-43 M2
Oust-Nera ✩• **RUS** 40-41 H2

Outamba-Kilimbi National Park ⊥ **WAL** 80-81 B4
Outaouais, Rivière des ⁓ **CDN** 98-99 J5
Outer Hebrides ⌒ **GB** 14-15 C2
Outjo ☆ **NAM** 86-87 C6
Outokumpu o **FIN** 10-11 P3
Ouvaly du Nord ⁓ **RUS** 30-31 L2
Ouvéa ⌒ **F** 68-69 G5
Ouyen o **AUS** 64-65 C4
Ouzbékistan ■ **UZ** 42-43 H3
Ovalau ⌒ **FJI** 70-71 A4
Ovalle o **RCH** 116-117 C4
Ovamboland ⊥ **NAM** 86-87 B5
Ovana, Cerro ▲ **YV** 110-111 D4
Ovar o **P** 22-23 B3
Øvergård o **N** 8-9 K2
Överkalix o **S** 8-9 M3
Överum o **S** 12-13 G3
Oviedo = Uviéu o•• **E** 22-23 D2
Øvre Anarjokka nasjonalpark ⊥ **N** 8-9 N2
Øvre Dividal nasjonalpark ⊥ **N** 8-9 K2
Øvre Pasvik Nasjonalpark ⊥ **N** 8-9 P2
Övre Soppero o **S** 8-9 L2
Ovruč o **UA** 20-21 K3
Owando ☆ **RCB** 86-87 C2
Owen, Zone de Fractures d' ≃50-51 F6
Owen Fracture Zone ≃50-51 F6
Owensboro o **USA** 102-103 F3
Owen Sound o **CDN** 98-99 H6
Owen Stanley Range ▲ **PNG** 68-69 C2
Owerri ☆ **WAN** 80-81 F4
Owọ o **WAN** 80-81 F4
Owyhee River ⁓ **USA** 100-101 C2
Oxelösund ☆ **S** 12-13 G2
Oxford o•• **GB** 14-15 F6
Oyem ☆ **G** 80-81 G5
Øyeren o **N** 10-11 F5
Ozark Plateau ▲ **USA** 102-103 E3
Ozarks, Lake of the o **USA** 102-103 E3
Ożarów o **PL** 20-21 F3
Ozernoj, mys ▲ **RUS** 40-41 M3
Ozernoj, poluostrov ⌣ **RUS** 40-41 M3
Ozernoj, zaliv ≈ **RUS** 40-41 M3
Ozery o **RUS** 30-31 H4
Ozieri o **I** 24-25 B4
Ozimek o **PL** 20-21 E3
Ożogina ⁓ **RUS** 40-41 K1
Ozorków o **PL** 20-21 E3

P

Paamiut = Frederikshåb o **GRØ** 96-97 V5
Pabianice o **PL** 20-21 E3
Pabna o **BD** 52-53 E2
Pabradė o **LT** 12-13 L4
Pab Range ▲ **PK** 50-51 H3
Pacaás Novos, Parque Nacional de ⊥ **BR** 114-115 B4
Pacaás Novos, Serra dos ▲ **BR** 112-113 F4
Pacajus o **BR** 114-115 G2
Pacaraima, Sierra ▲ **YV** 110-111 E4
Pacasmayo o **PE** 112-113 D3
Pacaya-Samiria, Reserva Nacional ⊥ **PE** 112-113 E2
Pachino o **I** 24-25 E6
Pachuca de Soto ☆ **MEX** 100-101 G6
Pacific Ocean ≈100-101 D7
Pacific Ranges ▲ **CDN** 94-95 F5
Pacifique, Océan ≈100-101 D7
Pacifique Nord, Bassin du ≈90-91 G5
Pacifique sud-oriental, Bassin du ≃109 C10
Packsaddle o **AUS** 64-65 C3
Pacoval o **BR** 114-115 D2
Padang o **RI** 54-55 C6

Padangpanjang o **RI** 54-55 C6
Padang Sidempuan o **RI** 54-55 B5
Paderborn o•• **D** 18-19 D3
Padilla o **BOL** 112-113 G5
Padjelanta nationalpark ⊥ **S** 8-9 J3
Padoue ⌣ **I** 24-25 C2
Padre Island ⌒ **USA** 102-103 D5
Padrón o• **E** 22-23 B2
Paducah o **USA** 102-103 F3
Paestum •• **I** 24-25 E4
Pafos o••• **CY** 48-49 D4
Pafúri o **MOC** 86-87 F6
Pag o **HR** 26-27 B3
Pagadian ☆ **RP** 56-57 D4
Pagai Selatan, Pulau ⌒ **RI** 54-55 C6
Pagalu, Île de = Annobón ⌒ **GQ** 80-81 F6
Pagassitikós Kólpos ≈28-29 D3
Pagatan o **RI** 54-55 F6
Page o **USA** 100-101 D3
Pagégiai o **LT** 12-13 J4
Paget, Mount ▲ **GB** 119 D33
Pago Pago ☆ **USA** 70-71 C3
Paide ☆ **EST** 12-13 L2
Päijänne o **FIN** 10-11 N4
Paijärvi o **FIN** 10-11 O4
Paimpol o **F** 16-17 C2
Paine, Cerro ▲ **RCH** 116-117 C8
Painted Desert ⊥ **USA** 100-101 D3
Paisley o **GB** 14-15 D4
Paita o **PE** 112-113 C3
Pajala o **S** 8-9 M3
Pajer, gora ▲ **RUS** 38-39 H2
Pakaá-Nova, Área Indígena ✕ **BR** 112-113 F4
Pakin Atoll ⌒ **FSM** 66-67 D4
Pakistan ■ **PK** 50-51 J2
Pakokku o **MYA** 52-53 G2
Pakrac o **HR** 26-27 C3
Pakruojis ☆•• **LT** 12-13 K4
Pakwach o **EAU** 82-83 E5
Pakxé o•• **LAO** 54-55 D2
Pala o **TCH** 80-81 G4
palac Pereni • **UA** 20-21 G4
Palafrugell o• **E** 22-23 H3
Palagruža ⌒ **HR** 26-27 C4
Palais, le o **F** 16-17 C3
Palamós o **E** 22-23 H3
Palana ☆ **RUS** 40-41 L3
Palanga o• **LT** 12-13 J4
Palangán, Küh-e ▲ **IR** 48-49 K4
Palangkaraya ☆ **RI** 54-55 E6
Pālanpur o **IND** 52-53 B2
Palapye o **RB** 86-87 E6
Palau o **PW** 56-57 F4
Palawan ⌒ **RP** 56-57 C4
Palāyankottai o **IND** 52-53 C5
Palazzo Farnese • **I** 24-25 D3
Palazzolo Acréide o **I** 24-25 E6
Palembang o **RI** 54-55 C6
Palencia o• **E** 22-23 D2
Paleohóra o **GR** 28-29 D5
Paleokastritsa o **GR** 28-29 D3
Palermo o **I** 24-25 D5
Paleski radyjacyjna-ėkalagičny zapavednik ✕ **BY** 20-21 K3
Palesse ⌣ **BY** 20-21 H2
Paletwa o **MYA** 52-53 F2
Palghāt o **IND** 52-53 C4
Palgrave, Mount ▲ **AUS** 62-63 B4
Pāli o **IND** 52-53 B1
Palikir ★ **FSM** 66-67 D4
Paljavaam ⁓ **RUS** 40-41 O1
Palk, Détroit de ≈52-53 C5
Pallas-ja Ounastunturin kansallispuisto ⊥ **FIN** 8-9 M2
Pallastunturi ▲ **FIN** 8-9 N2
Palma o **MOC** 84-85 E3
Palma del Condado, La o **E** 22-23 C5
Palma del Río o **E** 22-23 D5
Palma de Mallorca ☆•• **E** 22-23 H4

Palmares o **BR** 114-115 G3
Palmas ☆ **BR** 114-115 E4
Palmeira o **CV** 76-77 C6
Palmer o **USA** 92-93 N3
Palmerston Atoll ⌒ **CK** 70-71 E4
Palmerston North o **NZ** 64-65 K5
Palmes, Cap des ▲ **CI** 80-81 C5
Palmira o **CO** 110-111 B4
Palm Islands ⌒ **AUS** 62-63 H3
Palmyra Island ⌒ **USA** 60-61 L4
Palnosiai o **LT** 12-13 K3
Palomar Mountain ▲ **USA** 100-101 C4
Palopo o **RI** 56-57 D5
Palos, Cabo de ▲ **E** 22-23 F5
Palpa o **PE** 112-113 D4
Paltamo o **FIN** 8-9 O4
Pältsan ▲ **S** 8-9 L2
Palu o **RI** 56-57 D5
Pama o **BF** 80-81 E3
Pamiers o **F** 16-17 E5
Pāmir ▲ **TJ** 42-43 K4
Pamir ▲ **TJ** 42-43 K4
Pamlico Sound ≈ **USA** 102-103 H3
Pampa ⊥ **RA** 116-117 D5
Pampa o **ROU** 116-117 F4
Pampa Grande o **BOL** 112-113 G5
Pampelune ⌣ **E** 22-23 F2
Pamplona o **CO** 110-111 C3
Pamukkale ••• **TR** 28-29 G4
Panagjurište o **BG** 26-27 G4
Panahaïkó ▲ **GR** 28-29 C4
Panají ☆• **IND** 52-53 B3
Panamá ■ **PA** 104-105 F6
Panamá ★• **PA** 104-105 F6
Panama Canal <•• **PA** 104-105 F6
Panama City o **USA** 102-103 F4
Panarea, Ísola ⌒ **I** 24-25 E5
Panaro ⁓ **I** 24-25 C2
Panay ⌒ **RP** 56-57 D3
Pančevo o• **SRB** 26-27 E3
Pančićev vrh ▲ **SRB** 26-27 E4
Pandélys o•• **LT** 12-13 L3
Pandharpur o• **IND** 52-53 C3
Panevėžys o•• **LT** 12-13 L4
Pangala o **RCB** 86-87 B2
Pangani ⁓ **EAT** 84-85 D1
Pangar Djerem, Réserve ⊥ **CAM** 80-81 G4
Pangkajene o **RI** 56-57 C6
Pangkalanbuun o **RI** 54-55 E6
Pangkalpinang o **RI** 54-55 D6
Pangnirtung o **CDN** 96-97 R4
Panié, Mont ▲ **F** 68-69 F5
Panipat o **IND** 52-53 C1
Panjgür o **PK** 50-51 G3
Panne, De o **B** 18-19 A3
Pantanal Matogrossense ⁓ **BR** 114-115 C5
Pantanal Matogrossense, Parque Nacional do ⊥ **BR** 114-115 C5
Pantelleria o **I** 24-25 C6
Pantemakassar o **TL** 56-57 D6
Pantoja o **PE** 112-113 D2
Panuco, Río ⁓ **MEX** 100-101 G6
Pan Xian o **CN** 44-45 H6
Panyčevo o **RUS** 38-39 M4
Panzhihua o **CN** 44-45 H6
Páola o **I** 24-25 F5
Pápa o **H** 26-27 C2
Papadiánika o **GR** 28-29 D4
Papagayo, Golfo de ≈ **CR** 104-105 D5
Papago Indian Reservation ✕ **USA** 100-101 D4
Papeete ☆ **F** 70-71 H4
Papey ⌒ **IS** 8-9 f2
Paporotno o **RUS** 30-31 D2
Papouasie, Golfe de ≈68-69 B2
Papouasie-Nouvelle-Guinée ■ **PNG** 68-69 B2
Papuk ▲ **HR** 26-27 C3
Pará □ **BR** 114-115 D3

Parabubure, Área Indígena ✕ **BR** 114-115 D4
Paraburdoo o **AUS** 62-63 B4
Paracanã, Área Indígena ✕ **BR** 114-115 D2
Paracas, Península de ⌣ **PE** 112-113 D4
Paracas, Reserva Nacional ⊥ **PE** 112-113 D4
Paracatu o **BR** 114-115 E5
Parachilna o **AUS** 62-63 F6
Paraćin o **SRB** 26-27 E4
Paradise o **USA** 100-101 C3
Paragua, La o **YV** 110-111 E3
Paragua, Reserva Forestal La ⊥ **YV** 110-111 E3
Paragua, Río ⁓ **YV** 110-111 E3
Paraguai, Río ⁓ **BR** 114-115 C5
Paraguaipoa o **YV** 110-111 C2
Paraguana, Península de ⌣ **YV** 110-111 C2
Paraguay ■ **PY** 116-117 E2
Paraguay, Río ⁓ **PY** 116-117 F2
Paraíba □ **BR** 114-115 G3
Parainen o **FIN** 10-11 M4
Parakou ☆ **DY** 80-81 E4
Paralia o **GR** 28-29 D4
Paramaribo ★• **SME** 110-111 F3
Paramillo, Nudo de ▲ **CO** 110-111 B3
Paramillo, Parque Nacional ⊥ **CO** 110-111 B3
Paramirim o **BR** 114-115 F4
Paramušir, ostrov ⌒ **RUS** 40-41 L4
Paraná ō **BR** 114-115 D6
Paraná ☆• **RA** 116-117 E4
Paraná o **BR** 114-115 E4
Paraná, Río ⁓ **PY** 116-117 F3
Paraná, Río o **BR** 114-115 E4
Paranaguá o **BR** 116-117 H3
Paranaíba o **BR** 114-115 D5
Paranaíba, Rio ⁓ **BR** 114-115 D5
Paranapanema, Rio ⁓ **BR** 114-115 D6
Paranatinga o **BR** 114-115 D4
Paranavaí o **BR** 114-115 D6
Paraoa Atoll ⌒ **F** 70-71 J4
Parata, Pointe de la ▲ **F** 24-25 B4
Paratinga o **BR** 114-115 F4
Paraúna o **BR** 114-115 D5
Paray-le-Monial o• **F** 16-17 G3
Parbhani o **IND** 52-53 C3
Parc Naturel Régional d'Armorique ⊥ **F** 16-17 C2
Parc Naturel Régional de Brière ⊥ **F** 16-17 C3
Parc Naturel Régional de Brotonne ⊥ **F** 16-17 E2
Parc Naturel Régional de Camargue ⊥• **F** 16-17 G5
Parc Naturel Régional de la Corse ⊥ **F** 24-25 B3
Parc Naturel Régional du Marais Potevin Val de Sèvre et ⊥ **F** 16-17 D3
Parco Nazionale dello Stèlvio ⊥ **I** 24-25 C1
Parc Régional des Landes de Gascogne ⊥ **F** 16-17 D4
Parc Régional des Volcans d'Auvergne ⊥ **F** 16-17 F4
Parc Régional du Luberon ⊥ **F** 16-17 G5
Parc Régional du Morvan ⊥ **F** 16-17 F3
Parc Régional du Vercors ⊥ **F** 16-17 G4
Parczew o **PL** 20-21 G3
Pardo, Rio ⁓ **BR** (BAH) 114-115 F5
Pardo, Rio ⁓ **BR** (GSU) 114-115 D6
Pardubice o **CZ** 20-21 C3
Pardubice o•• **CZ** 20-21 C3
Parecis, Chapada dos ▲ **BR** 114-115 B4
Parelhas o **BR** 114-115 G3
Parepare o **RI** 56-57 C6
Paresi, Área Indígena ✕ **BR** 114-115 C4
Párga o **GR** 28-29 C3
Pargas = Parainen o **FIN** 10-11 M4
Pargua o **RCH** 116-117 C6

A
B
C
D
E
F
G
H
I
J
K
L
M
N
O
P
Q
R
S
T
U
V
W
X
Y
Z

Petrič o **BG** 26-27 F5
Petrified Forest National Park ∴ **USA** 100-101 E4
Petrinja o **HR** 26-27 C3
Petriščevo o **RUS** 30-31 E4
Petrivs'ka fortec'a • **UA** 32-33 E4
Petrodvorec o **RUS** 30-31 C2
Petrokrepost' = Šlissel'burg o **RUS** 30-31 D2
Petrolina o **BR** 114-115 F3
Petropavl ☆ **KZ** 42-43 J1
Petropavlivka o **UA** 32-33 E3
Petropavlovsk-Kamtchatski ☆ • **RUS** 40-41 L4
Petrópolis o **BR** 114-115 F6
Petroşani o **RO** 26-27 F3
Petroschani o **RO** 26-27 F3
Petrovac o **SRB** 26-27 E3
Petrovsk o **RUS** 30-31 L5
Petrovsk o **RUS** 32-33 J1
Petrov Val o **RUS** 32-33 J2
Petrozavodsk ☆ **RUS** 4-5 O2
Petrykav o **BY** 20-21 K2
Petuški ☆ **RUS** 30-31 H4
Pevek o **RUS** 40-41 O1
Peyumis, Sierra ▲ **YV** 110-111 E4
Pézenas o **F** 16-17 F5
Pfarrkirchen o **D** 18-19 F4
Pforzheim o **D** 18-19 D4
Phalodi o **IND** 52-53 B1
Phan Rang Tháp Chàm o **VN** 54-55 D3
Phan Thiêt ☆ **VN** 54-55 D3
Pharr o **USA** 102-103 D5
Phaselis ∴••• **TR** 28-29 H4
Phatthalung o **T** 54-55 C4
Phetchabun o **T** 54-55 C2
Phichit o **T** 54-55 C2
Philadelphie o **USA** 102-103 H3
Philae ∴••• **ET** 78-79 F3
Philippeville o **B** 18-19 B3
Philippine Basin ≃56-57 E2
Philippines ⌐ **RP** 56-57 C3
Philippines ⌐ **RP** 56-57 C3
Philippines, Bassin des ≃56-57 E2
Philippines, Fosse des ≃56-57 E3
Philippines, Mer des ≃56-57 D2
Philippine Sea ≃56-57 D2
Philippine Trench ≃56-57 E3
Philip Smith Mountains ▲ **USA** 92-93 N2
Phillip Bay, Port ≈ **AUS** 64-65 C4
Philpots Island ⌐ **CDN** 96-97 P3
Phitsanulok o **T** 54-55 C2
Phnom Penh ★ • **K** 54-55 C3
Phnum Pénh ★ • **K** 54-55 C3
Phoenix ☆ • **USA** 100-101 D4
Phranakhon Si Ayutthaya = Ayutthaya o••• **T** 54-55 C3
Phuket o • **T** 54-55 B4
Phù Qúy = Cù Lao Thu ⌐ **VN** 54-55 D3
Piaçabuçu o **BR** 114-115 G4
Piacenza ☆ • **I** 24-25 B2
Pianosa, Ísola ⌐ **I** 24-25 C3
Piaseczno o **PL** 20-21 F2
Piaski o **PL** 20-21 G3
Piatra-Neamţ ☆ • **RO** 26-27 H2
Piauí ⌐ **BR** 114-115 F3
Piave ~ **I** 24-25 D1
Pibor ~ **SUD** 82-83 E4
Pibor Post o **SUD** 82-83 E4
Picacho del Diablo ▲ **MEX** 100-101 C4
Pičaevo o **RUS** 30-31 K5
Picentini, Monti ▲ **I** 24-25 E4
Pichanal o **RA** 116-117 E2
Pichilemu o **RCH** 116-117 C4
Pico de la Neblina, Parque Nacional do ⊥ **BR** 110-111 D4
Picos o **BR** 114-115 F3
Pico Truncado o **RA** 116-117 D7
Picton o **NZ** 64-65 J5
Piedrabuena o **E** 22-23 D4
Piedras Negras o **MEX** 100-101 F5
Piekenaarskloof ▲ **ZA** 86-87 C8

Pieksämäki o **FIN** 10-11 O3
Pielavesi o **FIN** 10-11 O3
Pielinen o **FIN** 10-11 P3
Pieljekaise nationalpark ⊥ **S** 8-9 J3
Piémont ⌐ **I** 24-25 A2
Pieniężno o **PL** 20-21 F1
Pienza o • **I** 24-25 C3
Pierowall o **GB** 14-15 E2
Pierre ☆ **USA** 100-101 F2
Pierre le Grand, Baie de ≈46-47 H2
Pieskov ☆ ••• **RUS** 30-31 C3
Piešťany o **SK** 20-21 D4
Pietarsaari = Jakobstad o **FIN** 10-11 M3
Pietermaritzburg ☆ •• **ZA** 86-87 F7
Pietersburg o **ZA** 86-87 E6
Piet Retief o • **ZA** 86-87 F7
Pietroşani o **RO** 26-27 G4
Pihtipudas o **FIN** 10-11 N3
Pikalevo o **RUS** 30-31 F2
Pikasilla o **EST** 12-13 M2
Piketberg o **ZA** 86-87 C8
Piła ☆ • **PL** 20-21 D2
Pilar ☆ **PY** 116-117 F3
Pilbara ⊥ **AUS** 62-63 B4
Pilcomayo ~ **BOL** 112-113 G6
Pilcomayo, Río ~ **PY** 116-117 F2
Pilipinas ⌐ **RP** 56-57 C3
Pilón o **C** 104-105 F4
Pilos o **GR** 28-29 C4
Pimba o **AUS** 62-63 F6
Pimenta Bueno o **BR** 114-115 B4
Pimentel Barbosa, Área Indígena X **BR** 114-115 D4
Pinar del Río o **C** 104-105 E3
Pınarhisar o **TR** 28-29 F2
Pinçon, Mont ▲ **F** 16-17 D2
Pińczów o • **PL** 20-21 F3
Pindaré, Rio ~ **BR** 114-115 E2
Píndos Oros ▲ **GR** 28-29 C3
Pine Bluff o **USA** 102-103 E4
Pine Creek o • **AUS** 62-63 E2
Pine Dock o **CDN** 98-99 E4
Pinega o **RUS** 4-5 Q1
Pine Ridge Indian Reservation X **USA** 100-101 F2
Pinerolo o **I** 24-25 A2
Pineto o **I** 24-25 E3
Pingdingshan o **CN** 46-47 D4
Pingelap Atoll ⌐ **FSM** 66-67 E4
Pingliang o **CN** 46-47 C3
Pingxiang o **CN** 46-47 D5
Pingyang o **CN** 46-47 F5
Pinheiro o **BR** 114-115 E2
Pinnaroo o **AUS** 64-65 G4
Pinotepa Nacional o • **MEX** 100-101 G7
Pins, Île des = Kunye ⌐ **F** 68-69 G5
Pinsk o **BY** 20-21 J2
Pinski bolota ⊥ **UA** 20-21 H3
Pinta, Isla ⌐ **EC** 112-113 A1
Pinto o **RA** 116-117 E3
Piombino o **I** 24-25 C3
Pioner, ostrov ⌐ **RUS** 38-39 O0
Piorini, Lago o **BR** 114-115 B2
Piotrków Trybunalski ☆ **PL** 20-21 E3
Piparia o **IND** 52-53 C2
Pipi, Gorges de la ~ **RCA** 82-83 C4
Pipinas o **RA** 116-117 F4
Pipistone River ~ **CDN** 98-99 F4
Pipmuacan, Réservoir ⊂ **CDN** 98-99 K5
Piqueras, Puerto de ▲ **E** 22-23 E2
Piracicaba o **BR** 114-115 E6
Piraí do Sul o **BR** 114-115 E6
Pirámide, Cerro ▲ **RCH** 116-117 C7
Pirané o **RA** 116-117 F3
Piranhas o **BR** 114-115 G3
Pirapora o **BR** 114-115 F5
Pireás o **GR** 28-29 D4
Pireus = Pireás o **GR** 28-29 D4
Pirgí o **GR** 28-29 E3
Pírgos o **GR** 28-29 D4
Pírgos o **GR** 28-29 E5
Pirin, Naroden Park ⊥ ••• **BG** 26-27 F5

Pirineos ▲ **E** 22-23 F2
Piripiri o **BR** 114-115 F2
Pirmasens o **D** 18-19 C4
Pirna o • **D** 18-19 F3
Pirot o • **SRB** 26-27 F4
Pirovac o **HR** 26-27 B4
Pirttikoski o **FIN** 8-9 O3
Piru o **RI** 56-57 E6
Pisagua o **RCH** 112-113 E5
Pišta o **UA** 20-21 G3
Pisco o **PE** 112-113 D4
Piscovo o • **RUS** 30-31 J3
Pise o ••• **I** 24-25 C3
Písek o **CZ** 20-21 C4
Pisticci o **I** 24-25 F4
Pistóia o **I** 24-25 C3
Pisuerga, Río ~ **E** 22-23 D2
Pisz o • **PL** 20-21 F2
Piteå o **S** 8-9 L4
Piteälven ~ **S** 8-9 K4
Piteşti ☆ • **RO** 26-27 G3
Pithara o **AUS** 62-63 B6
Pithiviers o **F** 16-17 F2
Pitjantjatjara Aboriginal Land X **AUS** 62-63 E5
Pitt Island ⌐ **CDN** 94-95 E5
Pitt Island ⌐ **NZ** 64-65 L5
Pittsburg o **USA** 102-103 E3
Pittsburgh o **USA** 102-103 H2
Piura ⌐ **PE** 112-113 C3
Piva ~ **MNE** 26-27 D4
Pivdennyj Buh ~ **UA** 32-33 B4
Pivnično-Kryms'kyj, kanal ⊂ **UA** 32-33 D3
Pivski manastir • **MNE** 26-27 D4
Pizzo o **I** 24-25 F5
P'jagina, poluostrov ⌐ **RUS** 40-41 K3
Pjasina ~ **RUS** 38-39 N1
Pjasinskij zaliv ≈ **RUS** 38-39 N1
Pjatigorsk o **RUS** 42-43 D3
Pjatigorsk o • **RUS** 42-43 D3
Pjat'-Jah o **RUS** 38-39 K3
Pjatychatky o **UA** 32-33 C3
Placentia Bay ≈ **CDN** 98-99 O5
Plainview o **USA** 102-103 C4
Planaltina o **BR** 114-115 E5
Plasë o **AL** 28-29 C2
Plasencia o • **E** 22-23 C3
Platinum o **USA** 92-93 K4
Platte River ~ **USA** 102-103 D2
Plauen o **D** 18-19 F3
Plavinas o **LV** 12-13 L3
Plavsk ☆ • **RUS** 30-31 G5
Playas o **EC** 112-113 C2
Plây Ku o **VN** 54-55 D3
Plaza Huincul o **RA** 116-117 D5
Plenty, Baie de ≈ **NZ** 64-65 K4
Pleščanicy o **BY** 20-21 J1
Pleszew o **PL** 20-21 D3
Pleven o **BG** 26-27 G4
Plitvica o **HR** 26-27 B3
Plitvička Jezera, Nacionalni park ⊥ ••• **HR** 26-27 B3
Pljevlja o • **MNE** 26-27 D4
Ploaghe o **I** 24-25 B4
Ploče o **HR** 26-27 C4
Ploërmel o **F** 16-17 C3
Ploieşti ☆ • **RO** 26-27 H3
Płońsk o **PL** 20-21 F2
Ploskoš' o **RUS** 30-31 D3
Plouézec o **F** 16-17 C2
Plouguer, Carhaix- o **F** 16-17 C2
Plovdiv ☆ **BG** 26-27 G4
Plumridge Lakes o **AUS** 62-63 D5
Plumtree o **ZW** 86-87 E6
Plungė ☆ ••• **LT** 12-13 J4
Plutarco Elias Calles, Presa ⊂ **MEX** 100-101 E5
Plymouth o **GB** 14-15 D6
Plzeň o **CZ** 20-21 B4
Pniewy o **PL** 20-21 D2
Pô o **BF** 80-81 D3

Pô ~ **I** 24-25 C2
Pô, Parc National de ⊥ **BF** 80-81 D3
Pobeda, gora ▲ **RUS** 40-41 J1
Pobla de Segur, la o **E** 22-23 G2
Poblet, Reial Monestir de ••• **E** 22-23 G3
Pocatello o **USA** 100-101 D2
Počep o **RUS** 30-31 E5
Počinok o **RUS** 30-31 E4
Počitelj • **BIH** 26-27 C4
Pocklington Reef ⌐ **SOL** 68-69 E3
Poçõe o **BR** 114-115 F4
Pocone o **BR** 114-115 C5
Poços de Caldas o **BR** 114-115 E6
Podberez'e o **RUS** (NVG) 30-31 D2
Podberez'e o **RUS** (PSK) 30-31 D3
Podbořany o **CZ** 20-21 B3
Podborov'e o **RUS** 30-31 C3
Poddor'e o **RUS** 30-31 D3
Podgorenski o **RUS** 32-33 F2
Podgorica ★ **MNE** 26-27 D4
Podil's'ka vysoçyna ▲ **UA** 20-21 H4
Podkamennaja Tunguska ~ **RUS** 38-39 O3
Podkova o **BG** 26-27 G5
Podol'sk o • **RUS** 30-31 G4
Podravska Slatina o **HR** 26-27 C3
Podujevo o **KSV** 26-27 E4
Pofadder o **ZA** 86-87 C7
Poggibonsi o **I** 24-25 C3
Pogoanele o **RO** 26-27 H3
Pogradec o •• **AL** 28-29 C2
Pograničnyi o **BY** 20-21 H2
Pohiois-li o **FIN** 8-9 N4
Pohjanlahti ≈10-11 L3
Pohjanmaa ⊥ **FIN** 10-11 M3
Pohnpei o **FSM** 66-67 D4
Pohnpei = Palikir o **FSM** 66-67 D4
Pointe-Noire ☆ **RCB** 86-87 B2
Point Lake o **CDN** 94-95 J2
Poitiers ☆ • **F** 16-17 E3
Poitou ⊥ **F** 16-17 D3
Poitou-Charentes ⌐ **F** 16-17 D3
Poix-de-Picardie o **F** 16-17 E2
Pojezierze Mazurskie ⊥ **PL** 20-21 E2
Pojezierze Pomorskie ⊥ **PL** 20-21 C2
Pokaran o **IND** 52-53 B1
Pokataroo o **AUS** 64-65 D2
Pokhara o • **NEP** 52-53 D1
Pokka o **FIN** 8-9 N2
Pokrovs'ke o **UA** 32-33 E4
Pola, La o •• **E** 22-23 D2
Polače o • **HR** 26-27 C4
Polack o •• **BY** 20-21 K1
Polack o •• **BY** 20-21 K1
Pola de Laviana o **E** 22-23 D2
Pola de Lena o **E** 22-23 D2
Polar Bear Provincial Park ⊥ **CDN** 98-99 G3
Polatli o **TR** 48-49 D3
Pole Abyssal Plain ≈118 A
Pôle Nord ⊥118 A
Polessk ☆ **RUS** 12-13 J4
Polessk ☆ **RUS** 20-21 F1
Pôle Sud **ANT** 119 A
Pôle Sud, Plateau du ▲ **ANT** 119 A
Polewali o **RI** 56-57 C6
Poli o **CAM** 80-81 G4
Poli o **CY** 48-49 D4
Policastro, Golfo di ≈24-25 E5
Policoro o **I** 24-25 F4
Políginos o **GR** 28-29 D2
Polihnítos o **GR** 28-29 F3
Políkastro o **GR** 28-29 D2
Polis'ke o **UA** 20-21 K3
Polja ~ **RUS** 30-31 H4
Poljana o **UA** 20-21 G4
Poljarnyj o **RUS** (CUK) 40-41 P1
Poljarnyj o **RUS** (MUR) 8-9 R2
Pollāchi o **IND** 52-53 C4
Pollença o **E** 22-23 H4
Pollino, Parco del ⊥ **I** 24-25 F5

Pol'noj Voronež ~ **RUS** 30-31 J5
Polock = Polack ☆ • **BY** 20-21 K1
Polock = Polack ☆ • **BY** 30-31 C4
Pologne ■ **PL** 20-21 D3
Pologoe Zajmišče o **RUS** 32-33 K3
Polohy o **UA** 32-33 E4
Polonina-Runa hora ▲ **UA** 20-21 G4
Polonnaruwa o••• **CL** 52-53 D5
Polousnyj krjaž ▲ **RUS** 40-41 H1
Poltava ☆ **UA** 32-33 D3
Põltsamaa o•• **EST** 12-13 L2
Poluj ~ **RUS** 38-39 J2
Põlva ☆ **EST** 12-13 M2
Põlwe = Põlva ☆ **EST** 12-13 M2
Polynesia ⌐70-71 C3
Polynésie ⌐70-71 C3
Polynésie française ⌐ **F** 70-71 G5
Pomarkku o **FIN** 10-11 L4
Pomasi, Cerro de ▲ **PE** 112-113 E5
Pombal ▲ **BR** 114-115 G3
Pombal o **P** 22-23 B4
Pomio o **PNG** 68-69 D2
Pomorska, Zatoka ≈12-13 F4
Pomorskie, Pojezierze ⊥ **PL** 20-21 C2
Pomos o **CY** 48-49 D4
Pompei •• **I** 24-25 E4
Ponape ~ **FSM** 66-67 D4
Ponca City o **USA** 102-103 D3
Ponce o **USA** 104-105 H4
Pondicherry ⊡ **IND** 52-53 C4
Pondicherry ⊡ •• **IND** 52-53 C4
Ponente, Riviera di ⌣ **I** 24-25 A3
Ponferrada o **E** 22-23 C2
Pongo ~ **SUD** 82-83 D4
Poniewiesh o•• **LT** 12-13 L4
Ponoj o **RUS** 4-5 Q1
Ponta Delgada ☆ • **P** 76-77 B2
Ponta de Pedras o **BR** 114-115 E2
Ponta do Zumbi o **BR** 114-115 F2
Ponta Grossa o **BR** 114-115 F3
Ponta Porã o **BR** 114-115 C6
Pontarlier o• **F** 16-17 H3
Pont-Audemer o **F** 16-17 E2
Pontchartrain, Lake o **USA**
102-103 E4
Pontchâteau o **F** 16-17 C3
Pont de Suert, el o **E** 22-23 G2
Pont du Gard •• **F** 16-17 G5
Ponteareas o **E** 22-23 B2
Ponte da Barca o **P** 22-23 B3
Ponte de Sor o **P** 22-23 B4
Pontes e Lacerda o **BR** 114-115 C5
Pontevedra o **E** 22-23 B2
Pontianak o **RI** 54-55 D6
Pontique, Chaîne ▲ **TR** 48-49 D2
Pontivy o **F** 16-17 C2
Ponto-Caspienne, Dépression ⌣ **RUS**
32-33 G4
Pontoise o **F** 16-17 F2
Pontokerasiá o **GR** 28-29 D2
Pontorson o **F** 16-17 D2
Pontrémoli o **I** 24-25 B2
Ponts o **E** 22-23 G3
Ponza o **I** 24-25 D4
Ponziane, Ísole ~ **I** 24-25 D4
Poole o **GB** 14-15 E6
Poopó o **BOL** 112-113 F5
Poopó, Lago de o **BOL** 112-113 F5
Popayan ☆ •• **CO** 110-111 B4
Pope o• **LV** 12-13 J3
Poperinge o **B** 18-19 A3
Poplar Bluff o **USA** 102-103 E3
Popocatepetl, Volcán ▲ •• **MEX**
100-101 G7
Popokabaka o **CGO** 86-87 C3
Pópoli o **I** 24-25 D3
Popondetta ☆ **PNG** 68-69 C2
Popovka o **RUS** 32-33 G3
Popovo o **BG** 26-27 H4
Poprad o **SK** 20-21 F4
Porangatu o **BR** 114-115 E4
Porbandar o• **IND** 52-53 A2

Porcupine River ~ **USA** 92-93 O2
Pordenone ☆ • **I** 24-25 D2
Poreckoe o **RUS** 30-31 M4
Porekautimbu, Gunung ▲ **RI** 56-57 D5
Porhov ~ **RUS** 30-31 C3
Pori o **FIN** 10-11 L4
Porjus o **S** 8-9 K3
Porlakshöfn o **IS** 8-9 c3
Porlamar o **YV** 110-111 E2
Poronajsk o **RUS** 40-41 H5
Póros o **GR** 28-29 F3
Porsangen ⌣8-9 N1
Porsangerhalvøya ⌣ **N** 8-9 N1
Porsgrunn ⌣ **N** 10-11 E5
Porsuk Çayı ~ **TR** 28-29 H3
Portachuelo o **BOL** 112-113 G5
Portage la Prairie o **CDN** 98-99 E5
Portal o **USA** 100-101 F1
Port Alberni o **CDN** 94-95 G6
Portalegre o•• **P** 22-23 C4
Port Alfred o **ZA** 86-87 E8
Port Antonio o **JA** 104-105 F4
Port Arthur o• **AUS** 64-65 D5
Port Arthur o **USA** 102-103 E5
Port Askaig o **GB** 14-15 C4
Port au Port Peninsula ⌣ **CDN** 98-99 N5
Port-au-Prince ★ • **RH** 104-105 G4
Port Blair ⌂ **IND** 52-53 F4
Port Burwell o **CDN** 98-99 H6
Port-de-Paix o **RH** 104-105 G4
Portel o **P** 22-23 C4
Portél o **BR** 114-115 D2
Port Elizabeth o **ZA** 86-87 E8
Port Ellen o **GB** 14-15 C4
Port-Gentil o **G** 80-81 F6
Port-Harcourt ☆ **WAN** 80-81 F5
Port Hardy o **CDN** 94-95 F5
Port Heiden o **USA** 92-93 L4
Portimão o **P** 22-23 B5
Portimo o **FIN** 8-9 O3
Port Kenny o **AUS** 62-63 E6
Port Láirge = Waterford o• **IRL** 14-15 C5
Portland o **USA** (ME) 102-103 J2
Portland o **USA** (OR) 100-101 B1
Portland, Cape ▲ **AUS** 64-65 D5
Portland Bay ≈ **AUS** 64-65 C4
Port Suert, el o **E** 22-23 G2
Port Louis ★ **MS** 84-85 H5
Port Macquarie o **AUS** 64-65 E3
Port-Menier o **CDN** 98-99 M5
Port Moresby ★ • **PNG** 68-69 C2
Port Nolloth o **ZA** 86-87 C7
Porto **F** 24-25 B3
Porto o••• **P** 22-23 B3
Porto Alegre ☆ **BR** 116-117 G4
Porto Amboim o **ANG** 86-87 B4
Porto Azzurro o **I** 24-25 C3
Porto Cristo o **E** 22-23 H4
Porto do Moz o **BR** 114-115 D2
Porto Esperidião o **BR** 114-115 C5
Portoferráio o **I** 24-25 C3
Port of Ness o **GB** 14-15 C2
Port of Spain ★ **TT** 104-105 J5
Portogruaro o• **I** 24-25 D2
Porto Levante o• **I** 24-25 E5
Port Omna = Portumna o **IRL** 14-15 B5
Porto Nacional o **BR** 114-115 E4
Porto-Novo ★ **DY** 80-81 E4
Porto Primavera o **BR** 114-115 D6
Porto Rico o **USA** 104-105 H4
Porto Rico o **USA** 104-105 H4
Porto-Rico, Fosse de ≃104-105 H4
Portoscuso o **I** 24-25 B5
Porto Seguro o **BR** 114-115 G5
Porto Tolle o **I** 24-25 D2
Porto Tórres o **I** 24-25 B4
Pôrto Valter o **BR** 112-113 E3
Porto-Vecchio o **F** 24-25 B4
Porto Velho ★ **BR** 114-115 B3
Portoviejo o **EC** 112-113 C2
Portpatrick o **GB** 14-15 D4
Port Pirie o **AUS** 62-63 F6

Portree o **GB** 14-15 C3
Port-Saïd ☆ **ET** 78-79 G2
Port Saint Johns o **ZA** 86-87 E8
Port-Saint-Louis-du-Rhône o **F** 16-17 G5
Portsalon o **IRL** 14-15 C4
Port Shepstone o **ZA** 86-87 F8
Portsmouth o **GB** 14-15 F6
Portsmouth o **USA** (NH) 102-103 J2
Portsmouth o **USA** (OH) 102-103 G3
Portsmouth o **USA** (VA) 102-103 H3
Port-Soudan ☆ **SUD** 78-79 H5
Porttipahdan tekojärvi o **FIN** 8-9 O2
Portugal ■ **P** 22-23 A3
Portumna = Port Omna o **IRL** 14-15 B5
Port-Vendres o **F** 16-17 F5
Port-Vila ☆ **VU** 68-69 G4
Port Wakefield o **AUS** 62-63 F6
Port Welshpool o **AUS** 64-65 D4
Poruk Çayı ~ **TR** 28-29 H3
Posadas ☆ **RA** 116-117 F3
Pošehon'e o **RUS** 30-31 H2
Pošehon'e-Volodarsk = Pošehon'e o **RUS**
30-31 H2
Poseidon, Temple of •• **GR** 28-29 E4
Posio o **FIN** 8-9 P3
Posse o **BR** 114-115 E4
Possoš' o **RUS** 32-33 F2
Postmasburg o **ZA** 86-87 D7
Postojna o **SLO** 26-27 B3
Postojnska jama •• **SLO** 26-27 B3
Potchefstroom o **ZA** 86-87 E7
Potenza •• **I** 24-25 E4
Potgietersrus o **ZA** 86-87 E6
Poti o• **GE** 48-49 F2
Potídaia • **GR** 28-29 D2
Potiskum o **WAN** 80-81 G3
Potosí ☆ • **BOL** 112-113 F5
Potsdam ☆•• **D** 18-19 F2
Poum o **F** 68-69 F5
Pouso Alegre o **BR** 114-115 E6
Poüthĩsãt o **K** 54-55 C3
Póvoa de Varzim o **P** 22-23 B3
Powder River ~ **USA** 100-101 E1
Powell, Lake < **USA** 100-101 D3
Powell River o **CDN** 94-95 G6
Poxoréo o **BR** 114-115 D5
Poyang Hu o **CN** 46-47 E5
Požarevac o **SRB** 26-27 E3
Poza Rica o **MEX** 100-101 G6
Požega o **SRB** 26-27 E4
Poznan ☆•• **PL** 20-21 D2
Poznań o•• **PL** 20-21 D2
Pozo Alcón o **E** 22-23 E5
Pozo Colorado o **PY** 116-117 F2
Pozzuoli o• **I** 24-25 E4
Pra ~ **GH** 80-81 E4
Prachuap Khirikhan o **T** 54-55 B3
Pradéd ▲ **CZ** 20-21 D3
Prado o **BR** 114-115 G5
Praha •••• **CZ** 20-21 C3
Praia ▲ **BR** 114-115 D2
Praia ★ • **CV** 76-77 C7
Prapat o **RI** 54-55 B5
Prata, Costa de ⌣ **P** 22-23 B4
Prato o **I** 24-25 C3
Prats-de-Mollo-la-Preste o **F** 16-17 F5
Pravdinsk o• **RUS** 12-13 J4
Pravdinsk o•• **RUS** 20-21 H3
Praya o **RI** 54-55 F7
Prazaroki o **BY** 20-21 K1
Prazaroki o **BY** 30-31 C4
Prečistoe o **RUS** 30-31 H4
Precordillera ▲ **RA** 116-117 D4
Predbajkal'skaja vpadina ⊥ **RUS**
38-39 R5
Predporožnyj o **RUS** 40-41 H1
Prekestolen •• **N** 10-11 D5
Prekonoska pećina •• **SRB** 26-27 F4
Preny o•• **LT** 12-13 K4
Prenzlau o• **D** 18-19 F2
Prescott o **USA** 100-101 D4
Prescott Island ⌐ **CDN** 96-97 L3

Preseka ▲ **MK** 26-27 E5
Presidencia Roque Sáenz Peña o **RA**
116-117 E3
Presidente Barros Dutra o **BR**
114-115 F3
Presidente Dutra o **BR** 114-115 F4
Presidente Epitácio o **BR** 114-115 D6
Presidente Figueiredo o **BR** 114-115 B2
Presidente Prudente o **BR** 114-115 D6
President Thiers Bank ≃70-71 H5
Preslav = Veliki Preslav o• **BG** 26-27 H4
Prešov o **SK** 20-21 F4
Prespa, Lac de o• **MK** 26-27 E5
Presque Isle o **USA** 102-103 K1
Preston o **GB** 14-15 E5
Preto, Rio ~ **BR** 114-115 F4
Prêto, Rio ~ **BR** 114-115 E5
Pretoria ★ **ZA** 86-87 E7
Préveza o **GR** 28-29 C3
Priangarskoe plato ⊥ **RUS** 38-39 P4
Pribilof, Íles ~ **USA** 92-93 H4
Přibram o **CZ** 20-21 C4
Pribrežnyj hrebet ▲ **RUS** 40-41 F3
Pridnjaprovskaja nizina ⌣ **BY** 20-21 L2
Priego de Córdoba o **E** 22-23 D5
Priekulé o• **LT** 12-13 J4
Priekule ☆ **LV** 12-13 J3
Prienai o•• **LT** 12-13 K4
Priene • **TR** 28-29 F4
Prieska o **ZA** 86-87 D7
Prievidza o **SK** 20-21 E4
Prijedor o **BIH** 26-27 C3
Prijepolje o **SRB** 26-27 D4
Prikaspijskaja nizmennost' ⌣42-43 F3
Prilenskoe, plato ⊥ **RUS** 38-39 S3
Prilep o **MK** 26-27 E5
Priluki = Pryluky o **UA** 32-33 C2
Primeira Cruz o **BR** 114-115 F2
Primorsk o **RUS** (VLG) 32-33 J3
Primorsk o **RUS** 12-13 J4
Primorsk o **RUS** 20-21 F1
Primorsk o **RUS** 32-33 J3
Primorsko-Ahtarsk o **RUS** 32-33 F4
Primošten o• **HR** 26-27 B4
Primrose Lake Air Weapons Range
✕✕ **CDN** 94-95 J4
Prince Albert o **CDN** 94-95 K5
Prince Albert Peninsula ⌣ **CDN**
96-97 G3
Prince Albert Sound ≈ **CDN** 96-97 G3
Prince Alfred, Cape ▲ **CDN** 94-95 F1
Prince-Charles, Île du ⌐ **CDN** 96-97 P4
Prince Charles, Monts du ▲ **ANT** 119 B7
Prince Christian, Terre du ⊥ **GRØ**
96-97 b1
Prince-de-Galles, Cap ▲ **USA** 92-93 J2
Prince-de-Galles, Île du ⌐ **CDN** 96-97 L3
Prince George o• **CDN** 94-95 G5
Prince Gustav Adolf Sea ≈ **CDN**
96-97 J2
Prince of Wales Island ⌐ **AUS** 62-63 G2
Prince of Wales Island ~ **USA** 92-93 O4
Prince of Wales Strait ≈ **CDN** 96-97 G3
Prince-Patrick, Île du ⌐ **CDN** 96-97 F2
Prince-Régent, Chenal du ≈ **CDN**
96-97 M3
Prince Rupert o• **CDN** 94-95 E5
Princess Charlotte Bay ≈ **AUS** 62-63 G2
Princesse-Élisabeth, Terre de la ⌐ **ANT**
119 B8
Princesse Ragnhild, Côte de la ⊥ **ANT**
119 B3
Princess Royal Island ⌐ **CDN** 94-95 F5
Prince William Sound ≈ **USA** 92-93 N3
Príncipe ~ **STP** 80-81 F5
Prins Christian Sund ≈ **GRØ** 96-97 W5
Prior, Cabo ▲ **E** 22-23 B2
Prip'jat' ~ **UA** 32-33 B2
Pirečnyj o **RUS** 8-9 Q2
Prirodnyj nacional'nyj park "Pereslavl'"
⊥ **RUS** 30-31 H3
Priština ★•• **KSV** 26-27 E4

Pritzwalk o **D** 18-19 F 2
Priverno o **I** 24-25 D 4
Privolžsk o **RUS** 30-31 J 3
Privolžskaja vozvyšennosť ▲ **RUS**
   32-33 J 3
Prizren o•• **KSV** 26-27 E 4
Proddatūr o **IND** 52-53 C 4
Prokop'evsk ✩ **RUS** 38-39 N 5
Prokuplje o• **SRB** 26-27 E 4
Proletarsk o **RUS** 32-33 G 4
Proletarskoe vodohranilišče < **RUS**
   32-33 G 4
Prome o **MYA** 52-53 F 4
Promežutočnyj o **RUS** 40-41 O 1
Promissão, Represa < **BR** 114-115 E 6
Prončiščeva, bereg ↳ **RUS** 38-39 R 0
Pronin o **RUS** 32-33 H 3
Pronja ∿ **BY** 20-21 L 1
Pronja ∿ **RUS** 30-31 J 4
Propriá o **BR** 114-115 G 4
Propriano o **F** 24-25 B 4
Proserpine o **AUS** 62-63 H 4
Prostějov o **CZ** 20-21 D 4
Protoka ∿ **RUS** 32-33 F 5
Protva ∿ **RUS** 30-31 G 4
Proussós o **GR** 28-29 C 3
Provadija o **BG** 26-27 H 4
Provence ⊥ **F** 16-17 G 5
Provence-Alpes-Côtes d'Azur ◻ **F**
   16-17 G 5
Providence ✩ **USA** 102-103 J 2
Providencia, Isla de ∩ **CO** 104-105 E 5
Providenija o• **RUS** 40-41 R 2
Provins o• **F** 16-17 F 2
Provo o **USA** 100-101 D 2
Prozor o **BIH** 26-27 C 4
Prudhoe Bay o **USA** 92-93 N 1
Prüm o **D** 18-19 C 3
Prundu o **RO** 26-27 H 3
Prut ∿ **MD** 26-27 H 2
Prut ∿ **RO** 26-27 J 3
Prut ∿ **UA** 20-21 H 4
Prut ∿ **UA** 20-21 J 4
Pružany o **BY** 20-21 H 2
Pryazovs'ka vysočyna ▲ **UA** 32-33 D 4
Pryčornomors'ka Nyzovyna ⊥ **UA**
   26-27 J 3
Prydniprovs'ka vysočyna ▲ **UA** 20-21 K 4
Prydz, Baie de ≈ **119** C 8
Pryluky o **UA** 32-33 G 2
Prymors'k o **UA** 32-33 E 4
Prypjac' ∿ **BY** 20-21 K 2
Prypjacki dzjaržavny zapavednik ⊥ **BY**
   20-21 J 3
Pryp'jať ∿ **UA** 20-21 G 3
Przasnysz o• **PL** 20-21 F 2
Przemyśl ✩ •• **PL** 20-21 G 4
Prževaľsk ∿ **KS** 42-43 L 3
Psará ✩ **GR** 28-29 E 3
Psári o **GR** 28-29 D 4
Psël ∿ **RUS** 32-33 E 2
Pskov ✩ •• **RUS** 30-31 C 3
Pskov, Lac de o **RUS** 12-13 M 2
Pskov, Lac de o **RUS** 30-31 B 2
Pskovskoe ozero o **RUS** 30-31 B 2
Ps'ol ∿ **UA** 32-33 C 3
Pteri ▲ **GR** 28-29 C 3
Ptolemaída o **GR** 28-29 C 2
Ptuj o **SLO** 26-27 B 2
Pucallpa ✩ **PE** 112-113 E 3
Pucaurco o **PE** 112-113 E 2
Pučež o **RUS** 30-31 K 3
Pucheng o **CN** 46-47 C 4
Pucioasa o• **RO** 26-27 G 3
Pudasjärvi o **FIN** 8-9 O 4
Puebla ✩ ••• **MEX** 100-101 G 7
Puebla de Alcocer o **E** 22-23 D 4
Puebla de Don Rodrigo o **E** 22-23 D 4
Puebla de Montalbán, La o **E** 22-23 D 4
Puebla de Sanabria o **E** 22-23 C 2
Puebla de Valverde, La o **E** 22-23 F 3
Pueblo o **USA** 100-101 F 3

Puelches o **RA** 116-117 D 5
Puente-Genil o **E** 22-23 D 5
Puerto Acosta o **BOL** 112-113 F 5
Puerto Aisén o **RCH** 116-117 C 7
Puerto Alegre o **BOL** 112-113 G 4
Puerto Angel o• **MEX** 100-101 G 7
Puerto Arturo o **PE** 112-113 E 2
Puerto Asis o **CO** 110-111 B 4
Puerto Ayacucho ✩ **YV** 110-111 D 3
Puerto Bahía Negra o **PY** 116-117 F 2
Puerto Baquerizo Moreno ✩ **EC**
   112-113 B 2
Puerto Barrios o **GCA** 104-105 D 4
Puerto Berrío o **CO** 110-111 C 3
Puerto Cabello o **YV** 110-111 D 2
Puerto Cabezas o **NIC** 104-105 E 5
Puerto Carreño ✩ **CO** 110-111 D 3
Puerto Cisnes o **RCH** 116-117 C 6
Puerto de San José o **GCA** 104-105 C 5
Puerto de Santa María, El o **E** 22-23 C 5
Puerto Deseado o **RA** 116-117 D 7
Puerto Escondido o• **MEX** 100-101 G 7
Puerto Gaitan o **CO** 110-111 C 4
Puerto Grether o **BOL** 112-113 G 5
Puerto Inírida ✩ **CO** 110-111 D 4
Puerto la Victoria o **PY** 116-117 F 2
Puerto Leguizamo o **CO** 110-111 C 5
Puerto Limón ✩ •• **CR** 104-105 E 6
Puertollano o **E** 22-23 D 4
Puerto Lumbreras o **E** 22-23 F 5
Puerto Madryn o **RA** 116-117 D 6
Puerto Maldonado ✩ **PE** 112-113 F 4
Puerto Montt ✩ **RCH** 116-117 C 6
Puerto Mutis = Bahía Solano o **CO**
   110-111 B 3
Puerto Nariño o **CO** 110-111 C 5
Puerto Natales o **RCH** 116-117 C 8
Puerto Nuevo o **CO** 110-111 D 3
Puerto Pirámides o **RA** 116-117 E 6
Puerto Plata ✩ **DOM** 104-105 G 4
Puerto Portillo o **PE** 112-113 E 3
Puerto Princesa ✩ **RP** 56-57 C 4
Puerto Rico Trench ≃104-105 H 4
Puerto Rondon o **CO** 110-111 C 3
Puerto Salinas o **BOL** 112-113 F 4
Puerto San Julián o **RA** 116-117 D 7
Puerto Santa Cruz o **RA** 116-117 D 8
Puerto Suarez o **BOL** 112-113 H 5
Puerto Vallarta o• **MEX** 100-101 E 6
Puerto Victoria o **PE** 112-113 E 3
Puerto Villamil o **EC** 112-113 A 2
Puerto Williams o **RCH** 116-117 D 8
Puglia ⊔ 24-25 E 4
Puhos o **FIN** 10-11 P 3
Puig Major ▲ **E** 22-23 H 4
Pujonryong Sanmaek ▲ **KP** 46-47 G 2
Pukapuka Atoll ∩ **CK** 70-71 D 3
Pukaskwa National Park ⊥ • **CDN**
   98-99 G 5
Pukë ✩ • **AL** 28-29 B 1
Pula o **HR** 26-27 A 3
Pula o **I** 24-25 B 5
Pular, Cerro ▲ **RCH** 116-117 D 2
Pulaski o **USA** 102-103 G 3
Pulau ∿ **RI** 56-57 G 7
Puławy o• **PL** 20-21 F 3
Pulkkila o **FIN** 8-9 N 4
Pulo Anna ∩ **USA** 56-57 F 5
Pulozero o **RUS** 8-9 R 2
Pułtusk o• **PL** 20-21 F 2
Puna, Isla ∩ **EC** 112-113 C 2
Punakha o **BHT** 52-53 E 1
Pune o• **IND** 52-53 B 3
Punia o **CGO** 86-87 E 2
Punilla, Sierra de la ▲ **RA** 116-117 D 3
Punjab ◻ **PK** 50-51 J 2
Punkaharju o **FIN** 10-11 P 4
Punkalaidun o **FIN** 10-11 M 4
Punkasalmi = Punkaharju o **FIN**
   10-11 P 4
Puno ✩ • **PE** 112-113 E 5
Punta Arenas ✩ **RCH** 116-117 C 8

Punta Delgada o **RCH** 116-117 D 8
Punta Eugenia o **MEX** 100-101 C 5
Punta Norte o **RA** 116-117 E 6
Puntarenas ✩ • **CR** 104-105 E 6
Puntas Negras, Cordon de ▲ **RCH**
   116-117 D 2
Punto Cisnes o **RCH** 116-117 C 6
Punto Eden o **RCH** 116-117 B 7
Punto Fijo o **YV** 110-111 C 2
Puolanka o **FIN** 8-9 O 4
Puqi o **CN** 46-47 D 5
Puquina o **PE** 112-113 E 5
Puquio o **PE** 112-113 E 4
Pur ∿ **RUS** 38-39 L 2
Puracé, Volcán ▲ **CO** 110-111 B 4
Purari River ∿ **PNG** 68-69 B 2
Purari River ∿ **PNG** 68-69 C 2
Purcell Mountains ▲ **CDN** 94-95 H 5
Pureh o **RUS** 30-31 K 3
Puri o•• **IND** 52-53 E 3
Purus, Rio ∿ **BR** 114-115 B 2
Purwakarta o **RI** 54-55 D 7
Pusan o **ROK** 46-47 G 3
Puškin o•• **RUS** 30-31 D 2
Puškino o **RUS** 32-33 K 2
Püspökladány o **H** 26-27 E 2
Pustoška ✩ **RUS** 30-31 C 3
Putao o **MYA** 52-53 G 1
Puthein (Bassein) o **MYA** 52-53 F 3
Putian o **CN** 46-47 E 5
Putineiu o **RO** 26-27 G 4
Putončany o **RUS** 38-39 O 3
Putorana, plato ▲ **RUS** 38-39 O 2
Putoranskij zapovednik ⊥ **RUS** 38-39 O 2
Puttalam o **CL** 52-53 C 5
Puttgarden o **D** 18-19 E 1
Puttur o **IND** 52-53 C 4
Putumayo, Río ∿ **CO** 110-111 C 5
Putusibau o **RI** 54-55 E 5
Putyvl' o **UA** 32-33 C 2
Puula o **FIN** 10-11 O 4
Puumala o **FIN** 10-11 P 3
Puyang o **CN** 46-47 D 3
Puy-en-Velay, le ✩ •• **F** 16-17 F 4
Puymorens, Col de ▲ **F** 16-17 E 5
Pweto o **CGO** 86-87 E 3
Pwllheli o **GB** 14-15 D 5
Pyhäjärvi o **FIN** 10-11 N 3
Pyhäjoki o **FIN** 8-9 N 4
Pyhäjoki ∿ **FIN** 8-9 N 4
Pyhäntä o **FIN** 8-9 O 4
Pyhäselkä o **FIN** 10-11 P 3
Pyhätunturi ▲ **FIN** 8-9 O 3
Naypyidaw = Pyinmana ★ **MYA** 52-53 F 4
Pyinmana = Naypyidaw ★ **MYA** 52-53 F 4
Pyongyang ✩ **KP** 46-47 G 2
Pyramid Lake o **USA** 100-101 C 2
Pyrénées ▲ 16-17 D 5
Pyrénées, Parc National des ⊥ • **F**
   16-17 D 5
Pyrjatyn o **UA** 32-33 C 2
Pyrzyce o• **PL** 20-21 C 2
Pyščyg o **RUS** 30-31 L 2
Pytalovo = Abrene ✩ **RUS** 12-13 M 3
Pytalovo = Abrene ✩ **RUS** 30-31 B 3
Pyttegga ▲ **N** 10-11 D 3

Q

Qa'āmīyāt, al- ⊥ **KSA** 50-51 D 5
Qaanaaq = Thule ✩ **GRØ** 96-97 R 2
Qadam o **SUD** 82-83 D 3
Qadarif, al- o **SUD** 82-83 F 3
Qaidam Pendi ⊥ **CN** 44-45 F 4
Qalāt o **AFG** 50-51 H 2
Qal'a-ye Nau ✩ **AFG** 50-51 G 2
Qamdo o **CN** 44-45 G 5
Qāmišlī, al- ✩ **SYR** 48-49 F 3

Qandahār ✩ • **AFG** 50-51 H 2
Qandala o **SO** 82-83 H 3
Qapshaghay bögeni = Қapšaǧaj bögeni
   < **KZ** 42-43 L 3
Qaqortoq = Julianehåb o **GRØ**
   96-97 V 5
Qarã', Ǧabal al- ▲ **OM** 50-51 E 5
Qara Dāǧ ▲ **IR** 48-49 G 3
Qardho o **SO** 82-83 H 4
Qaryah ash Sharqīyah, Al o **LAR**
   78-79 C 2
Qasr al-Farāfira o **ET** 78-79 F 3
Qatar ◼ **Q** 50-51 E 3
Qatrūn, Al o **LAR** 78-79 C 4
Qattâra, Munhafad al ⊥ **ET** 78-79 F 3
Qawz Ragab o **SUD** 78-79 H 5
Qazax o• **AZ** 48-49 G 2
Qazvīn o• **IR** 48-49 G 3
Qeqertarsuaq = Godhavn o **GRØ**
   96-97 U 4
Qešm, Ǧazīre-ye ∩ **IR** 48-49 J 5
Qezel Ūzan, Rūd-e ∿ **IR** 48-49 G 3
Qiemo o **CN** 44-45 E 4
Qilian Shan ▲ **CN** 44-45 G 4
Qinä ✩ **ET** 78-79 G 3
Qingdao o **CN** 46-47 F 3
Qinghai ◻ **CN** 44-45 F 4
Qinghai Hu o **CN** 44-45 G 4
Qingzhang Gaoyuan ⊂ **CN** 44-45 D 5
Qinhuangdao o **CN** 46-47 E 3
Qinzhou o **CN** 46-47 C 6
Qiongzhou Haixia ≈ **CN** 46-47 C 6
Qiqihar o **CN** 40-41 D 5
Qitaihe o **CN** 40-41 F 5
Q'nitra, Al- ✩ **MA** 76-77 F 3
Qohrūd, Kūhhā-ye ▲ **IR** 48-49 H 4
Qom o•• **IR** 48-49 H 4
Qomše o• **IR** 48-49 H 4
Quamby o **AUS** 62-63 G 4
Quảng Ngãi o•• **VN** 54-55 D 2
Quanzhou o• **CN** 46-47 E 6
Quartu Sant'Elena o **I** 24-25 B 5
Quatre Cantons, Lac de =
   Vierwaldstättersee o **CH** 18-19 D 5
Quba o• **AZ** 48-49 G 2
Qūčān o• **IR** 48-49 J 3
Québec o **CDN** 98-99 J 4
Québec ✩ •• **CDN** 98-99 K 5
Quebo o **GNB** 80-81 B 3
Quedlinburg o• **D** 18-19 E 3
Queen Charlotte City o **CDN** 94-95 E 5
Queen Charlotte Strait ≈ **CDN**
   94-95 F 5
Queen Elizabeth Islands ∩ **CDN**
   96-97 J 1
Queen Elizabeth National Park ⊥ **EAU**
   82-83 E 6
Queen Mary Land ⊥ **ANT** 119 B 10
Queensferry o• **GB** 14-15 E 4
Queensland ◻ **AUS** 62-63 G 4
Queensland Plateau ≃62-63 H 3
Queenstown o **AUS** 64-65 D 5
Queenstown o **ZA** 86-87 E 8
Quelimane ✩ **MOC** 84-85 D 4
Quellón o **RCH** 116-117 C 6
Querétaro ✩ •• **MEX** 100-101 F 6
Quesnel o **CDN** 94-95 G 5
Quesso o **RCB** 80-81 H 5
Quetta ✩ • **PK** 50-51 H 2
Quevedo o **EC** 112-113 D 2
Quezaltenango ✩ • **GCA** 104-105 C 5
Quezon o **RP** 56-57 C 4
Quezon City o **RP** 56-57 D 3
Quezzam, l-n- o **DZ** 76-77 J 6
Quiaca, La o **RA** 116-117 D 2
Quibala o **ANG** 86-87 B 4
Quibdó ✩ **CO** 110-111 B 3
Quiberon o **F** 16-17 C 3
Quicama, Parque Nacional do ⊥ **ANG**
   86-87 B 3
Quilengues o **ANG** 86-87 B 4
Quillabamba o **PE** 112-113 E 4

Quillagua o **RCH** 116-117 D2
Quillan o **F** 16-17 F5
Quill Lakes o **CDN** 94-95 L5
Quilmes o **RA** 116-117 F4
Quilon o• **IND** 52-53 C5
Quilpie o **AUS** 62-63 G5
Quimantag ▲ **CN** 44-45 F4
Quimili o **RA** 116-117 E3
Quimper ☆ • **F** 16-17 B3
Quince Mil o **PE** 112-113 E4
Quincy o **USA** 102-103 E3
Quines o **RA** 116-117 D4
Quirima o **ANG** 86-87 C4
Quirindi o **AUS** 64-65 E3
Quissanga o **MOC** 84-85 E3
Quito ★ ••• **EC** 112-113 D2
Quixada o **BR** 114-115 G2
Quixeramobim o **BR** 114-115 G3
Qujing o **CN** 44-45 H6
Qumar Heyan o **CN** 44-45 F4
Qunaitira, al- ☆ **SYR** 48-49 E4
Qurayyāt, al- ☆ • **KSA** 50-51 B2
Qurdūd o **SUD** 82-83 D3
Quy Nho'n ☆ • **VN** 54-55 D3
Qūz, al- **KSA** 50-51 C5
Quzhou o **CN** 46-47 E5

R

Raab ~ **A** 18-19 G5
Raahe o **FIN** 8-9 N4
Raanes Peninsula ⌐ **CDN** 96-97 N2
Raanujärvi o **FIN** 8-9 N3
Raattama o **FIN** 8-9 N2
Rab o• **HR** 26-27 B3
Rab ⌐• **HR** 26-27 B3
Raba o• **RI** 54-55 F7
Rabat = Ar-Ribât ★ •• **MA** 76-77 F3
Rabaul ☆ • **PNG** 68-69 D1
Rabka o **PL** 20-21 E4
Rachiv o **UA** 20-21 H4
Radama, Nosy ⌐ **RM** 84-85 F3
Rădăuţi o **RO** 26-27 G2
Radechiv o **UA** 20-21 H3
Radhanpur o **IND** 52-53 B2
Radimlja • **BIH** 26-27 C4
Radisson o **CDN** 98-99 J4
Radom ☆ **PL** 20-21 F3
Radomsko o **PL** 20-21 E3
Radoviš o **MK** 26-27 F5
Radstadt o• **A** 18-19 F5
Radužnyj o **RUS** 38-39 L3
Radviliškis ☆ •• **LT** 12-13 K4
Radzyń Podlaski o **PL** 20-21 G3
Rae Isthmus ✕ **CDN** 96-97 N4
Raevski, Groupe ⌐ **F** 70-71 J4
Rafaela o **RA** 116-117 E4
Rafaï o **RCA** 82-83 C5
Rafhā' o **KSA** 50-51 C3
Râfit, Ĝabal ▲ **SUD** 78-79 G4
Rafsanğān o• **IR** 48-49 J4
Raga o **SUD** 82-83 D4
Ragaing Yōma ▲ **MYA** 52-53 F3
Rago nasjonalpark ⊥ **N** 8-9 H3
Ragusa o **I** 24-25 E6
Raha o **RI** 56-57 D5
Rahad, ar- ~ **SUD** 82-83 E3
Rahad al-Bardî o **SUD** 82-83 C3
Rahîmyār Khān o **PK** 50-51 J3
Rahole National Reserve ⊥ **EAK** 82-83 F3
Råholt o **N** 10-11 F4
Raiatea, Île ⌐ **F** 70-71 G4
Raiatéa, Île ⌐ **F** 70-71 G4
Räichūr o• **IND** 52-53 C3
Raigarh o **IND** 52-53 D2
Rainbow Lake o **CDN** 94-95 H4

Rainier, Mount ⛰ **USA** 100-101 B1
Rainy Lake o **CDN** 98-99 F5
Raipur o **IND** 52-53 D2
Raivavaé, Île ⌐ **F** 70-71 H6
Raivavae, Îles ⌐ **F** 70-71 H5
Rajada o **BR** 114-115 F3
Rājahmundry o **IND** 52-53 D3
Rajang ~ **MAL** 54-55 E5
Rajasthan □ **IND** 52-53 B1
Rajin o **KP** 46-47 H2
Rājkot o **IND** 52-53 B2
Râj-Nāndgaon o **IND** 52-53 D2
Rajshahi o **BD** 52-53 E2
Rakahanga ⌐ **CK** 70-71 E2
Rakata, Pulau ⌐•• **RI** 54-55 D7
Rakiraki o **FJI** 70-71 A4
Rakops o **RB** 86-87 D6
Rakovník o **CZ** 20-21 B3
Rakvere ☆ •• **EST** 12-13 M2
Rakwa o **RI** 56-57 F6
Raleigh o **USA** 102-103 H3
Ralik Chain ⌐ **MH** 66-67 F3
Rama o **NIC** 104-105 E5
Rāmabhadrapuram o **IND** 52-53 D3
Ramādī, ar- ☆ **IRQ** 48-49 F4
Rambouillet o **F** 16-17 E2
Rambrè ⌐ **MYA** 52-53 F3
Rameški ☆ **RUS** 30-31 G3
Rampur o **IND** 52-53 C1
Ramsele o **S** 10-11 J3
Ramsgate o• **GB** 14-15 G6
Ramsjö o **S** 10-11 H3
Ramundberget o **S** 10-11 G3
Ramu River ~ **PNG** 68-69 B1
Ramvik o **S** 10-11 J3
Ramygala o•• **LT** 12-13 L4
Rancagua ☆ **RCH** 116-117 C4
Rānchi o •• **IND** 52-53 D2
Rancho Alegre o **BR** 114-115 C5
Randazzo o **I** 24-25 E6
Randers o **DK** 12-13 D3
Randijaure o **S** 8-9 K3
Randsfjorden o **N** 10-11 F4
Rånealven ~ **S** 8-9 L3
Ranemsletta o **N** 8-9 F4
Rangiora o **NZ** 64-65 J5
Rangiroa Atoll ⌐ **F** 70-71 H4
Rangnim Sanmaek ▲ **KP** 46-47 G2
Rangoon ☆•• **MYA** 52-53 G3
Rangpur o **BD** 52-53 E1
Rann de Kutch ⌐ **IND** 52-53 A2
Ranong o **T** 54-55 B4
Ransiki o **RI** 56-57 F6
Rantauprapat o **RI** 54-55 B5
Ranua o **FIN** 8-9 N2
Raohe o **CN** 40-41 F5
Raoul Island ⌐ **NZ** 60-61 K7
Rapa, Île ⌐ **F** 60-61 N7
Rapallo o **I** 24-25 B2
Raper, Cape ⌐ **CDN** 96-97 R4
Rapid City o **USA** 100-101 F2
Räpina o **EST** 12-13 M2
Rapla o•• **EST** 12-13 L2
Raposa Serra do Sol, Área Indígena
✕ **BR** 110-111 E4
Rappin o **EST** 12-13 M2
Raqqa, ar- ☆ **SYR** 48-49 E3
Raraka Atoll ⌐ **F** 70-71 J4
Raroia Atoll ⌐ **F** 70-71 J4
Rarotonga Isang ⌐ **CK** 70-71 F5
Rasa, Punta ▲ **RA** 116-117 E6
Ra's al-Ḥafǧī o **KSA** 50-51 D3
Ras Dashen Terara ▲ **ETH** 82-83 F3
Raseiniai ☆ • **LT** 12-13 K4
Rashād o **SUD** 82-83 E3
Raška o **SRB** 26-27 E4
Rās Kōh ▲ **PK** 50-51 G3

Rasmussen Basin ≈ **CDN** 96-97 M4
Rasskazovo o **RUS** 30-31 J5
Rastatt o• **D** 18-19 D4
Rāstoci o **RO** 26-27 F2
Rastro ▲ **MEX** 100-101 G6
Rasu, Monte ▲ **I** 24-25 B4
Ratak Chain ⌐ **MH** 66-67 F3
Rätansbyn o **S** 10-11 H3
Ratcha Buri o **T** 54-55 B3
Rāth o **IND** 52-53 C1
Rathenow o **D** 18-19 F2
Ratisbonne o **D** 18-19 F4
Rätische Alpen ▲ **CH** 18-19 D5
Rat Islands ⌐ **USA** 92-93 F5
Ratlām o **IND** 52-53 C2
Ratnāgiri o• **IND** 52-53 B3
Ratnapura o **CL** 52-53 D5
Ratne o **UA** 20-21 H3
Rättvik o **S** 10-11 H4
Ratzeburg o **D** 18-19 E2
Rauda, ar- o **YAR** 50-51 D6
Raufarhöfn o **IS** 8-9 f1
Rauma o••• **FIN** 10-11 L4
Rauma ~ **N** 10-11 E3
Raurkela o **IND** 52-53 D2
Rauschen ☆• **RUS** 12-13 J4
Rāut ~ **MD** 26-27 J2
Rautavaara o **FIN** 10-11 P3
Ravahere Atoll ⌐ **F** 70-71 J4
Rava-Rus'ka o **UA** 20-21 G3
Ravenne o •• **I** 24-25 D2
Ravensburg o **D** 18-19 D5
Ravensthorpe o **AUS** 62-63 C6
Rāwalpindi o **PK** 50-51 J2
Rawa Mazowiecka o **PL** 20-21 F3
Rawicz o• **PL** 20-21 D3
Rawlinna o **AUS** 62-63 D6
Rawlins o **USA** 100-101 E2
Rawson o **RA** 116-117 D6
Rawu o **CN** 44-45 G6
Ray, Cape ⌐ **CDN** 98-99 N5
Rayo ▲ **MEX** 100-101 E6
Rayong o **T** 54-55 C3
Rayyān, ar- o **Q** 50-51 E3
Raz, Pointe du ⌐ **F** 16-17 B2
Razgrad ☆ **BG** 26-27 H4
Razim, Lacul o **RO** 26-27 J3
Razlog o **BG** 26-27 F5
Ré, Île de ⌐ **F** 16-17 C3
Reading o **GB** 14-15 F6
Reading o **USA** 102-103 H2
Realico o **RA** 116-117 E5
Rebbenesøy ⌐ **N** 8-9 K1
Rebecca, Lake o **AUS** 62-63 C6
Rebun-tō ⌐ **J** 40-41 H5
Rečane o **RUS** 30-31 D3
Recherche, Archipelago of the ⌐ **AUS**
62-63 C6
Recht ☆• **IR** 48-49 G3
Rečica = Rèčyca o **BY** 20-21 L2
Recife ☆ **BR** 114-115 H3
Récifs, Îles = Reef Islands ⌐ **VU**
68-69 G3
Recknitz ~ **D** 18-19 F1
Reconquista o **RA** 116-117 F3
Recreo o **RA** 116-117 D3
Rèčyca o **BY** 20-21 L2
Recz o **PL** 20-21 C2
Red Deer o **CDN** 94-95 J5
Red Deer River ~ **CDN** 94-95 J5
Redding o **USA** 100-101 B2
Redditch o **GB** 14-15 F5
Redenção o **BR** 114-115 E3
Rédics o **H** 26-27 C2
Redkino o **RUS** 30-31 G3
Red Lake o **CDN** 98-99 F4
Red Lake Indian Reservation ✕ **USA**
102-103 D1
Redon o **F** 16-17 C3
Redondela, La o **E** 22-23 B2
Redondo o **P** 22-23 C4
Red River ~ **USA** 102-103 E4

Red River of the North ~ **USA**
102-103 D1
Red Sea ≋ 78-79 H4
Redwood Empire ⊥ **USA** 100-101 B2
Redwood National Park ⊥ ••• **USA**
100-101 B2
Ree, Lough o **IRL** 14-15 B5
Reef Islands ⌐ **SOL** 68-69 G3
Reef Islands = Îles Récifs ⌐ **VU**
68-69 G3
Rega ~ **PL** 20-21 C2
Regen o **D** 18-19 F4
Regen ~ **D** 18-19 F4
Regência, Ponta de ▲ **BR**
114-115 G5
Reggane o **DZ** 76-77 H4
Réggio di Calábria o **I** 24-25 E5
Réggio nell'Emilia o **I** 24-25 C2
Reghin o **RO** 26-27 G2
Regina ☆ **CDN** 94-95 L5
Régina o **F** 110-111 G4
Registan, Désert du ⊥ **AFG** 50-51 G2
Registro o **BR** 114-115 E6
Rehoboth o **NAM** 86-87 C6
Reigate o **GB** 14-15 F6
Reims ☆••• **F** 16-17 G2
Reine o **N** 8-9 G3
Reine-Charlotte, Détroit de la ≈ **CDN**
94-95 F5
Reine-Charlotte, Îles de la ⌐ **CDN**
94-95 G5
Reine-Élisabeth, Îles de la ⌐ **CDN**
96-97 J1
Reine-Maud, Golfe de la ≈ **CDN**
96-97 K4
Reine-Maud, Terre de ⊥ **ANT**
119 B36
Reinga, Cape ▲ **NZ** 64-65 J3
Reinosa o• **E** 22-23 D2
Reisaelva ~ **N** 8-9 L2
Reisa nasjonalpark ⊥ **N** 8-9 L2
Reisjärvi o **FIN** 10-11 N3
Reitoru Atoll ⌐ **F** 70-71 J4
Reitz o **ZA** 86-87 E7
Rekareka Atoll ⌐ **F** 70-71 J4
Reliance o **CDN** 94-95 K3
Remanso o **BR** 114-115 F3
Remennikovo o **RUS** 30-31 C3
Remiremont o **F** 16-17 H2
Rena ~ **N** 10-11 F4
Renaico o **RCH** 116-117 C5
Rencēni o **LV** 12-13 L3
Rendsburg o• **D** 18-19 D1
Rengat o **RI** 54-55 C6
Reni ☆ **UA** 26-27 J3
Renland ⊥ **GRØ** 96-97 Z3
Renmark o **AUS** 64-65 C3
Rennell Island ⌐ **SOL** 68-69 F3
Rennell Rise ≈ **SOL** 68-69 E3
Rennes ☆ • **F** 16-17 D2
Reno o• **USA** 100-101 C3
Reo o **RI** 56-57 D6
Réole, La o **F** 16-17 D4
Republican River ~ **USA** 102-103 D2
République Centrafricaine ■ **RCA**
82-83 B4
Repulse Bay o **CDN** 96-97 N4
Repulse Bay ≈ **CDN** 96-97 N4
Requena o• **E** 22-23 F4
Requena o **PE** 112-113 E3
Reşadiye o **TR** 28-29 F4
Reşadiye Yarımadası ⌐ **TR** 28-29 F4
Reschenpass = Passo di Rèsia ▲ **I**
24-25 C1
Reschita ☆ **RO** 26-27 E3
Reschita = Reşiţa ☆ **RO** 26-27 E3
Resen o **MK** 26-27 E5
Rèsia, Passo di = Reschenpass ▲ **I**
24-25 C1
Resistencia ☆ **RA** 116-117 F3
Reşiţa ☆ **RO** 26-27 E3
Resolution Island ⌐ **CDN** 96-97 R5

Respublika Adygeja = Adygè Respublikèm ◘ RUS 42-43 C3
Respublika Dagistan ◘ RUS 42-43 E3
Rethel o F 16-17 G2
Réthimno o GR 28-29 E5
Reus o E 22-23 G3
Reutlingen o D 18-19 D4
Revelstoke o CDN 94-95 H5
Revilla Gigedo, Islas ⌐ MEX 100-101 D7
Revillagigedo Island ⌐ USA 92-93 O4
Révolution d'Octobre, Île de la ⌐ RUS 38-39 O0
Rewa o IND 52-53 D2
Rewari o IND 52-53 C1
Reykjanestá ▲ IS 8-9 b3
Reykjavík ★ · IS 8-9 c2
Reynosa o MEX 100-101 G5
Rēzekne ☆ ·· LV 12-13 M3
Rezina o MD 26-27 J2
Rēznas ezers ⌐ LV 12-13 M3
Rezovo o BG 26-27 H4
Rhein ∼ D 18-19 C3
Rheine o D 18-19 C2
Rheinfall ∼ CH 18-19 D5
Rheinwaldhorn ▲ CH 18-19 D5
Rhénanie du Nord-Westphalie ◘ D 18-19 C3
Rhénanie-Palatinat ◘ D 18-19 C3
Rhinelander o USA 102-103 F1
Rhir, Cap ▲ MA 76-77 F3
Rhode Island ◘ USA 102-103 J2
Rhodes ∼ GR 28-29 G4
Rhodes Matopos National Park ⊥ ZW 86-87 E6
Rhodope ▲ BG 26-27 F5
Rhodopen ▲ BG 26-27 F5
Rhön ▲ D 18-19 D3
Rhondda o GB 14-15 E6
Rhône ∼ CH 18-19 C5
Rhône ∼ F 16-17 G5
Rhône-Alpes ◘ F 16-17 G4
Rhum ∼ GB 14-15 C3
Ria Celestún, Parque Natural ⊥ MEX 104-105 C3
Ria Formosa, Reserva Natural de ⊥ P 22-23 C5
Riákia o GR 28-29 D2
Riaño, Embalse de < E 22-23 D2
Riazan ☆ ·· RUS 30-31 H4
Ribadavia o E 22-23 B2
Ribadeo o E 22-23 C2
Ribadesella o E 22-23 D2
Ribariće o SRB 26-27 E4
Ribas do Rio Pardo o BR 114-115 D6
Ribatejo ⊥ P 22-23 B4
Ribáué o MOC 84-85 D3
Ribe o·· DK 12-13 C4
Ribeira = Santa Uxia o E 22-23 B2
Ribeirão Preto o BR 114-115 E6
Ribera o I 24-25 D6
Ribérac o F 16-17 E4
Riberalta o BOL 112-113 F4
Rîbniţa ☆ MD 26-27 J2
Ribnitz-Damgarten o D 18-19 F1
Richardsbaai = Richards Bay o ZA 86-87 F7
Richards Bay = Richardsbaai o ZA 86-87 F7
Richards Island ⌐ CDN 94-95 E2
Richardson Mountains ▲ CDN 94-95 D2
Richfield o USA 100-101 D3
Richmond o AUS 62-63 G4
Richmond ☆ USA 102-103 H3
Richtersveld National Park ⊥ ZA 86-87 C7
Ridderspranget · N 10-11 E4
Riding Mountain National Park ⊥ CDN 98-99 D4
Rieppe ▲ N 8-9 L2
Riesa o D 18-19 F3

Rietavas o LT 12-13 J4
Rietfontein o ZA 86-87 D7
Rieti ⌐ I 24-25 D3
Rievaulx Abbey ·· GB 14-15 F4
Rift Valley National Park ⊥ ETH 82-83 F4
Rīga ★·· LV 12-13 L3
Riga ★·· LV 12-13 L3
Rīgas Jūras Līcis ≈ 12-13 K3
Rīgas Jūras Līcis ≈ LV 12-13 K3
Riguldi o EST 12-13 K2
Riihimäki o FIN 10-11 N4
Riiser-Larsen, Péninsule de ⊥ ANT 119 C4
Riisitunturin kansallispuisto ⊥ FIN 8-9 P3
Riistina o FIN 10-11 O4
Rijeka o HR 26-27 B3
Rikorda, mys ▲ RUS 46-47 L2
Rila o· BG 26-27 F4
Rila ▲ BG 26-27 F4
Rilski Manastir ·· BG 26-27 F4
Rimatara, Île ⌐ F 70-71 G5
Rímini o I 24-25 D2
Rinconada o RA 116-117 D2
Rindal ☆ N 10-11 E3
Ringkøbing o DK 12-13 C3
Ringkøbing Fjord o DK 12-13 C3
Ring of Kerry · IRL 14-15 A6
Ringvassøy ⌐ N 8-9 K2
Riñihue o RCH 116-117 C5
Río o GR 28-29 C3
Río Abiseo, Parque Nacional ⊥ ··· PE 112-113 D3
Rio Acre, Estação Ecologica ⊥ BR 112-113 E4
Riobamba o EC 112-113 D2
Rio-Biá, Áreas Indígenas ✕ BR 112-113 F2
Rio Branco ☆ BR 112-113 F3
Rio Branco, Área Indígena ✕ BR 114-115 B4
Rio Branco, Parque Nacional do ⊥ BR 110-111 E4
Rio Brilhante o BR 114-115 D6
Rio Claro o BR 114-115 E6
Rio Conchas o BR 114-115 C4
Rio de Janeiro ◘ BR 114-115 F6
Rio de Janeiro ☆·· BR 114-115 F6
Río de la Plata Canyon ≃ 116-117 G5
Río Gallegos ☆ RA 116-117 D8
Rio Grande o BR 116-117 G4
Rio Grande ∼ USA 100-101 F5
Rio Grande, Seuil du ≃108-109 J7
Rio Grande do Norte o BR 114-115 G3
Rio Grande do Sul o BR 116-117 G4
Riohacha ☆ CO 110-111 C2
Río Hondo, Termas de o· RA 116-117 E3
Rioja, La o E 22-23 E2
Rioja, La o RA 116-117 D3
Río Lagartos, Parque Natural ⊥ MEX 104-105 D3
Rio Largo o BR 114-115 G3
Riom o F 16-17 F4
Río Maior o P 22-23 B4
Río Mayo o RA 116-117 C7
Río Mulatos o BOL 112-113 F5
Rional Reef ≃66-67 H2
Río Negro o RA 116-117 D5
Río Negro, Pantanal do o BR 114-115 C5
Río Negro, Represa del < ROU 116-117 F4
Río Negro, Reserva Florestal do ⊥ BR 110-111 D4
Rio Pardo de Minas o BR 114-115 F5
Ríosucio o CO 110-111 B3
Río Tercero o RA 116-117 E4
Rio Trombetas, Reserva Biológica do ⊥ BR 110-111 C2
Rio Verde o BR 114-115 D5
Río Verde o MEX 100-101 G6

Rio Verde de Mato Grosso o BR 114-115 D5
Ripky o UA 32-33 B2
Ripoll o· E 22-23 H2
Risasa o CGO 86-87 E2
Rishiri-tō ⌐ J 40-41 H5
Risør ☆ · N 10-11 E5
Risøyhamn o N 8-9 H2
Rissa o N 10-11 F3
Risti o EST 12-13 L2
Riv ∼ UA 20-21 K4
Rivadavia o RA 116-117 E2
Rivadavia o RCH 116-117 C3
Riva del Garda o I 24-25 C2
Rivera o RA 116-117 E5
Rivera ☆ ROU 116-117 F4
River Cess o LB 80-81 C4
Riverina ∪ AUS 64-65 C3
Rivesaltes o F 16-17 F5
Rivière-du-Loup o CDN 98-99 L5
Rivne o UA 20-21 J3
Rivoli o I 24-25 A2
Rivungo o ANG 86-87 D5
Riyad ★·· KSA 50-51 D4
Rize ☆ TR 48-49 F2
Rizhao o CN 46-47 E3
Rizzuto, Capo ▲ I 24-25 F5
Rjabovskij o RUS 32-33 G2
Rjažsk ☆· RUS 30-31 J5
Rjukan ☆ N 10-11 E5
Road Town ☆· GB 104-105 J4
Roanne o F 16-17 G3
Roanoke o USA 102-103 H3
Roanoke River ∼ USA 102-103 H3
Roatán, Isla de ⌐ HN 104-105 D4
Roberval o CDN 98-99 K5
Robla, La o E 22-23 D2
Roboré o BOL 112-113 H5
Robson, Mount ▲ CDN 94-95 H5
Roca, Cabo da ▲·· P 22-23 B4
Roca de la Sierra, La o E 22-23 C4
Rocas, Atol das ⌐ BR 114-115 H2
Rocas Alijos ⌐ MEX 100-101 C6
Rochefort o F 16-17 D4
Rochelle, la ☆· F 16-17 D3
Rochester o USA 102-103 H2
Rochester o· USA 102-103 G2
Roche-sur-Yon, la ☆· F 16-17 D3
Rocheuses, Montagnes ▲ 100-101 C1
Rockall, Fosse de ≃6-7 B2
Rockall, Plateau ≃3 G4
Rockall Trough ≃6-7 B2
Rockefeller, Plateau ▲ ANT 119 B24
Rockford o USA 102-103 F2
Rockhampton o· AUS 62-63 J4
Rockingham o AUS 62-63 B6
Rock Springs o USA 100-101 E2
Rockstone o GUY 110-111 F3
Rocky Mountain National Park ⊥ USA 100-101 E2
Rocky Mountains ▲ 100-101 C1
Roda, La o E 22-23 E4
Rødberg o N 10-11 E4
Rødbyhavn o DK 12-13 D4
Rodel o GB 14-15 C3
Rodez ☆· F 16-17 F4
Rodnei, Munţii ▲ RO 26-27 G2
Rodniki o RUS 30-31 J3
Rodopi ▲ BG 26-27 G5
Ródos ☆·· GR 28-29 G4
Roebourne o AUS 62-63 B4
Roermond o NL 18-19 C3
Roeselare o B 18-19 A3
Roes Welcome Sound ≈ CDN 96-97 N5
Rogačevka o RUS 32-33 F2
Rogačevo o RUS 30-31 G3
Rogagua, Lago o BOL 112-113 F4
Rogatica o BIH 26-27 D4
Roggeveen, Bassin de ≃108-109 C8
Roggeveen Basin ≃108-109 C8
Rognan o N 8-9 H3
Rogoaguado, Lago o BOL 112-113 F4

Rogoźno o PL 20-21 D2
Rohatyn ☆ UA 20-21 H4
Rohukula o EST 12-13 K2
Roi-Christian IX, Terre du ⌐ GRØ 96-97 X4
Roi-Christian X, Terre du ⌐ GRØ 96-97 Y3
Roi Et o T 54-55 C2
Roi-Frédéric IX, Terre du ⌐ GRØ 96-97 U4
Roi-Frédéric VI, Côte du ⌐ GRØ 96-97 W5
Roi-Frédéric VIII, Terre du ⌐ GRØ 96-97 a2
Roi-Guillaume, Île du ⌐ CDN 96-97 L4
Roi-Karl, Terre du ⌐ N 118 B16
Roja o· LV 12-13 K3
Rokiškis ☆·· LT 12-13 L4
Røldal o N 10-11 D5
Rolla ⌐ N 8-9 J2
Rolla o USA 102-103 E3
Rolvsøya ⌐ N 8-9 N1
Roma o AUS 62-63 H5
Roma o S 12-13 H3
Roma, Pulau ⌐ RI 56-57 E7
Romaine, Rivière ∼ CDN 98-99 M4
Roman o BG 26-27 F4
Roman o· RO 26-27 H2
Roman-Koš, hora ▲ UA 32-33 D5
Romanovka o RUS 38-39 S5
Romans-sur-Isère o F 16-17 G4
Romanzof, Cape ▲ USA 92-93 J3
Rome ★·· I 24-25 D4
Rome o USA 102-103 F4
Romny o UA 32-33 C2
Rømø ∼ DK 12-13 C4
Romodan o UA 32-33 C2
Romorantin-Lanthenay o F 16-17 E3
Romsdalen ∼ N 10-11 D3
Roncador, Serra do ▲ BR 114-115 D4
Roncador Reef ⌐ SOL 68-69 E2
Roncesvalles o· E 22-23 F2
Ronda o E 22-23 D5
Ronda, Serranía de ▲ E 22-23 D5
Rønde o DK 12-13 D3
Rondônia o BR 114-115 B4
Rondonópolis o BR 114-115 D5
Rondslottet ▲ N 10-11 E4
Rongelap Atoll ⌐ MH 66-67 F3
Rongerik Atoll ⌐ MH 66-67 F3
Rõngu o EST 12-13 M2
Rønne o DK 12-13 F4
Ronne Bay ≈119 B31
Ronneby ☆ S 12-13 F3
Rönnöfors o S 10-11 G3
Roosevelt, Île ⌐ ANT 119 B21
Roosevelt, Rio ∼ BR 114-115 B3
Roosevelt Fjelde ▲ GRØ 96-97 X1
Roper Bar o AUS 62-63 E2
Roper River ∼ AUS 62-63 E2
Roquefort o F 16-17 D4
Roquetas de Mar o E 22-23 E5
Roraima, Mount ▲ GUY 110-111 E3
Røros ☆·· N 10-11 F3
Rørvik o N 8-9 F4
Ros' ∼ UA 32-33 B3
Rošal' o RUS 30-31 H4
Rosal de la Frontera o E 22-23 C5
Rosario o· RA 116-117 E4
Rosario de la Frontera o· RA 116-117 E3
Rosário do Sul o BR 116-117 G4
Rosa Zárate o EC 112-113 D1
Roscoff o F 16-17 B2
Ros Comáin = Roscommon ☆ IRL 14-15 B5
Roscommon = Ros Comáin ☆ IRL 14-15 B5
Ros Cré = Roscrea o IRL 14-15 C5
Roscrea = Ros Cré o IRL 14-15 C5
Rose ⌐ USA 70-71 D3
Roseau ☆ WD 104-105 J4

Rosebud Indian Reservation ✕ **USA** 100-101 F2
Rosenberg, Sulzbach- o **D** 18-19 E4
Rosendal ✭ **N** 10-11 D5
Rosenheim o **D** 18-19 F5
Rosignano Marittima o **I** 24-25 C3
Roşiori de Vede o **RO** 26-27 G3
Roskilde o •• **DK** 12-13 E4
Roslawl' o **RUS** 30-31 E5
Ros Mhic Thriúin = New Ross o **IRL** 14-15 C5
Ross, Île de ⌒ **ANT** 119 B17
Ross, Mer de ≈119 B20
Ross, Plate-forme Glaciaire de ⊂ **ANT** 119 A
Rossano o **I** 24-25 F5
Rossieny ✭ **LT** 12-13 K4
Rossitten ✭•• **LV** 12-13 M3
Rosslare = Ros Láir o **IRL** 14-15 C5
Roßlau, Dessau- o **D** 18-19 F3
Rosso ✭ **RIM** 76-77 D6
Ross River o **CDN** 94-95 E3
Røssvatnet ⌒ **N** 8-9 G4
Røst o **N** 8-9 G3
Rostock o •• **D** 18-19 F1
Rostov o **RUS** 30-31 H3
Rostov-sur-le-Don ✭ **RUS** 32-33 F4
Rostrenen o **F** 16-17 C2
Roswell o **USA** 100-101 F4
Rothenburg ob der Tauber o •• **D** 18-19 E4
Rotherham o **GB** 14-15 F5
Rothesay o **GB** 14-15 D4
Roti, Pulau ⌒ **RI** 56-57 D7
Roto o **AUS** 64-65 D3
Rotondo, Monte ▲ **F** 24-25 B3
Rotorua o **NZ** 64-65 K4
Rotterdam o •• **NL** 18-19 B3
Rottweil o **D** 18-19 D4
Rotuma ⌒ **FJI** 70-71 A3
Roubaix o **F** 16-17 F1
Roudny o **KZ** 42-43 H1
Rouen ✭ • **F** 16-17 E2
Rouge, Mer ≈78-79 H4
Roumanie ■ **RO** 26-27 F3
Rouyn-Noranda o **CDN** 98-99 J5
Roven'ky o **UA** 32-33 F3
Rovereto o **I** 24-25 C2
Rovigo ✭ **I** 24-25 C2
Rovinari o **RO** 26-27 F3
Rovinj o •• **HR** 26-27 A3
Rovno = Rivne o **UA** 20-21 J3
Rovnoe o **RUS** 32-33 K2
Rovuma, Rio = Ruvuma ⌒ **MOC** 84-85 D3
Rowley Island ⌒ **CDN** 96-97 P4
Rowley Shoals ⌒ **AUS** 62-63 B3
Roxas ✭ **RP** 56-57 D3
Royale, Isle ⌒ **USA** 102-103 F1
Royan o • **F** 16-17 D4
Royaume-Uni ■ **GB** 14-15 G4
Roye o **F** 16-17 F2
Røyrvik o **N** 8-9 G4
Rožaje o • **MNE** 26-27 E4
Rózan o **PL** 20-21 F2
Rozdol'ne o **UA** 32-33 C5
Rozivka o **UA** 32-33 E4
Rožňava o **SK** 20-21 F4
Rtiščevo o **RUS** 30-31 K5
Rtiščevo o **RUS** 32-33 H1
Ruacana Falls ⌒•• **NAM** 86-87 B5
Ruaha, Great ⌒ **EAT** 84-85 C2
Ruaha National Park ⊥ **EAT** 84-85 C2
Ruahine Range ▲ **NZ** 64-65 K4
Ruapehu, Mount ▲ **NZ** 64-65 K4
Ruawai o **NZ** 64-65 J4
Ru'ays, Wādī ar- ⌒ **LAR** 78-79 D3
Rub' al-Hālī, ar- ⌒ **KSA** 50-51 D5
Rubcovsk o **RUS** 42-43 M1
Rubeho Mountains ▲ **EAT** 84-85 D2
Rubondo National Park ⊥ **EAT** 84-85 C1

Ruby o **USA** 92-93 L3
Rucava o **LV** 12-13 J3
Rudall River National Park ⊥ **AUS** 62-63 C4
Rudkøbing o• **DK** 12-13 D4
Rudnik ▲• **SRB** 26-27 E3
Rudnja ✭ **RUS** 30-31 D4
Rufiji ⌒ **EAT** 84-85 D2
Rufino o **RA** 116-117 E4
Rufunsa o **Z** 86-87 E5
Rugāji o **LV** 12-13 M3
Rügen ⌒ **D** 18-19 F1
Ruhnu saar ⌒• **EST** 12-13 K3
Rui'an o **CN** 46-47 F5
Ruili o **CN** 52-53 G2
Ruiz, Nevado del ▲ **CO** 110-111 B4
Rüjiena o ✭ **LV** 12-13 L3
Ruka o **FIN** 8-9 P3
Rukwa, Lake ⌒ **EAT** 84-85 C2
Ruma o **SRB** 26-27 D3
Ruma National Park ⊥ **EAK** 82-83 E6
Rumbek o **SUD** 82-83 D4
Runde ⌒ **ZW** 86-87 F6
Rundu ✭ **NAM** 86-87 C5
Rungwa o **EAT** 84-85 C2
Rungwa ⌒ **EAT** 84-85 C2
Rungwa Game Reserve ⊥ **EAT** 84-85 C2
Rungwe ▲ **EAT** 84-85 C2
Runmarö ⌒ **S** 12-13 H2
Ruokolahti o **FIN** 10-11 P4
Ruoqiang o **CN** 44-45 E4
Ruovesi o **FIN** 10-11 N4
Rupert, Rivière de ⌒ **CDN** 98-99 J4
Ruppert Coast ✕ **ANT** 119 B23
Ruqai', ar- o **KSA** 50-51 D3
Rurutu, Île ⌒ **F** 70-71 G5
Rusape o **ZW** 86-87 F5
Ruse o **BG** 26-27 G4
Rus'ka o **UA** 20-21 H5
Rus'ka, Rava- o **UA** 20-21 G3
Rusksele o **S** 8-9 K4
Rusnė o• **LT** 12-13 J4
Russas o **BR** 114-115 G2
Russell Islands ⌒ **SOL** 68-69 E2
Russie ■ **RUS** 30-31 F5
Russkij, ostrov ⌒ **RUS** 38-39 P0
Rustavi o **GE** 48-49 F2
Rustefjelbma o **N** 8-9 P1
Rustenburg o **ZA** 86-87 E7
Ruston o **USA** 102-103 E4
Ruten ▲ **N** (OPP) 10-11 E4
Ruten ▲ **N** (STR) 10-11 E3
Ruvuma = Rio Rovuma ⌒ **EAT** 84-85 D3
Ruwais, ar- o **Q** 50-51 E3
Ruwenzori ▲ **CGO** 82-83 D5
Ruwenzori Mountains National Park ⊥ ••• **EAU** 82-83 E5
Ruwī o **OM** 50-51 F4
Ruza ✭ **RUS** 30-31 G4
Ruzaevka o **RUS** 30-31 L4
Ružany o **BY** 20-21 H2
Ružomberok o **SK** 20-21 E4
Rwanda ■ **RWA** 86-87 E2
Rybačij, poluostrov ⌒ **RUS** 8-9 R2
Rybinsk ✭ **RUS** 30-31 H2
Rybinsk, Lac réservoir de < **RUS** 30-31 H2
Rybnica = Rîbniţa o **MD** 26-27 J2
Rybnik o• **PL** 20-21 E3
Rybnoe o **RUS** 30-31 H4
Ryki o **PL** 20-21 F3
Ryl'sk o **RUS** 32-33 D2
Ryōtsu o **J** 46-47 J3
Rypin o **PL** 20-21 E2
Ryūkyū, Fosse de ≈46-47 G6
Ryūkyū-shotō ⌒ **J** 46-47 H3
Ryūkyū Trench ≈46-47 G6
Rzeszów ✭ **PL** 20-21 G3
Ržev ✭ **RUS** 30-31 F3

S

Saale ⌒ **D** 18-19 E3
Saalfeld- o **D** 18-19 E3
Sääre o **EST** 12-13 K3
Saaremaa ⌒ **EST** 12-13 J2
Saarijärvi o **FIN** 10-11 N3
Saariselkä o **FIN** 8-9 O2
Saaristomeren kansallispuisto =Skärgårdshavets nationalp. ⊥ **FIN** 10-11 L5
Saarlouis o **D** 18-19 C4
Saba ⌒ **NA** 104-105 J4
Šabac o• **SRB** 26-27 D3
Sab'ah, Qārat as ▲ **LAR** 78-79 D3
Sabaki ⌒ **EAK** 82-83 F6
Sabana, Archipiélago de ⌒ **C** 104-105 E3
Şabanözü ✭ **TR** 48-49 D2
Sabatino = Lago di Bracciano o **I** 24-25 D3
Sabáudia o **I** 24-25 D4
Sabbioneta o **I** 24-25 C2
Sāberī, Hāmūn-e o **AFG** 50-51 G2
Sabhā ✭ **LAR** 78-79 C3
Sabhat al-'Urūq al-Mu'tarida ⊥ **KSA** 50-51 E4
Sabiles o• **LV** 12-13 K3
Sabiñánigo o **E** 22-23 F2
Sabinas o **MEX** 100-101 F5
Sabine Peninsula ⌒ **CDN** 96-97 J2
Sabine River ⌒ **USA** 102-103 D4
Sabini, Monti ▲ **I** 24-25 D3
Šabla o **BG** 26-27 J4
Sable, Cape ▲ **CDN** 98-99 L6
Sable, Grand Désert de ⊥ **AUS** 62-63 C3
Sable, Île de ⌒ **F** 68-69 F4
Sable Island ⌒ **CDN** 98-99 N6
Sables-d'Olonne, les o **F** 16-17 D3
Sablé-sur-Sarthe o **F** 16-17 D3
Şabrātah ∴••• **LAR** 78-79 C2
Sabres o **F** 16-17 D4
Sabtaev ✭ **KZ** 42-43 J2
Sabt al-'Ulyā o **KSA** 50-51 C5
Sabugal o **P** 22-23 C3
Sabzevār o• **IR** 48-49 J3
Sacedón o **E** 22-23 E3
Săcele o **RO** 26-27 G3
Sachsen-Anhalt ▫ **D** 18-19 E2
Sachs Harbour o **CDN** 96-97 F3
Sächsisch Regen o **RO** 26-27 G2
Šachtars'k o **UA** 32-33 F3
Šack o **RUS** 30-31 J4
Sacramento ✭ **USA** 100-101 B3
Sacramento, Pampas de ⊥ **PE** 112-113 D3
Sacramento Mountains ▲ **USA** 100-101 E4
Sacramento River ⌒ **USA** 100-101 B3
Sa'da o••• **YAR** 50-51 C5
Sadani o **EAT** 84-85 D2
Sadh o **OM** 50-51 F5
Sado, Rio ⌒ **P** 22-23 B4
Sado-shima ⌒ **J** 46-47 J3
Sadova o **RO** 26-27 F4
Sadovoe o **RUS** 30-31 J4
Šadrinsk ✭ **RUS** 38-39 H4
Safāga ▲ **KSA** 50-51 B3
Säffle o **S** 12-13 E2
Safi o **MA** 76-77 D3
Safid Kūh, Selsele-ye ▲ **AFG** 42-43 H4
Safonovo ✭ **RUS** 30-31 F3
Safranbolu ✭ ••• **TR** 48-49 D2
Saga o **CN** 44-45 E6
Sāgar o **IND** 52-53 D2
Sagastyr o **RUS** 38-39 V1
Saggi ⌒ **I** 24-25 C2
Sagiáda o **GR** 28-29 C3
Saglek, Banc ≃98-99 M3

Saglek Bank ≃98-99 M3
Sagra ▲ **E** 22-23 E5
Sagres o **P** 22-23 B5
Sag Sag o **PNG** 68-69 C2
Sagua-Baracoa, Grupo ▲ **C** 104-105 F3
Saguenay, Rivière ⌒ **CDN** 98-99 K5
Sagunt o **E** 22-23 F4
Sagunto = Sagunt o **E** 22-23 F4
Saha (Iakouitie), République de ▫ **RUS** 38-39 S2
Saha, Respublika ▫ **RUS** 38-39 S2
Sahagún o **E** 22-23 D2
Sahalin, ostrov ⌒ **RUS** 40-41 H4
Sahara ⊥74-75 H4
Saharanpur o **IND** 52-53 C1
Sahara occidental ⌒ **EH** 76-77 E5
Sahel ⊥74-75 H5
Šāhīwāl o **PK** 50-51 J2
Šahovskaja ✭ **RUS** 30-31 F3
Sahrā' al-Garbīa, as- ⊥ **ET** 78-79 F3
Sahrā' al-Lībīyā, as- ⊥ **LAR** 78-79 E3
Sahrā' aš-Šarqīya, as- ⊥ **ET** 78-79 G3
Şahrā' Surt ⊥ **LAR** 78-79 D2
Sāhrūd o• **IR** 48-49 H3
Šahtinsk o **KZ** 42-43 K2
Šahtinskij, Kamensk- o **RUS** 32-33 G3
Šahty o **RUS** 32-33 G4
Sahuaripa o **MEX** 100-101 E5
Sahul Banks ≃56-57 D7
Sahul Shelf ≃62-63 C2
Šahy o **SK** 20-21 E4
Saïan Occidental ▲ **RUS** 44-45 F1
Saïan Oriental ▲ **RUS** 38-39 O4
Saïda o **DZ** 76-77 H3
Saidor o **PNG** 68-69 C2
Saidpur o **BD** 52-53 E1
Saïgon ⌒• **VN** 54-55 D3
Saihüt o **YAR** 50-51 E5
Saikhoa Ghāt o **IND** 52-53 G1
Saimaa ⌒ **FIN** 10-11 P4
Saint Albans o **CDN** 98-99 N5
Saint Albans o• **GB** 14-15 F6
Saint Andrews o•• **GB** 14-15 E3
Saint Anthony o **CDN** 98-99 N4
Saint Augustine o•• **USA** 102-103 G5
Saint-Barthélémy ⌒ **F** 104-105 J4
Saint-Brieuc ✭ **F** 16-17 C2
Saint-Calais o **F** 16-17 E3
Saint-Céré o **F** 16-17 E4
Saint-Chamond o **F** 16-17 G4
Saint-Chély-d'Apcher o **F** 16-17 F4
Saint-Chinian o **F** 16-17 F5
Saint-Christophe-et-Niévès ■ **KN** 104-105 J4
Saint Cloud o **USA** 102-103 E1
Saint David's o• **GB** 14-15 D6
Saint-Dié o **F** 16-17 H2
Saint-Dizier o **F** 16-17 G2
Sainte-Foy-la-Grande o **F** 16-17 E4
Saint Elias, Cape ▲ **USA** 92-93 O4
Saint Elias Mountains ▲ **CDN** 94-95 D3
Saint-Élie o **F** 110-111 G4
Sainte-Lucie ■ **WL** 104-105 J5
Sainte-Marie, Cap = Tanjona Vohimena ▲ **RM** 84-85 F6
Sainte-Marie, Nosy ⌒ **RM** 84-85 F4
Sainte-Maure-de-Touraine o **F** 16-17 E3
Sainte-Odile, Mont ▲• **F** 16-17 H2
Saintes o **F** 16-17 D4
Saint-Étienne ✭ **F** 16-17 G4
Saint-Florentin o **F** 16-17 F3
Saint Floris, Parc National de ⊥ ••• **RCA** 82-83 C4
Saint-Flour o **F** 16-17 F4
Saint-Gall o •• **CH** 18-19 D5
Saint-Gaudens o **F** 16-17 E5
Saint George o **AUS** 62-63 H5
Saint George o **USA** 100-101 D3
Saint George, Cape ▲ **USA** 102-103 F5
Saint George Island ⌒ **USA** 92-93 J4
Saint-Georges o **F** 110-111 G4
Saint George's o **WG** 104-105 J5

Saint George's ★ WG 104-105 J5
Saint George's Channel ≋ 14-15 C6
Saint-Gilles o F 16-17 G5
Saint-Girons o F 16-17 E5
Saint Gothard, Col du ▲ CH 18-19 D5
Saint Helenabaai ≋ ZA 86-87 C8
Saint Helens, Mount ▲ USA 100-101 B1
Saint-Helier o GBJ 14-15 E7
Saint Ives o GB 14-15 D6
Saint-Jacques-de-Compostelle o••• E 22-23 B2
Saint James, Cape ▲ CDN 94-95 E5
Saint-Jean, Lac o CDN 98-99 K5
Saint-Jean-d'Angély o F 16-17 D4
Saint-Jean-de-Luz o F 16-17 D5
Saint John o CDN 98-99 L5
Saint John River ~ USA 102-103 K1
Saint John's ★ AG 104-105 J4
Saint John's ★ CDN 98-99 O5
Saint Joseph o USA 102-103 E3
Saint Joseph, Lake o CDN 98-99 F4
Saint-Junien o F 16-17 E4
Saint Kilda ⌒••• GB 14-15 B3
Saint-Laurent, Golfe du ≋ CDN 98-99 M5
Saint-Laurent, Île ⌒ USA 92-93 H3
Saint-Laurent-du-Maroni ☆ F 110-111 G3
Saint Lawrence ⌒ AUS 62-63 H4
Saint Lawrence, Gulf of ≋ CDN 98-99 M5
Saint Lawrence Island ⌒ USA 92-93 H3
Saint Lawrence River ⌒ CDN 98-99 J6
Saint Lawrence River = Saint-Laurent, Fleuve ~ CDN 98-99 L5
Saint-Lô ☆ F 16-17 D2
Saint Louis ☆• SN 80-81 A2
Saint Louis o USA 102-103 E3
Saint Lucia Game Reserve ⊥ ZA 86-87 F7
Saint Luciameer o ZA 86-87 F7
Saint-Malo o F 16-17 C2
Saint Malo, Golfe de ≋ 16-17 C2
Saint Marc o RH 104-105 G4
Saint-Marin ■ RSM 24-25 D3
Saint-Martin ⌒ F 104-105 J4
Saint Marys o AUS 64-65 D5
Saint-Mathieu ▲•• F 16-17 B2
Saint Matthew Island ⌒ USA 92-93 H3
Saint Matthias Group ⌒ PNG 68-69 C1
Saint Maurice, Rivière ~ CDN 98-99 K5
Saint-Nazaire o F 16-17 C3
Saintogne ⌒ F 16-17 D3
Saint-Omer o• F 16-17 F1
Saint Paul ☆• USA 102-103 E2
Saint Paul Island ⌒ USA 92-93 H4
Saint Paul River ~ LB 80-81 B4
Saint Peter Port o GBG 14-15 E7
Saint-Pierre-et-Miquelon □ F 98-99 N5
Saint Petersburg ☆•••• RUS 30-31 D2
Saint Petersburg o USA 102-103 G5
Saint-Pierre-et-Miquelon □ F 98-99 N5
Saint-Pol-de-Léon o F 16-17 B2
Saint-Pol-sur-Ternoise o F 16-17 F1
Saint-Quentin o F 16-17 F2
Saint-Savin o••• F 16-17 E3
Saint-Tropez o F 16-17 H5
Saint Vincent o USA 102-103 D1
Saint Vincent ⌒ WV 104-105 J5
Saint-Vincent, Golfe de ≋ AUS 62-63 F6
Saint-Vincent-et-les-Grenadines ■ WV 104-105 J5
Saint-Yrieix-la-Perche o F 16-17 E4
Saipan ☆ USA 66-67 B2
Sai'ün ⌒ USA 100-101 B3
Sajama, Nevado de ▲ BOL 112-113 F5
Sajano-Šušenskoe, vodohranilišče o RUS 44-45 F1
Sajnšánd ☆ MGL 44-45 K3
Sakäka ☆ KSA 50-51 C3
Sakakawea, Lake o USA 100-101 F1
Sakami, Lac o CDN 98-99 J4
Sakarya o TR 28-29 H2
Sakarya Nehri ~ TR 28-29 H2
Sakata o J 46-47 J3

Sakata o RI 56-57 E6
Sakhaline ⌒ RUS 40-41 H4
Sakhaline, Golfe de ≋ RUS 40-41 H4
Şakı o• AZ 48-49 G2
Şaki o WAN 80-81 E4
Šakiai ★ LT 12-13 K4
Sakishima shotō ⌒ J 46-47 F6
Sakleshpur o IND 52-53 C4
Sakrivier o ZA 86-87 D8
Saky ☆ UA 32-33 C5
Sal ~ RUS 32-33 H4
Sal, Ilha do ⌒ CV 76-77 C6
Sala ☆ S 12-13 G2
Salacgriva o LV 12-13 L3
Sala Consilina o I 24-25 E4
Saladillo o RA 116-117 F5
Salado, Río ~ MEX 100-101 F5
Salado, Río ~ RA (MEN) 116-117 D5
Salado, Río ~ RA (SAE) 116-117 E3
Salaga o GH 80-81 D4
Salãla o• OM 50-51 E5
Salamanca o MEX 100-101 F6
Salamanque o••• E 22-23 D3
Salamat, Bahr ~ TCH 82-83 C3
Salamína o GR 28-29 D4
Salamo o PNG 68-69 D2
Salantai o LT 12-13 J3
Salas de los Infantes o E 22-23 E2
Salatiga o RI 54-55 E7
Salavat o RUS 42-43 G1
Salawati, Pulau ⌒ RI 56-57 F6
Salbris o F 16-17 F3
Saldaña o E 22-23 D2
Saldus o•• LV 12-13 K3
Sale o AUS 64-65 D4
Salehard ☆ RUS 38-39 J2
Sálekinna ▲ N 10-11 F3
Salem o IND 52-53 C4
Salem ☆ USA 100-101 B2
Salentine, Péninsule ⌣ I 24-25 G4
Salerne ☆• I 24-25 E4
Salerne, Golfe de ≋ 24-25 E4
Salgótarján o H 26-27 D1
Salgueiro o BR 114-115 J3
Salh Haimã' o OM 50-51 F5
Salhir ~ UA 32-33 D5
Salhyr ~ UA 32-33 D5
Salihli ☆ TR 28-29 G3
Salihorsk o BY 20-21 J2
Salina o USA 102-103 D3
Salina, Ísola ⌒ I 24-25 E5
Salina Cruz o• MEX 104-105 B4
Salinas o BR 114-115 F5
Salinas o EC (BOL) 112-113 D2
Salinas o EC (GUA) 112-113 C2
Salinas o USA 100-101 B3
Salinas, Punta ▲ PE 112-113 D4
Salinas de Hidalgo o MEX 100-101 F6
Salinas Grandes o RA 116-117 D3
Salinas River ~ USA 100-101 B3
Salines Royales o••• F 16-17 G3
Salinópolis o BR 114-115 E2
Salisbury o• GB 14-15 F6
Salisbury Island ⌒ CDN 96-97 P5
Şalķar ⌒ KZ 42-43 G2
Salla o FIN 8-9 P3
Salmon Gums o AUS 62-63 C6
Salmon River ~ USA 100-101 C1
Salmon River Mountains ▲ USA 100-101 C2
Salo o FIN 10-11 M4
Salomon, Îles ⌒ 68-69 E2
Salomon, Îles ■ SOL 68-69 E2
Salomon, Mer des ≋ 68-69 C2
Salomonensee ≋ 68-69 C2
Salonga o CGO 86-87 D2
Salonga Nord, Parc National de la ⊥••• CGO 86-87 D2
Salonga Sud, Parc National de la ⊥••• CGO 86-87 D2
Salor, Río ~ E 22-23 C4
Salou, Cap de ▲ E 22-23 G3

Salpausselkä ⏄ FIN 10-11 O4
Salsacate o RA 116-117 D4
Sal'sk o RUS 32-33 G4
Sal'sko-Manyčskaja grjada ▲ RUS 32-33 G4
Salso ~ I 24-25 D6
Salta □ RA 116-117 D3
Salta ☆• RA 116-117 D2
Salteelva ~ N 8-9 H3
Saltfjell-Svartisen nasjonalpark ⊥ N 8-9 H3
Saltfjorden ≋ 8-9 G3
Saltillo ☆• MEX 100-101 F5
Salt Lake City ☆• USA 100-101 D2
Salto ☆ ROU 116-117 F4
Salto, El o MEX 100-101 E6
Salto Angel ~••• YV 110-111 E3
Salto del Guaíra ☆ PY 116-117 G2
Salton Sea o USA 100-101 C4
Salt River ~ USA 100-101 D4
Saltsjöbaden o S 12-13 H2
Saluzzo o I 24-25 A2
Salvador ☆••• BR 114-115 G4
Salvador ■ ES 104-105 D5
Salvaterra o BR 114-115 E2
Salwã, as- o KSA 50-51 E4
Šalyhyne o UA 32-33 D2
Salzbourg ☆•• A 18-19 F5
Salzburg □ A 18-19 F5
Salzgitter o D 18-19 E2
Salzwedel o D 18-19 E2
Samachvalavičy o BY 20-21 J2
Samar ⌒ RP 56-57 E3
Samara ● RUS 42-43 F1
Samara ~ RUS 42-43 F1
Samara ~ UA 32-33 D3
Samara ~ UA 32-33 E3
Samarcande ☆•• UZ 42-43 J4
Samarga o RUS 40-41 G5
Samarinda o• RI 54-55 F6
Sāmarrā' ☆• IRQ 48-49 F4
Samba o CGO 86-87 E2
Sambalpur o IND 52-53 D2
Sambas o RI 54-55 D5
Sambava o RM 84-85 G3
Sambir ☆ UA 20-21 G4
Samborombón, Bahía ≋ RA 116-117 F5
Same o EAT 84-85 D1
Sámi o GR 28-29 C3
Samīm, Umm as- ⏄ OM 50-51 F4
Samita o KSA 50-51 C5
Šammar, Ĝabal ▲ KSA 50-51 B3
Samoa □ ANG 86-87 D3
Samoa ■ WS 70-71 C3
Samoa, Bassin des ≋ 70-71 D3
Samoa, Îles ⌒ WS 70-71 C3
Samoa américaines ■ USA 70-71 D3
Samoa Basin ≋ 70-71 D3
Samojlovka o RUS 32-33 H2
Samokov o BG 26-27 F4
Sámos ☆• GR 28-29 F4
Sámos ⌒ GR 28-29 F4
Samothrace ⌒ GR 28-29 E2
Samothráki o GR 28-29 E2
Sampit o RI 54-55 E6
Sam Rayburn Lake ⊂ USA 102-103 E4
Samsang o CN 44-45 D5
Samsø ⌒ DK 12-13 D4
Samsun ☆• TR 48-49 E2
Samuel, Represa de ⊂ BR 114-115 B3
San ~ PL 20-21 G4
San'ä' ☆••• YAR 50-51 C5
Sanaa ☆••• YAR 50-51 C5
Sanak Island ⌒ USA 92-93 K5
Sanäm, as- ⏄ KSA 50-51 D5
Sanana, Pulau ⌒ RI 56-57 E6
Sanandağ ☆• IR 48-49 G3
San Andrés, Isla de ⌒ CO 104-105 F5
San Andres Mountains ▲ USA 100-101 E4
San Angelo o USA 102-103 C4
San Antonio o RCH 116-117 C4

San Antonio o USA 102-103 D5
San Antonio, Cabo de ▲ C 104-105 E3
San Antonio de los Cobres o RA 116-117 D2
San Antonio Oeste o RA 116-117 E6
San Benedetto del Tronto o I 24-25 D3
San Benedicto, Isla ⌒ MEX 100-101 D7
San Benito Mountain ▲ USA 100-101 B3
San Bernardino o USA 100-101 C4
San Bernardo o RCH 116-117 C4
San Blas o MEX 100-101 E5
San Borja o BOL 112-113 F4
San Buenaventura o MEX 100-101 F5
San Carlos ☆ YV 110-111 D3
San Carlos de Bariloche o• RA 116-117 C6
San Carlos de Río Negro o YV 110-111 D4
San Carlos Indian Reservation ✕ USA 100-101 D4
San Clemente o E 22-23 E4
San Clemente o San Valentin, Cerro ▲ RCH 116-117 C7
San Cristobal ▲ SOL 68-69 F3
San Cristóbal ☆ YV 110-111 C3
San Cristóbal, Isla ⌒ EC 112-113 B2
Sancti Spíritus ☆•• C 104-105 F3
Sancy, Puy de ▲•• F 16-17 F4
Sand ☆ N 10-11 D5
Sandakan o MAL 54-55 F4
Sandane ☆ N 10-11 D4
Sandanski o BG 26-27 F5
Sanday ⌒ GB 14-15 E2
Sandefjord ☆ N 10-11 F5
Sandfire Flat Roadhouse o AUS 62-63 C3
Sandfloeggi ▲ N 10-11 D5
Sand Hills ▲ USA 102-103 C2
Sandhornøy ⌒ N 8-9 H3
Šandī o SUD 78-79 G5
Sandia o PE 112-113 F4
San Diego o• USA 100-101 C4
San Diego, Cabo ▲ RA 116-117 D8
Sandıklı ☆ TR 28-29 H3
Sandnes ⌒ N 10-11 C5
Sandnessjøen o N 8-9 G3
Sandoa o CGO 86-87 D3
Sandomierska, Kotlina ⌣ PL 20-21 F3
Sandomierz o•• PL 20-21 F3
Sandover River ~ AUS 62-63 F4
Sandovo o RUS 30-31 G2
Sandoway o MYA 52-53 F3
Sandstad o N 10-11 E3
Sandstone o AUS 62-63 B5
Sandvig o DK 12-13 F4
Sandvika o S 10-11 G3
Sandviken ☆ S 10-11 J4
Sandy Lake o CDN 94-95 L4
Sandy Lake o CDN 98-99 N5
San Estanislao o PY 116-117 F2
San Felipe o CO 110-111 D4
San Felipe o• MEX 100-101 D4
San Felipe o RCH 116-117 C4
San Felipe o YV 110-111 D2
San Fernando o E 22-23 C5
San Fernando o MEX 100-101 G6
San Fernando o RCH 116-117 C4
San Fernando ☆ RP 56-57 D2
San Fernando o TT 104-105 J5
San Fernando de Apure ☆ YV 110-111 D3
San Fernando del Valle de Catamarca ☆• RA 116-117 D3
Sånfjället nationalpark ⊥ S 10-11 G3
San Francisco o RA 116-117 E4
San Francisco o•• USA 100-101 B3
San Francisco, Sierra de ▲• ••• MEX 100-101 D5
San Francisco del Oro o MEX 100-101 E5
San Francisco de Macoris ☆ DOM 104-105 G4

San Gabriel da Cachoeira — Sao Tomé, Île de

Sao Tomé et Principe ■ **STP** 80-81 F5
Saoura, Oued ~ **DZ** 76-77 G4
São Vicente o **BR** 114-115 E6
São Vicente, Cabo de ▲ **P** 22-23 B5
São Vicente, Ilha de ⌒ **CV** 76-77 C6
Sapele o **WAN** 80-81 F4
Sápes o **GR** 28-29 E2
Şaphane Dağı ▲ **TR** 28-29 G3
Şapki o **RUS** 30-31 D2
Sapočani ··· **SRB** 26-27 E4
Sapporo ☆ **J** 46-47 K2
Sapulut o **MAL** 54-55 F5
Saqqara, Pyramids of ∴··· **ET** 78-79 G3
Şaqqat al-Ḥarīta ⊥ **KSA** 50-51 D5
Saqqez o **IR** 48-49 G3
Şaqrā' o **KSA** 50-51 C3
Şaqrā' o **YAR** 50-51 D6
Saraar, Bannaanka ⊥ **SO** 82-83 H4
Saraburi o **T** 54-55 C3
Saragosse o· **E** 22-23 F3
Sarai o **RUS** 30-31 J5
Sarajevo ☆ **BIH** 26-27 D4
Sarandë ☆·· **AL** 28-29 C3
Saransk o **RUS** 30-31 L4
Sarapul ☆ **RUS** 42-43 F0
Sarapul o **RUS** 42-43 F1
Sarasota o **USA** 102-103 G5
Sarata ~ **UA** 20-21 N5
Saratov ☆ **RUS** 32-33 K2
Šaraura, aš- o **KSA** 50-51 D5
Saravan o **LAO** 54-55 D2
Saray ☆ **TR** 28-29 F2
Sarayköy ☆ **TR** 28-29 G4
Šarbaķty o **KZ** 42-43 L1
Šarbiṭāt, Ra's ▲ **OM** 50-51 F5
Sardaigne ▫ **I** 24-25 B4
Sardaigne ~ **I** 24-25 B4
Sardanga o **RUS** 38-39 T3
Sardegna ~ **I** 24-25 B4
Sardegna, Mari di ≈24-25 A4
Sardegna, Punta ⌒ **I** 24-25 B4
Sardes ∴·· **TR** 28-29 G3
Sareks nationalpark ⊥ **S** 8-9 J3
Sar-e Pol-e Zahāb o· **IR** 48-49 G4
Sargasses, Mer des ≈102-103 K5
Sargasso Sea ≈102-103 K5
Sargodha o **PK** 50-51 J2
Sarh ⌒ **TCH** 82-83 B4
Sarhad ⌒ **IR** 48-49 K5
Sârî ☆ **IR** 48-49 H3
Saria ⌒ **GR** 28-29 F5
Šarīfa, Ġazīrat ⌒ **KSA** 50-51 C4
Sarıgöl ☆ **TR** 28-29 G3
Sarina o **AUS** 62-63 H4
Sariñena o **E** 22-23 F3
Šāriqa, aš- o **UAE** 50-51 F3
Sarīr Kalanshiyū ⊥ **LAR** 78-79 E3
Sariwon o **KP** 46-47 G3
Šar'ja o **RUS** 30-31 L2
Sark ⌒ **GBG** 14-15 E7
Šarkavščyna ☆ **BY** 20-21 J1
Şarkîkaraağaç ☆ **TR** 28-29 H3
Şarköy ☆ **TR** 28-29 F2
Sarlat-la-Canéda o **F** 16-17 E4
Sărmăşel Garǎ o **RO** 26-27 G2
Šarm aš-Šaiḥ o· **ET** 78-79 G3
Sarmette o **VU** 68-69 G4
Sarmi o **RI** 56-57 G6
Sarmiento o **RA** 116-117 D7
Sărna o **S** 10-11 G4
Sarnia o **CDN** 98-99 H6
Sarny o **UA** 20-21 J3
Saronikós Kólpos ≈28-29 D4
Saros Körfezi ≈28-29 F2
Šarovce o **SK** 20-21 E4
Sarpinskie ozera o **RUS** 32-33 J3
Sarpsborg ☆ **N** 10-11 F5
Sarre o **D** 18-19 C4
Sarre ~ **F** 16-17 H2
Sarrebourg o **F** 16-17 H2
Sarrebruck ☆· **D** 18-19 C4

Sarria o **E** 22-23 C2
Sartang ~ **RUS** 40-41 F1
Sartène o· **F** 24-25 B4
Sarthe ~ **F** 16-17 D3
Sárvár o **H** 26-27 C2
Saryarķa ⊥ **KZ** 42-43 K2
Saryesîk Atyrau ⊥ **KZ** 42-43 L2
Sarygamyš köli o **TM** 42-43 G3
Saryözek o **KZ** 42-43 L3
Saryšağan o **KZ** 42-43 K2
Sarysu ~ **KZ** 42-43 J2
Sary-Taš o **KS** 42-43 K4
Sasarām o **IND** 52-53 D2
Sasebo o **J** 46-47 G4
Saskatchewan ▫ **CDN** 94-95 K5
Saskatchewan ~ **CDN** 94-95 L5
Saskatoon o **CDN** 94-95 K5
Saskylah o **RUS** 38-39 S1
Sasovo o **RUS** 30-31 J4
Sassandra ⌒ **CI** 80-81 C5
Sassandra ~ **CI** 80-81 C4
Sàssari ☆· **I** 24-25 B4
Sassi o **I** 24-25 C2
Sassi di Matera ··· **I** 24-25 C2
Sassnitz o **D** 18-19 F1
Saßnitz = Sassnitz o **D** 18-19 F1
Sasyk ozero o **UA** 32-33 C5
Satadougou-Tintiba o **RMM** 80-81 B3
Satagaj o **RUS** 40-41 D2
Satawan Atoll ⌒ **FSM** 66-67 C4
Sathmar o **RO** 26-27 F2
Satipo o **PE** 112-113 E4
Sātpura Range ⌒ **IND** 52-53 B2
Satsunan-shotō ⌒ **J** 46-47 G5
Satu Mare o **RO** 26-27 F2
Šatura o **RUS** 30-31 H4
Sauce o **RA** 116-117 F4
Sauda o **N** 10-11 D5
Sauđarkrókur o **IS** 8-9 d2
Saül o **F** 110-111 G4
Sauldre ~ **F** 16-17 F3
Saulieu o **F** 16-17 G3
Saulkrasti o **LV** 12-13 L3
Sault Sainte-Marie o **CDN** 98-99 H5
Saumarez Reef ⌒ **AUS** 62-63 J4
Saumur o· **F** 16-17 D3
Sauqira o **OM** 50-51 F5
Saurimo ☆ **ANG** 86-87 D3
Sava ~ **BIH** 26-27 D3
Sava ~ **HR** 26-27 C3
Sava ~ **SLO** 26-27 B2
Savannah o··· **USA** 102-103 G4
Savannah River ~ **USA** 102-103 G4
Savannakhét o·· **LAO** 54-55 C2
Savanna-la-Mar o **JA** 104-105 F4
Savant Lake o **CDN** 98-99 F4
Savaştepe o **TR** 28-29 F3
Save ~ **F** 16-17 E5
Save ~ **ZW** 86-87 F5
Savè o **DY** 80-81 E4
Save, Rio ~ **MOC** 86-87 F6
Săveni o **RO** 26-27 H2
Savigliano o **I** 24-25 A2
Savitaipale o **FIN** 10-11 O4
Šavnik o **MNE** 26-27 D4
Savoie ⊥ **F** 16-17 H4
Savona o **I** 24-25 B2
Savonlinna o·· **FIN** 10-11 P4
Savu, Mer de ≈ **RI** 56-57 D6
Savukoski o **FIN** 8-9 P3
Sawai Mādhopur o **IND** 52-53 C1
Sawdā', Jabal as ▲ **LAR** 78-79 D3
Sawqirah, Baie de ≈ **OM** 50-51 F5
Sawu, Laut ≈ **RI** 56-57 D6
Sawu, Pulau ⌒ **RI** 56-57 D7
Saxe ▫ **D** 18-19 E2
Saxe, basse ▫ **D** 18-19 C2
Sázava ~ **CZ** 20-21 C4
Sazonovo o **RUS** 30-31 F2
Scaër o **F** 16-17 C2
Scafell Pike ▲ **GB** 14-15 E4

Scandinavia ⊥ 4-5 K2
Scandinavie ⊥ 4-5 K2
Scandola, La ⌣··· **F** 24-25 B3
Scanie ⊥ **S** 12-13 E4
Šĉara ~ **BY** 20-21 H2
Scarborough o· **GB** 14-15 F4
Scarborough o **TT** 104-105 J5
Sceccai Reba ▲ **ER** 82-83 F2
Šĉekino ☆· **RUS** 30-31 G5
Šĉelkovo o **RUS** 30-31 H4
Schaffhausen o· **CH** 18-19 D5
Schässburg o· **RO** 26-27 G2
Schaulen o·· **LT** 12-13 K4
Schefferville o **CDN** 98-99 L4
Schelde ~ **B** 18-19 A3
Schenectady o **USA** 102-103 J2
Scheveningen o· **NL** 18-19 B2
Schidni Karpaty ▲ **UA** 20-21 G4
Schiermonnikoog ⌒ **NL** 18-19 C2
Schleswig o· **D** 18-19 D1
Schleswig-Holstein ▫ **D** 18-19 D1
Schlüchtern o **D** 18-19 D3
Schluderns = Sluderno o **I** 24-25 C1
Schokland ⊥··· **NL** 18-19 B2
Schouwen ⌒ **NL** 18-19 A3
Schrobenhausen o **D** 18-19 E4
Schuls, Scuols/ o **CH** 18-19 E5
Schwabach o **D** 18-19 E4
Schwäbisch Gmünd o· **D** 18-19 D4
Schwäbisch Hall o· **D** 18-19 D4
Schwandorf o **D** 18-19 F4
Schwaner, Monts ▲ **RI** 54-55 E6
Schwatka Mountains ▲ **USA** 92-93 L2
Schwedt o **D** 18-19 G2
Schweinfurt o **D** 18-19 E3
Schweizerland ⊥ **GRØ** 96-97 X4
Schwerin ☆· **D** 18-19 E2
Schwyz ☆ **CH** 18-19 D5
Sciacca o **I** 24-25 D6
Šĉigry o **RUS** 32-33 E2
Scoresby, Terre de ⊥ **GRØ** 96-97 Z3
Scoresbysund = Ittoqqortoormiit o **GRØ** 96-97 a3
Scotia, Mer de ≈ **116**-117 G9
Scotia Sea ≈116-117 G9
Scotland ▫ **GB** 14-15 D4
Scott, Cape ▲ **CDN** 94-95 F5
Scott Base o **ANT** 119 B17
Scott Reef ⌒ **AUS** 62-63 C2
Scottsbluff o **USA** 102-103 C2
Scranton o **USA** 102-103 H2
Šĉučij hrebet ▲ **RUS** 40-41 N1
Šĉučyn o **BY** 20-21 H2
Scuol/Schuls o **CH** 18-19 E5
Scutari o··· **AL** 28-29 B1
Sea Islands ⌒ **USA** 102-103 G4
Seal River ~ **CDN** 98-99 E3
Searcy o **USA** 102-103 E3
Seattle o· **USA** 100-101 B1
Sebastián Vizcaíno, Bahía de ≈ **MEX** 100-101 D5
Sébastopol ☆· **UA** 32-33 C5
Sebayan, Gunung ▲ **RI** 54-55 E6
Šebekino o **RUS** 32-33 E2
Sebeş o **RO** 26-27 F3
Sebež o **RUS** 30-31 D2
Sebino = Lago d'Iseo o **I** 24-25 C2
Sebiş o **RO** 26-27 F2
Sebta = Ceuta o **E** 22-23 D6
Sebuku, Teluk ≈ **RI** 54-55 F5
Seca, Pampa ⊥ **RA** 116-117 D5
Sechura o **PE** 112-113 C3
Sechura, Desierto de ⊥ **PE** 112-113 C3
Secunderābād o **IND** 52-53 C3
Seda o **LT** 12-13 K3
Sedan o **AUS** 62-63 F6
Sedan o· **F** 16-17 G2
Šeduva o·· **LT** 12-13 K4
Seeheim o **NAM** 86-87 C7
Seferihisar ☆ **TR** 28-29 F3
Segamat o **MAL** 54-55 C5

Ségou ☆ **RMM** 80-81 C3
Segovia o··· **E** 22-23 D3
Segrè o **F** 16-17 D3
Seguedine o **RN** 78-79 C4
Séguéla ☆ **CI** 80-81 C4
Seguin o **USA** 102-103 D5
Segura o **P** 22-23 C4
Segura, Sierra de ▲ **E** 22-23 E4
Sehwãn o··· **PK** 50-51 H3
Seia o **P** 22-23 C3
Seikan Tunnel ·· **J** 46-47 K2
Seiland ⌒ **N** 8-9 M1
Seille ~ **F** 16-17 G3
Seinäjoki o **FIN** 10-11 M3
Seine ~ **F** 16-17 E2
Seine, Baie de la ≈16-17 D2
Sejm ~ **RUS** 32-33 E2
Sejm ~ **UA** 32-33 C2
Sejm ~ **UA** 32-33 D2
Sejmĉan ☆· **RUS** 40-41 K2
Sekondi ☆· **GH** 80-81 D5
Šeksna o **RUS** 30-31 H2
Šelagskij, mys ▲ **RUS** 40-41 O0
Şelâle · **TR** 28-29 H4
Selaru, Pulau ⌒ **RI** 56-57 F7
Selasike o **EAT** 84-85 C1
Selatan, Tanjung ▲ **RI** 54-55 E6
Selawik Lake o **USA** 92-93 K2
Selayar, Pulau ⌒ **RI** 56-57 D6
Selbu o **N** 10-11 F3
Selçuk ☆· **TR** 28-29 F4
Selebi-Phikwe o **RB** 86-87 E6
Šelek o **KZ** 42-43 L3
Selemdža ~ **RUS** 40-41 F4
Selendi ☆ **TR** 28-29 G3
Selenga ~ **RUS** 44-45 J1
Sèlèngè mörön ~ **MGL** 44-45 H2
Selenginsk o **RUS** 44-45 J1
Sélestat o· **F** 16-17 H2
Selfoss ☆ **IS** 8-9 c3
Sélibabi ☆ **RIM** 76-77 E6
Seliger, ozero o **RUS** 30-31 E3
Šelihova, zaliv ≈ **RUS** 40-41 L2
Sélingue, Lac de < **RMM** 80-81 C3
Seližarovo o **RUS** 30-31 E3
Seljelvnes o **N** 8-9 K2
Selkämeri ≈10-11 K3
Selles-sur-Cher o **F** 16-17 E3
Selma o **USA** 102-103 F4
Selous Game Reserve ⊥··· **EAT** 84-85 D2
Selva o **RA** 116-117 E3
Selvas ~ **BR** 112-113 F2
Selwyn Mountains ▲ **CDN** 94-95 E2
Semarang ☆ **RI** 54-55 E7
Semenov o **RUS** 30-31 L3
Semidi Islands ⌒ **USA** 92-93 L4
Semikarakorsk o **RUS** 32-33 G4
Semiluki o **RUS** 32-33 F2
Semipalatinsk o **KZ** 42-43 M1
Semitau o **RI** 54-55 E5
Semnãn ☆· **IR** 48-49 H3
Senador José Porfirio o **BR** 114-115 D2
Senador Pompeu o **BR** 114-115 G3
Señal Huascarán ▲ **PE** 112-113 D3
Sena Madureira o **BR** 112-113 F3
Sendai o **J** 46-47 H4
Sénégal ~ **RIM** 76-77 E6
Sénégal ■ **SN** 80-81 A3
Senhor do Bonfim o **BR** 114-115 F4
Senigállia o **I** 24-25 D3
Senirkent o **TR** 28-29 H3
Senj o **HR** 26-27 B3
Senja ⌒ **N** 8-9 J2
Sennâr ☆· **SUD** 82-83 E3
Sennoj o **RUS** 30-31 M5
Sennoj o **RUS** 32-33 K1
Senorbì o **I** 24-25 B5
Sens o **F** 16-17 F2
Senta o **SRB** 26-27 E3
Senyavin Islands ⌒ **FSM** 66-67 D4
Seoni o **IND** 52-53 C2

Séoul ★ ROK 46-47 G3
Šepetivka ☆ UA 20-21 J3
Sepik River ~ PNG 68-69 B1
Šepit o UA 20-21 H5
Sepólno Krajeńskie o PL 20-21 D2
Sept-Îles o CDN 98-99 L4
Sequoia National Park ⊥ USA 100-101 C3
Serafimovič o RUS 32-33 H3
Seram, Laut ≈ RI 56-57 E6
Seram, Pulau ⌐ RI 56-57 E6
Serang o RI 54-55 D7
Serasan, Pulau ⌐ RI 54-55 D5
Serasan, Selat ≈ RI 54-55 D5
Serbie ■ SRB 26-27 D3
Serbie ■ SRB 26-27 D3
Serdobsk o RUS 30-31 L5
Serdobsk o RUS 32-33 J1
Seredka o RUS 30-31 C2
Serein ~ F 16-17 G3
Seremban ★ MAL 54-55 C5
Serena, La ☆⋅ RCH 116-117 C3
Serengeti National Park ⊥⋯ EAT 84-85 C1
Serengeti Plain ⌣ EAT 84-85 C1
Séres o GR 28-29 D2
Seret ~ UA 20-21 H4
Sergač o RUS 30-31 L4
Sergeja Kirova, ostrova ⌐ RUS 38-39 N0
Sergiev Posad ☆⋯ RUS 30-31 H3
Sergipe □ BR 114-115 G4
Sérifos ⌐ GR 28-29 E4
Serik ☆ TR 28-29 H4
Serinhisar ☆ TR 28-29 G4
Seroglazka o RUS 32-33 K4
Serov ☆ RUS 38-39 H4
Serowe o RB 86-87 E6
Serpa o P 22-23 C5
Serpuhov o⋅ RUS 30-31 G4
Serra da Canastra, Parque Nacional da ⊥ BR 114-115 E6
Serra da Estrela ▲ P 22-23 B3
Serra do Divisor, Parque Nacional da ⊥ BR 112-113 E3
Serra do Navio o BR 110-111 G4
Serrana, Banco de ⌐ CO 104-105 E5
Serranópolis o BR 114-115 D5
Serra Pelada o BR 114-115 E3
Serra San Bruno o I 24-25 F5
Serres o F 16-17 G4
Serrinha o BR 114-115 G4
Sertã o P 22-23 B4
Sertânia o BR 114-115 G3
Sertão ⊥ BR 114-115 F4
Sertão de Camapuã ⊥ BR 114-115 D5
Serule o RB 86-87 E6
Seruyan ~ RI 54-55 E6
Sérvia o GR 28-29 D2
Sese Islands ⌐ EAU 82-83 E6
Sesepe o RI 56-57 E6
Sesfontein o NAM 86-87 B5
Sesimbra o⋅ P 22-23 B4
Seskarö o S 8-9 M4
Se Tchouen □ CN 44-45 H5
Sète o F 16-17 F5
Sete Lagoas o BR 114-115 F5
Setermoen o N 8-9 K2
Setesdal ⌣ N 10-11 D3
Sétif o DZ 76-77 J2
Settat ☆ MA 76-77 F3
Setúbal o P 22-23 B4
Setúbal, Baie de ≈ 22-23 B4
Seu d'Urgell, La o⋅ E 22-23 G2
Seul, Lac o CDN 98-99 F4
Sevan, ozero ⌣ ARM 48-49 G2
Sevastopol' o⋅⋅ UA 32-33 C5
Severn ~ GB 14-15 E6
Severnaja Dvina ~ RUS 4-5 Q2
Severnaja Sos'va ~ RUS 38-39 H3
Severnaja Zemlja ⌐ RUS 118 A
Severn River ~ CDN 98-99 G3
Severnye uvaly ▲ RUS 30-31 L2

Severobajkal'sk ☆ RUS 38-39 R4
Severodonec'k o UA 32-33 F3
Severodvinsk o RUS 4-5 P2
Severo-Enisejsk ☆ RUS 38-39 O3
Severo-Kuril'sk o RUS 40-41 L4
Severomorsk o RUS 8-9 R2
Severo-Osetinskaja SSR = Cœgat Irystony Respublikoœ □ RUS 42-43 D3
Severo-Sibirskaja nizmennost' ⌣ RUS 38-39 N1
Severo-Zadonsk o RUS 30-31 H4
Severskij Donec ~ RUS 32-33 F3
Severskij Donec ~ RUS 32-33 G3
Sevettijärvi o FIN 8-9 P2
Sevier Lake ⌣ USA 100-101 D3
Sevier River ~ USA 100-101 D3
Séville ☆⋯ E 22-23 D5
Sevlievo o BG 26-27 G4
Sevsk o RUS 30-31 F5
Sevsk o RUS 32-33 D1
Sevštari o⋯ BG 26-27 H4
Sewa ~ WAL 80-81 B4
Seward o USA 92-93 N3
Seward Peninsula ⌣ USA 92-93 J2
Seychelles ■ SY 84-85 F3
Seydişehir o TR 28-29 H4
Seyðisfjörður o IS 8-9 f2
Seyitgazi ☆ TR 28-29 H3
Sézanne o F 16-17 F2
Sfakia o GR 28-29 E5
Sfântu Gheorghe ☆⋅ RO 26-27 G3
Sfax o TN 76-77 K3
Sfinári o GR 28-29 D5
's-Gravenhage = Den Haag o⋅⋅ NL 18-19 B2
Sgurr Mór ▲ GB 14-15 D3
Shaanxi □ CN 46-47 D4
Shabeelle, Webi ~ SO 82-83 G5
Shabunda o CGO 86-87 E2
Shache o CN 44-45 C4
Shackleton, Chaîne ▲ ANT 119 A
Shagein ▲ EAT 84-85 D1
Shahdol o IND 52-53 D2
Shahhāt ∴⋯ LAR 78-79 E2
Shakawe o RB 86-87 D5
Shaluli Shan ▲ CN 44-45 G5
Shambe o SUD 82-83 E4
Shandong □ CN 46-47 E3
Shandong, Péninsule du ⌣ CN 46-47 F3
Shandong Bandao ⌣ CN 46-47 F3
Shanghai ☆⋅⋅ CN 46-47 F4
Shanghai o⋅⋅ CN 46-47 F4
Shanghai Shi □ CN 46-47 F4
Shangqiu o CN 46-47 E4
Shangrao o CN 46-47 E5
Shangzhi o CN 40-41 E5
Shanngaw Taungdan ▲ MYA 52-53 G1
Shannon ~ IRL 14-15 B5
Shannon = Sionainn o IRL 14-15 B5
Shannon Ø ⌐ GRØ 96-97 b2
Shantou o CN 46-47 E6
Shanxi □ CN 46-47 D3
Shaoguan o CN 46-47 D6
Shaowu o CN 46-47 E5
Shaoxing o CN 46-47 F4
Shaoyang o CN 46-47 D5
Shark Bank ≃24-25 C6
Shark Bay ⊥⋯ AUS 62-63 A5
Shashemenê o ETH 82-83 F4
Shashi o CN 46-47 D4
Shasta, Mount ▲ USA 100-101 B2
Shaykh Gok o SUD 82-83 E3
Shea o GUY 110-111 F4
Sheboygan o USA 102-103 F2
Sheerness o GB 14-15 G6
Sheffield o GB 14-15 F5
Sheffield o USA 102-103 F4
Shelburne Bay ≈ AUS 62-63 G2
Shenandoah National Park ⊥ USA 102-103 H3

Shendam o WAN 80-81 F4
Shenyang ☆ CN 46-47 F2
Shenzhen o⋅ CN 46-47 D6
Shepahua o PE 112-113 E4
Shepherd, Îles = Shepherd Islands ⌐ VU 68-69 G4
Shepherd Islands = Îles Shepherd ⌐ VU 68-69 G4
Shepparton-Mooroopna o AUS 64-65 C4
Sherard, Cape ▲ CDN 96-97 P3
Sherbo Island ⌐ WAL 80-81 B4
Sherbrooke o CDN 98-99 K5
Sheridan o USA 100-101 E2
Sherman o USA 102-103 D4
Sherman Basin ≈ CDN 96-97 L4
's-Hertogenbosch ☆⋅ NL 18-19 B3
Shetland, Îles ⌐ GB 14-15 F1
Shetland Islands ⌐ GB 14-15 F1
Shihezi o CN 44-45 E3
Shijiazhuang o CN 46-47 D3
Shikārpur o PK 50-51 H3
Shikoku ⌐ J 46-47 H4
Shikoku, Bassin de ≃46-47 H4
Shikoku Basin ≈46-47 H4
Shiliburi o IND 52-53 E1
Shillong ☆⋅ IND 52-53 F1
Shimbiris ▲ SO 82-83 H3
Shimizu o J 46-47 J3
Shimla = Simla o⋅ IND 44-45 C5
Shimoga o IND 52-53 C4
Shimono-shima ⌐ J 46-47 G4
Shinyanga ☆ EAT 84-85 C1
Shirshov, dorsale de ≃40-41 O3
Shirshov Ridge ≃40-41 O3
Shishaldin Volcano ▲ USA 92-93 K5
Shivpuri o⋅ IND 52-53 C1
Shiyan o CN 46-47 D4
Shizuishan o CN 46-47 C3
Shkumbin, Lumi ~ AL 28-29 B2
Shoshone Mountains ▲ USA 100-101 C3
Shreveport o USA 102-103 E4
Shrewsbury o⋅ GB 14-15 E5
Shuangliao o CN 46-47 F2
Shuanyashan o CN 40-41 F5
Shumagin Islands ⌐ USA 92-93 K4
Siāhān Range ▲ PK 50-51 G3
Sian Ka'an Biosphere Reserve ⊥⋯ MEX 104-105 D4
Siapa o Matapire, Río ~ YV 110-111 D4
Siau, Pulau ⌐ RI 56-57 E5
Šiaulėnai o LT 12-13 K4
Šiauliai ☆⋅⋅ LT 12-13 K4
Sibā'ī, Ĝabal as- ▲ ET 78-79 G3
Šibam o⋯ YAR 50-51 D5
Šibari o I 24-25 F5
Šibenik o HR 26-27 B4
Sibérie ⊥ RUS 38-39 N2
Sibérie Centrale, Plateau de ⊥ RUS 38-39 O2
Sibérie Occidentale, Plaine de ⌣ RUS 38-39 J3
Sibérie orientale, Mer de ≈ RUS 118 B3
Sibérie septentrionale, Plaine de ⌣ RUS 38-39 N1
Siberut, Pulau ⌐ RI 54-55 B6
Siberut, Selat ≈ RI 54-55 B6
Sibi o PK 50-51 H3
Sibiloi National Park ⊥ EAK 82-83 F5
Sibir' ⊥ RUS 38-39 N2
Sibirjakova, ostrov ⌐ RUS 38-39 L1
Sibiti ~ EAT 84-85 C1
Sibiti ☆ RCB 86-87 B2
Sibiu ☆⋅ RO 26-27 G3
Sibolga o RI 54-55 B5
Siborongborong o RI 54-55 B5
Sibu o MAL 54-55 E5
Sibut o RCA 82-83 B4
Sibuyan Island ⌐ RP 56-57 D3
Sichuan o CN 44-45 H5
Sichuan Pendi ⊥ CN 44-45 H6
Sicile ⌐ I 24-25 E6

Sicilia ⌐ I 24-25 E6
Sicilia □ I 24-25 D6
Sicuani o PE 112-113 E4
Siddhapur o IND 52-53 B2
Side ⋅ TR 28-29 H4
Sideros, Akra ▲ GR 28-29 F5
Sīdī Barrānī o ET 78-79 F2
Sidi Bel Abbes ☆ DZ 76-77 G2
Sidi Ifni o MA 76-77 E4
Sidrolândia o BR 114-115 D6
Siebenbürgen ⌣ RO 26-27 F2
Siebendörfen o RO 26-27 G3
Siedlce o PL 20-21 G2
Siegburg o D 18-19 C3
Siegen o D 18-19 D3
Šieli o KZ 42-43 J3
Siemiatycze o PL 20-21 G2
Siêmréap o K 54-55 C3
Siena o⋅ I 24-25 C3
Sieradz ☆⋅ PL 20-21 E3
Sierpc o PL 20-21 E2
Sierra Colorada o RA 116-117 D6
Sierra de Lacandón, Parque Nacional ⊥⋅ GCA 104-105 C4
Sierra Grande o RA 116-117 D6
Sierra Leone ■ WAL 80-81 B4
Sierra Leone, Bassin de ≃80-81 A4
Sierra Leone Basin ≈80-81 A4
Sierra Morena ▲ E 22-23 C5
Sierra Nevada ▲ E 22-23 E5
Sierra Nevada, Parque Nacional ⊥ YV 110-111 C3
Sierra Nevada de Santa Marta ▲ CO 110-111 C2
Sífnos ⌐ GR 28-29 E4
Sighetu Marmaţiei o⋅ RO 26-27 F2
Sighişoara o⋅ RO 26-27 G2
Sigli o RI 54-55 B4
Siglufjörður o IS 8-9 d1
Sigsbee, Creux de ≃104-105 C3
Sigsbee Deep ≃104-105 C3
Sigüés o E 22-23 F2
Siguiri o RG 80-81 C3
Sigulda o⋅ LV 12-13 L3
Sigüenza o E 22-23 E3
Šihany o RUS 30-31 M5
Šihany o RUS 32-33 K1
Siikajoki ~ FIN 8-9 N4
Siilinjärvi o FIN 10-11 O3
Sikasso ☆ RMM 80-81 C3
Sikhote-Alin ▲ RUS 46-47 H2
Sikía o GR 28-29 D2
Síkinos ⌐ GR 28-29 E4
Sikkim o IND 52-53 E1
Sikonge o EAT 84-85 C2
Sikongo o Z 86-87 D5
Šikotan, ostrov ⌐ RUS 46-47 L2
Siktjah o RUS 38-39 U2
Sil, Río ~ E 22-23 C2
Sila, La ▲ I 24-25 F5
Šilalė o⋅ LT 12-13 K4
Silchar o IND 52-53 F2
Şile ☆⋅ TR 28-29 G2
Silifke o TR 48-49 D3
Siling Co o CN 44-45 E5
Silistra o BG 26-27 H3
Silivri ☆ TR 28-29 G2
Siljan o S 10-11 H4
Šilka o RUS 38-39 T5
Šilka ~ RUS 38-39 T5
Silkeborg o DK 12-13 C3
Silla o E 22-23 F4
Šilovo o RUS 30-31 J4
Silsand o N 8-9 J2
Šilutė ☆⋅ LT 12-13 J4
Silvassa ☆ IND 52-53 B2
Silver Plains o AUS 62-63 G2
Silves o⋅ P 22-23 B5
Silvrettagruppe ▲ CH 18-19 D5
Simao o CN 52-53 H2
Simav ☆ TR 28-29 G3
Simav Çayı ~ TR 28-29 G3

Simbirsk ☆ **RUS** 42-43 E 1
Simcoe, Lake o **CDN** 98-99 J6
Simdega o **IND** 52-53 D2
Sīmēn ▲ **ETH** 82-83 F 3
Sīmēn National Park ⊥ ··· **ETH** 82-83 F 3
Simeto ∿ **I** 24-25 E 6
Simeulue, Pulau ∩ **RI** 54-55 B 5
Simferopol' ☆·· **UA** 32-33 D 5
Simferopol' ☆· **UA** 32-33 D 5
Simi ∩ **GR** 28-29 F 4
Simikot o **NEP** 52-53 D 1
Simitli o **BG** 26-27 F 5
Simi Valley o **USA** 100-101 C 4
Simla = Shimla ☆· **IND** 44-45 C 5
Simlipal National Park ⊥ **IND** 52-53 E 2
Simo o **FIN** 8-9 N 4
Simojärvi ∿ **FIN** 8-9 O 3
Simpang o **RI** 54-55 C 6
Simplício Mendes o **BR** 114-115 F 3
Simplonpass ∆ **CH** 18-19 D 5
Simpson, Désert de ∪ **AUS** 62-63 F 5
Simpson Desert National Park ⊥ **AUS** 62-63 F 5
Simpson Peninsula ∪ **CDN** 96-97 N 4
Simrishamn o **S** 12-13 F 4
Šimsk o **RUS** 30-31 D 2
Sīnā' ∪ **ET** 78-79 G 3
Sinagoga, Ponta da o **CV** 76-77 B 6
Sinai o· **RO** 26-27 G 3
Sınanpaşa ☆ **TR** 28-29 H 3
Sīnāwin o **LAR** 78-79 C 2
Sincelejo ☆ **CO** 110-111 B 3
Šīndand o· **AFG** 50-51 G 2
Sindangbarang o **RI** 54-55 D 7
Sinegorskij o **RUS** 32-33 G 3
Sines o **P** 22-23 B 5
Sines, Cabo de ▲ **P** 22-23 B 5
Siné-Saloum, Parc National du ⊥ **SN** 80-81 A 3
Sinettä o **FIN** 8-9 N 3
Singa o· **SUD** 82-83 E 3
Singapore ★··· **SGP** 54-55 C 5
Singapour ■ **SGP** 54-55 C 5
Singapur = Singapore ★·· **SGP** 54-55 C 5
Singaraja o **RI** 54-55 F 7
Singida ☆ **EAT** 84-85 C 1
Singkawang o **RI** 54-55 D 5
Singkep, Pulau ∩ **RI** 54-55 C 6
Singleton o **AUS** 64-65 E 3
Sinie Lipjagi o **RUS** 32-33 F 2
Siniscóla o **I** 24-25 B 4
Sinj o **HR** 26-27 C 4
Sinjaja ∿ **RUS** 40-41 E 2
Sinkât o· **SUD** 78-79 H 5
Sinnamary ∿ **F** 110-111 G 4
Sinop o **BR** 114-115 C 4
Sinop ☆· **TR** 48-49 E 2
Sintang o **RI** 54-55 D 5
Sint Eustatius ∩ **NA** 104-105 J 4
Sint Maarten ∩ **NA** 104-105 J 4
Sint-Niklaas o **B** 18-19 B 3
Sintra o··· **P** 22-23 B 4
Sinuiju ☆ **KP** 46-47 F 2
Siófok o **H** 26-27 D 2
Sioma Ngwezi National Park ⊥ **Z** 86-87 D 5
Sionainn = Shannon o **IRL** 14-15 B 5
Sioux City o **USA** 102-103 D 2
Sioux Falls o· **USA** 100-101 G 2
Šipčenski Prohod ▲ **BG** 26-27 G 4
Siping o **CN** 46-47 F 2
Šípovles · **RUS** 32-33 G 2
Sipura, Pulau ∩ **RI** 54-55 B 6
Sira ∿ **N** 10-11 D 5
Šira ∿ **RUS** 38-39 O 5
Sir Edward Pellew Group ∩ **AUS** 62-63 F 3
Siret ∿ **RO** 26-27 H 3
Siret ∿ **UA** 20-21 H 4
Sīrğân o **IR** 48-49 J 5

Sirkka o **FIN** 8-9 N 3
Şırnak ☆ **TR** 48-49 F 3
Široki Brijeg o **BIH** 26-27 C 4
Sironj o **IND** 52-53 C 2
Síros ∩ **GR** 28-29 E 4
Sir Thomas, Mount ▲ **AUS** 62-63 D 5
Širvintos o **LT** 12-13 L 4
Sisak o **HR** 26-27 C 3
Sisimiut = Holsteinsborg o **GRØ** 96-97 U 4
Sisophôn o **K** 54-55 C 3
Sisteron o **F** 16-17 G 4
Sītāpur o **IND** 52-53 D 1
Sitasjaure ∿ **S** 8-9 J 2
Sithoniá ∪ **GR** 28-29 D 2
Sitía o **GR** 28-29 F 5
Sitidgi Lake o **CDN** 94-95 E 2
Sitio da Abadia o **BR** 114-115 E 4
Sitka o· **USA** 92-93 P 4
Sitnica ∿ **SRB** 26-27 E 4
Sitoti o **Z** 86-87 D 5
Sitten ☆· **CH** 18-19 C 5
Sittwe ☆ **MYA** 52-53 F 2
Sivakka o **FIN** 10-11 P 3
Sivas ☆· **TR** 48-49 E 3
Sivers'kyj Donec' ∿ **UA** 32-33 E 3
Sivrihisar ☆· **TR** 28-29 H 3
Sīwa o· **ET** 78-79 F 3
Siziwang Qi o **CN** 46-47 D 2
Sizun o **F** 16-17 B 2
Sjælland ⊥ **DK** 12-13 D 4
Sjanno ☆ **BY** 20-21 K 1
Sjanno o **BY** 30-31 C 4
Sjarednelimanskaja nizina ▲ 20-21 H 2
Sjenica o· **SRB** 26-27 E 4
Sjöbo o **S** 12-13 E 4
Sjøholt o **N** 10-11 D 3
Sjøvegan o **N** 8-9 J 2
Skadarsko jezero ∪ **MNE** 26-27 D 4
Skadovs'k o **UA** 32-33 C 4
Skagaströnd = Höfðakaupstaður o **IS** 8-9 c 2
Skagen o **DK** 12-13 D 3
Skagern o **S** 12-13 F 2
Skagerrak ≈12-13 C 3
Skagshamn o **S** 10-11 K 3
Skagway o· **USA** 92-93 P 4
Skála o **GR** 28-29 D 4
Skälderviken ≈12-13 E 3
Skálholt o **IS** 8-9 c 2
Skalistyj Golec, gora ▲ **RUS** 38-39 T 4
Skanderborg o **DK** 12-13 C 3
Skånevik o **N** 10-11 C 5
Skara o **S** 12-13 E 2
Skare o **N** 10-11 D 5
Skärgårdshavets nationalpark ⊥ **FIN** 10-11 L 5
Skarsvåg o **N** 8-9 N 1
Skarżysko-Kamienna o **PL** 20-21 F 3
Skaudvilė o **LT** 12-13 K 4
Skeena Mountains ▲ **CDN** 94-95 F 4
Skeena River ∿ **CDN** 94-95 F 5
Skegness o· **GB** 14-15 G 5
Skeiðarársandur ⊥ **IS** 8-9 e 3
Skeldon o **GUY** 110-111 F 3
Skellefteå o **S** 8-9 K 4
Skellefteälven ∿ **S** 8-9 K 4
Skelleftehamn o **S** 8-9 L 4
Skerki Bank ≃24-25 C 6
Ski ☆ **N** 10-11 F 5
Skíathos o **GR** 28-29 D 3
Skíathos ∪ **GR** 28-29 D 3
Skíbotn o **N** 8-9 L 2
Skien ☆ **N** 10-11 E 5
Skikda o **DZ** 76-77 J 2
Skipton o **GB** 14-15 F 5
Skíros ∩ **GR** 28-29 E 3
Skive o **DK** 12-13 C 3
Skjálfandafljót ∿ **IS** 8-9 e 2
Skjern o **DK** 12-13 C 4
Skjervøy o **N** 8-9 L 1

Skjolden o **N** 10-11 D 4
Šklov o **BY** 20-21 L 1
Škocjanske jame ··· **SLO** 26-27 A 3
Skógafoss ∿· **IS** 8-9 d 3
Sköllersta o **S** 12-13 F 2
Skolpen, Banc de ≃4-5 O 0
Skópelos o **GR** 28-29 D 3
Skopin o· **RUS** 30-31 H 5
Skopje ★· **MK** 26-27 E 4
Skorodnoe o **RUS** 32-33 D 2
Skotterud o **N** 10-11 G 5
Skövde ☆ **S** 12-13 E 2
Skovorodino ☆ **RUS** 40-41 D 4
Skrimfjella ▲ **N** 10-11 E 5
Skriveri o· **LV** 12-13 L 3
Skrunda o **LV** 12-13 K 3
Skudeneshavn o· **N** 10-11 C 5
Skuljabiha o **RUS** 30-31 L 3
Skuodas o· **LT** 12-13 J 3
Skuratovskij o **RUS** 30-31 G 4
Skutvik o **N** 8-9 H 2
Skvyra ☆ **UA** 20-21 K 4
Skwierzyna o **PL** 20-21 C 2
Skye ∩ **GB** 14-15 C 3
Slagelse o· **DK** 12-13 D 4
Slancy o **RUS** 30-31 C 2
Śląsk ∪ **PL** 20-21 C 3
Śląska, Nizina ∪ **PL** 20-21 C 3
Slatina o **RO** 26-27 G 3
Slave Coast ∪80-81 E 4
Slave River ∿ **CDN** 94-95 J 3
Slavharad ☆ **BY** 20-21 L 2
Slavjansk = Slovjans'k o **UA** 32-33 E 3
Slavjansk-na-Kubani o **RUS** 32-33 F 5
Slavkoviči o **RUS** 30-31 C 3
Slavkov u Brna o **CZ** 20-21 D 4
Slavonice o **CZ** 20-21 C 4
Slawno o **PL** 20-21 D 1
Sleeper Islands ∩ **CDN** 98-99 J3
Slieve League ▲ **IRL** 14-15 B 4
Sligeach = Sligo ☆· **IRL** 14-15 B 4
Sligo = Sligeach ☆· **IRL** 14-15 B 4
Ślisselʹburg o **RUS** 30-31 D 2
Slite o **S** 12-13 H 3
Sliven o **BG** 26-27 H 4
Sljeme ▲ **HR** 26-27 B 3
S'loboda Bol'šaja Martynovka o **RUS** 32-33 G 4
Slobozia o **RO** 26-27 H 3
Slogen ▲ **N** 10-11 D 3
Slonim o **BY** 20-21 H 2
Slovaquie ■ **SK** 20-21 D 4
Slovénie ■ **SLO** 26-27 A 3
Slovenské rudohorie ▲ **SK** 20-21 F 4
Slovjans'k o **UA** 32-33 E 3
Słowiński Park Narodowy ⊥ **PL** 20-21 D 1
Sluč ∿ **UA** 20-21 J 4
Sluck o **BY** 20-21 J 2
Sluderno = Schluderns o **I** 24-25 C 1
Slunj o **HR** 26-27 B 3
Słupsk o· **PL** 20-21 D 1
Småland ⊥ **S** 12-13 E 3
Smålandsstenar o **S** 12-13 E 3
Smaljany o **BY** 20-21 L 1
Smaljany o **BY** 30-31 D 4
Small Malaita = Maramasike ∩ **SOL** 68-69 F 2
Smallwood Reservoir < **CDN** 98-99 M 4
Smara o **EH** 76-77 E 4
Smarhon' ☆ **BY** 20-21 J 1
Smederevo o·· **SRB** 26-27 E 3
Smela = Smila o **UA** 32-33 B 3
Smila o **UA** 32-33 B 3
Smiltene o·· **LV** 12-13 L 3
Smirnenski o **BG** 26-27 H 4
Smith Arm ∿ **CDN** 94-95 G 2
Smith Bay ∿ **CDN** 96-97 P 2
Smith Island ∩ **CDN** 96-97 P 5
Smithton o **AUS** 64-65 D 5
Smjadovo o **BG** 26-27 H 4
Smoky Hill River ∿ **USA** 102-103 C 3
Smøla ∩ **N** 10-11 D 3

Smolensk ☆· **RUS** 30-31 E 4
Smolensko-Moskovskaja vozvyšennost' ▲ **RUS** 30-31 E 4
Smoleviči o **BY** 20-21 K 1
Smólikas ▲ **GR** 28-29 C 2
Smoljan o **BG** 26-27 G 5
Smörfjöll ▲ **IS** 8-9 f 2
Snaefell ▲·· **GBM** 14-15 D 4
Snake River ∿ **USA** 100-101 C 1
Snake River Plains ∪ **USA** 100-101 D 2
Snares Islands ∩ **NZ** 64-65 H 6
Snåsa o **N** 8-9 G 4
Snåsvatnet o **N** 8-9 F 4
Sneek o· **NL** 18-19 B 2
Sněžka ▲· **CZ** 20-21 C 3
Śniardwy, Jezioro o **PL** 20-21 F 2
Śnieżka o **PL** 20-21 C 3
Snihurivka o **UA** 32-33 C 4
Snižne o **UA** 32-33 F 3
Snøhetta ▲ **N** 10-11 E 3
Snønuten ▲ **N** 10-11 D 5
Snota ▲ **N** 10-11 E 3
Snøtinden ▲ **N** 8-9 G 3
Snowdon ▲ **GB** 14-15 D 5
Soalala o **RM** 84-85 F 4
Soanierana-Ivongo o **RM** 84-85 F 4
Soa-Siu o **RI** 56-57 E 5
Sob ∿ **UA** 20-21 K 4
Sobât ∿ **SUD** 82-83 E 4
Sobinka ☆ **RUS** 30-31 J 4
Sobradinho, Represa de < **BR** 114-115 F 4
Sobral o **BR** 114-115 F 2
Sochaczew o **PL** 20-21 F 2
Société, Îles de la ∩ **F** 70-71 G 4
Société, Îles de la ∩ **F** 70-71 G 4
Socorro o **CO** 110-111 C 3
Socorro, Isla ∩ **MEX** 100-101 D 7
Socotra ∩ **YAR** 50-51 E 6
Sodankylä o **FIN** 8-9 O 3
Söderfors o **S** 10-11 J 4
Söderhamn o **S** 10-11 J 4
Söderköping o· **S** 12-13 G 2
Södertälje o **S** 12-13 G 2
Södiri o **SUD** 82-83 D 3
Södra Möckleby o **S** 12-13 G 3
Södra Vallgrund o **FIN** 10-11 L 3
Sofala o **MOC** 86-87 F 6
Sofala o **MOC** 86-87 F 5
Sofia ★··· **BG** 26-27 F 4
Sofia ∿ **RM** 84-85 F 4
Sofija ★··· **BG** 26-27 F 4
Sofijsk o **RUS** 40-41 G 4
Soğanlı Çayı ∿ **TR** 48-49 D 2
Sogndal ☆ **N** 10-11 D 4
Søgne ☆ **N** 10-11 D 5
Sognefjorden ≈10-11 C 4
Sognesjøen ≈10-11 C 4
Sögüt o **TR** 28-29 G 4
Sog Xian o **CN** 44-45 F 5
Sohós o **GR** 28-29 D 2
Sojna o **RUS** 4-5 Q 1
Šokal'skogo, mys ▲ **RUS** 38-39 K 1
Šokal'skogo, proliv ≈ **RUS** 38-39 Q 0
Söke ∿ **TR** 28-29 F 4
Soko Banja o·· **SRB** 26-27 E 4
Sokodé ☆ **RT** 80-81 E 4
Sokol o **RUS** (MAG) 40-41 K 3
Sokol o **RUS** 30-31 J 2
Sokółka o **PL** 20-21 G 2
Sokołów Podlaski o **PL** 20-21 G 2
Sokosti ▲ **FIN** 8-9 P 2
Sokoto ★ **WAN** 80-81 F 3
Sokoto, River ∿ **WAN** 80-81 E 3
Solana del Pino o **E** 22-23 D 4
Solander Island ∩ **NZ** 64-65 H 6
Solāpur o· **IND** 52-53 C 3
Solberg o **S** 10-11 J 3
Soledad o **CO** 110-111 C 2
Soledad o **YV** 110-111 E 3
Soledar o **UA** 32-33 F 3
Soleiman, Monts ▲ **PK** 50-51 H 3

Sølen ▲ N 10-11 F4
Solёnyj o RUS 32-33 K4
Solenzara o E 24-25 B4
Soleure = Solothurn ✿ CH 18-19 C5
Soligalič o RUS 30-31 K2
Soligorsk = Salihorsk o BY 20-21 J2
Solikamsk ✿ RUS 4-5 T3
Solimões, Rio ᴧ BR 114-115 B2
Solingen o D 18-19 C3
Solleftea o S 10-11 J3
Sóller o E 22-23 H4
Solnečnogorsk ✿ RUS 30-31 G3
Solodniki o RUS 32-33 J3
Šolohovskij o RUS 32-33 G3
Solomon Rise = Ontong-Java Rise ≃68-69 E1
Solomon River ᴧ USA 102-103 D3
Solomon Sea ≋68-69 C2
Solothurn ✿·· CH 18-19 C5
Solovetsk, Îles ᴧ···· RUS 4-5 P1
Solsona o· E 22-23 G3
Soltau o D 18-19 D2
Sölvesborg ✿ S 12-13 F3
Solway Firth o· GB 14-15 E4
Solwezi ✿ Z 86-87 E4
Soma ✿ TR 28-29 F3
Somali Basin ▲ 82-83 H5
Somalie = SO 82-83 H5
Somalie, Bassin de ▲ 82-83 H5
Sombor o· SRB 26-27 D3
Sombrero, El o V 110-111 D3
Somero o FIN 10-11 M4
Somerset ᴧ USA 102-103 G3
Somerset-Oos = Somerset East o· ZA 86-87 E8
Somme ᴧ F 16-17 E1
Sommen o S 12-13 F2
Sømna ᴧ N 8-9 G4
Sompeta o IND 52-53 D3
Soncillo o E 22-23 E2
Sonde, Détroit de la ≋54-55 D7
Sonde, Grandes Îles de la ᴧ RI 54-55 C5
Sonde, Petites Îles de la ᴧ RI 54-55 F7
Sønderborg o DK 12-13 C4
Sondershausen o D 18-19 E3
Sondrio o I 24-25 B1
Song o MAL 54-55 E5
Songea o EAT 84-85 D2
Songhua Jiang ᴧ CN 40-41 E5
Songkhla ✿ T 54-55 C4
Songnim o KP 46-47 G3
Songo o ANG 86-87 B3
Songo Mnara ∴··· EAT 84-85 D2
Songpan o CN 44-45 H5
Sonjol, Gunung ▲ RI 56-57 D5
Sonmiani, Baie de ᴧ PK 50-51 H3
Sonneberg o D 18-19 E3
Sono, Rio do ᴧ BR 114-115 D3
Sonora, Río ᴧ MEX 100-101 D5
Sonora Desert ⊥ USA 100-101 D4
Sonoyta o MEX 100-101 D4
Sonsón o CO 110-111 B3
Sonsonate o ES 104-105 D5
Sonsorol Islands ᴧ USA 56-57 F4
So'n Tây, Thi Xã ✿ VN 54-55 D1
Sopi o RI 56-57 E5
Sopot o·· PL 20-21 E1
Sopron o··· H 26-27 C2
Sôr, Ribeira de ᴧ P 22-23 C4
Sora o I 24-25 D4
Sorbas o E 22-23 E5
Sore o F 16-17 D4
Sør-Flatanger o N 8-9 F4
Soria o· E 22-23 E3
Sørli o N 8-9 G4
Soroa, Maïné- o RN 80-81 G3
Soroca ✿ MD 26-27 J1
Sorocaba o BR 114-115 E6
Soroki = Soroca ✿ MD 26-27 J1
Sorokino o RUS 30-31 G3
Sorong o RI 56-57 F6

Soroti o EAU 82-83 E5
Sørøya ᴧ N 8-9 M1
Sørøysundet ≈ N 8-9 M1
Sorraia, Rio ᴧ P 22-23 B4
Sorrento o· I 24-25 E4
Sorsele o S 8-9 J4
Sorsogon ✿ RP 56-57 D3
Sørstraumen o N 8-9 L2
Sort o· E 22-23 G2
Sortland o N 8-9 H2
Sørværøy o N 8-9 G3
Sørvágen o N 8-9 G3
Sørvágur o FR 10-11 a1
Sørvika o N 10-11 F3
Sosnove o UA 20-21 J3
Sosnovyj Bor o RUS 30-31 C2
Sosnowiec o PL 20-21 E3
Šostka o UA 32-33 C2
Sot' o RUS 30-31 J2
Sotavento, Ilhas de ᴧ CV 76-77 C7
Sotavento, Islas de ⊥ 110-111 D2
Sotchi o·· RUS 42-43 C3
Sotkamo o FIN 8-9 P4
Soto la Marina o MEX 100-101 G6
Souanké o RCB 80-81 G5
Soubré ✿ CI 80-81 C4
Soudan ⊥ 74-75 H6
Soudan ■ SUD 82-83 C3
Souf ⊥ DZ 76-77 J3
Souk Ahras ✿ DZ 76-77 J2
Soukhoumi ✿ GE 48-49 F2
Sŏul ★ ROK 46-47 G3
Soumgaït o· AZ 48-49 G2
Sources, Mont aux ▲·· LS 86-87 E7
Sourè o BR 114-115 E2
Sourgout o RUS 38-39 K3
Sousa o BR 114-115 G3
Sousel o P 22-23 C4
Sous-le-Vent, Îles ᴧ 104-105 J4
Sous-le-Vent, Îles ⊥ 110-111 D2
Sousse o··· TN 76-77 K2
Souterraine, La o F 16-17 E3
South, Tanjung ▲ RI 54-55 E6
Southampton o· GB 14-15 F6
Southampton Island ᴧ CDN 96-97 N5
South Aulatsivik Island ᴧ CDN 98-99 M3
South Australia Basin ≃60-61 C9
South Banda Basin ≃56-57 E7
South Bend o· USA 102-103 F2
South China Basin ≃54-55 F2
South China Sea ≋54-55 E4
Southend o CDN 94-95 L4
Southend-on-Sea o· GB 14-15 G6
Southern Cook Islands ᴧ CK 70-71 E4
Southern Cross o AUS 62-63 B6
Southern National Park ⊥ SUD 82-83 D4
Southern Uplands ⊥ GB 14-15 D4
South Fiji Basin ≃64-65 J2
South Fiji Ridge ≃64-65 L2
South Georgia ᴧ GB 119 D33
South Henik Lake o CDN 96-97 L5
South Luangwa National Park ⊥·· Z 86-87 F4
South Moresby National Park Reserve ⊥·· CDN 94-95 E5
South Nahanni River ᴧ CDN 94-95 F3
South Orkneys ⊥ GB 119 C32
South Platte River ᴧ USA 100-101 F2
Southport o· GB 14-15 E5
South Saskatchewan River ᴧ CDN 94-95 K5
South Shetlands ⊥ GB 119 C30
South Shields o· GB 14-15 F4
South Solomon Trench ≃68-69 F3
South Taranaki Bight ≈ NZ 64-65 J5
South Tasman Rise ≃64-65 D6
South Turkana National Reservoir ⊥ EAK 82-83 F5

South Uist ᴧ GB 14-15 C3
Southwest Cape ▲ NZ 64-65 H6
Soutpansberg ▲ ZA 86-87 E6
Soverato o I 24-25 F5
Sovetsk o· RUS 12-13 J4
Sovetskaj Gavan' o RUS 40-41 H5
Sowa Pan o RB 86-87 E6
Soweto o ZA 86-87 E7
Soyo o ANG 86-87 B3
Soż ᴧ BY 20-21 L2
Spa o· B 18-19 B3
Spanda, Akra ▲ GR 28-29 D5
Spanish Town o· JA 104-105 F4
Sparbu o N 10-11 F3
Spartanburg o USA 102-103 G4
Sparte o· GR 28-29 D4
Spas-Demensk o RUS 30-31 F4
Spas-Klepiki o RUS 30-31 J4
Spassk-Dal'nij o RUS 46-47 H2
Spassk-Rjazanskij o· RUS 30-31 J4
Speke Gulf o EAT 84-85 C1
Spencer, Cape ▲ AUS 62-63 F7
Spencer, Golfe de ≈ AUS 62-63 F6
Spessart ▲ D 18-19 D4
Spey ᴧ GB 14-15 E3
Spezzano Albanese o I 24-25 F5
Spicer Islands ᴧ CDN 96-97 P4
Spiekeroog ᴧ D 18-19 C2
Spinazzola o I 24-25 F4
Spire o· D 18-19 D4
Spišský hrad ··· SK 20-21 F4
Spitsbergen ᴧ N 118 B17
Spittal an der Drau o A 18-19 F5
Spitzberg ᴧ N 118 B17
Spitzkoppe ▲·· NAM 86-87 C6
Split o··· HR 26-27 C4
Spogi o LV 12-13 M3
Spokane o· USA 100-101 C1
Špola o UA 32-33 B3
Spoleto o I 24-25 D3
Sporaden = Sporádes, Notioi ᴧ GR 28-29 E4
Sporádes, Notioi ᴧ GR 28-29 E4
Sporádes, Vóries ⌣ GR 28-29 D3
Sporavskoe, ozero o BY 20-21 H2
Spratly Islands ᴧ 54-55 E4
Spree o D 18-19 F2
Sprengisandur ▲ IS 8-9 d2
Springbok o ZA 86-87 C7
Springfield o USA (IL) 102-103 F3
Springfield o· USA (MA) 102-103 J2
Springfield o USA (MO) 102-103 E3
Springs o ZA 86-87 E7
Springsure o AUS 62-63 H4
Sprova o N 8-9 F4
Spruce Knob ▲ USA 102-103 H3
Spurn Head ▲ GB 14-15 G5
Squillace, Golfo di ≈ 24-25 F5
Squires, Mount ▲ AUS 62-63 D5
Srbica o KSV 26-27 E4
Srbija ▫ SRB 26-27 D3
Srbobran o SRB 26-27 D3
Srebárna, Naroden Park ⊥··· BG 26-27 H3
Sredec o BG 26-27 H4
Sredne russkaja vozvyšennost' ▲ RUS 32-33 F1
Srednesibirskoe ploskogor'e ⊥ RUS 38-39 O2
Srednij Ikorec o RUS 32-33 F2
Srednogorie = Pirdop + Zlatica o BG 26-27 G4
Sretensk ✿ RUS 38-39 T5
Sribne o UA 32-33 C2
Sri Dungargarh o IND 52-53 B1
Sri Jayawardenepura Kotte ★ CL 52-53 D5
Srīkākulam o IND 52-53 D3
Sri Lanka ■ CL 52-53 D5
Srinagar ✿· IND 44-45 B5
Środa Wielkopolska o PL 20-21 D2

Staaten River National Park ⊥ AUS 62-63 G3
Stabbursdalen nasjonalpark ⊥ N 8-9 N1
Stackeln o LV 12-13 L3
Stack Skerry ᴧ GB 14-15 D2
Stade o· D 18-19 D2
Stafford o· GB 14-15 E5
Stahanov = Kadijivka o UA 32-33 F3
Staierdorf o RO 26-27 E3
Stalingrad = Volgograd ✿· RUS 32-33 J3
Stalingrad = Zarizyn ✿· RUS 32-33 J3
Stamford o GB 14-15 F5
Stampriet o NAM 86-87 C6
Stamsund o N 8-9 G2
Standing Rock Indian Reservation ⅄ USA 100-101 F1
Stanhope o GB 14-15 E4
Stanke Dimitrov = Dupnica o BG 26-27 F4
Stanley o BG 116-117 F8
Stanovoe nagor'e ▲ RUS 38-39 S4
Stanovŏī, Monts ▲ RUS 40-41 D3
Stanovoj hrebet ▲ RUS 40-41 D3
Stanyčno-Luhans'ke o UA 32-33 F3
Staraja Kulatka ✿ RUS 30-31 M5
Staraja Kulatka ✿ RUS 32-33 K1
Staraja Poltavka o RUS 32-33 K2
Staraja Russa ✿ RUS 30-31 D3
Staraja Toropa o RUS 30-31 D3
Stará Ľubovňa o SK 20-21 F4
Staravina o MK 26-27 E5
Stara Zagora o BG 26-27 G4
Starbuck Island ᴧ 70-71 F2
Stargard Szczeciński o PL 20-21 C2
Starica o RUS (AST) 32-33 J3
Starica o RUS (TVR) 30-31 F3
Starigrad-Paklenica o HR 26-27 B3
Starnberg o D 18-19 E4
Starnberg, Lac de o D 18-19 E5
Starobeševe o UA 32-33 F4
Starobil's'k o UA 32-33 F3
Starokostjantyniv ✿ UA 20-21 J4
Starominskaja o RUS 32-33 F4
Staro Orjahovo o BG 26-27 H4
Staroščerbinovskaja o RUS 32-33 F4
Start Point ▲ GB 14-15 E6
Staryi Oskol o RUS 32-33 E2
Staryja Darohi o BY 20-21 K2
Statue de la Liberté ··· USA 102-103 J2
Statue of Liberty ··· USA 102-103 J2
Staunton o USA 102-103 H3
Stavanger ✿· N 10-11 C5
Stavropol' ✿ RUS 32-33 G5
Stavropol' ✿ RUS 42-43 D2
Steenstrup Gletscher ⊂ GRØ 96-97 T2
Steenwijk o NL 18-19 C2
Stefansson Island ᴧ CDN 96-97 J3
Ştei o RO 26-27 F3
Stein am Rhein o·· CH 18-19 D5
Steine o N 8-9 H2
Steinen, Rio ᴧ BR 114-115 D4
Steinkjer ✿ N 8-9 F4
Steinsland o N 8-9 J2
Stelvio, Parco Nazionale d. = Nationalpark Stilfser Joch ⊥ I 24-25 C1
Stendal o· D 18-19 E2
Steneby o S 12-13 E2
Stenón Elafonissou ≈ 28-29 D4
Stenón Kásu ≈ 28-29 F4
Stenón Kímolou Sifnou ≈ 28-29 E4
Stenón Kíthéron ≈ 28-29 D4
Stenón Kíthnou ≈ 28-29 E4
Stenón Serifou ≈ 28-29 E4
Stenón Sifnou ≈ 28-29 E4
Stenungsund ✿ S 12-13 D2
Stéphanie, Lac o ETH 82-83 F5
Stephanie Wildlife Reserve ⊥ ETH 82-83 F4
Stephenville o CDN 98-99 N5
Stepnoe ✿ RUS 32-33 K2
Steppe Masaï ⊥ EAT 84-85 D1
Sterling o USA 100-101 F2

Sterlitamak ☆ **RUS** 42-43 G 1
Stérnes o **GR** 28-29 E 5
Stettin, Lagune de o **D** 18-19 G 2
Stevenage o **GB** 14-15 F 6
Stevensons Peak ▲ **AUS** 62-63 E 5
Stewart, Île ⌒ **NZ** 64-65 H 6
Stewart Islands ⌒ **SOL** 68-69 F 2
Stewart River ⌒ **CDN** 94-95 D 3
Steyr o• **A** 20-21 C 4
Stikine Plateau ⌐ **CDN** 94-95 E 4
Stikine River ⌒ **CDN** 94-95 E 4
Stilfser Joch = Passo dello Stèlvio ▲ **I** 24-25 C 1
Stilo o **I** 24-25 F 5
Stilo, Punta ▲ **I** 24-25 F 5
Stintino o **I** 24-25 B 4
Štip o **MK** 26-27 F 5
Stirling o• **GB** 14-15 D 3
Stirling Range National Park ⊥ **AUS** 62-63 B 6
Stjørdalshalsen o **N** 10-11 F 3
Stockach o **D** 18-19 D 5
Stockerau o **A** 20-21 D 4
Stockholm ★• **S** 12-13 H 2
Stockport o **GB** 14-15 E 5
Stockton o **USA** 100-101 B 3
Stöde o **S** 10-11 J 3
Stohid ⌒ **UA** 20-21 H 3
Stoke-on-Trent o **GB** 14-15 E 5
Stokkvågen o **N** 8-9 G 3
Stokmarknes o **N** 8-9 H 2
Stolac o **BIH** 26-27 C 4
Stolbovoj, ostrov ⌒ **RUS** 38-39 X 1
Stolin o **BY** 20-21 J 3
Ston o **HR** 26-27 C 4
Stonehaven o **GB** 14-15 E 3
Stonehenge ••• **GB** 14-15 E 6
Stčeng Trêng o **K** 54-55 D 3
Stony River o **USA** 92-93 L 3
Storå ⌒ **DK** 12-13 C 3
Stora Blåsjön o **S** 8-9 H 4
Stora Lulevatten ⌒ **S** 8-9 K 3
Stora Sjöfallets nationalpark ⊥•• **S** 8-9 J 3
Storavan ⌒ **S** 8-9 K 4
Storby o **AX** 10-11 K 4
Stord ⌒ **N** 10-11 C 5
Store Bælt ≈ **DK** 12-13 D 4
Store Koldewey ⌒ **GRØ** 96-97 b 2
Støren ☆ **N** 10-11 F 3
Store Sotra ⌒ **N** 10-11 C 4
Storfors ☆ **S** 12-13 F 2
Storforsen ⌒••• **S** 8-9 L 4
Storforshei o **N** 8-9 H 3
Storjord o **N** 8-9 H 3
Storkerson Peninsula ⌣ **CDN** 96-97 J 3
Storlien o **S** 10-11 G 3
Storm Bay ≈ **AUS** 64-65 D 5
Stornoway o **GB** 14-15 C 2
Storsätern o **S** 10-11 G 3
Storsjö o **S** 10-11 G 3
Storsjøen ⌒ **N** 10-11 F 4
Storsjön o• **S** 10-11 H 3
Stortoppen ▲ **S** 8-9 J 3
Storuman o **S** 8-9 J 4
Storuman o **S** 8-9 J 4
Storvik o **S** 10-11 J 4
Stöttingfjället ▲ **S** 8-9 J 4
Strabane o **GB** 14-15 C 4
Strakhov Seamount ≈66-67 G 3
Strakonice o **CZ** 20-21 B 4
Stralki o **BY** 20-21 K 1
Stralki o **BY** 30-31 C 4
Stralsund o• **D** 18-19 F 1
Strand ☆• **LV** 12-13 K 3
Strand o **ZA** 86-87 C 8
Strangford o• **GB** 14-15 D 4
Stranraer o **GB** 14-15 D 4
Strasbourg o• **F** 16-17 H 2
Stratford o **USA** 102-103 C 3
Stratford-upon-Avon o• **GB** 14-15 F 5

Stratóni o **GR** 28-29 D 2
Straubing o **D** 18-19 F 4
Stravropol'-na-Volgi ☆ **RUS** 42-43 E 1
Streaky Bay ⌒ **AUS** 62-63 E 6
Street o **GB** 14-15 E 6
Strehaia o **RO** 26-27 F 3
Strenči o **LV** 12-13 L 3
Stresa o **I** 24-25 B 2
Streymoy ⌒ **FR** 10-11 a 1
Stroeder o **RA** 116-117 E 6
Strofiliá o **GR** 28-29 D 3
Strokkurgeysir •• **IS** 8-9 c 2
Strómboli, Ísola ⌒•• **I** 24-25 E 5
Stromness o **GB** 14-15 E 2
Strømø = Streymoy ⌒ **FR** 10-11 a 1
Strömstad ☆ **S** 12-13 D 2
Strömsund o **S** 10-11 H 3
Ströms vattudal ⌒ **S** 8-9 H 4
Stronsay ⌒ **GB** 14-15 E 2
Struer o **DK** 12-13 C 3
Struga ⌒ **MK** 26-27 E 5
Strumešnica ⌒ **MK** 26-27 F 5
Strumica o• **MK** 26-27 F 5
Stryj ☆ **UA** 20-21 G 4
Stryj ⌒ **UA** 20-21 G 4
Strymón ⌒ **GR** 28-29 D 2
Strypa ⌒ **UA** 20-21 H 4
Strzelce Krajeńskie o **PL** 20-21 C 2
Stuart Island ⌒ **USA** 92-93 K 3
Stuart Lake o **CDN** 94-95 G 5
Stubbenkammer ▲•• **D** 18-19 F 1
Studenica o••• **SRB** 26-27 E 4
Studina o **RO** 26-27 G 4
Stugun o **S** 10-11 H 3
Stupino ☆ **RUS** 30-31 H 4
Sturt Creek ⌒ **AUS** 62-63 D 3
Sturt Stony Desert ⌣ **AUS** 62-63 F 5
Stuttgart ☆• **D** 18-19 D 4
Stykkishólmsbær = Stykkishólmur ☆ **IS** 8-9 b 2
Styr ⌒ **UA** 20-21 H 3
Styrie ⌐ **A** 18-19 G 5
Šu o **KZ** 42-43 K 3
Šu ⌒ **KZ** 42-43 K 3
Suakin o• **SUD** 78-79 H 5
Suay Rieng o **K** 54-55 D 3
Subate o• **LV** 12-13 L 3
Subi, Pulau ⌒ **RI** 54-55 D 5
Subotica ☆• **SRB** 26-27 D 2
Šubrā al-Haima o **ET** 78-79 G 2
Suceava ☆ **RO** 26-27 H 2
Sucre o• **BOL** 112-113 F 5
Sucunduri, Rio ⌒ **BR** 114-115 C 3
Sud, Île du ⌒ **NZ** 64-65 J 5
Suda ⌒ **RUS** 30-31 G 2
Sudak ☆• **UA** 32-33 D 5
Sud-Australien, Bassin ≃60-61 C 9
Sudbury o• **CDN** 98-99 H 5
Sudd ⌐ **SUD** 82-83 E 4
Suddie o **GUY** 110-111 F 3
Sudislavl' o **RUS** 30-31 J 3
Sud-Ouest Indienne, Dorsale ≃75 N 11
Sudskoe, Borisovo- o **RUS** 30-31 G 2
Suđureyri o **IS** 8-9 b 1
Sudža o **RUS** 32-33 D 2
Sue ⌒ **SUD** 82-83 D 4
Sueca o **E** 22-23 F 4
Sueco, El o **MEX** 100-101 E 5
Suède ⌐ **S** 12-13 F 2
Suez ☆ **ET** 78-79 G 3
Suez, Golfe de ≈ **ET** 78-79 G 3
Sugaing o **MYA** 52-53 G 2
Suğla Gölü o **TR** 48-49 D 3
Sugoj ⌒ **RUS** 40-41 L 2
Sühāg ☆• **ET** 78-79 G 3
Suhār o• **OM** 50-51 F 4
Sühbaatar ☆ **MGL** 44-45 J 1
Suhiniči o **RUS** 30-31 F 4
Suhl o **D** 18-19 E 3

Suhona ⌒ **RUS** 12-13 Q 2
Suhona ⌒ **RUS** 4-5 R 2
Şuhut ☆ **TR** 28-29 H 3
Suide o **CN** 46-47 D 3
Suihua o **CN** 40-41 E 5
Suining o **CN** 46-47 C 4
Suir ⌒ **IRL** 14-15 C 5
Suisse ■ **CH** 18-19 C 5
Suizhou o **CN** 46-47 D 4
Šuja ☆ **RUS** 30-31 J 3
Sukabumi o **RI** 54-55 D 7
Sukadana o **RI** 54-55 D 6
Sukeva o **FIN** 10-11 O 3
Sukhothai o•••• **T** 54-55 B 2
Sukkur o• **PK** 50-51 H 3
Sukses o **NAM** 86-87 C 6
Sula ⌒ **N** 10-11 C 4
Sula ⌒ **UA** 32-33 C 3
Sula, Kepulauan ⌒ **RI** 56-57 E 6
Sulaimānīya, as- ☆ **IRQ** 48-49 G 3
Sulawesi, Laut ≈56-57 D 5
Sulayyil, as- o **KSA** 50-51 D 4
Sulechów o• **PL** 20-21 C 2
Sulejów o• **PL** 20-21 E 3
Sule Skerry ⌒ **GB** 14-15 D 2
Sulima o **WAL** 80-81 B 4
Sulina o• **RO** 26-27 J 3
Sulina, Braţul ⌒ **RO** 26-27 J 3
Sulitelma ▲ **S** 8-9 J 3
Sulitjelma o **N** 8-9 J 3
Sullana o **PE** 112-113 C 2
Sullorsuaq Vaigat ≈ **GRØ** 96-97 T 3
Sully-sur-Loire o **F** 16-17 F 3
Sulmona o **I** 24-25 D 3
Sulphur Bank ≈114-115 G 5
Sultandağı ☆ **TR** 28-29 H 3
Sultan Dağları ▲ **TR** 28-29 H 3
Sultānpur o **IND** 52-53 D 1
Sulu, Archipel de ⌒ **RP** 56-57 D 4
Sulu, Mer de ≈56-57 C 4
Sulu Basin ≃56-57 D 4
Sülüklü o **TR** 48-49 D 3
Sulu Sea ≈56-57 C 4
Sulzbach-Rosenberg o **D** 18-19 E 4
Sumatera ⌒ **RI** 54-55 B 5
Sumatra ⌒ **RI** 54-55 B 5
Šumava ▲ **CZ** 20-21 B 4
Sumba ⌒ **RI** 54-55 F 7
Sumba, Détroit de ≈ **RI** 54-55 F 7
Sumbawa ⌒ **RI** 54-55 F 7
Sumbawa Besar o **RI** 54-55 F 7
Sumbawanga ☆ **EAT** 84-85 C 2
Sumbe ☆ **ANG** 86-87 B 4
Sumbu National Park ⊥ **Z** 86-87 F 3
Sumburgh o **GB** 14-15 F 2
Šumen o **BG** 26-27 H 4
Sumenep o **RI** 54-55 E 7
Šumerlja o **RUS** 30-31 M 4
Šumilina ☆ **BY** 20-21 K 1
Šumilina ☆ **BY** 30-31 C 4
Sumisu-shima ⌒ **J** 46-47 K 4
Summān, as- ▲ **KSA** 50-51 D 3
Šumperk o **CZ** 20-21 D 4
Šumšu, ostrov ⌒ **RUS** 40-41 L 4
Sumy ☆ **UA** 32-33 D 2
Sunbury o **AUS** 64-65 C 4
Suncho Corral o **RA** 116-117 E 3
Sunda Besar, Kepulauan ⌒ **RI** 54-55 C 5
Sunda Kecil, Kepulauan ⌒ **RI** 54-55 F 7
Sundarbans ⌐ **IND** 52-53 E 2
Sunda Trench ≃54-55 C 7
Sunday Strait ≈ **AUS** 62-63 C 3
Sunderland o **GB** 14-15 F 4
Sündiken Dağları ▲ **TR** 28-29 H 3
Sundsvall o **S** 10-11 J 3
Sungaigerung o **RI** 54-55 C 6
Sungai Penuh o **RI** 54-55 C 6
Sunndalsøra ⌒ **N** 10-11 E 3
Sunne ⌒ **S** 12-13 E 2
Suntar-Hajata, hrebet ▲ **RUS** 40-41 G 2
Suntaži o••• **LV** 12-13 L 3
Sunyani ☆ **GH** 80-81 D 4

Suomenlinna = Sveaborg ••• **FIN** 10-11 N 4
Suomenselkä ⊥ **FIN** 10-11 N 3
Suonenjoki o **FIN** 10-11 O 3
Supe o **PE** 112-113 D 4
Supérieur, Lac o **USA** 102-103 E 1
Superior o **USA** 102-103 E 1
Superior, Lake o **USA** 102-103 E 1
Supetar o **HR** 26-27 C 4
Suqian o **CN** 46-47 E 4
Suqutrā ⌒ **YAR** 50-51 E 6
Sŭr o• **OM** 50-51 F 4
Šura ⌒ **RUS** 30-31 L 5
Surabaya ☆ **RI** 54-55 E 7
Surakarta o **RI** 54-55 E 7
Surat o• **IND** 52-53 B 2
Suratthani o **T** 54-55 B 4
Suraž o **BY** 20-21 L 1
Suraž o **BY** 30-31 D 4
Suraž o **RUS** 30-31 E 5
Surigao ☆ **RP** 56-57 E 4
Surin o **T** 54-55 C 3
Suriname ■ **SME** 110-111 F 4
Surinda o **RUS** 38-39 P 3
Surovikino o **RUS** 32-33 H 3
Surskoe o **RUS** 30-31 M 4
Surt ☆ **LAR** 78-79 D 2
Surtsey ⌒ **IS** 8-9 c 3
Susa o **I** 24-25 A 2
Susitna River ⌒ **USA** 92-93 N 3
Susques o **RA** 116-117 D 2
Susuman ⌒ **RUS** 40-41 J 2
Susurluk o **TR** 28-29 G 3
Sutherland o **ZA** 86-87 D 8
Suuraho o **FIN** 10-11 P 3
Suva ★• **FJI** 70-71 A 4
Suva Reka o **KSV** 26-27 E 4
Suvorov o **RUS** 30-31 G 4
Suvorov Atoll ⌒ **CK** 70-71 E 3
Suwałki ☆ **PL** 20-21 G 1
Suzdal' ☆••• **RUS** 30-31 J 3
Suzhou o **CN** 46-47 E 4
Suzhou o• **CN** 46-47 F 4
Svalbard ⌒ **N** 118 B 17
Svappavaara o **S** 8-9 L 3
Svärdsjö o **S** 10-11 H 4
Svartisen ▲•• **N** 8-9 G 3
Svatove o **UA** 32-33 F 3
Svatý Kopeček ▲ **CZ** 20-21 D 4
Svealand ⌐ **S** 10-11 G 4
Sveg o **S** 10-11 H 3
Švenčionys ☆•• **LT** 12-13 M 4
Svendborg o• **DK** 12-13 D 4
Svendsen Peninsula ⌣ **CDN** 96-97 O 2
Svenes o **N** 10-11 E 5
Svenskij monastyr • **RUS** 30-31 F 5
Svenstavik o **S** 10-11 H 3
Šventoji o **LT** 12-13 J 3
Sverdlovsk'a o **UA** 32-33 F 3
Sverdlovsk = Ekaterinburg ☆ **RUS** 38-39 L 3
Sverdlovsk = Sverdlovs'k o **UA** 32-33 F 3
Sverdrup, Îles ⌒ **CDN** 96-97 K 2
Sverdrup, ostrov ⌒ **RUS** 38-39 L 1
Sveštari o••• **BG** 26-27 H 4
Sveti Nikole o **MK** 26-27 E 5
Sveti Stefan • **MNE** 26-27 D 4
Svetlahorsk o **BY** 20-21 K 2
Svetlogorsk o **RUS** 38-39 N 2
Svetlogorsk ☆• **RUS** 12-13 J 4
Svetlogorsk ☆• **RUS** 20-21 F 5
Svetlogorsk = Svetlahorsk o **BY** 20-21 K 2
Svetlograd o **RUS** 32-33 H 5
Svetlograd o **RUS** 42-43 D 2
Svetlovodsk = Svitlovods'k o **UA** 32-33 C 3
Svetlyj Jar o **RUS** 32-33 J 3
Svíča ⌒ **UA** 20-21 G 4
Svidník o **SK** 20-21 F 4
Sviibi o **EST** 12-13 K 2
Svijaga ⌒ **RUS** 30-31 M 5

Svijaga ∿ **RUS** 42-43 E0
Svilengrad o **BG** 26-27 H5
Svir o **BY** 20-21 J1
Svir' ∿ **RUS** 4-5 O2
Svislač o **BY** 20-21 K2
Svištov o **BG** 26-27 G4
Svitlovods'k o **UA** 32-33 C3
Svjatoj Nos, mys ▲ **RUS** 38-39 Y1
Svobodnyj o **RUS** 40-41 E4
Svoge o **BG** 26-27 F4
Svolvær o **N** 8-9 H2
Swain Reefs ∩ **AUS** 62-63 J4
Swain's Atoll ∩ **USA** 70-71 C3
Swains Island ∩ **USA** 70-71 C3
Swakopmund ✦∙ **NAM** 86-87 B6
Swan Hill o **AUS** 64-65 C4
Swan River o **CDN** 98-99 D4
Swansea o **GB** 14-15 D6
Swaziland ■ **SD** 86-87 F7
Swellendam o∙ **ZA** 86-87 D8
Świdnica o∙ **PL** 20-21 D3
Świebodzin o∙ **PL** 20-21 C2
Swift Current o **CDN** 94-95 K5
Swindon o **GB** 14-15 F6
Świnoujście o **PL** 20-21 C2
Syčevka o **RUS** 30-31 F4
Syderø = Suđuroy ∩ **FR** 10-11 a2
Sydney ✦∙∙ **AUS** 64-65 E3
Sydney Island ∩ **KIR** 70-71 C1
Syktyvkar ✦ **RUS** 4-5 S2
Sylhet o∙ **BD** 52-53 F2
Sylt ∩ **D** 18-19 D1
Šymkent ✦∙ **KZ** 42-43 J3
Synel'nykove o **UA** 32-33 D3
Synnfjell ▲ **N** 10-11 E4
Syowa o **ANT** 119 C4
Syracuse o **I** 24-25 E6
Syracuse o **USA** 102-103 H2
Syrdar'ja ∿ **KZ** 42-43 J3
Syrianovsk o **KZ** 42-43 M2
Syrie ■ **SYR** 48-49 E4
Syrie, Désert de ⏄ **SYR** 48-49 E4
Šyrjajeve o **UA** 26-27 K2
Šyrjajeve ✦ **UA** 32-33 B4
Šyroke o **UA** 32-33 C4
Syrte, Golfe de ≈ **LAR** 78-79 D2
Šyščycy o **BY** 20-21 J2
Sysmä o **FIN** 10-11 N4
Syväjärvi o **FIN** 8-9 N3
Syzran' ✦ **RUS** 42-43 E1
Szamotuły o∙ **PL** 20-21 D2
Szarvas o **H** 26-27 E2
Szczecin ✦ **PL** 20-21 C2
Szczecinek o∙ **PL** 20-21 D2
Szczeciński, Zalew ≈ **PL** 20-21 C2
Szczekociny o **PL** 20-21 E3
Szczytno o∙ **PL** 20-21 F2
Szeged o **H** 26-27 E2
Székesfehérvár o **H** 26-27 D2
Szeklerburg ✦∙ **RO** 26-27 G2
Szekler Neumarkt o **RO** 26-27 H2
Szekszárd o **H** 26-27 D2
Szentes o **H** 26-27 E2
Szolnok o **H** 26-27 E2
Szombathely o **H** 26-27 C2

T

Tábara o **E** 22-23 D3
Tabaradene, Tchin- o **RN** 80-81 F2
Tabar Islands ∩ **PNG** 68-69 D1
Tabas o∙ **IR** 48-49 J4
Tabatinga o **BR** 112-113 F2
Tabelbala o **DZ** 76-77 E4
Tabernas o **E** 22-23 E5
Tabiteuea Atoll ∩ **KIR** 66-67 G6
Tablas Island ∩ **RP** 56-57 D3
Tábor o **CZ** 20-21 C4

Tabora ✦∙ **EAT** 84-85 C2
Tabou o∙ **CI** 80-81 C5
Tabrîz ✦∙∙ **IR** 48-49 G3
Tabuaeran ∩ **KIR** 60-61 M4
Tabudarat o **RI** 54-55 F6
Tabûk ✦ **KSA** 50-51 B3
Tabuk ✦ **RP** 56-57 D2
Tabwemasana ▲ **VU** 68-69 G4
Tachaouz ✦ **TM** 42-43 G3
Tacheng o **CN** 44-45 D2
Tachkent ✦∙∙ **UZ** 42-43 J3
Tacinskij o **RUS** 32-33 G3
Tacloban ✦ **RP** 56-57 E3
Tacna ✦ **PE** 112-113 E5
Tacoma o **USA** 100-101 B1
Tacora, Volcán ▲ **RCH** 112-113 F5
Tacuarembo ✦ **ROU** 116-117 F4
Tadant, Oued ∿ **DZ** 76-77 J5
Tademaït, Plateau du ▲ **DZ** 76-77 H4
Tadjikistan ■ **TJ** 42-43 J4
Tadjoura o **DJI** 82-83 G3
Tadmur = Palmyra ✦∙∙ **SYR** 48-49 E4
Taegu o **ROK** 46-47 G3
Taejŏn o **ROK** 46-47 G3
Taenga Atoll ∩ **F** 70-71 J4
Tafahi ∩ **TO** 70-71 C4
Tafalla o **E** 22-23 F2
Tafassasset, Oued ∿ **DZ** 76-77 J5
Tafilalt ⏄ **MA** 76-77 G3
Tafraoute o∙∙ **MA** 76-77 F4
Taftân, Kûh-e ▲ **IR** 48-49 K5
Taganrog o∙ **RUS** 32-33 F4
Taganrog, Golfe de ≈ 32-33 E4
Tagânt ▲ **RIM** 76-77 E6
Taguatinga o **BR** (FED) 114-115 E5
Taguatinga o **BR** (TOC) 114-115 E4
Tagula Island ∩ **PNG** 68-69 D3
Tagum ✦ **RP** 56-57 E4
Tahaa, Île ∩ **F** 70-71 G4
Tahanea Atoll ∩ **F** 70-71 J4
Tahat ▲ **DZ** 76-77 J5
Tahiti, Île ∩∙∙ **F** 70-71 H4
Tahiti, Île ∩∙ **F** 70-71 H4
Tahoe, Lake o **USA** 100-101 B3
Tahoua ✦ **RN** 80-81 F3
Tahtaküpir ✦ **UZ** 42-43 H3
Tahtalı Dağları ▲ **TR** 48-49 E3
Tahulandang, Pulau ∩ **RI** 56-57 E5
Tahuna o **RI** 56-57 E5
Taï o **CI** 80-81 C4
Tai'an o **CN** 46-47 E3
Taiaro Atoll ∩ **F** 70-71 J4
Taichung ✦ **RC** 46-47 F6
Taidong = Taitung o **RC** 46-47 F6
Tā'if, at o **KSA** 50-51 C4
Taigetos ▲ **GR** 28-29 D4
Tai Hu o **CN** 46-47 F6
Tailai o **CN** 40-41 D5
Tailem Bend o **AUS** 62-63 F7
Taim o **BR** 116-117 F4
Taimā' o **KSA** 50-51 B3
Taïmyr, Lac de o **RUS** 38-39 Q1
Taïmyr, Péninsule de ∪ **RUS** 38-39 P0
Tain o **GB** 14-15 D3
Tainan o **RC** 46-47 F6
Taïpei ✦∙∙ **RC** 46-47 F5
Taitao, Péninsula de ∪ **RCH** 116-117 B7
Taitung o **RC** 46-47 F6
Taivalkoski o **FIN** 8-9 P4
Taïwan ■ **RC** 46-47 F6
Taïwan, Détroit de ≈ 46-47 E6
Taiwan Haixia ≈ 46-47 E6
Taiyuan ✦∙ **CN** 46-47 D3
Taizhong = Taichung o **RC** 46-47 F6
Taizhou o **CN** 46-47 E4
Ta'izz o **YAR** 50-51 C6
Tajgonos, poluostrov ∪ **RUS** 40-41 M2
Tajmura ∿ **RUS** 38-39 P3
Tajmyr, ozero o **RUS** 38-39 Q1
Tajmyr, poluostrov ∪ **RUS** 38-39 P0
Tajo, Río ∿ **E** 22-23 D3
Tajšet ✦ **RUS** 38-39 P4

Tajumulco, Volcán ▲ **GCA** 104-105 C4
Tajuña, Río ∿ **E** 22-23 E3
Tak o **T** 54-55 B2
Taka Atoll ∩ **MH** 66-67 F3
Takapoto Atoll ∩ **F** 70-71 H3
Takaroa Atoll ∩ **F** 70-71 H3
Takengon (Takingeun) o **RI** 54-55 B5
Tåkestân o∙ **IR** 48-49 G3
Takht-i-Bahi ⏄∙∙∙ **PK** 50-51 J2
Takikawa o **J** 46-47 K2
Takiyuak Lake o **CDN** 96-97 H4
Takla Lake o **CDN** 94-95 F4
Takla-Makan, Désert de ⏄ **CN** 44-45 D4
Taklimakan Shamo ⏄ **CN** 44-45 D4
Taksimo o **RUS** 38-39 S4
Takuapa o **T** 54-55 B4
Takume Atoll ∩ **F** 70-71 J4
Takutea Island ∩ **CK** 70-71 F4
Talacasto o **RA** 116-117 D4
Talačyn o **BY** 20-21 K1
Talačyn o **BY** 30-31 C4
Talara o **PE** 112-113 C2
Talas ✦ **KS** 42-43 K3
Talasea o **PNG** 68-69 D2
Talaud, Îles ∩ **RI** 56-57 E5
Talavera de la Reina o∙ **E** 22-23 D4
Talbot, Mount ▲ **AUS** 62-63 D5
Talca ✦∙ **RCH** 116-117 C5
Talcahuano o **RCH** 116-117 C5
Talcho o **RN** 80-81 E3
Taldom o **RUS** 30-31 G3
Taldyqorğan ✦ **KZ** 42-43 L2
Talence o **F** 16-17 D4
Taliabu, Pulau ∩ **RI** 56-57 D5
Talibon o **RP** 56-57 D3
Taliwang o **RI** 54-55 F7
Talkeetna Mountains ▲ **USA** 92-93 N3
Tallahassee ✦ **USA** 102-103 G4
Tallin = Tallinn ✦∙∙ **EST** 12-13 L2
Tallinn ✦∙ **EST** 12-13 L2
Tallinn ✦∙∙ **EST** 12-13 L2
Talnah o **RUS** 38-39 N2
Talon o **RUS** 40-41 J3
Talovaja o **RUS** 32-33 G2
Taloyoak o **CDN** 96-97 M4
Talsi o∙∙ **LV** 12-13 K3
Taltal o **RCH** 116-117 C3
Taltson River ∿ **CDN** 94-95 J3
Tamala o **GH** 80-81 D4
Tamana ∩ **KIR** 66-67 H6
Tamanhint o **LAR** 78-79 C3
Tamanrasset ✦∙∙ **DZ** 76-77 J5
Tamanrasset, Oued ∿ **DZ** 76-77 H5
Tamarugal, Pampa del ⏄ **RCH** 112-113 F5
Tamási o **H** 26-27 D2
Tama Wildlife Reserve ⊥ **ETH** 82-83 F4
Tamazunchale o∙ **MEX** 100-101 G6
Tambacounda o **SN** 80-81 B3
Tambej o **RUS** 38-39 K1
Tambelan, Kepulauan ∩ **RI** 54-55 D5
Tambo o **AUS** 62-63 H4
Tambohorano o **RM** 84-85 E4
Tambov o **RUS** 30-31 J5
Tambura o **SUD** 82-83 D4
Tamdytov toglari ▲ **UZ** 42-43 H3
Tamiahua, Laguna de o **MEX** 100-101 G6
Tamil Nādu o **IND** 52-53 C4
Tammisaari = Ekenäs o∙ **FIN** 10-11 M5
Tammū, Jabal ▲ **LAR** 78-79 C4
Tampa o **USA** 102-103 G5
Tampa Bay ≈ **USA** 102-103 G5
Tampere o∙ **FIN** 10-11 M4
Tampico o∙ **MEX** 100-101 G6
Tamworth o **AUS** 64-65 E3
Tana ∿ **EAK** 82-83 G6
Tana ∿ **N** 8-9 P1
Tana = Île Tanna ∩ **VU** 68-69 G4
Tanabe o **J** 46-47 J4
Tanabru o **N** 8-9 P1
Tanafjorden ≈ 8-9 P1

T'ana Hayk' o **ETH** 82-83 F3
Tanahgrogot o **RI** 54-55 F6
Tanais, arheologičeskij zapovednik ∙ **RUS** 32-33 F4
Tanami Desert ⏄ **AUS** 62-63 E3
Tanana River ∿ **USA** 92-93 N3
Ţāndārei o **RO** 26-27 H3
Tandil o **RA** 116-117 F5
Tanega Shima ∩ **J** 46-47 H4
Tanega-shima ∩ **J** 46-47 H4
Tanezrouft ⏄ **RMM** 76-77 G5
Tanezrouft-Tan-Ahenet ⏄ **DZ** 76-77 H5
Tanga ✦ **EAT** 84-85 D2
Tanga Islands ∩ **PNG** 68-69 D1
Tanganijika, Lac = Lake Tanganijika o **CGO** 86-87 E2
Tanger ∙ **MA** 76-77 F2
Tangermünde o∙ **D** 18-19 E2
Tanggu o **CN** 46-47 E3
Tanggula (Dangla) Shan ▲ **CN** 44-45 G5
Tangra Yumco o **CN** 44-45 E5
Tangshan o **CN** 46-47 E3
Taniantaweng Shan ▲ **CN** 44-45 G5
Tanimbar, Îles ∩ **RI** 56-57 F7
Tanintharí o **MYA** 52-53 F5
Tanjah ✦∙ **MA** 76-77 F2
Tanjay o **RP** 56-57 D4
Tanjung o **RI** 54-55 F6
Tanjungbalai o **RI** 54-55 B5
Tanjungpandan o **RI** 54-55 D6
Tanjungpinang o **RI** 54-55 C5
Tanjungredeb o **RI** 54-55 F5
Tanjungselor o **RI** 54-55 F5
Tanjurer ∿ **RUS** 40-41 O2
Tankwa-Karoo National Park ⊥ **ZA** 86-87 C8
Tanna, Île = Tana ∩ **VU** 68-69 G4
Tanougou, Cascades de ∼∙∙ **DY** 80-81 E3
Tanout o **RN** 80-81 F3
Tantă o **ET** 78-79 G2
Tan-Tan ✦ **MA** 76-77 E4
Tanumshede o∙ **S** 12-13 D2
Tanzanie ■ **EAT** 84-85 C2
Taonan o **CN** 40-41 D5
Taongi Atoll ∩ **MH** 66-67 F3
Taormina o **I** 24-25 E6
Taos Pueblo ∙∙∙ **USA** 100-101 E3
Taoudenni o **RMM** 76-77 G5
Tapachula o **MEX** 104-105 C5
Tapajós, Rio ∿ **BR** 114-115 C3
Tapaktuan o **RI** 54-55 B5
Tapauá o **BR** 114-115 B3
Tapauá, Rio ∿ **BR** 112-113 F3
Tapiau ✦ **RUS** 12-13 J4
Tapini o **PNG** 68-69 C2
Tapirapecó, Sierra ▲ **YV** 110-111 D4
Tapul Group ∩ **RP** 56-57 D4
Taquari, Pantanal do o **BR** 114-115 C5
Taquari, Rio ∿ **BR** 114-115 C5
Tara ✦ **RUS** 38-39 K4
Tara ∿ **SRB** 26-27 D4
Ţarābulus ✦ **LAR** 78-79 C2
Ţarābulus o∙ **RL** 48-49 E4
Tarahumara, Sierra ▲ **MEX** 100-101 E5
Tarakan o **RI** 54-55 F5
Tarancón o **E** 22-23 E3
Tarangire National Park ⊥ **EAT** 84-85 D1
Tarante ✦∙ **I** 24-25 F4
Tarante, Golfe de ≈ 24-25 F4
Tarapoto o **PE** 112-113 D3
Tarare o **F** 16-17 G4
Tarasa Dwip Island ∩ **IND** 52-53 F5
Tarascon o∙∙ **F** 16-17 G5
Tarauacá o **BR** 112-113 E3
Tarauacá, Rio ∿ **BR** 112-113 E3
Tarawa Atoll ∩ **KIR** 66-67 G5
Tarazona o **E** 22-23 F3
Tarbağataj žotasy ▲ **KZ** 42-43 M2
Tarbes o **F** 16-17 E5
Tardoki-Jani, gora ▲ **RUS** 40-41 G5
Tärendö o **S** 8-9 M3

Tarfaya o MA 76-77 E4
Târgovište o BG 26-27 H4
Târgovište ☆• RO 26-27 G3
Târgu Frumos o RO 26-27 H2
Târgu Jiu o RO 26-27 F3
Târgu Mureș ☆• RO 26-27 G2
Târgu Secuiesc o RO 26-27 H2
Tarhany, muzej-usad'ba • RUS 30-31 K5
Tarifa o E 22-23 D5
Tarija o BOL 112-113 G6
Tariku ~ RI 56-57 G6
Tarim ~ CN 44-45 D3
Tarîm o• YAR 50-51 D5
Taritatu ~ RI 56-57 H6
Tarko-Sale ☆ RUS 38-39 L3
Tarn ⌐ F 16-17 E4
Tarn, Gorges du ᐧ•• F 16-17 F4
Târnaby o S 8-9 H4
Târnăveni o RO 26-27 G2
Tarnów ☆• PL 20-21 F3
Taroom o AUS 62-63 H5
Taroudannt ☆• MA 76-77 F3
Tarquínia o I 24-25 C3
Tarragona o•• E 22-23 G3
Tarrajákkå ⌐ S 8-9 J3
Tàrrega o E 22-23 G3
Tarso Emissi ▲ TCH 78-79 D4
Tarsus ☆• TR 48-49 D3
Tartagal o RA 116-117 E2
Tartu ☆•• EST 12-13 M2
Tartūs ☆•• SYR 48-49 E4
Tarusa ☆• RUS 30-31 G4
Tarutyne o UA 20-21 K5
Tashigang o BHT 52-53 F1
Tasikmalaya o RI 54-55 D7
Tasman, Mer de ≈64-65 F4
Tasman Basin ≃64-65 F5
Tasman Bay ≈ NZ 64-65 J5
Tasmania ⌐ AUS 64-65 D5
Tasmania ⌐ AUS 64-65 D5
Tasmania ⌐ AUS 64-65 D5
Tasmania ⌐ AUS 64-65 D5
Tasmanie, Bassin de ≃64-65 F5
Tasmanie, Seuil de ≃64-65 D6
Tasman Peninsula ⌐•• AUS 64-65 D5
Tasman Sea ≈64-65 F4
Tâșnad o RO 26-27 F2
Tastau, gora ▲ KZ 42-43 M2
Tata o H 26-27 D2
Tataba o RI 56-57 D5
Tatabánya o H 26-27 D2
Tata Mailau, Gunung ▲ TL 56-57 E7
Tatarbunary o UA 26-27 J3
Tatarie, Détroit de ⌐ RUS 40-41 H4
Tatarsk ☆ RUS 38-39 L4
Tatarskij proliv ⌐ RUS 40-41 H4
Tatarstan o RUS 42-43 F0
Tatarstan, Respublika □ RUS 42-43 F0
Tateyama o J 46-47 J4
Tathlina Lake o CDN 94-95 H3
Tathra ☆ AUS 64-65 D4
Tatiščevo ☆ RUS 32-33 J2
Tatnam, Cape ▲ CDN 98-99 F3
Tatry ▲ SK 20-21 E4
Tatshenshini-Alsek Kluane National Park ⊥•• CDN 94-95 D3
Tatvan ☆• TR 48-49 F3
Tau o N 10-11 C5
Ta'u o USA 70-71 D3
Tauá o BR 114-115 F3
Taubaté o BR 114-115 E6
Tauberbischofsheim o• D 18-19 D4
Tauere Atoll ⌐ F 70-71 J4
Taujskaja guba ≈ RUS 40-41 J3
Taumaturgo o BR 112-113 E3
Taunggyi ☆ MYA 52-53 G2
Taunton ☆ GB 14-15 E6
Taupo o NZ 64-65 K4
Taupo, Lake o NZ 64-65 K4
Tauragé ☆•• LT 12-13 K4
Tauranga o NZ 64-65 K4
Tauroggen ☆•• LT 12-13 K4

Taurus, Monts ▲ TR 48-49 D3
Tauste o• E 22-23 F3
Tavas ☆ TR 28-29 G4
Tavda ~ RUS 38-39 J4
Taveta o EAK 82-83 F6
Tavira o• P 22-23 C5
Tavoliere ⌐ I 24-25 E4
Távora, Rio ᐦ P 22-23 C3
Tavoy o MYA 52-53 F5
Tavșanlı ☆ TR 28-29 G3
Tawau o MAL 54-55 F5
Tawitawi Island ᐦ RP 56-57 C4
Taxco de Alarcon o• MEX 100-101 G7
Taxkorgan o CN 44-45 C4
Tay ~ GB 14-15 D3
Tayabamba o PE 112-113 D3
Tâyebâd o• IR 48-49 K4
Tây Ninh o VN 54-55 D3
Taytay o RP 56-57 C3
Taz ~ RUS 38-39 M2
Taza ☆ MA 76-77 F3
Tāzirbū o LAR 78-79 E3
Tazovskaja guba ≈ RUS 38-39 K2
Tazovskij ☆ RUS 38-39 L2
Tazovskij poluostrov ᐧ RUS 38-39 K2
Tazrouk o DZ 76-77 J5
Tbilisi ★• GE 48-49 F2
Tchad ■ TCH 78-79 D5
Tchad, Lac o 80-81 G3
Tchaoun, Baie de la ≈ RUS 40-41 N1
Tchechskaïa, Baie ≈ RUS 4-5 R1
Tcheliabinsk ☆ RUS 38-39 H4
Tchèque, République ⌐ CZ 20-21 B4
Tcheremkhovo o RUS 38-39 Q5
Tcherski, Monts ▲ RUS 40-41 G1
Tchétchénie □ RUS 42-43 G3
Tchibanga ᐦ G 80-81 G6
Tchibemba o ANG 86-87 B5
Tchimkent ⌐ KZ 42-43 J3
Tcholliré o CAM 80-81 G4
Tchoudes, Lac des o RUS 12-13 M2
Tchouktches, Mer des ≈40-41 R1
Tchouktches, Presqu'île des ᐧ RUS 40-41 Q1
Tchouvachie, République □ RUS 30-31 M4
Tczew o• PL 20-21 E1
Te Anau o NZ 64-65 H6
Te Araroa o NZ 64-65 K4
Tebessa o• DZ 76-77 J2
Tebingtinggi o RI 54-55 B5
Techia o EH 76-77 E5
Tecka o RA 116-117 D6
Tecoman o MEX 100-101 F7
Tecuci o RO 26-27 H3
Tedžen o TM 42-43 H4
Tees ~ GB 14-15 E4
Tefé o BR 114-115 F3
Tefé, Rio ~ BR 112-113 F2
Tefenni o TR 28-29 G4
Tegal o RI 54-55 D7
Tegernsee o D 18-19 E5
Tégouma ~ RN 80-81 G2
Tegua = Île Tegua ᐦ VU 68-69 G3
Teguan, Île = Tegua ᐦ VU 68-69 G3
Tegucigalpa ★•• HN 104-105 D5
Te Hapua o NZ 64-65 J3
Tehek Lake o CDN 96-97 L5
Téhéran ★• IR 48-49 H3
Tehrān ★•• IR 48-49 H3
Tehuacan o• MEX 100-101 G7
Tehuantepec, Golfo de ≈ MEX 104-105 B4
Tehuantepec, Istmo de ᒥ MEX 104-105 C4
Tehumardi o EST 12-13 K2
Tejkovo ☆ RUS 30-31 J3
Tejo, Rio ~ P 22-23 B4
Tekezê Wenz ~ ETH 82-83 F3
Tekirdağ ☆ TR 28-29 F2
Tekouiat, Oued ~ DZ 76-77 H5

Te Kuiti o NZ 64-65 K4
Tel Aviv-Jaffa ☆ IL 48-49 D4
Telč o CZ 20-21 C4
Telč o••• CZ 20-21 C4
Telefomin o PNG 68-69 B2
Telenešť = Telenești o MD 26-27 J2
Telenești o MD 26-27 J2
Telenești = Telenești o MD 26-27 J2
Teleorman ~ RO 26-27 G3
Telescope Peak ▲ USA 100-101 C3
Teles Pires ou São Manuel, Rio ~ BR 114-115 C4
Telfer o• AUS 62-63 C4
Télimélé o RG 80-81 B3
Teller o USA 92-93 J2
Telpoziz, gora ▲ RUS 4-5 T2
Telsen o RA 116-117 D6
Telšiai o•• LT 12-13 K4
Telukbetung = Bandar Lampung ☆ RI 54-55 D7
Tematangi Atoll ᐦ F 70-71 J5
Tembe Elefant Reserve ⊥ ZA 86-87 F7
Tembenči ~ RUS 38-39 O2
Temblador o YV 110-111 E3
Tembo, Chutes ~ CGO 86-87 C3
Temeschwar ☆• RO 26-27 E3
Temírtau o KZ 42-43 K1
Temnikov o RUS 30-31 K4
Témpio Pausánia o I 24-25 B4
Temple o USA 102-103 D4
Tempoal de Sánchez o MEX 100-101 G6
Temrjuk o RUS 32-33 E5
Temuco ☆ RCH 116-117 C5
Tenáli o IND 52-53 D3
Tenasserim = Taninthari o MYA 52-53 F5
Tenby o• GB 14-15 D6
Tendrara o MA 76-77 G3
Tendrivs'ka Kosa ᒥ UA 26-27 K2
Tendrivs'ka Kosa ᒥ UA 32-33 B4
Ténéré ᒥ RN 80-81 G2
Ténéré du Tafassasset ᒥ RN 78-79 C4
Tenerife ᐦ F 70-71 H4
Ténès o DZ 76-77 H2
Tengréla ☆ CI 80-81 C3
Tenguiz, Lac de o KZ 42-43 J1
Tenharim/Transamazônica, Área Indígena ⌗ BR 114-115 B3
Tenika • RM 84-85 F5
Teṇiz köli ~ KZ 42-43 J1
Tenke o CGO 86-87 E4
Tenkodogo ☆• BF 80-81 D3
Tennessee o USA 102-103 F3
Tennessee River ~ USA 102-103 F3
Teno ~ FIN 8-9 O2
Tentolotianan, Gunung ▲ RI 56-57 D5
Teófilo Otoni o BR 114-115 F5
Teofipol' ☆ UA 20-21 J4
Teos • TR 28-29 F3
Tepelenë ☆•• AL 28-29 C2
Tepic ☆ MEX 100-101 F6
Teplice o CZ 20-21 B3
Teploe ☆ RUS 30-31 J4
Tepoto (Nord), Île ᐦ F 70-71 J3
Teques, Los ☆ YV 110-111 D2
Téra o RN 80-81 E3
Tera, Río ~ E 22-23 D3
Téramo o I 24-25 D3
Tercero, Río ~ RA 116-117 E4
Tereblja ~ UA 20-21 G4
Terebovlja ☆ UA 20-21 H4
Terek ~ GE 48-49 F2
Terek o RUS 42-43 D3
Teresina o BR 114-115 F3
Tereška ~ RUS 30-31 M5
Termez ☆• UZ 42-43 J4
Términi Imerese o I 24-25 D6
Términi Imerese, Golfo di ≈24-25 D5
Terminillo, Monte ▲• I 24-25 D3
Términos, Laguna de ≈ MEX 104-105 C4
Térmoli o I 24-25 E3
Ternate o• RI 56-57 E5

Ternej o RUS 46-47 J2
Terni ☆ I 24-25 D3
Ternopil' ☆ UA 20-21 H4
Ternopol' = Ternopil' ☆ UA 20-21 H4
Terpenia, Baie ≈ RUS 40-41 H5
Terpenija, mys ▲ RUS 40-41 H5
Terrace o CDN 94-95 F5
Terracina o I 24-25 D4
Terràk o N 8-9 G4
Terralba o I 24-25 B5
Terre du Nord ᐦ RUS 118 A
Terre Haute o USA 102-103 F3
Terre-Neuve, Grands Bancs de ≃98-99 O5
Terre-Neuve, Île de ᐦ CDN 98-99 N5
Territoire de la capitale d'Australie □ AUS 64-65 E4
Territoire-du-Nord □ AUS 62-63 E3
Territoire du Yukon □ CDN 94-95 D3
Tersakan Gölü o TR 48-49 D3
Terschelling ᐦ NL 18-19 B2
Teruel o••• E 22-23 F3
Tervel o BG 26-27 H4
Tervo o FIN 10-11 O3
Tervola o FIN 8-9 N3
Teseny o ER 82-83 F3
Teshekpuk Lake o USA 92-93 M1
Tes-Hem ~ RUS 44-45 G1
Teslin River ~ CDN 94-95 E3
Tessalit o RMM 76-77 H3
Tessaoua o RN 80-81 F3
Tessiner Alpen = Alpi Ticinese ▲ CH 18-19 D5
Teste, la o F 16-17 D4
Têt ᐦ F 16-17 F5
Tetas, Punta ▲ RCH 116-117 C2
Tete o MOC 86-87 F5
Teteriv ~ UA 32-33 B2
Teterow o• D 18-19 F2
Teteven o BG 26-27 G4
Tetiaroa Atoll ᐦ F 70-71 H4
Tetijiv ☆ UA 20-21 K4
Tétouan ☆• MA 76-77 F2
Tetovo o• MK 26-27 E4
Teuco, Río ~ RA 116-117 E2
Teulada o I 24-25 B5
Teulada, Capo ▲ I 24-25 B5
Teutoburger Wald ▲ D 18-19 C2
Tevriz ☆ RUS 38-39 K4
Texarkana o USA 102-103 E4
Texas □ USA 102-103 C4
Texel ᐦ NL 18-19 B2
Texoma, Lake o USA 102-103 D4
Thabazimbi o ZA 86-87 E6
Thafmakó o GR 28-29 D3
Thailand, Gulf of ≈54-55 C3
Thaïlande ■ T 54-55 B3
Thaïlande, Golfe de ≈54-55 C3
Thái Nguyên ☆ VN 54-55 D1
Thalang o T 54-55 B4
Thale Luang ≈ T 54-55 C4
Thamise ~ GB 14-15 F6
Thana = Thane o IND 52-53 B3
Thane = Thana o IND 52-53 B3
Thanh Hóa o VN 54-55 D2
Thành Phô Hô Chí Minh ☆•• VN 54-55 D3
Thanjavur o••• IND 52-53 C4
Thanlwin Myit ~ MYA 52-53 F4
Thar, Désert de ᒥ PK 50-51 H3
Tharâd o IND 52-53 B2
Thargomindah o AUS 62-63 G5
Thárros • I 24-25 B5
Tharsis o E 22-23 C5
Thássos o GR 28-29 E2
Thássos ᐦ GR 28-29 E2
Thaton o MYA 52-53 F4
Thatta o••• PK 50-51 H4
Thayetmyo o MYA 52-53 F4
Thebes ∴•• ET 78-79 G3
Thèbes o GR 28-29 D3
The Calvados Chain ᐦ PNG 68-69 D3

The Grenadines ⌒ **WV** 104-105 J5
Thelon River ~ **CDN** 96-97 K5
Theodore Roosevelt National Park North
  Unit ⊥ **USA** 100-101 F1
Thesálie = Thessadía ⌣ **GR** 28-29 C3
Thessadía ⌣ **GR** 28-29 C3
Thessalonique ☆••• **GR** 28-29 D2
Thessalonique, Golfe de ≈28-29 D2
Thetford ○ **GB** 14-15 G5
The Twelve Apostles •• **AUS** 64-65 C4
The Wash ≈14-15 G5
Thiamis ⌣ **GR** 28-29 C3
Thiès ☆• **SN** 80-81 A3
Thika ○ **EAK** 82-83 F6
Thimphu ★• **BHT** 52-53 E1
Þingvallavatn ○ **IS** 8-9 c2
Thingvallavatn = Þingvallavatn ○ **IS**
  8-9 c2
Þingvellir ○• **IS** 8-9 c2
Thingvellir = Þingvellir ○• **IS** 8-9 c2
Thio ○ **F** 68-69 G5
Thionville ○ **F** 16-17 H2
Thíra ○ **GR** 28-29 E4
Thirsk ○ **GB** 14-15 F4
Thiruvananthapuram ☆• **IND** 52-53 C5
Thísbi ○ **GR** 28-29 D3
Thisted ○ **DK** 12-13 C3
Þjóðgarður Skaftafell ⊥ **IS** 8-9 e2
Thjóðgarður Skaftafell = Þjóðgarður
  Skaftafell ⊥ **IS** 8-9 e2
Þórisvatn ○ **IS** 8-9 d2
Thórisvatn = Þórisvatn ○ **IS** 8-9 d2
Thorshavn = Tórshavn ☆ **FR** 10-11 a1
Þórshöfn ○ **IS** 8-9 f1
Thórshöfn = Þórshöfn ○ **IS** 8-9 f1
Thouars ○ **F** 16-17 D3
Thouet ~ **F** 16-17 D3
Thourout = Torhout ○ **B** 18-19 A3
Thrakiko Pelagos ≈28-29 E2
Þrándarjökull ⊂ **IS** 8-9 f2
Thrándarjökull = Þrándarjökull ⊂ **IS**
  8-9 f2
Three Kings, Dorsale des ≈64-65 J2
Three Kings Islands ⌒ **NZ** 64-65 J3
Three Points, Cape ▲ **GH** 80-81 D5
Thua ~ **EAK** 82-83 F6
Thu Dâu Môt ○ **VN** 54-55 D3
Thule = Qaanaaq ☆ **GRØ** 96-97 R2
Thuli ○ **ZW** 86-87 E6
Thunder Bay ○ **CDN** 98-99 G5
Thung Song ○ **T** 54-55 B4
Thuringe ⊟ **D** 18-19 E3
Thuringe, Forêt de ▲ **D** 18-19 E3
Thurles = Durlas ○ **IRL** 14-15 C5
Thurso ○ **GB** 14-15 E2
Thurston, Île ⌒ **ANT** 119 B27
Thury-Harcourt ○ **F** 16-17 D2
Thyborøn ○ **DK** 12-13 C3
Tianjin ☆ **CN** 46-47 E3
Tianjin Shi ⊟ **CN** 46-47 E3
Tianjun ○ **CN** 44-45 G4
Tian Shan ▲ **CN** 44-45 D3
Tianshui ○ **CN** 44-45 D4
Tianyang ○ **CN** 46-47 C6
Tiaret ☆• **DZ** 76-77 H2
Tibaji ○ **BR** 114-115 D6
Tibati ○ **CAM** 80-81 G4
Tibboburra ○ **AUS** 64-65 C2
Tibesti ▲ **TCH** 78-79 D4
Tibesti, Sarīr ⊥ **LAR** 78-79 D4
Tibet ⊟ **CN** 44-45 D5
Tibet ⊟ **CN** 44-45 F5

Tibles, Munții ▲ **RO** 26-27 F2
Tibre ~ **I** 24-25 D3
Tiburon, Pulau ⌒ **MAL** 54-55 C5
Tiburón, Isla ⌒ **MEX** 100-101 D5
Tichît ○ **RIM** 76-77 F6
Tichkatine, Oued ~ **DZ** 76-77 H5
Tidikelt ⊥ **DZ** 76-77 H4
Tidjikja ⋆ **RIM** 76-77 E6
Tieli ○ **CN** 40-41 E5
Tieling ○ **CN** 46-47 F2
Tielong ○44-45 C5
Tielt ○ **B** 18-19 A3
Tientsin ☆ **CN** 46-47 E3
Tierra del Fuego ⌒ **RA** 116-117 D8
Tierra del Fuego ⌒ **RCH** 116-117 D8
Tifu ○ **RI** 56-57 E6
Tighina ○ **MD** 26-27 J2
Tigre ~ **IRQ** 48-49 G4
Tigre, Río ~ **PE** 112-113 E2
Tiguent ○ **RIM** 76-77 D6
Tihāma ⊥ **YAR** 50-51 C5
Tihoreck ○ **RUS** 32-33 G5
Tihoreck ○ **RUS** 42-43 D2
Tihvin ○ **RUS** 30-31 E2
Tihvinskaja grjada ▲ **RUS** 30-31 E2
Tijuana ○• **MEX** 100-101 C4
Tikal, Parque Nacional ⊥••• **GCA**
  104-105 D4
Tikamgarh ○ **IND** 52-53 C4
Tikehau Atoll ⌒ **F** 70-71 H3
Tikei, Île ⌒ **F** 70-71 J3
Tikopia ○ **SOL** 68-69 G3
Tiksi ☆ **RUS** 38-39 V1
Tiladummati Atoll ⌒ **MV** 52-53 B5
Tilāl an-Nūba ▲ **SUD** 82-83 E3
Tilburg ○ **NL** 18-19 B3
Tilemsi ~ **RMM** 80-81 E2
Tiličiki ○ **RUS** 40-41 N2
Tillabéri ☆ **RN** 80-81 E3
Tilos ~ **GR** 28-29 F4
Tilsit ○• **RUS** 12-13 J4
Timan, Monts ▲ **RUS** 4-5 R1
Timanskij krjaž ▲ **RUS** 4-5 R1
Timaru ○ **NZ** 64-65 J5
Timaševsk ○ **RUS** 32-33 F5
Timbedgha ○ **RIM** 76-77 F6
Timber Creek ○ **AUS** 62-63 E3
Timbuktu = Tombouctou ○••• **RMM**
  80-81 D2
Timétrine, Djebel ▲ **RMM** 80-81 D2
Timgad ○••• **DZ** 76-77 J2
Timimoun ○• **DZ** 76-77 H4
Timiş ~ **RO** 26-27 F3
Timişoara ☆• **RO** 26-27 E3
Timmins ○ **CDN** 98-99 H5
Timok ~ **SRB** 26-27 F3
Timor ⌒56-57 E7
Timor, Fosse de ≃56-57 D7
Timor, Mer de ≈56-57 E7
Timor Oriental ■ **TL** 56-57 E7
Timor Sea ≈56-57 E8
Timor Trough ≃56-57 D7
Timoudi ○ **DZ** 76-77 G4
Timpton ~ **RUS** 40-41 E3
Timra ○ **S** 10-11 J3
Tinakula Island ⌒ **SOL** 68-69 G3
Tindouf ○• **DZ** 76-77 F4
Tindouf, Sebkha de ○ **DZ** 76-77 F4
Tineo ~ **E** 22-23 C2
Tinfouchy ○ **DZ** 76-77 F4
Tingal ▲ **SUD** 82-83 E3
Tingo Maria ○ **PE** 112-113 D3
Tingsryd ○ **S** 12-13 F3
Tingstäde ○ **S** 12-13 H3
Tingvoll ○ **N** 10-11 E3
Tinhert, Hamada de ⊥ **DZ** 76-77 J4
Tinkisso ~ **RG** 80-81 C3
Tínos ○ **GR** 28-29 E4
Tínos ⌒ **GR** 28-29 E4
Tintern Abbey •• **GB** 14-15 E6
Tintina ○ **RA** 116-117 E3

Tiobraid Árann = Tipperary ○ **IRL**
  14-15 B5
Tioman, Pulau ⌒ **MAL** 54-55 C5
Tioumen ☆ **RUS** 38-39 J4
Tipaza ☆••• **DZ** 76-77 H2
Tipperary = Tiobraid Árann ○ **IRL**
  14-15 B5
Tiracambu, Serra do ▲ **BR** 114-115 E2
Tirahart, Oued ~ **DZ** 76-77 H5
Tirana ★• **AL** 28-29 B2
Tiranë ★ **AL** 28-29 B2
Tirapata ○ **PE** 112-113 E4
Tiraspol ☆ **MD** 26-27 J2
Tirband-e Torkestán, Selsele-ye Kūh-e
  ▲ **AFG** 42-43 J4
Tire ☆ **TR** 28-29 F3
Tiree ⌒ **GB** 14-15 C3
Tirich Mir ▲ **PK** 42-43 K4
Tirreno, Mar ≈ **I** 24-25 C5
Tirso ~ **I** 24-25 B5
Tirso = Lago Omodeo ○ **I** 24-25 B4
Tiruchchirappälli ○ **IND** 52-53 C4
Tirunelveli ○• **IND** 52-53 C5
Tirupati ○• **IND** 52-53 C4
Tiruppur ○ **IND** 52-53 C4
Tisa ~ **SRB** 26-27 E3
Tisa ~ **UA** 20-21 G4
Tîs Isat Fwafwatë = Blue Nile Falls
  ~•• **ETH** 82-83 F3
Tisza ~ **H** 26-27 E2
Titicaca, Lago ○ **PE** 112-113 F5
Titiwaifuru ○ **RI** 56-57 G6
Titograd = Podgorica ★ **MNE** 26-27 D4
Titova Mitrovica = Kosovska Mitrovica
  ○ **SRB** 26-27 E4
Titov Drvar ○ **BIH** 26-27 C3
Titovo Užice = Užice ○ **SRB** 26-27 D4
Titov Veles = Veles ○• **MK** 26-27 E5
Titu ○ **RO** 26-27 G3
Titule ○ **CGO** 82-83 D5
Titwän ☆• **MA** 76-77 F2
Tivoli ○ **I** 24-25 D4
Tiya ••• **ETH** 82-83 F4
Tizimín ○ **MEX** 104-105 D3
Tizi Ouzou ☆• **DZ** 76-77 H2
Tiznit ☆ **MA** 76-77 F4
Tjan'-Šan' ▲ **RUS** 42-43 K3
Tjeggelvas ○ **S** 8-9 J3
Tjörn ⌒ **S** 12-13 D3
Tjukalinsk ○ **RUS** 38-39 K4
Tjukjan ~ **RUS** 38-39 T2
Tjulender araly ⌒ **KZ** 42-43 F2
Tjung ~ **RUS** 38-39 T2
Tlacotalpan ○• **MEX** 104-105 B4
Tlemcen ☆• **DZ** 76-77 G2
Tmassah ○ **LAR** 78-79 D3
Toamasina ☆ **RM** 84-85 F4
Toau Atoll ⌒ **F** 70-71 H4
Tobago ⌒ **TT** 104-105 J5
Toba Kãkar Range ▲ **PK** 50-51 H2
Tobarra ○ **E** 22-23 F4
Tobelo ○ **RI** 56-57 E5
Tobermory ○ **GB** 14-15 C3
Tobi Island ⌒56-57 F5
Toboali ○ **RI** 54-55 D6
Tobol ~ **RUS** 38-39 J4
Tobol'sk ☆• **RUS** 38-39 J4
Tobrouq ○ **LAR** 78-79 E2
Tocantins ⊟ **BR** 114-115 E4
Tocantins, Rio ~ **BR** 114-115 E3
Toco ○ **RCH** 116-117 D2
Tocopilla ○ **RCH** 116-117 C1
Todeli ○ **RI** 56-57 D5
Tödi ▲ **CH** 18-19 D5
Todi ○• **I** 24-25 D3
Todos Santos ○ **MEX** 100-101 D6
Toekomstig-stuwmeer ○ **SME**
  110-111 F4
Töfsingdalens nationalpark ⊥ **S**
  10-11 G3
Toga = Île Toga ⌒ **VU** 68-69 G3
Togian, Kepulauan ⌒ **RI** 56-57 D5

Togo ■ **RT** 80-81 E4
Togtoh ○ **CN** 46-47 D2
Toivala ○ **FIN** 10-11 O3
Tökar ○ **SUD** 78-79 H5
Tokara-kaikyō ≈ **J** 46-47 G4
Tokara-rettō ⌒ **J** 46-47 G5
Tokat ☆• **TR** 48-49 E2
Tokelau, Îles ⌒• **NZ** 70-71 C2
Tok Junction ○ **USA** 92-93 O3
Tokmak ○ **UA** 32-33 D4
Tokoroa ○ **NZ** 64-65 K4
Tokuno Shima ⌒ **J** 46-47 G5
Tokushima ☆ **J** 46-47 H4
Tôkyō ★• **J** 46-47 J3
Tôlañaro ○• **RM** 84-85 F6
Tolbuchin = Dobrič ○ **BG** 26-27 H4
Tolbuhin = Dobrič ○ **BG** 26-27 H4
Tolède ○••• **E** 22-23 D4
Tolède, Monts de ▲ **E** 22-23 D4
Toledo ○ **USA** 102-103 G2
Toledo Bend Reservoir ○ **USA**
  102-103 E4
Toliara ☆• **RM** 84-85 E5
Tolitoli ○ **RI** 56-57 D5
Tollja, zaliv ○ **RUS** 38-39 Q0
Tolmačovo ○ **RUS** 30-31 C2
Tolo, Golfe de ≈ **RI** 56-57 D5
Tolosa ○ **E** 22-23 E2
Toltén ○ **RCH** 116-117 C5
Toluca ☆• **MEX** 100-101 G7
Tom' ~ **RUS** 38-39 N5
Tomakomai ○ **J** 46-47 K2
Tomaniivi ▲ **FJI** 70-71 A4
Tomar ○••• **P** 22-23 B4
Tomarovka ○ **RUS** 32-33 E2
Tomaszów Lubelski ○ **PL** 20-21 G3
Tomaszów Mazowiecki ○ **PL** 20-21 E3
Tomat ○ **SUD** 82-83 F3
Tombador, Serra do ▲ **BR** 114-115 C4
Tombigbee River ~ **USA** 102-103 F4
Tombouctou ○••• **RMM** 80-81 D2
Tombua ○ **ANG** 86-87 B5
Tomelloso ○ **E** 22-23 E4
Tomini, Golfe de ≈ **RI** 56-57 D5
Tomkinson Ranges ▲ **AUS** 62-63 D3
Tomma ~ **N** 8-9 G3
Tommot ○ **RUS** 40-41 E3
Tomorrit, Mali i ▲ **AL** 28-29 C2
Tomsk ☆• **RUS** 38-39 N4
Tonantins ○ **BR** 112-113 F2
Tondano ○ **RI** 56-57 D5
Tønder ○• **DK** 12-13 C4
Tonga ■ **TO** 70-71 C4
Tonga, Dorsale de ≃70-71 B5
Tonga, Fosse des ≃70-71 C5
Tonga, Îles ⌒ **TO** 70-71 C5
Tongareva = Penrhyn Atoll ⌒ **CK**
  70-71 F2
Tonga Ridge ≃70-71 B5
Tongariro National Park ⊥••• **NZ**
  64-65 K4
Tongatapu ⌒ **TO** 70-71 C5
Tonga Trench ≃70-71 C5
Tongchuan ○ **CN** 46-47 C3
Tonghua ○ **CN** 46-47 F2
Tongliao ○ **CN** 46-47 F2
Tongling ○ **CN** 46-47 E4
Tongren ○ **CN** 46-47 C5
Tongue ○• **GB** 14-15 D2
Tonk ○ **IND** 52-53 C1
Tonkin, Golfe du ≈54-55 D2
Tonkin, Gulf of ≈54-55 D2
Tônlé Sab ○ **K** 54-55 C3
Tonnerre ○ **F** 16-17 F3
Tonopah ○ **USA** 100-101 C3
Tønsberg ☆ **N** 10-11 E3
Tonstad ☆ **N** 10-11 D3
Toompine ○ **AUS** 62-63 G5
Toowoomba ○ **AUS** 62-63 J5
Topeka ☆ **USA** 102-103 D3
Toplița ○ **RO** 26-27 G2
Topola ○• **SRB** 26-27 E3

Topolovgrad o **BG** 26-27 H4
Topolovka o **RUS** 40-41 M2
Top Springs o **AUS** 62-63 E3
Tor o **ETH** 82-83 E4
Torbat-e Heidarīye ↗ **IR** 48-49 J3
Torbay o **GB** 14-15 E6
Tordesillas o **E** 22-23 D3
Töre o **S** 8-9 M4
Torelló o **E** 22-23 H2
Torgáj o **KZ** 42-43 H2
Torgáj ↝ **KZ** 42-43 H2
Torgáj kolaty ↢ **KZ** 42-43 H2
Torgáj üstírtí ▲ **KZ** 42-43 H1
Torgau o **D** 18-19 F3
Torgun ↝ **RUS** 32-33 K2
Torhout o **B** 18-19 A3
Torino o• **I** 24-25 A2
Tori-shima ↝ **J** 46-47 K4
Torit o **SUD** 82-83 E5
Tormes, Río ↝ **E** 22-23 D3
Tormosin o **RUS** 32-33 H3
Torneälven ↝ **S** 8-9 M3
Torneträsk ↔ **S** 8-9 K2
Torngat Mountains ▲ **CDN** 98-99 M3
Tornik ▲ **SRB** 26-27 D4
Tornio o **FIN** 8-9 N4
Tornionjoki ↝ **FIN** 8-9 M3
Tornquist o **RA** 116-117 E5
Toro o **E** 22-23 D3
Toro, Cerro del ▲ **RA** 116-117 D3
Toro, Isla del ↰ **MEX** 100-101 G6
Törökszentmiklós o **H** 26-27 E2
Toronto ✩ • **CDN** 98-99 J6
Toropec o **RUS** 30-31 D3
Tororo o **EAU** 82-83 E5
Toros Dağları ▲ **TR** 48-49 D3
Torrabaai o **NAM** 86-87 B6
Torrão o **P** 22-23 B4
Torre del Greco o **I** 24-25 E4
Torre de Moncorvo o **P** 22-23 C3
Torrelaguna o **E** 22-23 F3
Torrelavega o **E** 22-23 D2
Torremolinos o **E** 22-23 D5
Torreón o **MEX** 100-101 F5
Torre-Pacheco o **E** 22-23 F5
Torres o• **BR** 116-117 H3
Torres, Détroit de ≈68-69 B2
Torres, Îles = Torres Islands ↰ **VU** 68-69 G3
Torres Islands = Îles Torres ↰ **VU** 68-69 G3
Torres Novas o **P** 22-23 B4
Torres Strait ≈68-69 B2
Torres Trench ≃68-69 G3
Torres Vedras o **P** 22-23 B4
Torrevieja o **E** 22-23 F5
Torrijos o **E** 22-23 D4
Torrón o **S** 10-11 G3
Torsås ✩ **S** 10-11 G3
Torsby ✩ • **S** 10-11 G4
Tórshavn ✩ **FR** 10-11 a1
Torsö ↝ **S** 12-13 E2
Tórtoles de Esgueva o **E** 22-23 D3
Tortona o **I** 24-25 B2
Tortosa o **E** 22-23 G3
Tortosa, Cap de ▲ **E** 22-23 G3
Tortuga, Isla La ↝ **YV** 110-111 D2
Toruń o **PL** 20-21 E2
Torup o **S** 12-13 E3
Tõrva o•• **EST** 12-13 L2
Toržkovskaja grjada ▲ **RUS** 30-31 F3
Toržok ✩ **RUS** 30-31 F3
Torzym o **PL** 20-21 C2
Toscane ▫ **I** 24-25 C3
Toškent ★•• **UZ** 42-43 J3
Tosno ✩ **RUS** 30-31 D2
Tostado o **RA** 116-117 E3
Tõstamaa o **EST** 12-13 K2
Toteng o **RB** 86-87 D6
Tôtes o **F** 16-17 E2
Tot'ma o **RUS** 30-31 K2
Totness ✩ **SME** 110-111 F3

Tottori ✩ **J** 46-47 H3
Touapse o **RUS** 42-43 C3
Touba o **CI** 80-81 C4
Touba o• **SN** 80-81 A3
Toubkal, Jbel ▲ **MA** 76-77 F3
Toucy o **F** 16-17 F3
Tougan o **BF** 80-81 D3
Touggourt o• **DZ** 76-77 J3
Touho o **F** 68-69 G5
Toul o **F** 16-17 G2
Toula ✩•• **RUS** 30-31 G4
Toulépleu o **CI** 80-81 C4
Toulon ✩ **F** 16-17 G5
Toulouse ✩•• **F** 16-17 E5
Toungoo o **MYA** 52-53 F4
Touran, Dépression de ↝42-43 G4
Touriñán, Cabo ▲ **E** 22-23 B2
Tournai o• **B** 18-19 A3
Tournus o **F** 16-17 G3
Touros o **BR** 114-115 G3
Tours o **F** 16-17 E3
Tous, Embalse de ⟨ **E** 22-23 F4
Touside, Pic ▲ **TCH** 78-79 D4
Touva, République de ▫ **RUS** 44-45 F1
Tovarkovskij o **RUS** 30-31 H5
Tovdalselva ↝ **N** 10-11 E5
Tower Peak ▲ **AUS** 62-63 C6
Townsville o•• **AUS** 62-63 H3
Towot o **SUD** 82-83 E4
Towuti, Danau ↝ **RI** 56-57 D5
Toxkan He ↝ **CN** 42-43 L3
Toyama ✩ **J** 46-47 J3
Toyohashi o **J** 46-47 J4
Tozeur ✩• **TN** 76-77 J3
Trabária, Bocca ▲ **I** 24-25 D3
Trácino o **I** 24-25 D6
Trænstaven ↰ **N** 8-9 F3
Tragacete o **E** 22-23 F3
Trail o **CDN** 94-95 H6
Traill Ø ↝ **GRØ** 96-97 a3
Trakai ✩ **LT** 12-13 L4
Trakošćan • **HR** 26-27 B2
Tralee = Trá Lí ✩ **IRL** 14-15 B5
Trá Lí = Tralee ✩ **IRL** 14-15 B5
Trallwng = Welshpool o• **GB** 14-15 E5
Tràn o **BG** 26-27 F4
Tranås ✩ **S** 12-13 F2
Trancas o **RA** 116-117 D3
Tranche-sur-Mer, la o **F** 16-17 D3
Trang o **T** 54-55 B4
Trangan, Pulau ↰ **RI** 56-57 F7
Trans-Himalaya ▲ **CN** 44-45 D5
Transilvani, Podişul ↝ **RO** 26-27 F2
Transylvanie o **RO** 26-27 F2
Transylvanie, Alpes de ▲ **RO** 26-27 F3
Trápani o **I** 24-25 D5
Traralgon o **AUS** 64-65 D4
Trârza ⊥ **RIM** 76-77 D6
Trasimène, Lac o **I** 24-25 D3
Trás os Montes e Alto Douro ⊥ **P** 22-23 C3
Travemünde o **D** 18-19 E2
Traverse City o **USA** 102-103 F2
Trbovlje o **SLO** 26-27 B2
Třebíč o **CZ** 20-21 C4
Trebinje o **BIH** 26-27 D4
Trebisacce o **I** 24-25 F5
Trébizonde ✩•• **TR** 48-49 E2
Treinta y Tres ✩ **ROU** 116-117 G4
Trelew o **RA** 116-117 D6
Trelleborg o **S** 12-13 E4
Trémiti, Ísole ↰ **I** 24-25 E3
Tremp o **E** 22-23 G2
Trenčín o **SK** 20-21 E4
Trenque Lauquen o **RA** 116-117 E5
Trent ↝ **GB** 14-15 F5
Trente ✩•• **I** 24-25 C1
Trentino-Alto Ådige ▫ **I** 24-25 C1
Trenton o **USA** 102-103 J2
Trentschin o **SK** 20-21 E4
Tréport, Le o **F** 16-17 E1
Tres Arroyos o **RA** 116-117 E5

Tres Esquinas o **CO** (CA) 110-111 B4
Três Ilhas, Cachoeira das ↝ **BR** 114-115 C3
Treska ↝ **MK** 26-27 E5
Três Lagoas o **BR** 114-115 D6
Tres Lagos o **RA** 116-117 C7
Três Marias, Represa ⟨ **BR** 114-115 E5
Tres Montes, Cabo ▲ **RCH** 116-117 B7
Tres Puntas, Cabo ▲ **RA** 116-117 D7
Três Rios o **BR** 114-115 F6
Treuenbrietzen o **D** 18-19 F2
Trèves o••• **D** 18-19 C4
Treviglio o **I** 24-25 B2
Treviso ✩ **I** 24-25 D2
Trhâza ⁙•• **RMM** 76-77 F5
Tricase o **I** 24-25 G5
Trichur o• **IND** 52-53 C4
Trieste ✩• **I** 24-25 D2
Trieste, Golfe de ≈ **I** 24-25 D2
Trieste, Golfo di ≈ **I** 24-25 D2
Triglav ▲ **SLO** 26-27 A2
Triglavski Narodni Park ⊥ **SLO** 26-27 A2
Trigonon o **GR** 28-29 C2
Trikala o• **GR** 28-29 C3
Trim = Baile Átha Troim ✩• **IRL** 14-15 C5
Trincomalee o• **CL** 52-53 D5
Trinidad ✩ **BOL** 112-113 G4
Trinidad o••• **C** 104-105 F3
Trinidad ✩ **ROU** 116-117 F4
Trinidad o **USA** 100-101 F3
Trinidad, Isla ↰ **RA** 116-117 E5
Trinité ↰ **TT** 104-105 J5
Trinité-et-Tobago ▪ **TT** 104-105 J5
Trinity Bay ≈ **CDN** 98-99 O5
Trinity Islands ↰ **USA** 92-93 M4
Trinity River ↝ **USA** 102-103 D4
Trinkat Island ↰ **IND** 52-53 F5
Tripoli ★• **LAR** 78-79 C2
Tripoli ✩• **RL** 48-49 E4
Tripoli o **GR** 28-29 D4
Tripoli = Tarābulus ★• **LAR** 78-79 C2
Tripoli = Tarābulus o• **RL** 48-49 E4
Tripolitaine ⊥ **LAR** 78-79 C2
Tripolitania = Tarābulus ⊥ **LAR** 78-79 C2
Tripura o **IND** 52-53 F2
Triste, Golfo ≈ **YV** 110-111 D2
Trivalea-Moşteni o **RO** 26-27 G3
Trivandrum = Thiruvananthapuram ✩• **IND** 52-53 C5
Trnava o **SK** 20-21 D4
Trobriand Islands ↰ **PNG** 68-69 D2
Trocatá, Área Indígena ✕ **BR** 114-115 E2
Trofors o **N** 8-9 G4
Trogir o•• **HR** 26-27 C4
Troick ✩ **RUS** 42-43 H1
Troicko-Pečorsk ✩ **RUS** 4-5 T2
Trois-Rivières o **CDN** 98-99 K5
Trojan o **BG** 26-27 G3
Trollhättan ✩ **S** 12-13 E2
Trolltindane ▲↝ **N** 10-11 D3
Trombetas, Rio ↝ **BR** 110-111 F4
Trombudo Central o **BR** 116-117 H3
Tromsø ★• **N** 8-9 K2
Tronador, Cerro ▲ **RCH** 116-117 C6
Trondheim ✩•• **N** 10-11 F3
Trondheimsfjorden ≈10-11 E3
Troodos ▲ **CY** 48-49 D4
Tropea o **I** 24-25 E5
Tropojë o **AL** 28-29 C1
Trosna o **RUS** 30-31 F5
Trosna o **RUS** 32-33 D1
Trostjanec' o **UA** 32-33 D2
Trout Lake o **CDN** (NWT) 94-95 J3
Trout Lake o **CDN** (ONT) 98-99 F4
Troyes ✩•• **F** 16-17 G2
Trpanj o **HR** 26-27 C4
Trstenik o **SRB** 26-27 E4
Trubčevsk o **RUS** 30-31 E5
Trubčevsk o **RUS** 32-33 C1
Truck Island ↰ **FSM** 66-67 C4

Trujillo o• **E** 22-23 D4
Trujillo ✩ **HN** 104-105 D4
Trujillo o• **PE** 112-113 D3
Trujillo ✩ **YV** 110-111 C3
Truro o **CDN** 98-99 M5
Trutnov o **CZ** 20-21 C3
Truva (Troie) ⁙•• **TR** 28-29 F3
Trzebnica o• **PL** 20-21 D3
Trzemeszno o **PL** 20-21 D2
Tsaratanana o **RM** 84-85 F4
Tsaratanana ▲ **RM** 84-85 F3
Tsau o **RB** 86-87 D6
Tsavo o **EAK** 82-83 F6
Tsavo National Park ⊥ **EAK** 82-83 F6
Tshabong ✩ **RB** 86-87 D7
Tshela o **CGO** 86-87 B2
Tshikapa o **CGO** 86-87 D3
Tshimbulu o **CGO** 86-87 D3
Tshuapa ↝ **CGO** 86-87 D2
Tshunga, Chutes ↝ **CGO** 82-83 D5
Tsiafajavona ▲ **RM** 84-85 F4
Tsimliansk, Réservoir de ⟨ **RUS** 32-33 H4
Tsingy de Bamaraha Strict Nature Reserve ⊥•• **RM** 84-85 E4
Tsiombe o **RM** 84-85 F6
Tsiroanomandidy o **RM** 84-85 F4
Tsitsikamma National Park ⊥ **ZA** 86-87 D8
Tsugaru, Détroit de ≈46-47 K2
Tsugaru-kaikyō ≈46-47 K2
Tsumeb ✩ **NAM** 86-87 C5
Tsumkwe ✩ **NAM** 86-87 D5
Tsuruga o **J** 46-47 J3
Tsushima ↝ **J** 46-47 G4
Tswaane o **RB** 86-87 D6
Tuaim = Tuam o **IRL** 14-15 B5
Tuam = Tuaim o **IRL** 14-15 B5
Tuamoto, Îles ↝ **F** 70-71 H4
Tuamotu, Îles ↝ **F** 70-71 H3
Tuba ↝ **RUS** 38-39 O5
Tubai, Îles ↝ **F** 70-71 H5
Tuban o **RI** 54-55 E7
Tubarão o **BR** 116-117 H3
Tübingen o•• **D** 18-19 D4
Tubmanburg o **LB** 80-81 B4
Tucacas o **YV** 110-111 D1
Tucano o **BR** 114-115 G4
Tuchola o **PL** 20-21 D2
Tuchol'ka o **UA** 20-21 G4
Tucson o **USA** 100-101 D4
Tucumán o **RA** 116-117 D3
Tucumcari o **USA** 100-101 F3
Tucupita o **YV** 110-111 E3
Tucuruí o **BR** 114-115 E2
Tudela o **E** 22-23 F2
Tudu o **EST** 12-13 M2
Tufi o **PNG** 68-69 C2
Tuguegarao ✩ **RP** 56-57 D2
Tugur o **RUS** 40-41 G4
Tui o•• **E** 22-23 B2
Tukangbesi, Kepulauan ↰ **RI** 56-57 D6
Tuktoyaktuk o **CDN** 94-95 E2
Tukums ✩• **LV** 12-13 K3
Tukuyu o **EAT** 84-85 C2
Tulach Mhór = Tullamore o **IRL** 14-15 C5
Tulancingo o **MEX** 100-101 G6
Tulare o **USA** 100-101 C3
Tulcan ✩ **EC** 112-113 D1
Tulcea ★• **RO** 26-27 J3
Tul'čyn o **UA** 20-21 K4
Tullamore = Tulach Mhór o **IRL** 14-15 C5
Tulle ✩• **F** 16-17 E4
Tuloma ↝ **RUS** 8-9 R2
Tulppio o **FIN** 8-9 P3
Tulsa o• **USA** 102-103 D3
Tulua o **CO** 110-111 B4
Tulúm o **MEX** 104-105 D3
Tulun o **RUS** 38-39 Q5
Tulu Welel ▲ **ETH** 82-83 E4
Tuma o **RUS** 30-31 J4
Tumaco o **CO** 110-111 B4
Tumba ✩ **S** 12-13 G2

Tumbes ☆ **PE** 112-113 C2
Tumen o **CN** 46-47 G2
Tumeremo o **YV** 110-111 E3
Tumkür o **IND** 52-53 C4
Tumu o **GH** 80-81 D3
Tumucumaque, Parque Indígena do
　X **BR** 110-111 F4
Tumucumaque, Serra de ▲ **BR**
　110-111 F4
Tumut o **AUS** 64-65 D4
Tunceli ☆ **TR** 48-49 E3
Tunduma o **EAT** 84-85 C2
Tunduru o **EAT** 84-85 D3
Tundža ~ **BG** 26-27 H4
Tungaru o **SUD** 82-83 E3
Tungsten o **CDN** 94-95 F3
Tunis ★ ⋯ **TN** 76-77 K2
Tunisie ■ **TN** 76-77 J3
Tunja o **CO** 110-111 C3
Tunnsjøen o **N** 8-9 G4
Tuotuo Heyan o **CN** 44-45 F5
Tupã o **BR** 114-115 D6
Tupai Atoll ⌐ **F** 70-71 G4
Tupelo o **USA** 102-103 F4
Tupinambarana, Ilha ~ **BR** 114-115 C2
Tupiza o **BOL** 112-113 F6
Tupungato, Cerro ▲ **RA** 116-117 D4
Tuquerres o **CO** 110-111 B4
Tura ~ **RUS** 38-39 Q3
Tura ~ **RUS** 38-39 H4
Turaif o **KSA** 50-51 B2
Türan ojlety ⌣ **KZ** 42-43 H3
Turan persligi ⌣ 42-43 G4
Turanskaja nizmennost' ⌣ 42-43 G4
Turba o **EST** 12-13 L2
Turbat o **PK** 50-51 G3
Turbio, Río ~ **RA** 116-117 C8
Turbo o **CO** 110-111 B3
Turda o **RO** 26-27 F2
Turek o **PL** 20-21 E2
Turen o **RI** 54-55 E7
Türgen ▲ **MGL** 44-45 F2
Turgut o **TR** 28-29 H3
Turgutlu o **TR** 28-29 F3
Turhal ☆ · **TR** 48-49 E2
Türi o **EST** 12-13 L2
Turia, Río = Riu Túria ~ **E** 22-23 F3
Turiaçu o **BR** 114-115 E2
Turin ⋆ **I** 24-25 A2
Turka o **UA** 20-21 G4
Turkana, Lac o **EAK** 82-83 F5
Turkana, Lake o **EAK** 82-83 F5
Türkistan ⋆ **KZ** 42-43 J3
Türkmenbaši ⋆ **TM** 42-43 F3
Türkmen Daği ▲ **TR** 28-29 H3
Turkménistan ■ **TM** 42-43 G4
Turks et Caicos, Îles ⌐ **GB** 104-105 G3
Turks Islands ⌐ **GB** 104-105 G3
Turku = Åbo o · **FIN** 10-11 M4
Turkwel ~ **EAK** 82-83 F5
Turmantas o **LT** 12-13 M4
Turneffe Islands ⌐ **BH** 104-105 D4
Turnhout o **B** 18-19 B3
Turnu Măgurele o **RO** 26-27 G4
Turon Pasttekisligi ⌣ **UZ** 42-43 H3
Turpan o **CN** 44-45 E3
Türpsai = Järve o **EST** 12-13 M2
Turquie ■ **TR** 28-29 G3
Turuhansk o **RUS** 38-39 N2
Tuscaloosa o **USA** 102-103 F4
Tuscánia o · **I** 24-25 C3
Tutaev ~ **RUS** 30-31 H3
Tuticorin o **IND** 52-53 C5
Tutrakan o **BG** 26-27 H3
Tuttosoni, Nuraghe · **I** 24-25 B4
Tutuila Island ~ **USA** 70-71 C3
Tuul gol ~ **MGL** 44-45 J2
Tuusniemi o **FIN** 10-11 P3
Tuva, Respublika ▫ **RUS** 44-45 F1
Tuvalu ■ **TUV** 70-71 A2
Tuvalu Islands ⌐ **TUV** 70-71 A2
Ţuwaiq, Ģabal ▲ **KSA** 50-51 C4

Tŭwal o **KSA** 50-51 B4
Tuxpan de Rodríguez Cano o **MEX**
　100-101 G6
Tuxtla Gutiérrez ☆ · **MEX** 104-105 C4
Tuy Hòa o **VN** 54-55 D3
Tuz, Lac o **TR** 48-49 D3
Tuzla o · **BIH** 26-27 D3
Tuzlov ~ **RUS** 32-33 F4
Tværå o **FR** 10-11 a2
Tveitsund o **N** 10-11 E5
Tver ⋆ ⋅⋅ **RUS** 30-31 G3
Tverrfjelli ⌣ **N** 10-11 E3
Tweed ~ **GB** 14-15 E4
Twilight Cove ≈ **AUS** 62-63 D6
Twin Falls o **USA** 100-101 D2
Twin Peaks o **AUS** 62-63 B5
Twofold Bay ≈ **AUS** 64-65 D4
Tychy o **PL** 20-21 F4
Tylawa o **PL** 20-21 F4
Tyler o **USA** 102-103 D4
Tylihul ~ **UA** 20-21 K5
Tylihul's'kyj lyman ≈ 32-33 B4
Tylže = Sovetsk o · **RUS** 12-13 J4
Tymovskoe o **RUS** 40-41 H4
Tynda ⋆ **RUS** 40-41 D3
Tyndrum o **GB** 14-15 D3
Tyne ~ **GB** 14-15 F4
Tynset o **N** 10-11 F3
Tyrifjorden o **N** 10-11 F4
Tyrma o **RUS** 40-41 F4
Tyrol o **A** 18-19 E5
Tyrrhenian Basin ≃ 24-25 C5
Tyrrhenian Sea ≈ 24-25 C5
Tyrrhénien, Bassin ≃ 24-25 C5
Tyrrhénienne, Mer ≈ 24-25 C5
Tyrs Bjerge ▲ **GRØ** 96-97 W5
Tysnesøy ~ **N** 10-11 D4
Tzaneen o **ZA** 86-87 F6

U

Uaçá, Área Indígena X **BR** 110-111 G4
Uachtar Ard = Oughterard o **IRL**
　14-15 B5
Uati-Paraná, Área Indígena X **BR**
　112-113 F2
Uatuma, Rio ~ **BR** 114-115 C2
Uauá o **BR** 114-115 G3
Uaupés, Rio ~ **BR** 110-111 D4
Uaus, Ra's ▲ **OM** 50-51 F5
Ub o **SRB** 26-27 E3
Ubá o **BR** 114-115 F6
Ubangi ~ **BR** 114-115 E5
Ubar ∴· **OM** 50-51 E5
Ubarc' ~ **BY** 20-21 J3
Ube o **J** 46-47 H4
Úbeda o **E** 22-23 E4
Uberaba o **BR** 114-115 E5
Uberlândia o **BR** (MIN) 114-115 E5
Uberlândia o **BR** (ROR) 110-111 F4
Ubon Ratchathani o **T** 54-55 C2
Ubundu o **CGO** 86-87 E2
Ucayali, Río ~ **PE** 112-113 E3
Učkuduķ o **UZ** 42-43 H3
Úcua o **ANG** 86-87 B3
Učur ~ **RUS** 40-41 F3
Uda ~ **RUS** 40-41 F4
Udačnyj o **RUS** 38-39 S2
Udagamandalam o **IND** 52-53 C4
Udaipur o · **IND** 52-53 B2
Udbina o **HR** 26-27 B3
Uddeholm o · **S** 10-11 G4
Uddevalla o · **S** 12-13 F4
Uddjaure o **S** 8-9 J4
Údine o · **I** 24-25 D1
Udmurtskaja Respublika ▫ **RUS** 4-5 S3
Udon Thani o **T** 54-55 C2
Udupi o **IND** 52-53 B4

Udy ~ **RUS** 32-33 E2
Uedinenija, ostrov ~ **RUS** 38-39 M0
Uele ~ **CGO** 82-83 C5
Uèlen o · **RUS** 40-41 S1
Uelzen o **D** 18-19 E2
Uere ~ **CGO** 82-83 D5
Ugâle o **LV** 12-13 K3
Ugalla River Game Reserve ⊥ **EAT**
　84-85 C2
Ugashik Lake o **USA** 92-93 L4
Ugep o **WAN** 80-81 F4
Uglegorsk o **RUS** 40-41 H5
Uglič ☆ ⋅⋅ **RUS** 30-31 H3
Ugra o **RUS** 30-31 F4
Uherské Hradiště o **CZ** 20-21 D4
Úhlava ~ **CZ** 20-21 B4
Uholovo o **RUS** 30-31 J5
Uige ⋆ **ANG** 86-87 C3
Uintah and Ouray Indian Reservation
　X **USA** 100-101 D2
Uis Myn ~ **NAM** 86-87 B6
Uitenhage o **ZA** 86-87 E8
Ujae Atoll ⌐ **MH** 66-67 F4
Ujandina ~ **RUS** 40-41 H1
Ujar ⋆ **RUS** 38-39 O4
Ujdah o **MA** 76-77 G3
Ujelang Atoll ⌐ **MH** 66-67 E4
Ujjain o **IND** 52-53 C2
Ujung Pandang ⋆ **RI** 54-55 F7
Ukerewe Island ~ **EAT** 84-85 C1
Ukiah o **USA** 100-101 B3
Ukmergė ⋆⋅ **LT** 12-13 L4
Ukraine ■ **UA** 20-21 J4
Ula ⋆ **TR** 28-29 G4
'Ulã, al- o ⋅⋅ **KSA** 50-51 B3
Ulaanbaatar ★ **MGL** 44-45 J2
Ulaangom ⋆ **MGL** 44-45 F2
Ulahan-Bom, hrebet ▲ **RUS** 40-41 G2
Ulamona o **PNG** 68-69 D1
Ulamona o **PNG** 68-69 D2
Ulan o **CN** 44-45 H4
Ulanhot o **CN** 40-41 D5
Ulcinj o **MNE** 26-27 D5
Uleåborg o **FIN** 8-9 N4
Ulefoss o **N** 10-11 E5
Uliastaj ⋆ **MGL** 44-45 G2
Uliga ⋆ **MH** 66-67 G4
Ulindi ~ **CGO** 86-87 E2
Ul'inskij hrebet ▲ **RUS** 40-41 G3
Uljanivka o **RUS** 30-31 D2
Ul'janovka o **RUS** 12-13 K4
Ul'janovo o **RUS** 20-21 G1
Ul'janovsk = Simbirsk ⋆ **RUS** 42-43 E1
Ulla, Río ~ **E** 22-23 B2
Ulladulla o **AUS** 64-65 E4
Ullånger o **S** 10-11 K3
Ullapool o· **GB** 14-15 D3
Ullsfjorden ≈ 8-9 K2
Ulm o· **D** 18-19 D4
Ulricehamn o **S** 12-13 E3
Ulsan o **ROK** 46-47 G3
Ulu o **RUS** 40-41 E2
Ulubat Gölü o **TR** 28-29 G2
Uludağ ▲ **TR** 28-29 G2
Uludoruk Tepe ▲ **TR** 48-49 F3
Uluguru Mountains ▲ **EAT** 84-85 D2
Ulungur He ~ **CN** 44-45 F2
Ulungur Hu o **CN** 44-45 E2
Uluru-Kata Tjuta National Park ⊥ ⋯ **AUS**
　62-63 E5
Ulz gol ~ **MGL** 44-45 L2
Uman' ⋆ **UA** 32-33 B3
Umanak Fjord ≈ **GRØ** 96-97 U3
Umboi Island ~ **PNG** 68-69 C2
Umeå ⋆· **S** 10-11 L3
Umeälven ~ **S** 8-9 J3
Umfolozi Game Reserve ⊥ **ZA** 86-87 F7
Umm al Aranib o **LAR** 78-79 C3
Umm al-Hait, Wādī = Ibn Ħautar, Wādī
　~ **OM** 50-51 E5
Umm al 'Iẓam, Sabkhat o **LAR** 78-79 D2

Umm Dafag o **SUD** 82-83 C3
Umm Durmân o·· **SUD** 78-79 G5
Umm Sa'ad o **LAR** 78-79 F2
Umnak Island ~ **USA** 92-93 J5
Umtata o **ZA** 86-87 E8
Umuarama o **BR** 114-115 D6
Una o **BR** 114-115 G5
Una, Reserva Biológica de ⊥ **BR**
　114-115 G5
Unaí o **BR** 114-115 E5
'Unaiza o **KSA** 50-51 C3
Unalakleet o **USA** 92-93 K3
Unalaska o **USA** 92-93 J5
Unalaska Island ~ **USA** 92-93 J5
Unčen' = Ungheni ⋆ **MD** 26-27 H2
Unčeny = Ungheni ⋆ **MD** 26-27 H2
Uneča o **RUS** 30-31 E5
Uneiuxi, Área Indígena X **BR**
　112-113 F2
Unga Island ~ **USA** 92-93 K4
Ungava, Péninsule d' ⌣ **CDN** 98-99 F3
Ungava Bay ≈ **CDN** 98-99 L3
Ungheni ⋆ **MD** 26-27 H2
Unguz ⊥ **TM** 42-43 G4
Ungwana Bay ≈ **EAK** 82-83 G6
União o **BR** 114-115 F2
União da Vitória o **BR** 116-117 G3
União dos Palmares o **BR** 114-115 G3
Unimak Island ~ **USA** 92-93 K5
Unini, Rio ~ **BR** 114-115 B2
Unión o **RA** 116-117 D5
Unión, La o **E** 22-23 F5
Unión, La o **RCH** 116-117 C6
Union City o **USA** 102-103 F3
Uniondale o **ZA** 86-87 D8
United States Range ▲ **CDN** 96-97 P1
United States Virgin Islands ▫ **USA**
　104-105 J4
Unža ~ **RUS** 30-31 K3
Unža ~ **RUS** 30-31 L2
Upata o **YV** 110-111 E3
Upemba, Parc National de l' ⊥ **CGO**
　86-87 E3
Upernavik o **GRØ** 96-97 T3
Upington o **ZA** 86-87 D7
Upolokša o **RUS** 8-9 Q3
'Upolu Island ~ **WS** 70-71 C3
Upper Guinea ⊥ 80-81 D4
Upper Peninsula ⌣ **USA** 102-103 F1
Uppland ⊥ **S** 12-13 G2
Uppsala o·· **S** 12-13 G2
Uraguba o **RUS** 8-9 R2
Ural ▲ **RUS** 38-39 G4
Ural ~ **RUS** 42-43 G1
Ural'sk = Oral ⋆ **KZ** 42-43 F1
Ural'skij, Kamensk- ⋆ **RUS** 38-39 H4
Ural'skij hrebet ▲ **RUS** 38-39 G4
Urandi o **BR** 114-115 F4
Uranium City o **CDN** 94-95 K4
Uraricuera, Rio ~ **BR** 110-111 E4
Urbano Santos o **BR** 114-115 F2
Urbino o **I** 24-25 D3
Uren' o **RUS** 30-31 L3
Ureparapara ~ **VU** 68-69 G3
Urewera National Park ⊥ **NZ** 64-65 K4
Urfa = Şanlı Urfa ☆· **TR** 48-49 E3
Urho o **CN** 44-45 F2
Urho Kekkosen kansallispuisto ⊥ **FIN**
　8-9 O2
Uribe o **CO** 110-111 C4
Uribia o **CO** 110-111 C2
Urjupinsk o **RUS** 32-33 H2
Urla ☆ **TR** 28-29 F3
Urmi ~ **RUS** 40-41 F4
Urnes o **N** 10-11 D4
Urnes, Stavkirke ⋯ **N** 10-11 D4
Uroševac o· **KSV** 26-27 E4
Uruaçu o **BR** 114-115 E4
Uruapan del Progreso o· **MEX**
　100-101 F7
Urubamba, Río ~ **PE** 112-113 E4
Urucará o **BR** 114-115 C2

Uruçuí ○ **BR** 114-115 F 3
Uruguai, Río ~ **BR** 116-117 G 3
Uruguaiana ○ **BR** 116-117 F 2
Uruguay ■ **ROU** 116-117 F 4
Uruguay, Río ~ **RA** 116-117 F 3
Urup, ostrov ⌒ **RUS** 40-41 J 5
'Urūq Hibāka ⊥ **KSA** 50-51 D 4
Urziceni ○ **RO** 26-27 H 3
Usa ~ **RUS** 4-5 T 1
Ušaču ○ **BY** 20-21 K 1
Ušaču ○ **BY** 30-31 C 4
Uşak ☆ **TR** 28-29 G 3
Ušaral ○ **KZ** 42-43 M 2
Usborne, Mount ▲ **GB** 116-117 F 8
Ušče ○ **SRB** 26-27 E 4
Usedom ⌒ **D** 18-19 F 1
'Usfān ○ **KSA** 50-51 B 4
Ushuaia ⋆ **RA** 116-117 D 8
Üsküdar ○ **TR** 28-29 G 2
Ussel ○ **F** 16-17 F 4
Ust'-Barguzin ○ **RUS** 38-39 R 5
Ust'-Belaja ○ **RUS** 40-41 O 1
Ust'-Cil'ma ○ **RUS** 4-5 S 1
Ust'e ○ **RUS** 30-31 H 2
Ustica, Ísola di ⌒ **I** 24-25 D 5
Ústí nad Labem ○ **CZ** 20-21 C 3
Ústírt ▲ **KZ** 42-43 F 3
Ust'-Jansk ○ **RUS** 38-39 X 1
Ustjužina ○ **RUS** 30-31 G 2
Ustka ○• **PL** 20-21 D 1
Ust'-Kamčatsk ⋆ **RUS** 40-41 M 3
Ust'-Kujga ○ **RUS** 38-39 X 1
Ust'-Kut ⋆ **RUS** 38-39 R 4
Ust'-Labinsk ○ **RUS** 32-33 F 5
Ust'-Lenskij zapovednik (učastok Del'tevyj) ⊥ **RUS** 38-39 U 1
Ust'-Luga ○ **RUS** 30-31 C 2
Ust'-Maja ○ **RUS** 40-41 F 2
Ust'-Omčug ⋆ **RUS** 40-41 J 2
Ust'-Ordynskij ☆ **RUS** 38-39 Q 5
Ustrzyki Dolne ○• **PL** 20-21 G 4
Ust'-Tym ○ **RUS** 38-39 M 4
Usumacinta, Río ~ **MEX** 104-105 C 4
Usvjaty ⋆ **RUS** 30-31 D 4
Ušycja ~ **UA** 20-21 J 4
Uta ○ **RI** 56-57 G 6
Utah ▫ **USA** 100-101 D 3
Utah Lake ○ **USA** 100-101 D 2
Utena ☆•• **LT** 12-13 L 4
Uteni ○ **RUS** 40-41 D 4
Utete ○ **EAT** 84-85 D 2
Utiariti ○ **BR** 114-115 C 4
Utiariti, Área Indígena ✕ **BR** 114-115 C 4
Utica ○ **USA** 102-103 H 2
Utiel ○ **E** 22-23 F 4
Utirik Atoll ⌒ **MH** 66-67 F 3
Utl'uks'kyj lyman ≈32-33 D 4
utná Hora ○•• **CZ** 20-21 C 4
Utorgoš ○ **RUS** 30-31 D 4
Utrecht ☆• **NL** 18-19 B 2
Utrera ○ **E** 22-23 D 5
Utsjoki ○ **FIN** 8-9 O 2
Utsunomiya ☆ **J** 46-47 J 3
Uttaradit ○ **T** 54-55 C 2
Uttar Pradesh ▫ **IND** 52-53 C 1
Utupua ~ **SOL** 68-69 G 3
Uummannarsuaq = Kap Farvel ▲ **GRØ** 96-97 W 6
Uurainen ○ **FIN** 10-11 N 3
Uusikaarlepyy = Nykarleby ○ **FIN** 10-11 M 3
Uusikaupunki ○• **FIN** 10-11 L 4
Uusimaa ⊥ **FIN** 10-11 N 4
Uvareja, hrebet ▲ **RUS** 42-43 G 1
Uvarovka ○ **RUS** 30-31 F 4
Uvarovo ○ **RUS** 32-33 H 2
Uvat ○ **RUS** 38-39 J 4
Uviéu = Oviedo ○• **E** 22-23 D 2
Uvinza ○ **EAT** 84-85 C 2
Uvs nuur ○ **MGL** 44-45 F 1
Uyuni ○ **BOL** 112-113 F 6
Uyuni, Salar de ○ **BOL** 112-113 F 6

Už ~ **UA** 20-21 K 3
Uza ~ **RUS** 30-31 L 5
Uza ~ **RUS** 32-33 J 1
Uzerche ○• **F** 16-17 E 4
Užgorod = Užhorod ⋆ **UA** 20-21 G 4
Užhorod ☆ **UA** 20-21 G 4
Užice ○ **SRB** 26-27 E 4
Uzjany ⋆ **LT** 12-13 L 4
Uzlovaja ☆• **RUS** 30-31 H 5
Uzunköprü ○ **TR** 28-29 F 2
Užur ⋆ **RUS** 38-39 N 4

V

Vaala ○ **FIN** 8-9 O 4
Vaalajärvi ○ **FIN** 8-9 O 3
Vaalrivier ~ **ZA** 86-87 E 7
Vaasa ☆ **FIN** 10-11 L 3
Vabalninkas ○ **LT** 12-13 L 4
Vacaria ○ **BR** 116-117 G 3
Vadodara ○ **IND** 52-53 B 2
Vadsø ○ **N** 8-9 P 1
Vadstena ⋆• **S** 12-13 F 2
Vadul lui Voda ○ **MD** 26-27 J 2
Vaduz ★• **FL** 18-19 D 5
Vadvetjåkka nationalpark ⊥ **S** 8-9 K 2
Værøy ⌒ **N** 8-9 G 3
Vågaholmen ○ **N** 8-9 G 3
Vågåmo ⋆ **N** 10-11 E 4
Vage = Vagár ⌒ **FR** 10-11 a 1
Vågsfjorden ≈8-9 J 2
Vah ~ **RUS** 38-39 L 3
Vai ○ **GR** 28-29 F 5
Vaiaku ★ **TUV** 70-71 A 2
Vaitupu ~ **TUV** 70-71 A 2
Vajgač, ostrov ⌒ **RUS** 38-39 F 1
Vakarel ○ **BG** 26-27 F 4
Valachie ⊥ **RO** 26-27 G 4
Valais, Alpes du ▲ **CH** 18-19 C 5
Valašské Meziříčí ○ **CZ** 20-21 D 4
Vålčedråm ○ **BG** 26-27 F 4
Valcheta ○ **RA** 116-117 D 6
Vålčidol ○ **BG** 26-27 H 4
Valdaï, Plateau des ▲ **RUS** 30-31 E 3
Valdaj ⋆• **RUS** 30-31 E 3
Valdajskaja vozvyšennost' ▲ **RUS** 30-31 E 3
Valdemarsvik ⋆ **S** 12-13 G 2
Valdepeñas ○• **E** 22-23 E 4
Valderaduey, Río ~ **E** 22-23 D 3
Valdés, Península ⌒ **RA** 116-117 E 6
Valdez ○ **USA** 92-93 N 3
Valdieri, Parco Nazionale di ⊥ **I** 24-25 A 2
Val-d'Isère ○• **F** 16-17 H 4
Valdivia ○ **RCH** 116-117 C 5
Valdivia, Plaine abyssale de ≃75 O 12
Val-d'Or ○ **CDN** 98-99 J 5
Valdosta ○ **USA** 102-103 G 4
Valdres ⌒ **N** 10-11 E 4
Vale do Javari, Áreas Indígenas do ✕ **BR** 112-113 E 3
Valença ○ **BR** 114-115 G 4
Valença do Piauí ○ **BR** 114-115 F 3
Valence ☆•• **E** 22-23 F 4
Valence ☆• **F** 16-17 G 4
Valence, Golfe de ≈22-23 G 4
Valence-sur-Baïse ○ **F** 16-17 E 5
Valencia ⋆ **YV** 110-111 D 2
Valencia de Alcántara ○ **E** 22-23 C 4
Valencia de Don Juan ○ **E** 22-23 D 2
Valenciana, Comunidad ▫ **E** 22-23 F 4
Valenciennes ○ **F** 16-17 F 1
Valera ○ **YV** 110-111 C 3
Valga ☆•• **EST** 12-13 M 3
Valjala ○ **EST** 12-13 K 4
Valjevo ○ **SRB** 26-27 D 3
Valka ⋆•• **LV** 12-13 M 3
Valkeakoski ○ **FIN** 10-11 N 4

Valladolid ○•• **E** 22-23 D 3
Valladolid ○• **MEX** 104-105 D 3
Valle ○ **LV** 12-13 L 3
Valle d'Aosta = Vallée d'Aoste ⌣ **I** 24-25 A 2
Valle de La Pascua ○ **YV** 110-111 D 3
Valledupar ☆ **CO** 110-111 C 2
Vallée d'Aoste = Valle d'Aosta ⌣ **I** 24-25 A 2
Vallée des Rois ∴•••• **ET** 78-79 G 3
Valle Hermoso ○ **MEX** 100-101 G 5
Vallenar ○ **RCH** 116-117 C 3
Vallgrund ⌒ **FIN** 10-11 L 3
Vallo della Lucánia ○ **I** 24-25 E 4
Valls ○ **E** 22-23 G 3
Valmiera ☆• **LV** 12-13 L 3
Valožyn ○ **BY** 20-21 J 1
Valparai ○ **IND** 52-53 C 4
Valparaíso ⋆• **RCH** 116-117 C 4
Vals, Tanjung ▲ **RI** 56-57 G 7
Valsbaai ≈ **ZA** 86-87 C 8
Valset ○ **N** 10-11 E 3
Valsjöbyn ○ **S** 8-9 H 4
Valtimo ○ **FIN** 10-11 P 3
Valujki ○ **RUS** 32-33 F 2
Valverde de Júcar ○ **E** 22-23 E 4
Valverde del Camino ○ **E** 22-23 C 5
Valverde del Fresno ○ **E** 22-23 C 3
Vammala ○ **FIN** 10-11 M 4
Van ○ **TR** 48-49 F 3
Van, Lac de ○ **TR** 48-49 F 3
Vanadzor ○ **ARM** 48-49 F 2
Vanavara ⋆ **RUS** 38-39 O 3
Vancouver ○•• **CDN** 94-95 G 6
Vancouver Island ⌒ **CDN** 94-95 F 6
Vanderhoof ○ **CDN** 94-95 G 5
Van Diemen Gulf ≈ **AUS** 62-63 E 2
Vänern ○ **S** 12-13 E 2
Vänersborg ☆• **S** 12-13 E 2
Vangaindrano ○ **RM** 84-85 F 5
Vangází ○ **LV** 12-13 L 3
Vangunu ~ **SOL** 68-69 E 2
Vanikolo ~ **SOL** 68-69 G 3
Vanimo ○ **PNG** 68-69 B 1
Vânju Mare ○ **RO** 26-27 F 3
Vanna ⌒ **N** 8-9 K 1
Vännäs ○ **S** 10-11 K 3
Vanne ~ **F** 16-17 F 2
Vannes ☆• **F** 16-17 C 3
Vanoise, Parc National de la ⊥• **F** 16-17 H 4
Van Rees, Pegunungan ▲ **RI** 56-57 G 6
Vanrhynsdorp ○ **ZA** 86-87 C 8
Vansbro ○ **S** 10-11 F 4
Vansittart Island ⌒ **CDN** 96-97 O 4
Vantaa ○ **FIN** 10-11 N 4
Vanttauskoski ○ **FIN** 8-9 O 3
Vanua Lava ⌒ **VU** 68-69 G 3
Vanua Levu ⌒ **FJI** 70-71 A 4
Vanuatu ■ **VU** 68-69 G 4
Vara ⋆ **S** 12-13 E 2
Varadero ○•• **C** 104-105 E 3
Varangerfjorden ≈8-9 P 1
Varangerhalvøya ⌣ **N** 8-9 P 1
Varaždin ○ **HR** 26-27 C 2
Varazze ○ **I** 24-25 B 2
Varberg ⋆• **S** 12-13 E 2
Vardar ~ **MK** 26-27 E 5
Varde ○ **DK** 12-13 C 4
Vardø ○ **N** 8-9 Q 1
Varēna ⋆ **LT** 12-13 L 4
Varese ⋆ **I** 24-25 B 2
Vårgårda ⋆ **S** 12-13 E 2
Varginha ○ **BR** 114-115 E 6
Varillas, Las ○ **RA** 116-117 E 4
Varkaus ○ **FIN** 10-11 O 3
Varmahlíd ○ **IS** 8-9 d 2
Värmland ⊥ **S** 12-13 E 2
Varna ⋆ **BG** 26-27 H 4
Värnamo ⋆ **S** 12-13 F 3
Varnjany ○ **BY** 20-21 J 1
Varsinais Suomi ⊥ **FIN** 10-11 L 4

Varsovie ★•••• **PL** 20-21 F 2
Várzea Grande ○ **BR** 114-115 C 5
Vasa = Vaasa ⋆ **FIN** 10-11 L 3
Väsad ○ **IND** 52-53 B 2
Vasjugan ~ **RUS** 38-39 L 4
Vasjuganskaja ravnina ⌣ **RUS** 38-39 L 4
Vaslui ⋆ **RO** 26-27 H 2
Västbacka ○ **S** 10-11 H 4
Västerås ⋆ **S** 12-13 G 2
Västerbotten ⊥ **S** 8-9 L 4
Västergötland ⊥ **S** 12-13 E 2
Västerhaninge ○ **S** 12-13 H 2
Västervik ☆• **S** 12-13 G 3
Vasto ○ **I** 24-25 E 3
Vasvár ○ **H** 26-27 C 2
Vasylivka ○ **UA** 32-33 D 4
Vasyl'kiv ○ **UA** 32-33 C 4
Vasyl'kivka ○ **UA** 32-33 E 3
Vatican ★••• **V** 24-25 D 4
Vaticano, Capo ▲ **I** 24-25 E 5
Vatnajökull ⊂ **IS** 8-9 e 2
Vatoa ⌒ **FJI** 70-71 B 4
Vatra Dornei ○• **RO** 26-27 G 2
Vättern ○ **S** 12-13 F 2
Vatulele ⌒ **FJI** 70-71 A 4
Vavkavysk ○ **BY** 20-21 H 2
Vavkavyskoe vzvyšša ▲ **BY** 20-21 H 2
Vavoua ○ **CI** 80-81 C 4
Växjö ⋆ **S** 12-13 F 3
Vecumnieki ○ **LV** 12-13 L 3
Vedrovo ○ **RUS** 30-31 K 3
Vefsna ~ **N** 8-9 G 4
Vega ~ **N** 8-9 F 4
Vegorítis, Limni ○ **GR** 28-29 C 2
Vejer de la Frontera ○ **E** 22-23 D 5
Vejle ○ **DK** 12-13 C 4
Vekšino ○ **RUS** 30-31 D 3
Vela, Cabo de la ▲ **CO** 110-111 C 2
Vela Luka ○ **HR** 26-27 C 2
Velebitski kanal ≈ **SRB** 26-27 B 3
Veles ○• **MK** 26-27 E 5
Vélez-Málaga ○ **E** 22-23 D 5
Vélez Rubio ○ **E** 22-23 E 5
Vélia • **I** 24-25 E 4
Vělička = Wieliczka ○••• **PL** 20-21 F 4
Velikaja ~ **RUS** 40-41 O 2
Veliki Đerdap ~ **SRB** 26-27 F 3
Velikie-Louki ⋆ **RUS** 30-31 D 3
Velikoe, ozero ○ **RUS** 30-31 G 3
Veliko Plana ○ **SRB** 26-27 E 3
Veliko Tårnovo ○ **BG** 26-27 G 4
Velimlje ○ **MNE** 26-27 D 4
Velingrad ○ **BG** 26-27 F 4
Veliž ⋆ **RUS** 30-31 D 3
Vella Lavella ⌒ **SOL** 68-69 E 2
Vellore ○• **IND** 52-53 C 4
Velo Troglav ▲ **SRB** 26-27 C 4
Velsen ○ **NL** 18-19 B 2
Vel'sk ○ **RUS** 4-5 Q 2
Velyka Lepetycha ○ **UA** 32-33 C 4
Velyka Pysarivka ○ **UA** 32-33 D 2
Velykij Bereznyj ○ **UA** 20-21 G 4
Velykyj Byčkiv ○ **UA** 20-21 H 4
Velykyj Dobron' = Dobron' ○ **UA** 20-21 G 4
Vemsdalen ○ **S** 10-11 G 4
Venado Tuerto ○ **RA** 116-117 E 4
Vendas Novas ○ **P** 22-23 B 4
Vendôme ○ **F** 16-17 E 3
Vénétie ▫ **I** 24-25 C 2
Venev ⋆• **RUS** 30-31 H 4
Venezia ☆••• **I** 24-25 D 2
Venézia ☆••• **I** 24-25 D 2
Venézia, Golfo di **I** 24-25 D 2
Venèzia, Golfo di ≈ **I** 24-25 D 2
Venezuela ■ **YV** 110-111 D 3
Venezuela, Bassin du ≃104-105 H 5
Venezuela, Golfe de ≈ **YV** 110-111 C 2
Venezuela Basin ≃104-105 H 5
Veniaminof Volcano ▲ **USA** 92-93 L 4
Venise ⋆••• **I** 24-25 D 2
Venise, Golfe de ≈ **I** 24-25 D 2
Venjan ○ **S** 10-11 G 4

Venlo o **NL** 18-19 C3
Venray o **NL** 18-19 B3
Vent, Îles du ⊥ 104-105 J4
Vent, Îles du ⌐ **F** 70-71 G4
Vent, Passe du ⌐ 104-105 G4
Venta o **LT** 12-13 K3
Venta de Baños o **E** 22-23 D3
Ventas con Peña Aguilera, Las o **E** 22-23 D4
Ventoux, Mont ▲ **F** 16-17 G4
Ventspils ✩⋯ **LV** 12-13 J3
Venturi, Río ∿ **YV** 110-111 D4
Ventura o⋅ **USA** 100-101 C4
Vera o **E** 22-23 F5
Vera o **RA** 116-117 E3
Veracruz o⋅ **MEX** 100-101 G7
Veräval o **IND** 52-53 B2
Verbano = Lago Maggiore o l 24-25 B2
Verchivceve o **UA** 32-33 D3
Verchnjadzvimsk o **BY** 20-21 J1
Verchn'odniprovs'k o **UA** 32-33 D3
Verdalsøra o **N** 10-11 F3
Verde, Río ∿ **BR** (GSU) 114-115 D5
Verde, Río ∿ **BR** (MAT) 114-115 C4
Verde River ∿ **USA** 100-101 D4
Verdon ∿ **F** 16-17 H5
Verdon-sur-Mer, le o **F** 16-17 D4
Verdun o⋅ **F** 16-17 G2
Vereeniging o **ZA** 86-87 E7
Vereščagino o **RUS** 38-39 N3
Verestovo, ozero o **RUS** 30-31 G3
Vergi o **EST** 12-13 M2
Verhneimbatsk o **RUS** 38-39 N3
Verhnespasskoe o **RUS** 30-31 L2
Verhnetazovskij, zapovednik ⊥ **RUS** 38-39 M3
Verhnetulomski o **RUS** 8-9 Q2
Verhnetulomskoe vodohranilišče < **RUS** 8-9 Q2
Verhnij Baskunčak o **RUS** 32-33 K3
Verhnjaja Salda o **RUS** 38-39 H4
Verhojanskij hrebet ▲ **RUS** 38-39 V2
Véria o⋅ **GR** 28-29 D2
Verín o **E** 22-23 C3
Verkhoïansk o **RUS** 40-41 F1
Verkhoïansk, Monts de ▲ **RUS** 38-39 V2
Vermont o **USA** 102-103 J2
Vernal o **USA** 100-101 E2
Verneuil-sur-Avre o **F** 16-17 E2
Vernon o **F** 16-17 E2
Vérone ✩⋯ l 24-25 C2
Versailles ✩ ⋯ **F** 16-17 F2
Vert, Cap ▲ **SN** 80-81 A3
Vertijievka o **UA** 32-33 B2
Verviers o **B** 18-19 B3
Ves'egonsk o **RUS** 30-31 G2
Vesele o **UA** 32-33 D4
Veselovskoe vodohranilišče < **RUS** 32-33 G4
Vesennij o **RUS** 40-41 M1
Vešenskaja o **RUS** 32-33 G3
Vesoul ✩ **F** 16-17 H3
Vestbygd o **N** 10-11 D5
Vesterålen, Îles ⌐ **N** 8-9 H2
Vesterø Havn o **DK** 12-13 D3
Vestfjorden ≈8-9 G3
Vestmannaeyjar o **IS** 8-9 c3
Vestmannaeyjar ∿ **IS** 8-9 c3
Vestvågøy ∿ **N** 8-9 G2
Vésuve ▲ l 24-25 E4
Veszprém o **H** 26-27 C2
Vetlanda ✩⋅ **S** 12-13 F3
Vetluga o **RUS** 30-31 L3
Vetlužskij o **RUS** 30-31 L3
Vetovo o **BG** 26-27 H4
Vetryna o **BY** 20-21 K1
Vetryna o **BY** 30-31 C4
Vévi o **GR** 28-29 C2
Vézelay o⋯ **F** 16-17 F3
Vežen ▲ **BG** 26-27 G4
Vézère ∿ **F** 16-17 E4
V. Gradište o **SRB** 26-27 E3

Vi o **S** 10-11 J3
Viacha o **BOL** 112-113 F5
Viana do Castelo o⋅ **P** 22-23 B3
Viangchan ★ **LAO** 54-55 C2
Vianópolis o **BR** 114-115 E5
Viar, Río ∿ **E** 22-23 D5
Viaréggio o l 24-25 C3
Viborg o **DK** 12-13 C3
Vic o **E** 22-23 H3
Vicebck o **BY** 20-21 L1
Vicebck o **BY** 30-31 D4
Vic-en-Bigorre o **F** 16-17 E5
Vicente Guerrero o **MEX** 100-101 F6
Vicenza ✩⋯ l 24-25 C2
Vichada, Río ∿ **CO** 110-111 D4
Vichy o⋯ **F** 16-17 F3
Vicksburg o **USA** 102-103 E4
Vicomte-de-Melville, Détroit du ≈ **CDN** 96-97 H3
Victor Harbor o **AUS** 62-63 F7
Victoria ▫ **AUS** 64-65 C4
Victoria o **BOL** 112-113 H5
Victoria ✩⋅ **CDN** 94-95 G6
Victoria ✩⋅⋅ **CN** 46-47 D8
Victoria o **RA** 116-117 E4
Victoria ★ **RCH** 116-117 C5
Victoria ★ **SY** 84-85 H1
Victoria o **USA** 102-103 D5
Victoria, Détroit de ≈ **CDN** 96-97 K4
Victoria, Île ∿ **CDN** 96-97 H3
Victoria, Lac o **EAT** 84-85 C1
Victoria, Lake o **EAT** 84-85 C1
Victoria = Limbé o⋅ **CAM** 80-81 F5
Victoria, Mount ▲ **MYA** 52-53 F2
Victoria, Terre ⊥ **ANT** 119 B17
Victoria and Albert Mountains ▲ **CDN** 96-97 P2
Victoria Falls ∿⋯ **Z** 86-87 E5
Victoria Falls National Park ⊥ **ZW** 86-87 E5
Victoria Fjord ≈ **GRØ** 96-97 V1
Victoria West o **ZA** 86-87 D8
Victorica o **RA** 116-117 D5
Viču̇ga ✩ **RUS** 30-31 J3
Vidamlja o **BY** 20-21 G2
Vidhareidhi = Viðareiði o **FR** 10-11 a1
Vidin o **BG** 26-27 F4
Vidzy o **BY** 20-21 J1
Viedma ✩ **RA** 116-117 E6
Viedma, Lago o **RA** 116-117 C7
Vielha e Mijaran o **E** 22-23 G2
Viella-Mitg Arán = Vielha e Mijaran o **E** 22-23 G2
Vienne ✩⋯ **A** 20-21 D4
Vienne o **F** 16-17 G4
Vienne ∿ **F** 16-17 E3
Vientiane = Viangchan ★ **LAO** 54-55 C2
Vientos, Los o **RCH** 116-117 D2
Vieremä o **FIN** 10-11 O3
Vierges britanniques, Îles ▫ **GB** 104-105 J4
Vierzon o **F** 16-17 F3
Viesite o **LV** 12-13 L3
Vieste o l 24-25 F4
Vietas o **S** 8-9 K3
Viêt-Nam ■ **VN** 54-55 D2
Vigan, le o **F** 16-17 F5
Vigia o **BR** 114-115 E2
Vigía, El o **YV** 110-111 C3
Vigo o **E** 22-23 B2
Vihanti o **FIN** 8-9 N4
Vihren ▲ **BG** 26-27 F5
Vihti o **FIN** 10-11 N4
Viisanmäki o **FIN** 10-11 O3
Viitasaari o **FIN** 10-11 N3
Viitna o⋯ **EST** 12-13 M2
Vijayawada o⋅ **IND** 52-53 D3
Vik ✩ **IS** 8-9 d3
Vik o **N** 10-11 D4
Vikajärvi o **FIN** 8-9 O3
Vikersund ✩ **N** 10-11 E5
Vikna ⌐ **N** 8-9 F4

Viksøyri ✩ **N** 10-11 D4
Vila Bela da Santíssima Trinidade o **BR** 114-115 C5
Vila Carajás o **BR** 114-115 D3
Vila de Sena o **MOC** 84-85 D4
Vila do Carmo o **BR** 114-115 B3
Vilafranca del Penedès o **E** 22-23 G3
Vila Franca de Xira o **P** 22-23 B4
Vilagarcía de Arousa o⋅ **E** 22-23 B2
Vilaine ∿ **F** 16-17 C3
Vila Joiosa, La o **E** 22-23 F4
Vilanandro, Tanjona ▲ **RM** 84-85 E4
Viļāni o⋅⋅ **LV** 12-13 M3
Vila Nova de Foz Côa o **P** 22-23 C3
Vilanova i la Geltrú o **E** 22-23 G3
Vila-real o⋅⋅ **E** 22-23 F4
Vila Real o **P** 22-23 C3
Vila Real de Santo António o **P** 22-23 C5
Vilar Formoso o **P** 22-23 C3
Vila Velha o **BR** 114-115 F6
Vila Velha de Ródão o **P** 22-23 C4
Vilcabamba, Cordillera ▲ **PE** 112-113 E4
Vilčeka, Zemlja ⌐ **RUS** 118 A
Vilches o **E** 22-23 E4
Vilejka ✩ **BY** 20-21 J1
Vilhelmina o⋅ **S** 8-9 J4
Vilhena o **BR** 114-115 B4
Viliouï ∿ **RUS** 40-41 E2
Viljandi ✩⋅⋅ **EST** 12-13 L2
Viljujsk ✩⋅ **RUS** 40-41 E2
Viljujskoe vodohranilišče o **RUS** 38-39 S3
Vil'kickogo, proliv ≈ **RUS** 38-39 Q0
Vilkija o **LT** 12-13 K4
Vilkits, Détroit de ≈ **RUS** 38-39 Q0
Villa Angela o **RA** 116-117 E3
Villablino o **E** 22-23 C2
Villacañas o **E** 22-23 E4
Villacarrillo o **E** 22-23 E4
Villach o **A** 18-19 F5
Villadiego o **E** 22-23 D2
Villa Dolores o **RA** 116-117 D4
Villafranca del Bierzo o **E** 22-23 C2
Villaguay o **RA** 116-117 F4
Villahermosa o⋅ **MEX** 104-105 C4
Villa Hidalgo o **MEX** 100-101 E4
Villa Insurgentes o **MEX** 100-101 D5
Villa Joyosa = Vila Joiosa, La o **E** 22-23 F4
Villalpando o **E** 22-23 D3
Villa María o **RA** 116-117 E4
Villamartín o **E** 22-23 D5
Villa Mazán o **RA** 116-117 D4
Villamontes o **BOL** 112-113 G6
Villanueva de Córdoba o **E** 22-23 D4
Villanueva de los Castillejos o **E** 22-23 C5
Villanueva de los Infantes o **E** 22-23 E4
Villanueva y Geltrú = Vilanova i la Geltrú o **E** 22-23 G3
Villa Ojo de Agua o **RA** 116-117 E3
Villarcayo o **E** 22-23 E2
Villardeciervos o **E** 22-23 C3
Villarreal de los Infantes = Vila-real o⋯ **E** 22-23 F4
Villarrica ✩ **PY** 116-117 F3
Villarrobledo o **E** 22-23 E4
Villasimíus o l 24-25 B5
Villatoya o **E** 22-23 F4
Villa Tunari o **BOL** 112-113 F5
Villa Unión o **RA** 116-117 D3
Villavicencio ✩⋅ **CO** 110-111 C4
Villaviciosa o⋅ **E** 22-23 D2
Villefranche-de-Rouergue o **F** 16-17 F4
Villefranche-sur-Saône o **F** 16-17 G4
Villena o **E** 22-23 F4
Villeneuve-sur-Lot o **F** 16-17 E4
Villeurbanne o **F** 16-17 G4
Vilnes o **N** 10-11 C4
Vilnius ★⋯ **LT** 12-13 L4
Vil'njans'k o **UA** 32-33 D4
Vil'nohirs'k o **UA** 32-33 D3

Vils ∿ **D** 18-19 E4
Vil'šany o **UA** 32-33 D2
Vimeiro o **P** 22-23 C4
Vimioso o **P** 22-23 C3
Vimmerby ✩⋅ **S** 12-13 F3
Viña, La o **RA** 116-117 D3
Viña del Mar o **RCH** 116-117 C4
Vinarós o **E** 22-23 G3
Vinători o **RO** 26-27 F3
Vindelälven ∿ **S** 8-9 K4
Vindeln o **S** 8-9 K4
Vindhya Range ▲ **IND** 52-53 C2
Vingåker ✩⋅ **S** 12-13 F2
Vinh ✩ **VN** 54-55 D2
Vinhais o **P** 22-23 C3
Vinkovci o **HR** 26-27 D3
Vinnica = Vinnycja ✩ **UA** 20-21 K4
Vinnycja ✩ **UA** 20-21 K4
Vinstra ✩ **N** 10-11 E4
Virac ✩ **RP** 56-57 D3
Viranşehir o **TR** 48-49 E3
Vírgenes, Cabo ▲ **RA** 116-117 D8
Virginia o **USA** 102-103 E1
Virginia Beach o **USA** 102-103 H3
Virginie o **USA** 102-103 H3
Virginie-Occidentale ▫ **USA** 102-103 G3
Virihaure o **S** 8-9 J3
Virojoki = Virolahti o **FIN** 10-11 O4
Virolahti o **FIN** 10-11 O4
Virovitica o **HR** 26-27 C3
Virrat o **FIN** 10-11 M3
Virtsu o **EST** 12-13 K2
Virudunagar o **IND** 52-53 C5
Virunga, Parc National des ⊥⋯ **CGO** 86-87 E2
Vis o **HR** 26-27 C4
Vis ⌐ **HR** 26-27 C4
Visaginas ✩ **LT** 12-13 M4
Visby ✩⋅⋅ **S** 12-13 H3
Višegrad o **BIH** 26-27 D4
Viseu o⋅ **P** 22-23 C3
Vishākhapatnam o⋯ **IND** 52-53 D3
Višneva o **BY** 20-21 J1
Visočica ▲ **HR** 26-27 B3
Visoko o **BIH** 26-27 D4
Visrivier Canyon Park, Ai-Ais and ⊥ **NAM** 86-87 C7
Vistule ∿ **PL** 20-21 E1
Vit ∿ **BG** 26-27 G4
Vitberget ▲ **S** 8-9 M3
Vitebsk = Vicebck o **BY** 20-21 L1
Vitebsk = Vicebck o **BY** 30-31 D4
Viterbo ✩⋅ l 24-25 D3
Vitiaz II Deep ≃70-71 B5
Vitiaz III Deep ≃60-61 K8
Vitiaz Strait ≈68-69 C2
Vitiaz Strait ≈ **PNG** 68-69 C2
Vitiaz Trench ≈68-69 G2
Vitichi o **BOL** 112-113 F6
Vitigudino o **E** 22-23 C3
Viti Levu ⌐ **FJI** 70-71 A4
Vitim ∿ **RUS** 38-39 S4
Vitolište o **MK** 26-27 E5
Vitória o **BR** 114-115 F6
Vitória da Conquista o **BR** 114-115 F4
Vitoria-Gasteiz o⋅ **E** 22-23 E2
Vitoša, Naroden Park ⊥ **BG** 26-27 F4
Vitré o **F** 16-17 D2
Vitry-le-François o **F** 16-17 G2
Vittangi o **S** 8-9 L3
Vittel o⋅ **F** 16-17 G2
Vittória o l 24-25 E6
Vittório Vèneto o l 24-25 D1
Vivario o **F** 24-25 B3
Viveiro o **E** 22-23 C2
Vivi ∿ **RUS** 38-39 O3
Vizcaíno, Reserva de la Biósfera El ⊥⋯ **MEX** 100-101 D5
Vizcaya, Golfo de ≈16-17 D5
Vize, ostrov ⌐ **RUS** 38-39 L0
Vizeu o **BR** 114-115 E2
Vizianagaram o **IND** 52-53 D3

Vizille o **F** 16-17 G4
Vizzini o **I** 24-25 E6
Vjatka ~ **RUS** 30-31 N3
Vjazemskij o **RUS** 40-41 F5
Vjazma ☆ **RUS** 30-31 F4
Vjazniki o **RUS** 30-31 K3
Vjosës, Lumi i ~ **AL** 28-29 B2
Vladičin Han o **SRB** 26-27 F4
Vladikavkaz ☆ **RUS** 42-43 D3
Vladimir ☆ ••• **RUS** 30-31 J3
Vladivostok o **RUS** 46-47 H2
Vlașca, Drăgănești- o **RO** 26-27 G3
Vlasenica o **BIH** 26-27 D3
V. Lelija ▲ **BIH** 26-27 D4
Vlieland ⌐ **NL** 18-19 B2
Vlissingen o **NL** 18-19 A3
Vlkolínec o••• **SK** 20-21 E4
Vohimena, Tanjona ▲ **RM** 84-85 F6
Võhma o **EST** 12-13 K2
Võhma o•• **EST** 12-13 L2
Voi o **EAK** 82-83 F6
Voinjama ☆ **LB** 80-81 C4
Voiron o **F** 16-17 G4
Voïvodine ⊥ **SRB** 26-27 D3
Volda ☆ **N** 10-11 D3
Volga ~ **RUS** 30-31 E3
Volga ~ **RUS** 32-33 K4
Volga, Plateau de la ▲ **RUS** 32-33 J3
Volgodonsk o **RUS** 32-33 H4
Volgo-Donskoi kanal < **RUS** 32-33 H3
Volgograd ☆ • **RUS** 32-33 J3
Volgograd, Réservoir de < **RUS** 32-33 J3
Volhov o **RUS** 30-31 E2
Volhov ~ **RUS** 30-31 E2
Volímes o **GR** 28-29 C4
Volksrust o **ZA** 86-87 E7
Volnovacha o **UA** 32-33 E4
Voločanka o **RUS** 38-39 O1
Voločys'k ☆ **UA** 20-21 J4
Volodarsk o **RUS** 30-31 K3
Volodymyr-Volyns'kyj o **UA** 20-21 H3
Vologda ☆ • **RUS** 30-31 H2
Volokolamsk o• **RUS** 30-31 F3
Volokonovka o **RUS** 32-33 E2
Volora ~ **AL** 28-29 B2
Vólos o• **GR** 28-29 D3
Volosovo ☆ **RUS** 30-31 C2
Volot o **RUS** 30-31 D3
Vol'sk ☆ **RUS** 30-31 M5
Vol'sk ☆ **RUS** 32-33 K1
Volta ~ **GH** 80-81 E4
Volta Lake < **GH** 80-81 D4
Volta Noire ~ **CI** 80-81 D4
Volterra o **I** 24-25 C3
Volturino, Monte ▲ **I** 24-25 E4
Volturno ~ **I** 24-25 E4
Volubilis ∴• **MA** 76-77 F3
Vólvi, Limni o **GR** 28-29 D2
Volyns'ka vysočyna ▲ **UA** 20-21 H3
Volyns'kyj, Novohrad- o **UA** 20-21 J3
Volyns'kyj, Volodymyr- o **UA** 20-21 H3
Volžskij o **RUS** 32-33 J3
Vónitsa o **GR** 28-29 C3
Vopnafjǫrðurgrunn ⌐8-9 g1
Vopnafjǫrður ≈8-9 f2
Vopnafjǫrður o **IS** 8-9 f2
Voranava o **BY** 20-21 H1
Vorarlberg o ▲ 18-19 D5
Vordingborg o• **DK** 12-13 D4
Vóreio Egéo o ▲ **GR** 28-29 E3
Vóries Sporádes ⌣ **GR** 28-29 D3
Vøringfossen ~ **N** 10-11 D4
Vorkuta ☆ **RUS** 38-39 H2
Vorma ~ **N** 10-11 F4
Vormsi saar ⌐ **EST** 12-13 K2
Vorona ~ **RUS** 30-31 K5
Vorona ~ **RUS** 32-33 H2
Voroncovo o **RUS** 38-39 M1

Voronej o **RUS** 32-33 F2
Voronež o••• **RO** 26-27 G2
Voronež ~ **RUS** 30-31 H5
Voronež ~ **RUS** 32-33 F1
Vorošilovgrad = Luhans'k ☆ **UA** 32-33 F3
Vorotynec o **RUS** 30-31 L3
Vorožba o **UA** 32-33 D2
Vorskla ~ **RUS** 32-33 D2
Vorsma o **RUS** 30-31 K4
Võrtsjärv järv o **EST** 12-13 M2
Võru ☆ • **EST** 12-13 M3
Vosburg o **ZA** 86-87 D8
Vosges ▲ **F** 16-17 G3
Voskopojë o• **AL** 28-29 C2
Voskresensk ☆ • **RUS** 30-31 H4
Voskresenskoe o **RUS** 30-31 G3
Vossavangen o• **N** 10-11 D4
Vostock Island ⌐ **KIR** 70-71 G3
Vostočno-Sibirskoe more ≈ **RUS** 118 B3
Vostočnyj Sajan ▲ **RUS** 38-39 O4
Vostok o **ANT** 119 B11
Vostok Island ⌐ **KIR** 70-71 G3
Votkinsk ☆ **RUS** 42-43 F0
Votkinsk ☆ **RUS** 42-43 F1
Vouga o **ANG** 86-87 C4
Vouga, Rio ~ **P** 22-23 B3
Vouliagméni o **GR** 28-29 D4
Vouzela o••• **P** 22-23 B3
Vovča o **UA** 32-33 E3
Vovča ~ **UA** 32-33 E4
Vovčans'k o **UA** 32-33 E2
Voxna o **S** 10-11 H4
Voyageurs National Park ⊥ **USA** 102-103 E1
Voznesens'k o **UA** 32-33 B4
Voznesenskoe o **RUS** 30-31 K4
Vraca o **BG** 26-27 F4
Vrangelja, ostrov ⌐ **RUS** 118 B36
Vranica ▲ **BIH** 26-27 C3
Vråška čuka, Prohod ▲ **BG** 26-27 F4
Vrbas ~ **BIH** 26-27 C3
Vredenburg o **ZA** 86-87 C8
Vrigstad o **S** 12-13 F3
Vríssa o **GR** 28-29 F3
Vršac o **SRB** 26-27 E3
Vryburg o **ZA** 86-87 D7
Vryheid o **ZA** 86-87 F7
Vsesvjats'kyj kostel • **UA** 20-21 G4
Vsevidof, Mount ▲ **USA** 92-93 J5
Vui-Uata Nova Itália, Área Indígena ⋉ **BR** 112-113 F2
Vuka ~ **HR** 26-27 D3
Vukovar o• **HR** 26-27 D3
Vulcano, Ísola ⌐ **I** 24-25 E5
Vulsinio = Lago di Bolsena o **I** 24-25 C3
Vúlture, Monte ▲ **I** 24-25 E4
Vüng Tàu o• **VN** 54-55 D3
Vuokatti o **FIN** 8-9 P4
Vuolijoki o **FIN** 8-9 O4
Vuollerim o **S** 8-9 L3
Vuotso o **FIN** 8-9 O2
Vuranggo o **SOL** 68-69 E2
Vurnary o **RUS** 30-31 M4
Vybor o **RUS** 30-31 C3
Vyborg ☆ • **RUS** 4-5 N2
Vydropužsk o **RUS** 30-31 F3
Vyezžij Log o **RUS** 38-39 O4
Vygoniči o **RUS** 30-31 F5
Vyhanaščanske, vozero o **BY** 20-21 H2
Vyksa ☆ **RUS** 30-31 K4
Vylkove o **UA** 26-27 J3
Vyra o **RUS** 30-31 C2
Vyšhorod o **UA** 32-33 B2
Vyšnij Voloček ☆ **RUS** 30-31 F3
Vysokae o **BY** 20-21 G2
Vytegra o **RUS** 4-5 P2

W

Wa ☆ • **GH** 80-81 D3
Waajid o **SO** 82-83 G5
Waal ~ **NL** 18-19 B3
Wabag ☆ • **PNG** 68-69 B2
Wabasca River ~ **CDN** 94-95 H4
Wabash River ~ **USA** 102-103 F3
Wabē Shebelē Wenz ~ **ETH** 82-83 G4
Waco o **USA** 102-103 D4
Wad Bandah o **SUD** 82-83 D3
Waddān o• **LAR** 78-79 D3
Waddeneilanden ⊥ **NL** 18-19 B2
Waddenzee ≈18-19 B2
Waddington, Mount ▲ **CDN** 94-95 F5
Wādī Halfā o **SUD** 78-79 G4
Wād Madanī ☆ **SUD** 82-83 E3
Wafangdian o **CN** 46-47 F3
Wager Bay ⌐ **CDN** 96-97 N4
Wagga Wagga o **AUS** 64-65 D4
Wagh, al- o **KSA** 50-51 B3
Wagid, Ĝabal al- ▲ **KSA** 50-51 C5
Wagin o **AUS** 62-63 B6
Wagrowiec o• **PL** 20-21 D2
Wahai o **RI** 56-57 E6
Wah Cantonment o **PK** 50-51 J2
Wahrān ☆ ••• **DZ** 76-77 G2
Waiāpi, Área Indígena ⋉ **BR** 110-111 G4
Waidhofen an der Thaya o ▲ **A** 20-21 C4
Waigeo, Pulau ⌐ **RI** 56-57 F6
Waimate o **NZ** 64-65 J5
Waimiri Atroari, Área Indígena ⋉ **BR** 114-115 B2
Waingapu o **RI** 56-57 D6
Waipara o **NZ** 64-65 J5
Waipukurau o **NZ** 64-65 K5
Waiwa o **PNG** 68-69 C2
Wajir o **EAK** 82-83 G5
Wakasa-wan ≈ **J** 46-47 J3
Wake Island ⌐ **USA** 66-67 F1
Wakkanai o **J** 40-41 H5
Wakunai o **PNG** 68-69 E2
Walachei ⊥ **RO** 26-27 G4
Walachia ⊥ **RO** 26-27 G4
Wałbrzych ☆ • **PL** 20-21 D3
Wałcz o **PL** 20-21 D2
Wales o **USA** 92-93 J2
Wales Island ⌐ **CDN** 96-97 N4
Walfe, Chute ~ **CDN** 86-87 D3
Walgett o **AUS** 64-65 D3
Walikale o **CGO** 86-87 E2
Walk = Valga ☆ ••• **EST** 12-13 M3
Walker Mountains ▲ **ANT** 119 B27
Walker River Indian Reservation ⋉ **USA** 100-101 C3
Wallal Downs o **AUS** 62-63 C3
Wallaroo o **AUS** 62-63 F6
Walla Walla o **USA** 100-101 C1
Wallenthal o **RO** 26-27 F3
Wallhof o **LV** 12-13 L3
Wallis, Îles ⌣70-71 B3
Wallis, Îles ⌐ **F** 70-71 B3
Wallis et Futuna o **F** 70-71 B3
Wallonie o **B** 18-19 B3
Walmanpa-Warlpiri Aboriginal Land ⋉ **AUS** 62-63 E3
Walpole o **AUS** 62-63 B7
Walsall o **GB** 14-15 E5
Walsrode o **D** 18-19 D2
Waltenberg ☆ **RO** 26-27 F2
Walvis, Dorsale de ≃74-75 J10
Walvisbaai ≈ **NAM** 86-87 B6
Walvisbaai = Walvis Bay ☆ **NAM** 86-87 B6
Walvis Bay ☆ **NAM** 86-87 B6
Walvis Ridge ≃74-75 J10
Wamba o **CGO** 82-83 D5
Wamba ~ **CGO** 86-87 C3
Wami ~ **EAT** 84-85 D2
Wanganui o **NZ** 64-65 K4

Wangaratta o **AUS** 64-65 D4
Wangerooge ⌐ **D** 18-19 C2
Wangki, Rio = Coco o Segovia ~ **HN** 104-105 D5
Wangpan Yang ≈ **CN** 46-47 F4
Wanning o **CN** 54-55 E2
Wan Xian o **CN** 46-47 C4
Warangal o• **IND** 52-53 C3
Warburton Creek ~ **AUS** 62-63 F5
Wardha o **IND** 52-53 C2
Ware o **CDN** 94-95 F4
Waren o **RI** 56-57 G6
Waren (Müritz) o• **D** 18-19 E2
Warialda o **AUS** 64-65 E2
Warmbad o **NAM** 86-87 C7
Warm Springs Indian Reservation ⋉ **USA** 100-101 B2
Warnemünde o **D** 18-19 F1
Warner Range ▲ **USA** 100-101 B2
Warnow ~ **D** 18-19 E2
Warrego River ~ **AUS** 62-63 H5
Warren o **USA** 102-103 H2
Warrenton o **ZA** 86-87 D7
Warri o **WAN** 80-81 F4
Warrior Reefs ⌐ **AUS** 62-63 G2
Warrnambool o **AUS** 64-65 C4
Warszawa ★ ••• **PL** 20-21 F2
Warta ~ **PL** (GRZ) 20-21 C2
Warta ~ **PL** 20-21 C2
Warta ~ **PL** 20-21 D2
Warwick o **AUS** 62-63 J5
Warwick ☆ • **GB** 14-15 F5
Wasatch Range ▲ **USA** 100-101 D3
Washington o **USA** 102-103 G2
Washington ✩ **USA** 100-101 B1
Washington, Mount ▲ **USA** 102-103 J2
Washington D.C. ★ • **USA** 102-103 H3
Washington Land ⊥ **GRØ** 96-97 R1
Waskaganish o **CDN** 98-99 J4
Wasserburg am Inn o **D** 18-19 F4
Watampone o **RI** 56-57 D5
Watarais o **PNG** 68-69 C2
Waterberg Plateau Park ⊥ **NAM** 86-87 C6
Waterford = Port Láirge ☆ • **IRL** 14-15 C5
Waterloo o **B** 18-19 B3
Waterloo o **USA** 102-103 E2
Waterton Glacier International Peace Park ⊥ ••• **USA** 100-101 D1
Watertown o **USA** (NY) 102-103 H2
Watertown o **USA** (SD) 100-101 G2
Waterville = An Coireán o **IRL** 14-15 A6
Watford o **GB** 14-15 F6
Watsa o **CGO** 82-83 D5
Watson Lake o **CDN** 94-95 F3
Watubela, Kepulauan ⌐ **RI** 56-57 F6
Wau o **PNG** 68-69 C2
Wāu o **SUD** 82-83 D4
Wauchope o **AUS** 62-63 H4
Waukegan o **USA** 102-103 F2
Wausau o **USA** 102-103 F2
Wawa o **CDN** 98-99 H5
Way, Lake o **AUS** 62-63 C5
Waycross o **USA** 102-103 G4
Waza o **CAM** 80-81 G3
Waza, Parc National de ⊥ **CAM** 80-81 G3
Wazīrābād o **PK** 50-51 J2
W du Niger, Parc National du ⊥80-81 E3
Weatherford o **USA** 102-103 D3
Webequie o **CDN** 98-99 G4
Weber Basin ≃56-57 F7
Weddell, Mer de ≈ **ANT** 119 B31
Weddell Island ⌐ **GB** 116-117 E8
Weddell Sea ≈ **ANT** 119 B31
Weddellsee ≈119 B31
Wegorzewo o• **PL** 20-21 F1
Weh, Pulau ⌐ **RI** 54-55 B4
Weichang o **CN** 46-47 E2
Weiden in der Oberpfalz o **D** 18-19 F4
Weifang o **CN** 46-47 E3
Weimar o•• **D** 18-19 E3

Weinan o **CN** 46-47 C4
Weining o **CN** 44-45 H6
Weipa o **AUS** 62-63 G2
Weissenstein ☆ **EST** 12-13 L2
Weldiya o **ETH** 82-83 F3
Weligama o• **CL** 52-53 D5
Welkom o **ZA** 86-87 E7
Wellesley Islands ↷ **AUS** 62-63 F3
Wellington ★ **NZ** 64-65 J5
Wellington, Isla ↷ **RCH** 116-117 C7
Wellington Channel ≈ **CDN** 96-97 M2
Wells o **USA** 100-101 D2
Wells, Lake o **AUS** 62-63 C5
Wells Gray Provincial Park ⊥ **CDN** 94-95 G5
Wels o **A** 20-21 C4
Welshpool o• **GB** 14-15 E5
Wembere ↷ **EAT** 84-85 C2
Wenchang o **CN** 54-55 E2
Wendesi o **RI** 56-57 F6
Wendo o **ETH** 82-83 F4
Wenge o **CGO** 82-83 C5
Wentworth o **AUS** 64-65 C3
Wenzhou o **CN** 46-47 F5
Werdēr o **ETH** 82-83 H4
Werra ↷ **D** 18-19 E3
Wertach ↷ **D** 18-19 E4
Wesel o **D** 18-19 C3
Wesenberg ☆•• **EST** 12-13 M2
Weser ↷ **D** 18-19 D2
Wessel, Cape ▲ **AUS** 62-63 F2
Wessel Islands ↷ **AUS** 62-63 F2
West Bengal ▫ **IND** 52-53 E2
Westerland o **D** 18-19 D1
Western Australia ▫ **AUS** 62-63 B5
Western Samoa = Samoa-i-Sisifo ↷ **WS** 70-71 C3
Western Tasmania National Parks ⊥••• **AUS** 64-65 D5
Westerschelde ≈ 18-19 A3
Westerwald ▲ **D** 18-19 C3
West Falkland ↷ **GB** 116-117 F8
West Ice Shelf ⊂ **ANT** 119 C9
West Indies ⊥ 104-105 F4
West Lunga National Park ⊥ **Z** 86-87 D4
West Nicholson o **ZW** 86-87 E6
Weston-Super-Mare o **GB** 14-15 E6
West Palm Beach o••• **USA** 102-103 G5
Westport o **NZ** 64-65 J5
Westport = Cathair na Mart o• **IRL** 14-15 B5
Westray ↷ **GB** 14-15 E2
West Wyalong o **AUS** 64-65 D3
West Yellowstone o **USA** 100-101 D2
Wetar, Pulau ↷ **RI** 56-57 F7
Wetaskiwin o **CDN** 94-95 J5
Wete o **EAT** 84-85 D2
Wet Tropics of Queensland ⊥••• **AUS** 62-63 H3
Wetzlar o• **D** 18-19 D3
Wewak ☆ **PNG** 68-69 B1
Wexford = Loch Garman ☆ **IRL** 14-15 C5
Weyburn o **CDN** 94-95 L6
Weymouth o• **GB** 14-15 E6
Whale Cove o **CDN** 96-97 M5
Whangarei o **AUS** 64-65 J4
Wharfe ↷ **GB** 14-15 E4
Wheeler Peak ▲ **USA** 100-101 D3
Whitby o• **GB** 14-15 F4
Whitchurch o **GB** 14-15 E5
White, Lake o **AUS** 62-63 D4
White Bay ≈ **CDN** 98-99 N4
White Cliffs o **AUS** 64-65 C3
White Earth Indian Reservation ✕ **USA** 102-103 D1
Whitehorse ☆• **CDN** 94-95 D3
White Island ↷ **CDN** 96-97 N4
Whitemark o **AUS** 64-65 D5
White Mountains ▲ **USA** 92-93 N2
White River ↷ **USA** (AR) 102-103 E3
White River ↷ **USA** (SD) 100-101 G2

Whiteshell Provincial Park ⊥•• **CDN** 98-99 E4
White Volta ↷ **GH** 80-81 D4
Whitewater Baldy ▲ **USA** 100-101 E4
Whitewood o **AUS** 62-63 G4
Whitmore Mountains ▲ **ANT** 119 A
Whitney, Mount ▲ **USA** 100-101 C3
Wholdaia Lake o **CDN** 96-97 K5
Whyalla o **AUS** 62-63 F6
Wichita o **USA** 102-103 D3
Wichita Falls o **USA** 102-103 D4
Wick o **GB** 14-15 E2
Wicklow = Cill Mhantáin ☆ **IRL** 14-15 C5
Wicklow Mountains ▲ **IRL** 14-15 C5
Widyān, al- ⊥ 48-49 F4
Wielbark o **PL** 20-21 F2
Wieliczka o••• **PL** 20-21 F4
Wieluń o **PL** 20-21 E3
Wiener Neustadt o **A** 18-19 H5
Wieprz ↷ **PL** 20-21 G3
Wierden o **NL** 18-19 C2
Wiesbaden ☆• **D** 18-19 D3
Wieskirche •• **D** 18-19 E5
Wilcannia o **AUS** 64-65 C3
Wilhelm, Mount ▲•• **PNG** 68-69 B2
Wilhelm, Mount ▲•• **PNG** 68-69 C2
Wilhelmshaven o **D** 18-19 D2
Wilkes, Terre ⊥ **ANT** 119 C14
Wilkes-Barre o **USA** 102-103 H1
Wilkins Strait ≈ **CDN** 96-97 H2
Wilkomir ☆•• **LV** 12-13 L3
Willandra Lakes Region ⊥••• **AUS** 64-65 C3
Willemstad ☆ **NA** 104-105 H5
Willenberg o **PL** 20-21 F2
Williams o **AUS** 62-63 B6
Williams Lake o **CDN** 94-95 G5
Williston o **USA** 100-101 F1
Williston o **ZA** 86-87 D8
Williston Lake o **CDN** 94-95 G4
Willmar o **USA** 102-103 D1
Wilmington o **USA** 102-103 H3
Wilmington o• **USA** 102-103 H4
Wilna = Vilnius ★•• **LT** 12-13 L4
Wiluna o **AUS** 62-63 C5
Wimmera ↷ **AUS** 64-65 C4
Winburg o **ZA** 86-87 E7
Winchester o• **GB** 14-15 F6
Windau ☆•• **LV** 12-13 J3
Windhoek ★ **NAM** 86-87 C6
Windorah o **AUS** 62-63 G5
Wind River Indian Reservation ✕ **USA** 100-101 E2
Wind River Range ▲ **USA** 100-101 E2
Windsor o **CDN** (NFL) 98-99 N5
Windsor o **CDN** (ONT) 98-99 H6
Windsor o **GB** 14-15 F6
Windward Islands ↷ 104-105 J5
Winfield o **USA** 102-103 D3
Winisk o **CDN** 98-99 G3
Winisk Lake o **CDN** 98-99 G4
Winnipeg ☆ **CDN** 98-99 E5
Winnipeg, Lac o **CDN** 98-99 E4
Winnipegosis, Lake o **CDN** 98-99 D4
Winona o **USA** 102-103 E2
Winschoten o **NL** 18-19 C2
Winslow Reef ↷ 70-71 B1
Winston-Salem o **USA** 102-103 G3
Winterberg o **D** 18-19 D3
Winterthur o **CH** 18-19 D5
Winton o **AUS** 62-63 G4
Wirzsee ↷ **EST** 12-13 M2
Wisconsin ▫ **USA** 102-103 E2
Wisconsin River ↷ **USA** 102-103 F1
Wisemen o **USA** 92-93 M2
Wishaw o **GB** 14-15 D4
Wisła o **PL** 20-21 E4
Wisła ↷ **PL** 20-21 E1
Wiślany, Lagune de ≈ **PL** 20-21 E1
Wiślany, Zalew ≈ **PL** 20-21 E1
Wisłoka ↷ **PL** 20-21 F3
Wismar o• **D** 18-19 E2

Witney o **GB** 14-15 F6
Wittenberge o **D** 18-19 E2
Wittenoom o **AUS** 62-63 B4
Wittingen o **D** 18-19 E2
Wittlich o **D** 18-19 C4
Wittstock o• **D** 18-19 F2
Witu Islands ↷ **PNG** 68-69 C1
Witvlei o **NAM** 86-87 C6
Witwatersrand ▲ **ZA** 86-87 E7
W.J. van Blommesteinmeer o **SME** 110-111 F4
Władysławowo o• **PL** 20-21 E1
Włocławek ☆• **PL** 20-21 E2
Włodawa o **PL** 20-21 G3
Włoszczowa o **PL** 20-21 E3
Woëvre ⊥ **F** 16-17 G2
Wokam, Pulau ↷ **RI** 56-57 F7
Woleai Atoll ↷ **FSM** 66-67 A4
Wolfen, Bitterfeld- o **D** 18-19 F3
Wolfenbüttel o **D** 18-19 E2
Wolfsburg o **D** 18-19 E2
Wolgast o **D** 18-19 F1
Wolgograd = Zarizyn ☆• **RUS** 32-33 J3
Wolin ↷ **PL** 20-21 C2
Wollaston, Islas ↷ **RCH** 116-117 D9
Wollaston Lake o **CDN** 94-95 L4
Wollaston Peninsula ↷ **CDN** 96-97 G4
Wollemi National Park ⊥ **AUS** 64-65 E3
Wollongong o **AUS** 64-65 E3
Wolmar ☆• **LV** 12-13 L3
Wołów o **PL** 20-21 D3
Wolstenholme, Cap ▲ **CDN** 98-99 J2
Wolsztyn o• **PL** 20-21 D2
Wolverhampton o **GB** 14-15 E5
Wonga-Wongué, Parc National du ⊥ **G** 80-81 F6
Wŏnju o **ROK** 46-47 G3
Wŏnsan o **KP** 46-47 G3
Woodbridge o• **GB** 14-15 G5
Wood Buffalo National Park ⊥••• **CDN** 94-95 J4
Woodlark Island = Murua Island ↷ **PNG** 68-69 D2
Woodroffe, Mount ▲ **AUS** 62-63 E5
Woods, Lake of the o **CDN** 98-99 F5
Woodville o **NZ** 64-65 K5
Woodward o **USA** 102-103 D3
Woomera Prohibited Area ✕ **AUS** 62-63 E6
Wooramel Roadhouse o **AUS** 62-63 A5
Worcester ☆• **GB** 14-15 E5
Worcester o **USA** 102-103 J2
Worcester o **ZA** 86-87 C8
Workington o **GB** 14-15 E4
Worms o• **D** 18-19 D4
Worms ↷ **EST** 12-13 K2
Worthington o **USA** 102-103 D2
Wotho Atoll ↷ **MH** 66-67 F3
Wotje Atoll ↷ **MH** 66-67 G5
Wour o **TCH** 78-79 D4
Wrangel, Île ↷ **RUS** 118 B36
Wrangell o **USA** 92-93 O3
Wrangell Mountains ▲ **USA** 92-93 O3
Wrangell-Saint Elias N.P. & Preserve & Glacier Bay N.P. ⊥••• **USA** 92-93 O3
Wreck Reef ↷ **AUS** 68-69 E5
Wrexham o **GB** 14-15 E5
Wrigley o **CDN** 94-95 G3
Wrocław ☆• **PL** 20-21 D3
Września o **PL** 20-21 D2
Wschowa o• **PL** 20-21 D3
Wubin o **AUS** 62-63 B6
Wudu o **CN** 44-45 H5
Wuhai o **CN** 46-47 C3
Wuhan ☆• **CN** 46-47 D4
Wuhu o **CN** 46-47 E4
Wu Jiang ↷ **CN** 46-47 C5
Wukari o **WAN** 80-81 F4
Wum o **CAM** 80-81 G4
Wuppertal o **D** 18-19 C3
Wurzbourg o••• **D** 18-19 D4

Wushan o **CN** 44-45 H5
Wuvulu Island ↷ **PNG** 68-69 B1
Wuwei o **CN** 44-45 H4
Wuxi o **CN** 46-47 F4
Wuyi Shan ▲ **CN** 46-47 E5
Wuyuan o **CN** 46-47 C2
Wuzhong o **CN** 46-47 C3
Wuzhou o **CN** 46-47 D6
Wynniatt Bay ≈ **CDN** 96-97 H3
Wyoming ▫ **USA** 100-101 E2
Wyperfeld National Park ⊥ **AUS** 64-65 C4
Wyszków o **PL** 20-21 F2
Wyville Thomson, Seuil de ≃ 14-15 B1
Wyżyna Małopolska ↷ **PL** 20-21 F3

X

Xaafuun, Raas ▲ **SO** 82-83 J3
Xai-Xai ☆ **MOC** 86-87 F7
Xalin o **SO** 82-83 H4
Xam Hua o **LAO** 54-55 C1
Xandel o **ANG** 86-87 C3
Xangongo o **ANG** 86-87 B5
Xankāndī ☆ **AZ** 48-49 G3
Xánthi o **GR** 28-29 E2
Xanthos ••• **TR** 28-29 G4
Xapuri o **BR** 112-113 F4
Xàtiva o **E** 22-23 F4
Xau, Lake o **RB** 86-87 D6
Xerente, Área Indígena ✕ **BR** 114-115 E3
Xerokambos o **GR** 28-29 F5
Xert o **E** 22-23 G3
Xiahe o **CN** 44-45 H4
Xi'an ☆•• **CN** 46-47 C4
Xiangfan o **CN** 46-47 D4
Xianggang o **CN** 46-47 D6
Xiang Jiang ↷ **CN** 46-47 D5
Xiangkhoang o **LAO** 54-55 C2
Xianning o **CN** 46-47 D5
Xiantao o **CN** 46-47 D4
Xianyang o **CN** 46-47 C4
Xiaogan o **CN** 46-47 D4
Xiao Hinggan Ling ▲ **CN** 40-41 E4
Xiaoshan o **CN** 46-47 F4
Xichang o **CN** 44-45 H6
Xigazê o **CN** 44-45 E6
Xi Jiang ↷ **CN** 46-47 D6
Xi Liao He ↷ **CN** 46-47 F2
Xilinhot o **CN** 46-47 E2
Xingcheng o **CN** 46-47 F2
Xingu, Parque Indígena do ✕ **BR** 114-115 D4
Xinguara o **BR** 114-115 E3
Xingyi o **CN** 44-45 H6
Xining ☆ **CN** 44-45 H4
Xinjiang o **CN** 44-45 D3
Xinjiang Uygur Zizhiqu ▫ **CN** 44-45 D3
Xintai o **CN** 46-47 E3
Xinxiang o **CN** 46-47 D4
Xinxu o **CN** 52-53 J2
Xinyang o **CN** 46-47 D4
Xinyu o **CN** 46-47 D5
Xinzhou o **CN** 46-47 D3
Xinzhu = Hsinchu o **RC** 46-47 F6
Xique-Xique o **BR** 114-115 F4
Xishaqundao = Paracel Islands ↷ 54-55 E2
Xistral ▲ **E** 22-23 C2
Xi Ujimqin Qi o **CN** 46-47 E2
Xixón = Gijón o **E** 22-23 D2
Xixona o **E** 22-23 F4
Xizang Gaoyuan ⊥ **CN** 44-45 D5
Xizang Zizhiqu ▫ **CN** 44-45 D5
Xuanhua o **CN** 46-47 E2
Xuanzhou o **CN** 46-47 E4
Xuchang o **CN** 46-47 D4

Xuddur ☆ **SO** 82-83 G5
Xuwen o **CN** 46-47 D6
Xuzhou o **CN** 46-47 E4

Y

Ya'an o **CN** 44-45 H6
Yabelo o **ETH** 82-83 F5
Yabelo Wildlife Sanctuary ⊥ **ETH** 82-83 F4
Yacuiba o **BOL** 112-113 G6
Yakeshi o **CN** 40-41 D5
Yakima o **USA** 100-101 B1
Yakima Indian Reservation ☓ **USA** 100-101 B1
Yako o **BF** 80-81 D3
Yaku-shima ↷ **J** 46-47 H4
Yakutat o **USA** 92-93 P4
Yala o **T** 54-55 C4
Yalaki o **CGO** 82-83 C5
Yalata Aboriginal Lands ☓ **AUS** 62-63 E6
Yalgoo o **AUS** 62-63 B5
Yaloké o **RCA** 82-83 B4
Yalong Jiang ∼ **CN** 44-45 H6
Yalova ☆ **TR** 28-29 G2
Yalta o•• **UA** 32-33 D5
Yamagata ☆• **J** 46-47 K3
Yamaguchi o **J** 46-47 H4
Yamato, Banc de ≃46-47 H3
Yamato Basin ≃46-47 H3
Yamato Rise ≃46-47 H3
Yambí, Mesa de ↷ **CO** 110-111 C4
Yambio o **SUD** 82-83 D5
Yamdena, Pulau ↷ **RI** 56-57 F7
Yamma Yamma, Lake o **AUS** 62-63 G5
Yamousoukro ★• **CI** 80-81 C4
Yamuna ∼ **IND** 52-53 C1
Yan'an o **CN** 46-47 C3
Yandeearra Aboriginal Land ☓ **AUS** 62-63 B4
Yangambi o **CGO** 82-83 C5
Yangbajain o **CN** 44-45 F5
Yangjiang o **CN** 46-47 D6
Yangon o• **MYA** 52-53 G3
Yangquan o **CN** 46-47 D3
Yangshuo o **CN** 46-47 D6
Yang-Tsé-Kiang ou fleuve Bleu ∼ **CN** 46-47 C4
Yangzhou o• **CN** 46-47 E4
Yanhu o **CN** 44-45 D5
Yanji o **CN** 46-47 G2
Yankari Game Reserve ⊥ **WAN** 80-81 G4
Yankton o **USA** 100-101 G2
Yanomami, Parque Indígena ☓ **BR** 110-111 E4
Yanshan o **CN** 52-53 H2
Yantai o **CN** 46-47 F3
Yaoundé ★• **CAM** 80-81 G5
Yap, Fosse de ≃56-57 G4
Yapacana, Parque Nacional ⊥ **YV** 110-111 D4
Yapen, Pulau ↷ **RI** 56-57 G6
Yaqui, Río ∼ **MEX** 100-101 D3
Yaqui, Río ∼ **MEX** 100-101 E5
Yardımcı Burnu ▲ **TR** 28-29 H4
Yaren ★ **NAU** 66-67 F6
Yarí, Río ∼ **CO** 110-111 C4
Yarkant He ∼ **CN** 44-45 C4
Yarlung Zangbo Jiang ∼ **CN** 44-45 E6
Yarmouth o **CDN** 98-99 L6
Yarraman o **AUS** 62-63 J5
Yarumal o **CO** 110-111 B3
Yasawa Group ↷ **FJI** 70-71 A4
Yasothon o **T** 54-55 C2
Yass o **AUS** 64-65 D3
Yassıhöyük (Gordıon) ∴•• **TR** 48-49 D3
Yāsūǧ ☆• **IR** 48-49 H4

Yasuni, Parque Nacional ⊥ **EC** 112-113 D2
Yatağan ☆ **TR** 28-29 G4
Yata-Ngaya, Réserve de faune de la ⊥ **RCA** 82-83 C4
Yathkyed Lake o **CDN** 96-97 L5
Yavari, Río ∼ **PE** 112-113 E2
Yavatmāl o **IND** 52-53 C2
Yaví, Cerro ▲ **YV** 110-111 D3
Yaviza o **PA** 104-105 F6
Yazd ☆• **IR** 48-49 H4
Yazoo River ∼ **USA** 102-103 E4
Ye o **MYA** 52-53 F4
Yebbi Souma o **TCH** 78-79 D4
Yébenes, Los o **E** 22-23 E4
Yecheng o **CN** 44-45 C4
Yecla o **E** 22-23 F4
Yei o **SUD** 82-83 E5
Yela Island ↷ **PNG** 68-69 D3
Yellowknife ☆• **CDN** 94-95 J3
Yellow Sea ≈46-47 F3
Yellowstone Lake o **USA** 100-101 D2
Yellowstone National Park ⊥••• **USA** 100-101 D2
Yellowstone River ∼ **USA** 100-101 E1
Yelwa o **WAN** 80-81 E3
Yémen ■ **YAR** 50-51 D5
Yên Bái ☆ **VN** 54-55 C1
Yendi o **GH** 80-81 D4
Yengisar o **CN** 44-45 C4
Yenice Irmağı ∼ **TR** 48-49 D2
Yenihisar ☆ **TR** 28-29 F4
Yenişehir ☆ **TR** 28-29 G2
Yeo Lake o **AUS** 62-63 C5
Yeovil o **GB** 14-15 E6
Yeppoon o **AUS** 62-63 J4
Yerĩho = Arīhāl ☆•• **AUT** 48-49 E4
Yĕrūshalayim ★•• **IL** 48-49 E4
Yeşildağ o **TR** 28-29 H4
Yeşildağ o **TR** 28-29 H4
Yeşilova ☆ **TR** 28-29 G4
Yetti ↷ **RIM** 76-77 F4
Yeu, Île d' ↷ **F** 16-17 C3
Yibin o **CN** 44-45 H6
Yichang o **CN** 46-47 D4
Yichun o **CN** (HEI) 40-41 E5
Yichun o **CN** (JXI) 46-47 D5
Yığılca ☆ **TR** 28-29 H2
Yıldız Dağları ▲ **TR** 28-29 F2
Yıldızeli ☆ **TR** 48-49 E3
Yinchuan ☆• **CN** 46-47 C3
Yingkou o **CN** 46-47 F2
Yining o **CN** 44-45 D3
Yixing o **CN** 46-47 E4
Yiyang o **CN** 46-47 D5
Ylämaa o **FIN** 10-11 O4
Ylikiiminki o **FIN** 8-9 O4
Yli-Kitka o **FIN** 8-9 P3
Ylitornio o **FIN** 8-9 M3
Ylivieska o **FIN** 8-9 N4
Ylöjärvi o **FIN** 10-11 M4
Yogyakarta ☆ **RI** 54-55 E7
Yoho National Park ⊥••• **CDN** 94-95 H5
Yoko o **CAM** 80-81 G4
Yokohama ☆• **J** 46-47 J3
Yola ☆ **WAN** 80-81 G4
Yong'an o **CN** 46-47 D5
Yonne ∼ **F** 16-17 F2
Yopal o **CO** 110-111 C3
York o **GB** 14-15 F5
York, Cape ▲ **AUS** 62-63 G2
York, Kap ▲ **GRØ** 96-97 R2
Yorke Peninsula ↷ **AUS** 62-63 F6
Yorketown o **AUS** 62-63 F7
York Factory (abandoned) o **CDN** 98-99 F3
Yorkshire Dales National Park ⊥ **GB** 14-15 E4
York Sound ≈ **AUS** 62-63 D2
Yorkton o **CDN** 94-95 L5
Yoron-shima ↷ **J** 46-47 G5

Yosemite National Park ⊥•• **USA** 100-101 C3
Yōsu o **ROK** 46-47 G4
Youdunzi o **CN** 44-45 F4
Youghal = Eochaill o **IRL** 14-15 B6
Young o **AUS** 64-65 D3
Youngstown o **USA** 102-103 G2
Yozgat ☆ **TR** 48-49 D3
Yr Wyddfa = Snowdon ▲ **GB** 14-15 D5
Ysabel Channel ≈68-69 C1
Ystad o **S** 12-13 E4
Ystannah-Hočo o **RUS** 38-39 U1
Ysyk-Köl, ozero o **KS** 42-43 L3
Ytterhogdal o **S** 10-11 H3
Yuanjiang o **CN** 52-53 H2
Yuan Jiang ∼ **CN** (HUN) 46-47 D5
Yuan Jiang ∼ **CN** (YUN) 52-53 H2
Yucatán, Bassin du ≃104-105 D3
Yucatán, Canal du ≈104-105 D3
Yucatán, Península de ↷ **MEX** 104-105 D4
Yucatán, Péninsule du ↷ **MEX** 104-105 D4
Yuci o **CN** 46-47 D3
Yuendumu ☓ **AUS** 62-63 E4
Yueyang o **CN** 46-47 D5
Yukon-Charley-Rivers National Preserve ⊥ **USA** 92-93 O2
Yukon Delta ⊥ **USA** 92-93 K3
Yukon Delta National Wildlife Refuge ⊥ **USA** 92-93 K3
Yukon Flats ⊥ **USA** 92-93 O2
Yukon Plateau ▲ **CDN** 94-95 D3
Yukon River ∼ **CDN** 94-95 D3
Yukon River ∼ **USA** 92-93 L3
Yulara o **AUS** 62-63 E5
Yuli o **CN** 44-45 E3
Yulin o **CN** (GXI) 46-47 D6
Yulin o **CN** (SHA) 46-47 C3
Yuma o **USA** 100-101 D4
Yumen o **CN** 44-45 G4
Yunak o **TR** 28-29 H3
Yuncheng o **CN** 46-47 D3
Yungas ⊥ **BOL** 112-113 F5
Yungui Gaoyuan ⊥ **CN** 52-53 H2
Yunnan o **CN** 52-53 G2
Yurimaguas o **PE** 112-113 D3
Yushu o **CN** (JIL) 46-47 G2
Yushu o **CN** (QIN) 44-45 G5
Yutian o **CN** 44-45 D4
Yuty o **PY** 116-117 F3
Yuxi o **CN** 52-53 H2
Yvetot o **F** 16-17 E2

Z

Zaanstad o **NL** 18-19 B2
Zabīd o••• **YAR** 50-51 C6
Zābol o• **IR** 48-49 K4
Zabūt o **YAR** 50-51 E5
Zacatecas ☆• **MEX** 100-101 F6
Zachidnyj Buh ∼ **UA** 20-21 G3
Zachidnyj Buh ∼ **UA** 20-21 H4
Zacualtipán o **MEX** 100-101 G6
Zadar o• **HR** 26-27 B3
Zadonsk o **RUS** 30-31 H5
Zadonsk o **RUS** 32-33 F1
Zadonsk, Severo- o **RUS** 30-31 H4
Zafār ∴• **YAR** 50-51 C6
Za'farāna o **ET** 78-79 G3
Zafra o•• **E** 22-23 C4
Žagań o **PL** 20-21 C3
Zagaoua ⊥ **TCH** 82-83 C3
Žagarė o•• **LT** 12-13 K3
Zagora o **MA** 76-77 F3
Zagorsk = Sergiev Posad ☆•••• **RUS** 30-31 H3
Zagreb ★• **HR** 26-27 B3

Zāgros, Kūhhā-ye ▲ **IR** 48-49 G4
Zagros, Monts ▲ **IR** 48-49 G4
Zaharodze ⊥ **BY** 20-21 H2
Zāhedān ☆ **IR** 48-49 K5
Zahrān, az- o **KSA** 50-51 E3
Zahrān al-Ǧanūb o **KSA** 50-51 C5
Zaïre ↷86-87 C2
Zaire = Congo, Rép. Dém. du ■ **CGO** 86-87 C2
Zaječar o **SRB** 26-27 F4
Zajsan o **KZ** 42-43 M2
Zajsan köli o **KZ** 42-43 M2
Žajyk ∼ **KZ** 42-43 F1
Zákinthos o **GR** 28-29 C4
Zákinthos ↷ **GR** 28-29 C4
Zakobjakino o **RUS** 30-31 J2
Zakopane o•• **PL** 20-21 E4
Zakouma, Parc National de ⊥ **TCH** 82-83 B3
Zalaegerszeg o **H** 26-27 C2
Žalal-Abad o **KS** 42-43 K3
Zalamea de la Serena o• **E** 22-23 D4
Zalău ☆ **RO** 26-27 F2
Zalegošč' o **RUS** 30-31 G5
Zaleščyky ☆ **UA** 20-21 H4
Zalesskij, Pereslavl'- o• **RUS** 30-31 H3
Zalim o **KSA** 50-51 C4
Zalingei o **SUD** 82-83 C3
Zalṭan, Bi'r o **LAR** 78-79 D3
Zaluč o **RUS** 30-31 D3
Zal'vjanka ∼ **BY** 20-21 H2
Zambeze ∼ **MOC** 86-87 D4
Zambeze, Rio ∼ **MOC** 86-87 F5
Zambezi o **Z** 86-87 D4
Zambezi ∼ **Z** 86-87 D5
Zambezi = Zambeze, Rio ∼ **MOC** 86-87 F5
Zambezi Escarpment ⊥ **ZW** 86-87 E5
Zambie ■ **Z** 86-87 D5
Zamboanga City o• **RP** 56-57 D4
Zambrów o **PL** 20-21 G2
Žambyl ∼ **KZ** 42-43 K3
Zamora o•• **E** 22-23 D3
Zamora o **EC** 112-113 D2
Zamość o•• **PL** 20-21 G3
Zanaga o **RCB** 86-87 B2
Žaŋakazaly o **KZ** 42-43 H2
Žaŋakorǧan o **KZ** 42-43 J3
Žaŋatas o **KZ** 42-43 J3
Zanderij o **SME** 110-111 F3
Zandvoort o **NL** 18-19 B2
Zanesville o **USA** 102-103 G3
Zanǧān o• **IR** 48-49 G3
Zanthus o **AUS** 62-63 C6
Zanzibar ☆• **EAT** 84-85 D2
Zanzibar Channel ≈ **EAT** 84-85 D2
Zanzibar Island ↷ **EAT** 84-85 D2
Zaokskij o **RUS** 30-31 G4
Zaouatanou ⊥ **DZ** 76-77 J3
Zaozhuang o **CN** 46-47 E4
Zapadna Morava ∼ **SRB** 26-27 E4
Zapadnoe o **KZ** 42-43 J1
Zapadno-Sibirskaja ravnina ↷ **RUS** 38-39 J3
Zapadnyj Sajan ▲ **RUS** 44-45 F1
Zapadnyj Tannu-Ola, hrebet ▲ **RUS** 44-45 F1
Zapala o **RA** 116-117 C5
Zapaleri, Cerro ▲ **BOL** 112-113 F6
Zapol'e o **RUS** 30-31 C2
Zapoljarnyj o **RUS** 8-9 Q2
Zapopan o• **MEX** 100-101 F6
Zaporižžja ☆• **UA** 32-33 D4
Zaporož'e = Zaporižžja ☆• **UA** 32-33 D4
Zapovednik Kodrii ⊥ **MD** 26-27 J2
Zarajsk ☆•• **RUS** 30-31 H4
Zaranduli, Munții ▲ **RO** 26-27 F2
Zarang ☆ **AFG** 50-51 G2
Zarasai o•• **LT** 12-13 M4
Zarautz o **E** 22-23 E2
Zarde, Kūh-e ▲ **IR** 48-49 H4
Zare Šaran ☆ **AFG** 50-51 H2

Zarghūn ▲ **PK** 50-51 H 2
Zaria o• **WAN** 80-81 F 3
Zarične o **UA** 20-21 J 3
Zarizyn = Volgograd ☆• **RUS** 32-33 J 3
Zarqā', az ☆ **JOR** 48-49 E 4
Zarza de Granadilla o **E** 22-23 C 3
Zarzis o **TN** 76-77 K 3
Žaškiv ☆ **UA** 32-33 B 3
Žatec o **CZ** 20-21 B 3
Zatoka o **UA** 26-27 K 2
Zatoka o **UA** 32-33 B 4
Zatoka Syvaš ≈ 32-33 C 4
Zaube o **LV** 12-13 L 3
Zauliče o **BY** 20-21 J 1
Zaunguzskie Garagum ⊥ **TM** 42-43 G 3
Zavhan gol ∼ **MGL** 44-45 F 2
Zavitinsk o **RUS** 40-41 E 4
Zavlaka o **SRB** 26-27 D 3
Zavolž'e o **RUS** 30-31 K 3
Zavolžsk o **RUS** 30-31 K 3
Zazamt, Wādī ∼ **LAR** 78-79 D 2
Zazir, Oued ∼ **DZ** 76-77 J 5
Zblewo o **PL** 20-21 E 2
Zbruč ∼ **UA** 20-21 J 4
Ždanov = Maryupol' o **UA** 32-33 E 4
Ždanovka o **RUS** 32-33 K 2
Zeebrugge o **B** 18-19 A 3
Zeerust o **ZA** 86-87 E 7
Zegher, Hamādat ⊥ **LAR** 78-79 C 3
Zeil, Mount ▲ **AUS** 62-63 E 4
Zeitz o **D** 18-19 F 3
Zeja ★ **RUS** 40-41 E 4
Zeja ∼ **RUS** 40-41 F 3
Zejskoe vodohranilišče o **RUS** 40-41 E 4
Želanija, mys ▲ **RUS** 38-39 H 0
Zelenodol's'k o **UA** 32-33 C 4
Zelenograd o **RUS** 30-31 G 4
Železnodorožnyj o **RUS** 12-13 J 4
Železnodorožnyj o **RUS** 20-21 F 1
Železnogorsk o **RUS** 30-31 F 5
Železnogorsk o **RUS** 32-33 D 1
Zelina o **HR** 26-27 C 3
Žovti Vody = Žovti Vody o **UA** 32-33 C 3
Zelzate o **B** 18-19 A 3
Žem ∼ **KZ** 42-43 G 2
Žemaičių Naumiestis o• **LT** 12-13 J 4
Zembin o **BY** 20-21 K 1
Zemio o• **RCA** 82-83 D 4
Zemīte o **LV** 12-13 K 3
Zemlja Bunge, ostrov ∩ **RUS** 38-39 Y 0
Zémongo, Réserve de faune de ⊥ **RCA** 82-83 C 4
Zengö ▲ **H** 26-27 D 2
Zenica o **BIH** 26-27 C 3
Žepče o **BIH** 26-27 D 3
Zeravšanskij hrebet ▲ 42-43 J 4
Zerbst o **D** 18-19 F 3
Žerdevka o **RUS** 32-33 G 2
Zere, Gōd-e o **AFG** 50-51 G 3
Zernograd o **RUS** 32-33 G 4
Zgierz o **PL** 20-21 E 3
Zgorzelec o• **PL** 20-21 C 3
Zhalantun o **CN** 40-41 D 5
Zhangbei o **CN** 46-47 D 2
Zhangguangcai Ling ▲ **CN** 46-47 G 2
Zhangjiagang o **CN** 46-47 F 4
Zhangjiakou o **CN** 46-47 D 2
Zhangye o **CN** 44-45 H 4
Zhangzhou o **CN** 46-47 E 6
Zhanjiang o **CN** 46-47 D 6
Zhaojue o **CN** 44-45 H 6
Zhaoqing o• **CN** 46-47 D 6
Zhaotong o **CN** 44-45 H 6
Zharkent o **KZ** 44-45 D 3
Zhaxigang o **CN** 44-45 C 5
Zhejiang □ **CN** 46-47 E 5
Zhengzhou ☆• **CN** 46-47 D 4
Zhob o **PK** 50-51 H 2
Zhob ∼ **PK** 50-51 H 2

Zhongba o **CN** 44-45 D 6
Zhongdian o **CN** 44-45 G 6
Zhongning o **CN** 46-47 C 3
Zhongshan o **CN** 46-47 D 6
Zhoukou o **CN** 46-47 D 4
Zhoushan Dao ∩ **CN** 46-47 F 4
Zhucheng o **CN** 46-47 E 3
Zhumadian o **CN** 46-47 D 4
Zhuozhou o **CN** 46-47 E 3
Zhuzhou o **CN** 46-47 D 5
Žiar nad Hronom ☆ **SK** 20-21 E 4
Zibo o **CN** 46-47 E 3
Zichang o **CN** 46-47 C 3
Zielona Góra ☆• **PL** 20-21 C 3
Zierikzee o **NL** 18-19 A 3
Žigalovo o **RUS** 38-39 R 5
Žigansk o **RUS** 38-39 U 2
Zighan o **LAR** 78-79 E 3
Zigong o **CN** 44-45 H 6
Ziguinchor ☆ **SN** 80-81 A 3
Zihuatanejo o• **MEX** 100-101 F 7
Žilina o **SK** 20-21 E 4
Žilinda o **RUS** 38-39 S 1
Zillah o **LAR** 78-79 D 3
Zilupe o• **LV** 12-13 N 3
Zima ☆ **RUS** 38-39 Q 5
Zimbabwe ■ **ZW** 86-87 E 5
Zimbabwe National Monument, Great ∴• **ZW** 86-87 F 6
Zimijiv o **UA** 32-33 E 3
Zimnicea o **RO** 26-27 G 4
Zimnij bereg ↷ **RUS** 4-5 Q 1
Zimovniki o **RUS** 32-33 H 4
Zinave, Parque Nacional de ⊥ **MOC** 86-87 F 6
Zinder ☆• **RN** 80-81 F 3
Zin'kiv o **UA** 32-33 D 2
Zion National Park ⊥ **USA** 100-101 D 3
Zipaquirá o **CO** 110-111 C 3
Žirkovskij, Holm- o **RUS** 30-31 E 4
Žirnov o **RUS** 32-33 G 3
Žirnovsk o **RUS** 32-33 J 2
Žitomir = Žytomyr o **UA** 20-21 K 3
Zittau o• **D** 18-19 G 3
Živinice o **BIH** 26-27 D 3
Ziya He ∼ **CN** 46-47 E 3
Ziyang o **CN** 44-45 H 5
Žizzah o• **UZ** 42-43 J 3
Zlatica o **BG** 26-27 G 4
Zlatograd o **BG** 26-27 G 5
Zlatoust ☆ **RUS** 42-43 G 0
Zlín o **CZ** 20-21 D 4
Žlobin o **BY** 20-21 L 2
Złoczew o **PL** 20-21 E 3
Złotów o• **PL** 20-21 D 2
Zmiev = Zimijiv o **UA** 32-33 E 3
Zmievka o **RUS** 30-31 G 5
Zmievka o **RUS** 32-33 E 1
Znamenka o **RUS** (SML) 30-31 F 4
Znamenka o **RUS** 30-31 F 4
Znamenka o **RUS** 30-31 J 5
Znamenka o **RUS** 32-33 G 1
Znamjanka o **UA** 32-33 C 3
Žnin o• **PL** 20-21 D 2
Znisne = Žnin o• **PL** 20-21 D 2
Znojmo o **CZ** 20-21 D 4
Zóbuè o **MOC** 86-87 F 5
Žodino = Žodzina o **BY** 20-21 K 1
Žodzina o **BY** 20-21 K 1
Zohlaguna, Meseta de ▲ **MEX** 104-105 D 4
Zolote o **UA** 32-33 F 3
Zolotonoša o **UA** 32-33 C 3
Zolotuha o **RUS** 32-33 K 4
Zomba o• **MW** 84-85 D 4
Zongo o **CGO** 82-83 B 5
Zonguldak o **TR** 28-29 H 2
Zoppo, Portella dello ▲ **I** 24-25 E 6
Zorita o **E** 22-23 D 4
Zoró, Área Indígena ⋏ **BR** 114-115 B 4
Žosaly ☆ **KZ** 42-43 H 2
Zouar o• **TCH** 78-79 D 4

Zouérat o **RIM** 76-77 E 5
Žovkva ☆ **UA** 20-21 G 3
Žovti Vody o **UA** 32-33 C 3
Zrenjanin o• **SRB** 26-27 E 3
Zubcov o **RUS** 30-31 F 3
Zubova Poljana o **RUS** 30-31 K 4
Zubov Seamount ≅ 66-67 D 2
Zuera o **E** 22-23 F 3
Zufār ⊥ **YAR** 50-51 E 5
Zug ☆ • **CH** 18-19 D 5
Zugspitze ▲• **D** 18-19 E 5
Zújar, Río ∼ **E** 22-23 D 4
Zukovka o **RUS** 30-31 E 5
Zumba o **EC** 112-113 D 2
Zumbo o **MOC** 86-87 F 5
Zunyi o **CN** 46-47 C 5
Zuqur, az- ∩ **YAR** 50-51 C 6
Zur o **MGL** 44-45 G 2
Zürich ☆ • **CH** 18-19 D 5
Zürichsee o **CH** 18-19 D 5
Zuruahã, Área Indígena ⋏ **BR** 112-113 F 3
Zuša ∼ **RUS** 30-31 G 5
Zutphen o• **NL** 18-19 C 2
Zuunharaa o **MGL** 44-45 J 2
Zuurberg National Park ⊥ **ZA** 86-87 E 8
Zuwārah o **LAR** 78-79 C 2
Zuytdorp Cliffs ⊥ **AUS** 62-63 A 5
Zvenigorodka = Zvenyhorodka ☆ **UA** 32-33 B 3
Zvenyhorodka ☆ **UA** 32-33 B 3
Zvishavane o **ZW** 86-87 F 6
Zvolen o **SK** 20-21 E 4
Zvornik o• **BIH** 26-27 D 3
Zwedru o **LB** 80-81 C 4
Zwettl o **A** 20-21 C 4
Zwickau o **D** 18-19 F 3
Zwoleń o **PL** 20-21 F 3
Zwolle ☆• **NL** 18-19 C 2
Zyrjanka ☆ **RUS** 40-41 K 1
Žytomyr o **UA** 20-21 K 3